第10版

薬効別 服薬指導マニュアル

監修・編集 ● 服薬指導情報研究会 代表
　　　　　田中　良子

編　　集 ● 服薬指導情報研究会
　　　　　木村　　健
　　　　　多田　洋枝
　　　　　土佐　好子

じほう

薬効別 服薬指導マニュアル 第10版

監修・編集

田中　良子　　㈱メディ・ホープ

編　集

木村　　健　　兵庫医科大学病院薬剤部
多田　洋枝　　田中漢方薬局
土佐　好子　　服薬指導情報研究会

執　筆　服薬指導情報研究会

田中　良子　　㈱メディ・ホープ
木村　　健　　兵庫医科大学病院薬剤部
多田　洋枝　　田中漢方薬局
土佐　好子　　服薬指導情報研究会
政田　啓子　　武庫川女子大学薬学部
平田ひとみ　　プラザ薬局
垣内　万依　　南河内おか病院薬剤部
花島　邦彦　　茅ヶ崎寒川薬剤師会地域医療センター薬局
佐久間香梨　　服薬指導情報研究会
岩本佳代子　　大阪労災病院薬剤部
妻谷多美代　　宇治徳洲会病院臨床試験センター
長島　裕樹　　吹田徳洲会病院薬剤部
橋本　昌幸　　宇治徳洲会病院薬剤部
長橋かよ子　　医誠会病院薬剤部
吉田　　覚　　つなぐ薬局
上田　孝治　　ティエス調剤薬局
杉田みどり　　聖バルナバ病院薬局
鶴皐　純子　　シルク薬局
佐賀　利英　　石巻赤十字病院薬剤部
長嶺　　司　　ささのは薬局
長嶺優美子　　アイン薬局
中辻　里美　　南堺病院薬剤科
宮崎　智子　　名谷病院薬局
小池　彩子　　服薬指導情報研究会

第10版のはじめに

　2021年8月に施行された「改正医薬品医療機器等法（薬機法）」により，「地域連携薬局」と「専門医療機関連携薬局」の認定制度がスタートした。「地域連携薬局」には，入退院時における医療機関との情報共有や，在宅医療時における他の薬局との連携などによって，地域の患者が安心して薬物治療を受けられるようにサポートする役割が期待されている。また「専門医療機関連携薬局」は，がんなどの専門的な薬学管理が必要な患者に対して，医療機関や他の薬局と連携しながら，専門的でより高度な薬学管理や調剤に対応できる薬局で，がん治療における最新の知識習得が求められている。薬局の機能や役割が明確になることで，患者が自分の状態に適した薬局を選ぶ時代が訪れ，今まで以上に患者ニーズに対応できる知識の向上が求められている。一方，病院薬剤師も患者の服薬指導だけでなく，薬物療法の複雑化や高度化に伴い，病棟常駐して処方計画に積極的に参画し，安全で最適な薬物療法を推進することが期待されている。

　現在領域ごとの専門・認定薬剤師も多数誕生し，処方提案を行うことで専門性を発揮している。これからの薬剤師は，医薬品や薬物療法などに関して安心して相談できる身近な存在であるだけでなく，他の医療関係者との連携体制を構築し，情報発信していくことも求められる。こうした今後の薬剤師に求められる役割に対応するため，今回の改訂にあたっては服薬指導の内容だけでなく，主要疾患について病態，症状，検査，診断，治療，指導の確認ポイントを一覧表にした「薬物治療の確認と指導のポイント」を新たに加え，疾患の全体像が把握できるようにした。また服薬指導の流れもスムーズに行えるよう，記載項目の順序を大幅に変更した。

　今回の改訂で重点をおいたのは以下の点である。
1. 主要疾患について病態，症状，検査，診断，治療，指導の確認ポイ

ントを「薬物治療の確認と指導のポイント」にまとめ，疾患の全体像が把握できるようにした
2. 服薬指導がよりスムーズに行えるよう項目の順序を大幅に変更した。具体的には「薬効」「詳しい薬効」「警告」「禁忌・併用禁忌」「主な副作用と対策，フィジカルアセスメントのチェックポイント」「重大な副作用と妊婦・授乳婦への危険度」「その他の指導のポイント」「服用を忘れたとき」「継続的な服薬指導・確認のポイント」「その他備考」の順に掲載した
3. 警告は患者が気付くべき副作用の自覚症状を患者向けの項に記載し，薬剤師向けには添付文書記載内容を対比し，定期的な検査が必要な場合は，「患者向けの項」で［検］に続けて記載した。自覚症状の記載が不要な場合や抗悪性腫瘍薬など，施設・患者の限定，添付文書熟読などに係る項目は「患者向け」「薬剤師向け」に分けず記載した
4. 下記の薬効について，より現状の医薬品や薬物療法に合致するよう見直しを行った
    4-1.「第一世代抗ヒスタミン薬」を「抗アレルギー薬」の章に統合した
    4-2.「抗リウマチ薬」に自己注射可能な生物製剤を追加し，項目を細分化した
    4-3.「強心薬」を「心不全治療薬」とし，分類を強心薬，ARB・NEP阻害薬，HCNチャネル阻害薬に変更した
    4-4.「低血圧治療薬」を「昇圧薬（低血圧治療薬）」とした
    4-5.「冠血管拡張薬」を「狭心症治療薬」とし，その他の冠血管拡張薬とβ遮断薬の分類を追加した
    4-6.「泌尿器科用薬」の頻尿治療薬を「過活動膀胱治療薬」に変更した
    4-7.「腎疾患治療薬」に腎性貧血治療薬の項目を追加した
    4-8.「痛風治療薬」を「高尿酸血症・痛風治療薬」に変更した
    4-9.「抗生物質」，「合成抗菌薬」を「抗菌薬」に一本化し，統合した

4-10.「抗原虫薬」を「抗寄生虫薬」に統合し，①抗原虫薬（抗マラリア薬），②抗原虫薬（その他），③抗蠕虫薬に分類した
5．過量投与時の症状と処置は割愛した
6．「重大な副作用と妊婦・授乳婦への危険度」欄における妊婦への危険度表記は，米国FDA基準（ABCDX基準）が2015年に廃止されたことに伴い，各医薬品のインタビューフォームに記載されているものについて豪州ADEC基準を掲載した
7．2021年12月までに薬価収載された主な品目を追加した
8．本文で掲載されている先発医薬品のジェネリック医薬品（2021年12月収載分まで）を索引で検索できるようにした

　第9版までに多くの読者の方々からご意見をいただいたことに大変感謝すると同時に今後も本書をより充実したマニュアルとするため，読者の方々のご意見ご指導を期待してやまない。最後に各種ガイドラインや文献，製薬会社のパンフレット等を参考にさせていただくと同時に，臨床現場の医師にご意見をいただき，感謝の意を表すとともに，本書の企画，編集に多大なご尽力をいただいた（株）じほうの井上淳氏ならびに出版局の諸氏に心からお礼を申しあげる。

2022年5月

田　中　良　子

本書の手引き

■ 薬物治療の確認と指導のポイント

主要疾患についてその全体像が把握できるよう，病態，症状，検査，診断，治療，指導の確認のポイントを一覧表にして章冒頭に掲載した。

■ 対象薬剤

収載医薬品は，原則的に市場性が高いと判断した商品と新規品目を中心に選択し，分類した。一般名が同じで対象となる薬剤が2種類以上ある場合は，内服・外用の順で50音順に併記した。

■ 指導のポイント

1．薬効
 ・患者向けと薬剤師向けに分け，内容が対応する場合には→で示した。また対応する薬剤が限られている場合，その薬剤のみ（　）内に商品名または薬効群番号で記載した。対象となる薬剤が2種類以上ある場合はすべて記載した。
 ・従の薬効がある場合は☆印で示し，従の薬効が別項目にある場合は「（参）○○薬」と記載してあるので，その項も参照すること。
 ・適応外使用の薬効がある場合は◆印に続き「この薬は・・・・の薬です（適応外）（該当商品名）」と記載した。

2．詳しい薬効
 患者ニーズに対応するため，適宜詳しい薬効を記載した。

3．警告
 警告の内容を「患者向け」と「薬剤師向け」に分け，患者向けには説明のためのわかりやすい症状を記載し，薬剤師向けには添付文書の内容を記載し対比させた。定期的な検査を必要とする項目については，「患者向け」の記載の下に 検 の項目を続けて記載した。また患者向けの説明が必要のない内容や，抗悪性腫瘍薬など施設・患者の限定，添付文書熟読などに係る内容は「患者向け」「薬剤師向け」に分けずに記載した。

4．禁忌・併用禁忌
 ・警告の次にまとめて記載し，文頭〔　〕内に対象先発薬剤名を記載した。
 ・併用禁忌における相手薬剤との矢印は ⇔ 双方向矢印で示した。
 ・記載内容は原則「臨床症状・措置方法」からとし，相手薬剤は特別な場合を除き，塩/水和物は省略した。相手薬剤が販売中止や薬価削除の場合は省略した。
 ・対象薬剤すべてに対する併用禁忌の場合，対象薬剤と⇔は省略し，理由から記載した。

・配合剤などは「(商品名)配合」などとし，それぞれの配合成分名は省略した．

■ 主な副作用と対策，フィジカルアセスメントのチェックポイント

薬効群ごとに主な副作用と患者に確認すべき症状と対策を表にして記載した．特に個々の薬剤に特徴的な副作用がある場合は副作用項目の後に（　）で商品名を記載するか，対象薬剤名を記載した後に表を掲載するかのいずれかで記載した．また副作用をチェックするためのフィジカルアセスメントのチェックポイントについて簡潔に記載した．

■ 重大な副作用と妊婦・授乳婦への危険度

・重大な副作用は薬剤名ごとに添付文書に記載された内容を記載した．
・妊婦への危険度は添付文書の禁忌と豪州 ADEC 基準(該当する薬剤のインタビューフォームに掲載されているもののみ)を併記した（例：禁忌/X）
　【豪州 ADEC 基準（Australian Drug Evaluation Committee）】
　　A：多くの妊婦や妊娠可能年齢の女性に使用されてきた薬だが，それによって奇形の頻度や胎児に対する直接的・間接的有害作用の頻度が増すという，いかなる証拠も観察されていない．
　　B：使用経験が限られているが，奇形やヒト胎児への直接的・間接的有害作用の発生頻度の増加は観察されていない．
　　　B1：動物を用いた研究では，胎仔への障害が増加したという証拠は示されていない．
　　　B2：動物を用いた研究は不十分もしくは欠如しているが，手に入るデータからは胎仔への障害が増加するという証拠は示されていない．
　　　B3：動物を用いた研究では胎仔への障害が増えるという証拠はあるが，この結果がヒトに対してどういった意味をもつものか不明である．
　　C：薬理効果によって，胎児や新生児に有害作用を引き起こす薬，もしくは引き起こす疑いのある薬だが，催奇形性はない．これらの有害作用は，可逆的なことがある．
　　D：ヒト胎児の奇形や不可逆的な障害の発生頻度を増やすと疑われる，またはその原因と考えられる薬．これらの薬には有害な薬理作用があるかもしれない．
　　X：胎児に永久的な障害を引き起こすリスクの高い薬であり，妊娠中あるいは妊娠の可能性がある場合は使用すべきでない．
・授乳婦についての危険度は添付文書の禁忌と，大分県「母乳と薬剤」研究会編「母乳とくすりのハンドブック改訂 3 版 2017 年」より情報を記載した．記載方法は「添

付文書/母乳とくすりのハンドブック情報」とした（例：㊟禁忌/○）

【各評価の記載要領の解釈】

◎	安全	授乳婦で研究した結果，安全性が示されている 疫学情報はないが，乳児に有害事象を及ぼさないとされる薬剤
○	危険性は少ない	授乳婦での研究は限定的だが，乳児へのリスクは最小限である 疫学情報はないが，リスクを証明する根拠がない薬剤
△	注意	乳児に有害事象を及ぼす可能性あり，注意が必要（推奨されない） 安全とされる薬剤への変更を考慮すべき薬剤
×	禁忌	薬剤の影響がある間は授乳を中止する必要がある 安全性を示す情報がなく，リスクが解明されるまで回避すべき薬剤
☆	－	乳汁分泌を抑制する目的で授乳婦へ投与される薬剤

■ その他の指導ポイント

1．使用上の注意

・薬を服用（使用）する際，患者が知っておくべき項目（重大な基本的注意事項等）を必要な順（全体に関わる内容を上位）に記載した。患者向けと薬剤師向けに分けて，内容が対応する場合には→で示し，薬剤師向けにはその理由を記載した。
患者向け欄の記載順序は下記の通り。
①全体の薬品に関わる内容
②個々の薬品の使用上の注意事項
③妊婦，授乳婦に関する事項
④食品の相互作用に関する事項
⑤保管に関する事項

・対象薬剤全体に関わる使用上の注意については，薬品名は記載せず，個々の薬品特有の注意については文頭〔　〕内に対象商品名を記載した。ただし記載する商品名をできるだけ簡潔にするため，対象薬剤欄において薬効群などにより（A），（B）などに分類している場合は，〔A〕などと記載した。また，ある特定の薬剤以外すべてが対象となる場合は〔○○以外〕と記載した。

・食品，健康食品等との相互作用は㊟の後に記載し，添付文書に記載されているものは，薬剤師向けに理由の後に「・・のため併用注意」などと記載した。添付文書以外の文献から引用した場合は，理由のみを記載した。

・薬剤の保管方法については，添付文書の貯法の項目に記載がある薬品のうち未開封で特に患者に説明が必要な場合のみ患者向けに記載した。

・同一成分の薬品で，商品別，剤形別に保管等の使用上の注意が違う場合は，対応する商品名，剤形を〔　〕内に記載した。

2．服用を忘れたとき
　・原則として下記の統一フォームに従って記載した。
　　①思いだしたとき（○時間以内）すぐに服用する。ただし次の服用時間が近いときは忘れた分は服用しない（2回分を一度に服用しないこと）
　　②思いだしたときすぐに服用する。ただしその日の残りは等間隔で服用する。
　　③のみ忘れに気づいても服用しない。次の服用時に決められた用量を服用する（2回分を一度に服用しないこと）
　　上記以外の方法がある場合は，表現方法を統一フォームに合わせて作成した。

■ 継続的な服薬指導・確認のポイント

　　患者の薬剤使用状況を薬剤師が継続的かつ的確に把握することが必要なことから，主にハイリスク薬等について継続的な服薬指導・確認のポイントを記載した。

■ その他備考

　　疾患や病態についての補完的な解説，主要なガイドラインにおける薬物治療などについて記載した。なお，過量投与時の症状と処置は今版より省略した。

　各薬剤の添付文書（原則として2021年11月現在），インタビューフォーム，くすりのしおり等を参考に作成した。なお，現在新記載要領における添付文書と旧記載要領における添付文書が混在しており，新たに変更された添付文書は適宜反映したが，本書出版時においても随時変更がなされるのであらかじめご了解いただきたい。

目 次

- No.1 催眠鎮静薬（睡眠薬） …………… 3
  - ―薬物治療の確認と指導のポイント… 3
  - ①ベンゾジアゼピン系，非ベンゾジアゼピン系………………………… 5
  - ②バルビツール酸系………………… 12
  - ③非バルビツール酸系……………… 15
  - ④メラトニン受容体作動薬………… 17
  - ⑤オレキシン受容体拮抗薬………… 19

- No.2 抗てんかん薬……………………… 22
  - ―薬物治療の確認と指導のポイント… 22

- No.3 解熱鎮痛・総合感冒薬…………… 38

- No.4 鎮痛薬…………………………… 43
  - ①非ステロイド消炎鎮痛薬………… 43
  - ②非ステロイド消炎鎮痛薬・坐薬……… 53
  - ③中枢性（麻薬性・非麻薬性）鎮痛薬 ……………………………………… 55
  - ④末梢性神経障害性疼痛治療薬……… 74
  - ⑤その他の鎮痛補助薬……………… 76

- No.5 片頭痛治療薬……………………… 77
  - ―薬物治療の確認と指導のポイント… 77

- No.6 鎮暈薬……………………………… 89
  - ―薬物治療の確認と指導のポイント… 89

- No.7 抗精神病薬………………………… 96
  - 統合失調症治療薬―薬物治療の確認と指導のポイント……………………… 96
  - ①定型抗精神病薬―フェノチアジン系 ……………………………………… 98
  - ②定型抗精神病薬―ブチロフェノン系 ……………………………………… 104
  - ③定型抗精神病薬―ベンズアミド系… 106
  - ④定型抗精神病薬―その他………… 108
  - ⑤非定型抗精神病薬………………… 110

- No.8 精神神経用薬……………………… 123
  - ①抗不安薬…………………………… 123
  - ②気分安定薬………………………… 128
  - ③精神刺激薬………………………… 133

- No.9 抗うつ薬…………………………… 138
  - ―薬物治療の確認と指導のポイント ……………………………………… 138

- No.10 抗パーキンソン病薬…………… 155
  - ―薬物治療の確認と指導のポイント ……………………………………… 155

- No.11 レストレスレッグス症候群治療薬…………………………… 176

- No.12 筋弛緩薬………………………… 180

- No.13 自律神経作用薬………………… 183
  - ①抗コリンエステラーゼ薬………… 183
  - ②自律神経調整薬…………………… 185

- No.14 眼科用薬………………………… 188
  - ①内服………………………………… 188

②散瞳薬 …………………………… 189
③緑内障治療薬 …………………… 191
　―薬物治療の確認と指導のポイント
　　………………………………… 191
④副腎皮質ステロイド …………… 203
⑤抗生物質，抗菌薬，抗真菌薬 … 205
⑥白内障治療薬 …………………… 208
⑦抗アレルギー薬 ………………… 210
⑧抗ウイルス薬 …………………… 212
⑨角膜保護・治療薬 ……………… 213
⑩非ステロイド抗炎症薬 ………… 216
⑪その他 …………………………… 218

■ No.15　耳鼻科用薬 …………… 223
①内服 ……………………………… 223
②血管収縮薬 ……………………… 224
③抗アレルギー薬，副腎皮質ホルモン薬
　………………………………… 225
④抗菌薬 …………………………… 228

■ No.16　抗アレルギー薬 ……… 232
①第一世代抗ヒスタミン薬 ……… 232
②第二世代抗ヒスタミン薬 ……… 235
③ケミカルメディエーター遊離抑制薬 … 239
④ロイコトリエン受容体拮抗薬 … 241
⑤トロンボキサン A_2 合成阻害薬 … 243
⑥トロンボキサン A_2 受容体拮抗薬 … 244
⑦Th2 サイトカイン阻害薬 ……… 246

■ No.17　抗リウマチ薬 ………… 255
　―薬物治療の確認と指導のポイント
　　………………………………… 255
①DMARD ………………………… 257
②生物学的製剤（bDMARD） …… 265

■ No.18　利尿薬 ………………… 273
　―薬物治療の確認と指導のポイント
　　………………………………… 273

■ No.19　降圧薬 ………………… 280
　―薬物治療の確認と指導のポイント
　　………………………………… 280
①Ca 拮抗薬 ……………………… 282
②アンジオテンシン受容体拮抗薬
　（ARB（配合剤含む）），ARB・NEP
　阻害薬 …………………………… 288
③アンジオテンシン変換酵素（ACE）
　阻害薬 …………………………… 296
④直接的レニン阻害薬 …………… 300
⑤利尿薬 …………………………… 302
⑥β遮断薬（含 αβ遮断薬） …… 305
⑦α遮断薬 ………………………… 313
⑧ミネラルコルチコイド受容体（MR）
　拮抗薬 …………………………… 315
⑨中枢性交感神経抑制薬 ………… 317
⑩血管拡張薬 ……………………… 319

■ No.20　心不全治療薬 ………… 328
　―薬物治療の確認と指導のポイント
　　………………………………… 328
①強心薬 …………………………… 331
　a）強心配糖体 ………………… 331
　b）β受容体刺激薬 …………… 333
　c）Ca 感受性増強薬 ………… 334
　d）心筋代謝賦活薬 …………… 335
②アンジオテンシン受容体ネプリ
　ライシン阻害薬（ARB・NEP 阻害薬）
　………………………………… 336
③HCN チャネル阻害薬 ………… 338
④SGLT2 阻害薬 ………………… 339
⑤sGC 刺激薬 …………………… 340

■ No.21 昇圧薬（低血圧治療薬）…… 343

■ No.22 狭心症治療薬 …………… 346
　―薬物治療の確認と指導のポイント
　……………………………………… 346
　①硝酸薬 ………………………… 347
　②その他の冠血管拡張薬 ……… 353
　③Ca拮抗薬 ……………………… 355
　④β遮断薬（含むαβ遮断薬）… 357

■ No.23 抗不整脈薬 ……………… 358
　―薬物治療の確認と指導のポイント
　……………………………………… 358
　①Vaughan Williams 分類Ⅰa … 359
　②Vaughan Williams 分類Ⅰb … 361
　③Vaughan Williams 分類Ⅰc … 363
　④Vaughan Williams 分類Ⅱ …… 365
　⑤Vaughan Williams 分類Ⅲ …… 366
　⑥Vaughan Williams 分類Ⅳ …… 369

■ No.24 肺動脈性肺高血圧症治療薬 … 374
　―薬物治療の確認と指導のポイント
　……………………………………… 374

■ No.25 脂質異常症治療薬 ……… 382
　―薬物治療の確認と指導のポイント
　……………………………………… 382
　①HMG-CoA還元酵素阻害薬（スタチン）
　……………………………………… 384
　②小腸コレステロールトランスポーター
　　阻害薬 ………………………… 388
　③陰イオン交換樹脂（レジン）… 389
　④プロブコール ………………… 391
　⑤フィブラート系薬 …………… 392
　⑥多価不飽和脂肪酸 …………… 395
　⑦ニコチン酸誘導体 …………… 396

　⑧PCSK9阻害薬（ヒト抗PCSK9
　　モノクローナル抗体薬）…… 398
　⑨MTP阻害薬 …………………… 400
　⑩その他 ………………………… 403

■ No.26 脳循環・代謝改善薬，抗認知症薬
　……………………………………… 415
　認知症治療薬―薬物治療の確認と
　指導のポイント ………………… 415

■ No.27 気管支拡張薬・気管支喘息治療薬
　……………………………………… 423
　気管支喘息―薬物治療の確認と
　指導のポイント ………………… 423
　慢性閉塞性肺疾患（COPD）―薬物
　治療の確認と指導のポイント … 424
　①キサンチン系薬―内服 ……… 425
　②$β_2$刺激薬 …………………… 428
　　a）内服 ……………………… 428
　　b）貼付剤 …………………… 430
　　c）吸入 ……………………… 432
　③抗コリン薬―吸入 …………… 435
　④副腎皮質ホルモン薬―吸入 … 437
　⑤抗コリン薬・$β_2$刺激薬配合剤―吸入
　……………………………………… 440
　⑥副腎皮質ホルモン薬・$β_2$刺激薬
　　配合剤―吸入 ………………… 442
　⑦副腎皮質ホルモン薬・抗コリン薬・
　　$β_2$刺激薬配合剤―吸入 …… 445

■ No.28 鎮咳・去痰薬 …………… 460
　①鎮咳薬 ………………………… 460
　②去痰薬 ………………………… 462
　③鎮咳・去痰薬 ………………… 465

■ No.29 含嗽薬 …………………… 466

- No.30 トローチ剤·················· 468
- No.31 口内塗布剤················· 470
- No.32 消化性潰瘍治療薬············ 473
  - 消化性潰瘍治療薬―薬物治療の確認と指導のポイント········· 473
  - 胃食道逆流症（GERD）―薬物治療の確認と指導のポイント······ 473
  - ①ヒスタミン H_2 受容体拮抗薬········ 475
  - ②プロトンポンプ阻害薬，カリウムイオン競合型アシッドブロッカー··· 478
  - ③選択的ムスカリン受容体拮抗薬······ 481
  - ④抗コリン薬······················ 483
  - ⑤制酸剤························ 485
  - ⑥粘膜保護薬····················· 488
  - ⑦粘膜血流組織修復促進薬·········· 490
  - ⑧PG製剤························ 493
  - ⑨ヘリコバクター・ピロリ除菌薬···· 494
  - ⑩その他························ 498
- No.33 健胃消化薬················· 499
- No.34 下剤······················ 502
  - ①内服·························· 502
  - ②浣腸・坐薬···················· 511
- No.35 整腸薬···················· 517
- No.36 止瀉薬···················· 519
- No.37 その他の消化管用薬·········· 523
  - ①消化管運動調整薬·············· 523
  - ②制吐薬······················· 527
  - ③胃粘膜局所麻酔薬·············· 530
  - ④炎症性腸疾患治療薬············ 531
  - ⑤過敏性腸症候群治療薬·········· 537
- No.38 膵臓疾患用薬··············· 541
- No.39 胆嚢疾患用薬··············· 543
- No.40 肝疾患治療薬··············· 546
  - C型肝炎―薬物治療の確認と指導のポイント···················· 546
  - B型肝炎―薬物治療の確認と指導のポイント···················· 546
  - ①肝機能改善薬·················· 548
  - ②抗C型肝炎ウイルス薬·········· 550
  - ③抗B型肝炎ウイルス薬·········· 556
  - ④肝免疫賦活薬·················· 558
  - ⑤肝不全治療薬·················· 559
- No.41 副腎皮質ホルモン薬········· 564
- No.42 ホルモン製剤··············· 571
  - 甲状腺機能低下症―薬物治療の確認と指導のポイント··········· 571
  - 甲状腺機能亢進症―薬物治療の確認と指導のポイント··········· 572
  - ①下垂体後葉ホルモン············ 573
  - ②甲状腺ホルモン製剤············ 576
  - ③抗甲状腺薬··················· 578
  - ④卵胞ホルモン·················· 580
  - ⑤黄体ホルモン·················· 585
  - ⑥卵胞ホルモン・黄体ホルモン配合剤······················· 587
  - ⑦蛋白同化ステロイド············ 589
  - ⑧合成鉱質コルチコイド製剤······ 591
  - ⑨副腎皮質ホルモン合成阻害薬···· 593
  - ⑩GnRHアンタゴニスト·········· 595

No.43 産婦人科用薬 ………… 599
①子宮収縮薬 ………………………… 599
②子宮収縮抑制薬 …………………… 600
③子宮内膜症・月経困難症治療薬 … 602
④産婦人科用外用薬 ………………… 613
⑤その他 ……………………………… 618
⑥緊急避妊薬 ………………………… 620

No.44 泌尿器科用薬 ………… 622
①排尿障害治療薬 …………………… 622
②前立腺肥大症治療薬 ……………… 625
　—薬物治療の確認と指導のポイント
　……………………………………… 625
③過活動膀胱（OAB）治療薬 ……… 632
　—薬物治療の確認と指導のポイント
　……………………………………… 632
④尿路結石治療薬 …………………… 638

No.45 肛門用薬 ……………… 640
①経口痔疾薬 ………………………… 640
②外用痔疾薬 ………………………… 641

No.46 皮膚科用薬 …………… 645
①副腎皮質ホルモン含有製剤 ……… 645
②化膿性疾患用薬 …………………… 653
③ざ瘡（にきび）治療薬 …………… 655
④消炎・鎮痛薬 ……………………… 658
⑤鎮痒・収れん薬 …………………… 662
⑥抗真菌薬 …………………………… 664
⑦乾皮症・角化症治療薬 …………… 670
⑧乾癬治療薬 ………………………… 672
⑨褥瘡・皮膚潰瘍治療薬 …………… 680
⑩アトピー性皮膚炎治療薬 ………… 688
⑪その他の外皮用薬 ………………… 693

No.47 ビタミン剤 …………… 699
①ビタミンA ………………………… 699
②ビタミンB群，パントテン酸，葉酸
　……………………………………… 701
③ビタミンC・E・H・K ………… 703
④混合ビタミン剤 …………………… 705

No.48 骨粗鬆症治療薬 ……… 709
　—薬物治療の確認と指導のポイント
　……………………………………… 709

No.49 無機質製剤 …………… 724
①鉄剤 ………………………………… 724
②カリウム製剤 ……………………… 729
③カルシウム製剤 …………………… 731
④ヨウ素 ……………………………… 732
⑤リン酸製剤 ………………………… 733

No.50 蛋白アミノ酸製剤 …… 735
①経腸栄養剤 ………………………… 735
②肝・腎不全用アミノ酸製剤 ……… 741

No.51 止血薬 ………………… 743
①血管強化・抗線溶薬（抗プラスミン薬）
　……………………………………… 743
②局所用止血薬 ……………………… 744

No.52 抗血栓薬 ……………… 746
①抗凝固薬 …………………………… 746
②抗トロンビン薬 …………………… 749
③Xa因子阻害薬 …………………… 751
④抗血小板薬 ………………………… 756

No.53 腎疾患治療薬 ………… 770
①高リン血症治療薬 ………………… 770
②高カリウム血症治療薬 …………… 773

③腎性貧血治療薬（HIF-PH阻害薬）
　　………………………………… 776
　④尿毒症治療薬………………… 778
　⑤二次性副甲状腺機能亢進症治療薬… 779
　⑥その他………………………… 780

■ No.54　習慣性中毒用薬……………… 783
　抗酒薬・断酒補助薬・飲酒量低減薬… 783

■ No.55　高尿酸血症・痛風治療薬…… 786
　　―薬物治療の確認と指導のポイント
　　………………………………… 786
　①痛風発作緩解薬……………… 788
　②尿酸合成阻害薬……………… 790
　③尿酸排泄促進薬……………… 793
　④その他………………………… 795

■ No.56　消炎酵素薬…………………… 798

■ No.57　糖尿病治療薬………………… 799
　　―薬物治療の確認と指導のポイント
　　………………………………… 799
　①インスリン製剤……………… 802
　②ビグアナイド（BG）薬…… 808
　③チアゾリジン（TZD）薬… 810
　④α-グルコシダーゼ阻害薬（α-GI）
　　………………………………… 813
　⑤SGLT2阻害薬………………… 816
　⑥DPP-4阻害薬………………… 818
　⑦GLP-1受容体作動薬………… 821
　⑧スルホニル尿素（SU）薬… 825
　⑨速効型インスリン分泌促進薬… 827
　⑩ミトコンドリア機能改善薬… 829
　⑪配合薬………………………… 831
　⑫アルドース還元酵素阻害薬… 842

■ No.58　抗菌薬………………………… 847
　　―薬物治療の確認と指導のポイント
　　………………………………… 847
　①ペニシリン系………………… 851
　②セフェム系…………………… 854
　③マクロライド系……………… 859
　④ニューキノロン系…………… 861
　⑤オキサゾリジノン系………… 866
　⑥ST合剤……………………… 868
　⑦その他………………………… 870

■ No.59　抗結核薬……………………… 876

■ No.60　抗真菌薬……………………… 886
　①深在性………………………… 886
　②表在性・深在性……………… 890
　③表在性………………………… 893
　④ニューモシスチス肺炎治療薬… 897

■ No.61　抗寄生虫薬…………………… 899
　①抗原虫薬（抗マラリア薬）… 899
　②抗原虫薬（その他）………… 902
　③抗蠕虫薬……………………… 904

■ No.62　抗ウイルス薬………………… 908
　①抗インフルエンザウイルス薬… 908
　②その他………………………… 911

■ No.63　抗HIV薬……………………… 916
　　―薬物治療の確認と指導のポイント
　　………………………………… 916
　①核酸系逆転写酵素阻害薬（NRTI）・
　　配合剤………………………… 917
　②非核酸系逆転写酵素阻害薬（NNRTI）・
　　配合剤………………………… 921

③プロテアーゼ阻害薬（PI）・配合剤
　　………………………………… 925
　④インテグラーゼ阻害薬（INSTI）… 931
　⑤インテグラーゼ阻害薬（INSTI）
　　配合剤…………………………… 933
　⑥侵入阻害薬（CCR5阻害薬）……… 937

■ **No.64　生活質改善薬**………………… 942
　①禁煙補助薬……………………… 942
　②勃起不全治療薬………………… 948
　③経口避妊薬 低用量ピル（OC）…… 952
　④男性型脱毛症用薬……………… 956

■ **No.65　漢方製剤**……………………… 959

■ **No.66　抗悪性腫瘍薬**………………… 976
　1.　大腸がん治療薬―薬物治療の
　　　確認と指導のポイント………… 976
　2.　胃がん治療薬―薬物治療の確認と
　　　指導のポイント………………… 978
　3.　肺がん治療薬―薬物治療の確認と
　　　指導のポイント………………… 979
　4.　乳がん治療薬―薬物治療の確認と
　　　指導のポイント………………… 981

　5.　膵がん治療薬―薬物治療の確認と
　　　指導のポイント………………… 983
　6.　肝がん治療薬―薬物治療の確認と
　　　指導のポイント………………… 984
　7.　腎がん治療薬―薬物治療の確認と
　　　指導のポイント………………… 986
　8.　前立腺がん治療薬―薬物治療の
　　　確認と指導のポイント………… 987
　9.　悪性リンパ腫治療薬―薬物治療の
　　　確認と指導のポイント………… 988
　10.　白血病治療薬―薬物治療の
　　　確認と指導のポイント………… 990
　11.　多発性骨髄腫治療薬―薬物
　　　治療の確認と指導のポイント… 991
　①アルキル化薬…………………… 993
　②代謝拮抗薬……………………… 995
　③ホルモン薬……………………… 1002
　④分子標的治療薬（チロシンキナーゼ・
　　マルチキナーゼ阻害薬）………… 1009
　⑤分子標的治療薬（その他）………… 1021

■ **No.67　免疫抑制薬**……………………1031

■ 薬効別 服薬指導マニュアル

1 催眠鎮静薬（睡眠薬）

■ 催眠鎮静薬（睡眠薬）—薬物治療の確認と指導のポイント

項目	確認のポイント
睡眠習慣の確認と問題点の把握	入眠時間，夜間の目覚めの回数，朝の起床時間。日中の運動，昼寝，カフェイン摂取，飲酒習慣など
生活習慣の改善指導	不眠症の日常生活のポイント（p.21）参照
不眠のタイプ確認と薬剤選択	**不眠症のタイプ別睡眠薬の選択法**（不眠症のタイプによる睡眠薬・抗不安薬の選び方（p.4）参照） ・入眠困難（就床後入眠するまで30分以上かかりそれを苦痛と感じているタイプ） 　超短〜短時間作用型が有効 ・中途覚醒（入眠した後翌朝起床するまで何度も目が覚めるタイプ） 　中間〜長時間作用型が有効 ・早朝覚醒（本人が望む時刻あるいは通常の起床時刻の30分以上前に覚醒してしまいその後再入眠できないタイプ） 　中間〜長時間作用型が有効 ・熟眠困難（睡眠時間は十分であるにもかかわらず深く眠った感覚が得られないタイプ） 　中間〜長時間作用型が有効 **不眠症の持続期間と原因分類と対応** ・一過性不眠（急性のストレスや時差ぼけで数日間持続） 　多くは睡眠薬を使用しなくてよい。不眠の程度が強い場合，超短時間，短時間作用型が有効 ・短期不眠（比較的長期間の状況性ストレス等で1〜3週間持続） 　タイプにより睡眠薬を使い分ける ・長期不眠（性格要因が主に関与する精神生理性不眠等で1〜3カ月持続） 　精神疾患に伴う不眠，アルコールによる不眠，高齢者の不眠などでは睡眠薬の主な適応 **高齢者の不眠** 　睡眠薬の有効作用時間が延長しやすく，翌日への持ち越し効果や健忘，脱力などの副作用も出やすくなる。筋弛緩作用の少ない非ベンゾジアゼピン系や代謝経路が単純で代謝されやすいエバミール・ロラメットや副作用の少ないロゼレムやベルソムラなどが推奨される
身体疾患による睡眠妨害の確認	慢性閉塞性肺疾患（夜間の咳等で不眠。ラメルテオンは呼吸機能を悪化しにくいとの報告），閉塞性睡眠時無呼吸，レストレスレッグス症候群，夜間頻尿，リウマチ性疾患・線維筋痛症など疼痛を伴う疾患，更年期障害，アトピー性皮膚炎，精神疾患などで不眠が引き起こされるので原疾患の治療を実施
睡眠障害を引き起こす薬剤のチェック	抗パーキンソン病薬，降圧薬，脂質異常症治療薬，抗ヒスタミン薬，ステロイド，気管支拡張薬，抗てんかん薬等（睡眠障害をもたらす主な薬剤（p.4）参照）
アドヒアランス向上のための服薬指導	睡眠薬は危険でできるだけ服用しないほうがいいと考える人が多く，アドヒアランスが不良で自己判断で減薬・中断して退薬症候群が起こることがあるので，気になることがあれば必ず相談するように指導。薬物療法だけでなく生活指導を行い不安の軽減を図り，服薬時は飲酒しないように指導

■不眠症のタイプによる睡眠薬・抗不安薬の選び方

タイプ	選択のポイント	入眠障害		中途覚醒，早朝覚醒	
		超短時間型 (2～4h)	短時間型 (6～10h)	中間型 (12～24h)	長時間型 (24h～)
神経症的傾向が弱い場合 脱力・ふらつきが出やすい場合	抗不安作用・筋弛緩作用が弱い薬剤	ゾルピデム（マイスリー）ゾピクロン（アモバン）エスゾピクロン（ルネスタ）ラメルテオン（ロゼレム）		スボレキサント（ベルソムラ）	クアゼパム（ドラール）
神経症的傾向が強い場合 肩こりなどをともなう場合	抗不安作用・筋弛緩作用を持つ薬剤	トリアゾラム（ハルシオン）	ブロチゾラム（レンドルミン），エチゾラム（デパス）など	フルニトラゼパム（サイレース），ニトラゼパム（ネルボン，ベンザリン），エスタゾラム（ユーロジン）	
腎機能障害，肝機能障害がある場合	代謝産物が活性を持たない薬剤		ロルメタゼパム（エバミール，ロラメット）	ロラゼパム（ワイパックス）	

（内山　真（睡眠障害の診断・治療ガイドライン研究会）・編：睡眠障害の対応と治療ガイドライン第3版，じほう，2019）

■睡眠障害をもたらす主な薬剤

薬効	薬剤名	自他覚評価
抗パーキンソン病薬	ドパミン製剤（ドパストン）	不眠，過眠，悪夢
	MAO-B阻害薬（エフピー）	不眠
	ドパミンアゴニスト（ペルマックス，パーロデル）	不眠，過眠
	ドパミン放出促進薬（シンメトレル）	不眠
	抗コリン薬（アーテン，アキネトン）	幻覚，妄想，躁状態，不安など
降圧薬	α_2遮断薬（カタプレス）	眠気
	$\alpha_1 \cdot \beta$遮断薬（トランデート）	眠気
	β遮断薬（インデラル，テノーミン）	不眠，悪夢，倦怠感，抑うつ
	カルシウム拮抗薬（アダラート，ワソラン）	焦燥感・過覚醒
脂質異常症治療薬	クロフィブラート	倦怠感，眠気
抗ヒスタミン薬	$H_1 \cdot H_2$遮断薬	鎮静，眠気
ステロイド	プレドニン	不眠
気管支拡張薬	ネオフィリン	不眠
抗てんかん薬	デパケン，テグレトール	鎮静，眠気
その他	インターフェロン，インターロイキン製剤	不眠，過眠

（内山　真（睡眠障害の診断・治療ガイドライン研究会）・編：睡眠障害の対応と治療ガイドライン第3版，じほう，2019を参考に作成）

1 催眠鎮静薬（睡眠薬） ①ベンゾジアゼピン系，非ベンゾジアゼピン系

■ 対象薬剤

超短時間型：トリアゾラム（ハルシオン），ゾピクロン★（アモバン），エスゾピクロン★（ルネスタ），ゾルピデム酒石酸塩★（マイスリー）
短時間型　：エチゾラム（デパス），ブロチゾラム（レンドルミン），リルマザホン塩酸塩水和物（リスミー），ロルメタゼパム（エバミール，ロラメット）
中間型　　：フルニトラゼパム（サイレース），ニトラゼパム（ネルボン，ベンザリン），エスタゾラム（ユーロジン）
長時間型　：クアゼパム（ドラール），フルラゼパム塩酸塩（ダルメート），ハロキサゾラム（ソメリン）

★：非ベンゾジアゼピン系

＊デパスはNo.8 精神神経用薬①（p.123）参照

■ 指導のポイント

	患者向け	薬剤師向け
薬効	・この薬は寝つきをよくし，夜間の睡眠を持続させる薬です	催眠作用
	・この薬は手術や検査の前に不安や緊張を鎮めるのに用いる薬です（麻酔前投薬）（ルネスタ，マイスリー，デパス，エバミール，ロラメット，ソメリン以外）	鎮静作用 抗不安作用
	☆この薬は気持ちを落ち着かせたり，緊張や不安をやわらげたりする薬です（デパス）（参）No.8 精神神経用薬①	抗不安作用，静穏作用，馴化作用，自律神経安定化作用
	☆この薬は筋肉の緊張をとり，筋肉のけいれんを抑え，痛みなどの症状をやわらげる薬です（デパス）（参）No.8 精神神経用薬①	筋緊張緩解作用
	☆この薬は脳の神経の過剰な興奮を抑え，発作（けいれん，意識消失など）を抑える薬です（ネルボン，ベンザリン）（参）No.2 抗てんかん薬	抗けいれん作用
詳しい薬効	・この薬はベンゾジアゼピン受容体（ω1，ω2）と結びついて脳内の神経に抑制的に働く物質（GABA：ガンマ-アミノ酪酸）の作用を増強し，興奮を抑えることで不安や緊張をやわらげ，寝つきをよくし，夜間の睡眠を持続させる薬です（非ベンゾジアゼピン系以外）	
	・この薬は抗不安作用や筋弛緩作用に関係したベンゾジアゼピン受容体（ω2）にはほとんど作用しないため筋弛緩作用が弱く，催眠作用に関係したベンゾジアゼピン受容体（ω1）と結びついて，脳内の神経に抑制的に働く物質（GABA：ガンマ-アミノ酪酸）の作用を増強し，興奮を抑えることで，寝つきをよくし，夜間の睡眠を持続させる薬です（非ベンゾジアゼピン系）	

	患者向け	薬剤師向け
警告	〔ハルシオン，アモバン，ルネスタ，マイスリー〕この薬は飲んでからもうろうとしたり，眠るまでの記憶や，途中で目がさめた時の記憶がないことがありますので，そのような場合は必ずご相談ください	もうろう状態，睡眠随伴症状（夢遊症状等）の発現と入眠・中途覚醒時の健忘
禁忌・併用禁忌	**禁忌** ・重症筋無力症 ・〔ユーロジン以外〕急性狭隅角緑内障 ・〔レンドルミン，ユーロジン以外〕本剤過敏症既往 ・〔アモバン，ルネスタ〕ゾピクロン，エスゾピクロン過敏症既往 ・〔ダルメート〕本剤・ベンゾジアゼピン系過敏症既往 ・〔マイスリー〕重篤な肝障害 ・〔ドラール〕睡眠時無呼吸症候群 **併用禁忌** ・〔ハルシオン〕⇔イトラコナゾール，フルコナゾール，ホスフルコナゾール，ボリコナゾール，ミコナゾール，インジナビル，リトナビル，エファビレンツにて作用増強および作用時間延長 ・〔ユーロジン，ダルメート，ドラール〕⇔リトナビルにて過度の鎮静や呼吸抑制 ・〔ドラール〕⇔食物にて過度の鎮静や呼吸抑制	

■ 主な副作用と対策

主な副作用	患者に確認すべき症状	対策
持ち越し効果	日中の眠気，ふらつき，脱力，頭痛，倦怠感	睡眠薬を減量するか，作用時間の短いものへの変更を行う
記憶障害	服用後から寝つくまでの出来事，睡眠中に起こされた際の出来事，翌朝覚醒してからの出来事などを覚えていない	睡眠薬の用量依存的に健忘作用も増強するが，催眠作用が強く作用時間の短いものを多く使用すると起こりやすい。アルコールとの併用時に特に出現しやすいため，決して併用しない。予防するためには，睡眠薬は必要最低限の用量とし，服用後はできるだけ早く就床する
早朝覚醒，日中不安	早く目が覚めたり，連用しているときに日中に不安が増す	作用時間のより長い睡眠薬への変更を行う
反跳性不眠・退薬症候	薬がないと眠れない，薬を突然中止すると手足のふるえ，不眠・不安，けいれん，幻覚等を起こす	使用後最短4週間で依存性が形成される。急激な中断は離脱症状を引き起こすため，ゆるやかな漸減（1/4量ずつ2週間かけて）をする。うまくいかない場合は作用時間の長い睡眠薬に置き換えた上で漸減法を行う。 ・ω1選択性の強い非ベンゾジアゼピン系睡眠薬やラメルテオン，スボレキサントでは反跳性不眠が出現しにくい
筋弛緩作用	ふらつき，転倒	高齢者ではω1選択性の強い睡眠薬やラメルテオン，スボレキサントなど筋弛緩作用の少ない睡眠薬を使用する

No.1 催眠鎮静薬（睡眠薬）

主な副作用	患者に確認すべき症状	対策
奇異反応	恐怖，焦燥感，敵意，攻撃性，異常行動	高用量を用いた場合起こりやすいとされるが，特に超短時間作用型睡眠薬とアルコール併用時の報告が多い

（内山 真（睡眠障害の診断・治療ガイドライン研究会）・編：睡眠障害の対応と治療ガイドライン第3版，じほう，2019を参考に作成）

■ 重大な副作用と妊婦・授乳婦への危険度

薬剤名	重大な副作用	妊婦[授乳婦]
ハルシオン	精神症状，肝炎，肝機能障害，黄疸，薬物依存，離脱症状，呼吸抑制，一過性前向性健忘，もうろう状態，ショック，アナフィラキシー	[⊗○]
アモバン，ルネスタ	依存性，呼吸抑制，肝機能障害，精神症状，意識障害，一過性前向性健忘，もうろう状態，アナフィラキシー，ショック（ルネスタのみ）	[⊗○]
マイスリー	精神症状，意識障害，肝機能障害，黄疸，依存性，離脱症状，一過性前向性健忘，もうろう状態，呼吸抑制	B3 [⊗○]
レンドルミン	肝機能障害，黄疸，一過性前向性健忘，もうろう状態，依存性 類薬 呼吸抑制	[⊗○]
リスミー	呼吸抑制，炭酸ガスナルコーシス，依存性，刺激興奮，錯乱，一過性前向性健忘，もうろう状態	−
エバミール，ロラメット	依存性，刺激興奮，錯乱，呼吸抑制，炭酸ガスナルコーシス 類薬 一過性前向性健忘，もうろう状態	B3, C [⊗○]
サイレース	依存性，刺激興奮，錯乱，呼吸抑制，炭酸ガスナルコーシス，肝機能障害，黄疸，横紋筋融解症，悪性症候群，意識障害，一過性前向性健忘，もうろう状態	C [⊗○]
ネルボン，ベンザリン	呼吸抑制，炭酸ガスナルコーシス，依存性，刺激興奮，錯乱，肝機能障害，黄疸 類薬 一過性前向性健忘，もうろう状態	C [⊗○]
ユーロジン	呼吸抑制，炭酸ガスナルコーシス，薬物依存，離脱症状，刺激興奮，錯乱，無顆粒球症 類薬 一過性前向性健忘，もうろう状態	[⊗○]
ドラール	依存性，刺激興奮，錯乱，呼吸抑制，炭酸ガスナルコーシス，精神症状，意識障害，思考異常，勃起障害，興奮，運動失調，運動機能低下，錯乱，協調異常，言語障害，振戦，一過性前向性健忘，もうろう状態	[⊗○]
ダルメート	呼吸抑制，炭酸ガスナルコーシス，依存性 類薬 一過性前向性健忘，もうろう状態	[⊗○]
ソメリン	呼吸抑制，炭酸ガスナルコーシス，依存性 類薬 一過性前向性健忘，もうろう状態	−

■ その他の指導ポイント

	患者向け	薬剤師向け
使用上の注意	・この薬の服用中は，車の運転等，危険を伴う機械の操作は行わないでください →	薬の影響が翌朝以後に及んで，眠気，注意力・集中力・反射運動能力等の低下が起こることがあるため
	・この薬は就寝直前に服用してください。就寝した後，途中で起きて仕事などをする可能性があるときは飲まないでください（不眠症時） →	睡眠途中で一時的に起床して仕事などを行った場合に健忘が現れたとの報告あり
	・この薬を飲んだ後，ふらついたりすることがありますので，夜間目がさめてトイレに行く時，転ばないよう気をつけてください（特に高齢者） →	高齢者の転倒等を防ぐため，筋弛緩作用の少ないマイスリー，アモバン，ルネスタや代謝過程が簡単なエバミール，ロラメットなどが選択される。また高齢者へは作用時間の長いものは一般に適さない
	・連用中に医師の指示なしに勝手に薬を飲むのをやめないでください →	自己判断で急に減量したり中断した場合，反跳性不眠といって，以前よりさらに強い不眠が出現することがある。重篤な場合不眠のほかに不安や焦燥，振戦，発汗，けいれん，せん妄等の退薬症候がでることもある。睡眠薬離脱法には，漸減法，隔日法，置き換え法等がある。（その他備考参照）
	・〔ルネスタ〕この薬は食事と同時や食後すぐには飲まないでください →	食後投与では空腹時投与に比べ本剤の血中濃度が低下することがあるため
	・〔レンドルミンD〕この薬は口の中で溶けますが溶けた後，唾液または水で飲み込んでください →	口腔粘膜からの吸収で効果発現を期待する製剤でないため唾液または水で飲み込む
	・〔ドラール〕この薬は空腹時に服用してください →	難溶性薬物であるため，胃内容物の残留により吸収性が向上し血漿中濃度が空腹時の2～3倍に高まり，過度の鎮静や呼吸抑制を起こすおそれがあるため（併用禁忌参照）
	・〔アモバン〕この薬は飲んだ後や朝に口の中が苦くなったりすることがありますが心配はありません。うがいをしたり，歯を磨いたりすると気にならなくなることが多いです →	本剤の成分に苦みがあるため（唾液中に4％排泄）
	食 この薬の服用中にアルコールを飲むと，薬の作用が強く出るので控えてください →	相加的な中枢神経抑制作用の増強により併用注意
	食 〔ハルシオン〕この薬の服用中にグレープフルーツジュースは飲まないでください →	グレープフルーツジュース中のフラノクマリン類により小腸上皮細胞に存在するCYP3A4が阻害され血中濃度上昇で副作用出現

服用を忘れたとき	不眠症 ・〔ダルメート，ソメリン，ドラール以外〕思い出したとき，翌朝起きるまでかなり時間（リスミー・ネルボン・ベンザリン：7時間以上）があり，眠れなければ1回分服用してもよい（2回分を一度に服用しないこと） ・〔ダルメート，ソメリン〕飲み忘れに気づいても服用しない。次の日に眠れなければ決められた量を服用する（2回分を一度に服用しないこと） ・〔ドラール〕思い出したときすぐに服用する。ただし空腹時に服用する（2回分を一度に服用しないこと）

■ その他備考

■ ベンゾジアゼピン受容体作動薬の離脱方法

1. 離脱開始の判断基準：①不眠症状の改善（完全に消失しなくてよい）　②誤った睡眠習慣の是正　③睡眠に対するこだわりの緩和　④日中の不調（QOL）の改善などの基準を満たして1〜2カ月以上の安定期を経てから開始
2. 離脱方法
    ①漸減法：徐々に減量しながら中止にもっていく方法で，超短時間や短時間型など作用時間の短い薬剤に適している。用量を2週か4週おきに3/4, 1/2次いで1/4に減量する。減量により不眠が再現する場合はその前の用量に戻す
    ②隔日法：一定量まで減量できたら1日おきの投薬に切り替え，経過がよければ3日おき，4日おきと間隔をのばし中止する方法で中間型や長時間作用型など作用時間の長い薬剤に適している
    ③置き換え法：作用時間の短い睡眠薬で漸減法がうまくいかない場合，いったん作用時間の長い薬剤に置き換えた後，漸減法あるいは隔日法にて減量を行う。置き換えた場合，一過性の不眠を生じることがあるが1週間くらいで消失することが多い

（内山　真（睡眠障害の診断・治療ガイドライン研究会）・編：睡眠障害の対応と治療ガイドライン第3版，じほう，2019を参考に作成）

ベンゾジアゼピン系，非ベンゾジ

成分名	トリアゾラム	ゾピクロン	エスゾピクロン	ゾルピデム	エチゾラム	ブロチゾラム	リルマザホン	ロルメタゼパム
商品名 (剤形・規格)	ハルシオン (錠:0.125mg 0.25mg)	アモバン (錠:7.5mg 10mg)	ルネスタ (錠:1mg 2mg 3mg)	マイスリー (錠:5mg 10mg)	デパス (細粒:1% 錠:0.25mg 0.5mg 1mg)	レンドルミン レンドルミンD (錠,D錠:0.25mg)	リスミー (錠:1mg 2mg)	エバミール ロラメット (錠:1mg)
構造分類	ベンゾジアゼピン系	非ベンゾジアゼピン系	非ベンゾジアゼピン系	非ベンゾジアゼピン系	ベンゾジアゼピン系	ベンゾジアゼピン系	ベンゾジアゼピン系	ベンゾジアゼピン系
分類（血中半減期）	超短時間型（2～4時間）	超短時間型（2～4時間）	超短時間型（2～4時間）	超短時間型（2～4時間）	短時間型（6～10時間）	短時間型（6～10時間）	短時間型（6～10時間）	短時間型（6～10時間）
適応となる不眠症状	←――――――――― 入眠障害，一過性不眠 ―――――――――→							
効能効果 a) 不眠症	○	○	○	○	−	○	○	○
b) 麻酔前投薬	○	○	−	−	−	○	○	−
c) 抗てんかん	−	−	−	−	−	−	−	−
d) その他	−	−	−	−	○*	−	−	−
薬物動態 効果発現時間(min)	10～15	15～30	15～30	15～30	30～60	15～30	30～60	15～30
半減期(h)	2～4	4	5	2	6	7	10	10
作用時間	←―――― 6時間以内 ――――→				←―――― 12時間以内 ――――→			
蓄積性（連用）	なし	なし	なし	なし	なし	なし	なし	なし
翌朝までの持ち越し効果	少ない	少ない	少ない	少ない	少ない	少ない	少ない	少ない
特徴	・一過性不眠に適す ・目覚め感がよい ・翌朝の持ち越し効果が非常に少ない ・反跳性不眠が出やすい ・ω1受容体選択性で筋弛緩作用が弱いため脱力や転倒などの副作用が少ない（非ベンゾジアゼピン系）				・連用による蓄積は軽度で持ち越し効果は比較的少ない ・1回の代謝を受けるだけで速やかに排泄され，高齢者に適する（エバミール，ロラメット）			

＊・神経症における不安・緊張・抑うつ・神経衰弱症状・睡眠障害
・うつ病における不安・緊張・睡眠障害
・心身症における身体症候ならびに不安・緊張・抑うつ・睡眠障害
・統合失調症における睡眠障害
・頸椎症・腰痛症・筋収縮性頭痛における不安・緊張・抑うつおよび筋緊張

No.1 催眠鎮静薬（睡眠薬）

アゼピン系睡眠薬比較表

フルニトラゼパム	ニトラゼパム	エスタゾラム	クアゼパム	フルラゼパム	ハロキサゾラム
サイレース (錠:1 mg 2 mg)	ベンザリン (細粒:1% 錠:2 mg 5 mg 10 mg) ネルボン (散:1% 錠:5 mg 10 mg)	ユーロジン (散:1% 錠:1 mg 2 mg)	ドラール (錠:15 mg 20 mg)	ダルメート (カプセル:15 mg)	ソメリン (細粒:1% 錠:5 mg 10 mg)
ベンゾジアゼピン系					
中間型（12〜24時間）			長時間型（24時間〜）		

←――――――――――――――――――――――――――→

中途覚醒，早朝覚醒，熟眠障害

○	○	○	○	○	○
○	○	○	○	○	—
—	○	—	—	—	—
—	—	—	—	—	—
30	15〜45	15〜30	15〜60	15	30〜40
24	28	24	36	65	85
←――― 24時間以内 ―――→			←――― 30時間以内 ―――→		
○	○	○	○	○	○
○	○	○	○	○	○

- ・入眠障害や中途覚醒，早朝覚醒にも適する
- ・翌朝の持ち越し効果が見られることも少なくない
- ・連用していると4〜5日で定常状態になる

- ・翌朝の持ち越し効果が出現しやすい
- ・日中にも高い血中濃度を維持し抗不安作用があるので，神経症性不眠によい
- ・連用していると1週間くらいで定常状態になる

催眠鎮静薬（睡眠薬）

1 催眠鎮静薬（睡眠薬） ②バルビツール酸系

■ 対象薬剤

短時間型：ペントバルビタールカルシウム（ラボナ）
中間型　：アモバルビタール（イソミタール）
長時間型：フェノバルビタール（フェノバール）
＊フェノバールはNo.2抗てんかん薬（p.22）参照

■ 指導のポイント

	患者向け	薬剤師向け
薬効	・この薬は寝つきをよくし，夜間の睡眠を持続させる薬です →	催眠作用
	・この薬は不安や緊張を鎮めるのに用いる薬です →	鎮静作用
	☆この薬は脳の神経の過剰な興奮を抑え，発作（けいれん，意識消失など）を抑える薬です（フェノバール）（参）No.2抗てんかん薬 →	抗けいれん作用
詳しい薬効	この薬は中枢神経の働きを抑え，脳内の神経に抑制的に働く物質（GABA：ガンマ-アミノ酪酸）の作用を増強し，脳の興奮を抑えることで不安や緊張をやわらげ，寝つきをよくし，夜間の睡眠を持続させる薬です	
禁忌	バルビツール酸系化合物過敏症，急性間欠性ポルフィリン症	

■ 主な副作用と対策，フィジカルアセスメントのチェックポイント

主な副作用	患者に確認すべき症状	対策とPAのチェックポイント
皮膚粘膜眼症候群[†]	高熱（38℃以上），目の充血，まぶたの腫れ，発疹，発赤，水ぶくれ	PA 体温（38℃以上），眼結膜（結膜充血，眼脂，眼瞼発赤腫脹），口唇（びらん，疼痛），肛囲・外尿道口（発赤，びらん），皮膚（多形紅斑様，水泡およびびらん）
薬物依存，離脱症状	薬がないと眠れない，薬を突然に中止するとあくび，くしゃみ，発汗，手足のふるえ，不眠・不安，けいれん，幻覚等を起こす	慎重に投与し，急激な中断は離脱症状を引き起こすため1日用量を徐々に減量する

[†]：厚生労働省の「重篤副作用疾患別対応マニュアル」参照

No.1 催眠鎮静薬（睡眠薬）

■ 重大な副作用と妊婦・授乳婦への危険度

薬剤名	重大な副作用	妊婦［授乳婦］
ラボナ，イソミタール	皮膚粘膜眼症候群，薬物依存・離脱症状	［⊗△］

■ その他の指導ポイント

	患者向け	薬剤師向け
使用上の注意	・この薬の服用中は，車の運転等，危険を伴う機械の操作は行わないでください ・この薬は就寝直前に服用してください。就寝した後，途中で起きて仕事などをする可能性がある時は飲まないでください（不眠症時）	眠気，注意力・集中力・反射運動能力等の低下が起こることがあるため
	食 この薬の服用中にアルコールを飲むと，薬の作用が強く出るので控えてください	相加的な中枢神経抑制作用（催眠，鎮静，昏睡等）の増強により併用注意
	食〔フェノバール〕この薬の服用中にセイヨウオトギリソウ（セント・ジョーンズ・ワート）を含む食品，ツキミソウ油はとらないでください	セイヨウオトギリソウの肝薬物代謝酵素誘導作用により本剤の代謝が促進され血中濃度低下のおそれがあるため併用注意。ツキミソウ油中の gamolenic acid によりけいれんの閾値が低下し，抗けいれん作用が減弱するおそれがあるため
	食〔ラボナ〕この薬の服用中にバレリアン（セイヨウカノコソウ）はとらないでください	眠気等の副作用が出現するおそれがあるため
服用を忘れたとき	・〔ラボナ〕思い出したとき，翌朝起きるまで5時間以上あり，眠れなければ1回分服用してもよい（2回分を一度に服用しないこと） ・〔イソミタール〕飲み忘れに気づいても服用しない。次の日に眠れなければ決められた量を服用する（2回分を一度に服用しないこと）	

バルビツール酸系・非バルビツール酸系睡眠薬比較表

分類	バルビツール酸系				非バルビツール酸系		
	短時間型	中間型	長時間型				
成分名	ペントバルビタール	アモバルビタール	フェノバルビタール	ブロモバレリル尿素	抱水クロラール		トリクロホス Na
商品名（剤形・規格）	ラボナ（錠：50 mg）	イソミタール（原末）	フェノバール（原末：10%, 散：10%, 錠：30 mg, エリキシル：0.4%）	ブロバリン（原末）	エスクレ（坐剤：250 mg, 500 mg）（注腸キット：500 mg）		トリクロリール（シロップ：10%）
効能効果 a) 不眠症	○	○		○			○
b) 不安緊張状態の鎮静	○	○		○			
c) てんかんのけいれん発作			○				
d) 自律神経発作・精神運動発作			○				
e) 麻酔前投薬	○						
f) 持続睡眠療法における睡眠調節	○						
g) 静脈注射が困難なけいれん重積状態					○		
h) 理学検査における鎮静・催眠					○		
i) 脳波・心電図検査等における睡眠							○
薬物動態 効果発現時間 (min)	1	3～6	7～9	1～2	10～40		1
持続 (h)				20～30			
特徴	バルビツール酸系の睡眠薬の中でも作用時間が短い	ペントバルビタールよりも作用時間が長い	使用翌日の眠気、ふらつきなどを持ち越し、効果が出現しやすい	依存性、耐性が出現する可能性が有り、呼吸抑制作用を有する	主として理学検査時に短時間の睡眠目的に使用される。依存性を有する		検査時に短時間の睡眠導入を目的に使用される。依存性を有する

バルビツール酸系睡眠薬は優れた催眠作用を有するが、耐性や依存性を早期に形成し、大量服用により呼吸抑制をもたらし、致死的となる危険がある。さらに薬の中断によってせん妄やけいれん発作などの激しい離脱症状を生じることから現在の使用はなるべく、急性で短期間で改善が期待できるような不眠症に限って用いている

バルビツール酸系以外の睡眠薬で、ベンゾジアゼピン系とは異なる構造を有するものを非バルビツール酸系睡眠薬と便宜的に総称している。依存性を有し、副作用が強く安全域も狭いため専門薬以外の使用は難しい

1 催眠鎮静薬（睡眠薬） ③非バルビツール酸系

■ 対象薬剤
有機ブロム系：ブロモバレリル尿素（ブロバリン）
クロラール系：抱水クロラール（エスクレ坐），トリクロホスナトリウム（トリクロリール）

■ 指導のポイント

	患者向け	薬剤師向け
薬効	・この薬は寝つきをよくし，夜間の睡眠を持続させる薬です（エスクレ坐以外）	催眠作用
	・この薬は不安や緊張を鎮めるのに用いる薬です（ブロバリン）	鎮静作用
	・この薬は検査時の不安や緊張を鎮め眠らせる薬です（エスクレ坐，トリクロリール）	催眠作用
	☆この薬はけいれんを抑える薬です（エスクレ坐）	抗けいれん作用
詳しい薬効	・この薬は中枢神経に抑制的に働いて，脳の興奮を抑えることで不安や緊張を鎮め，夜間の睡眠を持続させる薬です（ブロバリン）	
	・この薬は中枢神経に抑制的に働いて，脳の興奮を抑えることで検査時の不安や緊張を鎮め眠らせたり，けいれんを抑える坐薬です（エスクレ坐）	
	・この薬は中枢神経に抑制的に働いて，脳の興奮を抑えることで検査時の不安や緊張を鎮め眠らせたり，寝つきをよくし夜間の睡眠を持続させる薬です（トリクロリール）	
禁忌	・〔ブロバリン〕本剤過敏症 ・〔トリクロリール〕本剤・抱水クロラール過敏症既往 ・〔クロラール系〕急性間欠性ポルフィリン症 ・〔エスクレ坐〕本剤成分（ゼラチン等）・トリクロホスNa過敏症既往	

■ 主な副作用と対策

主な副作用	患者に確認すべき症状	対策
依存性	薬がないと眠れない，薬を突然に中止するとあくび，くしゃみ，発汗，手足のふるえ，不眠・不安，けいれん，幻覚等を起こす	慎重に投与し，急激な中断は離脱症状を引き起こすため1日用量を徐々に減量する

■ 重大な副作用と妊婦・授乳婦への危険度

薬剤名	重大な副作用	妊婦[授乳婦]
ブロバリン	依存性	[⊗△]
エスクレ坐	無呼吸，呼吸抑制，ショック，依存性	A [⊗◎]
トリクロリール	無呼吸，呼吸抑制，ショック，アナフィラキシー，依存性	−

■ その他の指導ポイント

	患者向け	薬剤師向け
使用上の注意	・〔エスクレ坐以外〕この薬の服用中は，車の運転等，危険を伴う機械の操作は行わないでください ・〔ブロバリン〕この薬は就寝直前に服用してください。就寝した後，途中で起きて仕事などをする可能性がある時は飲まないでください（不眠症時） 🍴 この薬の服用中にアルコールを飲むと，薬の作用が強く出るので控えてください ・〔エスクレ坐〕坐薬は矢印の方向（⇐□）に，カプセル表面または肛門部にゼリー様の油性物質を塗るか，肛門部を水で濡らしてから挿入してください。またできるだけ排便後に使用してください。なお坐薬挿入後10分以内に排泄され，再投与を行う場合，形状に変化が認められる場合には，再投与は控えてください	眠気，注意力・集中力・反射運動能力等の低下が起こることがあるため ・〔ブロバリン〕相加的な中枢神経抑制作用（催眠，鎮静，昏睡等）の増強により併用注意 ・〔クロラール系〕アルコール脱水素酵素競合的阻害によりアルコール血中濃度上昇で作用増強にて併用注意 再投与の場合形状が保たれていても一部吸収されていることが考えられるので慎重に行う
服用を忘れたとき	〔ブロバリン〕飲み忘れに気づいても服用しない。次の日に眠れなければ決められた量を服用する（2回分を一度に服用しないこと）	

1 催眠鎮静薬（睡眠薬） ④メラトニン受容体作動薬

■ 対象薬剤

ラメルテオン（ロゼレム），メラトニン（メラトベル）

■ 指導のポイント

	患者向け	薬剤師向け
薬効	・この薬は寝つきをよくし，夜間の睡眠を持続させる薬です（ロゼレム） ・この薬は小児の神経発達症（※）に伴う入眠困難を改善する薬です（メラトベル）	催眠作用（メラトニン受容体作動薬） 〃
詳しい薬効	・脳の中央部にある松果体から分泌され睡眠・覚醒サイクルを調整するホルモンをメラトニンといい，分泌されると脳の中の「視覚叉上核（しかくさじょうかく）」にある受容体に結びついて，睡眠作用を現します。 ・この薬はメラトニンの受容体に結びついて選択的に刺激し睡眠と覚醒のリズムを整えることで，脳と体の状態を覚醒から睡眠へと切り替えて，寝つきをよくし，夜間の睡眠を持続させる薬です（ロゼレム） ・この薬はメラトニンホルモンと同じ化学構造をもち，メラトニンの受容体に結びついて選択的に刺激して，小児の神経発達症に伴う入眠困難を改善する薬です（メラトベル）	
禁忌・併用禁忌	禁忌　・本剤過敏症既往 　　　・〔ロゼレム〕高度の肝障害 併用禁忌　フルボキサミンにて血中濃度上昇にて作用増強のおそれ	

■ 主な副作用と対策

主な副作用	患者に確認すべき症状	対策
精神神経症状	眠気，頭痛，めまい	減量もしくは休薬

■ 重大な副作用と妊婦・授乳婦への危険度

薬剤名	重大な副作用	妊婦[授乳婦]
ロゼレム	アナフィラキシー（じんま疹，血管浮腫等）	[㊙○]

■ その他の指導ポイント

	患者向け	薬剤師向け
使用上の注意	・この薬の服用中は高所作業，車の運転等，危険を伴う機械の操作は行わないでください	薬の影響が翌朝以後に及び，眠気，注意力，集中力・反射運動能力等の低下が起こることがあるため
	・この薬は就寝直前に服用してください。就寝した後，途中で起きて作業などをする可能性があるときは飲まないでください	
	・この薬は食事と同時や食後すぐには飲まないでください	食後投与では空腹時投与に比べ，血漿中濃度が低下することがあるため
	食〔ロゼレム〕この薬の服用中にアルコールを飲むと薬の作用が強く出るので控えてください	相加的な中枢神経抑制作用の増強により併用注意
	食〔メラトベル〕カフェインを多く含むコーヒーや紅茶を多く飲むと薬の作用が強く出るので控えてください	血中濃度上昇で作用増強のおそれにより併用注意
服用を忘れたとき	・〔ロゼレム〕思い出したとき，翌朝起きるまでかなり時間があり，眠れなければ1回分服用してもよい（2回分を一度に服用しないこと）	
	・〔メラトベル〕飲み忘れに気づいた場合には，飲まずにとばして，翌日の就寝前に1回量を飲む	

■ その他備考

※神経発達症群とは

発達期に発症する一群の疾患である。この障害は典型的には発達期早期，しばしば小中学校入学期に明らかとなり，個人的，社会的，学業，または職業における機能の障害を引き起こす発達の欠陥により特徴づけられる。小児の睡眠障害の治療では睡眠衛生指導が最も重要で，患者に合った行動療法的治療の実施も検討する。

睡眠衛生指導のポイント

1．朝の光を浴びる　2．朝ごはんを食べる　3．昼間，体を動かす　4．夜暗くして，早く寝る

1 催眠鎮静薬（睡眠薬）　⑤オレキシン受容体拮抗薬

■ 対象薬剤
スボレキサント（ベルソムラ），レンボレキサント（デエビゴ）

■ 指導のポイント

	患　者　向　け	薬　剤　師　向　け
薬効	この薬は寝つきをよくし，夜間の睡眠を持続させる薬です	催眠作用（オレキシン受容体拮抗薬）
詳しい薬効	オレキシンは視床下部のニューロンから産生される神経ペプチドで覚醒状態の維持に重要な働きをしています。この薬はオレキシン受容体に結合し，オレキシンの働きを弱めることによって，脳の覚醒状態を抑制して寝つきをよくし（入眠効果），夜間の睡眠を持続（熟睡効果）させる薬です	
禁忌・併用禁忌	禁忌 ・本剤過敏症既往 　　　・〔デエビゴ〕重度の肝障害 併用禁忌 〔ベルソムラ〕⇨イトラコナゾール，クラリスロマイシン，リトナビル，ボリコナゾールにて本剤の作用増強	

■ 主な副作用と対策

主な副作用	患者に確認すべき症状	対策
精神神経症状	昼間強い眠気を感じうとうとしている，頭が痛い，疲れやすい，怖い夢をみる	減量もしくは休薬

■ 重大な副作用と妊婦・授乳婦への危険度

薬剤名	重大な副作用	妊婦［授乳婦］
ベルソムラ	−	B3［⊗△］

■ その他の指導ポイント

	患　者　向　け	薬　剤　師　向　け
使用上の注意	・この薬の服用中は高所作業，車の運転等，危険を伴う機械の操作は行わないでください	薬の影響が翌朝以後に及び，眠気，注意力，集中力・反射運動能力等の低下が起こることがあるため

使用上の注意	・この薬は就寝直前に服用してください。就寝した後，途中で起きて仕事などをする可能性があるときは飲まないでください	
	・この薬は食事と同時や食後すぐには飲まないでください →	食後投与では空腹時投与に比べ，血漿中濃度が低下することがあり，入眠効果の発現が遅れるおそれがあるため
	食 この薬の服用中にアルコールを飲むと薬の作用が強く出るので控えてください →	相加的な中枢神経抑制作用の増強により併用注意
服用を忘れたとき	思い出したとき，翌朝起きるまでかなり時間があり，眠れなければ1回分服用してもよい（2回分を一度に服用しないこと）	

不眠症の日常生活のポイント

　不眠には急性のストレスや環境の変化により一過性に起きる不眠（数日間）や，比較的長く続くストレスによって起きる短期の不眠（1〜3週間），4週間以上続く長期不眠などがあります。また症状から分類すると寝るまで30分〜1時間以上かかり苦痛と感じる入眠困難や，夜中に何度も目が覚める中途覚醒や，明け方近くに目が覚めてそのまま朝まで眠れない早朝覚醒や，睡眠時間は十分であるにもかかわらず深く眠った感覚が得られない熟眠困難などがあります。不眠の治療にあたっては，その原因を調べて可能な限り排除を試みることが重要です。よい睡眠をとるため以下のような生活習慣を心がけましょう。

【日常生活】
1. 睡眠時間は人それぞれですので，睡眠時間にこだわりすぎず，日中の眠気で困らなければ十分です。
2. 寝る前4時間のコーヒーや紅茶などのカフェインを含むものや，寝る前1時間のタバコは睡眠の妨げになるので控えましょう。また寝る前には軽い読書，音楽，ぬるめの入浴などで心身をリラックスさせましょう。
3. 眠たくなってから床につくようにしましょう。
4. 毎日同じ時刻に起きて，目が覚めたら雨戸・カーテンを開けて外の光を取り入れたり，屋外に出て体内時計をスイッチオンしましょう。
5. 寝るとき胃腸が活発に活動していると睡眠が障害されますので，夕食は寝る3時間以上前に食べましょう。
6. 睡眠薬代わりの寝酒は，深い睡眠を減らし，夜中に目覚める原因となるため控えましょう。
7. 規則正しく3度の食事をとり，規則的な運動習慣は熟眠を促進しますので身につけましょう。
8. 昼寝をするなら夕方以降は夜の睡眠に影響しますので，15時前の20〜30分にしましょう。
9. 眠りが浅いときは，むしろ積極的に遅く寝て早起きしましょう。
10. 寝ているときの激しいイビキ・呼吸停止や足のぴくつき・むずむず感がある場合は睡眠の病気も考えられますので専門医に相談しましょう。
11. 長時間眠っても日中の眠気で仕事や学業に支障がある場合は専門医に相談しましょう。
12. 睡眠薬は一定時刻に服用し寝るようにしましょう。アルコールとの併用はしないでください。

2 抗てんかん薬

■ 抗てんかん薬―薬物治療の確認と指導のポイント

項目	確認のポイント
てんかん発作型の確認	てんかん：大脳皮質ニューロンが過剰に興奮することにより，けいれんなどのてんかん発作を繰り返す慢性の中枢神経疾患 **病因分類** ・特発性てんかん：原因不明のてんかん ・症候性てんかん：器質的病変（脳の先天奇形，脳腫瘍等）に続発するてんかん **出現部位による分類** ・部分（焦点）てんかん：過剰興奮が一側大脳半球のネットワークの一部で起こる。部分（焦点）発作が主症状 ・全般てんかん：過剰興奮が両側大脳半球ネットワークの広範囲で起こる。全般発作が主症状 **てんかん発作の分類** ①部分（焦点）発作：単純部分発作（意識障害なし），複雑部分発作（意識障害あり） ②全般発作：欠神発作，ミオクロニー発作，強直発作，強直間代発作，脱力発作 **検査** 問診（発作型を分類），脳波，脳画像
病態に合わせた抗てんかん薬選択と効果の確認	**治療の開始** 　初回の非誘発性発作では原則抗てんかん薬の治療は開始しない。初回発作でも神経学的異常，脳波異常，脳画像病変，てんかんの家族歴がある場合，患者の社会的状況，希望を含めて治療開始を考慮。2回目の発作が出現した場合，抗てんかん薬の治療開始が推奨される **薬物治療の基本** 　新規発症てんかんの治療は各発作型に適した薬物を単剤・少量で開始し発作が抑制されるまで漸増していくのが基本。最初の抗てんかん薬で発作が抑制されない場合，てんかん診断の見直し，服薬状況の確認，最大忍容量に達しているかの確認を行う。第一選択薬が無効と判断した場合，次の薬剤（他の第一選択薬もしくは第二選択薬）を投与する **【第一選択薬】** ①部分（焦点）発作：カルバマゼピン，ラモトリギン，レベチラセタム，ゾニサミド，トピラマート*（*他剤との併用療法） ②全般発作：・欠神発作→バルプロ酸，エトスクシミド 　　　　　　・ミオクロニー発作→バルプロ酸，クロナゼパム 　　　　　　・他の全般発作→バルプロ酸 **【第二選択薬】** 発作型の分類と薬剤選択（p.23）参照 〔効果確認〕てんかん発作の有無の確認，発作がある場合，発作時の症状，発作頻度・時間
主な副作用と対策への指導	・眠気，頭痛，めまい，ふらつきなど，飲み始めの副作用 　→薬を少量から開始しゆっくり増量することで防ぐことができる ・視界がぼやける，複視，ふらつき，めまいなど，服薬量が多いための副作用 　→服薬後に一過性に出現するが減量か服用回数を増やすことで改善できる ・薬疹，骨髄抑制，肝障害など，アレルギー反応による副作用 　→ほとんどは飲み始めの数カ月以内に出現し，多くは服薬を中止すれば改善するが重症になることがごくまれにある

No.2　抗てんかん薬

項目	確認のポイント
有害な相互作用の回避の確認	相互作用が非常に多いため，併用禁忌薬剤等のチェックや食品やアルコールも含めて確認する（例：フェニトインとフルコナゾール，カルバマゼピンとグレープフルーツ，アルコール等）
血中濃度測定の確認	少量の抗てんかん薬で発作が抑制されない場合，副作用が出現しない最大許容量まで増量して抗てんかん薬の効果を判定する。効果の判定は半減期の4～5倍後に血中濃度は定常状態に達するため，その後に行う（主な抗てんかん薬の治療域血中濃度と薬物動態（下記）参照）
服薬アドヒアランスへの支援	安定した血中濃度を得るには，毎日決められた時間，間隔で服薬を継続することが重要また薬の作用，副作用，催奇形性などについての説明することで服薬に対する過剰な不安をやわらげる

■発作型の分類と薬剤選択

大分類	小分類	第一選択薬	第二選択薬
部分発作（焦点発作）	単純部分発作	CBZ, LTG, LEV, ZNS, TPM*	PHT, VPA, CLB*, CZP, PB, GBP*, LCM, PER
	複雑部分発作		
	二次性全般下部分発作		
全般発作	欠神発作	VPA, ESM	LTG
	強直間代発作	VPA	LTG, LEV, TPM*, ZNS, CLB*, PB, PHT, PER
	ミオクロニー発作	VPA, CZP	LEV, TPM*

＊他剤との併用療法
CBZ：カルバマゼピン，VPA：バルプロ酸，PHT：フェニトイン，ZNS：ゾニサミド，ESM：エトスクシミド，PB：フェノバルビタール，CLB：クロバザム，CZP：クロナゼパム，GBP：ガバペンチン，LEV：レベチラセタム，LTG：ラモトリギン，TPM：トピラマート，PER：ペランパネル，LCM：ラコサミド

■主な抗てんかん薬の治療域血中濃度と薬物動態

血中濃度測定の有用性	商品名	成分名	治療域血中濃度（μg/mL）	$T_{1/2}$（時間）	Tmax（時間）
非常に有用	アレビアチン	フェニトイン	7～29	L：7～42 H：20～70	4～8
有用	ラミクタール	ラモトリギン	2.5～15	15～35	1～3.5
	テグレトール	カルバマゼピン	4～12	10～26	4～8
	フェノバール	フェノバルビタール	15～40	70～130	0.5～4
	デパケン	バルプロ酸	50～100	11～20	2～4
	イノベロン	ルフィナミド	30～40	8～12	4～6
	フィコンパ	ペランパネル	0.05～0.4	53～136	0.25～2

血中濃度測定の有用性	商品名	成分名	治療域血中濃度 (μg/mL)	$T_{1/2}$ (時間)	Tmax (時間)
ある程度有用	プリミドン	プリミドン	5～12	10～20	2～4
	エピレオプチマル	エトスクシミド	40～100	40～60	1～7
	エクセグラン	ゾニサミド	10～40	50～70	2～5
	トピナ	トピラマート	5～20	20～30	1～4
限定的または未確定	クロナゼパム，クロバザム，ジアゼパム，ニトラゼパム，アセタゾラミド，ガバペンチン，レベチラセタム，臭化カリウム，スチリペントール，ビガバトリン，ラコサミド				

（日本神経学会ホームページ：「てんかん診療ガイドライン 2018」より作成）

No.2 抗てんかん薬

■ 対象薬剤

- A) バルビツール酸系：フェノバルビタール；PB（フェノバール），プリミドン；PRM（プリミドン）
- B) ヒダントイン系：フェニトイン；PHT（アレビアチン，ヒダントール），エトトイン；EHT（アクセノン）
- C) オキサゾリジン系：トリメタジオン；TMO（ミノアレ）
- D) スルフォンアミド系：スルチアム；STM（オスポロット），アセタゾラミド；AZA（ダイアモックス）
- E) サクシミド系：エトスクシミド；ESM（エピレオプチマル，ザロンチン）
- F) アセチルウレア系：アセチルフェネトライド；APT（クランポール）
- G) ベンゾジアゼピン系：クロナゼパム；CZP（ランドセン，リボトリール），クロバザム；CLB（マイスタン），ニトラゼパム；NZP（ネルボン，ベンザリン），ミダゾラム（ブコラム）
- H) イミノスチルベン系：カルバマゼピン；CBZ（テグレトール）
- I) 分枝脂肪酸系：バルプロ酸ナトリウム；VPA（デパケン，デパケンR，セレニカR）
- J) ベンズイソキサゾール系：ゾニサミド；ZNS（エクセグラン）
- K) 新世代：ガバペンチン；GBP（ガバペン），トピラマート；TPM（トピナ），ラモトリギン；LTG（ラミクタール），レベチラセタム；LVT（イーケプラ），ペランパネル水和物；PER（フィコンパ），ラコサミド；LCM（ビムパット）
- L) 希少疾病用：スチリペントール；STP（ディアコミット），ルフィナミド；RFM（イノベロン），ビガバトリン；VGB（サブリル）
- M) 配合剤（ヒダントールD・E・F配合）

＊ダイアモックスはNo.18利尿薬（p.273），ネルボン，ベンザリンはNo.1催眠鎮静薬（睡眠薬）①（p.5）参照

■ 指導のポイント

	患者向け	薬剤師向け
薬効	・この薬は脳の神経の過剰な興奮を抑え，発作（けいれん，意識消失など）を抑える薬です（ブコラム以外） →	抗けいれん作用
	・この薬は生後3カ月から18歳未満の患者の「てんかん重積状態*1」の発作を抑える薬です（ブコラム）	
	☆この薬は，顔面などの感覚をつかさどる三叉神経の痛みを抑える薬です（テグレトール） →	三叉神経誘発電位抑制作用
	☆この薬は抑えることのできない感情の高まりや行動（躁状態）を抑え，気分を安定させる薬です（テグレトール，デパケン，デパケンR，セレニカR）（参）No.8精神神経用薬② →	抗躁作用
	☆この薬は片頭痛が起こるのを予防する薬です（デパケン，デパケンR，セレニカR）（参）No.5片頭痛治療薬 →	GABA神経伝達促進作用

薬効	☆この薬は抑えることのできない感情の高まりや行動(躁状態)と、気分が落ち込み、憂うつな気分(うつ状態)を繰り返す双極性障害の再発・再燃を防ぐ薬です(ラミクタール25 mg, 100 mg) (参) No.8 精神神経用薬② →	抗躁作用, 抗うつ作用
	☆この薬は寝つきをよくし、夜間の睡眠を持続させる薬です(フェノバール, ネルボン, ベンザリン) (参) No.1 催眠鎮静薬(睡眠薬)①② →	催眠作用
	☆この薬は不安や緊張を鎮めるのに用いる薬です(フェノバール) →	鎮静作用
	☆この薬は尿を出してむくみをとったり、生理前の緊張をやわらげたり、眼圧を下げたり、めまい、睡眠時の無呼吸(250 mgのみ)を改善したりする薬です(ダイアモックス) (参) No.18 利尿薬 →	利尿作用, 月経前緊張症の緩解, 眼圧低下作用, メニエル症候群の改善, 呼吸性アシドーシス・睡眠時無呼吸の改善 ・テグレトール, デパケンの適応外は No.8 精神神経用薬②参照
詳しい薬効	てんかんは脳の細胞が過剰に興奮してその刺激が周囲に伝わって起こります ・この薬は脳の神経の過剰な興奮を抑え、刺激が周囲に伝わりにくくして、けいれんや意識消失などの発作を抑える薬です (D, G, K, L以外) ・この薬は脳内に存在する炭酸ガスと水から炭酸を作る酵素(炭酸脱水素酵素)の働きを抑えて、脳内の炭酸ガスを増加することにより、脳の神経の過剰な興奮を抑え、けいれんや意識消失などの発作を抑える薬です(オスポロット, ダイアモックス) ・この薬はベンゾジアゼピン受容体に選択的に結合し、脳神経の興奮を抑える神経伝達物質(GABA)の働きを増強して脳神経の過剰な興奮を抑え、けいれんや意識消失などの発作(ブコラム以外)、生後3カ月から18歳未満の患者の「てんかん重積状態[*1]」の発作(ブコラム)を抑える薬です (G) ・この薬はナトリウムチャネルを抑制することで、神経膜を安定化させ興奮性神経伝達物質(グルタミン酸等)の遊離を抑え(ラミクタール), 神経伝達物質放出の調節にかかわる脳のシナプス小胞タンパク2A (SV2A)と特異的に結合して(イーケプラ)脳の神経の過剰な興奮を抑え、刺激が周囲に伝わりにくくしてけいれんや意識消失などの発作を抑える薬です(ラミクタール, イーケプラ) ・この薬は神経シナプスにおけるカルシウム流入を抑制し、興奮性神経伝達物質の遊離を抑えるとともに、脳神経の興奮を抑える神経伝達物質(GABA)を増加させ(ガバペン), 脳神経を興奮させる神経伝達物質(グルタミン酸)の受容体の活性化を阻害(トピナ, フィコンパ), ナトリウムチャネルの緩徐な不活性化を選択的に促進させ(ビムパット), 脳神経の過剰興奮を抑え、他の抗てんかん薬と併用して、てんかんの発作を抑える薬です(ガバペン, トピナ, フィコンパ, ビムパット) ・この薬は脳神経の過剰な興奮を抑え、刺激が周囲に伝わりにくくして、他の抗けいれん薬と併用して難治性小児てんかんのドラベ症候群[*2]の間代発作または強直間代発作(ディアコミット)やレノックス・ガストー症候群[*3]の強直発作, 脱力発作(イノベロン)を抑える薬です(ディアコミット, イノベロン) ・この薬は脳神経の興奮を抑える神経伝達物質(GABA)を分解する酵素と結合し、脳内GABA濃度を増加させ、脳の神経の過剰な興奮を抑え、難治性小児てんかんの点頭てんかん[*4]のスパズム発作を抑える薬です(サブリル)	

No.2 抗てんかん薬

	患者向け	薬剤師向け
警告	・〔ブコラム〕医師の指導で，てんかん重積状態の症状の判断方法，使用方法，副作用，保存について十分理解できていますか ・〔ラミクタール〕この薬の服用中，目の充血，唇・口腔内や陰部のびらん，皮膚や粘膜の水ぶくれや，発疹が現れたらすぐにご相談ください ・〔サブリル〕この薬の服用中に視野が狭くなる（視野が縁から狭くなったり，ランダムにいろいろな部分が見えなくなる）ことがあればすぐにご相談ください 検 投与開始時および投与中少なくとも3カ月に1回，視野検査を含めた眼科検査を受けるため受診しましょう	本剤交付前に保護者等が自己投与できるよう，症状の判断方法，保存方法，使用方法，副作用等を保護者等が理解したことを確認した上で交付する 中毒性表皮壊死融解症，皮膚粘膜眼症候群，薬剤性過敏症症候群等重篤な皮膚障害のおそれ（死亡例あり）。用法・用量を超える投与時，皮膚障害発現率が高いので，用法・用量を遵守。小児特に注意。発疹発現時早期に皮膚科専門医に相談。発疹に加え発熱（38℃以上），眼充血，口唇・口腔内粘膜のびらん，咽頭痛，全身倦怠感，リンパ節腫脹等の症状があらわれたら直ちに投与中止。患者・家族に上記の症状発現時，直ちに受診するよう指導 投与患者の約1/3で不可逆的な視野狭窄発現。投与は，サブリル処方登録システム（SRSP）に登録された医師・薬剤師がおり，眼科専門医と連携可能な登録医療機関で，登録患者のみ可。視野狭窄の発現頻度は曝露期間の延長，累積投与量の増加とともに高くなるため，定期的に眼科検査を実施。投与開始時に患者等に，本剤の有効性・危険性を文書で説明・同意を取得

禁忌・併用禁忌

禁忌
- 〔ミノアレ，オスポロット，E，G，エクセグラン，ガバペン，トピナ，ラミクタール，ディアコミット，サブリル〕本剤過敏症既往
- 〔A〕本剤・バルビツール酸系化合物過敏症，急性間欠性ポルフィリン症
- 〔B〕本剤・ヒダントイン系化合物過敏症
- 〔クランポール〕本剤・フェニル尿素系化合物過敏症
- 〔ミノアレ〕妊婦，重篤な肝・腎・血液障害，網膜・視神経障害
- 〔テグレトール〕本剤・三環系抗うつ剤過敏症既往，第Ⅱ度以上の房室ブロック，高度の徐脈，ポルフィリン症
- 〔I〕重篤な肝障害，尿素サイクル異常症
- 〔I〕妊婦（片頭痛発作の発症抑制）
- 〔オスポロット〕腎障害
- 〔E，テグレトール〕重篤な血液障害
- 〔G〕急性閉塞隅角緑内障，重症筋無力症
- 〔ブコラム〕ショック，昏睡，バイタルサイン抑制がみられる急性アルコール中毒
- 〔イーケプラ〕本剤・ピロリドン誘導体過敏症既往
- 〔イノベロン〕本剤・トリアゾール誘導体過敏症既往
- 〔フィコンパ，ビムパット〕本剤過敏症既往，重度の肝機能障害
- 〔サブリル〕SRSPの規定を遵守できない
- 〔M〕本剤・ヒダントイン系・バルビツール酸系化合物過敏症，重篤な心障害，重篤な肝障害・腎障害・肺障害，急性間欠性ポルフィリン症

併用禁忌
- 〔フェノバール，アレビアチン，ヒダントール，ヒダントールD・E・F〕⇔タダ

<table>
<tr><td rowspan="6">禁忌・併用禁忌</td><td>ラフィル（アドシルカ），マシテンタン，エルバスビル，グラゾプレビル，チカグレロル，リアメット配合，プレジコビックス配合，リルピビリン，コムプレラ配合，オデフシィ配合，ゲンボイヤ配合，エプクルーサ配合，ジャルカ配合の血中濃度低下
・〔フェノバール〕⇔ボリコナゾールの血中濃度低下
・〔フェノバールエリキシル〕⇔ジスルフィラム，シアナミド，プロカルバジンにてアルコール反応（顔面潮紅，血圧降下等）
・〔ヒダントールD・E・F〕⇔ボリコナゾールにてフェニトインの血中濃度上昇またはボリコナゾール血中濃度低下
・〔アレビアチン，ヒダントール，ヒダントールD・E・F〕⇔ソバルディ，ハーボニー配合の血中濃度低下
・〔ブコラム〕⇔ノービア，カレトラ配合，ネルフィナビル，アタザナビル，ホスアンプレナビル，プリジスタ，プリジスタナイーブ，プレジコビックス配合，シムツーザ配合，スタリビルド配合，ゲンボイヤ配合，シムツーザ配合にて本剤の血中濃度上昇，過度の鎮静や呼吸抑制発現
・〔テグレトール〕⇔ボリコナゾール，タダラフィル（アドシルカ），リルピビリン，マシテンタン，チカグレロル，グラゾプレビル，エルバスビル，ジャルカ配合，エプクルーサ配合，ビクタルビ配合の血中濃度減少作用減弱
・〔デパケン，デパケンR，セレニカR〕⇔パニペネム・ベタミプロン，メロペネム，イミペネム・シラスタチン，ビアペネム，ドリペネム，テビペネムにてバルプロ酸の血中濃度が低下，てんかん発作再発のおそれ</td></tr>
</table>

■ 主な副作用と対策，フィジカルアセスメントのチェックポイント

主な副作用	患者に確認すべき症状	対策とPAのチェックポイント
神経症状 (眠気，ふらつき，運動失調，複視)	眠くなる，ふらつく，めまい，立てない，まっすぐに歩こうとしても偏ってしまう，物が二重に見える	眠気，頭痛，めまい，ふらつきなどの飲みはじめに起きやすい副作用は薬を少量から開始し，ゆっくり増量する．視界がぼやける，複視，ふらつきなど服用量が多いための副作用は減量か服用回数を減らす
皮膚症状 (薬疹，口内炎，皮膚粘膜眼症候群)	発疹，かゆみ，高熱(38℃以上)，まぶたの腫(は)れ，皮膚の広い範囲が赤くなる，口の中やくちびるのただれ，のどの痛み	原因薬の中止．重篤な場合は副腎皮質ホルモン，γグロブリン大量療法等を行う PA 体温(↑:38℃以上)，皮膚(発赤水疱およびびらん)，眼結膜(結膜充血，眼脂，眼瞼発赤腫脹)，粘膜・口唇(びらん)
血液障害 (白血球減少，再生不良性貧血)	青あざができやすい，歯ぐきや鼻の粘膜からの出血，発熱，のどの痛み，疲労感，動悸，息切れ	原因薬の中止．発熱している場合は広域スペクトラムの抗菌薬で治療．重篤な場合は顆粒球コロニー刺激因子(G-CSF)の使用も検討 PA 顔色(蒼白)，眼瞼結膜(白色)，体幹・四肢・歯肉(出血斑)
精神症状 (いらいら，行動遅鈍，もうろう状態，自発性の低下)	いらいらする，行動が鈍くなる，もうろうとする	減量もしくは中止
肝機能障害[†]	体がだるい，白目が黄色くなる，吐き気，嘔吐，食欲不振，かゆみ，皮膚が黄色くなる，尿が黄色い	PA 体温(↑)，腹部(肝肥大，心窩部・右季肋部圧痛，腹水貯留等)，眼球(黄疸)，皮膚(皮疹，瘙痒感，黄色)，尿(褐色)
呼吸抑制，徐脈 (ブコラム)	呼吸数が減る，呼吸が浅くなる，呼吸が止まる，脈が遅くなる	10分以内に発作が停止しない場合や薬剤が全量投与できなかった場合，浅表性(せんぴょうせい)呼吸(呼吸が浅く速くなる)や意識消失等の場合は医療機関に救急搬送 PA 呼吸数(↓)，脈拍数(↓)，血圧(↓)
視野障害，視力障害 (サブリル)	視野の周辺部が欠け，中心部しか見えなくなる，見えづらい	投与中止．3カ月程度で急激に発現したり悪化のため，3カ月に1回は視野検査等を行う

[†]：厚生労働省の「重篤副作用疾患別対応マニュアル」参照

■ 各薬剤の重大な副作用と妊婦・授乳婦への危険度

薬剤名	重大な副作用	妊婦[授乳婦]
フェノバール	皮膚粘膜眼症候群，中毒性表皮壊死融解症，紅皮症，過敏症症候群，依存性，顆粒球減少，血小板減少，肝機能障害，呼吸抑制	D [✕△]
プリミドン	皮膚粘膜眼症候群，再生不良性貧血，依存性 類薬 中毒性表皮壊死症，剥脱性皮膚炎	[✕△]

薬剤名	重大な副作用	妊婦[授乳婦]
アレビアチン，ヒダントール	皮膚粘膜眼症候群，中毒性表皮壊死融解症，過敏症症候群，SLE様症状，再生不良性貧血，汎血球減少，無顆粒球症，単球性白血病，血小板減少，溶血性貧血，赤芽球癆，劇症肝炎，肝機能障害，黄疸，間質性肺炎，悪性リンパ腫，リンパ節腫脹，小脳萎縮，横紋筋融解症，急性腎障害，間質性腎炎，悪性症候群	D [授○]
アクセノン	類薬　〃　（悪性症候群なし）	
ミノアレ	皮膚粘膜眼症候群，中毒性表皮壊死症，SLE様症状，再生不良性貧血，汎血球減少，筋無力症	禁忌 [授△]
オスポロット	腎不全	－
エピレオプチマル，ザロンチン	皮膚粘膜眼症候群，SLE様症状，再生不良性貧血，汎血球減少	D [授△]
クランポール	再生不良性貧血	－
リボトリール，ランドセン	依存性，呼吸抑制，睡眠中の多呼吸発作，刺激興奮，錯乱，肝機能障害，黄疸	B3 [授○]
マイスタン	依存性，呼吸抑制，中毒性表皮壊死融解症，皮膚粘膜眼症候群	C [授○]
ブコラム	呼吸抑制	C
テグレトール	再生不良性貧血，汎血球減少，白血球減少，無顆粒球症，貧血，溶血性貧血，赤芽球癆，血小板減少，皮膚粘膜眼症候群，中毒性表皮壊死融解症，多形紅斑，急性汎発性発疹性膿疱症，紅皮症，SLE様症状，過敏症症候群，肝機能障害，黄疸，急性腎障害，PIE症候群，間質性肺炎，血栓塞栓症，アナフィラキシー，うっ血性心不全，房室ブロック，洞機能不全，徐脈，抗利尿ホルモン不適合分泌症候群，無菌性髄膜炎，悪性症候群	[授○]
デパケン，デパケンR，セレニカR	劇症肝炎等の重篤な肝障害，黄疸，脂肪肝，高アンモニア血症を伴う意識障害，溶血性貧血，赤芽球癆，汎血球減少，重篤な血小板減少，顆粒球減少，急性膵炎，間質性腎炎，ファンコニー症候群，皮膚粘膜眼症候群，中毒性表皮壊死融解症，過敏症症候群，脳の萎縮，認知症様症状，パーキンソン様症状，横紋筋融解症，抗利尿ホルモン不適合分泌症候群，間質性肺炎，好酸球性肺炎	禁忌（片頭痛発症抑制）/D [授○]
エクセグラン	皮膚粘膜眼症候群，中毒性表皮壊死融解症，紅皮症，過敏症症候群，再生不良性貧血，無顆粒球症，赤芽球癆，血小板減少，急性腎障害，間質性肺炎，肝機能障害，黄疸，横紋筋融解症，腎・尿路結石，発汗減少に伴う熱中症，悪性症候群，幻覚，妄想，錯乱，せん妄等の精神症状	D [授△]
ガバペン	急性腎障害，皮膚粘膜眼症候群，薬剤性過敏症症候群，肝炎，肝機能障害，黄疸，横紋筋融解症，アナフィラキシー	B1 [授○]
トピナ	続発性閉塞隅角緑内障およびそれに伴う急性近視，腎・尿路結石，代謝性アシドーシス，乏汗症およびそれに伴う高熱	D [授△]
ラミクタール	皮膚粘膜眼症候群，中毒性表皮壊死融解症，多形紅斑，薬剤性過敏症症候群，再生不良性貧血，汎血球減少，無顆粒球症，血球貪食症候群，肝炎，肝機能障害及び黄疸，無菌性髄膜炎	D [授△]
フィコンパ	攻撃性等の精神症状	－

No.2 抗てんかん薬

薬剤名	重大な副作用	妊婦[授乳婦]
ビムパット	房室ブロック，徐脈，失神，中毒性表皮壊死融解症，皮膚粘膜眼症候群，薬剤性過敏症症候群，無顆粒球症	B3
イーケプラ	皮膚粘膜眼症候群，中毒性表皮壊死融解症，薬剤性過敏症症候群，重篤な血液障害，肝不全，肝炎，膵炎，攻撃性，自殺企図，横紋筋融解症，急性腎障害，悪性症候群	B3 [㊟○]
ディアコミット	好中球減少症，血小板減少症	－
イノベロン	薬剤性過敏症症候群，皮膚粘膜眼症候群	[㊟△]
サブリル	視野障害，視力障害，視神経萎縮，視神経炎，てんかん重積状態，ミオクローヌス発作，呼吸障害，脳症状，頭部MRI異常	D
ヒダントールD・E・F	皮膚粘膜眼症候群，中毒性表皮壊死融解症，紅皮症，過敏症症候群，SLE様症状，依存性，再生不良性貧血，汎血球減少，無顆粒球症，単球性白血病，血小板減少，溶血性貧血，赤芽球癆，劇症肝炎，肝機能障害，黄疸，間質性肺炎，呼吸抑制，悪性リンパ腫，リンパ節腫脹，小脳萎縮，横紋筋融解症，急性腎障害，間質性腎炎，悪性症候群	D

■ その他の指導ポイント

	患者向け	薬剤師向け
使用上の注意	・この薬は効果を出すために医師の指示どおり規則正しく決められた量を服用してください。また長期にわたって服用しなければなりませんが，医師の指示なしに勝手に服用を中止しないでください	一定期間内服した後に急激に減量・中止すると反跳現象をきたすため，自己判断で減量・中止しないよう指導
	・この薬の服用中は，車の運転等，危険を伴う機械の操作は行わないでください	眠気，注意力・集中力・反射運動能力等の低下が起こることがある。運転免許の可否は，主治医の診断書もしくは臨時適性検査にもとづいて行われる。運転免許の許可条件はその他備考（p.35）参照
	・〔C, D, E, F, ブコラム以外〕この薬を長期服用中，勝手に薬の量を急激に減らしたり，服用を中止するとけいれんや意識がなくなるなどが起きることがあるので必ず指示を守ってください	連用中における投与量の急激な減少ないし投与の中止によりてんかん重積状態（30分以上けいれんが続いている状態，または断続的にけいれんが30分以上出現し，その間意識がない状態）が現れることがあるので投与中止の場合，徐々に減量
	・〔ブコラム〕この薬は1回分の規定量を充填した頬粘膜に使用するプレフィルドシリンジです。片方の頬をつまみ広げ，シリンジの先端を下の歯ぐきと頬の間に入れ，ゆっくりと全量を注入します。体格の小さい人や使用量が多い場合は，両側の頬に半量ずつ注入することがあります。この薬は頬粘膜より吸収されるため，使用時に可能な限り飲み込まないよ	担当の医師から適切な指導を受けた保護者等は医療機関外で使用できる。保護者等が投与する場合は，1回分（シリンジ1本）のみの投与とする。ただし，3～6カ月の乳幼児の場合は，医師のもとで使用する必要がある

使用上の注意		
	うにしてください。	
	・〔ブコラム〕この薬を使用する前に，2つのキャップ（赤色キャップとその内側の白色キャップ）が外れていることを確認してください。→	誤飲・誤嚥を避けるため
	・〔デパケンR，セレニカR〕この薬はかみ砕かずに服用してください。また便の中に白いかすのようなものが混じることがあるかもしれませんが心配はいりません→	持続的に体内で効果を現すようにコーティングされているため，かみ砕かない。また白いかすは徐放化のため加えた賦形剤が便中に排泄されたもの
	・〔ラミクタール〕この薬は水で飲むだけでなく，錠剤をそのままかんで飲んだり，水に溶かして飲んだりすることができます→	錠剤をそのまま咀嚼して服用するか，従来通り錠剤を水で服用するか，水に懸濁して服用するかを選択できるチュアブル・ディスパーシブル錠のため
	・〔ディアコミット〕この薬は食事中または食直後に服用してください→	空腹時投与の場合，食後投与に比べ吸収が低下し作用が減弱するおそれがあるため
	・〔ディアコミットドライシロップ〕この薬は飲むときに開封し，水によく混ぜて飲んでください。用量を調節するときは，1包（主成分として250 mg）を約10 mLの水によく混ぜ，決められた1回量を計量カップ，スポイトなどで量り，すぐに飲んでください。水に混ぜた薬が残った場合は廃棄してください。作り置きはしないでください→	ドライシロップ製剤は用時調製の製剤である。分包を開封して処方しないこと
	・〔サブリル〕この薬は服用直前に適量の水に溶かして飲んでください→	散剤をそのまま服用可能な年齢の患者では水と一緒に服用してもかまわない
	・〔ラミクタール，イーケプラ，フィコンパ，ビムパット〕この薬の服用中，興奮したり，攻撃的になったり，自殺を企てたりすることがあるのですぐにご相談ください→	易刺激性，錯乱，興奮，攻撃性等の精神症状が現れ自殺企図に至ることもあるので，患者の状態を注意深く観察するよう家族に説明，指導する
	・〔フィコンパ，ディアコミット〕この薬の服用中，ふらつき等が多く転倒しやすいので注意してください→	運動失調（ふらつき）等が高齢者で認められるため
	・〔ビムパット〕この薬の服用中，脈が速い，遅い，脈がとぶ，どきどきする，息切れ等が現れたらすぐにご相談ください→	PR間隔の延長が現れることがあるため
	・〔トピナ，ディアコミット〕この薬の服用中，体重が減少しはじめたらご相談ください→	体重減少をきたすことがあるので，投与中特に長期投与時には定期的に体重計測を実施
	・〔トピナ〕この薬の服用中，眼の痛み，頭痛，視力の低下を感じたらご相談ください→	続発性閉塞隅角緑内障およびそれに伴う急性近視が現れることがあるので，症状があれば投与を中止し適切な処置。投与1カ月以内に現れることが多い
	・〔トピナ〕この薬の服用中，結石を生じやすい方は十分に水分を取ってください→	腎・尿路結石が現れることがあるため，結石を生じやすい患者への投与時，水分摂取を指導
	・〔エクセグラン，トピナ〕この薬の服用中，→	発汗減少が現れることがあり，特に夏季に体

No.2 抗てんかん薬

	使用上の注意	
	汗が出にくくなり特に夏に体温が上昇することがあります。このような場合には高温の環境をできるだけ避けてください	温の上昇することがあるため。なお，あらかじめ水分を補給することにより症状が緩和される可能性がある
・	〔ガバペン〕この薬の服用中，肥満の徴候が現れたらご相談ください	体重増加をきたすことがあるので，投与中定期的に体重計測を実施し，肥満の徴候が現れたら食事療法，運動療法等の処置
・	〔ミノアレ，デパケン，デパケンR，セレニカR〕妊娠中または妊娠の可能性のある方は必ずご相談ください	〔ミノアレ〕妊娠中の投与で奇形を有する児（口唇裂，口蓋裂，心奇形等）の出産例が多いため投与禁忌
		〔デパケン，デパケンR，セレニカR〕妊娠初期の投与で二分脊椎児出産例が多い。また心奇形や外表奇形等の奇形報告があるため片頭痛発症抑制に使用する場合投与禁忌
食	〔A，G，H，M，ディアコミット，フィコンパ〕この薬の服用中にアルコールを飲むと，薬の作用が強く出るので控えてください	ともに中枢神経抑制作用を有するため相互に作用が増強するおそれがあるため併用注意
食	〔フェノバール，アレビアチン，ヒダントール，テグレトール，トピナ，フィコンパ，M〕この薬の服用中にセイヨウオトギリソウ（セント・ジョーンズ・ワート）を含む食品はとらないでください	セイヨウオトギリソウの肝薬物代謝酵素誘導作用により本剤の代謝が促進され血中濃度低下のおそれがあるため併用注意
食	〔フェノバール〕この薬の服用中にツキミソウ油はとらないでください	ツキミソウ油中の gamolenic acid によりけいれんの閾値が低下し，抗けいれん作用が減弱するおそれがあるため
食	〔アレビアチン，ヒダントール〕この薬の服用中に葉酸をたくさん含む飲食物はとらないでください	葉酸により薬物代謝酵素が誘導され，本剤の代謝が促進され血中濃度低下のおそれがあるため
食	〔ブコラム，テグレトール〕この薬の服用中にグレープフルーツジュースは飲まないでください	グレープフルーツジュースに含まれる成分が本剤の小腸での代謝酵素を抑制し，血中濃度上昇のおそれがあるため併用注意
食	〔テグレトール〕この薬の服用中にオオバコ種子エキスを含むものは同時にとらないでください	オオバコ種子エキスにより薬剤の消化吸収が減少し本剤の血中濃度低下により効果減弱のおそれがあるため
食	〔アレビアチン，ヒダントール，I〕この薬の服用中にイチョウ葉エキスを含むものはとらないでください	イチョウ葉エキスの長期摂取によりCYP2C19が誘導され効果減弱の可能性があるため
食	〔ディアコミット〕この薬の服用中はカフェイン含有食品（チョコレート，コーヒー，紅茶，日本茶，コーラ等）を含むものは同時にとらないでください	本剤の肝薬物代謝酵素阻害作用によりカフェインの代謝を抑制し，カフェインの血中濃度上昇のおそれがあるため併用注意
検	〔ビムパット〕重度の心疾患既往患者等は投与中，心電図検査を受けるため受診しましょう	PR間隔延長が発現することがあるため
検	〔サブリル〕投与開始時および投与中，定期的に頭部MRI検査を受けるため受	視床，基底核，脳幹，小脳等において頭部MRI異常の発現が報告されているため

使用上の注意	診しましょう	
	・〔ブコラム〕シリンジはプラスチックチューブに封入された状態でのふた部分を上向きにして立てて保管してください。また直射日光を避け，室温で保存してください	ふた部分を下向きまたは水平方向に保管した場合，シリンジの構成部品に有効成分が吸収され，含量低下のおそれ
	・〔デパケン，セレニカR〕この薬は服用直前までシートから出さずに，また包装が破損しないように保管してください	吸湿性が強いため
	・〔ガバペン〕直射日光を避け，できるだけ涼しい場所に保管してください	本剤の品質は熱の影響を受けるため（製造日から30℃で24カ月，40℃で6カ月保存で品質の劣化が認められている）
	・〔ディアコミットカプセル〕この薬の服用後は容器にしっかり封をして保管してください。家の外（学校，旅行先など）で服用するために小分けする場合は密封できる容器に入れ，必ず小分けボトルから服用してください	本剤のカプセル（ゼラチン）が吸湿性であるため，気密性の高い保存容器に入れること。苛酷条件（25℃/90% RH，家庭用保存容器）で2週間を超える安定性は確認されていない
服用を忘れたとき	・〔ガバペン，フィコンパ以外〕思い出したときすぐに服用する。ただし次の服用時間が近いとき（ミノアレ・デパケン・ディアコミット（軽食とともに服用）：4時間以内，デパケンR（1日2回服用時）・イノベロン：6時間程度以内）は忘れた分は服用しない（2回分を一度に服用しないこと）	
	・〔ガバペン〕思い出したときすぐに服用する。各投与間隔が12時間を超えないようにする（2回分を一度に服用しないこと）	
	・〔フィコンパ〕飲み忘れに気づいても服用しない。次の日の就寝前に服用し，翌日から続けて就寝前に服用する（2回分を一度に服用しないこと）	

■ その他備考

■ 配合剤成分：ヒダントールD・E・F（フェニトイン，フェノバルビタール，安息香酸ナトリウムカフェイン）

■ *1 てんかん重積状態とは

　てんかん発作，けいれん発作が5分以上続いたり，短い発作が意識の戻らないうちに繰り返し起こる状態。発作は多くの場合1〜2分で止まるが，5分以上続くと自然に止まりにくくなり，30分以上続くと脳に重い障害を残す可能性が高くなり，ときに命にかかわることもある。

■ *2 Dravet（ドラベ）症候群とは

　乳児期に発熱により誘発され，特徴的なてんかん発作が生後1年以内の正常な乳児に発症し，1歳以降にはさらに様々な発作も付随して起きることが特徴である。頻回のけいれん発作を反復し，しばしばてんかん重積状態を起こして緊急入院を必要とする。

*3 レノックス・ガストー症候群（LGS）とは

LGS は重篤な全般てんかん。通常，就学前の小児に発症するが，その多くは何らかの脳の器質障害や頭部外傷を有している。発達遅延や行動障害を伴うこと以外に複数の発作型（強直発作，欠神発作，脱力発作等）を示すのもこの疾患の特徴。

*4 点頭てんかん（ウエスト症候群）とは

乳児期に起こる悪性のてんかんで，多くは重篤な脳障害を背景に生後 3〜11 カ月時に発症する。

てんかん患者の運転免許取得条件

1. 運転に支障するおそれのある発作が 2 年間ないことが条件。
2. 上記条件のもと，運転に支障が生じるおそれのない発作（単純部分発作など）がある場合には 1 年間以上，睡眠中に限定された発作がある場合には 2 年間以上，経過観察し，今後，症状悪化のおそれがない場合には，取得可能。
3. ただし，投薬なしで 5 年間発作がなく，その後も再発のおそれがない場合以外は，大型免許と第 2 種免許の取得は不可。

てんかんの日常生活のポイント

　てんかんは一時的な脳の神経細胞の働きの異常によってけいれんの発作が引き起こされてくる疾患です。脳のどの部分に発作の元となる異常が起こるかによって，現れてくる発作の症状は異なってきます。てんかん発作を少しでも少なくするには，抗てんかん薬は飲み始めてから3日～3週間してやっと安定した血中濃度に達するので決められた量を規則的に服用することが重要です。また発作の誘因（睡眠不足，過労，ストレスなど）を可能な限り避け，栄養を十分にとり規則正しい生活を送るようにしましょう。

1. **睡眠**

　睡眠不足はほとんどの患者でてんかん発作を起こしやすくします。7～8時間の睡眠が適当（個人差あり）といわれていますが過度の睡眠は不要です。疲れ過ぎないように心がけ，疲れたら十分な休養をとりましょう。

2. **食事・嗜好品**

　食事制限はとくにありません。コーヒーや紅茶などの嗜好品は通常の摂取量では問題はありません。ただしコーヒーは夕方以降に飲むと不眠になることがありますので避けた方がいいでしょう。アルコールは飲んでもかまいませんが，多量の飲酒は発作を誘発することもあるので飲み過ぎないようにしましょう。グレープフルーツや一部の健康食品などが薬の効果に影響を与えることがありますので薬剤師に確認してください。

3. **入浴**

　熱い風呂に長時間入らないようにしましょう。また湯船で発作を起こし溺死することがありますので，湯船に入るときは一人で入らないようにして，一人の時はシャワーだけですませるようにしましょう。

4. **運動**

　運動（体育，クラブ等）は，抗てんかん薬を規則的に服用し，1年間発作がなく監督が行き届き，保護者の同意を得た上では可能です。ただし潜水やロッククライミングなど発作が起きればただちに命をなくすようなものは避けましょう。水泳は一人で遊泳はせず，他の人の監視下で行いましょう。

5．車の運転

　てんかんと診断されたら，法律で車の運転は禁止されています。ただし一定の条件を満たしていれば検査および診断書により車の運転ができますので，主治医に相談してください。

規則正しく……

 決められた時間　 決められた量

3 解熱鎮痛・総合感冒薬

■ 対象薬剤
A）アニリン系：アセトアミノフェン（カロナール，アンヒバ坐剤，アルピニー坐剤）
B）総合感冒薬：配合剤（PL配合顆粒，幼児用PL配合顆粒）

■ 指導のポイント

	患者向け	薬剤師向け
薬効	・この薬は熱を下げたり，痛み（頭痛，腰痛，歯痛，がんによる痛み等）をやわらげたりする薬です（小児も適応）（カロナール）	解熱鎮痛作用（副作用が少なく欧米では変形性関節症の第一選択薬となっている）
	・この薬は小児の熱を下げたり痛みをやわらげたりする坐薬です（アンヒバ坐剤，アルピニー坐剤）	解熱作用
	・この薬は熱，痛み，鼻水・鼻づまりなどの感冒の諸症状を改善する薬です（PL，幼児用PL）	解熱鎮痛作用，抗ヒスタミン作用，中枢神経興奮作用
詳しい薬効	・この薬は脳の体温を調節する部位に働いて皮膚血管を拡げ体外に熱を発散させ熱を下げたり，弱い痛み（頭痛，腰痛，歯痛，がんによる痛み等）をやわらげたりする薬です（A）	
	・この薬は，脳の体温を調節する部位に働いて皮膚血管を拡げ，体外に熱を発散させ熱を下げ，同時にアレルギー症状を引き起こす物質（ヒスタミン）等の働きを抑えることで熱，鼻水・鼻づまり，のどの痛みなどの感冒の諸症状を改善する薬です（PL，幼児用PL）	

	患者向け	薬剤師向け
警告	体がだるい，白目が黄色くなる，食欲不振，かゆい，皮膚が黄色くなる，などの症状があれば必ずご相談ください。また一般用医薬品の総合感冒薬や解熱鎮痛薬等の配合剤を服用している場合は必ずご相談ください	重篤な肝障害発現のおそれ。また他のアセトアミノフェン含有薬剤（一般用医薬品を含む）との併用により過量投与により重篤な肝障害発現のおそれあり

禁忌	・本剤過敏症既往，アスピリン喘息またはその既往 ・〔アンヒバ坐剤，アルピニー坐剤以外〕消化性潰瘍 ・〔カロナール，アンヒバ坐，アルピニー坐〕重篤な血液異常・肝障害・腎障害・心機能不全 ・〔PL，幼児用PL〕サリチル酸製剤・フェノチアジン系化合物またはその類似化合物過敏症既往，昏睡状態またはバルビツール酸誘導体・麻酔剤等の中枢神経抑制剤の強い影響下，閉塞隅角緑内障，下部尿路に閉塞性疾患，2歳未満の乳幼児，重篤な肝障害

■ 主な副作用と対策，フィジカルアセスメントのチェックポイント

主な副作用	患者に確認すべき症状	対策とPAのチェックポイント
胃腸障害	むかむかする，食欲がない，胃が痛む，下痢	食直後または食物，ミルク，制酸剤等とともに服用。症状が強ければ減量もしくは中止 PA 心窩部・上腹部（圧痛），便（黒色），貧血：顔色（蒼白），眼瞼結膜（白色），脈拍（↑）
アレルギー	かゆみ，発疹，むくみ	中止

■ 重大な副作用と妊婦・授乳婦への危険度

薬剤名	重大な副作用	妊婦［授乳婦］
カロナール，アンヒバ坐剤，アルピニー坐剤	ショック，アナフィラキシー，皮膚粘膜眼症候群，中毒性表皮壊死融解症，急性汎発性発疹性膿疱症，喘息発作の誘発，劇症肝炎，肝機能障害，黄疸，顆粒球減少症，間質性肺炎，間質性腎炎，急性腎障害	［◎◎(カロナール)］
PL，幼児用PL	ショック，アナフィラキシー，中毒性表皮壊死融解症，皮膚粘膜眼症候群，急性汎発性発疹性膿疱症，剥脱性皮膚炎，再生不良性貧血，汎血球減少，無顆粒球症，溶血性貧血，血小板減少，喘息発作の誘発，間質性肺炎，好酸球性肺炎，劇症肝炎，肝機能障害，黄疸，乳児突然死症候群，乳児睡眠時無呼吸発作，間質性腎炎，急性腎不全，横紋筋融解症，緑内障	［◎○(PL)］

■ その他の指導ポイント

	患者向け	薬剤師向け
使用上の注意	・この薬は，一時的に症状を抑えますが，原因となっている病気を治すものではありません	→ 急性疾患に用いる場合，発熱，疼痛等の程度を考慮して投与し，原則同一薬剤の長期投与を避ける
	・今までにアスピリンやピリンなどの薬剤を飲んで皮膚に発疹や喘息が出たことのある方は申し出てください	→ 過去にアスピリンやピリン等でアレルギーやアスピリン喘息を起こしたことのある患者は投与禁忌
	・〔PL，幼児用PL〕小児（15歳未満）で水痘やインフルエンザ（発熱・体がだるい，のどが痛いなどの風邪様症状）の可能性がある方は申し出てください	→ 米国においてサリチル酸系製剤とライ症候群（その他備考 p.40 参照）との関連性を示す疫学調査報告があるので，本剤を15歳未満の水痘，インフルエンザの患者には投与しないことを原則とするが，やむをえず投与する場合は慎重に投与し，投与後の患者の状態を十分に観察する
	・〔PL〕この薬の服用中は，車の運転等，危険を伴う機械の操作は行わないでください	→ 眠気を催すことがあるため
	食 この薬はアルコール多量常飲者が飲むと副作用が強く出るので控えてください	→ アルコール多量常飲によりCYP2E1の誘導によりアセトアミノフェンから肝毒性をもつN-アセチル-P-ベンゾキノンイミンへの代謝が促進され肝毒性の危険性を増加させるおそれがあるため併用注意

使用上の注意	食〔PL，幼児用PL〕この薬を服用中にアルコールを飲む（幼児ではアルコール含有製剤）と，薬の作用が強く出るので控えてください	プロメタジンメチレンジサリチル酸塩は中枢神経抑制作用を有し，相互に中枢神経抑制作用を増強することがあるため併用注意
	検〔A〕この薬を高用量（1,500 mg/日以上）長期使用している場合，定期的に肝機能検査を受けるため受診しましょう	重篤な肝障害発現のチェックのため
	・〔坐薬のみ〕坐薬は直腸内にだけ投与し，飲まないでください。また坐薬はできるだけ排便後に使用してください	
	・〔坐薬のみ〕この薬は15℃以下（なるべく冷蔵庫）で保管してください	
服用を忘れたとき	思い出したときすぐに服用する。ただし次の服用時間が近いとき（カロナール：4時間以内，アンヒバ・アルピニー：4～6時間）は忘れた分は服用しない（2回分を一度に服用しないこと）	

■ その他備考

- ■配合剤成分：PL，幼児用PL（サリチルアミド，アセトアミノフェン，無水カフェイン，プロメタジンメチレンジサリチル酸塩）
- ■ライ症候群（Reye's syndrome）とは

　小児においてきわめてまれに水痘，インフルエンザ等のウイルス性疾患の先行後，激しい嘔吐，意識障害，けいれん（急性脳浮腫）と肝臓ほか諸臓器の脂肪沈着，ミトコンドリア変形，AST・ALT・LDH・CPKの急激上昇，高アンモニア血症，低プロトロンビン血症，低血糖症等の症状が短期間に発現する死亡率の高い病態である。

かぜ症候群の日常生活と食事療法のポイント
（咽頭炎，上気道炎，気管支炎，感冒，インフルエンザ等）

　かぜというのは鼻やのどなど上気道に急性の炎症を起こしてくる状態を総称したもので，鼻閉，鼻汁，くしゃみ，咽頭痛，咳，発熱などの症状が現れてきます。かぜの大部分はウイルスの感染によるものですが，マイコプラズマや細菌感染で起こるものもあります。かぜの治療はかぜの症状を改善する対症療法と日常生活に気をつけて自然回復力を早く高めることが大切ですから，以下の点に気をつけてください。

【日常生活】
1．かぜを防ぐには

　　　かぜの予防は人の抵抗力に頼らざるをえません。そこで平素からバランスのとれた栄養補給と適度の運動と休養に心がけ，極端な厚着や薄着に気をつけ衣服の調節をこまめに行いましょう。かぜが流行しだしたら，外出から帰ったときのうがいを励行し，かぜにかかっている人のくしゃみや咳を直接浴びないように気をつけましょう。またウイルスを含むくしゃみの飛沫や鼻水などがついた器物に触れた手で鼻や口に触ることで感染することも多いので，手洗いを習慣づけましょう。

2．かぜにかかったら
・部屋を暖かくして早く寝て十分な睡眠をとってください。
・入浴は避けてください。
・タバコは鼻やのどの粘膜を刺激し，ビタミンを破壊するといわれていますので，慎みましょう。
・空気が乾燥していると鼻やのどの症状が悪化しますので，加湿器などで室内が乾燥しないように気をつけましょう。
・マスクはかぜを防げるとは限りませんが，外の空気をダイレクトに吸うことを防ぎ，吸気に湿気を与え気道を温めるのには効果があります。また自分のくしゃみや咳によって他の人にかぜをうつさないためのエチケットとしてマスクをしましょう。

【食事療法】
　食事は温かいもの，消化のよいものとし水分，ビタミンCの補給を十分してください。
1．熱のあるとき
　　　熱のため消化能力が低下し，代謝は亢進していますので，消化吸収がよくて，温かい（体を芯から温めて発汗させ熱を下げる効果），高エネルギーの食事にします。（雑炊，煮込みうどん，鍋やきうどん，シチュー，豚汁等）
　　　高熱のときは，ビタミン類の消耗も亢進しますのでビタミン類を多く含んだもの，特にビタミンCの多い果物，野菜を十分にとりましょう。（アスピリンは除く）
2．のどの痛いとき，食欲のないとき
　　　なめらかなもの，柔らかいもので，味はうす味にして，刺激が少なく，水分の多いもので，栄養価の高いものにしましょう。（おじや，卵どうふ，プリン，ポタージュ，ヨーグルト，アイスクリーム等）
3．咳の激しいとき
　　　からし，わさび，カレー粉等，刺激性の強い香辛料は避けましょう。

4 鎮痛薬　①非ステロイド消炎鎮痛薬

■ 対象薬剤

A）サリチル酸系：アスピリン（アスピリン）
　　　　　　　　配合剤（バファリン配合錠 A 330）
B）アントラニル酸系：メフェナム酸（ポンタール）
C）アリール酢酸系
　　①フェニル酢酸系：ジクロフェナクナトリウム（ボルタレン，ボルタレン SR，ジクトルテープ）
　　②インドール酢酸系：アセメタシン（ランツジール），インドメタシンファルネシル（インフリー*），スリンダク（クリノリル*），プログルメタシンマレイン酸塩（ミリダシン*）
　　③ピラノ酢酸：エトドラク（オステラック，ハイペン）
　　④ナフタレン系：ナブメトン（レリフェン*）
D）プロピオン酸系：イブプロフェン（ブルフェン），オキサプロジン（アルボ），ザルトプロフェン（ソレトン，ペオン），チアプロフェン酸（スルガム），ナプロキセン（ナイキサン），プラノプロフェン（ニフラン），フルルビプロフェン（フロベン），ロキソプロフェンナトリウム水和物（ロキソニン*）
E）オキシカム系：アンピロキシカム（フルカム*），ピロキシカム（バキソ），メロキシカム（モービック），ロルノキシカム（ロルカム）
F）コキシブ系：セレコキシブ（セレコックス）
G）塩基性：チアラミド塩酸塩（ソランタール）

　　　　　　　　　　　　　　　　　　　　　　＊：プロドラッグ

■ 指導のポイント

	患　者　向　け	薬　剤　師　向　け
薬効	・この薬は炎症を抑え，痛みや腫れをやわらげる薬です（ジクトルテープ以外）	鎮痛作用，抗炎症作用 ・シクロオキシゲナーゼ（COX）阻害によるプロスタグランジン合成抑制作用（塩基性：ソランタール以外） 注）シクロオキシゲナーゼ（COX）-2 選択的阻害の強い薬剤（その他備考（p.52）参照）（オステラック，ハイペン，モービック，セレコックス，ポンタール，ボルタレン） ・ブラジキニン抑制作用，起炎因子拮抗作用（塩基性：ソランタール）
	・この薬は炎症や痛みを抑えて，がんの強い痛みを抑える貼り薬です（ジクトルテープ）	鎮痛作用 ・COX 阻害による PG 合成抑制作用
	☆この薬はかぜなどの時の熱を下げる薬です（アスピリン，バファリン，ポンタール，ボルタレン，ランツジール，ブルフェン，スルガム，ニフラン，ロキソニン）	解熱作用

薬効	☆この薬は川崎病の血管や心筋の炎症を抑え，心血管後遺症の発生を抑える薬です（アスピリン）	抗炎症作用，抗血小板作用
詳しい薬効	・この薬は炎症や痛みに関与する物質（プロスタグランジン：PG）の生成を促進する酵素（シクロオキシゲナーゼ：COX）の働きを抑えることにより，PGの生成を抑えて，リウマチや神経痛，腰痛，五十肩，けが等による炎症を抑え，痛みや腫れをやわらげる薬です（ジクトテープ，ソランタール以外） ・この薬は有効成分を皮膚から吸収させるようにした貼り薬で，COXの働きを抑えることにより，炎症や痛みの原因となるPGの生成を抑制して，がんの強い痛みを抑える薬です（ジクトテープ） ・この薬は炎症反応によって生じる痛み物質（ブラジキニン）や炎症を起こす物質の働きを抑え，腰痛や五十肩，けが等による痛みや腫れをやわらげる薬です（塩基性：ソランタール） ☆この薬は脳の体温を調節する部位に働いて熱を下げる薬です（アスピリン，バファリン，ポンタール，ボルタレン，ランツジール，ブルフェン，スルガム，ニフラン，ロキソニン） ☆この薬は川崎病の急性期に高用量のアスピリンを使用して抗炎症作用による血管や心筋の炎症を抑え，解熱後の慢性期に低用量のアスピリンを使用して抗血小板作用による心血管後遺症を抑える薬です（アスピリン）	

	患者向け	薬剤師向け
警告	〔セレコックス〕胸痛，圧迫感，背中の痛み，冷や汗，激しい頭痛，めまい，ろれつがまわらない，片側の麻痺，物を落とすなどの症状があればすぐにご相談ください	外国でCOX-2選択的阻害剤等の投与で，心筋梗塞，脳卒中等の重篤で致命的な心血管系血栓塞栓性事象のリスク増大の可能性あり，このリスクは使用期間とともに増大する可能性の報告

禁忌・併用禁忌	禁忌 別表（p.48）参照 併用禁忌 ・〔ボルタレン，ボルタレンSR，ジクトテープ，ランツジール，インフリー，ミリダシン〕➡トリアムテレンにて相互に副作用増強され急性腎不全発現 ・〔ブルフェン〕➡ジドブジンにて血友病患者の出血傾向増強 ・〔フロベン〕➡エノキサシン，ロメフロキサシン，ノルフロキサシン，プルリフロキサシンにてけいれん発現のおそれ ・〔フルカム，バキソ〕➡リトナビルにて本剤の血中濃度上昇し重篤な副作用発現のおそれ

■ 主な副作用と対策，フィジカルアセスメントのチェックポイント

主な副作用	患者に確認すべき症状	対策とPAのチェックポイント
胃腸障害	胃が痛む，むかむかする，吐き気，口の中や舌が荒れる	食直後または食物，ミルク，制酸剤等と一緒に服用する。また胃の弱い人はプロドラッグを使用したり，ミソプロストール，H_2受容体拮抗薬，プロトンポンプ阻害薬（PPI）を併用する PA No.3 解熱鎮痛・総合感冒薬（p.39）参照
腎障害	むくむ，尿量が減る，血圧があがる	一般に半減期の長い薬剤に多いので避ける PA 尿量（↓），体重（↑），浮腫（上眼瞼，下腿脛骨）

No.4 鎮痛薬

主な副作用	患者に確認すべき症状	対策とPAのチェックポイント
肝障害[†]	体がだるい，白目が黄色くなる，吐き気，嘔吐，食欲不振，かゆみ，皮膚が黄色くなる，尿が黄色い	薬剤投与後2週間から3カ月ぐらいの間に起きやすい PA 体温（↑），腹部（肝肥大，心窩部・右季肋部圧痛，腹水貯留等），眼球（黄疸），皮膚（皮疹，瘙痒感，黄色），尿（褐色）
過敏症	じんま疹，かゆみ，くちびる・まぶた・顔が腫れる	中止 PA 皮膚（かゆみ，発赤），呼吸音（喘鳴），眼（視覚異常），消化器（胃痛，吐き気）
中枢神経障害	耳鳴り，めまい，眠気	減量もしくは中止
アスピリン喘息[†]	鼻水・鼻づまり，咳がでる，呼吸が苦しい	PA 鼻症状（鼻閉，鼻汁），呼吸音（喘鳴），口唇（チアノーゼ）
血液障害	青あざができやすい，歯ぐきや鼻の粘膜からの出血，発熱，のどの痛み，疲労感，どうき，息切れ	中止。発熱している場合は広域スペクトラムの抗菌薬で治療。重篤な場合は顆粒球コロニー刺激因子（G-CSF）の使用も検討 PA 顔色（蒼白），眼瞼結膜（白色），体幹・四肢・歯肉（出血斑）

[†]：厚生労働省の「重篤副作用疾患別対応マニュアル」参照

■ 重大な副作用と妊婦・授乳婦への危険度

薬剤名	重大な副作用	妊婦[授乳婦]
アスピリン，バファリン330mg	ショック，アナフィラキシー，出血，中毒性表皮壊死融解症，皮膚粘膜眼症候群，剥脱性皮膚炎，再生不良性貧血，血小板・白血球減少，喘息発作誘発，肝機能障害，黄疸，消化性潰瘍，小腸・大腸潰瘍	禁忌（出産予定日12週以内）[⊗△]
ポンタール	ショック，アナフィラキシー，溶血性貧血，無顆粒球症，骨髄形成不全，中毒性表皮壊死融解症，皮膚粘膜眼症候群，急性腎不全，ネフローゼ症候群，間質性腎炎，消化性潰瘍，大腸炎，劇症肝炎，肝機能障害，黄疸	禁忌（末期）/C [⊗○]
ボルタレン，ボルタレンSR，ジクトルテープ	ショック，アナフィラキシー，出血性ショックまたは穿孔を伴う消化管潰瘍，消化管の狭窄・閉塞，再生不良性貧血，溶血性貧血，無顆粒球症，血小板減少，中毒性表皮壊死融解症，皮膚粘膜眼症候群，紅皮症，急性腎不全，ネフローゼ症候群，重症喘息発作（アスピリン喘息），間質性肺炎，うっ血性心不全，心筋梗塞，無菌性髄膜炎，重篤な肝障害，横紋筋融解症，急性脳症，脳血管障害	禁忌/C（ジクトルテープ）[⊗◎]
ランツジール	ショック，アナフィラキシー様症状，消化管穿孔，消化管出血，消化管潰瘍，出血性大腸炎，無顆粒球症，急性腎不全 活性代謝物 腸管の狭窄・閉塞，潰瘍性大腸炎，再生不良性貧血，溶血性貧血，骨髄抑制，皮膚粘膜眼症候群，中毒性表皮壊死融解症，剥脱性皮膚炎，喘息発作，間質性腎炎，ネフローゼ症候群，けいれん，昏睡，錯乱，性器出血，うっ血性心不全，肺水腫，血管浮腫，肝機能障害，黄疸	禁忌
インフリー	ショック，アナフィラキシー，消化管穿孔，消化管出血，消化管潰瘍，出血性大腸炎，腸管の狭窄・閉塞，潰瘍性大腸炎，再生不良性貧血，溶血性貧血，白血球減少，血小板減少，皮膚粘膜眼症候群，中毒性表皮壊死融解症，喘息発作，急性腎不全，ネフローゼ症候群，肝機能障害，黄疸 活性代謝物 昏睡，錯乱，性器出血	禁忌

薬剤名	重大な副作用	妊婦[授乳婦]
クリノリル	ショック, アナフィラキシー様症状, 消化性潰瘍, 胃腸出血, 胃腸穿孔, 皮膚粘膜眼症候群, 中毒性表皮壊死融解症, 血管浮腫, うっ血性心不全, 再生不良性貧血, 無顆粒球症, 骨髄抑制, 急性腎不全, 急性間質性腎炎, ネフローゼ症候群, 膵炎, 無菌性髄膜炎, 肝炎, 肝機能障害, 黄疸	禁忌 [🚼○]
ミリダシン	消化管穿孔, 消化管出血, 消化管潰瘍, ショック, アナフィラキシー様症状, 喘息発作, 急性腎不全, ネフローゼ症候群, 血小板減少, 出血傾向, 白血球減少, 溶血性貧血, 皮膚粘膜眼症候群, 肝機能障害, 黄疸 〔活性代謝物〕腸管の狭窄・閉塞, 潰瘍性大腸炎, 再生不良性貧血, 骨髄抑制, 中毒性表皮壊死融解症, 剥脱性皮膚炎, 間質性腎炎, けいれん, 昏睡, 錯乱, 性器出血, うっ血性心不全, 肺水腫, 血管浮腫, 角膜混濁, 網膜障害	禁忌
オステラック, ハイペン	ショック, アナフィラキシー, 消化性潰瘍, 皮膚粘膜眼症候群, 中毒性表皮壊死融解症, 汎血球減少, 溶血性貧血, 無顆粒球症, 血小板減少, 腎不全, 肝機能障害, 黄疸, うっ血性心不全, 好酸球性肺炎, 間質性肺炎	禁忌（末期） [🚼○]
レリフェン	ショック, アナフィラキシー様症状, 間質性肺炎, 皮膚粘膜眼症候群, 中毒性表皮壊死融解症, 肝機能障害, 黄疸, ネフローゼ症候群, 腎不全, 血管炎, 光線過敏症	禁忌(末期)/C
ブルフェン	ショック, アナフィラキシー, 再生不良性貧血, 溶血性貧血, 無顆粒球症, 血小板減少, 消化性潰瘍, 胃腸出血, 潰瘍性大腸炎, 皮膚粘膜眼症候群, 中毒性表皮壊死融解症, 急性腎不全, 間質性腎炎, ネフローゼ症候群, 無菌性髄膜炎, 肝機能障害, 黄疸, 喘息発作	禁忌(後期)/C [🚼○]
アルボ	ショック, アナフィラキシー, 消化性潰瘍, 皮膚粘膜眼症候群, 急性腎障害	禁忌
ソレトン, ペオン	ショック, アナフィラキシー, 急性腎障害, ネフローゼ症候群, 肝機能障害, 消化性潰瘍, 小腸・大腸潰瘍, 出血性大腸炎, 無顆粒球症, 白血球減少, 血小板減少, 皮膚粘膜眼症候群, 溶血性貧血, 再生不良性貧血	[🚼○]
スルガム	消化性潰瘍, 胃腸出血, ショック, アナフィラキシー, 皮膚粘膜眼症候群, 喘息発作, 白血球減少, 血小板機能低下（出血時間の延長）	禁忌（末期）
ナイキサン	ショック, PIE症候群, 皮膚粘膜眼症候群, 胃腸出血, 潰瘍, 再生不良性貧血, 溶血性貧血, 無顆粒球症, 血小板減少, 糸球体腎炎, 間質性腎炎, 腎乳頭壊死, ネフローゼ症候群, 腎不全, 表皮水疱症, 表皮壊死, 多形性紅斑, 胃腸穿孔, 大腸炎, 劇症肝炎, 聴力障害, 視力障害, 無菌性髄膜炎, 血管炎	禁忌(後期)/C [🚼○]
ニフラン	ショック, アナフィラキシー, 喘息発作の誘発, 皮膚粘膜眼症候群, 中毒性表皮壊死融解症, 急性腎障害, ネフローゼ症候群, 消化性潰瘍, 胃腸出血, 肝機能障害, 黄疸, 間質性肺炎, 好酸球性肺炎	禁忌（末期） [🚼○]
フロベン	ショック, アナフィラキシー, 急性腎不全, ネフローゼ症候群, 胃腸出血, 再生不良性貧血, 喘息発作, 中毒性表皮壊死融解症, 皮膚粘膜眼症候群, 剥脱性皮膚炎 〔類薬〕けいれん	禁忌(後期)
ロキソニン	ショック, アナフィラキシー, 無顆粒球症, 溶血性貧血, 白血球減少, 再生不良性貧血, 血小板減少, 皮膚粘膜眼症候群, 中毒性表皮壊死融解症, 多形紅斑, 急性腎不全, ネフローゼ症候群, 間質性腎炎, うっ血性心不全, 間質性肺炎, 消化性潰瘍, 消化管出血, 消化管穿孔, 小腸・大腸の狭窄・閉塞, 劇症肝炎, 肝機能障害, 黄疸, 喘息発作, 無菌性髄膜炎, 横紋筋融解症	禁忌(後期) [🚼○]

No.4 鎮痛薬

薬剤名	重大な副作用	妊婦[授乳婦]
フルカム	消化性潰瘍, 吐血, 下血等の胃腸出血, ショック, アナフィラキシー, 皮膚粘膜眼症候群, 中毒性表皮壊死融解症, 急性腎障害, ネフローゼ症候群, 肝機能障害, 黄疸, 再生不良性貧血, 骨髄機能抑制	禁忌（後期）
バキソ	消化性潰瘍, 吐血, 下血等の胃腸出血, ショック, アナフィラキシー, 中毒性表皮壊死融解症, 皮膚粘膜眼症候群, 再生不良性貧血, 骨髄機能抑制, 急性腎障害, ネフローゼ症候群, 肝機能障害, 黄疸	禁忌（後期）[✕○]
モービック	消化性潰瘍, 吐血, 下血等の胃腸出血, 大腸炎, 喘息, 急性腎不全, 無顆粒球症, 血小板減少, 皮膚粘膜眼症候群, 中毒性表皮壊死融解症, 水疱, 多形紅斑, アナフィラキシー反応/アナフィラキシー様反応, 血管浮腫, 肝炎, 重篤な肝機能障害 [類薬] ショック, 再生不良性貧血, 骨髄機能抑制, ネフローゼ症候群	禁忌/C [✕○]
ロルカム	消化性潰瘍, 小腸・大腸潰瘍, ショック, アナフィラキシー, 血小板減少, 皮膚粘膜眼症候群, 急性腎障害, 劇症肝炎, 肝機能障害, 黄疸 [類薬] 再生不良性貧血, 無顆粒球症, 骨髄機能抑制, ネフローゼ症候群, 中毒性表皮壊死融解症	禁忌（末期）[✕○]
セレコックス	ショック, アナフィラキシー, 消化性潰瘍, 消化管出血, 消化管穿孔, 心筋梗塞, 脳卒中, 心不全, うっ血性心不全, 肝不全, 肝炎, 肝機能障害, 黄疸, 再生不良性貧血, 汎血球減少症, 無顆粒球症, 急性腎障害, 間質性腎炎, 皮膚粘膜眼症候群, 中毒性表皮壊死融解症, 多形紅斑, 急性汎発性発疹性膿疱症, 剥脱性皮膚炎, 間質性肺炎	禁忌（末期）/B3 [✕◎]
ソランタール	ショック, アナフィラキシー様症状	[✕◎]

鎮痛薬

別表 [禁忌]

分類	系統	サブ系統	商品名	消化性潰瘍	重篤な血液の異常	重篤な肝・腎障害	重篤な心機能不全	重篤な高血圧症	重篤な膵炎	本剤(成分)過敏症(既往)	他の非ステロイド性消炎鎮痛薬過敏症既往
酸性	サリチル酸系		アスピリン(川崎病除く)	○	○	○	○			○	
酸性	サリチル酸系		アスピリン(川崎病用)	○						○	
酸性	サリチル酸系		バファリン330 mg	○	○	○				○	
酸性	アントラニル酸系		ポンタール	○	○	○	○			○	
酸性	アリール酢酸系	フェニル酢酸系	ボルタレン,ボルタレンSR,ジクトルテープ	○	○	○	○			○	
酸性	アリール酢酸系	フェニル酢酸系	ボルタレンサポ	○	○	○	○			○	
酸性	アリール酢酸系	インドール酢酸系	ランツジール	○	○	○	○		○	○	
酸性	アリール酢酸系	インドール酢酸系	インテバン坐	○	○	○	○		○	○	
酸性	アリール酢酸系	インドール酢酸系	インフリー	○	○	○	○			○	
酸性	アリール酢酸系	インドール酢酸系	クリノリル	○	○	○				○	
酸性	アリール酢酸系	インドール酢酸系	ミリダシン	○						○	
酸性	アリール酢酸系	ピラノ酢酸系	オステラック,ハイペン	○	○	○				○	
酸性	アリール酢酸系	ナフタレン系	レリフェン	○		○				○	
酸性	プロピオン酸系		ブルフェン	○	○	○				○	
酸性	プロピオン酸系		アルボ	○						○	
酸性	プロピオン酸系		ソレトン,ペオン	○		○				○	
酸性	プロピオン酸系		スルガム	○						○	
酸性	プロピオン酸系		ナイキサン	○						○	○
酸性	プロピオン酸系		ニフラン	○						○	
酸性	プロピオン酸系		フロベン	○	○	○				○	
酸性	プロピオン酸系		ロキソニン	○	○	○	○			○	
酸性	オキシカム系		フルカム	○	○	○				○	
酸性	オキシカム系		バキソ	○						○	
酸性	オキシカム系		モービック	○	○	○	○			○	○
酸性	オキシカム系		ロルカム	○	○	○	○			○	
中性	コキシブ系		セレコックス	○						○	
塩基性			ソランタール	○	○	○				○	

A:出血傾向, B:本剤による下痢の既往, C:胃腸出血, D:ジドブジン投与中, E:ロメフロキサシン・ノルフロキサシン・プルリフロキサシン投与中, F:冠動脈バイパス再建術の周術期
＊　▲出産予定日12週以内　※妊娠末期　△妊娠後期

No.4　鎮痛薬

インドメタシン過敏症既往	サリチル酸系化合物過敏症既往（塩を含む）	気管支喘息またはその既往	アスピリン喘息またはその既往	スルホンアミド過敏症既往	ピロキシカム過敏症既往	トリアムテレン投与中	リトナビル投与中	妊娠の可能性	妊婦（*）	インフルエンザ臨床経過中の脳炎・脳症	直腸炎・直腸出血または痔疾	その他	
									▲				
	○								▲				A
	○								▲				
			○						※				B
			○			○	○		○	○(SR,ジクトルなし)			
			○				○	○	○	○	○		
○	○		○				○	○	○				
	○		○				○	○	○		○		
○	○		○				○	○	○				
			○				○	○	○				C
○	○		○			○	○	○	○				
			○						※				
			○						※				
			○						△				D
			○					○	○				
		○	○						※				
			○						△				
			○						※				
			○						△				E
			○						△				
			○		○	○			△				
			○			○			△				
	○		○					○	○				
			○						※				
			○	○					※				F
			○										

■ その他の指導ポイント

患者向け	薬剤師向け
・この薬は一時的に症状を抑えますが，原因となっている病気を治すものではありません	原因療法ではなく，対症療法であることを念頭におく必要がある
・〔ポンタール，ランツジール，インフリー，ミリダシン，ボルタレン，ボルタレンSR，ジクトルテープ，モービック，セレコックス〕この薬の服用中は車の運転等，危険を伴う機械の操作は行わないでください	下記の症状が現れることがあるため ・〔ポンタール，ランツジール，インフリー，ミリダシン〕眠気，めまい ・〔ボルタレン，ボルタレンSR，ジクトルテープ〕眠気，めまい，霧視 ・〔モービック〕眠気，眼の調節障害 ・〔セレコックス〕浮動性めまい，回転性めまい，傾眠等
・今までアスピリンやその他の非ステロイド性消炎鎮痛薬で発疹や喘息が出たことのある方は必ずご相談ください	過去にアスピリンやその他の非ステロイド性消炎鎮痛薬で発疹などのアレルギーやアスピリン喘息を起こしたことのある患者は投与禁忌
・〔アスピリン，バファリン〕小児（15歳未満）で水痘やインフルエンザ（発熱・体がだるい，のどが痛いなどの風邪様症状）の可能性がある方は申し出てください	米国においてサリチル酸系製剤とライ症候群（p.40参照）との関連性を示す疫学調査報告があるので，本剤を15歳未満の水痘，インフルエンザの患者には投与しないことを原則とするが，やむをえず投与する場合は慎重に投与し，投与後の患者の状態を十分に観察する
・〔アスピリン，バファリン〕手術，心臓カテーテル検査や抜歯前1週間以内の方はご相談ください	手術前1週間以内にアスピリンを投与した例では出血量が有意に増加したとの報告がある
・〔ポンタール，ボルタレン，ボルタレンSR，フロベン〕この薬は多めの水で服用し，就寝直前の服用は注意してください	食道に停留し，崩壊すると食道潰瘍を起こすおそれがあるため
・〔ボルタレンSR〕この薬はかまずに服用してください	速溶性顆粒と徐放性顆粒を混合し，充填した硬カプセルのため
・〔ジクトルテープ〕 （貼付部位）胸，お腹，上腕，背中，腰，太ももに貼り，傷や湿疹・皮膚炎などのある場所や放射線照射部位には貼らないでください。貼る場所はタオルなどでよく拭き，汗などの水分を十分取り除いてください。貼りかえる時は皮膚への刺激を減らすため毎回変更してください （貼付時）1日ごとに貼りかえるため，貼付開始時刻は入浴等の時間も考えて決めましょう。お薬がはがれ落ちた場合は，すぐに新しいお薬を貼り，次の貼りかえはいつもの時間に貼りかえてください	貼る場所の例 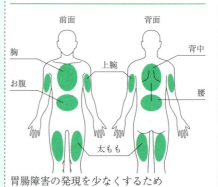
・〔アスピリン，ポンタール，ボルタレン，	胃腸障害の発現を少なくするため

使用上の注意

No.4　鎮痛薬

使用上の注意	ブルフェン，ナイキサン，ロキソニン，ランツジール，スルガム，ニフラン，ロルカム〕この薬は空腹時に服用しないでください	
	・〔ランツジール，ミリダシン〕この薬は食直後または食物，ミルク，制酸剤等とともに服用してください →	胃腸障害の発現を少なくするため
	・〔インフリー〕この薬は必ず通常食事摂取後またはミルク等とともに服用してください →	空腹時投与で吸収が低下するため
	・〔レリフェン〕この薬を変形性関節症に使う場合は朝食後に服用してください →	変形性関節症は主に昼間の活動に伴う関節の疼痛を主訴することから昼間に血中濃度が高い方が望ましいので，投与時期は朝食後が適当であると考えられるため
	・〔クリノリル〕尿が変色（黄色〜茶色）することがありますが心配はいりません →	スリンダクが黄色であるため
	・〔アスピリン，バファリン〕出産予定日12週以内の妊婦の方は必ずご相談ください →	妊娠期間延長，動脈管の早期閉鎖，子宮収縮の抑制，分娩時出血の増加につながるおそれのため出産予定日12週以内には投与禁忌
	・〔ソレトン・ペオン，ソランタール以外〕妊娠中または妊娠の可能性のある方は必ずご相談ください	・〔ボルタレン，ボルタレンSR，ジクトルテープ，ランツジール，インフリー，クリノリル，ミリダシン，アルボ，モービック〕妊婦または妊娠の可能性には投与禁忌
		・〔ブルフェン，ナイキサン，フロベン，ロキソニン，フルカム，バキソ〕妊娠後期には投与禁忌
		・〔ポンタール，レリフェン，オステラック，ハイペン，スルガム，ニフラン，ロルカム，セレコックス〕妊娠末期には投与禁忌
	・〔アスピリン〕この薬の服用中に喫煙は避けてください →	喫煙によりアスピリンの抗血液凝固作用が抑制される
	食〔アスピリン，バファリン〕この薬の服用中にアルコールを飲むと，副作用が強く出るので控えてください →	アルコールによる胃粘膜障害と本剤のプロスタグランジン合成阻害作用により相加的に消化管出血が増強されるため併用注意
	食〔アスピリン〕この薬の服用中にコーラ，ビールと一緒に飲まないでください →	コーラ，ビールにより消化管内pHが変動し，アスピリンの吸収が遅延し解熱鎮痛作用が遅延するため
	食〔アスピリン〕この薬の服用中にビタミンC高含有飲食物，フィーバーフュー，イチョウ葉エキス，アカツメグサ，タマリンドエキスはとらないでください →	副作用（出血傾向）出現の可能性があるため（フィーバーフュー，イチョウ葉エキスに抗血小板作用，アカツメグサに抗血液凝固作用，タマリンドエキスにより血中アスピリン濃度上昇）
	食〔ブルフェン〕この薬の服用中にフィーバーフュー，イチョウ葉エキスはとらないでください →	・フィーバーフューにより解熱鎮痛効果減弱のおそれ
		・イチョウ葉エキスに抗血小板作用があるため副作用（出血傾向）出現のおそれ

服用を忘れたとき	・〔ジクトルテープ以外〕思い出したときすぐに(バファリン：空腹時を避ける)服用する。ただし次の服用時間が近いとき(ブルフェン・ミリダシン・フロベン：次に飲む時間が4時間以内，ボルタレン：1日3回の場合4時間以内，ボルタレンSR：5時間以内)は忘れた分は服用しない(2回分を一度に服用しないこと) ・〔ジクトルテープ〕貼り忘れたときすぐに1回分を貼る。ただし次の使用時間が近いときは忘れた分は使用しない

■ その他備考

- ■ 配合剤成分：バファリン（アスピリン，ダイアルミネート）
- ■ シクロオキシゲナーゼ（COX)-2選択的阻害薬

　　COXにはCOX-1とCOX-2のサブタイプがある。COX-1は血管・胃・腎臓等に分泌し，これにより産出されたPGは血流保持，胃粘膜保護，血小板凝集作用をもつ。COX-2は炎症時に誘導され，これにより産出されたPGは痛みと炎症の増強に関わる。このためCOX-2選択的阻害薬はNSAIDsで出現しやすい消化性潰瘍や出血などの消化器系の副作用を軽減する。

- ■ COX阻害の選択性によるNSAIDsの分類

COX-1阻害が優先	非選択的COX-2阻害薬	COX-2阻害が優先	選択的COX-2阻害薬
フルルビプロフェン インドメタシン	アスピリン ロキソプロフェン イブプロフェン ナプロキセン	ジクロフェナク エトドラク メロキシカム	セレコキシブ

(特定非営利活動法人 日本緩和医療学会　緩和医療ガイドライン作成委員会・編：がん疼痛の薬物療法に関するガイドライン(2020年版), p 83, 金原出版, 2020)

4 鎮痛薬　②非ステロイド消炎鎮痛薬・坐薬

■ 対象薬剤
インドメタシン（インテバン），ジクロフェナクナトリウム（ボルタレンサポ）

■ 指導のポイント

	患者向け	薬剤師向け
薬効	この薬は炎症を抑え，痛みや腫れをやわらげる坐薬です	鎮痛作用，抗炎症作用
	☆この薬はかぜなどの時の緊急な熱を下げる坐薬です（ボルタレン）	解熱作用
詳しい薬効	この薬は炎症や痛みに関与する物質（プロスタグランジン：PG）の生成を促進する酵素（シクロオキシゲナーゼ：COX）の働きを抑えることにより，プロスタグランジンの生成を抑えて，リウマチや変形性関節症や術後等の炎症を抑え，痛みや腫れをやわらげる坐薬です	
	☆この薬は脳の体温を調節する部位に働いて熱を下げる坐薬です（ボルタレンサポ）	

	患者向け	薬剤師向け
警告	〔ボルタレンサポ〕血圧が下がる，手足が冷たくなる，呼吸が苦しくなる等の症状があればすぐにご相談ください	幼少時・高齢者または消耗性疾患の患者は過度の体温下降，血圧低下によるショック症状が現れやすいので特に慎重投与
禁忌・併用禁忌	禁忌 No.4鎮痛薬①非ステロイド消炎鎮痛薬の別表禁忌（p.48）参照	
	併用禁忌 トリアムテレンにて相互に副作用増強され急性腎不全発現	

■ 主な副作用と対策，フィジカルアセスメントのチェックポイント

主な副作用	患者に確認すべき症状	対策とPAのチェックポイント
ショック	冷や汗，顔が真っ青になる，呼吸が苦しい，血圧が下がる，手足が冷たくなる	投与中止。ショックが現れた場合はただちにアドレナリン等の投与により血圧の維持を図り，必要に応じて気道確保，副腎皮質ホルモン・抗ヒスタミン薬の投与等の処置 PA 血圧（↓），脈拍数（↑），尿量（↓），皮膚温（↓），意識（↓），口唇（チアノーゼ）

■ 重大な副作用と妊婦・授乳婦への危険度

薬剤名	重大な副作用	妊婦[授乳婦]
インテバン	ショック，アナフィラキシー，消化管穿孔，消化管出血，消化管潰瘍，腸管の狭窄・閉塞，潰瘍性大腸炎，再生不良性貧血，溶血性貧血，骨髄抑制，無顆粒球症，皮膚粘膜眼症候群，中毒性表皮壊死融解症，剥脱性皮膚炎，喘息発作（アスピリン喘息），急性腎障害，間質性腎炎，ネフローゼ症候群，けいれん，昏睡，錯乱，性器出血，うっ血性心不全，肺水腫，血管浮腫，肝機能障害，黄疸	禁忌 [㊗○]

薬剤名	重大な副作用	妊婦[授乳婦]
ボルタレンサポ	ショック，アナフィラキシー，出血性ショックまたは穿孔を伴う消化管潰瘍，消化管の狭窄・閉塞，再生不良性貧血，溶血性貧血，無顆粒球症，血小板減少，皮膚粘膜眼症候群，中毒性表皮壊死融解症，紅皮症，急性腎不全，ネフローゼ症候群，重症喘息発作（アスピリン喘息），間質性肺炎，うっ血性心不全，心筋梗塞，無菌性髄膜炎，重篤な肝障害，急性脳症，横紋筋融解症，脳血管障害	禁忌[⊗◎]

■ その他の指導ポイント

	患者向け	薬剤師向け
使用上の注意	・この薬は一時的に症状を抑えますが，原因となっている病気を治すものではありません →	原因療法ではなく，対症療法であることを念頭におく必要がある
	・今までアスピリンやその他の非ステロイド性消炎鎮痛薬で発疹や喘息が出たことのある方は必ずご相談ください →	過去にアスピリンやその他の非ステロイド性消炎鎮痛薬で発疹等のアレルギーやアスピリン喘息を起こしたことのある患者は投与禁忌
	・この薬の使用中は，車の運転等，危険を伴う機械の操作は行わないでください →	下記の症状が現れることがあるため ・〔インテバン〕眠気，めまい，ふらつき感等 ・〔ボルタレンサポ〕眠気，めまい，霧視
	・妊娠中または妊娠の可能性のある方は必ずご相談ください →	妊婦または妊娠の可能性には投与禁忌
	・坐薬は直腸内投与だけに使用し，飲まないでください。また坐薬はできるだけ排便後に使用し坐薬が外に出ないようにするため，挿入後20～30分は運動を避けてください	
	・この薬は高温で変形することがありますので，15℃以下（なるべく冷蔵庫）で保管してください	
使用を忘れたとき	思い出したときすぐに使用する。ただし次の使用時間が近いとき（ボルタレン：1日2回の場合5時間以内）は忘れた分は使用しない（2回分を一度に使用しないこと）	

■ その他備考

■非ステロイド消炎鎮痛薬・坐薬　体内動態表

商品名	成分名	T_{max}(hr)	$T_{1/2}$(hr)	作用発現時間（分）	作用持続時間(hr)
インテバン	インドメタシン	1～2	2	20～30	6～10
ボルタレンサポ	ジクロフェナクナトリウム	1	1.3	10～90 (平均34.2) 解熱効果30以内	1.5～18 (平均5) 解熱効果6～8

4 鎮痛薬 ③中枢性（麻薬性・非麻薬性）鎮痛薬

■ 対象薬剤

1）麻薬性
- （A）モルヒネ塩酸塩製剤（モルヒネ塩酸塩水和物，オプソ，アンペック坐剤）
- （B）モルヒネ塩酸塩徐放剤（パシーフ（24時間作用））
- （C）モルヒネ硫酸塩徐放剤（MSコンチン，MSツワイスロン（12時間作用））
- （D）速効性オキシコドン塩酸塩製剤（オキノーム）
- （E）オキシコドン塩酸塩徐放剤（オキシコンチンTR（12時間作用））
- （F）速効性フェンタニルクエン酸塩製剤（イーフェンバッカル，アブストラル舌下）
- （G）経皮吸収型フェンタニル貼付剤（デュロテップMTパッチ，ラフェンタテープ（72時間作用），フェントステープ，ワンデュロパッチ（24時間作用））
- （H）ヒドロモルフォン塩酸塩製剤（ナルラピド）
- （I）ヒドロモルフォン塩酸塩徐放剤（ナルサス（24時間作用））
- （J）タペンタドール塩酸塩徐放剤（タペンタ（12時間作用））
- （K）メサドン塩酸塩製剤（メサペイン）

2）非麻薬性
- （L）ブプレノルフィン（レペタン坐剤，ノルスパンテープ（7日間作用））
- （M）ペンタゾシン（ソセゴン，ペンタジン）
- （N）トラマドール塩酸塩（トラマール，ワントラム（24時間作用），ツートラム（12時間作用））
  配合剤（トラムセット配合）

■ 指導のポイント

	患者向け	薬剤師向け
薬効	この薬は強い痛みを抑える薬です → ☆この薬は激しい咳や下痢・術後の腸の運動を抑える薬です（モルヒネ塩酸塩水和物） →	中枢性鎮痛作用 鎮咳作用（鎮咳中枢抑制）， 止瀉作用（消化管運動・分泌抑制）
詳しい薬効	〔麻薬性〕 ・この薬は脳内の痛みに関与する部位（オピオイド受容体）に結びつくことにより痛みの伝導を抑制して，がんの強い痛みを抑えたり，慢性の強い痛み（腰痛症，変形性関節症等）（オキシコンチンTR，ラフェンタテープ以外の経皮吸収型フェンタニル貼付剤）を抑える薬です（イーフェンバッカル，アブストラル舌下，タペンタ以外の麻薬性鎮痛薬） ・この薬は脳内の痛みに関与する部位（オピオイド受容体）に結びつくことにより痛みの伝導を抑制して，強オピオイド鎮痛薬を服用中に起きる突出痛（一時的にあらわれる強い痛み）の痛みを抑える薬です（イーフェンバッカル，アブストラル舌下） ・この薬は脳内の痛みに関与する部位（オピオイド受容体）に結びつくことにより痛みの伝導を抑制するとともにノルアドレナリンの再取り込みを阻害してがんの強い痛みを抑える薬です（タペンタ） 〔非麻薬性〕 ・この薬は脳内の痛みに関与する部位（オピオイド受容体）に結びつくことにより痛みの伝	

詳しい薬効	・導を抑制して，がんの強い痛み（レペタン，ソセゴン，ペンタジン）や術後の強い痛み（レペタン），慢性の強い痛み（腰椎症，変形性関節症等）（ノルスパン）を抑える薬です（レペタン，ノルスパン，ソセゴン，ペンタジン） ・この薬は脳内の痛みに関与する部位（オピオイド受容体）に結びつくことにより痛みの伝導を抑制するとともにノルアドレナリン・セロトニンの再取り込みを阻害してがんの強い痛み（ツートラム以外）を抑えたり，慢性の強い痛み（腰痛症，変形性関節症等）を抑える薬です（トラマール，ワントラム，ツートラム） ・この薬は脳内の痛みに関与する部位（オピオイド受容体）に結びつくことにより痛みの伝導を抑える薬（トラマドール）と痛みの感受性を低下させる薬（アセトアミノフェン）の配合剤で，慢性の強い痛み（腰痛症，変形性関節症等）や抜歯後の痛みを抑える薬です（トラムセット）

	患者向け	薬剤師向け
警告	・〔イーフェンバッカル，アブストラル舌下〕この薬は小児の手の届かない所に保管してください	小児が口に入れた場合，過量投与で死に至る恐れがあるため，小児の手の届かない所で保管するよう指導
	・〔デュロテップMT，ラフェンタテープ，ワンデュロパッチ，フェントステープ〕薬を貼って入浴する場合は，長時間の入浴は控えゆるめのお風呂やシャワーですませてください。また貼っている部位が電気パッド，電気毛布，カイロ，湯たんぽなどの熱源に接しないよう注意してください。集中的な日光浴，サウナも控えてください	貼付部位の温度上昇により吸収量増加し死に至るおそれ。外部熱源への接触，熱い温度での入浴を避ける。発熱時は副作用発現に注意
	・〔メサペイン〕この薬の服用中どきどきしたり，立ちくらみ，意識を失う，息苦しい・息切れなどの症状がある場合はすぐにご相談ください	がん性疼痛治療に精通し十分な知識を持つ医師のもと，適切な症例にのみ投与。QT延長や心室頻拍，呼吸抑制等により死亡例報告あり。治療上の有益性が危険性を上回る場合のみ投与。投与開始時・増量時には，副作用発現に注意。薬物動態は個人差が大きく，呼吸抑制は鎮痛効果よりも遅れて発現のおそれあり。他のオピオイド耐性患者は，本剤交差耐性が不完全のため，過量投与あり。
	・〔ソセゴン，ペンタジン〕水に溶かして注射しないでください	注射不可（ナロキソンが添加されているため，水に溶解して注射しても効果なく，麻薬依存者では禁断症状を誘発し，肺塞栓，血管閉塞，潰瘍，膿瘍を引き起こす）
	・〔トラムセット〕市販薬を含む他の解熱鎮痛薬をお飲みの方は必ずご相談ください。またこの薬の服用中だるい，食欲不振，吐き気，発熱，皮膚や白目が黄色くなるなどの症状がある場合はすぐにご相談ください	重篤な肝障害発現のおそれ。アセトアミノフェンの1日総量が1,500 mgを超す高用量で長期投与の場合，定期的に肝機能等を確認。トラマドール・アセトアミノフェンを含む他の薬剤（一般用医薬品を含む）との併用で，過量投与のおそれのため併用を避ける

No.4　鎮痛薬

警告	・〔オキシコンチンTR〕慢性疼痛の診断・治療に精通しリスク等も十分管理できる医師・医療機関・管理薬剤師のいる薬局のみで用いる。調剤前に当該医師・医療機関に確認
禁忌・併用禁忌	禁忌 別表（p.58）参照 併用禁忌 ・〔ノルスパン以外〕⇔ナルメフェン投与中・投与中止後1週間以内で本剤の作用が競合的阻害で離脱症状発現・効果減弱のおそれ ・〔タペンタ，トラマール，ワントラム，ツートラム，トラムセット〕⇔セレギリン，ラサギリン，サフィナミド投与中・投与中止後14日以内で心血管系副作用の増強やセロトニン症候群等の重篤な副作用発現のおそれ

■ 主な副作用と対策，フィジカルアセスメントのチェックポイント

主な副作用	患者に確認すべき症状	対策とPAのチェックポイント
悪心・嘔吐	食欲がない，ムカムカする，食べたものを吐く	オピオイド投与初期と増量時に発現することが多く，約30％の人にみられる。持続する悪心は数日～1週間で耐性が生じ，消失することが多い。制吐薬としてプロクロルペラジン（ノバミン），ハロペリドール（セレネース），トラベルミンなどが有効である PA 腸音（消失：イレウス）
便秘	お腹が張る，便が出にくい，便が硬い，便の回数が減る	ほぼ100％の人にみられ，オピオイド鎮痛薬を使用している間はずっと続く。オピオイド鎮痛薬開始時から排便の頻度と便の硬さの調節の両方に注意して下剤を定期的に使用する（腸の蠕動運動を亢進するプルゼニド，ラキソベロンと腸管内の水分保持で便を軟らかくするカマグ等を併用する）。 近年は保険適用のあるナルデメジン（スインプロイク）やルビプロストン（アミティーザ），リナクロチド（リンゼス），エロビキシバット（グーフィス）も使用可能。 腹部マッサージ（「の」字），温罨法，食生活の改善なども行う PA 腸音（便秘：↓）
眠気	日中でもウトウトする，眠い，ぼーっとしている，食事中や会話の途中でも眠ってしまう	約20％程度にみられる。治療開始時や増量時にみられることがあるが，3～5日で消失することが多い。眠気が非常に強い場合は，減量したり，オピオイドスイッチングを行う PA 意識レベル（↓），胸郭・腹部運動，SpO₂
せん妄，幻覚	おかしなことを言っている，見えないはずのものが見えている，うろうろ歩き回る，支離滅裂な行動をとる	投与開始初期や増量時に出現することが多い。減量を行うが減量が困難な場合は薬剤を変更する。あるいはクエチアピン，ハロペリドール，リスペリドン等の投与を行う

別表 ［禁忌］

	商品名	重篤な呼吸抑制	気管支喘息発作中	重篤な肝障害	心不全	慢性肺疾患に続発する	けいれん状態	急性アルコール中毒	アヘンアルカロイド過敏症（既往）	ペンタゾシン・ナロキソン過敏症既往	本剤過敏症（既往）	出血性大腸炎	麻痺性イレウス	MAO阻害薬投与中・投与中止後14日以内
麻薬性	A モルヒネ塩酸塩	○	○	○	○	○	○	○			○			
	C MSコンチン	○	○	○	○	○	○	○			○			
	C MSツワイスロン	○	○	○	○	○	○	○			○			
	B パシーフ	○	○	○	○	○	○	○			○			
	A オプソ	○	○	○	○	○	○	○			○	○		
	A アンペック坐剤	○	○	○	○	○	○	○			○			
	D オキノーム	○	○		○	○	○	○			○	○		
	E オキシコンチンTR	○	○		○	○	○	○			○	○		
	F イーフェンバッカル										○			
	F アブストラル舌下										○			
	G デュロテップMT										○			
	G ラフェンタテープ										○			
	G フェントステープ										○			
	G ワンデュロパッチ										○			
	H ナルラピド	○			○		○	○						
	I ナルサス	○			○		○	○						
	J タペンタ	○									○		○	○
	K メサペイン	○	○				○				○			
非麻薬性	L レペタン坐剤			○							○			
	L ノルスパンテープ										○			
	M ソセゴン ペンタジン									○				
	N トラマールOD										○			○
	N ワントラム，ツートラム										○			○
	N トラムセット			○							○			○

No.4　鎮痛薬

鎮痛薬

	ナルメフェン投与中・投与中止後1週間以内	アルコール・睡眠剤・オピオイド鎮痛剤・向精神薬による急性中毒	重篤な慢性閉塞性肺疾患	重篤な呼吸抑制状態・肺（呼）機能障害	頭部傷害、脳に病変、意識混濁が危惧	頭蓋内圧上昇	妊婦・妊娠の可能性	直腸炎、直腸出血・著明な痔疾	治療により十分な管理がされていないてんかん	高度な腎障害・肝障害	消化性潰瘍、重篤な血液異常・腎障害・心機能不全・アスピリン喘息	頭部傷害・頭蓋内圧上昇	重篤な呼吸抑制状態・全身状態が著しく悪化	12歳未満の小児
	○													
	○													
	○													
	○		○											
	○													
	○	○												
			○											
	○			○	○	○	○							
				○										
												○	○	
	○	○						○						○
	○	○						○	○					○
	○	○						○		○				○

主な副作用	患者に確認すべき症状	対策とPAのチェックポイント
呼吸抑制	呼吸回数が減少する，息苦しい，息切れ，呼吸が弱い，不規則な呼吸	初期投与時，増量時は夜間の睡眠中の呼吸数を数えておく。10回以上／1分間を目安とする。投与量の減量や重篤の場合は酸素吸入，ナロキソンの投与を行う PA 呼吸数（10回未満／1分間は注意），SpO₂（↓）
排尿障害	排尿しようと思っても尿がなかなか出てこない，尿が出ない	オピオイドにより尿管の緊張が高まり，排尿筋の収縮が起こりにくくなる。$α_1$ブロッカー（ハルナール，フリバス等）やコリン作動薬（ウブレチド，ベサコリン）の投与を行う
不整脈（メサペイン）	どきどきする，脈がみだれる，めまいやふらつき，気を失う	定期的に心電図検査および電解質検査を行う。休薬，減量または中止 PA 脈拍（不整脈）

■ 重大な副作用と妊婦・授乳婦への危険度

薬剤名	重大な副作用	妊婦[授乳婦]
モルヒネ塩酸塩水和物，オプソ，アンペック坐剤，パシーフ，MSコンチン，MSツワイスロン	・依存性，呼吸抑制，錯乱，せん妄，無気肺，気管支けいれん，喉頭浮腫，麻痺性イレウス，中毒性巨大結腸 ・腸管麻痺（パシーフ） ・ショック，肝機能障害（MSコンチン，MSツワイスロン）	[㊞△] （モルヒネ塩酸塩水和物，オプソ）
オキノーム，オキシコンチンTR	ショック，アナフィラキシー，依存性，呼吸抑制，錯乱，せん妄，無気肺，気管支けいれん，喉頭浮腫，麻痺性イレウス，中毒性巨大結腸，肝機能障害	[㊞△] （オキノーム）
イーフェンバッカル，アブストラル舌下，デュロテップMT，ラフェンタ，ワンデュロ，フェントス	依存性，呼吸抑制，意識障害，ショック，アナフィラキシー，けいれん	[㊞○] （フェントス）
ナルラピド，ナルサス	依存症，呼吸抑制，意識障害，イレウス（麻痺性イレウスを含む），中毒性巨大結腸	－
タペンタ	呼吸抑制，アナフィラキシー，依存性，けいれん，錯乱状態，せん妄	－
メサペイン	ショック，アナフィラキシー，依存性，呼吸停止，呼吸抑制，心停止，心室細動，心室頻拍，心不全，期外収縮，QT延長，錯乱，せん妄，肺水腫，無気肺，気管支けいれん，喉頭浮腫，腸閉塞，麻痺性イレウス，中毒性巨大結腸，肝機能障害	[㊞○]
レペタン坐剤	呼吸抑制，呼吸困難，舌根沈下，ショック，せん妄，妄想，依存性，急性肺水腫，血圧低下から失神	禁忌 [㊞○]
ノルスパンテープ	呼吸抑制，呼吸困難，ショック，アナフィラキシー様症状，依存性	C [㊞○]
ソセゴン，ペンタジン	ショック，アナフィラキシー，呼吸抑制，依存性，無顆粒球症	C [㊞△]

No.4 鎮痛薬

薬剤名	重大な副作用	妊婦[授乳婦]
トラマール，ワントラム，ツートラム，トラムセット配合	・ショック，アナフィラキシー，呼吸抑制，けいれん，依存性，意識消失 ・中毒性表皮壊死融解症，皮膚粘膜眼症候群，急性汎発性発疹性膿疱症，間質性肺炎，間質性腎炎，急性腎障害，喘息発作の誘発，劇症肝炎，肝機能障害，黄疸，顆粒球減少症（トラムセット配合）	C(ツートラム以外) [㊦○]

■ その他の指導ポイント

	患者向け	薬剤師向け
使用上の注意	・この薬の服用中（使用中）は，車の運転等，危険を伴う機械の操作は行わないでください	眠気，めまい等が起こることがあるため
	・この薬は指示されたとおりに，規則正しく使用し勝手に回数を増やしたり，使用を中止したりしないでください（レスキュー使用時以外）	定期的に服用することで血中濃度が一定に保たれ痛みのない状態が確保できること，また内服（使用）開始初期の頃には副作用（主として眠気，嘔気・嘔吐，便秘）が出て自己中断のおそれがあるので，継続服用により多くの症状が消失することを説明する
	・［タペンタ，ワントラム，ツートラム］この薬の服用中に便の中に殻のようなものが出ることがありますが，心配はいりません	有効成分は既に吸収されているため，臨床的に問題はない
	・［オキシコンチンTR］この薬はなめたり，ぬらしたりせず，口に入れた後はすみやかに十分な水で飲んでください	乱用防止を目的とした製剤で，水を含むとゲル化するため。嚥下困難・消化管狭窄を伴う患者はリスクが高まるため他の鎮痛薬の使用を考慮する
	・［パシーフ，MSコンチン，MSツワイスロン，ナルサス，タペンタ，ワントラム，ツートラム］この薬は砕いたり，すりつぶしたりしないで，またそのままかみ砕かないように服用してください	徐放性の製剤であることから，急激な血中濃度上昇による重篤な副作用の発現を避けるため
	・［イーフェンバッカル］この薬はブリスターシートから錠剤を取り出す際には押し出さずに凸部分がない面のシートをはがして取り出してください。なおブリスターシートは必ず服用直前に開封してください	錠剤が割れることがあるため。また吸湿性があるため使用直前に開封する
	・［イーフェンバッカル］この薬は割ったり，かんだり，なめたりせず上の奥歯の歯茎と頬の間（バッカル部位）に入れて溶解させてください。また割れている場合は使用しないでください。もし30分たっても一部が口内に残っている場合	本剤はバッカル部位に投与すると炭酸ガスを発生し，この炭酸ガスとpH調節成分の働きにより速やかに成分を吸収させる製剤で，かんだりすると口腔粘膜からの吸収が低下し，バイオアベイラビリティが低下する可能性があるため

は，水で飲み込んでも問題ありません。連続して使用する場合は，口腔内の影響を考えてなるべく左右の頬に交互に置いてください。口内が乾燥している場合は，必要に応じて少量の水で口内を湿らせた後に使用してもかまいません

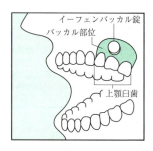

使用上の注意	・〔アブストラル舌下〕この薬は服用直前にSPシートから取り出しアルミニウム袋開封後は開封口を閉じて保存してください。また衝撃で欠けたり割れたりすることがあるので注意して取り扱ってください	吸湿により硬度が低下するため。また本剤は通常の錠剤に比べて硬度が低いため取り扱いに注意が必要
	・〔アブストラル舌下〕この薬はそのまま飲み込んだり，かんだり，なめたりせず舌下の奥の方に入れて溶解させてください。口内が乾燥している場合は，必要に応じて少量の水で口内を湿らせた後に使用してもかまいません	口腔粘膜から吸収させる製剤で，かんだりすると口腔粘膜からの吸収が低下し，バイオアベイラビリティが低下する可能性があるため
	・〔イーフェンバッカル，アブストラル舌下〕この薬を途中で口から出してしまった場合，残った薬は放置せず，多量の水で溶かして処分してください	
	・〔イーフェンバッカル，アブストラル舌下〕この薬を使用するとき，口内炎や口内出血がみられたときは必ずご相談ください	本剤の血中濃度が高くなり副作用が現れやすくなるおそれがあるため
	・〔トラマールOD〕この薬は口の中で溶けますが，溶けた後，唾液または水で飲み込んでください。寝たままの状態では水なしで服用しないでください	口腔粘膜から吸収されないため
	・〔レペタン坐〕この薬の投与後はできる限り安静にしてください	本剤投与後，特に起立，歩行時に悪心，嘔吐，めまい，ふらつき等の症状が現れやすいため。特に外来患者に投与した場合は十分に安静にした後，安全を確認して帰宅させる
	・〔アンペック坐，レペタン坐〕坐薬は直腸内投与にだけ使用し，飲まないでください。またできるだけ排便後に使用してください	
	・〔レペタン坐〕妊娠中または妊娠の可能性のある方は必ずご相談ください	妊娠中大量投与した患者から出生した新生児に禁断症状発現の報告（外国）。またラットで難産，出生時の生存率低下等の報告のため投与禁忌
	・【デュロテップMT，ラフェンタテープ，ワンデュロパッチ，フェントステープ，	

使用上の注意

ノルスパンテープ】
(貼付部位)
- 胸部，腹部，上腕部，大腿部等（ノルスパン以外），前胸部，上背部，上腕外部または側胸部（ノルスパン）で体毛のない部位に貼ってください。体毛のある部位に貼る場合は，カミソリや除毛剤を使用せず，傷をつけないようハサミで切ってください。また貼る部位は石鹸やアルコールやローション等を使用せず，乾いたタオルなどで水分を十分に拭き取り清潔にしてから貼ってください
- かぶれないよう毎回貼る部位は変えてください

→ カミソリ，除毛剤や石鹸，アルコール，ローション等を使用すると本剤の吸収に影響を及ぼすため

〔初回貼付時〕他のオピオイド鎮痛剤から切り替える場合，薬物の血中濃度が，徐々に上昇するため鎮痛効果が得られるまで時間を要するので，切り替え前に使用していたオピオイド鎮痛薬の持続時間を考慮して貼付を開始すること
(初回貼付量として以下のものは推奨されない)
　デュロテップMT：16.8 mg
　ラフェンタ：11 mg
　ワンデュロ：6.7 mg
　フェントス：8 mg

- 〔ノルスパン〕同じ部位に貼る場合は，3週間以上の間隔をあけてください
- 傷や放射線照射部位は避けて貼ってください

→ 血中濃度が上昇するおそれがあるため

〔疼痛増強時における処置〕貼付中，痛みが増強した場合や一時的に現れる強い痛みが発現した場合は，ただちに速効性オピオイド鎮痛薬の追加投与（レスキュー）で鎮痛をはかる。1回の追加投与量としては，切り替え前に使用していた速効性オピオイド鎮痛薬が経口・坐薬の場合，1日投与量の1/6量を，注射の場合は1/12量を目安とする（ノルスパン以外）

(貼付時の注意)
- 使用直前にハサミ等を使わず手で包装袋を破り取り出してください。薬はハサミ等で切って使用せず，もし傷がついたら使用しないでください
- 〔フェントス以外〕貼った後約30秒間手のひらでしっかり押さえ，パッチの縁の部分が皮膚面に完全に接着するようにしてください
- 薬にはライナー（台紙）がついているのでライナーからはがして使用してください

(貼付期間中の注意)
- 薬の一部がはがれかけた場合は，手で押しつけて固定するか，粘着力が弱くなった場合は，はがして新しい薬に貼り替えてください
- 他の人に付着しないように気をつけてください。もし他の人についた場合はすぐにはがして水で洗い流し，異常があれば受診してください

→ 海外で，貼付剤を使用している患者と他者（特に小児）が同じ寝具で就寝するなど身体が接触した際，他者に付着し有害事象が発現したとの報告がある

- 〔デュロテップMT〕貼り替え時期を忘れないように，カレンダー等に貼った日を記録しておきましょう

(使用後の注意)

使用上の注意	・使い終わった薬は粘着面を内側に折り曲げて外袋などに入れて廃棄してください	
	食 この薬の服用中（使用中）にアルコールを飲むと薬の作用が強く出るので控えてください	相加的に中枢神経抑制作用を増強させるため併用注意
	食 〔イーフェンバッカル, アブストラル→舌下〕この薬の服用中グレープフルーツジュースは飲まないでください	グレープフルーツジュースに含まれる成分により代謝酵素（CYP3A4）による代謝が阻害され血中濃度上昇のおそれがあるため併用注意
	食 〔メサペイン〕この薬の服用中にセイヨウオトギリソウ（セント・ジョーンズ・ワート）を含む食品はとらないでください	本剤の肝代謝酵素（CYP3A4）を誘導することにより，血中濃度が低下するおそれのため併用注意
	検 〔メサペイン〕この薬の服用前，服用中は定期的に心電図・電解質検査を受けるため受診しましょう	QT延長が現れることがあるため
	・〔麻薬性〕この薬は他人の痛みに使用しないでください。また子供の手の届かないところに保管してください。この薬は不要になった場合は，勝手に処分せず，病院や薬局に返してください	
	・〔ノルスパン〕この薬は子供の手の届かない，高温にならないとろに保管してください	
	・〔トラマール, ワントラム, ツートラム, トラムセット〕この薬は子供の手の届かないところに保管してください	
服用・使用を忘れたとき	・〔オプソ, アンペック, レペタン坐剤, ソセゴン, ペンタジン, トラムセット〕思い出したときすぐに服用（使用）する。次回の服用（使用）は指示された服用間隔（ソセゴン，ペンタジン：3時間以上，トラムセット：4時間以上）をあけて服用（使用）する（2回分を一度に服用（使用）しないこと）	
	・〔モルヒネ塩酸塩水和物, MSコンチン, オキシコンチンTR, オキノーム〕思い出したときすぐに服用する。あとは指示どおりの時間に服用する（2回分を一度に服用しないこと）	
	・〔パシーフ, MSツワイスロン〕思い出したときすぐに服用する（2回分を一度に服用しないこと）	
	・〔イーフェン, アブストラル〕突出痛時のみ使用するので，痛くなければ使用しない	
	・〔デュロテップMT, ラフェンタ, ワンデュロ, フェントス, ノルスパン〕思い出したとき，通常の手順に従って貼る（2回分を一度に使用しないこと）	
	・〔ナルラピド, ナルサス, タペンタ, トラマール, ワントラム, ツートラム〕思い出したときすぐに服用する。ただし次の服用時間が近いときは忘れた分は服用しない（2回分を一度に服用しないこと）	

No.4　鎮痛薬

■ 継続的な服薬指導・確認のポイント

項目	確認のポイント
医療用麻薬に対する適切な説明	麻薬やモルヒネに対する中毒への不安や誤解により，使用に対する抵抗が強いので鎮痛薬の特徴，使用方法，安全性等について説明し，安心して緩和ケアに取り組めるようにする
痛みについて身近な治療目標の設定（麻薬を使用した場合どうなるかのイメージをしてもらう）	【痛みも眠さもない状態を目指す】 　第1目標：痛みに妨げられない夜間の睡眠時間の確保 　第2目標：日中安静時の痛みの消失 　第3目標：起立時や体動時の痛みの消失 （説明例：薬を使用することで痛みが軽減し，ご飯がおいしく食べられる，睡眠がとれるようになる，散歩に出かけられるなど，何気ない日常生活が再現できるようになる）
痛みの包括的評価の実施	痛みの部位，経過 痛みの強さ評価（NRS，VAS，VRS，FPS（p.69参照）） 痛みのパターン（持続痛，突出痛），痛みの性状（体性痛，内臓痛，神経障害性疼痛（p.66参照）） 痛みによる日常生活（睡眠，食事，入浴，移動等）への影響
治療効果の評価による薬剤の調整	鎮痛薬の剤形・投与回数・時間・経路や経済的負担が日常生活に支障をきたしていないかを確認
オピオイドによる副作用の確認と対策（副作用と対策を理解させることにより服薬自己中断を防ぐ）	①悪心・嘔吐，②便秘，③眠気，④せん妄・幻覚，⑤呼吸抑制，⑥排尿障害（主な副作用と対策（p.57）参照）

■ その他備考

- 配合剤成分：トラムセット（トラマドール塩酸塩，アセトアミノフェン）
- オピオイドとは：中枢神経（脳や脊髄）のオピオイド受容体に作用して効果を現す薬の総称。ペンタジン，レペタンなどの一部の非麻薬鎮痛薬もオピオイドである。
- メサペインの特徴：メサドンはモルヒネと同様にμオピオイド受容体を介して鎮痛作用を示すが，モルヒネ等，他のμオピオイド受容体作動薬との交差耐性が不完全で他のオピオイド鎮痛薬の等鎮痛比は確立していない。このため，他のオピオイド鎮痛薬で鎮痛が得られない症例，耐性発現している症例等でも有効であることが期待されている。
- WHO方式がん疼痛療法
  〈鎮痛薬使用の4原則〉
  1. 可能な限り経口投与とする
  2. 鎮痛効果が途切れないように時間を決めて規則正しく使用する
  3. 患者ごとに個別的な有効量を決定し投与する
  4. 服用に際し細かい配慮を行う（副作用があらたな苦痛にならないよう予防を確実に行う。治療への不安や疑問，投与経路の変更の必要性など常に配慮する）

〈3段階除痛ラダー〉 最近はがん疼痛（中等度から高度）のある患者に対して，初回投与のオピオイドは強オピオイドの投与を推奨する（1B）との提言が日本緩和医療学会からあり3段階ラダーの概念も変化しつつある。3段階除痛ラダーは，厳密ながん疼痛治療のコントロールとしてでなく，限られた薬剤を有効に利用するための教育ツールとして認識されるようになってきた。

第一段階：非オピオイド鎮痛剤（NSAIDsやアセトアミノフェン）投与の段階

第二段階：第一段階が無効のとき弱オピオイド鎮痛剤（コデインリン酸塩，少量のオキシコドン，トラマドール）にNSAIDs等が併用される段階

第三段階：第二段階の治療で鎮痛補助剤の有無にかかわらず，反応しない場合，強オピオイド鎮痛剤（モルヒネ，ヒドロモルフォン，フェンタニル，オキシコドン，メサドン）に切り替える段階。この場合極量の概念はなく，至適投与量は痛みの取れる量で，個々の患者の反応性は異なるので患者ごとに適した量を決定する。

■痛みの病態による分類

分類	侵害受容性疼痛		神経障害性疼痛
	体性痛	内臓痛	
障害部位	皮膚，骨，関節，筋肉，結合組織などの体性組織	食道，小腸，大腸などの管腔臓器 肝臓，腎臓などの被膜をもつ固形臓器	末梢神経，脊髄神経，視床，大脳（痛みの伝導路）
侵害刺激	切る，刺す，叩くなどの機械的刺激	管腔臓器の内圧上昇 臓器被膜の急激な伸展 臓器局所および周囲の炎症	神経の圧迫，断裂
例	骨転移に伴う骨破壊 体性組織の損傷 筋膜や筋骨格の炎症	がん浸潤による食道，大腸などの通過障害 肝臓の腫瘍破裂など急激な被膜伸展	がんの神経根や神経叢といった末梢神経浸潤 脊椎転移の硬膜外浸潤，脊髄圧迫 化学療法・放射線治療による神経障害
痛みの特徴	うずくような，鋭い，拍動するような痛み 局在が明瞭な持続痛が体動に伴って悪化する	深く絞られるような，押されるような痛み 局在が不明瞭	障害神経支配領域のしびれ感を伴う痛み 電気が走るような痛み
鎮痛薬の効果	非オピオイド鎮痛薬，オピオイドが有効 廃用による痛みへの効果は限定的	非オピオイド鎮痛薬，オピオイドが有効だが，消化管の通過障害による痛みへの効果は限定的	鎮痛薬の効果が乏しいときは，鎮痛補助薬の併用が効果的な場合がある

（特定非営利活動法人 日本緩和医療学会 ガイドライン統括委員会・編：がん疼痛の薬物療法に関するガイドライン（2020年版），p23，金原出版，2020）

がん疼痛治療推奨の概要

```
        痛みの評価
  (原因, 強さ, 心理社会的な要因)
              │
              ├──────────→ がん疼痛以外の痛み
              │            ・がん治療による痛み(外科治療, が
              │              ん薬物療法, 放射線治療*に関連し
              │              た痛み)
              │            ・がん・がん治療と関連のない痛み
              │            ・オンコロジーエマージェンシー(脊
              │              髄圧迫症候群*)
              ↓
           がん疼痛
```

● 鎮痛薬

疼痛強度(NRS)	軽度(1〜3)	中等度(4〜6)	高度(7〜10)	突出痛
推奨	アセトアミノフェン, NSAIDs	モルヒネ¶, ヒドロモルフォン¶, オキシコドン¶, フェンタニル¶, タペンタドール		レスキュー薬☆
条件付き推奨	−	メサドン※		経粘膜性フェンタニル★
		コデイン, トラマドール§, ブプレノルフィン#	−	

● オピオイドの有害作用に対する治療

有害作用	便秘◇	悪心・嘔吐	眠気◆
推奨	下剤	制吐薬	オピオイドの減量
条件付き推奨	末梢性μオピオイド受容体拮抗薬	オピオイドの変更・投与経路の変更	−

● 特定の状況の治療

状況	神経障害性疼痛, 骨転移	高度な腎機能障害∴	適切な鎮痛効果が得られない	対処しうる治療を行っても許容できない有害作用
推奨	鎮痛薬(アセトアミノフェン, NSAIDs, オピオイド)の投与	フェンタニル, ブプレノルフィンの注射剤†	投与中の鎮痛薬を増量	投与中の鎮痛薬の有害作用に対する治療
条件付き推奨	鎮痛補助薬, ケタミン‡	その他のオピオイド	アセトアミノフェン・NSAIDsの併用, 鎮痛補助薬の併用, オピオイドの変更	オピオイドの変更・投与経路の変更

NRS：Numerical Rating Scale
NSAIDs：non-steroidal anti-inflammatory drugs，非ステロイド性抗炎症薬
PCA：patient controlled analgesia，自己調節鎮痛法

*脊髄圧迫症候群を含む，神経圧迫に伴う痛み，放射線治療による一過性の痛みの悪化，脳転移やがん性髄膜炎による頭蓋内圧亢進症状に伴う頭痛があるとき，ステロイドを投与する．

∴より早く鎮痛する目的で，オピオイドを持続静注または持続皮下注で開始してよい．

¶オピオイドを持続静注または持続皮下注で投与するとき，PCAを使用してもよい．

※メサドン以外の強オピオイドが投与されているにもかかわらず，適切な鎮痛効果が得られないとき．

§患者の選好，医療者の判断，医療現場の状況で，強オピオイドが投与できないとき．

#高度の腎機能障害があるとき．他の強オピオイドが投与できないとき．

☆経口モルヒネ・ヒドロモルフォン・オキシコドン速放性製剤，オピオイド注射剤のボーラス投与，オピオイド坐剤のいずれか．

★フェンタニル舌下錠またはバッカル錠．

◇下剤，末梢性μオピオイド受容体拮抗薬を除く，その他の便秘治療薬の投与については，明確な推奨はできない．

◆精神刺激薬の投与については，明確な推奨はできない．

∴eGFR 30 mL/min 未満

†トラマドール，オキシコドン，ヒドロモルフォン，メサドン，コデイン，モルヒネを注意して投与してもよい．ただし，コデイン，モルヒネは可能なら投与は避ける．投与するなら短期間で，少量から投与する．

‡強オピオイドや鎮痛補助薬が投与されても，適切な鎮痛効果が得られていない，難治性のがん疼痛に対して．

〔特定非営利活動法人　日本緩和医療学会　ガイドライン統括委員会・編：がん疼痛の薬物療法に関するガイドライン（2020年版），p98-99，金原出版，2020〕

■ がん患者の痛みの強さの評価方法

がん患者の痛みの強さを把握することは治療効果を確認するために重要であるが患者の主観であるので，痛みを客観的に評価できるアセスメントツールを用いると評価がしやすい。

・数値評価スケール（NRS：Numeric Rating Scale）

「痛みなし：0」から「最悪の痛み：10」の11段階に分け，痛みの点数を問う方法。一般的にNRSが推奨される。1～3を軽度，4～6を中等度，7～10を重度と便宜的に定めている。

痛みなし　0　1　2　3　4　5　6　7　8　9　10　最悪の痛み

・視覚的アナログ・スケール（VAS：Visual Analogue Scale）

100 mmの水平な直線において左端を「全く痛みがない」，右端を「予測される中で最も痛い」として，直線上に痛みのレベルに印をしてもらい，0 mmからの長さで評価する方法

├─────────────×─────────────┤
全く痛みがない　　　　　　　　予測される中で最も痛い

・語句評価スケール（VRS：Verbal Rating Scale）

痛みの強さを表す言葉を数字の順に並べ（例：痛みなし，少し痛い，痛い，かなり痛い，耐えられないくらい痛い），痛みを表している言葉を選んでもらう方法

・フェイス・スケール（Face Pain Scale（FPS））

人間の顔の表情で痛みの程度を示し，痛みを表している表情を選択してもらう方法

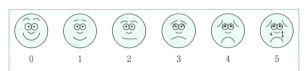

0：痛みがまったくなく，とても幸せである
1：僅かに痛みがある
2：軽度の痛みがあり，少し辛い
3：中等度の痛みがあり，辛い
4：かなりの痛みがあり，とても辛い
5：耐えられないほど強い痛みがある

■ オピオイドスイッチング

オピオイドスイッチングは各種オピオイドの鎮痛効果，副作用の程度など，異なる特徴を利用し，より好ましい疼痛コントロール状態にするために，使用中のオピオイドを他のオピオイドに切り替えることである。

オピオイドスイッチングの流れ

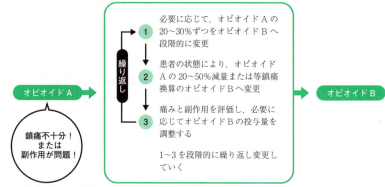

鎮痛が得られ副作用が消失すれば，すべてオピオイドBに変更しなくてもAとBを併用してよい
（余宮きのみ：がん疼痛緩和の薬がわかる本第3版，医学書院，p193, 2019）

■ 各オピオイド鎮痛薬の等鎮痛換算比

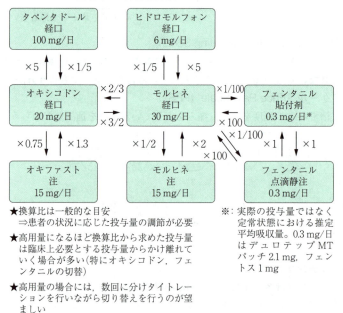

★ 換算比は一般的な目安
　⇒患者の状況に応じた投与量の調節が必要
★ 高用量になるほど換算比から求めた投与量は臨床上必要とする投与量からかけ離れていく場合が多い（特にオキシコドン，フェンタニルの切替）
★ 高用量の場合には，数回に分けタイトレーションを行いながら切り替えを行うのが望ましい

※：実際の投与量ではなく定常状態における推定平均吸収量。0.3 mg/日はデュロテップMTパッチ2.1 mg，フェントス1 mg

No.4 鎮痛薬

■投与経路変更に伴う換算

モルヒネ：経口 1 ≒ 注射 1/2～1/3 ≒ 坐 2/3
オキシコドン：経口 1 ≒ 注射 0.75
フェンタニル：貼付剤 1 ≒ 注射 1

■主なオピオイド鎮痛薬換算表

主な製品名	換算比	投与量					
●モルヒネ経口製剤（mg/日）	1	30	60	90	120	150	180
●オキシコンチンTR錠（mg/日）	2/3	20	40	60	80	100	120
●フェンタニル貼付剤 定常状態における推定平均吸収量（mg/日）	1/100	0.3	0.6	0.9	1.2	1.5	1.8
・デュロテップMTパッチ（mg/3日）		2.1	4.2	6.3	8.4	10.5	12.6
・ワンデュロパッチ（mg/日）		0.84	1.7		3.4		5
・フェントステープ（mg/日）		1	2	3	4	5	6
●ナルサス錠（mg/日）	1/5	6	12	18	24	30	36
●タペンタ錠（mg/日）※	10/3	100	200	300	400	−	−
●モルヒネ注射（持続 mg/日）	1/2～1/3	10～15	20～30	30～45	40～60	50～75	60～90
●オキファスト注（持続 mg/日）	1/2	15	30	45	60	75	90
●フェンタニル注（持続 mg/日）	1/100	0.3	0.6	0.9	1.2	1.5	1.8

※：タペンタは1日投与量が500mgを超える使用に関する成績は得られていない。治療上の有益性が危険性を上回ると判断される場合のみ投与

■レスキュー（レスキュー・ドーズ）

レスキューとはオピオイドを定時使用中に疼痛が増強した場合に使用する速効性オピオイドのこと（徐放性製剤、貼付剤はレスキューに使用しない）

経口薬	●1日モルヒネ投薬量の1/6をレスキュー1回量とする。 1時間後に追加可 ・速効性モルヒネ：オプソ（液）、モルヒネ塩酸塩末・錠 　　Tmax：0.5～1時間 ・速効性オキシコドン：オキノーム（オキシコドン製剤は1/4～1/8） 　　Tmax：1～2時間 ・速効性ヒドロモルフォン：ナルラピド（ヒドロモルフォン製剤は1/4～1/6） 　　Tmax：0.5～1時間
口腔粘膜吸収薬	●速効性フェンタニル口腔粘膜吸収薬：イーフェンバッカル、アブストラル舌下 　1回50（イーフェンバッカル）または100μgから開始し、症状に応じて100、200、400、600、800μgの順に一段階ずつ漸増。投与から30分後以降に同一用量の追加可。
坐薬	●アンペック坐剤（モルヒネ塩酸塩坐薬） 　Tmax：1～2時間であり、あまりレスキューに適さない
注射薬	●1日投与量の1/24（1時間量）（1/12～1/24）をレスキュー1回量として早送りする。 10分間隔で繰り返し可 ・モルヒネ塩酸塩注 ・オキファスト注 ・フェンタニル注

麻薬性鎮痛薬一覧表

	商品名・剤形・規格	(※)レスキューとして	Tmax	効果発現開始時間	作用持続時間	投与間隔	特　徴
モルヒネ塩酸塩製剤	モルヒネ塩酸塩錠・末 10mg	◎	30～60分	10分	3～5時間	4時間	疼痛の増強にレスキューとして使用される製剤。吸収が速やかで30分程度で最大の鎮痛効果が得られる。オプソはモルヒネの苦味を消失させ、1回使いきり型分包品で携帯しやすくしている
	オプソ内服液 5mg/包（2.5mL）、10mg/包（5mL）						
	アンペック坐剤 10mg、20mg、30mg	△	1～2時間	20分	6～10時間	8時間	基材の特性により吸収を高め長時間の鎮痛維持を可能にした坐剤。鎮痛の力価はだいたい経口と注射の中間
モルヒネ塩酸塩徐放剤	パシーフカプセル 30mg、60mg、120mg	×	40～60分	30分以内	24時間	24時間	1日1回で鎮痛維持が可能なモルヒネ徐放カプセル

No.4 鎮痛薬

	商品名・剤形・規格	(※)レスキューとして	Tmax	効果発現開始時間	作用持続時間	投与間隔	特　徴
モルヒネ硫酸塩徐放剤	MSコンチン錠 10 mg, 30 mg, 60 mg	×	2～4時間	1時間	8～12時間	12時間 (8時間)	フィルムコーティングしたマトリックス型の徐放剤。1日2回で効果が維持できるとされているが半減期の関係で3回の方がいいとの意見もある
	モルヒネ硫酸塩水和物徐放細粒 分包10 mg, 30 mg						MSコンチンの後発品。経管栄養チューブからも投与可能な徐放性細粒
	MSツワイスロンカプセル 10 mg, 30 mg, 60 mg						MSコンチンの後発品。カプセル剤であるが内容の顆粒のみ服用することも可能
速効性オキシコドン塩酸塩製剤	オキノーム散 2.5 mg, 5 mg, 10 mg, 20 mg	◎	1～2時間	15分以内	4～6時間	4～6時間	オキシコドン製剤のレスキューとして使用。特に腎障害患者のレスキューには必須
オキシコドン塩酸塩徐放剤	オキシコンチンTR錠 5 mg, 10 mg, 20 mg, 40 mg	×	2～4時間	1時間以内	8～14時間	12時間 (8時間)	不正使用防止(容易に砕けない硬さ、水を含むとゲル化)を有する徐放性製剤
速効性フェンタニル口腔粘膜吸収剤	イーフェンバッカル錠 50μg, 100μg, 200μg, 400μg, 600μg, 800μg	◎	1.5時間	15分	1～2時間	4時間	疼痛の増強にレスキューとしてのみ使用されるフェンタニルクエン酸塩の口腔粘膜吸収製剤
	アブストラル舌下錠 100μg, 200μg, 400μg		0.5～1時間	30分	1時間	2時間	
経皮吸収型フェンタニル貼付剤	デュロテップMTパッチ 2.1 mg, 4.2 mg, 8.4 mg, 12.6 mg, 16.8 mg	×	30～36時間	初回12時間以上	≥72時間	72時間	フェンタニル経皮吸収型がん疼痛治療薬。1回の貼付で72時間鎮痛効果持続。モルヒネに比べ副作用が少ない
	ラフェンタテープ 1.38 mg, 2.75 mg, 5.5 mg, 8.25 mg, 11 mg	×					デュロテップMTの後発品
	ワンデュロパッチ 0.84 mg, 1.7 mg, 3.4 mg, 5 mg, 6.7 mg	×	18時間	初回12時間以上	≥24時間	24時間	フェンタニル経皮吸収型がん疼痛治療薬。1回の貼付で24時間鎮痛効果持続
	フェントステープ 0.5 mg, 1 mg, 2 mg, 4 mg, 6 mg, 8 mg	×	20時間				
メサドン塩酸塩製剤	メサペイン錠 5 mg, 10 mg	×	3～4時間	30～60分	4～12時間	8時間	他の強オピオイド鎮痛薬による疼痛管理が困難な場合に使用。他のオピオイド鎮痛薬との等鎮痛比は確立していないため、患者ごとに換算量を検討
ヒドロモルフォン塩酸塩製剤	ナルラピド錠 1 mg, 2 mg, 4 mg	◎	0.5～1時間		4～6時間	4～6時間	ヒドロモルフォン製剤のレスキューとして使用
ヒドロモルフォン塩酸塩徐放剤	ナルサス錠 2 mg, 6 mg, 12 mg, 24 mg	×	3～5時間		24時間	24時間	1日1回で鎮痛維持が可能なヒドロモルフォン徐放錠
タペンタドール塩酸塩製剤	タペンタ錠 25 mg, 50 mg, 100 mg	×	5時間		12時間	12時間	オピオイドμ受容体作動作用に加え、ノルアドレナリン再取り込み阻害作用を併せ持つため、神経障害性疼痛を含め広範ながん性疼痛に効果
モルヒネ塩酸塩水和物注	塩酸モルヒネ注, アンペック注 10 mg/1 ml, 50 mg/5 ml, 200 mg/5 ml	◎	静脈内：<0.5	直ちに～数分	持続投与 (持続皮下注又は静注)		輸液剤に配合して投与するか、シリンジポンプ又は携帯型ディスポーザブル注入ポンプを用いて投与する
オキシコドン塩酸塩水和物注	オキファスト注 10 mg, 50 mg	◎					
フェンタニルクエン酸塩注	フェンタニル 0.1 mg/2 ml, 0.25 mg/5 ml, 0.5 mg/10 ml	◎					

	商品名・剤形・規格	(※)レスキューとして	Tmax	効果発現開始時間	作用持続時間	投与間隔	特徴
ヒドロモルフォン塩酸塩注	ナルベイン注 2 mg/1 mL, 20 mg/2 mL	◎	静脈内：<0.5	直ちに～数分	持続投与 (持続皮下注又は静注)		ブドウ糖を含有する輸液に希釈して用いる場合,遮光する

(的場元弘執筆・監修：がん疼痛治療のレシピ 2007 年版, 春秋社, 2006 をもとに作成)

(※)レスキュー・ドーズとは：徐放性オピオイド鎮痛薬を定時投与時,基本処方の不足を補うための速効性オピオイド製剤のこと

4 鎮痛薬　④末梢性神経障害性疼痛治療薬

■ 対象薬剤

プレガバリン（リリカ），ミロガバリンベシル酸塩（タリージェ）

■ 指導のポイント

	患者向け	薬剤師向け
薬効	この薬は神経の障害により起こる痛みをやわらげる薬です →	神経への Ca 流入抑制によるグルタミン酸などの興奮性神経伝達物質遊離抑制
詳しい薬効	この薬は中枢神経系においてカルシウムの流入抑制により興奮性神経伝達物質（グルタミン酸等）の遊離を抑えて,過剰に興奮した神経を鎮めることにより,全身の耐え難い痛み（線維筋痛症*）や脳卒中後や脊髄損傷後などの中枢神経障害の痛みをやわらげ（リリカ）たり,帯状疱疹後の神経痛や糖尿病性神経障害や三叉神経痛などの末梢神経障害の痛みをやわらげる薬です。	
禁忌	本剤過敏症既往	

■ 主な副作用と対策, フィジカルアセスメントのチェックポイント

主な副作用	患者に確認すべき症状	対策と PA のチェックポイント
神経系障害	めまい,ふらつき,歩けない,倒れる,眠りがち,眠気,頭痛	減量もしくは中止。自動車の運転等,危険を伴う機械の操作に従事しないように指導。特に高齢者では転倒等に気をつけるよう指導
浮腫,体重増加	足や顔がむくむ,体重が増える	体重増加は投与量の増加,あるいは長期投与に伴い認められるので,肥満徴候が現れたら食事・運動療法を実施 PA 体重（↑）,浮腫（上眼瞼,下腿脛骨）
眼障害	物がかすんで見える,二重に見える,視力が落ちる	減量もしくは中止 PA 視力障害（問診）
胃腸障害	便秘,吐き気,下痢,吐く	対症療法。減量もしくは中止

■ 重大な副作用と妊婦・授乳婦への危険度

薬剤名	重大な副作用	妊婦[授乳婦]
リリカ	めまい，傾眠，意識消失，心不全，肺水腫，横紋筋融解症，腎不全，血管浮腫，低血糖，間質性肺炎，ショック，アナフィラキシー，皮膚粘膜眼症候群，多形紅斑，劇症肝炎，肝機能障害	B3 [✕○]
タリージェ	めまい，傾眠，意識消失，肝機能障害	―

■ その他の指導ポイント

	患者向け	薬剤師向け
使用上の注意	・この薬の服用中は，車の運転等，危険を伴う機械の操作は行わないでください。特に高齢者の人は転倒し骨折等を起こした例があるため十分注意してください	めまい，傾眠，意識消失等が現れ，自動車事故に至った例もあるため
	・〔リリカOD〕この薬は舌の上で唾液を含ませ軽くつぶし，唾液と一緒に飲んでください。また，水で飲むこともできます	口腔粘膜からの吸収で効果発現を期待する製剤でないため，唾液または水で飲み込む
	・この薬の服用中，肥満の徴候が現れたらご相談ください	体重増加をきたすことがあるので，投与中定期的に体重計測を実施し，肥満の徴候が現れたら食事療法，運動療法等の処置
	・この薬の服用中に目がかすむ，見えにくいなどの兆候が現れたらご相談ください	弱視，視覚異常，霧視，複視等の眼障害が生じる可能性があるため診察時，眼障害について問診を行う
	・勝手に薬の量を減らしたり，服用を中止すると，眠れなくなったり，頭痛がしたりすることがあるので必ず指示を守ってください	急激な投与中止で不眠，悪心，頭痛，下痢，不安および多汗等の症状が現れることがあるので，1週間以上かけて徐々に減量する
	食 この薬の服用中アルコールを飲むと，副作用が強く出るので控えてください	認知機能障害および粗大運動機能障害に対して本剤が相加的に作用するため併用注意
服用を忘れたとき	思い出したときすぐに服用する。ただし次の服用時間が近いときは忘れた分は服用しない（2回分を一度に服用しないこと）	

■ その他備考

■*線維筋痛症とは

　全身の耐え難い恒常的な疼痛（慢性的，持続的に休みなく続く広範囲の激しい疼痛）とこわばりを主な症状として，全身の重度の疲労や種々の症状を伴う疾患である。中年以降の女性に好発する原因不明のリウマチ類似の病気である。症状は季節的変動，日中変動があり，全身移行性である。心因性リウマチ，非関節リウマチ，軟部組織性リウマ

チ等で呼ばれていたが，1990年アメリカリウマチ学会による病気の概念と定義，分類（診断）基準が提案され，線維筋痛症が一般的となった。痛みが強いと日常生活に支障をきたすことが多く，重症化すると，軽微の刺激（爪や髪への刺激，温度・湿度の変化，音など）で激痛がはしり，自力での生活は困難になる。随伴症状として，こわばり感，倦怠感，疲労感，睡眠障害，抑うつ，自律神経失調，頭痛，過敏性腸炎，微熱，ドライアイ，記憶障害，集中力欠如，レストレスレッグス症候群等を伴うこともあり，症状は個人差がある。血液，レントゲン，CRPという炎症反応，筋電図，筋肉の酵素等一般的な検査をしても特別な異常を認めないのが特徴である。線維筋痛症は基本的に生命予後に全く問題なく，本症が原因での死亡例の報告はない。

4 鎮痛薬　⑤その他の鎮痛補助薬

■ 対象薬剤
デュロキセチン塩酸塩（サインバルタ）
アミトリプチリン塩酸塩（トリプタノール）
＊No.9抗うつ薬（p.138）参照

■ 指導のポイント

	患者向け	薬剤師向け
薬効	・この薬は糖尿病性神経障害，線維筋痛症，慢性腰痛症，変形性関節症などの慢性の痛みをやわらげる薬です（サインバルタ） ・この薬は末梢神経の障害により起こる痛みをやわらげる薬です（トリプタノール） ☆この薬は気分が落ち込み，憂うつな気持ちを楽にして意欲を高める薬です 　(参) No.9抗うつ薬 ☆この薬は尿が漏れる（夜尿症，遺尿症）のを防ぐ薬です（トリプタノール）	セロトニン・ノルアドレナリン再取り込み阻害による下行性疼痛抑制系の賦活作用 抗うつ作用 抗コリン作用
詳しい薬効	中枢神経には，痛みを伝える上行性疼痛伝導系と，痛みを抑える下行性疼痛抑制系という2つの神経系が存在しています。この薬は中枢神経系の痛みを抑制する経路に作用し，セロトニンとノルアドレナリンの再取り込みを阻害してセロトニンとノルアドレナリン濃度を増加させて，糖尿病性神経障害，線維筋痛症，慢性腰痛症や変形性関節症（サインバルタ），糖尿病性神経障害，三叉神経痛など末梢性神経障害性疼痛（トリプタノール）の慢性の痛みをやわらげる薬です	

5 片頭痛治療薬

■片頭痛治療薬―薬物治療の確認と指導のポイント

項目	確認のポイント
症状の確認(発作の頻度,間隔,持続時間,強さ,嘔気・嘔吐の有無等)	片頭痛は原因不明の慢性頭痛で主にこめかみから側頭部にかけて拍動性で,中等度~重度の頭痛発作が生じ日常的な動作で頭痛が増悪する。光,音,臭過敏,悪心・嘔吐を伴う 頻度:平均月に2回,持続時間:多くは12~24時間 **片頭痛の経過** ・前兆のある片頭痛:前駆症状(疲労感,集中困難,あくび,肩こり等)→前兆(閃輝(せんき)暗点:視野にギザギザした光がちらつく)→片頭痛発作と進行 ・前兆のない片頭痛:前駆症状→片頭痛発作
原因因子・増悪因子回避のための指導	特定の状況下で発作が起こりやすい傾向にある。個々の患者におけるそれぞれの誘因・増悪因子を把握し,うまく避けることが予防につながる ①精神的因子:ストレス,精神的緊張,疲れ,睡眠(過不足) ②内因的因子:月経周期 ③環境因子:天候の変化,温度差,頻回の旅行,臭い ④食事性因子:空腹,アルコール
選択薬物と効果の確認	**目的** ①発作頻度,重症度と頭痛の持続時間の軽減,②急性期治療の反応の改善,③生活機能の向上と生活への支障を改善。 急性期治療薬と予防薬に分けられる。 ・**急性期治療薬(軽度~中等度)**:まずNSAIDsを用い,NSAIDsが無効な場合トリプタン製剤を用いる ・**急性期治療薬(中等度~重症)**:第一選択薬はトリプタン製剤,トリプタン製剤が無効の場合NSAIDsを併用。それでも無効ならエルゴタミン製剤を試みてもよいが妊婦には使用しない。急性期治療薬の服用は月10日以内に抑える ・**予防薬**:バルプロ酸,アミトリプチリン,ロメリジン,プロプラノロール(妊婦) **予防薬使用適応となる場合** 以下の条件を満たした場合頭痛発作の起こる前に予防薬を服用する:①急性期治療のみでは日常生活に支障がある場合,②急性期治療薬が使用できない,③永続的な神経障害をきたすおそれのある片頭痛
アドヒアランスの確認	急性期治療薬を含む過剰な薬物摂取はないか,誘因・増悪物質を把握しているか,日常生活は改善したか,等

■ 対象薬剤

A) エルゴタミン製剤:配合剤(**クリアミン配合A・S**)
B) トリプタン系薬:(第一世代)スマトリプタンコハク酸塩(**イミグラン**),スマトリプタン(**イミグラン点鼻**),スマトリプタンコハク酸塩(**イミグランキット皮下注**:在宅自己注射指導対象)
　　　　　　　　(第二世代)リザトリプタン安息香酸塩(**マクサルト**),エレトリプタン臭化水素酸塩(**レルパックス**),ゾルミトリプタン(**ゾーミッグ**),ナラトリプタン塩酸塩(**アマージ**)
C) Ca拮抗薬:ロメリジン塩酸塩(**ミグシス**)
D) 抗てんかん薬:バルプロ酸ナトリウム(**デパケン,デパケンR**)
E) β遮断薬:プロプラノロール塩酸塩(**インデラル**)
＊デパケン,デパケンRはNo.2 抗てんかん薬(p.22)参照
　インデラルはNo.19 降圧薬⑥(p.305)参照

■ 指導のポイント

	患者向け	薬剤師向け
薬効	・この薬は片頭痛の発作時に過度に拡張した脳の血管を収縮させ,頭痛を抑える薬です(クリアミンA・S)(B)	脳血管収縮作用(クリアミンA・S) セロトニン受容体($5\text{-}HT_{1B/1D}$)作動型脳血管収縮作用(B)
	・この薬は脳の血管の収縮や脳血流量の低下を抑え,片頭痛が起きるのを予防する薬です(ミグシス)	カルシウム拮抗作用による脳血管収縮抑制作用
	・この薬は片頭痛が起こるのを予防する薬です(デパケン,デパケンR,インデラル)	GABA神経伝達促進作用(デパケン) β受容体遮断作用(インデラル)
	☆この薬は脳の神経の過剰な興奮を抑え,発作(けいれん,意識消失)などを抑える薬です(デパケン,デパケンR)(参)No.2 抗てんかん薬	抗けいれん作用
	☆この薬は抑えることのできない感情の高まりや行動(躁状態)を抑え,気分を安定させる薬です(デパケン,デパケンR)(参)No.8 精神神経用薬②	
	☆この薬は血圧を下げる薬です(インデラル)(参)No.19 降圧薬⑥	β受容体遮断作用(降圧作用)
	☆この薬は脈の乱れを整える薬です(インデラル)	〃　　　　(抗不整脈作用)
	☆この薬は心臓の収縮をゆっくりさせて心臓の負担を減らし,狭心症の発作を予防する薬です(インデラル)	〃　　　　(抗狭心症作用)
	◆この薬は手足のふるえ(振戦)やアカシジア(じっとできない,そわそわする)を軽減する薬です(適応外)(インデラル)	
	◆この薬は門脈の血流を減らして食道静脈	

	瘤の再出血を予防する薬です（適応外）（インデラル）
詳しい薬効	・片頭痛は脳血管内の血小板からセロトニンが異常に放出され，脳の血管が収縮し，その後セロトニンが欠乏すると血管が拡張して，それを取り囲んでいる三叉神経を刺激して神経炎症物質が放出されて起きるものです。 ・この薬は麦角アルカロイドの1つで，片頭痛の発作時に過度に拡張した脳の血管を収縮させ，頭痛を抑える薬です（クリアミンA・S） ・この薬は脳血管のセロトニン受容体に働いて，片頭痛の発作時に過度に拡張した脳の血管を収縮させたり炎症を起こす物質を抑え，血管周囲の炎症を抑えて，頭痛を抑える薬です（B） ・この薬は脳血管の細胞内へのカルシウムの流入を抑えて，脳の血管の収縮や脳血流量が低下するのを抑え，片頭痛が起きるのを予防する薬です（ミグシス） ・この薬は脳神経の興奮を抑える物質（γ-アミノ酪酸：GABA）の濃度を上昇させ，脳神経を鎮めることにより，脳血管の収縮・拡張を抑えて片頭痛が起きるのを予防する薬です（デパケン，デパケンR）
禁忌・併用禁忌	禁忌 ・本剤過敏症既往 ・〔A，B〕末梢血管障害，コントロール不十分な高血圧症 ・〔クリアミンA・S〕閉塞性血管障害，狭心症，冠動脈硬化症，ショック，側頭動脈炎，肝・腎機能障害，敗血症，授乳婦，麦角アルカロイド・ピラゾロン系薬剤過敏症既往，心臓弁尖肥厚，心臓弁可動制限，これらに伴う心臓弁膜病変およびその既往 ・〔クリアミンA・S，C〕妊婦 ・〔B〕心筋梗塞既往，虚血性心疾患またはその症状・兆候，異型狭心症，脳血管障害や一過性脳虚血性発作既往 ・〔イミグラン，マクサルト，ゾーミッグ〕MAO阻害薬投与中止2週間以内 ・〔イミグラン，マクサルト，レルパックス，アマージ〕重篤（度）な肝機能障害 ・〔アマージ〕重度な腎機能障害 ・〔マクサルト〕血液透析中 ・〔ミグシス〕頭蓋内出血またはその疑い，脳梗塞急性期 併用禁忌 ・〔クリアミンA・S〕⇔リトナビル，カレトラ配合，ホスアンプレナビル，アタザナビル，ダルナビル，エファビレンツ，コビシスタット含有製剤，エリスロマイシン，ジョサマイシン，クラリスロマイシン，ミデカマイシン，ロキシスロマイシン，イトラコナゾール，ミコナゾール，フルコナゾール，ホスフルコナゾール，ボリコナゾールにて本剤血中濃度上昇し，血管れん縮等の重篤な副作用を起こすおそれ，スマトリプタン，ゾルミトリプタン，エレトリプタン，リザトリプタン，ナラトリプタン，エルゴメトリン，メチルエルゴメトリンにて血圧上昇または血管れん縮増強のおそれ ・〔B〕⇔クリアミン配合，エルゴメトリン，メチルエルゴメトリン，スマトリプタン，ゾルミトリプタン，エレトリプタン，リザトリプタン，ナラトリプタンにて血圧上昇または血管れん縮増強（エルゴタミン製剤と5-HT$_{1B/1D}$受容体作動薬の投与は24時間以上あける） ・〔イミグラン，マクサルト，ゾーミッグ〕⇔MAO阻害薬にて本剤の代謝阻害により作用増強 ・〔マクサルト〕⇔プロプラノロールにて本剤の代謝障害により作用増強 ・〔レルパックス〕⇔リトナビルにて本剤の代謝障害により血中濃度上昇

■ 主な副作用と対策,フィジカルアセスメントのチェックポイント

主な副作用	患者に確認すべき症状	対策とPAのチェックポイント
消化器症状	むかむかする,吐いてしまう	健胃薬等とともに服用。症状の改善なければ減量もしくは中止
精神神経症状	めまい,ふらふらする,眠くなる,だるい	服用中,車の運転等危険を伴う機械の操作は行わないよう指導
痛み(トリプタン系)	胸部の痛み,胸が押さえつけられる,関節や背中が痛む	通常一過性の症状であるが,ときに激しい場合がある。このような症状で虚血性心疾患が疑われる場合は投与中止 PA 脈拍(頻脈・徐脈,不整脈),前胸部(狭心痛),頸部左肩へ(放散痛),浮腫(上眼瞼,下腿脛骨),呼吸音(水泡音)

■ 重大な副作用と妊婦・授乳婦への危険度

薬剤名	重大な副作用	妊婦[授乳婦]
クリアミンA・S	ショック,皮膚粘膜眼症候群,中毒性表皮壊死融解症,麦角中毒,エルゴタミン誘発性の頭痛・頭痛を主訴とする禁断症状,心筋虚血・心筋梗塞,線維症,肝機能障害,黄疸	禁忌 [禁忌/△]
イミグラン	アナフィラキシーショック,アナフィラキシー,虚血性心疾患様症状,てんかん様発作,薬剤の使用過多による頭痛	B3 [○]
マクサルト	アナフィラキシーショック,アナフィラキシー,虚血性心疾患様症状,頻脈(WPW症候群における),てんかん様発作,血管浮腫,中毒性表皮壊死融解症,呼吸困難,失神,薬剤の使用過多による頭痛	B1 [○]
レルパックス	アナフィラキシーショック,アナフィラキシー,虚血性心疾患様症状,てんかん様発作,頻脈(WPW症候群における),薬剤の使用過多による頭痛	B1 [○]
ゾーミッグ	アナフィラキシーショック,アナフィラキシー,不整脈,狭心症あるいは心筋梗塞を含む虚血性心疾患様症状,頻脈(WPW症候群における),てんかん様発作,薬剤の使用過多による頭痛	[○]
アマージ	アナフィラキシーショック,アナフィラキシー,虚血性心疾患様症状	B3 [○]
ミグシス	抑うつ 類薬 錐体外路症状	禁忌 [○]

■ その他の指導ポイント

	患者向け	薬剤師向け
使用上の注意	・この薬の服用中は，車の運転等，危険を伴う機械の操作は行わないでください	めまい（A），眠気（B，C）等が現れることがあるため
	・〔クリアミンA・S〕この薬は目の前がちかちかして頭痛が起こりそうなときや，頭痛が起きたとき，すぐに服用してください	頭痛発作の初期や前触れ症状が起きたときに服用する
	・〔B〕この薬は頭痛の発作が起きたとき早期に使用し，予防的には使用しないでください。効果が不十分な場合は2時間以上（アマージは4時間以上）間をあけて服用（使用）してください	片頭痛の早期に服用する。あまりにも頻回に飲むとかえって頭痛が誘発される。1日の総投与量はイミグラン200 mg，マクサルト20 mg，レルパックス40 mg，ゾーミッグ10 mg，アマージ5 mgを上限とする。本剤投与によりまったく効果が認められない場合はその発作に対して追加投与をしない。この場合は再度検査し頭痛の原因の確認をする
	・〔イミグラン〕頭痛発作時にこの製剤（錠剤・点鼻液・注射液）を組み合わせて使用するときの間隔についてはご相談ください	スマトリプタン製剤を組み合わせて使用するときの間隔 ①錠剤投与後に注射液あるいは点鼻液を追加時は2時間以上 ②注射液投与後に錠剤追加時は1時間以上 ③点鼻液投与後に注射液あるいは錠剤追加時は2時間以上 ④注射液投与後に点鼻液を追加時は1時間以上
	・〔ミグシス〕この薬を服用中に頭痛発作が起きたら頭痛発作治療薬を服用してください	本剤は発現した頭痛発作を緩解する薬ではないので，本剤投与中に頭痛が発現した場合には必要に応じて頭痛発作治療薬（クリアミンA・S）（B）を頓用させる
	・〔ゾーミッグ〕薬を飲んでいて頭痛がひどくなったときは医師に連絡してください	トリプタン系薬剤で頭痛が悪化することがある
	・〔B〕効果がまったくないときは頭痛に対し薬を使用しないでください	片頭痛でない可能性があり，医師の診察を受ける
	・〔イミグラン点鼻〕この薬を鼻腔に噴霧するとき，鼻汁や鼻づまりがある方は，使用する前に鼻をかんでください	
	・〔マクサルトRPD，ゾーミッグRM〕この薬は口の中で溶けますが溶けた後，唾液または水で飲み込んでください	口腔粘膜からの吸収で効果発現を期待する製剤でないため唾液または水で飲み込む
	・〔クリアミンA・S，ミグシス〕妊娠中または妊娠の可能性のある方は必ずご相談ください	・〔クリアミンA・S〕子宮収縮作用および胎盤，臍帯における血管収縮作用があるため投与禁忌 ・〔ミグシス〕ラットで催奇形作用が報告されているため投与禁忌

使用上の注意	・〔クリアミンA・S〕授乳中の方は必ずご相談ください →	母乳中に移行するおそれがあるため投与禁忌
	・〔クリアミンA・S〕この薬の服用中に過度の喫煙は避けてください →	喫煙によりエルゴタミンの血管収縮作用を増強するおそれがあるため
	食〔レルパックス〕この薬を服用中にグレープフルーツジュースは飲まないでください →	本剤の作用が増強するおそれがあるため併用注意
	食〔クリアミンA・S, レルパックス〕この薬の服用中にセイヨウオトギリソウ（セント・ジョーンズ・ワート）を含む食品はとらないでください →	セイヨウオトギリソウにより本剤の代謝が促進され血中濃度低下のおそれがあるため併用注意
	・「頭痛ダイアリー」をつけると診察時に医師へ伝えやすくなります。いつ，何時ごろ頭痛が起きたか，どの薬を飲んだかなどを記入し，診察時に持参しましょう →	頭痛の頻度，頭痛の性状，痛みの強度，持続時間，随伴症状，頭痛出現から内服までの時間，薬物の治療効果，誘因，生活支障度を具体的に知ることができる
	・〔イミグラン点鼻〕薬を使用した後に苦みを感じることがあります →	有効成分によるもので品質には問題ない
	・〔イミグランキット皮下注〕ラテックスアレルギーの方はご相談ください →	注射針カバーに天然ゴムラテックスを含み，アレルギー反応を起こすことがあるため
	・〔イミグランキット皮下注〕片頭痛や群発頭痛の発作時に自己注射する薬です。予防を目的として使用しないでください	
	・〔イミグランキット皮下注〕この薬の注射部位は上腕の外側，太ももの外側等，皮下注射で使用してください	本剤は皮下注射のみに使用し，静注しない。静脈内投与により血管れん縮を起こす可能性がある
	・〔イミグランキット皮下注〕1日2回使用するときは，少なくとも1時間の間隔をあけてください	
服用を忘れたとき	・〔ミグシス〕思い出したときすぐに服用する。ただし，次の服用時間が近いときは忘れた分は服用しない。次の服用時に決められた用量を服用する（2回分を一度に服用しないこと）	
	・〔クリアミンA・S, B〕片頭痛が起こり始めたときのみ服用するので，飲み忘れたときは服用しない	

■トリプタン系薬の比較表

	一般名 （商品名）	剤形	Tmax （時間）	半減期 （時間）	特　徴
短時間	スマトリプタン （イミグラン）	錠剤 点鼻液 注射液 自己注射	1.8 1.3 0.21 0.18	2.2 1.87 1.46 1.71	効果発現が早いが吸収率が低い。錠剤・点鼻液・注射液・自己注射がある。
	ゾルミトリプタン （ゾーミッグ）	錠剤 口腔内速溶錠	3.0 2.98	2.4 2.9	脂溶性で中枢移行がよい。錠剤と口腔内速溶錠がある。
	リザトリプタン （マクサルト）	錠剤 口腔内崩壊錠	1.0 1.3	1.6 1.7	内服2時間後の頭痛消失率がトリプタン系中最も優れる。錠剤と口腔内崩壊錠がある。

	一般名 (商品名)	剤形	Tmax (時間)	半減期 (時間)	特徴
長時間	エレトリプタン (レルパックス)	錠剤	1.0	3.2	作用時間が長いので同日の再発が少ない
	ナラトリプタン (アマージ)	錠剤	2.68	5.05	国内で使用可能なトリプタンの中では最も半減期が長いので同日の再発が少ない

＊効果不十分のため，追加投与時はナラトリプタンは4時間以上，その他の薬剤は2時間あける
＊異なる種類のトリプタン製剤は同日に併用不可で，それぞれ24時間以上間隔をあける
(日本神経学会，日本頭痛学会・監，慢性頭痛の診療ガイドライン作成委員会・編：慢性頭痛の診療ガイドライン2013，医学書院，2013などを参考に作成)

■その他備考

■配合剤成分：クリアミンA・S（エルゴタミン酒石酸塩，無水カフェイン，イソプロピルアンチピリン）

■慢性頭痛

慢性頭痛の分類

①一次性頭痛（片頭痛，緊張型頭痛，群発頭痛，その他の頭痛）
②二次性頭痛（頭痛の原因となる何らかの疾患があって発生する頭痛）
③頭部神経痛，中枢性・一次性顔面痛およびその他の頭痛

片頭痛：片頭痛治療薬―薬物治療と指導のポイント（p.77）参照

緊張型頭痛：

1. 頭を押さえつけるような頭痛・締めつけられるような頭痛，強さは軽度から中等度，歩行や階段の昇降のような日常動作により増悪しない，時々起こる程度なら日常生活への影響はあまりないが，月当たり15日以上発生する頭痛は，生活の質を大きく低下させる。
2. 急性期治療：アセトアミノフェン，アスピリン・メフェナム酸・イブプロフェンなどを使用。妊娠中の女性に対しては，アセトアミノフェンを選択。
3. 予防療法：薬物療法では，三環系抗うつ薬による治療が主となる。非薬物療法は，筋電図バイオフィードバック療法，頭痛体操，認知行動療法等の組み合わせにより頭痛の軽減が試みられている。

群発頭痛：

1. 眼周囲から前頭部，側頭部にかけての激しい頭痛が数週～数カ月の期間群発することが特徴で，夜間・睡眠中に頭痛発作が起こりやすく，男性に多いとされている。発症年齢は20～40歳が多い。

    誘発因子としては，アルコール飲料・ニトログリセリン・ヒスタミンがあげられている。群発頭痛では大酒家・ヘビースモーカーが多いとされている。
2. 急性期治療：トリプタン系では，スマトリプタン3mg皮下注射が勧められる（保険適用）。スマトリプタン点鼻液やゾルミトリプタンの経口投与による有効性も報告

されている（保険適用外）。純酸素，フェイスマスク側管より7L/分で15分間吸入も有効とされる。

3．予防療法：群発頭痛の予防には，有効な治療法が少ない。ベラパミルの予防効果が確認されている。

　一次性頭痛に使用される漢方薬で，エビデンスの得られているものは，呉茱萸湯，桂枝人参湯，釣藤散，葛根湯，五苓散がある。

（参考：日本神経学会，日本頭痛学会・監，慢性頭痛の診療ガイドライン作成委員会・編：慢性頭痛の診療ガイドライン2013，医学書院，2013）

片頭痛の日常生活と食事のポイント

　片頭痛は，「ズキズキする痛み」あるいは「脈打つような激しい痛み」が月に1～2回程度から，多いときには週に1～2回続きます。1～2時間でピークに達し吐き気や嘔吐を伴うケースが多いです。脳の血管が拡がって周囲の神経を刺激して頭痛を起こしているものです。片頭痛の名のとおり，頭の片側のこめかみから目にかけてのあたりが痛むことが多いのですが，頭の両側や後頭部が痛むケースもみられます。片頭痛の治療は，薬物療法が中心となり，片頭痛の薬には，発作治療薬と予防薬があります。日常生活においては，頭痛の誘因を避けることが大切ですので以下の点に注意してください。

【日常生活のポイント】
1. 過労やストレス，緊張によって起こりやすくなります。日頃からストレスをため込まないように心がけましょう。
2. お腹が減ったときや，寝不足・睡眠のとり過ぎも，片頭痛が起こりやすくなります。休日も朝寝をしないなど，寝過ぎにも注意し，規則正しい生活を送ることが大切です。
3. 片頭痛は，女性ホルモンの分泌量の変動と関係があるといわれ，生理の始まる1～2日前や，生理中（特に生理が始まって2～3日の間）によく起こります。妊娠中は，片頭痛の頻度が減少することが多いです。経口避妊薬（ピル）を服用した場合も，片頭痛が起こりやすくなることがあります。
4. 低気圧が近づくと頭痛が起こりやすいことが知られています。また，寒さによって頭痛が誘発される場合があります。冷房をしている室内で，冷気が直接頭にあたる場合などに頭痛が起こることがあります。この場合は頭や首にスカーフを巻くなどして，冷気を防ぐとよいでしょう。
5. まぶしい場所や騒音も，片頭痛を誘発することがあります。日ざしの強いところではサングラスをかけ，混雑時を避けて外出するように，光や音，暑さ，換気の悪さなどの刺激をできるだけ避けるようにしましょう。
6. タバコや香水のにおいに過敏の人は，においの淀んでいる場所を避けたり，回りの喫煙者の人に配慮してもらいましょう。
7. 目が疲れると頭痛になることがありますので，夜はなるべくパソコンやスマートフォンを見ないようにしましょう。

【片頭痛が起こってしまった場合の対応】
1. 光や音の刺激を避けて，静かな部屋で横になり安静を保ちます。できましたら，ひと眠りしてしまうのが一番です。ひと眠りできないときは，椅子に座って静かにす

るだけでも，痛みの症状は軽くなります。
2. 痛みがひどい場合は，頭を冷やしたほうが楽になるか・温めたほうが楽なるかは人によって違いますので，自分に合った方法を見つけてください。冷やす場合は，「保冷パック」や「氷まくら」をタオルなどに包み頭の下に敷いて，あお向けで寝たり，額に冷たいものを乗せたりします。温める場合は，「熱いタオル」や「使い捨てカイロ」などを後頭部に当てて横になり，頭の下にタオルで包んだ「ホットパック」を敷いてあお向けになってください。
3. 痛いとき，「こめかみの後ろに並んでいるツボ」を刺激するのが効果的です。
息を吸って吐きながらゆっくり押して，押し具合を感じながら今度は息を吸って，再び吐きながらゆっくり離して下さい。
ツボは，「額の生え際の角から5mmほど後ろ」で，そこから「2cmほど下に1つ目」，さらにそこから「2cmほど下に2つ目」，「4cmほど下に3つ目」のツボがあります。頭に両手を当てて親指で刺激してください。
4. コーヒーや緑茶などのカフェインを含む飲み物を適量とりますと，頭痛が楽になるケースもみられます。

【食事療法のポイント】
1. アルコールは片頭痛を起こしやすくなりますのでなるべく避けましょう。
2. チョコレート，チーズ，ピーナッツ，豚肉などにより片頭痛が誘発されるといわれていますが，これらの食物が直接影響しているかどうかは疑問視されています。食べたときの状況に関係がある場合も考えられますが，いくつかの誘因が重なった場合に発作が起きることもよくあります。あまり神経質になり過ぎないようにしてください。
3. ダイエット中や，朝食を食べないで学校や会社へ行くと，血糖値が下がるため頭痛が起こることがありますので，食事は規則正しく食べましょう。

緊張型頭痛の日常生活のポイント

　緊張型頭痛は，無理な姿勢を長時間続けたときのような肉体的ストレスや，仕事上の悩みのような精神的ストレスによって，頭の周りを何かで締めつけられるような鈍い痛みが続く頭痛です。どの年齢層にもみられます。このタイプの頭痛は，午後になって疲れてくると痛みが強くなる傾向があります。

　発症の原因は，身体的，精神的ストレスや筋肉の緊張などが絡み合っていると考えられます。

　緊張型頭痛の主な治療法には，心身両面の「過度な緊張」を取り除くことが治療の中心となり，「薬物療法」と「理学療法」があります。

【日常生活のポイント】
1．日頃から心身のストレスを上手に解消することが大切です。
2．仕事や勉強で長時間，机の前に座りっぱなしのことが多い人は，こまめに休憩をとり，気分転換をはかり，時々背筋を伸ばすなどして，筋肉をほぐしましょう。
3．1日の締めくくりに，ゆっくりとお風呂につかり，首や肩をマッサージするのも効果的です。
4．ウォーキングやストレッチといった軽い運動を毎日の生活の一部として取り入れましょう。ラジオ体操やテレビ体操のように左右の手足を対照的に使う動きを基本とします。ゆったり，のんびりした時間をもつことが大切です。頭痛が起こってしまってからでも，鎮痛薬を飲む前に，まず適度に体を動かして筋肉をほぐし，マッサージや入浴によって血行を促すようにしましょう。

群発頭痛の日常生活のポイント

　群発頭痛はどちらか片方だけの目の奥や目のまわりに現れ，上あごのあたりや頭の片側へと広がる激しい頭痛です。群発頭痛の発症の仕組みについては，まだ明らかにされていない点が多いのですが，目の後ろを通っている血管が拡張して炎症を引き起こすため，目の奥が痛むようです。また，この血管を取り巻いて，涙腺の働きや瞳孔の大きさを調節している自律神経が刺激されて，涙が出る・瞳孔が小さくなるといった症状を伴うといわれています。たとえば，春先や秋口など季節の変わり目に始まり，一度痛みが現れると，毎日のように頭痛を起こすようになります。痛みは一定期間，たいていは2週間〜2カ月くらい続きます。その後，しばらく時間がたった後（半年から2〜3年）と，再び同じような頭痛に見舞われます。頭痛の起こっている期間のことを「群発期」と呼んでいます。群発期以外の期間には頭痛はすっかり治まってしまいます。

群発頭痛の治療は，酸素吸入法と薬による治療が中心になります。純酸素吸入法は，純度100％の酸素を毎分7リットル，約10〜15分吸入する治療法で，たいていは酸素を吸入して5分ほどで痛みは軽くなってきます。発作が起こったら，できるだけ早く行うと，より効果的です。発作時（急性期）の治療薬としてはトリプタン系の薬のスマトリプタンの皮下注射が勧められます（保険適用あり）。また，スマトリプタン点鼻液や他のトリプタンの経口投与による有効性も報告されています（保険適用外）。

　通常，痛みの起きる時刻はほぼ一定していて，夜間や寝ている間に頭痛が起こりやすいようです。このようなケースでは，就寝前に薬を飲むことで睡眠中の頭痛を予防できます。日中に発作がある人は，発作の起こる時刻の1〜2時間前に指定された薬を服用しておくと効果があります。ふだんの生活の中で，頭痛を誘発する要因をできるだけ取り除くことを心がけましょう。

【日常生活のポイント】
1. タバコや飲酒等が誘因になるといわれています。
   お酒による誘発は，飲酒後40分から1時間ほどたった頃に現れやすいので，「頭痛が起こっている期間」は「お酒を飲まないこと」を守ってください。「頭痛が起こっている期間」を過ぎれば，お酒を飲んでも頭痛は起こりません。お酒を楽しみたい人は，「頭痛が起こっている期間」以外のときにしましょう。ただし，飲み過ぎは禁物です。
2. 頭痛が起こりそうなとき，深呼吸をすると予防効果があります。
3. 発作の原因となるストレス，疲労，睡眠不足を避けましょう。
4. 入浴後に発作が起こる人は，シャワーで済ませましょう。
5. 気圧の変化は発作の誘因となるため，飛行機の搭乗や登山を控えましょう。

6　鎮暈薬

■ めまい治療薬—薬物治療の確認と指導のポイント

項目	確認のポイント
めまいの原因・症状の確認	めまいの性状分類 ①回転性めまい：回転感を伴うめまい，くるくる回る ②浮動性めまい（非回転性めまい）：浮動感を伴うめまい，ふわふわする，ふらふらする ③失神性めまい（非回転性めまい）：失神感を伴うめまい，気を失いそうになる，気が遠くなる めまいの障害部位による分類 ①前庭性めまい：前庭系の障害で起こる平衡感覚異常（回転性めまい，浮動性めまい） 　・末梢性めまい（良性発作性頭位めまい，前庭神経炎，メニエール病等） 　・中枢性めまい（延髄より中枢側の障害により起こる） ②非前庭性めまい：前庭系の障害でなく主に脳循環不全によりおこる（失神性めまい） めまいの診断 　問診（めまいの起こるパターン，持続期間，めまい以外の症状の有無（悪心・嘔吐，耳鳴，耳閉塞感，難聴，頭痛，複視等），画像診断
各病態に応じた薬物治療の確認	めまいは種々の病態で生じるので，病態に応じて鎮暈薬，脳循環・代謝改善薬，交感神経刺激薬，向精神薬，抗ヒスタミン薬などを使い分ける。鎮暈薬は対症療法薬である ・メニエール病：浸透圧利尿薬（イソバイド），抗ヒスタミン薬（トラベルミン），鎮暈薬（ベタヒスチン，ジフェニドール），交感神経刺激薬（*dl*-イソプレナリン），抗不安薬，ビタミン薬等 服用後の症状確認：問診にて薬物服用後の症状（めまい，悪心・嘔吐，耳鳴り等）改善の確認
めまいを生じる薬が投与されていないかの確認	内耳障害を起こす薬剤（ミノマイシン，アミノグリコシド系抗生剤），小脳障害をきたす薬剤（フェニトイン，フルオロウラシル，カルバマゼピン），循環系異常をきたす薬剤（強心薬，不整脈薬，降圧薬，血管拡張薬）等が投与されていないか確認する
生活習慣の改善の指導	適度な運動（ラジオ体操と1日20〜30分程度の散歩）。水分摂取。カフェイン飲料，酒，タバコを控える。ストレスを避ける。ゆるめの湯で半身浴。耳に負担をかけない（めまいの日常生活のポイント（p.94）参照）

■ 対象薬剤

dl-イソプレナリン塩酸塩（イソメニール），ジフェニドール塩酸塩（セファドール），ベタヒスチンメシル酸塩（メリスロン），ジメンヒドリナート（ドラマミン），イソソルビド（イソバイド，メニレットゼリー），アデノシン三リン酸二ナトリウム水和物（アデホスコーワ顆粒）
配合剤（トラベルミン配合）

■ 指導のポイント

	患者向け		薬剤師向け
薬効	この薬はめまいを抑える薬です	→	脳循環改善作用，内耳液代謝改善作用（イソメニール）
			椎骨動脈循環改善作用，前庭神経路調整作用，眼振抑制作用（セファドール）
			内耳循環障害改善作用，蝸牛管血流量増加作用（メリスロン）
			浸透圧利尿作用，内リンパ圧降下作用（イソバイド，メニレットゼリー）
			迷路反応興奮鎮静作用（トラベルミン）
			迷路機能亢進抑制作用，鎮吐作用（ドラマミン）
			内耳機能障害改善作用（アデホスコーワ）
	☆この薬は乗り物酔いによるむかつき・吐き気を抑える薬です（ドラマミン，トラベルミン）	→	嘔吐中枢興奮抑制作用（トラベルミン） 鎮吐作用（ドラマミン）
	☆この薬は放射線照射後や手術後に起きるむかつき，吐き気を抑える薬です（ドラマミン）	→	鎮吐作用
	☆この薬は尿量を増やして脳圧や眼圧を下げる薬です（イソバイド，メニレットゼリー）	→	浸透圧利尿作用，脳圧・眼圧降下作用
	☆この薬はいろいろな臓器の血液を増やしエネルギー代謝を活発にして，頭部外傷後遺症による頭痛や，心不全，眼精疲労，慢性胃炎に用いられる薬です（アデホスコーワ）		
	◆この薬は内耳の働きを改善し，耳鳴りや音をうまく感じられないための難聴（感音難聴）を改善する薬です（適応外）（アデホスコーワ）		
	◆この薬は内耳に異常に増えたリンパ液を取り除き，急な低音の聞こえにくさを改善します（適応外）（イソバイド）		
	・この薬は，β受容体に働いて，細胞内の酵素を活性化し細胞内のATPをcAMPに変えて，聴覚や体の回転や傾きに関係する内耳や脳を支配する血管を拡げて血流をよくすることで		

No.6　鎮暈薬

詳しい薬効	・めまいを抑える薬です（イソメニール） ・この薬は聴覚や体の回転・傾きに関係する内耳や脳を支配する血管を拡げて血流をよくしたり，内耳で感知した体の回転・傾きを脳に伝える前庭神経の興奮を鎮めてめまいを抑える薬です（セファドール） ・この薬は聴覚や体の回転・傾きに関係する内耳の血流をよくし，内耳に異常に増えたリンパ液を取り除いてめまいを抑える薬です（メリスロン） ・この薬は迷路機能の亢進を抑え，眼振（眼球運動）の発生を遅らせて持続時間を短縮することにより，めまいを抑え，めまいに伴って起きる吐き気や嘔吐を抑える薬です（ドラマミン） ・この薬は消化管から吸収され血漿浸透圧を高め，体内の余分な水分を排出し，内耳に異常に増えたリンパ液を取り除いてめまいを抑えたり，脳圧や眼圧を下げる薬です（イソバイド，メニレットゼリー） ・この薬は血管を拡げる働きにより血流を増やし，内耳の働きを改善し，めまいを抑える薬です（アデホスコーワ） ・この薬は内耳で感知した体の回転・傾きを脳に伝える前庭神経の興奮を鎮めてめまいを抑えるとともに，神経伝達物質の一種であるヒスタミンの働きを抑えてめまいに伴って起きる吐き気や嘔吐を抑える薬です（トラベルミン）
禁忌・併用禁忌	禁忌　・〔イソメニール〕重症の冠動脈疾患，頭部・頸部外傷直後 　　　・〔セファドール〕重篤な腎機能障害，本剤過敏症既往 　　　・〔イソバイド，メニレット〕過敏症既往，急性頭蓋内血腫 　　　・〔ドラマミン〕ジフェニルメタン系薬剤過敏症 　　　・〔トラベルミン配合〕閉塞隅角緑内障，前立腺肥大等下部尿路に閉塞性疾患 併用禁忌　・〔イソメニール〕⇔アドレナリン，ボスミン，エフェドリン，メチルエフェドリンにて不整脈・心停止のおそれ 　　　・〔ドラマミン〕⇔MAO阻害薬にて抗コリン作用持続・増強のおそれ

■ 主な副作用と対策，フィジカルアセスメントのチェックポイント

主な副作用	患者に確認すべき症状	対策とPAのチェックポイント
消化器症状	吐き気，嘔吐，口が渇く，食欲がない，下痢	減量もしくは休薬
循環器症状（心悸亢進）（イソメニール）	どきどきする，脈が速くなる	減量もしくは中止 PA 脈拍数（↑）
精神神経症状（トラベルミン）	眠い，体がだるい，頭が重い	減量もしくは中止

■ 重大な副作用と妊婦・授乳婦への危険度

薬剤名	重大な副作用	妊婦[授乳婦]
イソメニール	重篤な血清カリウム値の低下	[妊○]
セファドール，メリスロン	−	[妊○]
イソバイド，メニレットゼリー	ショック，アナフィラキシー様症状	−
ドラマミン，トラベルミン配合	−	A（ジフェンヒドラミン）[妊○]

■ その他の指導ポイント

	患者向け	薬剤師向け
使用上の注意	・〔イソメニール〕この薬はカプセル中の顆粒をかまずに服用してください →	徐放製剤であるため
	・〔ドラマミン，トラベルミン配合〕この薬の服用中は，車の運転等，危険を伴う機械の操作は行わないでください →	眠気を催すことがあるため
	・〔メニレットゼリー〕少しずつスプーンですくってお飲みください →	添加剤にカンテンを使用しており，のどにつかえても体温で溶けないため
	・〔イソバイド〕服用しにくい場合は冷水で2倍程度に薄めて服用してください →	独特の酸味，甘味，苦味があり服用しにくいが，希釈しても飲みにくい場合，レモンの絞り汁をかける，氷などで冷やす，シャーベット状にして服用するといった方法がある
	・〔メニレットゼリー〕ゼリータイプの薬ですので，開封後すみやかに使用し，残りは捨ててください	
	・〔イソバイド〕この薬は保存中に多少色調の変化がみられることがありますが，効果に影響はありません	
	・〔イソバイド〕分包品は飲む直前まで封を開けないで残り液は捨ててください	
	・〔トラベルミン配合〕苦味や舌のしびれ感が現れることがあるので，かまずに飲んでください →	かみくだくと苦味があり，舌のしびれ感が現れることがあるので，かまずに服用する
	・めまい日誌（めまいの度合い，活動レベル，めまいがあってもできたこと，めまいの薬を飲んだタイミングなど）を記入し，診察時，医師にみてもらいましょう。	
	・食 〔ドラマミン，トラベルミン配合〕この薬の服用中にアルコールを飲むと，薬の作用が強く出るので控えてください →	中枢神経抑制作用増強のため併用注意
服用を忘れたとき	思い出したときすぐに服用する。ただし次の服用時間が近いときは忘れた分は服用しない（2回分を一度に服用しないこと）	

■ その他備考
- ▪配合剤成分：トラベルミン（ジフェンヒドラミンサリチル酸塩，ジプロフィリン）

■ 回転性めまいが起こる耳の病気
1. 良性発作性頭位めまい症：耳石器の中にある耳石の一部が剥がれて三半規管に入り込むことで起こる
2. メニエール病：内耳の中にあるリンパ液が増え，内耳が水ぶくれになることで起きる
3. 前庭神経炎：風邪などをきっかけとして前庭神経に炎症が生じ，強いめまいや吐き気・嘔吐が生じ，耳鳴りや難聴が随伴しない
4. 突発性難聴後のめまい：突然耳の聞こえが悪くなり，耳鳴りやめまいなどを伴う原因不明の疾患である

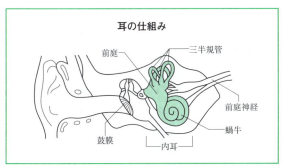

(Medico, 41 (5), 2010 より作成)

めまいの日常生活のポイント

　めまいの症状は，①浮いたような感じがしてフワフワとふらつく『浮動性めまい』，②ふっと意識を失った感じがする『立ちくらみのようなめまい』，③グルグルと目が回る感じの『回転性めまい』の３つに大きく分けられます。

　『浮動性めまい』は，不安な気持ちのある時や気分が落ち込んだりするときなどで起こることが多いめまいです。『立ちくらみのようなめまい』は，血圧が低い場合や脈が速くなる・脈のリズムが落ち着かない・貧血などにより脳の血の流れが少なくなることが原因です。『回転性めまい』は姿勢のバランスを保つ機能をつかさどる場所の耳が原因となる場合と小脳・脳幹の出血や梗塞や悪性腫瘍，耳の神経に腫瘍ができるなどの中枢性の原因に分けられます。『回転性めまい』のうち，耳が原因となる場合に起こるめまいは，生活リズムが乱れたり，ストレスがたまったりすると起こりやすくなります。次のようなことを心掛けてめまいを予防しましょう。もしめまいが起こっても，あわてずに対処しましょう。

【日常生活のポイント】

1．食事をとる時間を一定にして，栄養のバランスを整えましょう。

　　栄養が不足すると血の流れが悪くなり，めまいが起こりやすくなります。栄養バランスを考え，「１日３食の食事をとる時間」を一定にし，食事をとりましょう。あわせてビタミンＢ類の摂取を心がけましょう。なお，水分や塩分の制限を勧められた場合は主治医の指示に従ってください。水分をとるときは，塩分を含まない水や麦茶がよいでしょう。

2．お酒を控えめにしましょう。

　　お酒は脳の働きを低下させるので，めまいの症状が悪化する可能性があります。また，お酒の飲み過ぎは生活リズムを乱すおそれがあります。

3．カフェインや香辛料を控えましょう。

　　カフェインや香辛料は神経を刺激し興奮させるため，めまいを起こしたり悪化させることがあります。カフェインは紅茶・コーヒー・緑茶・コーラ・栄養ドリンク剤にも含まれています。

4．タバコは控えめに。禁煙をお勧めします。

　　タバコに含まれるニコチンは血管を収縮させ，血液の循環を悪くするため，めまいが起こりやすくなりますので，禁煙をお勧めします。

5．睡眠を十分にとりましょう。

　　睡眠不足が続かないよう，十分な睡眠をとりましょう。できるだけ同じ時間に就寝・起床するように心掛け，生活のリズムを整えましょう。

6．旅行に出かける前に主治医に相談しましょう。

　　乗り物に乗って窓からの景色を眺めたり，気圧の変化を感じたりすると，神経のバ

ランスが乱れるおそれがあります。事前に主治医に相談しましょう。また，余裕のある旅行日程を計画しましょう。
7．ストレスをためないよう気分転換をしましょう。
　　ストレスがたまると，めまいが起こる場合があるので，適度な運動や趣味を楽しむなど，気分転換をしましょう。
8．医師からめまい治療のための体操の指導を受けている場合は，毎日一回続けましょう。めまいの症状が長引くときは再度受診しましょう。

【めまいが起きたときの対処について】
1．安静を保ちましょう。
　　めまいが起こったときに，「激しい頭痛」，「手足に力が入らない」，「舌がもつれて話しづらい」などの症状がみられる場合は，できるだけ早く救急病院を受診してください。上述のような症状がない「めまい」のときは，明る過ぎない静かなところで横になり，楽な姿勢をとってください。めまいが軽くなるまで安静を保ちましょう。
2．気持ちを落ち着かせましょう。
　　心配事などにより不安な気持ちが起こってくるとめまいが悪化することがありますので，気持ちを落ち着かせて行動しましょう。
3．頓服（とんぷく）薬を飲みましょう。
　　めまい発作のときに飲むお薬（抗めまい薬，吐き気止め，めまいに対する不安をやわらげる薬など）があらかじめ処方されていれば，めまいの症状が現れたときにお飲みください。

7 抗精神病薬

■ 統合失調症治療薬—薬物治療の確認と指導のポイント

項目	確認のポイント
統合失調症の症状の確認	幻覚，妄想などの陽性症状や**意欲低下，無関心，感情鈍麻などの陰性症状**，また順序だった思考や集中できないなどの認知機能障害を生じる精神疾患で寛解と再発・再燃を繰り返し慢性化することが多い。治療は抗精神病薬が中心で，心理社会的療法も組み合わせる ・頭重，倦怠感，睡眠障害などの初期症状の後，急性期には陽性症状（興奮を伴うこともある） ・症状が落ち着いた後，陰性症状が持続的にみられ慢性化しやすい ・認知機能障害は早期から出現し徐々に悪化し日常生活を困難にする
薬物治療方針の確認	**急性期（初発時）**：危険な行動を未然に防ぎ，抗精神病薬で陽性症状の早期改善を目指す ・早期の治療開始により予後の改善が期待できる ・抗精神病薬のなかでも非定型抗精神病薬（No7. 抗精神病薬⑤（p.110）参照）が第一選択（SDA, MARTA, DPA（p.119参照）の薬理作用をふまえて選択） ・原則1剤を少量で開始し，副作用に注意しながら漸増して至適用量を定める（効果の判定には2～4週間，幻覚，妄想症状が軽減したらその用量で維持） ・随伴症状に対しては適切な補助薬を用い，その症状が改善したら減量・中止 ・アドヒアランスの向上による服薬継続のため剤型（ザイディス，内用液，テープ，注射等）を検討し，薬剤の種類や数，服用の時間や回数を明確・単純にする ・再発予防のため，抗精神病薬の服用は少なくとも1年は続ける **維持期**：抗精神病薬を継続し，再発・再燃を予防し，陰性症状や認知機能障害の改善を目指す **再発・再燃時**：発病後最初の5年間が最も再燃が多く機能低下が著しい ・アドヒアランスが良好な場合，増量の余地があればまず増量 ・忍容性の範囲内かつ推奨用量の範囲内で副作用に注意しながら最大限増量し，増量後2～4週間は様子みて8週間後も効果がなければ他剤に変更。（変更時は薬剤の受容体親和性や半減期等を考慮し，クロルプロマジン換算で適切な用量を設定する） ・向精神薬（気分安定薬，抗うつ薬，抗てんかん薬等）もしくは他の抗精神病薬の併用治療の効果は不確実で副作用増強の可能性があるため単剤治療が望ましい **安定期**：病状が安定し，疾病による機能低下の増悪がみられなくなる ・治療継続，副作用の点から非定型抗精神病薬の継続服用（寛解を維持している場合でも抗精神病薬の中止は高いリスクを伴う） ・アドヒアランスの低下による再燃や患者が希望する場合は持効性注射を検討 **治療抵抗性**：2剤以上の抗精神病薬に効果がない治療抵抗性統合失調症にはクロザリルを用いる ・クロザリル患者モニタリングサービス（CPMS）（**警告**（p.112）参照）に基づき投与 ・クロザリルの効果不十分例には，ラミクタールや修正型電気けいれん療法との併用もある

No.7 抗精神病薬

項目	確認のポイント
服薬指導確認のポイント	・病識の不足，副作用の苦痛や効果が目に見えない等で服用中断や過量投与していないかアドヒアランスを確認し，薬剤についての不安や副作用について患者が気軽に相談できる信頼関係を築いておく ・薬剤の切り換え，減量から中止時においての離脱症状（錐体外路症状，精神症状，興奮，不眠，不安，消化器症状等）に注意 ・相互作用による副作用の増強，効果の減弱に注意
副作用発現の確認	口渇，便秘，悪心，眠気，不眠，起立性低血圧（投与初期，増量時），体重増加，食欲不振，体重減少，血糖上昇（セロクエル，オランザピンは糖尿病患者には禁忌），高プロラクチン血症（乳汁分泌，月経異常，射精不能），錐体外路症状（p.100参照）などを確認する（主な副作用と対策（p.99）参照）

7 抗精神病薬　①定型抗精神病薬―フェノチアジン系

■ 対象薬剤

クロルプロマジン塩酸塩（ウインタミン，コントミン），レボメプロマジンマレイン酸塩（ヒルナミン，レボトミン），フルフェナジンマレイン酸塩（フルメジン），プロペリシアジン（ニューレプチル），ペルフェナジンマレイン酸塩（ピーゼットシー），プロクロルペラジンマレイン酸塩（ノバミン）

■ 指導のポイント

	患 者 向 け	薬剤師向け
薬効	この薬は興奮を抑え強い不安，緊張，衝動性などを鎮め，気分を安定させる薬です →	中枢性抗ドパミン作用（幻覚・妄想等陽性症状の改善） 中枢性抗ノルアドレナリン作用（躁状態や緊張状態の改善） 中枢性抗セロトニン作用（陰性症状の改善）（フルメジン以外）
	☆この薬は不安や緊張を鎮め眠らせる薬です（ウインタミン，コントミン） →	鎮静・催眠作用
	☆この薬は悪心・嘔吐を抑える薬です（ウインタミン，コントミン，ピーゼットシー，ノバミン） →	制吐作用（抗ドパミン作用）
	☆この薬はメニエル症候群で起きるめまいや耳鳴りを改善する薬です（ピーゼットシー）	
	☆この薬はしゃっくりや破傷風に伴うけいれんを抑えたり，麻酔前や人工冬眠に用いたり，催眠・鎮静・鎮痛剤の効力を高める薬です（ウインタミン，コントミン） →	鎮静・催眠作用
詳しい薬効	この薬は脳の中の感情や嘔吐をコントロールする部分に働いて，神経に過度な興奮を起こす物質（ドパミン，ノルアドレナリン，セロトニン）の産生や放出をコントロールすることにより興奮を抑え，強い不安・緊張・衝動性などを鎮め，気分を安定させる薬です	
禁忌・併用禁忌	禁忌 昏睡状態，循環虚脱状態，バルビツール酸誘導体・麻酔剤等の中枢神経抑制剤の強い影響下，フェノチアジン系化合物およびその類似化合物過敏症 併用禁忌 アドレナリンにて作用を逆転させ血圧降下（アナフィラキシーの救急治療を除く）	

■ 定型抗精神病薬の主な副作用と対策，フィジカルアセスメントのチェックポイント

主な副作用		患者に確認すべき症状	対策とPAのチェックポイント
錐体外路症状			減量，MARTAやDPAに変更 抗コリン薬やアマンタジン投与 PA 動作（緩慢，無動），筋肉（こわばり），四肢運動（異常）
	・パーキンソン症候群†	表情が乏しく動きが鈍い，手足のふるえ，前かがみで歩きにくく転倒しやすい，筋肉が固くなる（投与開始2～3週間後）	
	・遅発性ジスキネジア†（※1）	舌を動かしたり，出し入れしたり，絶えずかむような口の動き（長期投与後）	減量，MARTAやDPAに変更 抗コリン薬の中止，ビタミンE投与
	・ジストニア	身体や手足が意志に反して動く，筋肉の一部がひきつる，眼球が上がる（投与後数時間～数日）	減量，MARTAやDPAに変更 ビペリデン，ジアゼパム，クロナゼパム投与
	・アカシジア	座ったり，歩き回ったり，足踏みしたりじっとしていることができない，ソワソワする，落ち着かない，イライラする（投与後比較的早期）	減量，MARTAやDPAに変更 ビペリデン，クロナゼパム投与
自律神経症状			急激な動きを避ける，減量，DPA等に変更 PA 血圧（↓），脈拍（不整脈），腸音（↓），尿量（↓）
	・起立性低血圧	立ちくらみ，めまい	
	・不整脈	脈がみだれる	減量または非定型薬に変更 慎重投与
	・口渇	口やのどが渇く	口を湿らす（うがい，少量の飲水）か糖分を含まないキャンディー，ガムの摂取。抗コリン作用が弱いDPA等に変更
	・便秘	3日以上便が出ない	水分補給，運動，下剤の投与
	・尿閉	尿が出にくい	減量，抗コリン作用が弱いDPA等に変更，中止
内分泌・代謝関連症状			
	・高プロラクチン血症：月経異常，乳汁分泌，射精不能	乳汁が出る，生理が遅れたり止まったりする，射精できない	一過性の場合もある 無月経に対して芍薬甘草湯，勃起不全に対してバイアグラの投与。 減量，中止，MARTAやDPAに変更
	・高血糖†（※1）	体がだるい，脱力感	中止，DPA等に変更 PA 口渇（↑），尿量（↑，夜間尿），体重（↓），皮膚・口腔粘膜（乾燥：脱水），血圧（↓），脈拍（↑）
	・食欲亢進，体重増加	食欲が異常に増す，体重が増える	DPA等に変更，食事制限，運動療法 PA 体重（↑）

＊MARTA：多元受容体作用抗精神病薬
　DPA：ドパミン受容体部分作動薬

主な副作用	患者に確認すべき症状	対策とPAのチェックポイント
その他		
・傾眠、眠気、過鎮静	ぼんやりする、眠気、集中力の低下、無気力	抗精神病薬を大量（クロルプロマジン換算で1,000 mg以上、p.121参照）服用の場合、減量。低力価の抗精神病薬服用の場合、高力価の抗精神病薬や非定型抗精神病薬に変更。また処方を就寝前に1回にまとめる
・光線過敏症	日光のあたる部分に発疹やみずぶくれ	中止、日光にあたらない、冷やす、ステロイド外用薬使用 PA 顔面・耳介・うなじ・手背（日焼け様湿疹）
・顆粒球減少†（※1）	発熱、さむけ、のどの痛み	減量もしくは中止 PA 体温（↑）、咽頭扁桃（潰瘍）
・肝障害、黄疸†（※1）	体がだるい、白目や皮膚が黄色くなる、尿が褐色になる	中止 PA 眼球（黄色）、皮膚（皮疹、瘙痒感、黄色）、尿（褐色）、体温（↑）、腹部（肝肥大、心窩部・右季肋部圧痛、腹水貯留等）
・悪性症候群†（※1）	37.5℃以上の発熱、汗をかく、ぼやっとする、飲み込みにくい、手足のふるえや身体のこわばり、脈が速くなる、呼吸数が増える、血圧が上がる	中止 PA 体温（↑：37.5℃以上）、意識（せん妄・昏睡）、四肢・関節（固くなる）、嚥下（障害）、脈拍（↑）

†：厚生労働省の「重篤副作用疾患別対応マニュアル」参照
（※1）抗精神病薬の重大な副作用と対策（p.115〜116）参照

■錐体外路症状

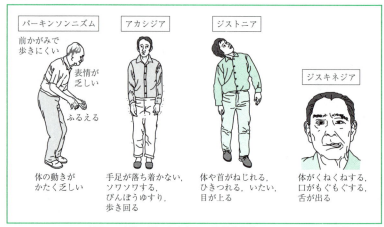

（風祭　元監・編：よくわかる精神科薬物ハンドブック、照林社、2009）

No.7　抗精神病薬

■ 重大な副作用と妊婦・授乳婦への危険度

薬剤名	重大な副作用	妊婦[授乳婦]
ウインタミン，コントミン	悪性症候群，突然死，心室頻拍，再生不良性貧血，溶血性貧血，無顆粒球症，白血球減少，麻痺性イレウス，遅発性ジスキネジア，遅発性ジストニア，抗利尿ホルモン不適合分泌症候群，眼障害，SLE様症状，肝機能障害，黄疸，横紋筋融解症，肺塞栓症，深部静脈血栓症	D(コントミン) [授○]
ヒルナミン，レボトミン	悪性症候群，突然死，再生不良性貧血，無顆粒球症，白血球減少，麻痺性イレウス，遅発性ジスキネジア，遅発性ジストニア，抗利尿ホルモン不適合分泌症候群，眼障害，SLE様症状，横紋筋融解症，肺塞栓症，深部静脈血栓症	[授△]
フルメジン	悪性症候群，突然死，再生不良性貧血，無顆粒球症，白血球減少，麻痺性イレウス，抗利尿ホルモン不適合分泌症候群，遅発性ジスキネジア，眼障害，SLE様症状，肺塞栓症，深部静脈血栓症	C [授○]
ニューレプチル	悪性症候群，突然死，再生不良性貧血，無顆粒球症，白血球減少，麻痺性イレウス，遅発性ジスキネジア，抗利尿ホルモン不適合分泌症候群，眼障害，SLE様症状，肺塞栓症，深部静脈血栓症	−
ピーゼットシー	悪性症候群，突然死，再生不良性貧血，無顆粒球症，白血球減少，麻痺性イレウス，遅発性ジスキネジア，眼障害，SLE様症状，肺塞栓症，深部静脈血栓症，抗利尿ホルモン不適合分泌症候群	C [授○]
ノバミン	悪性症候群，突然死，再生不良性貧血，無顆粒球症，白血球減少，麻痺性イレウス，遅発性ジスキネジア，抗利尿ホルモン不適合分泌症候群，眼障害，SLE様症状，肺塞栓症，深部静脈血栓症	[授○]

■ その他の指導ポイント

	患者向け	薬剤師向け
使用上の注意	・この薬の服用中は，車の運転等，危険を伴う機械の操作は行わないでください ・薬を服用し始めてしばらくは，急に立ち上がるとめまいや気を失うことがあるので，特に朝などゆっくり起き上がってください ・口が渇くときは，固い，酸っぱいキャンディー（糖分のないもの）や氷片またはチューインガムをかんでください。また歯をきちんと磨くことが特に大切です ・この薬の服用中は有機リン殺虫剤と接触しないようにしてください ・〔ウインタミン，コントミン，フルメジン〕この薬を服用中にタバコを吸うと薬の作	眠気，注意力・集中力・反射運動能力等の低下が起こることがあるため 治療初期に起立性低血圧が現れることがある（減量等適切に処置） 唾液分泌が少なくなることにより，二次的に起こる虫歯を予防する 有機リン殺虫剤の抗コリンエステラーゼ作用を増強し毒性を増強させる（縮瞳，徐脈等）おそれがあるため接触注意 喫煙により薬物代謝酵素が誘導され薬物血中濃度が低下し効果減弱のため

使用上の注意	用が弱くなるので控えてください	
	・この薬の服用中はできるだけ直射日光を避けてください →	光線過敏症が起こることがあるため
	・〔ニューレプチル内服液〕原液のまま飲まず，1回の服用量をコップ1杯程度の水またはジュースなどに混ぜて，すぐに飲んでください →	誤用（過量を飲み込むなど）の危険を避けるため
	食 この薬の服用中にアルコールを飲むと，薬の作用が強く出るので控えてください →	相互に中枢神経抑制作用を増強するため併用注意
	食 〔フルメジン，ノバミン〕この薬の服用中にビタミンCを含む食品は食べないでください →	薬剤効果の減弱
	食 〔フルメジン〕この薬の服用中にタンニン高含有飲食物（コーヒー，紅茶，緑茶等）は同時に飲まないでください →	タンニンと難溶性キレートを生成し，本剤の消化管吸収が減少し血中濃度低下により効果減弱のため
		・制吐作用があるため，他の薬剤に基づく中毒，腸閉塞，脳腫瘍等による嘔吐症状を不顕性化することがある ・〔ウインタミン，ヒルナミン，レボトミン，フルメジン，ニューレプチル〕接触皮膚炎等の過敏症状を起こすことがあるので，特に散剤や顆粒剤を取り扱うときはゴム手袋を使用する等，直接の接触を避け付着のおそれのあるときは，よく洗浄する ・〔レボトミン顆粒〕特殊被膜を施してあるので，調剤時，乳棒で強く混和しない
服用を忘れたとき	思い出したときすぐに服用する。ただし次の服用時間が近いときは忘れた分は服用しない（2回分を一度に服用しないこと）	

■ その他備考

■ 統合失調症とは

統合失調症は，15歳から40歳までの思春期，青年期に発症しやすく，知覚・思考・感情・意欲などの精神機能領域の障害として現れ，「悪口を言われる」といった幻聴に代表される幻覚，「嫌がらせされている」といった被害妄想などの**陽性症状**と，意欲低下，無関心，感情鈍麻，引きこもりなどの**陰性症状**に特徴づけられ，また，順序だった思考や集中できないなど，認知機能障害も含む。

頭重，倦怠感，睡眠障害などの初期症状の後，幻覚妄想症状がみられ，症状が落ち着いた後に陰性症状が顕在化し，慢性化しやすい。発病後5年間が最も再燃が多く機能低下が著しいが，早期の治療開始により予後の改善が期待できる。

原因ははっきりしていないが生まれ持った素質，生まれてからの能力，ストレスに対する対応力，環境要件などが絡み合って脳の神経伝達物質（ドパミン等）の異常をきたし，感情や思考が抑制できなくなると考えられている。

治療は抗精神病薬による薬物療法と，精神科リハビリテーション等の心理社会的治療，電気けいれん療法がある。

■統合失調症の病態と抗精神病薬の薬理作用

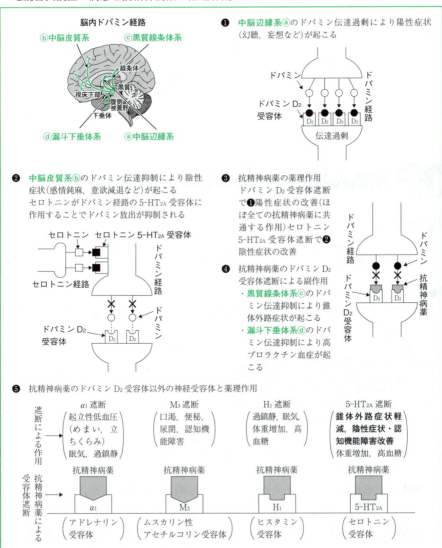

■定型(第一世代/従来型)抗精神病薬と非定型(第二世代/新規)抗精神病薬

定型抗精神病薬	・クロルプロマジン,ハロペリドールに代表される従来型で,急性期の陽性症状[*1]に用いる ・強力なドパミン D_2 受容体遮断作用が主体(中脳辺縁系の活動を正常化)[*2] ・陽性症状を改善するが,陰性症状[*1]は改善しない ・強力なドパミン D_2 受容体遮断により錐体外路症状や高プロラクチン血症が起こりやすい
非定型抗精神病薬 (No.7⑤参照)	・定型抗精神病薬の副作用を軽減した薬剤で,統合失調症の第一選択薬 ・ドパミン D_2 受容体遮断作用はそれほど強くなく,それ以外にもセロトニン $5-HT_2$ 受容体遮断作用など,薬剤によりさまざまな薬理作用を示す(中脳辺縁系,中脳皮質系の活動を正常化)[*2] ・陽性症状のほか,陰性症状,認知機能障害[*1]にも効果が期待できる ・錐体外路症状や高プロラクチン血症は少ないが,体重増加や高血糖は起こりやすい

[*1]:その他備考(p.102)参照　[*2]:p.103参照

7 抗精神病薬　②定型抗精神病薬─ブチロフェノン系

■ 対象薬剤

ハロペリドール(セレネース),ブロムペリドール(ブロムペリドール),ピパンペロン塩酸塩(プロピタン),スピペロン(スピロピタン),チミペロン(トロペロン)

■ 指導のポイント

	患者向け	薬剤師向け
薬効	この薬は興奮を抑え幻覚・妄想を鎮めて,気分を安定させる薬です ◆この薬は話す言葉やふるまいが一時的に混乱して,興奮したり怒りっぽくなる状態を抑える薬です。また,緊張やチック,抗がん薬によって起こる吐き気を抑える薬です(適応外)(セレネース)	中枢性抗ドパミン作用(幻覚・妄想等陽性症状の改善) 中枢性抗ノルアドレナリン作用(躁状態や緊張状態の改善)(セレネース)
詳しい薬効	この薬は脳の中の感情をコントロールする部分に働いて,神経に過度な興奮を起こす物質(ドパミン,ノルアドレナリン)の産生や放出をコントロールすることにより興奮を抑え,幻覚・妄想を鎮めて気分を安定させる薬です	
禁忌・併用禁忌	禁忌 ・昏睡状態,バルビツール酸誘導体等の中枢神経抑制剤の強い影響下,重症心不全,パーキンソン病,レビー小体型認知症,本剤・ブチロフェノン系薬過敏症(既往) ・〔セレネース,ブロムペリドール,トロペロン〕妊婦 併用禁忌 アドレナリンにて作用を逆転させ血圧降下(アナフィラキシーの救急治療を除く)	

■ 主な副作用と対策，フィジカルアセスメントのチェックポイント

➡ No.7 抗精神病薬①（p.99）参照

■ 重大な副作用と妊婦・授乳婦への危険度

薬剤名	重大な副作用	妊婦[授乳婦]
セレネース	悪性症候群，心室細動，心室頻拍，麻痺性イレウス，遅発性ジスキネジア，抗利尿ホルモン不適合分泌症候群，無顆粒球症，白血球減少，血小板減少，横紋筋融解症，肺塞栓症，深部静脈血栓症，肝機能障害，黄疸	禁忌/C [⊗○]
ブロムペリドール	悪性症候群，遅発性ジスキネジア，抗利尿ホルモン不適合分泌症候群，麻痺性イレウス，横紋筋融解症，無顆粒球症，白血球減少，肺塞栓症，深部静脈血栓症 類薬 心室頻拍	禁忌
プロピタン，スピロピタン	悪性症候群，腸管麻痺，突然死，抗利尿ホルモン不適合分泌症候群，無顆粒球症，白血球減少，肺塞栓症，深部静脈血栓症	―
トロペロン	悪性症候群，麻痺性イレウス，遅発性ジスキネジア，無顆粒球症，白血球減少，肺塞栓症，深部静脈血栓症	禁忌

抗精神病薬

■ その他の指導ポイント

	患者向け	薬剤師向け
使用上の注意	・この薬の服用中は，車の運転等，危険を伴う機械の操作は行わないでください	眠気，注意力・集中力・反射運動能力等の低下が起こることがあるため
	・薬を服用し始めてしばらくは，急に立ち上がるとめまいや気を失うことがあるので，特に朝などゆっくり起き上がってください	治療初期に起立性低血圧が現れることがある（減量等適切に処置）
	・口が渇くときは，固い，酸っぱいキャンディー（糖分のないもの）や氷片またはチューインガムをかんでください。また歯をきちんと磨くことが特に大切です	唾液分泌が少なくなることにより，二次的に起こる虫歯を予防する
	・〔セレネース，ブロムペリドール，トロペロン〕妊娠中または妊娠の可能性のある方は必ずご相談ください	以下の理由のため投与禁忌 ・〔セレネース〕催奇形性を疑う症例あり ・〔セレネース，ブロムペリドール〕動物実験で胎児吸収の増加等の胎児毒性報告 ・〔ブロムペリドール，トロペロン〕類似化合物（ハロペリドール）で催奇形性疑う症例報告 ・妊娠後期の抗精神病薬服用で，新生児に哺乳障害，傾眠，呼吸障害，振戦，筋緊張低下，易刺激性等の離脱症状や錐体外路症状の報告
	・〔セレネース，ブロムペリドール，トロペロン〕授乳中の方は授乳を中止してください	・〔ブロムペリドール，トロペロン〕動物実験で乳汁中への移行が報告 ・〔セレネース〕ヒト母乳中への移行が報告

	🍴 この薬の服用中にアルコールを飲むと，薬の作用が強く出るので控えてください	相互に中枢抑制作用増強のため併用注意
		・制吐作用があるため，他の薬剤に基づく中毒，腸閉塞，脳腫瘍等による嘔吐症状を不顕性化することがある
服用を忘れたとき	思い出したときすぐに服用する。ただし次の服用時間が近いときは忘れた分は服用しない（2回分を一度に服用しないこと）	

7 抗精神病薬　③定型抗精神病薬—ベンズアミド系

■ 対象薬剤

スルトプリド塩酸塩（バルネチール），ネモナプリド（エミレース），スルピリド（ドグマチール），チアプリド塩酸塩（グラマリール）
＊ドグマチールは No.9 抗うつ薬（p.138）参照

■ 指導のポイント

	患者向け	薬剤師向け
薬効	・この薬は興奮を抑え幻覚・妄想を鎮めて，気分を安定させる薬です（グラマリール以外）	中枢性抗ドパミン作用
	・この薬は脳梗塞後の後遺症に伴う興奮や攻撃性を抑え気分を安定させる薬です（グラマリール）	〃
	☆この薬は中枢（視床下部）に働いて胃腸の血流を増加し粘膜を修復し，同時に胃・腸の運動をよくする薬です（ドグマチール（50 mg・細粒））（参）No.32 消化性潰瘍治療薬⑩	胃・十二指腸血流量増加作用（視床下部へ作用） 胃・小腸運動の亢進
	☆この薬は気分が落ち込み，憂うつな気持ちを楽にして意欲を高める薬です（ドグマチール）（参）No.9 抗うつ薬	抗うつ作用
	☆この薬は手足のふるえ，顔のけいれん，口や舌の連続運動などの体の異常な動きを抑える薬です（グラマリール）	中枢性抗ドパミン作用
	◆この薬はめまい，耳鳴，頭痛，消化器症状などの身体的不定愁訴を抑える薬です（適応外）（ドグマチール）	
	◆この薬は認知症による異常行動を抑えた	

No.7 抗精神病薬

詳しい薬効	り，精神症状を落ち着かせる薬です（適応外）（グラマリール） この薬は脳の中の感情をコントロールする部分に働いて，神経に過度な興奮を起こす物質（ドパミン）の産生や放出をコントロールすることにより興奮を抑え，幻覚・妄想を鎮めて気分を安定させる薬です
禁忌・併用禁忌	禁忌　・〔バルネチール〕本剤過敏症既往，重症の心不全，脳障害（脳炎，脳腫瘍，頭部外傷後遺症等）の疑い ・〔バルネチール，エミレース〕昏睡状態，バルビツール酸誘導体等の中枢神経抑制剤の強い影響下，パーキンソン病，レビー小体型認知症 ・〔エミレース以外〕プロラクチン分泌性下垂体腫瘍 併用禁忌　〔バルネチール〕⇔QT延長を起こす薬剤（イミプラミン等）にて，QT延長作用増強，心室性不整脈等のおそれ

■ 主な副作用と対策，フィジカルアセスメントのチェックポイント
➡ No.7 抗精神病薬①（p.99）参照

■ 重大な副作用と妊婦・授乳婦への危険度

薬剤名	重大な副作用	妊婦［授乳婦］
バルネチール	悪性症候群，麻痺性イレウス，けいれん，遅発性ジスキネジア，QT延長，心室頻拍，無顆粒球症，白血球減少，肺塞栓症，深部静脈血栓症	－
エミレース	悪性症候群，無顆粒球症，白血球減少，肝機能障害，黄疸，肺塞栓症，深部静脈血栓症	－
グラマリール	悪性症候群，昏睡，けいれん，QT延長，心室頻拍	［⊗○］

■ その他の指導ポイント

	患者向け	薬剤師向け
使用上の注意	この薬の服用中は，車の運転等，危険を伴う機械の操作は行わないでください 食 この薬の服用中にアルコールを飲むと，薬の作用が強く出るので控えてください	→ 眠気，注意力・集中力・反射運動能力等の低下が起こることがあるため → 相互に中枢抑制作用増強のため併用注意 ・制吐作用があるため，他の薬剤に基づく中毒・腸閉塞・脳腫瘍等による嘔吐症状を不顕性化することがある ・〔グラマリール〕脳梗塞後遺症の場合，投与6週で効果が認められない場合には投与を中止する
服用を忘れたとき	・〔バルネチール，グラマリール〕思い出したときすぐに服用する。ただし次の服用時間が近いときは忘れた分は服用しない（2回分を一度に服用しないこと） ・〔エミレース〕次の服用時に決められた用量を服用する（2回分を一度に服用しないこと）	

7 抗精神病薬　④定型抗精神病薬―その他

■対象薬剤

クロカプラミン塩酸塩水和物（**クロフェクトン**），モサプラミン塩酸塩（**クレミン**），オキシペルチン（**ホーリット**），ゾテピン（**ロドピン**）

■指導のポイント

	患者向け	薬剤師向け
薬効	この薬は興奮を抑え幻覚・妄想を鎮めて，気分を安定させる薬です →	・中枢性抗ドパミン作用，中枢性抗ノルアドレナリン作用（クロフェクトン，ホーリット） ・中枢性抗ドパミン作用，中枢性抗セロトニン作用（クレミン，ロドピン）
	◆この薬は抑えることのできない感情の高まりや行動（躁状態），躁状態と気分が落ち込み憂うつな気分（うつ状態）を繰り返す双極性障害を改善する薬です（適応外）（ロドピン）	
薬詳しい効き	No.7 抗精神病薬②の項参照	
禁忌・併用禁忌	禁忌　・〔ホーリット以外〕昏睡状態，循環虚脱状態，バルビツール酸誘導体・麻酔剤等の中枢神経抑制剤の強い影響下 ・〔クロフェクトン，クレミン〕本剤，イミノジベンジル系化合物過敏症 ・〔ロドピン〕本剤，フェノチアジン系化合物・類似化合物過敏症既往 ・〔クレミン〕パーキンソン病，レビー小体型認知症，妊婦 併用禁忌　〔ホーリット以外〕⇨アドレナリンにて作用を逆転させ血圧降下（アナフィラキシーの救急治療を除く）	

■主な副作用と対策，フィジカルアセスメントのチェックポイント

➡ No.7 抗精神病薬①（p.99）参照

■重大な副作用と妊婦・授乳婦への危険度

薬剤名	重大な副作用	妊婦[授乳婦]
クロフェクトン	悪性症候群，無顆粒球症，白血球減少，遅発性ジスキネジア，麻痺性イレウス，抗利尿ホルモン不適合分泌症候群，肺塞栓症，深部静脈血栓症 類薬　心室頻拍，眼障害	－
クレミン	悪性症候群，無顆粒球症，白血球減少，遅発性ジスキネジア，肺塞栓症，深部静脈血栓症 類薬　麻痺性イレウス，抗利尿ホルモン不適合分泌症候群，心室頻拍，眼障害	禁忌

No.7　抗精神病薬

薬剤名	重大な副作用	妊婦[授乳婦]
ホーリット	悪性症候群，麻痺性イレウス，無顆粒球症，白血球減少，肺塞栓症，深部静脈血栓症	－
ロドピン	悪性症候群，心電図異常，麻痺性イレウス，けいれん発作，無顆粒球症，白血球減少，肺塞栓症，深部静脈血栓症 類薬 遅発性ジスキネジア，抗利尿ホルモン不適分泌症候群	[禁△]

■ その他の指導ポイント

	患者向け	薬剤師向け
使用上の注意	・この薬の服用中は，車の運転等，危険を伴う機械の操作は行わないでください→ ・〔ロドピン〕この薬の服用中は有機リン殺虫剤と接触しないようにしてください→ ・〔クレミン〕妊娠中または妊娠の可能性のある方は必ずご相談ください→ 食〔ホーリット以外〕この薬の服用中にアルコールを飲むと薬の作用が強く出るので控えてください	眠気，注意力・集中力・反射運動能力等の低下が起こることがあるため 有機リン殺虫剤の抗コリンエステラーゼ作用を増強し毒性を増強させるおそれがあるため接触注意 動物実験で催奇形作用が認められているため投与禁忌 相互に中枢抑制作用増強のため併用注意 ・制吐作用があるため，他の薬剤に基づく中毒・腸閉塞・脳腫瘍等による嘔吐症状を不顕性化することがある
服用を忘れたとき	思い出したときすぐに服用する。ただし次の服用時間が近いときは忘れた分は服用しない（2回分を一度に服用しないこと）	

■ その他備考

■■統合失調症の治療薬である抗精神病薬の主な作用と定型抗精神病薬の選択基準

1．催眠・鎮静作用（抗ノルアドレナリン作用）
　　自律神経遮断効果の強いもの〔眠気，過鎮静に注意〕
　　フェノチアジン系（コントミン，ヒルナミン等）
2．抗幻覚・妄想作用（抗ドパミン作用）
　　催眠作用の比較的弱いもの〔錐体外路障害，高プロラクチン血症に注意〕
　　ブチロフェノン系（セレネース等），ベンズアミド系（エミレース等）
3．賦活作用（抗セロトニン作用）
　　副作用が比較的少なく，長期間投与に適しているもの〔不穏，興奮に注意〕
　　ベンズアミド系（ドグマチール等），その他（ホーリット等）

7 抗精神病薬　⑤非定型抗精神病薬

■ 対象薬剤

　　SDA　　：リスペリドン（**リスパダール**），ペロスピロン塩酸塩水和物（**ルーラン**），ブロナンセリン（**ロナセン**），パリペリドン（**インヴェガ**），ルラシドン塩酸塩（**ラツーダ**）
　　MARTA：クエチアピンフマル酸塩（**セロクエル，ビプレッソ徐放錠**），オランザピン（**ジプレキサ**），クロザピン（**クロザリル**），アセナピンマレイン酸塩（**シクレスト舌下錠**）
　　DPA　　：アリピプラゾール（**エビリファイ**），ブレクスピプラゾール（**レキサルティ**）

■ 指導のポイント

	患　者　向　け	薬剤師向け
薬効	・この薬は興奮を抑え幻覚・妄想を鎮めて，意欲の低下などの症状を改善し，気分を安定させる薬です（ビプレッソ：統合失調症適応なし） ・この薬は他の薬では効果が得られない場合にのみ用いる薬です（クロザリル）	・中枢性抗ドパミン作用・抗セロトニン作用：SDA（リスパダール，ルーラン，ロナセン，インヴェガ，ラツーダ） ・多元受容体拮抗作用：MARTA（セロクエル，ビプレッソ，ジプレキサ，クロザリル，シクレスト） ・中枢性ドパミン D_2 作用・抗ドパミン D_2 作用・セロトニン 5-HT_{1A} 作用・抗セロトニン 5-HT_{2A} 作用：DPA（エビリファイ） ・中枢性ドパミン D_2 作用・セロトニン 5-HT_{1A} 作用・抗セロトニン 5-HT_{2A} 作用：DPA（レキサルティ）
	・この薬は小児の発達障害において些細なことでいらいらしたり，怒りっぽい状態や攻撃的な状態（自閉スペクトラム症：その他備考（p.119）参照）を抑える薬です（リスパダール（3 mg を除く），エビリファイ（OD錠24 mg を除く））	鎮静作用
	・この薬は抑えることのできない感情の高まりや行動（躁状態）と，気分が落ち込み憂うつな気分（うつ状態）を繰り返す双極性障害のうつ症状を抑え，気分を安定させる薬です（ラツーダ，ビプレッソ）	抗うつ作用（ビプレッソ：セロクエルの徐放剤）
	☆この薬は抗がん薬によって起こる強い吐き気や嘔吐を抑える薬です（ジプレキサ） （参）No.37 その他の消化管用薬②制吐薬	制吐作用
	☆この薬は抑えることのできない感情の高まりや行動(躁状態)と，気分が落ち込み憂うつな気分(うつ状態)を繰り返す双極	抗躁作用 抗うつ作用

薬効	性障害のそれぞれの症状を改善する薬です（ジプレキサ）(参)No.8 精神神経用薬②	
	☆この薬は抑えることのできない感情の高まりや行動（躁状態）と，気分が落ち込み憂うつな気分（うつ状態）を繰り返す双極性障害の躁症状を抑え気分を安定させる薬です（エビリファイ）(参) No.8 精神神経用薬②	→ 抗躁作用
	☆この薬は気分が落ち込み憂うつな気持ちを楽にして意欲を高める他の治療で十分な効果が認められない場合に用いる薬です（エビリファイ（OD錠24 mgを除く））(参) No.9抗うつ薬	→ 抗うつ作用（ドパミン受容体部分アゴニスト作用による補完作用）
	◆この薬は他の抗うつ薬で効果が得られない場合に用いる，気分が落ち込み，憂うつな気持ちを楽にして意欲を高める薬です（適応外）（リスパダール，ルーラン，セロクエル，ジプレキサ）	→ 抗うつ作用
	◆この薬は病気によって脳がうまく働かなくなり，話す言葉やふるまいが一時的に混乱して興奮したり怒りっぽくなる状態を抑える薬です（適応外）（リスパダール，ルーラン，セロクエル）	
	◆この薬は抑えることのできない感情の高まりや行動（躁状態）と，気分が落ち込み憂うつな気分（うつ状態）を繰り返す双極性障害の薬です（適応外）（リスパダール，ルーラン）	
	◆この薬は不安がつのってトイレの後や汚いものにふれた後に手を洗い続けたり，鍵がかかっているかを何回も確認したりする強迫性障害，認知症における幻覚・妄想，パーキンソン病に伴う幻覚を改善する薬です（適応外）（リスパダール）	
	◆この薬はパーキンソン病に伴う幻覚・妄想・せん妄などの精神症状を抑える薬です（適応外）（セロクエル）	
	◆この薬は気持ちを落ち着かせ，緊張や不安をやわらげる薬です（適応外）（ルーラン）	→ 抗不安作用
	◆この薬は寝つきをよくし，夜間の睡眠を持続させる薬です（適応外）（セロクエル）	→ 催眠作用

	患者向け	薬剤師向け
詳しい薬効	この薬は脳の中の感情をコントロールする部分に働いて，神経に興奮を伝達する物質が特定の部位に結びつくのを遮断することにより興奮を抑え，幻覚・妄想を鎮めて，意欲の低下などの症状を改善し，気分を安定させる薬です（その他備考の非定型抗精神病薬の薬理作用と分類（p.119）参照）	
警告	〔セロクエル，ビプレッソ，ジプレキサ，クロザリル，エビリファイ〕この薬の服用中に血糖値が上昇することがあります。のどが渇く，水をたくさん飲む，トイレに頻回に行くなど高血糖の症状がある場合，直ちに服用を中断し，受診してください 検 この薬の服用中は頻回に血糖値測定を受けるため受診しましょう	・著しい血糖値の上昇から，糖尿病性ケトアシドーシス，糖尿病性昏睡等の重大な副作用が発現する場合があるので，血糖値の測定等を十分行う。またその旨を患者や家族に十分に説明し，口渇，多飲，多尿，頻尿等の異常の場合，投与を中断し，受診するよう指導 ・〔エビリファイ〕糖尿病またはその既往歴・危険因子を有する患者には治療上の有益性が危険性を上回る場合のみ投与
	〔クロザリル〕この薬は安易に用いる薬ではありません。使用に際してはクロザリル患者モニタリングサービス（CPMS*）で決められている条件をすべて満たす必要があります。最初は入院し，厳重な管理のもとで治療が開始されます	統合失調症に精通し，無顆粒球症，心筋炎，糖尿病性ケトアシドーシス，糖尿病性昏睡等の重篤な副作用に対応でき，かつCPMS*に登録された医師・薬剤師のいる登録医療機関・薬局で登録患者のCPMS*基準が満たされた場合のみ投与。治療上の有益性が危険性を上回り投与継続が適切か定期的に判断。CPMS*に準拠し血糖値等を測定。糖尿病治療に精通する医師と連携し対応。糖尿病性ケトアシドーシス，糖尿病性昏睡の場合は中止し，インスリン投与等適切な処置を行う。患者か代諾者に文書で説明，同意を得て投与開始。原則，投与開始後18週間は入院管理下で投与，無顆粒球症等の重篤な副作用発現を観察
禁忌・併用禁忌	禁忌 ・本剤過敏症既往 ・〔リスパダール〕パリペリドン過敏症既往 ・〔クロザリル以外〕昏睡状態，バルビツール酸誘導体等の中枢神経抑制剤の強い影響下 ・〔セロクエル，ビプレッソ，ジプレキサ〕糖尿病またはその既往 ・〔クロザリル〕CPMS*登録前（4週間以内）の血液検査で白血球数 4,000/mm³ 未満または好中球数が 2,000/mm³ 未満，CPMS*の規定を遵守できない患者，CPMS*血液検査中止基準で本剤投与中止経験，無顆粒球症・重度の好中球減少症既往，骨髄機能障害，放射線療法，化学療法等骨髄抑制の可能性のある方法で治療中，重度のけいれん性疾患または治療で管理不十分なてんかん，アルコール・薬物の急性中毒・昏睡状態，循環虚脱または中枢神経抑制状態，重度の心疾患・腎障害・肝障害，麻痺性イレウス ・〔インヴェガ〕リスペリドン過敏症既往，中等度から重度の腎機能障害（クレアチニ	

No.7 抗精神病薬

禁忌・併用禁忌

・ン・クリアランス 50 mL/分未満)
・〔シクレスト〕重度の肝機能障害（Child-Pugh 分類 C）

併用禁忌 ・アドレナリンにて作用を逆転させ血圧降下（アナフィラキシーの救急治療を除く）
・〔ロナセン, ラツーダ〕⇔イトラコナゾール, ボリコナゾール, ミコナゾール（外用剤を除く）, フルコナゾール, ホスフルコナゾール, ポサコナゾール, リトナビル, カレトラ配合, ダルナビル, アタザナビル, ホスアンプレナビル, スタリビルド配合, ゲンボイヤ配合, プレジコビックス配合, シムツーザ配合にて本剤の血中濃度が上昇し作用増強のおそれ
・〔ラツーダ〕⇔クラリスロマイシンにて本剤の血中濃度が上昇し作用増強のおそれ, リファンピシン, フェニトインにて本剤の血中濃度が低下し作用減弱のおそれ
・〔クロザリル〕⇔骨髄抑制可能性薬剤, 放射線療法, 化学療法で無顆粒球症発現増加のおそれ, ハロペリドールデカン酸エステル注, フルフェナジンデカン酸エステル注, リスペリドン持効性懸濁注, パリペリドンパルミチン酸エステル持効性懸濁注, アリピプラゾール水和物持続性注は血中消失時間を要し副作用発現に速やかに対応できない, ノルアドレナリンにてアドレナリンの作用を反転させ, 重篤な血圧低下のおそれ

＊CPMS（Clozaril Patient Monitoring Service）クロザリル患者モニタリングサービス：定期的な血液モニタリング等を実施し, 無顆粒球症等の早期発見を目的として規定された手順

■ 主な副作用と対策, フィジカルアセスメントのチェックポイント

SDA（リスパダール, ルーラン, ロナセン, インヴェガ, ラツーダ）

主な副作用	患者に確認すべき症状	対策と PA のチェックポイント
高プロラクチン血症（乳汁分泌, 月経異常, 射精不能）	乳汁が出る, 生理が遅れたり止まったりする, 射精できない	一過性の場合もある。減量, MARTA や DPA に変更
体重増加（ロナセン以外）	体重が増える	食事制限, 運動療法, DPA 等に変更 PA 体重（↑）
アカシジア（静座不能症）	じっとしていられない, 足のムズムズ感, ソワソワ感	β遮断薬やベンゾジアゼピン併用 減量, MARTA や DPA に変更

MARTA（セロクエル, ビプレッソ, ジプレキサ, クロザリル, シクレスト）

主な副作用	患者に確認すべき症状	対策と PA のチェックポイント
体重増加	体重が増える	食事制限, 運動療法, DPA 等に変更 PA 体重（↑）
血糖上昇	体がだるい, 脱力感	中止 PA 口渇, 尿量（↑）, 皮膚（乾燥）
傾眠	ぼんやりする, 眠気, 無気力	減量, 処方を就寝前に1回にまとめる
口渇	口やのどが渇く	口を湿らす（うがい, 少量の飲水（冷水が効果的））か糖分を含まないキャンディー, ガムの摂取。抗コリン作用が弱い DPA 等に変更
便秘	3日以上便が出ない, お腹が痛い, お腹が張る	水分補給, 運動, 下剤の投与 PA 腸音（↓）

DPA（エビリファイ，レキサルティ）

主な副作用	患者に確認すべき症状	対策と PA のチェックポイント
不眠	眠りにくい	朝の服用，ベンゾジアゼピン併用
不安	些細なことでも心配になる	軽度であれば慎重に経過観察．抗不安薬併用
食欲不振，体重減少	食欲がない，体重が減る	食後投与への切り替え，一時的制吐薬の使用．減量もしくは中止 PA 体重（↓）
嘔吐	吐き気・吐く	メトクロプラミド，ドンペリドン併用

■ 重大な副作用と妊婦・授乳婦への危険度

薬剤名	重大な副作用	妊婦[授乳婦]
リスパダール，インヴェガ	悪性症候群，遅発性ジスキネジア，肝機能障害，黄疸，横紋筋融解症，不整脈，脳血管障害，高血糖，糖尿病性ケトアシドーシス，糖尿病性昏睡，低血糖，無顆粒球症，白血球減少，肺塞栓症，深部静脈血栓症，持続勃起症，麻痺性イレウス・抗利尿ホルモン不適合分泌症候群	C [授○]
ルーラン	悪性症候群，遅発性ジスキネジア，麻痺性イレウス，抗利尿ホルモン不適合分泌症候群，けいれん，横紋筋融解症，無顆粒球症，白血球減少，高血糖，糖尿病性ケトアシドーシス，糖尿病性昏睡，肺塞栓症，深部静脈血栓症	[授△]
ロナセン	悪性症候群，遅発性ジスキネジア，麻痺性イレウス，抗利尿ホルモン不適合分泌症候群，横紋筋融解症，無顆粒球症，白血球減少，肺塞栓症，深部静脈血栓症，肝機能障害，高血糖，糖尿病性ケトアシドーシス，糖尿病性昏睡	[授△]
ラツーダ	悪性症候群，遅発性ジスキネジア，けいれん，高血糖，糖尿病性ケトアシドーシス，糖尿病性昏睡，肺塞栓症，深部静脈血栓症，横紋筋融解症，無顆粒球症，白血球減少	B1
セロクエル，ビプレッソ	高血糖，糖尿病性ケトアシドーシス，糖尿病性昏睡，低血糖，悪性症候群，横紋筋融解症，けいれん，無顆粒球症，白血球減少，肝機能障害，黄疸，麻痺性イレウス，遅発性ジスキネジア，肺塞栓症，深部静脈血栓症，中毒性表皮壊死融解症，皮膚粘膜眼症候群，多形紅斑	C [授○]
ジプレキサ	高血糖，糖尿病性ケトアシドーシス，糖尿病性昏睡，低血糖，悪性症候群，肝機能障害，黄疸，けいれん，遅発性ジスキネジア，横紋筋融解症，麻痺性イレウス，無顆粒球症，白血球減少，肺塞栓症，深部静脈血栓症，薬剤性過敏症症候群	C [授○]
クロザリル	無顆粒球症，白血球減少，好中球減少症，心筋炎，心筋症，心膜炎，心嚢液貯留，胸膜炎，高血糖，糖尿病性ケトアシドーシス，糖尿病性昏睡，悪性症候群，てんかん発作，けいれん，ミオクローヌス発作，起立性低血圧，失神，循環虚脱，肺塞栓症，深部静脈血栓症，劇症肝炎，肝炎，胆汁うっ滞性黄疸，腸閉塞，麻痺性イレウス，腸潰瘍，腸管穿孔	[授△]

No.7 抗精神病薬

薬剤名	重大な副作用	妊婦[授乳婦]
シクレスト	悪性症候群，遅発性ジスキネジア，肝機能障害，ショック，アナフィラキシー，舌腫脹，咽頭浮腫，高血糖，糖尿病性ケトアシドーシス，糖尿病性昏睡，低血糖，横紋筋融解症，無顆粒球症，白血球減少，肺塞栓症，深部静脈血栓症，けいれん，麻痺性イレウス	C
エビリファイ	悪性症候群，遅発性ジスキネジア，麻痺性イレウス，アナフィラキシー，横紋筋融解症，糖尿病性ケトアシドーシス，糖尿病性昏睡，低血糖，けいれん，無顆粒球症，白血球減少，肺塞栓症，深部静脈血栓症，肝機能障害	[※○]
レキサルティ	悪性症候群，遅発性ジスキネジア，麻痺性イレウス，横紋筋融解症，高血糖，糖尿病性ケトアシドーシス，糖尿病性昏睡，けいれん，無顆粒球症，白血球減少，肺塞栓症，深部静脈血栓症	C

■ 抗精神病薬の重大な副作用と対策，フィジカルアセスメントのチェックポイント

副作用	症状	対策とPAのチェックポイント
悪性症候群 (Syndrome malin)	解熱剤に反応しない38℃を超える高熱，筋強剛や振戦等の錐体外路症状，発汗，頻脈，流涎等の自律神経症状，けいれん，昏迷を含む意識障害等（白血球の増加，血清CK（CPK）の上昇，ミオグロビン尿を伴う腎機能の低下等）	原因薬剤の中止，または抗パーキンソン病薬の再開 体冷却・補液等の全身管理 ダントロレンの静脈内投与 ブロモクリプチンの投与（ダントロレンが無効，効果不十分の場合） PA 体温（37.5℃以上），意識（せん妄，昏睡），四肢・関節（硬くなる），嚥下（障害），脈拍（↑）
麻痺性イレウス	腹痛，悪心，嘔吐，腹部膨満，排便・排ガスの途絶	投与薬剤の中止，パンテチン，プロスタグランジン，活性型ビタミンB_1等の投与 PA 腸音（↓・消失），腹部（膨隆），排便・排ガス（停止）
抗利尿ホルモン不適合分泌症候群 (SIADH)	普段からの多飲行動のために低Na血症とそれに伴う脳浮腫，多尿，尿失禁，低比重尿を背景に，嘔吐や頭痛，意識障害，けいれん等の中枢神経症状，1日3kg程度以上の体重の日内変動	原因薬剤の中止 1日1,000mL以内の飲水制限 レダマイシン，ステロイドホルモン，ナトリウム，カリウムの投与 けいれんや意識障害等に対する対症療法と全身管理
水中毒	1日数Lの飲水，低Na血症とそれに伴う脳浮腫，肺水腫等により軽度では頭痛，嘔吐，もうろう状態。重症になるとけいれん，昏睡。一部に抗利尿ホルモン不適合分泌症候群（SIADH）が存在する	SIADHの原因であれば上記参照。体重の日内変動が大きいため，早朝食事前を含め1日2回の体重測定で予防。軽症例では飲水制限を行い重症例では補液による電解質補正を橋の脱髄を起こさないようゆっくり行う PA 体重（日内変動大）

副作用	症　状	対策とPAのチェックポイント
遅発性ジスキネジア	主に口頬部，舌，下顎等の不規則な不随意運動。構音・嚥下障害や，呼吸筋に生じると呼吸促迫や胸内苦悶 抗精神病薬を半年以上投与した後にみられ，慢性化すると非可逆	併用中の抗コリン薬があれば，漸減・中止 精神症状の悪化に注意しながら，可能な限り抗精神病薬を漸減（漸減過程で一時的にジスキネジアが増強することもあるが漸減継続で消失する例がある。） 原因薬物をMARTAやDPA等非定型抗精神病薬に変更 カタプレス，デパケン，リオレサール，リボトリール，ビタミンE等の投与
高血糖，糖尿病性ケトアシドーシス，糖尿病性昏睡	口渇，多飲，多尿，頻尿等	抗精神病薬の投与中止。電解質補給，水分補給，インスリン投与 PA ・高血糖：口渇（↑），尿量（↑・夜間尿），皮膚・口腔粘膜（乾燥：脱水），血圧（↓），脈拍（↑） ・糖尿病性ケトアシドーシス：呼気（甘いアセトン臭）・呼吸のリズム（クスマウル呼吸）
心機能障害	めまい，ふらつき，動悸，胸部痛等	投与薬剤の減量・中止および変更 PA 脈拍数・リズム（徐脈，頻脈，期外収縮），体重（↑），浮腫（上眼瞼，下腿脛骨）
肝機能障害，黄疸	倦怠感，易疲労感等	投与薬剤の減量・中止および変更。肝庇護薬の投与 PA 眼球（黄色），皮膚（皮疹，瘙痒感，黄色），尿（褐色），体温（↑），腹部（肝肥大，心窩部・右季肋部圧痛，腹水貯留等）
無顆粒球症	のどの痛み，微熱，急激な発熱，悪寒等	抗生物質，抗真菌薬，G-CSF製剤の投与 PA 体温（↑），咽頭扁桃（潰瘍）

■ その他の指導ポイント

	患　者　向　け	薬　剤　師　向　け
使用上の注意	・この薬の服用中は，車の運転等，危険を伴う機械の操作は行わないでください	眠気，注意力・集中力・反射運動能力等の低下が起こることがあるため
	・〔ルーラン以外〕薬を服用し始めてしばらくは，急に立ち上がると，めまいや気を失うことがあるので，特に朝などゆっくり起き上がってください	投与初期，再投与時，増量時に起立性低血圧が現れることがある（減量等適切に処置）
	・〔リスパダール，ルーラン，ロナセン，インヴェガ，ラツーダ，シクレスト，レキサルティ〕この薬の服用中にのどが渇く，水をたくさん飲む，トイレに頻回に行くなどの高血糖の症状がある場合や血糖値の高い方は，すぐにご相談ください	高血糖や糖尿病の悪化により，糖尿病性ケトアシドーシス，糖尿病性昏睡に至ることがあるため高血糖の徴候・症状に注意
	・〔リスパダール，インヴェガ，セロクエル，ビプレッソ，ジプレキサ，シクレスト，	低血糖になることがあるため（投与中止し適切に処置）

使用上の注意	・エビリファイ〕この薬の服用中に力がぬける，体がだるい，冷汗，手のふるえ，眠気，意識の低下などの症状がある場合は必ずご相談ください	
	・〔クロザリル〕この薬の服用中に感染症または感染の徴候（発熱，のどの痛み等かぜに似た症状）がある場合には必ずご相談ください →	無顆粒球症，好中球減少症の可能性があるため（直ちに血液検査）
	・〔ルーラン以外〕この薬の服用により体重が増えることがあるのでその場合には食事内容を改善したり，運動をするなどしてください。また，体重が減ることもあります	
	・〔リスパダール内用液〕この薬は，水やジュースまたは汁物などに混ぜて飲むこともできますが，紅茶，烏龍茶，日本茶およびコーラには混ぜないでください →	茶葉抽出飲料やコーラは混合すると配合変化により沈殿物ができ，含量が低下するため
	・〔エビリファイ内用液〕この薬は，白湯，湯冷ましまたはジュース等に混ぜて飲むこともできますが，煮沸していない水道水，紅茶，ウーロン茶，緑茶，玄米茶，味噌汁，エビアンやヴィッテル等のミネラルウォーターには混ぜないでください →	・煮沸していない水道水：塩素により含量が低下するため ・茶葉由来飲料および味噌汁：混濁・沈殿を生じ含量が低下するため ・一部の硬度の高いミネラルウォーター：混濁を生じ，含量が低下するため
	・〔リスパダール内用液，エビリファイ内用液〕希釈後はなるべく早く，分包品は1回で使い切ってください	
	・〔ルーラン，ロナセン内服，ラツーダ〕この薬は食後に服用してください →	空腹時投与の吸収は，食後投与と比較して低下するため
	・〔リスパダールOD，ジプレキサザイディス，エビリファイOD〕この薬は口の中で溶けますが溶けた後，唾液または水で飲み込んでください。寝たままの状態では，水なしで服用しないでください	口腔粘膜からの吸収で効果発現を期待する製剤でないため唾液または水で飲み込む
	・〔インヴェガ〕この薬はかみ砕かずに必ず水などの飲み物と一緒にお飲みください。また便の中に薬の外側の殻が混じることがありますが心配いりません →	徐放性製剤のため，分割投与しないこと。また外皮は内部の不溶性成分と一緒に糞便中に排泄される
	・〔シクレスト〕この薬は裏面のシートをはがした後，錠剤をゆっくり取り出し飲み込まずに水なしで舌の下で溶かしてください（舌の上で溶かすと苦味，しびれを強く感じることがあります）。また服用後10分間は，歯みがき，うがい，飲食を避けてください →	通常の錠剤に比べてやわらかいため割れることがある。舌下の口腔粘膜より吸収されて効果を発現する（2分で約80％が吸収される）。舌下投与直後の飲食はバイオアベイラビリティが低下する可能性がある
	・〔インヴェガ，ジプレキサザイディス，シクレスト，エビリファイOD〕この薬は →	シートから取り出し一包化調剤は避けること ・〔インヴェガ〕浸透圧による薬物放出制御

使用上の注意	服用直前に乾いた手でPTPシートまたはブリスターシートから取り出してください	システムを利用した製剤で，吸湿により薬物放出挙動が影響を受ける可能性があるため
	・〔ジプレキサザイディス，シクレスト，エビリファイOD〕吸湿性であるため	
	・〔ロナセンテープ〕衣服で覆うなど，貼付部位への直射日光を避けてください。はがした後1〜2週間も同様です	→ 光線過敏症が発現するおそれがあるため
	・〔リスパダール，インヴェガ〕白内障手術前に眼科医に本剤服用歴を伝えてください	→ $α_1$アドレナリン拮抗作用のある薬剤服用で白内障手術中に術中虹彩緊張低下症候群の報告。術中・術後に眼合併症を生じる可能性があるため
	・〔ジプレキサ，クロザリル〕この薬を服用中にタバコを吸うと薬の作用が弱くなるので控えてください	喫煙は肝薬物代謝酵素を誘導するため，本剤のクリアランスを増加し，血漿中濃度を低下させるため併用注意
	食 この薬の服用中にアルコールを飲むと薬の作用が強く出るので控えてください	相互に中枢抑制作用増強させるため併用注意
	食 〔ロナセン内服，ラツーダ〕この薬の服用中にグレープフルーツジュースは飲まないでください	→ 本剤の血中濃度が上昇し作用が増強するおそれがあるため併用注意
	食 〔ラツーダ〕この薬の服用中にセント・ジョーンズ・ワートを含む食品はとらないでください	→ 本剤の血中濃度が低下し作用減弱されることがあるため併用注意
	食 〔クロザリル〕この薬の服用中にカフェインをとらないでください	→ 本剤の血中濃度が上昇するため併用注意
	・〔リスパダール，ルーラン，ロナセン，インヴェガ，エビリファイ，レキサルティ〕興奮，誇大性，敵意，非協調性，緊張，衝動性の調節障害等の陽性症状を悪化させることがある（他の治療法に切り替える等適切に処置）	
	・〔ラツーダ〕興奮，不眠，不安等の精神症状を悪化させることがある（他の治療法に切り替える等適切に処置）	
	・〔ラツーダ，ビプレッソ，ジプレキサ，エビリファイ〕うつ症状を呈する患者は希死念慮があり，自殺企図のおそれがあるので，投与開始早期ならびに投与量を変更する際には注意を要する。また自殺傾向が認められる患者には，1回分の処方日数を最小限にとどめること	
服用を忘れたとき	・〔ビプレッソ以外〕思い出したときすぐ服用する（ルーラン，ロナセン内服，ラツーダ：食後または軽食をとった後服用）。ただし次の服用時間が近いとき（リスパダール：5時間以内，ルーラン：4時間以内）は忘れた分は服用しない（2回分を一度に服用しないこと）	
	・〔ビプレッソ〕翌朝以降に気がついたときは，忘れた分は飲まないで通常どおりその日の寝る前に1回分を服用する（2回分を一度に服用しないこと）	

■ その他備考

■ 自閉スペクトラム症（ASD）とは

近年自閉症やアスペルガー症候群などが統合してできた診断名で，生まれ持った脳の特性のために視覚や聴覚をうまく整理できない病気（発達障害）である。社会性の障害，コミュニケーションの障害，想像力の障害（こだわり等）が特徴。変化に対応できず衝動性が高まり自傷行為をしたり，興奮が強くて落ち着かなくなるなど易刺激性が認められたときリスパダールやエビリファイが有効とされ,近年適応追加された。

■ 非定型抗精神病薬の薬理作用と分類

SDA（セロトニン・ドパミン遮断薬）：リスパダール，ルーラン，ロナセン，インヴェガ，ラツーダ

・ドパミンとセロトニンをブロックすることで陽性症状を抑え，錐体外路症状も減少。MARTAより錐体外路症状や高プロラクチン血症は多い

MARTA（多元受容体作用抗精神病薬）：ジプレキサ，セロクエル，ビプレッソ，クロザリル，シクレスト

・ドパミン，セロトニンの他，アドレナリン，ヒスタミン，ムスカリン等の受容体に作用して錐体外路症状の減少や，陰性症状にも効果。鎮静，催眠作用は強い。SDAより体重増加や血糖上昇は多い

DPA（ドパミン受容体部分作動薬）：エビリファイ，レキサルティ

・ドパミンが過剰に働いているときは抑制し，少ないときは刺激して放出する。ドパミン受容体の一部（レキサルティ：ドパミン受容体とセロトニン受容体の一部）に作用することで錐体外路症状を抑える。陽性，陰性両症状に効果。鎮静作用は弱く，副作用は少ない

主な抗精神病薬の副作用における比較

	副作用	原因	抗H₁作用 セロトニン2c (5HT₂C) 遮断作用 体重・脂質・血糖への影響	抗D₂作用 錐体外路症状 (EPS)	抗D₂作用 高プロラクチン血症	抗H₁作用 過鎮静	抗α₁作用 起立性低血圧	QT延長	抗コリン作用 便秘・口渇・尿閉
定型抗精神病薬		ハロペリドール セレネース	+〜++	+++	+++	+	+	++	+
		クロルプロマジン ウインタミン・コントミン	+++	++	+++	+++	+++	++	+++
非定型抗精神病薬	SDA	リスペリドン リスパダール	++	+++	+++	+	++	+	+
		ペロスピロン ルーラン	+	+++	+++	+++	-	-	+〜++
		ブロナンセリン ロナセン	+	+++	+++	+	+	+	++
		パリペリドン インヴェガ	+〜++	++	++	+	++	+	+
		ルラシドン ラツーダ	-〜±	-	++	-	+	+	-
	MARTA	クロザピン クロザリル	+++	-	±	+++	+++	++	+++
		オランザピン ジプレキサ	+++	±	+	++	++	++	++
		クエチアピン セロクエル	+++〜+++	-	+	++	++	++	+
		アセナピン シクレスト	+〜++	+	+	+	+	-	-
	DPA	アリピプラゾール エビリファイ	-	+	-	-	+	-	-
		ブレクスピプラゾール レキサルティ	+〜++	+〜++	+	+	+	+	+〜++

(Galletly et al. Aust.N.Z.J. Psychiatry. 2016, 各製品添付文書, インタビューフォーム等を参考に作成)

代表的抗精神病薬に関する薬剤特性

一般名（商品名）		等価換算値	薬剤の特徴等
SDA*	リスペリドン（リスパダール）	1	・鎮静作用は弱く，抗幻覚・妄想作用は強い。高用量で錐体外路症状が低用量でも高プロラクチン血症が起こりやすい
	パリペリドン（インヴェガ）	1.5	・リスペリドンの活性代謝物で，リスペリドンより鎮静作用が弱く，副作用が少ない。肝機能への影響も少ない ・徐放剤で1日1回投与
	ペロスピロン（ルーラン）	8	・不安，抑うつや陰性症状にも効果がある。リスペリドンに比べ，錐体外路症状，高プロラクチン血症が少ない ・半減期が短く（1～3h），1日2～3回投与
	ブロナンセリン（ロナセン）	4	・セロトニンよりドパミンを遮断する効果が強く，DSAと呼ばれることもある。鎮静作用は弱く，抗幻覚・妄想作用は強い。眠気，体重増加は少なく，アカシジアが起こりやすい ・食後に飲まないと効果が弱まる
	ルラシドン（ラツーダ）	−	・陽性症状の他，陰性症状に効果がある ・体重増加，口渇，便秘は少ないがアカシジアが起こりやすい ・双極性障害のうつ症状にも適応 ・食後に飲まないと効果が弱まる。1日1回投与
MARTA*	クエチアピン（セロクエル）	66	・抗幻覚・妄想作用は弱く，鎮静作用が強い*。陰性症状や躁状態，うつ状態に，また少量で不眠症やせん妄にも有効。錐体外路症状，高プロラクチン血症は少ない。体重増加が起こりやすい ・半減期が短く，1日2～3回投与。高用量が有効。糖尿病禁忌
	クエチアピン（ビプレッソ）	−	・クエチアピンの徐放剤。糖尿病禁忌 ・双極性障害におけるうつ症状にのみ適応
	オランザピン（ジプレキサ）	2.5	・クエチアピン類似の作用* ・半減期は長く，1日1回投与。糖尿病禁忌 ・タバコを吸う人は効果が弱まる
	クロザピン（クロザリル）	50	・治療効果が高い反面，重篤な無顆粒球症や糖尿病の発症率が高いため，第一選択ではなく治療抵抗性統合失調症の最後の切り札 ・指定施設での入院治療を要する
	アセナピン（シクレスト）	2.5	・他のMARTAより陽性症状の改善に優れ，陰性症状，情緒の安定，不眠に有効。抗コリン作用（口渇，便秘等）や体重増加が少なく，糖尿病にも使える。鎮静作用が強く眠気や錐体外路症状が起こりやすい ・舌下錠のため即効性があるが，服用時舌の違和感や苦みあり

一般名（商品名）	等価換算値	薬剤の特徴等
DPA* アリピプラゾール（エビリファイ）	4	・少量で倦怠感や過度な眠気を改善し元気にさせる ・鎮静作用が弱く，他の抗精神病薬に比べて副作用が少ない
ブレクスピプラゾール（レキサルティ）	−	・エビリファイを改良した薬剤で，ドパミン系はエビリファイのほうが強く，セロトニン系はレキサルティが強い ・体重増加，糖代謝障害，錐体外路症状は起こりにくい ・1日1回投与
ゾテピン（ロドピン）	66	・抗幻覚・妄想作用が強く，鎮静，熟眠作用あり。錐体外路症状は比較的少ない。定型と非定型抗精神病薬の間に位置づけられる ・尿酸低下作用や高用量でけいれん発作が起こりやすい
スルピリド（ドグマチール）	200	・低用量では消化器症状やうつ状態にも有効で使いやすい ・統合失調症には高用量が必要で，食欲増進，高プロラクチン血症，錐体外路症状が起こりやすい
ハロペリドール（セレネース）	2	・ブチロフェノン系定型高力価抗精神病薬の代表 ・抗幻覚・妄想作用が強く，錐体外路症状や高プロラクチン血症が起こりやすい ・液剤は味がしないので入院治療でよく使われる
クロルプロマジン（ウインタミン，コントミン）	100	・フェノチアジン系定型低力価抗精神病薬の代表 ・鎮静効果が強く，興奮や睡眠障害に有効 ・等価換算値で600 mgまでの維持治療が推奨され，1,000 mgを超える高用量での治療は困難 ・レボメプロマジンも似た使い方
フルフェナジン（フルメジン）	2	・フェノチアジン系定型高力価抗精神病薬の代表 ・用量依存的に錐体外路症状が問題
ペルフェナジン（ピーゼットシー）	10	・定型中力価抗精神病薬の代表 ・臨床研究は少ない

＊その他備考の非定型抗精神病薬の薬理作用と分類（p.119）参照

　複数処方されている抗精神病薬のトータルの投与量が適切かをチェックする際に用いられるのが等価換算である。一般にクロルプロマジン換算値（CP換算値）が用いられ，クロルプロマジン100 mgと抗精神病効果が等しくなる各薬剤の用量のこと。CP換算で1,000 mg以上を大量投与といい副作用が出る可能性が高くなる。投与量の目安は急性期で300〜1,000 mg，慢性期では300〜600 mg以内でなるべく500 mg以内が望ましいとされている。

8 精神神経用薬　①抗不安薬

■ 対象薬剤

ベンゾジアゼピン系
　短　時　間　型：クロチアゼパム（リーゼ）*，エチゾラム（デパス）*，フルタゾラム（コレミナール）
　中　　間　　型：アルプラゾラム（コンスタン，ソラナックス），ロラゼパム（ワイパックス），ブロマゼパム（レキソタン）
　長　時　間　型：クロルジアゼポキシド（コントール，バランス），オキサゾラム（セレナール），メダゼパム（レスミット），ジアゼパム（セルシン，ホリゾン），クロキサゾラム（セパゾン），フルジアゼパム（エリスパン），クロラゼプ酸二カリウム（メンドン），メキサゾラム（メレックス）
　超長時間型：ロフラゼプ酸エチル（メイラックス），フルトプラゼパム（レスタス）
その他：ヒドロキシジン塩酸塩（アタラックス），ヒドロキシジンパモ酸塩（アタラックス-P），タンドスピロンクエン酸塩（セディール）

＊：チエノジアゼピン系

■ 指導のポイント

	患者向け	薬剤師向け
薬効	・この薬は気持ちを落ち着かせたり，緊張や不安をやわらげたりする薬です	抗不安作用，静穏作用，馴化作用，自律神経安定化作用
	・この薬は手術や検査の前に不安や緊張を鎮めるのに用いる薬です（リーゼ，レキソタン，セレナール，セルシン，ホリゾン，セパゾン）	抗不安作用，鎮静作用
	☆この薬は筋肉の緊張をとり，筋肉のけいれんを抑え，痛みなどの症状をやわらげる薬です（デパス，セルシン，ホリゾン）	筋弛緩作用，抗けいれん作用
	☆この薬はかゆみを抑える薬です（アタラックス，アタラックス-P）	抗アレルギー作用
	☆この薬は寝つきをよくし，夜間の睡眠を持続させる薬です（デパス） （参）No.1 催眠鎮静薬（睡眠薬）①	催眠作用
	◆この薬はアルコール依存症の患者がアルコール使用を中止または減量することによって生じる症状（自律神経機能亢進症状（頻脈，発汗，振戦等），消化器症状（食思不振，嘔吐等），不眠等の睡眠障害，精神症状（興奮，不安，判断力低下等），振戦，せん妄（多数の虫などの幻視があり虫をつぶすような動作をする，意識障害，	

薬効	興奮，発熱等）等）を緩和させる薬です（適応外）（ワイパックス） ◆この薬は不安を感じている患者さんの興奮を抑え，不安や緊張を鎮めたり，発熱により起こるけいれん発作を抑える薬です（適応外）（セルシン，ホリゾン） ◆この薬は新生児の脳の神経の過剰な興奮を抑え，発作（けいれん，意識消失など）を抑えたり，不安や緊張を鎮める薬です（適応外）（セルシン，ホリゾン） ◆この薬は気分が落ち込み，憂うつな気持ちを楽にして意欲を高める薬です（適応外）（セディール）
詳しい薬効	・この薬は脳の中の感情をコントロールしている部分やホルモンを支配している部分に作用し，神経の過度な興奮を抑える物質（ガンマアミノ酪酸（GABA））の働きを高めることにより気持ちを落ち着かせたり，緊張，不安，ストレスをやわらげる薬です（セディール以外） ・この薬は脳の中の感情をコントロールしている部分にある不安やうつをやわらげる場所（5-HT_{1A}受容体）に作用することにより気持ちを落ち着かせたり，緊張，不安，ストレスをやわらげる薬です（セディール） ☆この薬は主として脊髄反射を抑えることにより，筋肉の過度の緊張をとり，筋肉のけいれんを抑え，痛みなどの症状をやわらげる薬です（デパス，セルシン，ホリゾン） ☆この薬はアレルギー症状を引き起こす物質（ヒスタミン）の作用を抑えることにより，アレルギー症状（かゆみ）を抑える薬です（アタラックス，アタラックス-P）
禁忌・併用禁忌	禁忌 ・〔アタラックス，アタラックス-P，セディール以外〕重症筋無力症，急性閉塞隅角緑内障 ・〔コンスタン，ソラナックス，レキソタン，セレナール，レスミット，セパゾン，メレックス，アタラックス，アタラックス-P〕本剤過敏症既往 ・〔メイラックス〕ベンゾジアゼピン系薬剤過敏症既往 ・〔アタラックス，アタラックス-P〕セチリジン・ピペラジン誘導体・アミノフィリン・エチレンジアミン過敏症既往，ポルフィリン症，妊婦 併用禁忌 ・〔コンスタン，ソラナックス〕➡HIVプロテアーゼ阻害剤にて過度の鎮静や呼吸抑制等発現の可能性 ・〔セルシン，ホリゾン，メンドン〕➡リトナビルにて過度の鎮静や呼吸抑制等発現の可能性

■ 主な副作用と対策，フィジカルアセスメントのチェックポイント

主な副作用	患者に確認すべき症状	対策とPAのチェックポイント
眠気	眠い	減量や影響の少ない薬剤への変更を検討する
倦怠感	身体がだるい	〃
口渇	口が渇く，唇が荒れる	うがい，ハードキャンディーをなめたり，ガムをかんだり飲み物を飲む。症状により減量や影響の少ない薬剤への変更を検討する PA 口腔粘膜（乾燥）

主な副作用	患者に確認すべき症状	対策とPAのチェックポイント
ふらつき（ベンゾジアゼピン系, セディール）	ふらつく	減量や影響の少ない薬剤への変更を検討する
脱力感（ベンゾジアゼピン系, セディール）	力が抜ける	減量や筋弛緩作用の少ない薬剤への変更を検討する
連用による薬物依存（ベンゾジアゼピン系）	薬をたくさん飲みたい，薬がないといられない気持ちになる	漫然と長期に投与しない。同系の長時間作用型薬剤への変更，追加も検討する
急激な中断による離脱症状（ベンゾジアゼピン系）	けいれん，意識がもうろうとして実際にないものが見えたり聞こえたりする，ふるえ，眠れない，不安，ありえないことを本当と思い込む	徐々に減量する（参）その他備考 ベンゾジアゼピン系の常用量依存2. 漸減中止の具体的方法

■ 重大な副作用と妊婦・授乳婦への危険度

薬剤名	重大な副作用	妊婦[授乳婦]
リーゼ	依存性，離脱症状，肝機能障害，黄疸	[㊟○]
デパス	依存性，離脱症状，呼吸抑制，炭酸ガスナルコーシス，悪性症候群，横紋筋融解症，間質性肺炎，肝機能障害，黄疸	[㊟○]
コレミナール	依存性，離脱症状 類薬 刺激興奮・錯乱	−
コンスタン，ソラナックス	薬物依存，離脱症状，刺激興奮，錯乱，呼吸抑制，アナフィラキシー，肝機能障害，黄疸	[㊟○]
ワイパックス	依存性，離脱症状，刺激興奮，錯乱 類薬 呼吸抑制	[㊟○]
レキソタン	依存性，離脱症状，刺激興奮，錯乱	C [㊟○]
コントール，バランス	薬物依存，離脱症状，刺激興奮，錯乱，呼吸抑制	[㊟△]
セレナール	依存性，離脱症状	[㊟△]
レスミット	依存性，離脱症状，刺激興奮，錯乱	−
セルシン，ホリゾン	薬物依存，離脱症状，刺激興奮，錯乱，呼吸抑制	C [㊟△]
セパゾン	依存性，離脱症状，刺激興奮	[㊟△]
エリスパン，メレックス	依存性，離脱症状，刺激興奮，錯乱等	−
メンドン	依存性，離脱症状，刺激興奮，錯乱	[㊟△]
メイラックス	薬物依存，離脱症状，刺激興奮，錯乱，幻覚，呼吸抑制	[㊟△]
レスタス	依存性，離脱症状 類薬 刺激興奮・錯乱等	−
アタラックス，アタラックス-P	ショック，アナフィラキシー，QT延長，心室頻拍（torsades de pointesを含む），肝機能障害，黄疸，急性汎発性発疹性膿疱症	禁忌 [㊟○]
セディール	肝機能障害，黄疸，セロトニン症候群，悪性症候群	[㊟○]

■ その他の指導ポイント

	患者向け	薬剤師向け
使用上の注意	・この薬の服用中は，車の運転等，危険を伴う機械の操作は行わないでください	眠気，注意力・集中力・反射運動能力等の低下が起こることがあるため
	・〔ベンゾジアゼピン系〕この薬を続けて飲んでいると「薬がないといられない気持ちになる，薬を中止すると手足が震えて不眠・不安・けいれん・幻覚などを起こす」などの症状が現れることがあるので，薬を飲む量や期間については医師の指示に従ってください	常用量の範囲内で長期使用した場合にも身体依存が形成されることがある（その他備考ベンゾジアゼピン系薬の常用量依存を参照）
	・〔アタラックス，アタラックス-P〕妊娠中または妊娠の可能性のある方は必ずご相談ください	妊娠初期（約3カ月）の投与で，口蓋裂等の奇形児出産の報告あり。また妊娠中の投与で出産後新生児に傾眠，筋緊張低下，離脱症状等の報告があるため投与禁忌
	・〔コントール，バランス，セルシン，ホリゾン〕この薬の服用中にタバコを吸うと薬の作用が弱くなるので控えてください	効果（抗不安作用）の減弱
	食〔セディール以外〕この薬の服用中にアルコールを飲むと，薬の作用が強く出るので控えてください	相加的に中枢神経抑制作用の増強により併用注意
	食〔セルシン，ホリゾン〕この薬の服用中にグレープフルーツジュースは一緒に飲まないでください	グレープフルーツジュース中のフラノクマリン類によりCYP3A4阻害で血中濃度が上昇し副作用が現れやすくなる
	食〔セルシン，ホリゾン〕この薬の服用中にコーヒー，紅茶，緑茶等カフェインを多く含むものは飲まないでください	本剤の鎮静・精神運動抑制作用の減弱
	食〔セルシン，ホリゾン〕この薬の服用中にセイヨウカノコソウ（バレリアン）を含むものはとらないでください	効果（抗不安作用）の減弱
服用を忘れたとき	・〔メンドン以外〕思い出したときすぐに服用する。ただし次の服用時間が近いとき（コンスタン・ソラナックス・コントール・バランス・セルシン・ホリゾン・エリスパン・セディール：4時間以内）（メイラックス：8時間以内）は忘れた分は服用しない（2回分を一度に服用しないこと）	
	・〔メンドン〕飲み忘れに気づいても服用しない。次の服用時に決められた用量を服用する	

■ その他備考

■ ベンゾジアゼピン系の常用量依存

　常用量依存は，臨床用量依存とも呼ばれ，ベンゾジアゼピン系薬の使用により，「本来の症状は改善したものの，服用を中止すると反跳現象や退薬症候が生ずるため，断薬に踏み切れない病態」とされる。

1. 診断基準
    ① 6カ月以上の継続使用
    ② 本来の症状は寛解状態にある
    ③ 使用量の著しい増加は認めない
    ④ 中断により反跳現象、退薬症候が発現する
    ⑤ 計画的な漸減・中止により退薬症候の出現が避けられた場合に、ベンゾジアゼピン系薬の服用なしで経過しうる

2. 漸減中止の具体的な方法

　漸減法はさまざまであるが、ゆっくりとしたペース（数カ月～年単位）で漸減することが何よりも肝要である。標準的には、1～2週間ごとに、服用量の25％ずつ、漸減・中止する。あるいは3日に1回～2日に1回、数日に1回と頻度を減らす。減量により症状が再燃した場合には前の用量に戻し、さらにゆっくりとしたペースで漸減する。

■ ベンゾジアゼピン系抗不安薬一覧　　　　　　　　　　　　　　　　（消失半減期（時間））

力価	短時間型	中間型	長時間型	超長時間型
高↑	エチゾラム（6）	アルプラゾラム（14）	フルジアゼパム（23）	ロフラゼプ酸エチル（122）
		ロラゼパム（12）	メキサゾラム（60～150）	フルトプラゼパム（190）
			ジアゼパム（27～28）	
		ブロマゼパム（20）	クロキサゾラム（11～21）	
			クロルジアゼポキシド（6.6～28）	
	フルタゾラム（3.5）			
			クロラゼプ酸二カリウム（24）	
↓低	クロチアゼパム（6.3）		メダゼパム（2～5＊）	
			オキサゾラム（50～62）	

＊：メダゼパムの主活性代謝物のジアゼパムが0.5時間後から検出され、48時間は低濃度を維持
（参考：稲田　健・編：本当にわかる精神科の薬 はじめの一歩，p 95，羊土社，2018）

■適用区分

■作用時間区分による適用	
短期作用型 （6時間以内）	1）不安発作（パニック障害）に対する頓用に有用 2）連用後に中断すると反跳性不安・退薬症候を起こしやすい 3）高力価・短期作用型では健忘やせん妄・錯乱の報告がある 4）高齢者には投与を避ける
中期作用型 （12～24時間以内）	1）高齢者への投与可能 2）全般性不安障害に対して1日1回（最大2回）連用
長期作用型 （24時間以上）	1）服薬回数を削減できる　　2）依存者の離脱に有効 3）連用によって体内蓄積を起こすおそれがある 4）高齢者には投与を避ける 5）全般性不安障害に対して1日1回（最大2回）連用 6）ベンゾジアゼピン依存者に対しては，長期作用型に変更して離脱を図る代替薬として抗うつ薬が有用
超長期作用型 （90時間以上）	1）高齢者には投与を避ける

■力価区分による適用	
低力価型	標準1日最低用量：10 mg≦
中力価型	標準1日最低用量：6 mg＜10 mg
高力価型	標準1日最低用量：5 mg≧

8　精神神経用薬　②気分安定薬

■ 対象薬剤

炭酸リチウム（リーマス），カルバマゼピン（テグレトール），バルプロ酸ナトリウム（デパケン，デパケンR，セレニカR），オランザピン（ジプレキサ），ラモトリギン（ラミクタール），アリピプラゾール（エビリファイ）
＊テグレトール，デパケン，デパケンR，セレニカR，ラミクタールはNo.2抗てんかん薬（p.22）参照
＊ジプレキサ，エビリファイはNo.7抗精神病薬⑤（p.110）参照

■ 指導のポイント

	患者向け	薬剤師向け
薬効	・この薬は抑えることのできない感情の高まりや行動（躁状態）を抑え気分を安定させる薬です（ジプレキサ，ラミクタール以外）	抗躁作用（自発運動抑制作用，闘争行動抑制作用，自己の刺激減少作用）
	・この薬は抑えることのできない感情の高まりや行動（躁状態）と，気分が落ち込	抗躁作用 抗うつ作用

No.8 精神神経用薬

薬効	み，憂うつな気分（うつ状態）を繰り返す双極性障害のそれぞれの症状を改善する薬です（ジプレキサ）	
	・この薬は抑えることのできない感情の高まりや行動（躁状態）と，気分が落ち込み，憂うつな気分（うつ状態）を繰り返す双極性障害の再発・再燃を防ぐ薬です（ラミクタール 25 mg，100 mg）	→ 抗躁作用 抗うつ作用
	☆この薬は脳の神経の過剰な興奮を抑え，発作（けいれん，意識消失など）を抑える薬です（テグレトール，デパケン，デパケンR，セレニカR，ラミクタール）（参）No.2 抗てんかん薬	→ 抗けいれん作用
	☆この薬は統合失調症（No.7 抗精神病薬 ①その他備考（p.102）参照）の興奮状態を抑える薬です（テグレトール）	→ 抗興奮作用（鎮静・静穏作用）
	☆この薬は顔面などの感覚をつかさどる三叉神経の痛みを抑える薬です（テグレトール）	→ 三叉神経誘発電位抑制作用
	☆この薬は片頭痛が起こるのを予防する薬です（デパケン，デパケンR，セレニカR）（参）No.5 片頭痛治療薬	→ GABA 神経伝達促進作用
	☆この薬は興奮を抑え，幻覚・妄想を鎮めて意欲の低下などの症状を改善し，気分を安定させる薬です（ジプレキサ，エビリファイ）（参）No.7 抗精神病薬⑤	→ ・多元受容体拮抗作用（ジプレキサ） ・中枢性のドパミン D_2 作用・抗ドパミン D_2 作用・セロトニン 5-HT_{1A} 作用・抗セロトニン 5-HT_{2A} 作用（エビリファイ）
	☆この薬は抗がん薬によって起こる強い吐き気や嘔吐を抑える薬です（ジプレキサ）（参）No.7 抗精神病薬⑤，No.37 その他の消化管用薬②	→ 制吐作用
	☆この薬は気分が落ち込み，憂うつな気持ちを楽にして意欲を高める他の治療で十分な効果が認められない場合に用いる薬です（エビリファイ（OD錠 24 mg を除く））（参）No.9 抗うつ薬	→ 抗うつ作用（ドパミン受容体部分アゴニスト作用による補完作用）
	☆この薬は小児の発達障害において些細なことでいらいらしたり，怒りっぽい状態や攻撃的な状態（自閉スペクトラム症）を抑える薬です（エビリファイ（OD錠 24 mg を除く））（参）No.7 抗精神病薬⑤	→ 鎮静作用
詳しい薬効	この薬は感情をコントロールする部分に働き，過度な興奮を起こす物質（ノルアドレナリン，ドパミン，セロトニン等）の産生や放出をコントロールすることにより抑えることのできない感情の高まりや行動を抑え，気分を安定させる薬です	
禁忌	〔リーマス〕脳波異常（てんかん等），重篤な心疾患，リチウムの体内貯留を起こしやすい状態（腎障害，衰弱，脱水状態，発熱，発汗，下痢，食塩制限），妊婦	

■ 主な副作用と対策，フィジカルアセスメントのチェックポイント

〔リーマス〕

主な副作用	患者に確認すべき症状	対策と PA のチェックポイント
振戦	手足の震え	減量もしくは休薬
口渇	口や喉が渇く	口を湿らす（うがい，少量の飲水）か糖分を含まないキャンディー，ガムの摂取 PA 口腔（乾燥）
下痢	軟便，泥状便，水様便になる	減量もしくは休薬 PA 腸音（↑）
多尿，乏尿	尿の量が多い，尿の量が少ない	減量もしくは休薬 PA 尿量（多尿：尿量 3 L/日以上，乏尿：尿量 400 mL/日以下）
眠気	眠くなる	減量もしくは休薬

■ 重大な副作用と妊婦・授乳婦への危険度

薬剤名	重大な副作用	妊婦[授乳婦]
リーマス	リチウム中毒，悪性症候群，洞不全症候群，高度徐脈，腎性尿崩症，急性腎障害，間質性腎炎，ネフローゼ症候群，甲状腺機能低下症，甲状腺炎，副甲状腺機能亢進症，認知症様症状，意識障害	禁忌 [⊗△]

■ その他の指導ポイント

	患者向け	薬剤師向け
使用上の注意	・この薬の服用中は，車の運転等，危険を伴う機械の操作は行わないでください → ・〔リーマス〕腎臓の悪い方，衰弱または脱水状態にある方，発熱や発汗，激しい下痢をしている方，食塩制限をしている方はご相談ください → ・〔リーマス〕気分が悪い，吐く，下痢，食欲不振，手足の震え，意識がぼんやりして睡眠に近い状態，熱が出る，汗が出る等の症状が現れた場合，薬の量が多くなりすぎていることがありますので必ずご相談ください →	眠気，注意力・集中力・反射運動能力等の低下が起こることがあるため リチウムの体内貯留による毒性が出やすくなるため 本剤による中毒（リチウム）に関する注意について患者本人およびその家族に十分徹底させること 〔血中リチウム濃度と中毒症状の目安〕 ・0.4～1 mEq/L：躁病に対する有効血中濃度 ・1.0 mEq/L：軽度振戦 ・1.5 mEq/L：粗大な振戦（状態観察，必要に応じて減量または休薬） ・2.0 mEq/L：ミオクローヌスや他の不随意運動，失調や錯乱（中毒を起こすことがあるので減量または休薬） ・3.0 mEq/L 超：せん妄や昏睡，けいれん

使用上の注意	・〔リーマス〕口が渇くときは，固い，酸っぱいキャンディー（糖分のないもの）や氷片またはチューインガムをかんでください。また，歯をきちんと磨くことが特に大切です	唾液分泌が減少することにより二次的に起こる虫歯を予防する
	・〔リーマス〕妊娠中または妊娠の可能性のある方は必ずご相談ください →	動物実験で催奇形作用が，また人で心臓奇形の発現頻度の増加の報告があるため投与禁忌
	食 この薬の服用中にアルコールを飲むと薬の作用が強く出るので控えてください	相加的に中枢神経抑制作用の増強により併用注意
	食 〔リーマス〕この薬の服用中にカフェイン高含有飲食物（コーヒー，紅茶，緑茶等）と同時に服用しないでください	消化管吸収の減少により血中リチウム濃度の減少
	食 〔リーマス〕この薬の服用中にオオバコの種子を含むものは同時にとらないでください →	オオバコの種子により薬剤の消化吸収が減少し本剤の血中濃度低下により効果減弱のおそれがあるため
服用を忘れたとき	〔リーマス〕思い出したときすぐに服用する。ただし次の服用時間が近いときは忘れた分は服用しない（2回分を一度に服用しないこと）	
	理由 効果が現れるのに1週間〜10日ほどかかり，一定濃度を維持する必要があるが，1回程度の飲み忘れは効果にあまり影響はない。2回分の服用は過量投与となり副作用発現のおそれがあるため一度に服用しない	

（※上段右列の先頭に「・3.5 mEq/L 超：生命に危険が及ぶ」）

■ その他備考

- ■ **抗躁作用を有する薬剤**は，抗躁薬と称していたが，この種の薬剤は抗躁効果のみでなくうつ病相の予防効果も有するので，近年は気分安定薬（mood stabilizer：ムードスタビライザー）と総称し，「気分の安定を維持するような脳内の神経機序に直接的，選択的に働いてその機能異常を修復することで，気分を安定させる薬剤」と位置づけられている。また，気分安定薬とは，双極性障害（躁うつ病）に対して双方向性（抗躁，抗うつ）の作用をもち，また気分変動を抑制し，躁・うつ両病相の予防効果をもつ薬物の総称である。
- ■ 〔リーマス〕**過量投与による中毒**を起こすことがあるので，投与初期または用量を増量したときには1週1回をめどに，維持の投与中には2〜3カ月に1回をめどに，早朝服薬前の血清リチウム濃度を測定しながら使用すること。
- ■ **双極性障害とは**

　双極性障害は，躁状態を伴う双極Ⅰ型障害と，軽躁状態を伴う双極Ⅱ型障害，気分循環障害などに分類される。推奨される治療は気分安定薬を中心とした処方に，必要に応じて非定型抗精神病薬を併用することと考えられる。

　リチウムをはじめとする気分安定薬が第一選択薬と考えられてきたが，即効性が期待できないため，鎮静作用の強い抗精神病薬を最初から併用することが多い。

　このような併用療法のもとで，3〜4週間経過をみて，状態が比較的安定した時点で

抗精神病薬の漸減・中止を行い，その後は気分安定薬単独で維持していくという方法が一般的である。

  最も推奨される治療・躁状態が中等度以上→リチウムと非定型抗精神病薬の併用
        ・躁状態が軽度→リチウムの単独使用
  次に推奨される治療・バルプロ酸，非定型抗精神病薬，カルバマゼピンの単独使用
        ・バルプロ酸と非定型抗精神病薬の併用

双極性障害の治療では抗うつ薬の使用は推奨されない（双極Ⅱ型障害に関しても同様）。

躁状態への適応症が認められた気分安定薬にはリチウム，カルバマゼピン，バルプロ酸，オランザピン，ラモトリギン，アリピプラゾールの6つがある。

■**主な気分安定薬の種類と特徴**

気分安定薬	特徴
炭酸リチウム （リーマス）	最も古典的な気分安定薬である。躁うつの両状態に有効で，特に躁状態が優位な症例に対して効果が高い。効果発現まで2～3週間かかり，安全域が狭いので血中濃度をモニタリングしながら投与量を設定する
バルプロ酸ナトリウム（VPA） （デパケン，デパケンR，セレニカR）	躁状態，うつ状態，その混合状態のいずれにも有効で，特に躁病相に対する効果や躁病の再発予防に効果があるが，抗うつ効果は乏しいと考えられている。効果発現は早い。躁状態に対する有効血中濃度は71～125 μg/mLとされている
カルバマゼピン（CBZ） （テグレトール）	急性躁病および躁病の再発予防に効果を有する。イライラ，衝動性，疼痛に対する効果も期待できる
ラモトリギン （ラミクタール）	他薬とは異なり，抗うつ作用が抗躁作用より強いのが特徴であり，再発・再燃抑制に適応があり，再発予防を目的とした維持療法の第一選択薬になりうる。副作用は，主に発疹，頭痛，胃腸障害，傾眠があるが，Stevens-Johnson症候群およびLyell症候群などの重篤な皮膚障害が起こることがあるので，十分な注意が必要である
オランザピン （ジプレキサ）	抗躁効果に比し，双極性うつ病に対し推奨度が高い。食欲増加や体重増加，脂質異常，血糖値上昇や糖尿病の増悪をきたしやすいため糖尿病の患者には禁忌
アリピプラゾール （エビリファイ）	抗躁効果。錐体外路症状や高プロラクチン血症を生じにくいが，アカシジアの頻度は高い

（日本うつ病学会：日本うつ病学会治療，ガイドライン Ⅰ．双極性障害 2020 を参考に作成）

8 精神神経用薬　③精神刺激薬

■ 対象薬剤

メチルフェニデート塩酸塩（リタリン，コンサータ），ペモリン（ベタナミン），モダフィニル（モディオダール），アトモキセチン塩酸塩（ストラテラ），グアンファシン塩酸塩（インチュニブ），リスデキサンフェタミンメシル酸塩（ビバンセ）

■ 指導のポイント

	患者向け	薬剤師向け
薬効	この薬は脳の中枢神経を興奮させ， ・昼間突然に起こる，がまんできない過剰な眠気（ナルコレプシー）を改善する薬です（リタリン，ベタナミン，モディオダール） ・憂うつな気持ちや落ち込んだ気分をやわらげ，意欲を高める薬です（ベタナミン 10 mg のみ） ・この薬は昼間眠気におそわれ，居眠りを繰り返し，いったん居眠りをすると1時間以上眠ってしまう状態や，1日の睡眠時間が 11 時間以上になりがちで，数カ月にわたり毎日 16〜18 時間眠るような状態（特発性過眠症）を改善する薬です（モディオダール） ・この薬は睡眠中に上気道がふさがり呼吸が止まってしまうのを鼻マスク式持続陽圧呼吸療法などにより治療していても起こる，日中のひどい眠気を改善する薬です（モディオダール） ・物事に集中できない，うっかりした間違いをしやすい，落ち着きがない，思いついた行動を唐突に行うなどの症状（注意欠陥/多動性障害：AD/HD）を改善する薬です（コンサータ，ストラテラ，インチュニブ，ビバンセ（小児期のみ））	中枢興奮作用 〃 覚醒促進作用 中枢興奮作用，覚醒促進作用（動物実験により覚醒時間の延長が認められているが，詳細な作用機序は不明） ・中枢神経刺激作用（AD/HD の治療効果に対する詳細な作用機序は不明）（コンサータ，ビバンセ） ・選択的ノルアドレナリン再取り込み阻害作用（ストラテラ） ・選択的 α_{2A} アドレナリン受容体作動作用（AD/HD 治療効果に対する詳細な作用機序は不明）（インチュニブ）
警告	・〔リタリン，コンサータ，ビバンセ〕ナルコレプシー（リタリン），注意欠陥/多動性障害（コンサータ，ビバンセ）の診断治療に精通し，リスク等について十分に管理できる医師・医療機関・管理薬剤師のいる薬局のもとで投与を行う。薬局では調剤前に医師・医療機関を確認する。医師・薬剤師は登録システムへの登録が必要 ・〔リタリン，コンサータ〕投与に際し，患者または代諾者に対し，本剤の有効性，安全性お	

警告	よび目的以外への使用や他人への譲渡禁止について文書にて説明し，同意文書を取得すること
	〔ベタナミン〕海外で重篤な肝障害発現後死亡の症例報告あり．投与中は定期的に血液検査を実施
	〔モディオダール〕本剤の適正使用推進策について十分に理解し，登録医師・薬剤師のいる登録医療機関・薬局のもとでのみ投与を行う．薬局では，調剤前に医師・医療機関を確認する

| 禁忌・併用禁忌 | 禁忌 | ・〔モディオダール，インチュニブ以外〕閉塞隅角緑内障
・〔モディオダール，ストラテラ，インチュニブ以外〕過度の不安，緊張，興奮性，甲状腺機能亢進症
・〔リタリン，コンサータ〕重症うつ病
・〔リタリン，コンサータ，ベタナミン〕不整頻拍，狭心症
・〔リタリン，コンサータ，ビバンセ〕運動性チック，Tourette症候群またはその既往歴・家族歴，褐色細胞腫
・〔ベタナミン〕焦燥，幻覚，妄想症状，ヒステリー症状，舞踏病，重篤な肝障害，動脈硬化症，てんかん等のけいれん性疾患
・〔モディオダール〕重篤な不整脈
・〔ストラテラ〕重篤な心血管障害，褐色細胞腫またはその既往
・〔インチュニブ〕妊婦，房室ブロック
・〔ビバンセ〕交感神経刺激アミン（メタンフェタミン，メチルフェニデート，ドパミン等）過敏症既往，重篤な心血管障害，薬物乱用既往 |
| | 併用禁忌 | ・〔リタリン，コンサータ，ビバンセ〕⇔セレギリン，ラサギリン，サフィナミド（投与後14日以内も含む）にて高血圧クリーゼが起こるおそれ
・〔ストラテラ〕⇔セレギリン，ラサギリン，サフィナミド（投与後14日以内も含む）にて相互に作用増強 |

■ 主な副作用と対策，フィジカルアセスメントのチェックポイント

主な副作用	患者に確認すべき症状	対策とPAのチェックポイント
動悸	どきどきする	減量もしくは中止 PA 脈拍（↑，不整脈）
口渇	口や喉が渇く	口を湿らす（うがい，少量の飲水）か糖分を含まないキャンディー，ガムの摂取 PA 口腔（乾燥）
胃部不快感	胃がもたれる	減量もしくは休薬
悪心・嘔吐	気分が悪い，吐く	腹部の加温
便秘	3日以上便が出ない，お腹が痛い，お腹が張る	水分，腸のぜん動を刺激する食物の摂取 PA 腸音（↓）
発汗（インチュニブ以外）	汗が出る	減量もしくは休薬
頭痛	頭が痛い	〃
不眠	眠れない	〃

■ 重大な副作用と妊婦・授乳婦への危険度

薬剤名	重大な副作用	妊婦[授乳婦]
リタリン, コンサータ	剥脱性皮膚炎, 狭心症, 悪性症候群, 脳血管障害, 肝不全, 肝機能障害	[※○]
ベタナミン	重篤な肝障害, 薬物依存	−
モディオダール	中毒性表皮壊死融解症, 皮膚粘膜眼症候群, 多形紅斑, 薬剤性過敏症症候群, ショック, アナフィラキシー	B3 [※△]
ストラテラ	肝機能障害, 黄疸, 肝不全, アナフィラキシー	B3 [※△]
インチュニブ	低血圧, 徐脈, 失神, 房室ブロック	−
ビバンセ	ショック, アナフィラキシー, 皮膚粘膜眼症候群, 心筋症, 依存性	B3

■ その他の指導ポイント

	患者向け	薬剤師向け
使用上の注意	・〔ストラテラ, インチュニブ以外〕この薬は, 原則として夕方以降の服用は避けてください ・〔リタリン, コンサータ, モディオダール, ビバンセ〕長期間服用している場合, これがなければ耐えられなくなるような強い欲求を感じることがあります。このようなときはすぐに医師にご相談ください ・〔ベタナミン以外〕この薬の服用中は, 車の運転等, 危険を伴う機械の操作は行わないでください ・〔ベタナミン〕この薬は, 投与後15〜30分で眠気を生じることがあるので注意してください ・〔モディオダール, インチュニブ以外〕小児において体重の増え方が悪かったり, 成長が遅れることがあります。このようなときは必ず医師にご相談ください ・〔コンサータ〕この薬はかみ砕いたり, 割ったり, 溶かしたりせず水で服用してください。また便の中に薬の外側の殻がみられることがありますが, 心配はいりません	・覚醒効果があるため不眠に注意 ・連用により薬物依存を生じることがあるので, 観察を十分に行い, 用量・使用期間に注意し, 特に薬物依存・アルコール中毒等の既往症のある患者には慎重に投与する ・〔ストラテラ, インチュニブ以外〕中枢神経刺激作用 ・〔ストラテラ, インチュニブ〕眠気, めまい, 鎮静等が起こることがある ・一過性に逆説的傾眠を生じることがある ・〔リタリン, コンサータ〕長期投与時にメチルフェニデート塩酸塩製剤による食欲の低下と密接な関係があると考えられる体重増加の抑制, 成長遅延の報告 ・〔ベタナミン〕長期投与により発育抑制の報告 ・〔ストラテラ, ビバンセ〕体重増加の抑制, 成長遅延の報告 ・徐放性製剤であるため, かみ砕いたり, 割ったりしない。また, 外皮が内部の不溶性の成分と一緒に糞便中に排泄されるが正常なことである

使用上の注意	・〔ストラテラ以外〕口が渇くときは，固い，酸っぱいキャンディー（糖分のないもの）や氷片またはチューインガムをかんでください。また歯をきちんと磨くことが特に大切です	→ 唾液分泌が減少することにより2次的に起こる虫歯を予防する
	食 〔リタリン，コンサータ〕この薬の服用中にアルコールを飲むと，副作用が強く出るので控えてください	→ アルコールは精神神経系の副作用を増強するため併用注意
	検 〔ベタナミン〕この薬の服用中は定期的に肝機能検査を受けるため受診しましょう	→ 警告参照 重篤な肝障害発現のチェックのため
服用を忘れたとき	・〔リタリン，コンサータ，モディオダール，ベタナミン〕思い出したときすぐに服用する。ただし（リタリン：次の服用が近いときや就寝前）（コンサータ：午後）（モディオダール：次の服用が近いときや夕刻以降）（ベタナミン：次の服用時間が4時間以下や夕刻以降）の場合は服用しない（2回分を一度に服用しないこと） 理由 中枢神経刺激作用を有し，夕刻以降や就寝前に服用すると不眠になる可能性があるため ・〔ストラテラ〕思い出したときすぐに服用する。ただし次の服用が近いときは忘れた分は服用しない（2回分を一度に服用しないこと） ・〔インチュニブ，ビバンセ〕飲み忘れた場合は医師または薬剤師に相談する（2回分を一度に服用しないこと）	

■ その他備考

■ ナルコレプシー（narcolepsy）とは

日中において場所や状況を選ばず起きる強い眠気の発作を主な症状とする精神疾患（睡眠障害）で，笑う，怒るなどの感情変化が誘因となる情動脱力発作（カタプレキシー）を伴う人が全体の6，7割程度いる。入眠時もしくは起床時の金縛り・幻覚・幻聴の経験がある人も多い。日本では「居眠り病」「過眠症」とも呼ばれている。

■ 注意欠陥/多動性障害（AD/HD〔Attention Deficit Hyperactivity Disorder〕）とは

主に学齢期の児童に認められる不注意，多動性，衝動性を中核症状とする発達障害として分類される精神疾患である。不注意とは，注意力や集中力の持続が困難な状態で，何かを最後までやり遂げることが苦手で，ケアレスミスや忘れ物，紛失なども多くなる。多動性とは，例えば授業中じっと席に着いていることができない，また席に着いてもひっきりなしに体を揺らしたり，物をいじったりしている状態をいう。衝動性とは，結果を考えずに行動する衝動を抑えられない状態のことで，順番を守れない，いきなり道路に飛び出すなどの問題行動となって表れる。

■ SSRIやSNRI等の登場によって，うつ病治療の選択肢が広がり定着してきたこと，またリタリンが乱用され，薬物依存等が社会的に問題となったことから，海外と同様にリタリンの適応症から「うつ病」に対する効能が削除され使用できるのは「ナルコレプシー」のみとなった。

■リタリン，コンサータ，モディオダール，ビバンセについては薬物乱用や不適正使用の防止・排除を目的として，流通管理を適切に行うためにそれぞれの薬剤について管理基準が策定されている。リタリン，コンサータ，モディオダール，ビバンセにかかわるすべての該当者は例外なくこれに準拠することが求められる。

そのため処方する医師，医療機関，調剤する薬局が限定されている。調剤は登録された調剤責任者がいる薬局にて登録された医師・医療機関の処方箋により行わねばならず，薬局は調剤前に処方箋発行医師・医療機関が登録リストに掲上されているかの確認を行わねばならない。

医師・医療機関および薬局・調剤責任者の登録については，各薬剤の適正使用基準に記載された基準を満たす必要がある。各薬剤の管理基準（システム）の概略を下記に記載したが，詳細については各企業および各管理基準（システム）を熟読，確認すること。

	リタリン流通管理基準	コンサータ錠適正流通管理（システム） ビバンセカプセル適正流通管理（システム）	モディオダール適正使用規準
医師	研修プログラムの履修を修了し，医師・医療機関を登録	e-ラーニングの受講を完了し，医師・医療機関を登録	Web研修を修了し，医師・医療機関を登録
薬剤師	研修プログラムの履修を修了し，薬局・調剤責任薬剤師を登録	e-ラーニングの受講を完了し，薬局・調剤責任薬剤師を登録	Web研修を修了し，薬局・調剤責任薬剤師を登録
		適正流通管理委員会は医師が登録した患者情報をもとに患者カードを発行	
薬局	登録医師・登録医療機関の確認後調剤	登録医師・登録医療機関の確認後調剤 患者情報の確認後調剤（患者カード，身分証明書により）	登録医師・登録医療機関の確認後調剤

9 抗うつ薬

■ 抗うつ薬―薬物治療の確認と指導のポイント

項目	確認のポイント
うつ病の診断と状態や重症度の確認	**診断基準**：うつ病（うつ病（DSM-5）/大うつ病性障害）の診断基準（p.139）参照 **症状**：精神症状（抑うつ気分，無気力，思考停止，希死念慮など）， 　　　　　身体症状（食欲低下，不眠，倦怠感など） **重症度** 　軽症うつ病：診断基準9項目のうち，5項目を概ね超えない程度に満たす場合で，症状の強度として，苦痛は感じられるが，対人関係上・職業上の機能障害はわずかな状態に留まる 　中等症うつ病：軽症と重症の中間に相当するもの 　重症うつ病：診断基準9項目のうち，5項目をはるかに超えて満たし，症状は極めて苦痛で，機能が著明に損なわれている **精神病性うつ病**：うつ病の中で妄想と時に幻覚を伴う一群で，非精神病性うつ病と比較すると，再発率が高く，入院回数も多く，エピソードも長く，生活能力の低下が著しく，自殺率や死亡率も高い **把握すべき情報**：問診（既往歴，家族歴，現病歴，生活歴，病前のパーソナリティ傾向，病前の適応状態，睡眠の状態，意識障害・認知機能障害・知能低下の有無等），理学所見（身長，体重，バイタルサイン，一般的神経学的所見）
全例（精神病性うつ病を除く）に行うべき支持的精神療法，心理教育の指導	・患者背景，病態の理解 ・**支持的精神療法**：患者が訴える内容を支持的に傾聴し，苦悩には共感を示し，ともに問題点を整理して，必要があれば休養を含めた日常生活上の指示を行う ・**心理教育**：現在の病態の理解の仕方や，予想される改善までの経過，治療選択肢とそれぞれの特徴などを十分に説明し，患者自身（必要があれば家族も）がうつ病という疾患についての理解を深め，積極的に治療選択に関われるよう導く
薬物治療の確認と効果の判断	治療決定に際しては，患者に各治療法の長所や短所を説明し，患者とともに選択すること **軽症うつ病**：新規抗うつ薬（SSRI，SNRI，ミルタザピン）などの使用を推奨 **中等症・重症うつ病** ①推奨される治療 ・新規抗うつ薬（SSRI，SNRI，ミルタザピン） ・三環系抗うつ薬/非三環系抗うつ薬*（重症例では三環系抗うつ薬/非三環系抗うつ薬を含めた全ての抗うつ薬が第一選択薬となり得る） ・修正型電気けいれん療法（自殺の危険や栄養学的に生命危機が切迫している場合は積極的に考慮） ②必要に応じて選択される推奨治療 ・ベンゾジアゼピン系薬の一時的な併用（常用量依存に注意し漫然と継続しない） ・リチウム，トリヨードサイロニン/レボチロキシン，気分安定薬による抗うつ効果増強療法（抗うつ薬を十分量・十分期間使用しても，部分反応に留まる場合に，抗うつ効果増強療法を考慮する） ・非定型抗精神病薬による抗うつ効果増強療法（抗うつ薬を十分量・十分期間使用しても，部分反応に留まる場合に抗うつ効果増強療法を考慮する，非定型抗精神病薬の長期使用に関する臨床上の是非は明らかではない）

項目	確認のポイント
	・治療効果のエビデンスが示されている精神療法の併用（維持期に再発予防を目的として行う） **精神病性うつ病** ①推奨される治療 ・抗うつ薬と抗精神病薬の併用 ・修正型電気けいれん療法 ・抗うつ薬単剤で治療開始し，効果不十分ならば抗精神病薬を追加 ＊注意：抗うつ薬を使用する場合は，24歳以下の若年患者に対する自殺関連行動増加，いわゆるアクチベーション（症候群），中止後症状などに特に注意する 　　・アクチベーション（症候群）：抗うつ薬の投与開始初期や増量時等に生じる焦燥感や不安感の増大，不眠，パニック発作，アカシジア，敵意・易刺激性・衝動性の亢進，躁・軽躁状態などの出現する状態 　　・中止後症状：継続服用（4週間以上）していた抗うつ薬を突然中止すると（場合によっては漸減時も），1〜7日以内にふらつき，めまい，頭痛，嘔気・嘔吐，不眠などの症状が現れることがある
抗うつ状態を引き起こしやすい物質の摂取の有無の確認	・**中毒，離脱**：アルコール，カフェイン，幻覚剤（フェンシクリジン他），揮発性物質，オピオイド，鎮静・催眠・抗不安薬，刺激薬（アンフェタミン，コカイン，他），タバコ ・**治療に用いられる薬剤**：ステロイド，インターフェロンアルファ，ジスルフィラム，パーキンソン病治療薬，降圧薬（β遮断薬，Ca拮抗薬）等
服薬アドヒアランスの確認	薬を全く服用しない場合や部分的にしか服用していない場合も，薬剤の効果が十分得られないので，薬の飲み方の確認を行う。また副作用発現の確認も行う。飲酒・喫煙・カフェイン摂取がコントロールできているかなども配慮が必要で，できていなければ対策を検討

■うつ病（うつ病（DSM-5）/大うつ病性障害）の診断基準

以下の症状のうち，少なくとも1つある。
1. 抑うつ気分
2. 興味または喜びの喪失

さらに，以下の症状を併せて，合計で5つ以上が認められる。
3. 食欲の減退あるいは増加，体重の減少あるいは増加
4. 不眠あるいは睡眠過多
5. 精神運動性の焦燥または制止（沈滞）
6. 易疲労感または気力の減退
7. 無価値感または過剰（不適切）な罪責感
8. 思考力や集中力の減退または決断困難
9. 死についての反復思考，自殺念慮，自殺企図

上記症状がほとんど1日中，ほとんど毎日あり2週間にわたっている症状のために著しい苦痛または社会的，職業的，または他の重要な領域における機能障害を引き起こしている。

■ 対象薬剤

- 三環系：イミプラミン塩酸塩（トフラニール），クロミプラミン塩酸塩（アナフラニール），アミトリプチリン塩酸塩（トリプタノール），アモキサピン（アモキサン），ドスレピン塩酸塩（プロチアデン），ロフェプラミン塩酸塩（アンプリット），ノルトリプチリン塩酸塩（ノリトレン）
- 四環系：マプロチリン塩酸塩（ルジオミール），ミアンセリン塩酸塩（テトラミド），セチプチリンマレイン酸塩（テシプール）
- その他：トラゾドン塩酸塩（デジレル，レスリン），スルピリド（ドグマチール）
- SSRI（選択的セロトニン再取り込み阻害薬）：フルボキサミンマレイン酸塩（デプロメール，ルボックス），パロキセチン塩酸塩水和物（パキシル），塩酸セルトラリン（ジェイゾロフト），エスシタロプラムシュウ酸塩（レクサプロ）
- SNRI（セロトニン・ノルアドレナリン再取り込み阻害薬）：ミルナシプラン塩酸塩（トレドミン），デュロキセチン塩酸塩（サインバルタ），ベンラファキシン塩酸塩（イフェクサーSR）
- NaSSA（ノルアドレナリン作動性・特異的セロトニン作動性抗うつ薬）：ミルタザピン（リフレックス，レメロン）
- S-RIM（セロトニン再取り込み阻害・セロトニン受容体調節薬）：ボルチオキセチン臭化水素酸塩（トリンテリックス）
- DSS（ドパミン受容体部分作動薬）：アリピプラゾール（エビリファイ）
  ＊エビリファイはNo.7 抗精神病薬⑤（p.110）参照

■ 指導のポイント

	患者向け	薬剤師向け
薬効	・この薬は気分が落ち込み，憂うつな気持ちを楽にして意欲を高める薬です（エビリファイ以外）	抗うつ作用
	・この薬は気分が落ち込み憂うつな気持ちを楽にして意欲を高める他の治療で十分な効果が認められない場合に用いる薬です（エビリファイ(OD錠24 mgを除く)）(参) No.7 抗精神病薬⑤	抗うつ作用（ドパミン受容体部分アゴニスト作用による補完作用）
	・この薬は不安がつのってトイレの後や汚いものにふれた後に手を洗い続けたり，鍵がかかっているかを何回も確認したりする気持ち（強迫性障害）を楽にする薬です（デプロメール，ルボックス，パキシル(CRを除く)）	抗強迫性障害作用
	・この薬は人前に出て話す，食べる，書くなどを行う時に，強い不安や恐怖を感じて，ふるえや赤面などの症状が出る状態（社会不安障害）を改善する薬です（デプロメール，ルボックス，パキシル(CRを除く)，レクサプロ）	抗社会不安障害作用
	・この薬は突然激しい不安とともに，胸が	抗パニック障害作用

No.9 抗うつ薬

薬効	ドキドキしたり，めまいなどの症状が繰り返し起こる状態や，発作が起こることへの不安感（パニック障害）を改善する薬です（パキシル（CRを除く），ジェイゾロフト）	
	・この薬は死を意識するような強い恐怖感を伴う経験をすることで，心の傷（トラウマ）が生じることにより起こる，突然怖い体験を思い出す（フラッシュバック），苦痛な体験や記憶に関連する事物を無意識に避けるようになる，不安や緊張が続くことにより眠れないなどの症状を改善する薬です（パキシル（CRを除く），ジェイゾロフト）	→ 抗外傷後ストレス障害作用
	☆この薬は尿が漏れる（夜尿症，遺尿症）のを防ぐ薬です（トフラニール，アナフラニール，トリプタノール）	→ 抗コリン作用
	☆この薬は昼間突然に起こる，がまんできない過剰な眠気（ナルコレプシー）に伴う，喜怒哀楽，恐れ，恥ずかしいといった過度の感情の高ぶりにより，急に起こる一時的な脱力発作症状(情動脱力発作)を改善する薬です（アナフラニール）	
	☆この薬は末梢神経の障害により起こる痛みをやわらげる薬です(トリプタノール)（参）No.4 鎮痛薬⑤	
	☆この薬は中枢（視床下部）に働いて胃腸の血流を増加し粘膜を修復し，同時に胃・腸の運動をよくする薬です（ドグマチール 50 mg）（参）No.32 消化性潰瘍治療薬⑩	→ 胃・十二指腸血流量増加作用（視床下部へ作用） 胃・小腸運動の亢進
	☆この薬は興奮を抑え幻覚・妄想を抑え，気分を安定させる薬です（ドグマチール）（参）No.7 抗精神病薬③	→ 中枢性抗ドパミン作用
	☆この薬は糖尿病性神経障害，線維筋痛症，慢性腰痛症，変形性関節症などの慢性の痛みをやわらげる薬です(サインバルタ)（参）No.4 鎮痛薬⑤	→ 下行性疼痛抑制系の賦活による鎮痛効果
	☆この薬は興奮を抑え幻覚・妄想を鎮めて，意欲の低下などの症状を改善し，気分を安定させる薬です（エビリファイ）（参）No.7 抗精神病薬⑤	→ 中枢性のドパミン D_2 作用・抗ドパミン D_2 作用・セロトニン $5\text{-}HT_{1A}$ 作用・抗セロトニン $5\text{-}HT_{2A}$ 作用
	☆この薬は抑えることのできない感情の高まりや行動（躁状態）を抑え気分を安定させる薬です（エビリファイ）（参）No.8 精神神経用薬②	→ 抗躁作用

抗うつ薬

	☆この薬は小児の発達障害において，些細→鎮静作用 なことでいらいらしたり，怒りっぽい状態や攻撃的な状態（自閉スペクトラム症）を抑える薬です（エビリファイ（OD錠24 mgを除く））（参）No.7抗精神病薬⑤
薬効	◆この薬は末梢神経の障害により起こる痛みをやわらげる薬です（適応外）（トフラニール） ◆この薬は突然激しい不安とともに，胸がドキドキしたり，めまいなどの症状が繰り返し起こる状態や，発作が起こることへの不安感（パニック障害）を改善する薬です（適応外）（アナフラニール，レクサプロ） ◆この薬は，がんによる痛みを抑える薬です（適応外）（トフラニール，ノリトレン，トレドミン） ◆この薬は不安がつのってトイレの後や汚いものに触れた後に手を洗い続けたり，鍵がかかっているかを何回も確認したりする気持ち（強迫症）を楽にする薬です（適応外）（アナフラニール，レクサプロ） ◆この薬は6カ月以上にわたり続く，日常生活に支障をきたすような痛みをやわらげる薬です（適応外）（トリプタノール，トレドミン） ◆この薬は，6カ月以上にわたり続く疼痛時の気分の落ち込み，憂うつな気持ち，片頭痛や緊張型頭痛をやわらげる薬です（適応外）（トリプタノール） ◆この薬は歯科で治療した後に起こる神経が原因の痛みをやわらげる薬です（適応外）（トリプタノール，ノリトレン） ◆この薬は全身に激しい痛みを主として，不眠，うつ病などの精神症状，逆流性食道炎などの自律神経系の症状を伴う線維筋痛症の痛みをやわらげる薬です（適応外）（トリプタノール，デプロメール，ルボックス，ジェイゾロフト，トレドミン） ◆この薬は射精時に精液が体外ではなく，体内（膀胱内）に戻ってしまう逆行性射精症を改善する薬です（適応外）（アモキサン） ◆この薬は寝つきをよくし，夜間の睡眠を持続させる薬です（適応外）（テトラミド，デジレル，レスリン，リフレックス，レメロン） ◆この薬は，意識混濁に加えて幻覚や錯覚がみられるせん妄を改善する薬です（適応外）（テトラミド，デジレル，レスリン） ◆この薬はめまい，耳鳴り，頭痛，消化器症状などの身体的不定愁訴を抑える薬です（適応外）（ドグマチール） ◆この薬は過食症（激しく飲食した後に，嘔吐・下剤・利尿薬・薬物・過度の運動・絶食による代償行為を行う）を改善する薬です（適応外）（デプロメール，ルボックス） ◆この薬は理由の定まらない不安が長期間続くような全般性不安障害（GAD）に対し，気持ちを落ち着かせ，緊張や不安をやわらげる薬です（適応外）（パキシル，ジェイゾロフト，レクサプロ） ◆この薬は月経前だけに起こる気分が落ち込み，憂うつな気持ちになったりする（月経前不快気分障害（PMDD））症状を改善する薬です（適応外）（パキシル） ◆この薬は死を意識するような強い恐怖感を伴う経験をすることで，心の傷（トラウマ）が生じることにより起こる，突然怖い体験を思い出す（フラッシュバック），苦痛な体験や記憶に関連する事物を無意識に避けるようになる，不安や緊張が続くことにより眠れないなどの症状を改善する薬です（適応外）（レクサプロ）
詳しい薬効	・脳内の神経線維の間をつなぐ化学伝達物質（ノルアドレナリン，セロトニン，ドパミン等）が不足すると，うつ状態が起こると考えられています。 ・この薬は，刺激によって一度放出された伝達物質が脳内の神経線維に再び吸収されて減少

詳しい薬効	するのを抑えたり、伝達物質の出てくる量が減るのを抑えたりすることで、気持ちを楽にして意欲を高め、うつ状態を改善する薬です（リフレックス、レメロン、エビリファイ（OD錠 24 mg を除く）以外） ・この薬は、神経（特にノルアドレナリン、セロトニン）の活動を高め、伝達物質が出てくる量を増やしたり、伝達物質の一つであるセロトニンの刺激を受ける部位（$5-HT_1$、$5-HT_2$、$5-HT_3$ などがある）の中で特に抗うつ効果の少ない $5-HT_2$、$5-HT_3$ の作用を抑えることにより、$5-HT_1$ への作用を強めることで、気持ちを楽にして意欲を高め、うつ状態を改善する薬です（リフレックス、レメロン） ・この薬は刺激によって一度放出された伝達物質が脳内の神経線維に再び吸収されて減少するのを抑える作用と、伝達物質の一つであるセロトニンの刺激を受ける部位を調節することにより、神経伝達物質（セロトニン、ノルアドレナリン、ドパミン、アセチルコリン、ヒスタミン）が出てくるのを調節することにより、気持ちを楽にして意欲を高め、うつ状態を改善する薬です（トリンテリックス） ・この薬は、神経（特にドパミン）の活動を高めて、他の抗うつ薬にはないドパミン神経伝達の低下を改善する作用により、他の抗うつ薬で効果が不十分な場合に一緒に使う（SSRI、SNRI と併用）ことで、補助的な作用を現しうつ症状を改善する薬です（エビリファイ（OD錠 24 mg を除く）） ☆この薬は、膀胱を収縮させる物質（アセチルコリン）の作用を抑え膀胱の容量を増し、同時に尿道をとりまく筋肉の収縮力を高め、尿が漏れるのを防ぐ薬です（トフラニール、アナフラニール、トリプタノール） ☆中枢神経には、痛みを伝える上行性疼痛伝導系と、痛みを抑える下行性疼痛抑制系というまったく反対の働きを持つ2つの神経系が存在しています。この薬は化学伝達物質（セロトニンおよびノルアドレナリン）が減るのを抑えて、中枢神経系の痛みを抑える経路（下行性疼痛抑制系）に作用することにより、痛みをやわらげる薬です（サインバルタ）
警告	〔パキシル〕18 歳未満の大うつ病性障害患者に投与するときは、適応を慎重に検討
禁忌・併用禁忌	禁忌　別表（p.150）参照 併用禁忌　・〔トフラニール、アナフラニール、トリプタノール、アモキサン、プロチアデン、アンプリット、ノリトレン、ルジオミール、テトラミド、テシプール、ジェイゾロフト、トレドミン、サインバルタ、イフェクサー SR〕⇔セレギリン、ラサギリン、サフィナミド（投与中止後 14 日以内も含む）にて発汗、不穏、全身けいれん、異常高熱、昏睡等のおそれ ・〔デプロメール、ルボックス〕⇔チザニジンにて著しい血圧低下等発現のおそれ、ラメルテオン、メラトニンの作用増強のおそれ、セレギリン、ラサギリン、サフィナミド（投与中止後 14 日以内も含む）にて両剤の作用増強 ・〔パキシル、レクサプロ、リフレックス、レメロン、トリンテリックス〕⇔セレギリン、ラサギリン、サフィナミド（投与中止後 14 日以内も含む）にてセロトニン症候群発現のおそれ

■ 主な副作用と対策、フィジカルアセスメントのチェックポイント

〔三環系・四環系抗うつ薬〕

主な副作用	患者に確認すべき症状	対策と PA のチェックポイント
便秘	3日以上便が出ない、お腹が痛い、お腹が張る	水分補給、運動、下剤の投与 PA 腸音（↓）

主な副作用	患者に確認すべき症状	対策と PA のチェックポイント
口渇	口やのどが渇く	口を湿らす（うがい，少量の飲水（冷水が効果的））か糖分を含まないキャンディー，ガムの摂取。抗コリン作用が弱い SSRI，SNRI 等に変更
尿閉	尿が出ない，尿の量が少ない	抗コリン作用が弱い SSRI，SNRI 等に変更 PA 尿量（↓），残尿（↑），体重（↑），浮腫（上眼瞼，下腿脛骨），下腹部（張り感，膨隆）
複視	二重に見える	抗コリン作用が弱い SSRI，SNRI 等に変更
起立性低血圧	立ちくらみ	抗うつ薬の減量または SSRI，SNRI 等に変更。昇圧薬（ミドドリン等）の投与 PA 血圧（↓）
眠気	眠くなる	抗うつ薬の減量または服用方法の変更（夕から就寝前投与）
体重増加	体重が増える	SSRI や SNRI，S-RIM への変更 PA 体重（↑）
QT 延長	胸が苦しい，どきどきする，めまい	減量，SSRI・ミルタザピン，S-RIM への変更 PA 脈拍（↑）

〔デジレル，レスリン〕

主な副作用	患者に確認すべき症状	対策と PA のチェックポイント
起立性低血圧	立ちくらみ	抗うつ薬の減量または SSRI，SNRI 等に変更。昇圧薬（ミドドリン等）の投与 PA 血圧（↓）
めまい，ふらつき	めまい，ふらつく	ジヒドロエルゴタミン等の投与

〔ドグマチール〕

主な副作用	患者に確認すべき症状	対策と PA のチェックポイント
遅発性ジスキネジア†	動作のバランスが崩れる，歩き方がおかしい，首が傾く	減量もしくは中止 PA 動作（緩慢，無動），筋肉（こわばり），四肢運動（異常）
パーキンソン症状	手足のこわばり，手のふるえ，顔がひきつる，動きが鈍い	
月経異常，乳汁分泌	生理不順，乳汁が出る	ミルタザピン，トラゾドン，ミアンセリンへの変更

†：厚生労働省の「重篤副作用疾患別対応マニュアル」参照

〔SSRI〕

主な副作用	患者に確認すべき症状	対策と PA のチェックポイント
嘔気・嘔吐	吐き気・吐く	モサプリド，ドンペリドン追加投与，ミルタザピンへの変更
食思不振，下痢	食欲がない，軟便・泥状便・水様便になる	減量もしくは中止 PA 腸音（↑）
性機能障害	女性：乳汁が出る，生理不順等 男性：性欲減退，勃起不全等	乳汁分泌に対してパーロデルの投与 勃起不全に対してバイアグラの投与

〔SNRI〕

主な副作用	患者に確認すべき症状	対策とPAのチェックポイント
排尿障害	尿の量が少ない，尿が出ない	減量もしくは中止 PA 尿量（↓），残尿（↑），体重（↑），浮腫（上眼瞼，下腿脛骨），下腹部（張り感，膨隆）
頭痛	頭が痛い	減量もしくは中止
頻脈，血圧上昇	脈が速くなる，血圧が上がる	SSRIやS-RIMへの変更 PA 脈拍（↑），血圧（↑）
性機能障害	女性：乳汁が出る，生理不順等 男性：性欲減退，勃起不全等	乳汁分泌に対してパーロデルの投与 勃起不全に対してバイアグラの投与

〔NaSSA〕

主な副作用	患者に確認すべき症状	対策とPAのチェックポイント
眠気	眠くなる	抗うつ薬の減量または服用方法の変更（夕から就寝前投与）
不眠，倦怠感	眠れない，体がだるい	減量もしくは休薬
体重増加	体重が増える	SSRIやSNRI，S-RIMへの変更 PA 体重（↑）

〔S-RIM〕

主な副作用	患者に確認すべき症状	対策とPAのチェックポイント
悪心	気分が悪い	ドンペリドン追加投与
下痢	軟便，泥状便，水様便になる	減量もしくは中止 PA 腸音（↑）
不眠，倦怠感	眠れない，体がだるい	減量もしくは休薬
頭痛	頭が痛い	減量もしくは中止
傾眠	眠くなる	減量もしくは用法の変更（夕から就寝前投与）

■ 重大な副作用と妊婦・授乳婦への危険度

薬剤名	重大な副作用	妊婦［授乳婦］
トフラニール	悪性症候群，セロトニン症候群，てんかん発作，無顆粒球症，麻痺性イレウス，間質性肺炎，好酸球性肺炎，心不全，QT延長，心室頻拍，抗利尿ホルモン不適合分泌症候群，肝機能障害，黄疸	C ［✕○］
アナフラニール	悪性症候群，セロトニン症候群，てんかん発作，横紋筋融解症，無顆粒球症，汎血球減少，麻痺性イレウス，間質性肺炎，好酸球性肺炎，抗利尿ホルモン不適合分泌症候群，QT延長，心室頻拍，肝機能障害，黄疸	C ［✕○］
トリプタノール	悪性症候群，セロトニン症候群，心筋梗塞，幻覚，せん妄，精神錯乱，けいれん，顔・舌部の浮腫，無顆粒球症，骨髄抑制，麻痺性イレウス，抗利尿ホルモン不適合分泌症候群	［✕○］
アモキサン	悪性症候群，けいれん，精神錯乱，幻覚，せん妄，無顆粒球症，麻痺性イレウス，遅発性ジスキネジア，皮膚粘膜眼症候群，中毒性表皮壊死融解症，急性汎発性発疹性膿疱症，肝機能障害，黄疸 類薬 抗利尿ホルモン不適合分泌症候群	［✕○］

薬剤名	重大な副作用	妊婦 [授乳婦]
プロチアデン	悪性症候群，抗利尿ホルモン不適合分泌症候群 **類薬** 無顆粒球症，麻痺性イレウス	[✕○]
アンプリット	悪性症候群 **類薬** 麻痺性イレウス，抗利尿ホルモン不適合分泌症候群	―
ノリトレン	てんかん発作，無顆粒球症，麻痺性イレウス **類薬** 悪性症候群，抗利尿ホルモン不適合分泌症候群，心室性頻拍	C [✕○]
ルジオミール	悪性症候群，てんかん発作，横紋筋融解症，皮膚粘膜眼症候群，無顆粒球症，麻痺性イレウス，間質性肺炎，好酸球性肺炎，QT 延長，心室頻拍，肝機能障害，黄疸	[✕○]
テトラミド	悪性症候群，無顆粒球症，QT 延長，心室頻拍，心室細動，肝機能障害，黄疸，けいれん	B2 [✕○]
テシプール	悪性症候群，無顆粒球症	[✕○]
デジレル，レスリン	QT 延長，心室頻拍，心室細動，心室性期外収縮，悪性症候群，セロトニン症候群，錯乱，せん妄，麻痺性イレウス，持続性勃起，無顆粒球症	[✕○]
ドグマチール	悪性症候群，けいれん，QT 延長，心室頻拍，肝機能障害，黄疸，遅発性ジスキネジア，無顆粒球症，白血球減少，肺塞栓症，深部静脈血栓症	[✕○]
デプロメール，ルボックス	けいれん，せん妄，錯乱，幻覚，妄想，意識障害，ショック，アナフィラキシー，セロトニン症候群，悪性症候群，白血球減少，血小板減少，肝機能障害，黄疸，抗利尿ホルモン不適合分泌症候群	C [✕○]
パキシル	セロトニン症候群，悪性症候群，錯乱，幻覚，せん妄，けいれん，中毒性表皮壊死融解症，皮膚粘膜眼症候群，多形紅斑，抗利尿ホルモン不適合分泌症候群，重篤な肝機能障害，横紋筋融解症，汎血球減少，無顆粒球症，白血球減少，血小板減少，アナフィラキシー	D [✕○]
ジェイゾロフト	セロトニン症候群，悪性症候群，けいれん，昏睡，肝機能障害，抗利尿ホルモン不適合分泌症候群，皮膚粘膜眼症候群，中毒性表皮壊死融解症，アナフィラキシー，QT 延長，心室頻拍	C [✕○]
レクサプロ	けいれん，抗利尿ホルモン不適合分泌症候群，セロトニン症候群，QT 延長，心室頻拍	C [✕○]
トレドミン	悪性症候群，セロトニン症候群，けいれん，白血球減少，重篤な皮膚障害，抗利尿ホルモン不適合分泌症候群，肝機能障害，黄疸，高血圧クリーゼ	[✕○]
サインバルタ	セロトニン症候群，悪性症候群，抗利尿ホルモン不適合分泌症候群，けいれん，幻覚，肝機能障害，肝炎，黄疸，皮膚粘膜眼症候群，アナフィラキシー反応，高血圧クリーゼ，尿閉	B3 [✕○]
イフェクサーSR	セロトニン症候群，悪性症候群，抗利尿ホルモン不適合分泌症候群，QT 延長，心室頻拍，心室細動，けいれん，アナフィラキシー，中毒性表皮壊死融解症，皮膚粘膜眼症候群，多形紅斑，横紋筋融解症，無顆粒球症，再生不良性貧血，汎血球減少症，好中球数減少，血小板数減少，間質性肺疾患，高血圧クリーゼ，尿閉	B2 [✕○]
リフレックス，レメロン	セロトニン症候群，無顆粒球症，好中球減少症，けいれん，肝機能障害，黄疸，抗利尿ホルモン不適合分泌症候群，皮膚粘膜眼症候群，多形紅斑，QT 延長，心室頻拍	B3 [✕○]

No.9　抗うつ薬

薬剤名	重大な副作用	妊婦[授乳婦]
トリンテリックス	セロトニン症候群，けいれん，抗利尿ホルモン不適合分泌症候群	B3

■ その他の指導ポイント

	患者向け	薬剤師向け
使用上の注意	・症状に合わせて薬の分量を加減しているので医師の指導をよく守ってください	うつ病は身体と精神の不調を起こす病気で，薬による治療と心身両面の休養により完治することを患者および家族に説明し，薬の必要性を理解してもらいノンコンプライアンスを防ぐ。また，抗うつ薬は効果が出るまでに数日から数週間かかり，よくなったとしてもしばらく（少なくとも3カ月）「揺りもどし」を防ぐために医師の指導のもとに根気よく服用しなければならない旨と口渇，便秘，眠気，立ちくらみ，排尿障害などの副作用が出やすいため，薬を中断しないように十分説明する。ただし，説明の際には「副作用」という言葉は過敏な患者が多いので避けたほうがよい ・うつ症状を呈する患者は希死念慮があり，自殺企図のおそれがあるので，このような患者には注意深く観察しながら投与する ・〔ドグマチール〕制吐作用を有するため，他剤中毒・疾患に伴う嘔吐症状を不顕性化することがある
	・この薬の服用中は，車の運転等，危険を伴う機械の操作は行わないでください ・〔トフラニール，アナフラニール，トリプタノール，アモキサン，プロチアデン，アンプリット，ノリトレン，ルジオミール，サインバルタ，リフレックス，レメロン，トリンテリックス〕緑内障で眼科にかかってる人は申し出てください	眠気，注意力，集中力，反射運動能力等の低下が起こることがあるため 抗コリン作用（サインバルタ，リフレックス，レメロン以外）やノルアドレナリン再取り込み阻害作用（サインバルタ），ノルアドレナリン放出促進作用（リフレックス，レメロン），セロトニントランスポーター阻害作用（トリンテリックスにより眼圧上昇のおそれがある）
	・〔トフラニール，アナフラニール，トリプタノール，プロチアデン，ノリトレン，ルジオミール，トレドミン〕尿閉（前立腺疾患等）のある方は症状が悪化することがありますので，服用しないでください	抗コリン作用（トレドミン以外）やノルアドレナリン再取り込み阻害作用（トレドミン）により症状を悪化させるおそれがある
	・〔デプロメール，ルボックス，トレドミン〕この薬はかみ砕かずに服用してください	・〔デプロメール，ルボックス〕かみ砕くと苦みがあり舌のしびれ感が現れることがあるため ・〔トレドミン〕かみ砕くと苦みがあるため

使用上の注意	・〔サインバルタ〕この薬はカプセルの中身を砕いたり，すりつぶしたりせず服用してください	原薬が酸に不安定で，胃酸で失活することがあるため腸溶性コーティングを施している
	・〔トフラニール，アナフラニール，デプロメール，ルボックス，パキシル，ジェイゾロフト，トリンテリックス〕この薬は飲むのを急にやめると悪心，不安，不眠，頭痛，筋れん縮等の症状が現れることがありますので勝手に服用を中止しないでください	急に中止すると悪心，神経過敏，不安，不眠，頭痛，筋れん縮等が起こることがあるので徐々に減量する
	・〔トフラニール，アナフラニール〕長期投与で虫歯になりやすくなりますので口の中を清潔にしてください	抗コリン作用に伴う唾液分泌減少により口中洗浄能低下が起こるためと考えられる
	・〔トフラニール，アナフラニール，ルジオミール〕この薬の服用中にコンタクトレンズを使用している場合，角膜に障害が現れることがありますので注意してください	抗コリン作用により涙液分泌が減少することにより，角膜上皮の障害が現れることがある
	・〔トレドミン〕この薬は空腹時に飲むのを避けてください	嘔気，嘔吐が強く出るため
	・〔ジェイゾロフトOD〕この薬は口の中で溶けますが，溶けた後，唾液または水で飲み込んでください	口腔粘膜からの吸収で効果発現を期待する製剤ではないため唾液または水で飲み込む
	食 この薬の服用中にアルコールを飲むと，薬の作用が強く出るので控えてください	中枢神経抑制作用が増強されることがあるため併用注意
	食 〔トリプタノール〕この薬の服用中にセイヨウオトギリソウ，ツキミソウ油を含む食品はとらないでください	・セイヨウオトギリソウ中成分により本剤の血中濃度が低下し効果減弱されることがあるため併用注意 ・ツキミソウ油中のgamolenic acidによりけいれん閾値が低下しけいれん誘発
	食 〔デジレル，レスリン〕この薬の服用中にイチョウ葉エキスを含む食品はとらないでください	副作用出現のため
	食 〔パキシル，レクサプロ〕この薬の服用中にセイヨウオトギリソウ，L-トリプトファン等含む食品(セロトニン前駆物質)はとらないでください	相互にセロトニン作用が増強するおそれがあるため併用注意
	食 〔デプロメール，ルボックス，ジェイゾロフト，サインバルタ，イフェクサーSR，リフレックス，レメロン，トリンテリックス〕この薬の服用中にセイヨウオトギリソウを含む食品はとらないでください	〃

| 服用を忘れたとき | ・〔トリプタノール（夜尿症を除く）以外〕思い出したとき（リフレックス，ジェイゾロフト，イフェクサーSR：1日以内）すぐに服用する。ただし次の服用時間が近いとき（プロチアデン：4〜5時間以内）は忘れた分は服用しない（2回分を一度に服用しないこと）
・〔トリプタノール：夜尿症〕飲み忘れに気づいても服用しない。翌日から夜寝る前に服用する（2回分を一度に服用しないこと） |

抗うつ薬の副作用特性，主な代謝酵素，阻害作用を示す酵素

分類	薬物	不眠と激越	鎮静	起立性低血圧	抗コリン作用	消化器症状	性機能障害	体重増加	大量服薬時の致死性	主な代謝酵素（CYP）	阻害作用を示す主なCYP
三環系	アミトリプチリン クロミプラミン イミプラミン	+〜++	+〜++	++	++〜+++	0/+	+	++	高	2D6 (他に1A2, 3A4, 2C19)	2C19
四環系	マプロチリン ミアンセリン	0/+	+〜++	+	0/+	0/+	0/+	+〜++	低〜高	2D6 1A2, 2D6, 3A4	
その他	トラゾドン	0/+	+++	+	0/+	+	++	+	低	3A4, 2D6	
SSRI	フルボキサミン	++	+	0/+	0/+	+++ ++	++	+	低	2D6	1A2, 2C19
	パロキセチン					+				2D6	2D6
	セルトラリン		0/+							2C19, 2C9, 2B6, 3A4	2D6
	エスシタロプラム									2C19	
SNRI	ミルナシプラン	++	0/+	0/+	0/+	+〜++	++	0/+	低	(グルクロン酸抱合)	2D6
	デュロキセチン					+				1A2, 2D6	
	ベンラファキシン					+〜++				2D6	
NaSSA	ミルタザピン	0/+	+++	+	0/+	0/+	0/+	+++	低	1A2, 2D6, 3A4	
S-RIM	ボルチオキセチン	+	0/+	0/+	0/+	+	0/+	0/+	低	2D6 (主に酸化グルクロン酸抱合)	

(Mann JJ: The medical management of depression. N Engl J Med, 353(17): 1819-1834, 2005, 各社インタビューフォームより作成)

別表 ［禁忌］

分類	商品名	閉塞隅角緑内障	三環系抗うつ薬過敏症（既往歴）	心筋梗塞の回復初期	QT延長症候群	尿閉	褐色細胞腫の疑い	本剤過敏症（既往歴）	けいれん性疾患・これらの既往歴	プロラクチン分泌性下垂体腫瘍	高度の肝障害	高度の腎障害
三環系	トフラニール	○	○	○	○	○		○				
	アナフラニール	○	○	○	○	○		○				
	トリプタノール	○	○	○		○						
	アモキサン	○	○	○								
	プロチアデン	○	○			○						
	アンプリット	○	○									
	ノリトレン	○	○			○		○				
四環系	ルジオミール	○		○		○		○	○			
	テトラミド							○				
その他	デジレル，レスリン							○				
	ドグマチール						○	○		○		
SSRI	デプロメール，ルボックス							○				
	パキシル							○				
	ジェイゾロフト							○				
	レクサプロ				○			○				
SNRI	トレドミン					○		○				
	サインバルタ	*						○			○	○
	イフェクサーSR							○			○	○
NaSSA	リフレックス，レメロン							○				
S-RIM	トリンテリックス							○				

＊：コントロール不良の閉塞隅角緑内障

No.9 抗うつ薬

シナプスにおける抗うつ薬イメージ

抗うつ薬は、脳内のセロトニン、ノルアドレナリン、ドパミンの再取り込みを阻害し、シナプス間隙におけるこれらの伝達物質の濃度を増加させることにより、神経伝達を強化し、抗うつ効果を発揮する。

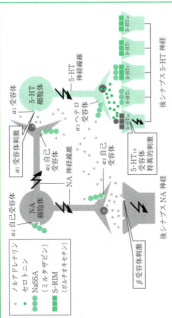

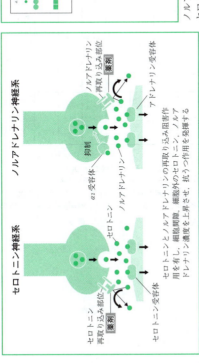

SSRI：選択的セロトニン再取り込み阻害薬（Selective Serotonin Reuptake Inhibitor：SSRI）は、セロトニンの再取り込みのみを選択的に阻害する薬剤である。三環系抗うつ薬で問題となった、抗コリン、抗ヒスタミンなどの受容体に対する作用を持たないため、これらの伝達物質によって生じる副作用をもたらさない
SNRI：セロトニン・ノルアドレナリン再取り込み阻害薬（Serotonin-Noradrenaline Reuptake Inhibitor：SNRI）はセロトニンとノルアドレナリン再取り込みに特化した抗うつ薬である。SNRIはセロトニンとノルアドレナリンのみを改善するSSRIにノルアドレナリン神経系への作用を併せもつために、うつ病により有効であると考えられている
（村岡寛之：6 各抗うつ薬の特徴と使い方：2. 抗うつ薬. 第2部名薬剤の特徴と使い方. はじめにかかる精神科の薬（稲田健・編）、羊土社、2018 より一部本当にかかる精神科の薬改訂版を改変）

NaSSA：SSRI, SNRI がシナプスにおける神経伝達物質の再取り込みを阻害するのに対して、ノルアドレナリン作動性・特異的セロトニン作動性抗うつ薬（Noradrenergic and Specific Serotonergic Antidepressant：NaSSA）はセロトニン、ノルアドレナリンの分泌量そのものを増やす作用がある。すなわち、シナプス前 $α_2$ 自己受容体とヘテロ受容体に対して遮断薬として作用し、ノルアドレナリンとセロトニンの神経伝達物質を増強する。また、5-HT$_2$ 受容体と 5-HT$_3$ 受容体を遮断する作用があるため、抗うつ作用に関連する 5-HT$_{1A}$ 受容体のみを特異的に活性化し抗うつ作用を発揮する
S-RIM：セロトニン再取り込み・セロトニン受容体モジュレーター（Serotonin Reuptake Inhibitor/receptor Modulator）は、セロトニン再取り込み阻害作用に加えて、うつに関係するセロトニン 5-HT$_{1A}$ 受容体を刺激する。さらに、5-HT$_{1B}$ 受容体部分作動性、5-HT$_{1D, 3, 7}$ 受容体遮断作用により様々なモノアミンを調節しての抗うつ作用を発揮する
(Dinan, T.G.: Noradrenergic and serotonergic abnormalities in depression: stress-induced dysfunction? J Clin Psychiatry. 57(Suppl 4): 14-18, 1996 より作成)

ノルアドレナリン (5-HT$_{1A}$) 受容体刺激の増強 …… NaSSA
セロトニン (5-HT$_3$, 5-HT$_7$, 5-HT$_{1D}$) 受容体遮断：S-RIM
ノルアドレナリン遊離促進 …… NaSSA

抗うつ薬の

分類		商品名	再取り込み阻害作用		神経伝達物質受容体遮断作用						※	体内動態	
			ノルアドレナリン	セロトニン	H_1	M	a_1	a_2	5-HT_2	5-HT_3	D_2	5-HT_3	T_{max}(h)	$T_{1/2}$(h)
三環系	第一世代	トフラニール	++	++	++	++	+	−	++	−	−	−	2〜5	9〜20
		アナフラニール	+	++	+	+	+	−	+	−	+	−	1.5〜4	21
		トリプタノール	++	++	++	++	++	−	++	−	+	++	4.5	15
		ノリトレン	++	±	++	+	+	−	++	−	−	++	4.4〜8.8	27
		アモキサン	++	±	+	±	+	−	+++	−	+	++	1〜1.5	8, 30[*1]
	第二世代	プロチアデン	++	++	+						±		4	14〜22
		アンプリット	++	+					++				1〜2	3
四環系		ルジオミール	++		++	±	+		+	+++	−		6〜12	45
		テトラミド	+		++	++	++	++	+++			++	2	18
		テシプール	−		+	±	±	++	++				1〜3	$a:2, β:24$
その他		デジレル／レスリン	−	++	−	−	+	±	++	−		++	3〜4	6〜7
		ドグマチール	−	−	−	−	−	−	++		++		2	10.5
SSRI	第三世代	デプロメール／ルボックス	−	+++	−	−	−	−	−	−	−	−	5.5 ± 2.1	12.8 ± 2.4
		パキシル	+/−	+++	−	−	−	−	−	±	−	−	5.05 ± 1.22	14.35 ± 10.99
		ジェイゾロフト	−	+++	−	−	−	−	−	±	−	−	6.7 ± 1	24.1 ± 7.9
		レクサプロ	−	+++	−	−	−	−	−	±	−	−	3.8〜4.3	24.6〜27.7
SNRI	第四世代	トレドミン	++	+	−	−	−	−	−	−	−	−	2.6 ± 1.1	8.2 ± 1.3
		サインバルタ	++	+++	−	−	−	−	−	−	−	−	5.7〜6.7	$β:12.09〜17.26$
		イフェクサーSR	++	+++	−	−	−	−	−	−	−	−	未変化体6 主代謝物8〜10	未変化体8.5 ± 2.4 主代謝物11.8 ± 1.3
NaSSA		リフレックス／レメロン	−	−	+++	−	−	++	++	+++	−	++	1.5	23
S-RIM		トリンテリックス	++	+++	−	−	−	−	+	+++	−	+++	6〜14	65.06（反復投与）

H_1：ヒスタミン H_1, M：ムスカリン, a_1：a_1アドレナリン, a_2：a_2アドレナリン,
5-HT_2：セロトニン 5-HT_2, 5-HT_3：セロトニン 5-HT_3, D_2：ドパミン D_2
＋＋＋：たいへん強い, ＋＋：中程度に強い, ＋：ある, ±：あるかないか微妙, −：認められない
T_{max}：最高血中濃度到達時間, $T_{1/2}$：半減期, 定常：定常状態到達日数, ＊1：代謝産物（8-ヒドロキシアモキサピン）, ＊2：100 mg・200 mgを除く, ＊3：CRを除く, ＊4：糖尿病性神経障害, 線維筋痛症, 慢性腰痛症, 変形性関節症
※神経伝達物質受容体親和性

薬理作用

体内動態 定常(day)	うつ病 うつ状態	遺尿症 夜尿症	統合 失調症	強迫性 障害	社会不安 障害	パニック 障害	胃・十二指 腸潰瘍	ナルコレプシー に伴う 情動脱力発作	末梢性 神経障害性 疼痛	外傷後 ストレス 障害	*4に伴う 疼痛
7	○	○									
7~14	○	○						○			
7~21	○	○							○		
6	○										
約5	○										
3	○										
5~8	○										
14	○										
不明	○										
6~9	○										
2	○										
不明	○		○				○*2				
3	○			○	○						
7	○			○*3	○*3	○*3				○*3	
5	○					○					
15	○				○						
5	○										
7	○										○
3	○										
7	○										
	○										

SSRI：Selective Serotonin Reuptake Inhibitor, SNRI：Serotonin-Noradrenaline Reuptake Inhibitor
NaSSA：Noradrenergic and Specific Serotonergic Antidepressant
S-RIM：Serotonin Reuptake Inhibitor/receptor Modulator

うつ病の日常生活のポイント

　人は誰でも悲しいことや失敗を体験すると，気分が沈んで落ち込んだり憂うつになることがありますが，たいていは時間が経てば元に戻ります。ところがこの状態がいつまでも回復せず，生活に支障が出てくる場合を「うつ病」といいます。
うつ病の症状としては
　　精神症状：気分が落ち込む，自信がなくなる，悲観的になる，気力がなくなる，おっくうになる，不安になる，判断力が低下する
　　身体的症状：眠れない，食欲が落ちる，体がだるい，肩こり，頭が重い，めまい，便秘，性欲が落ちる
などといった症状があります。
　うつ病は，大変苦しく，治らないのではないかと考えられがちですが，適切な治療を受けて，上手につき合っていけばほとんど治る病気です。

【うつ病とのつき合い方】
1. なるべく休養，睡眠をとり，心と体をゆっくり休ませましょう。仕事や家事から離れのんびり過ごしましょう。
職場や学校などには診断書を提出するなどして，休みを取りましょう。
旅行やスポーツは疲れを伴うので，よくない場合もあります。
2. うつ病は，怠けたり気がたるんだりしているわけではありません。
自分を責めたり無理をするのはやめましょう。
3. 病気の時には何事もよくない方に考えがちなので，重大な問題は現状のままにして，決定したり実行したりすることはなるべく避けましょう。
「離婚する」「退職する」「引っ越しする」「学校をやめる」などの決定は先に延ばしましょう。
4. 病気の状態は一進一退を繰り返しながら回復に向かうので，その時々の状態に一喜一憂せず，焦ることなく気分をゆったりと持ちましょう。
5. 以前にうつ病にかかった方は，自分の性格をよく理解し，物事に柔軟に対応し，疲労をためないようにして，再発させないように注意しましょう。
6. つらいからといってお酒に逃げたりするのはやめましょう。
7. 主治医の指示に従い，薬をきちんと飲みましょう。
副作用が出ることがありますが，勝手にやめるのではなく，必ず主治医に相談しましょう。

10 抗パーキンソン病薬

■ 抗パーキンソン病薬─薬物治療の確認と指導のポイント

項目	確認のポイント
パーキンソン病の進行度の確認	パーキンソン病：中脳の黒質が変性することによりドパミンが欠乏し，大脳基底核による運動の制御が障害され，スムーズな運動ができなくなる神経変性疾患 **症状** ・錐体外路症状：無動（運動緩慢），安静時振戦，筋強剛（固縮），姿勢反射障害，歩行障害（小刻み歩行，すくみ足） ・自律神経障害：便秘，排尿障害，起立性低血圧，脂漏性皮膚炎 ・精神症状：抑うつ，認知症，不安 **ホーン・ヤール Hoehn-Yahr 重症度分類** Ⅰ度：症状は体の片側のみ，振戦や筋強剛がみられる。日常生活にほとんど影響しない Ⅱ度：症状は体の両側，前かがみになってくる。日常生活はやや不便だが可能 Ⅲ度：姿勢反射障害が顕著になり，小刻み歩行，すくみ足，転倒など歩行障害が目立つ。日常生活に制限はあるが介助なしに過ごせる Ⅳ度：立ち上がりや歩行などが自力で困難となり，介助で歩行はどうにか可能。生活のさまざまな場面で介助が必要 Ⅴ度：立つことが不可能となり，車いすやベッド上で過ごすことが多くなる。日常生活に全面的な介助が必要
早期パーキンソン病患者の薬物療法の確認	早期パーキンソン病治療のアルゴリズム 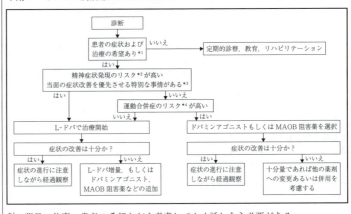 *1 背景，仕事，患者の希望などを考慮してよく話し合う必要がある *2 認知症の合併など *3 症状が重い（例えばホーン-ヤール Hoehn-Yahr 重症度分類で3度以上），転倒リスクが高い，患者にとって症状改善の必要度が高い，など *4 65歳未満の発症など （日本神経学会・監，「パーキンソン病治療ガイドライン」作成委員会・編：パーキンソン病診療ガイドライン2018，p 107，医学書院，2018）

項目	確認のポイント
	・レボドパ製剤主体で治療を開始。十分な処方を行えば3〜5年は良い状態が続くがレボドパの用量が増加したり長期に及ぶと不随意運動の運動合併症が発現。レボドパ以外の治療薬はレボドパを節減することにより運動合併症の発現を抑制する目的で使用
進行期パーキンソン病患者のウェアリングオフ対策の確認	ウェアリングオフを呈する進行期パーキンソン病患者の治療アルゴリズム L-ドパを1日3回投与しても，薬の内服時間に関連した効果減弱がある（ウェアリングオフ） ↓ L-ドパを1日4〜5回投与，またはドパミンアゴニストを開始，増量，変更*1 ↓ エンタカポン，MAOB阻害薬，イストラデフィリン，ゾニサミドなどの併用 ↓ さらにL-ドパの頻回投与およびドパミンアゴニスト増量，変更（アポモルヒネ*2併用も含む） ↓ 適応を十分考慮したうえでDAT*3の導入を検討 *1　ウェアリングオフ出現時には投与量不足の可能性もあるので，L-ドパを1日3〜4回投与にしていない，あるいはドパミンアゴニストを十分加えていない場合は，まずこれを行う *2　アポモルヒネは進行期パーキンソン病患者のオフ症状に対するレスキュー治療として使用する。オフの発現時に皮下注射する *3　DAT：device aided therapy（本邦では脳深部刺激療法 DBS および L-ドパ持続経腸療法がこれに該当する） （日本神経学会・監，「パーキンソン病治療ガイドライン」作成委員会・編：パーキンソン病診療ガイドライン 2018, p 125, 医学書院，2018 より一部改変）
薬剤性パーキンソニズム発現の有無の確認	パーキンソニズムを誘発しうる薬剤を問診で確認（原因薬物中止から症状が消失するまで2〜3カ月かかることが多い） ・抗精神病薬（クロルプロマジン，ハロペリドール，スルピリド） ・抗潰瘍薬（スルピリド，メトクロプラミド） ・降圧薬（メチルドパ，レセルピン）

No.10 抗パーキンソン病薬

項目	確認のポイント
各治療薬の代表的な副作用の確認 (副作用モニタリング用に効率的で検出力の高い問診表を作成しておくと便利)	抗パーキンソン病薬は特に継続して服用するタイプの薬であり、また自己判断で薬の調整や中止を行うと重篤な転帰につながるため、必発する副作用については患者・家族に十分に説明し理解してもらうことが重要である ・悪性症候群：高熱，意識障害，強い筋強剛，不随意運動，血清 CK 値異常高値，横紋筋融解症などを生じ、重症例では致死的。どの抗パーキンソン病薬でも生じる。急な薬の減量や中止、また脱水症や感染症で誘発されやすいので、抗パーキンソン病薬の急激な中断を避けるため、普段から自己判断で薬の調整や中止を行わないように、また発熱や感染症時にはしっかりと水分や食事をとり、高体温に対して冷却するように説明しておく ・悪心・嘔吐：レボドパ，ドパミンアゴニストでは頻度の高い副作用。飲み始めの軽症であれば、継続服用することで軽減・軽快してくることを説明する。吐き気止めにメトクロプラミドは避け、レボドパ製剤内服に伴う悪心・嘔吐に保険適応のあるドンペリドンが選択されているか確認する ・心臓弁膜症・胸膜線維症：麦角系ドパミンアゴニストに特徴的。服用中は心エコーで弁膜症のモニタリングを6～12カ月ごとに実施されているか確認する ・行動制御障害：主にドパミンアゴニストに多い。薬物治療に伴って病的賭博、病的性欲亢進、強迫的購買、病的むちゃ食い(暴食)などが起こることがある。これらの症状は重複して起こることもある。患者面談時に問題行動の有無を把握しておく ・突発的睡眠，日中傾眠：主に非麦角系アゴニスト。前兆のない突発的睡眠、傾眠により自動車事故を起こした例が報告されている。投与開始後1年以上経過して初めて突発的睡眠が発現した例もあるため長期的にモニタリング ・精神症状：どの抗パーキンソン病薬でも生じるが、特に抗コリン薬，アマンタジン，ドパミンアゴニストの発現リスクが高い。認知機能の低下した高齢者に抗コリン薬や高用量のドパミンアゴニストが投与されていないか確認する ・網状皮斑，幻視などの精神症状，ミオクローヌス：アマンタジンで特徴的な網状皮斑が下肢に出現することがある。腎機能の低下した高齢者ではアマンタジンの副作用が発現しやすい ・起立性低血圧，血圧低下：多量のレボドパやドパミンアゴニスト、MAO-B 阻害薬使用時に出現しやすい。高齢者は特に注意。パーキンソン病の進行に伴っても出現する。転倒・転落など最近のイベントの有無を確認し、薬物療法の効果減弱に伴うものか副作用によるものかを鑑別する ・抗コリン作用：抗コリン薬服用中は尿閉(前立腺肥大症などの尿路に閉塞性疾患のある患者)，口渇，高血圧症の症状悪化，認知機能障害(長期間、多量の抗コリン薬を内服するとリスク上昇)，発汗減少の程度を確認する ・便秘：パーキンソン病の運動症状出現前の前駆症状としても知られている。抗コリン薬やドパミンアゴニストで生じやすい。当該薬の減量・中止、下剤の使用、水分摂取の励行で対処 ・夜間不眠：MAO-B 阻害薬のセレギリンが有名であるが、パーキンソン病自体の症状としても発現する ・高血圧：ドロキシドパは昇圧作用があり、就寝中に臥床高血圧を来たすことがある ・ニューロパチー：デュオドーパ投与中に確認しておく ・下腿浮腫：ドパミンアゴニストで知られている ・体液(尿，汗，唾液)が黒っぽい、尿が赤い：レボドパ含有製剤服用中に体液が黒くなっていないか、エンタカポン服用中に尿が赤褐色に変色していないか確認する

■ 対象薬剤

(A) レボドパ（L-ドパ）含有製剤
　①レボドパ単剤：レボドパ（ドパストン，ドパゾール）
　②レボドパ・DCI[※1]（ベンセラジド）配合剤（イーシー・ドパール，ネオドパゾール，マドパー）
　③レボドパ・DCI[※1]（カルビドパ）配合剤（ネオドパストン，メネシット）
　④レボドパ・DCI[※1]（カルビドパ）配合剤空腸投与用（L-ドパ持続経腸療法薬）（デュオドーパ配合経腸用液）
　⑤レボドパ・DCI[※1]（カルビドパ）・COMT[※2]阻害薬配合剤（スタレボ）
(B) ドパミンアゴニスト
　①麦角系：ブロモクリプチンメシル酸塩（パーロデル），ペルゴリドメシル酸塩（ペルマックス），カベルゴリン（カバサール）
　②非麦角系：プラミペキソール塩酸塩（ビ・シフロール，ミラペックスLA），ロピニロール塩酸塩（レキップ，レキップCR，ハルロピテープ），ロチゴチン（ニュープロパッチ），アポモルヒネ塩酸塩（アポカイン皮下注）
(C) MAO-B[※3]阻害薬：セレギリン塩酸塩（エフピー），ラサギリンメシル酸塩（アジレクト），サフィナミドメシル酸塩（エクフィナ）
(D) COMT[※2]阻害薬：エンタカポン（コムタン），オピカポン（オンジェンティス）
(E) ドパミン遊離促進薬：アマンタジン塩酸塩（シンメトレル）
(F) 抗コリン薬：トリヘキシフェニジル塩酸塩（アーテン），ビペリデン塩酸塩（アキネトン）
(G) ノルアドレナリン前駆物質：ドロキシドパ（ドプス）
(H) レボドパ賦活薬：ゾニサミド（トレリーフ）
(I) アデノシン A_{2A} 受容体拮抗薬：イストラデフィリン（ノウリアスト）
＊パーロデルについてはNo.43 産婦人科用薬⑤（p.618）参照

　　　※1　DCI：dopa decarboxylase inhibitor（ドパ脱炭酸酵素阻害薬）
　　　※2　COMT：catechol-o-methyl transferase（カテコール-o-メチル基転移酵素）
　　　※3　MAO-B：monoamine oxidase B（モノアミン酸化酵素B）

■ 指導のポイント

	患　者　向　け	薬剤師向け
薬効	この薬は動作が遅くなったり動きづらかったり，手足や首のふるえ，体のこわばり，不安定な姿勢を改善する薬です	パーキンソン病の中核症状である運動症状（無動，振戦，筋強剛，姿勢反射障害など）改善作用 （薬理作用は詳しい薬効参照）
	☆この薬は脳の神経の働きを活発にして脳梗塞後遺症の意欲・自発性の低下を改善する薬です（シンメトレル）(参) No.26 脳循環・代謝改善薬，抗認知症薬	脳神経伝達改善作用
	☆この薬はA型インフルエンザウイルスの増殖を抑えてインフルエンザ感染症の症状（発熱，頭痛，筋肉痛，咽頭痛など）を改善したり予防する薬です（シンメト	抗A型インフルエンザウイルス作用

薬効		
	レル）（参）No.26 脳循環・代謝改善薬，抗認知症薬	
	☆この薬は成長ホルモンの過剰な分泌を抑えて先端巨大症や下垂体性巨人症の症状を改善する薬です（パーロデル）	→脳下垂体前葉ドパミン受容体刺激作用にて成長ホルモン分泌低下
	☆この薬は乳汁の分泌を抑えたり不妊の原因となるホルモンを抑えたりする薬です（パーロデル，カバサール）（参）No.43 産婦人科用薬⑤	→脳下垂体前葉ドパミン受容体刺激作用にてプロラクチン分泌低下
	☆この薬は血管を収縮させるノルアドレナリンというホルモンに体内で変換されて，起立性低血圧に伴うめまい・ふらつき・立ちくらみ，倦怠感や脱力感を改善する薬です（シャイドレーガー症候群，家族性アミロイドポリニューロパチー，血液透析患者）（ドプス）（参）No.21 昇圧薬（低血圧治療薬）	→血管平滑筋 $α_1$ 受容体刺激作用
	☆この薬はレストレスレッグス症候群の症状（安静時に足がむずむずしてじっとできない，足にかゆみや痛み，熱感などの不快感を生じる）を改善する薬です（ビ・シフロール，ニュープロパッチ 2.25 mg・4.5 mg）（参）No.11 レストレスレッグス症候群治療薬	→ドパミン作動系神経増強作用
	☆この薬はレビー小体型認知症に伴うパーキンソニズム（パーキンソン病で認められる運動症状：安静時のふるえ，肘や手首を動かしたときにガクガクと歯が噛み合うような抵抗，遅い動作，姿勢保持困難）を改善する薬です（トレリーフ 25 mg のみ）	→ドパミン賦活作用，MAO-B 阻害作用。レビー小体型認知症は認知障害とパーキンソニズムを呈するのが特徴で，レボドパ含有製剤を使用してもパーキンソニズムが残存する場合にレボドパ製剤と併用
詳しい薬効	・この薬はドパミン補充療法に用いられパーキンソン病治療の主軸薬です。ドパミンは血液脳関門の透過性が悪いため脳内移行性のよいドパミン前駆物質のレボドパの形で投与し，脳内でドパミンに変換され不足したドパミンを補います。レボドパは運動症状の改善効果が最も高いです（アポカイン皮下注を除く）。現在レボドパ・DCI 配合剤（A-②〜⑤）が主流で，レボドパ単独（A-①）では分解されるためドパ脱炭酸酵素阻害薬（DCI）によって末梢血液中でのドパミンへの分解を抑えて脳内移行量を増やし副作用も軽減しました。運動症状のコントロール不良例にはデバイス療法のデュオドーパ配合経腸用液（A-④）も用いられるようになりました（レボドパ含有製剤：A） ・この薬はドパミン補充療法に用いられレボドパと並ぶパーキンソン病治療の主軸薬です。線条体のドパミン D_2 受容体に結合してドパミン様作用を示します。作用時間が比較的長くレボドパの節減効果があります。運動合併症のリスクの高い 65 歳以下の患者に選択されますが，麦角系（B-①）は心臓弁膜症の副作用のため第一選択薬となりません。非麦角系（B-②）は突発的睡眠や衝動制御障害の副作用に注意が必要です。アポカイン皮下注は進行期のオフ状態の救済を目的とした自己注射製剤です（ドパミンアゴニスト：B）	

|詳しい薬効|・この薬は脳内ドパミンの主な代謝酵素のMAO-Bを選択的に阻害してレボドパの効果を増強し持続時間を延長させます。ウェアリングオフやオフ症状を改善します。運動合併症のリスクの高い65歳以下の患者の早期の単独療法や進行期のレボドパ併用療法に用いられます（MAO-B阻害薬：C）
・この薬は末梢血液中でレボドパから3-o-メチルドパへの代謝を阻害してレボドパの効果を増強し持続時間を延長させます。進行期のレボドパ併用療法に用いられます（COMT阻害薬：D）
・この薬は早期パーキンソン病では線条体のドパミン神経末端からのドパミン放出を促進するため，単剤で使用できます。レボドパよりも効果は弱いが効き目が早く，進行期のジスキネジアにも用いられます（ドパミン遊離促進薬：E）
・この薬は線条体でドパミンの欠乏に伴い相対的に亢進しているムスカリン受容体を遮断して，ドパミンとアセチルコリンのアンバランスを是正します。単剤で運動症状（特に振戦）を改善します。レボドパ含有製剤や他の抗パーキンソン病薬とも併用できます（抗コリン薬：F）
・この薬は血液脳関門を通過して脳内のドパ脱炭酸酵素によりノルアドレナリンに変換されます。パーキンソン病の進行に伴う青斑核の変性によるノルアドレナリン不足を補って，立ちくらみ，すくみ足を改善します。起立性低血圧の治療薬でもあります（ノルアドレナリン前駆物質：G）
・この薬はMAO-B阻害作用やチロシンからレボドパへの代謝促進によりドパミンを増やしてドパミン神経伝達を賦活させます。ウェアリングオフや運動症状（特に振戦）の改善目的に進行期のレボドパ併用療法で使用されます（レボドパ賦活薬）
・この薬はウェアリングオフの改善を目的とした非ドパミン系治療薬で，進行期のレボドパ併用療法で使用されます。大脳基底核では抑制系のGABA作動性シナプス伝達により運動機能が低下しますが，このGABA作動性ニューロンのアデノシンA_{2A}受容体を遮断することによりGABAの過剰を抑え運動機能の改善をはかります（アデノシンA_{2A}受容体拮抗薬：I）|

	患者向け	薬剤師向け
	〔B-②〕急な耐えがたい眠気・突然の眠り→込み，意識がぼんやりしてほとんど眠っている状態に陥ることがありますので，薬の服用中は自動車の運転，機械の操作，高所作業等危険を伴う作業は絶対に行わないでください	前兆のない突発的睡眠や傾眠による自動車事故の報告があるため，これらの副作用について説明し，服用中には自動車の運転，機械の操作，高所作業等危険を伴う作業に従事させない

警告　〔エフピー〕①三環系抗うつ薬と併用禁忌。本剤中止後三環系抗うつ薬を開始するには14日以上の間隔をあける②本剤は用量の増加とともにMAO-Bの選択性が低下し非選択的MAO阻害による危険性のため1日10mgを超えない
〔シンメトレル〕①A型インフルエンザウイルス感染症の治療・予防には特に医師が必要と判断した場合にのみ慎重に投与。予防効果はワクチンの補完程度。A型以外のインフルエンザウイルス感染症には効果なし。短期投与中の患者で自殺企図の報告があるため，精神障害や中枢神経系作用薬投与中の患者では有益性が危険性を上回る場合のみ投与②てんかんとその既往，けいれん素因のある患者では発作の誘発と悪化に注意して異常が認められたら減量等適切な措置③催奇形性が疑われる報告や動物実験で催奇形性の報告があるため妊婦に投与禁忌

禁忌
- 本剤過敏症既往
- 〔A，F，ドプス〕閉塞隅角緑内障
- 〔スタレボ，D〕悪性症候群既往，横紋筋融解症既往
- 〔B-①〕麦角アルカロイド過敏症既往，心エコー検査で確認された心臓弁尖肥厚・心臓弁可動制限とこれらに伴う狭窄等の心臓弁膜の病変
- 〔ペルマックス以外のB-①〕妊娠高血圧症候群（妊娠中毒症），産褥期高血圧
- 〔アポカイン皮下注以外のB-②，エクフィナ，シンメトレル，ドプス，トレリーフ，ノウリアスト〕妊婦
- 〔シンメトレル〕授乳婦
- 〔ミラペックスLA〕透析を含む高度腎機能障害（クレアチニンクリアランス30 mL/min未満）
- 〔オンジェンティス〕褐色細胞腫や傍神経節腫その他のカテコールアミン分泌腫瘍
- 〔アポカイン皮下注，エクフィナ，オンジェンティス，ノウリアスト〕重度肝機能障害（Child-Pugh分類C）
- 〔エフピー〕統合失調症既往，覚醒剤・コカイン等の中枢興奮薬依存症既往
- 〔アジレクト〕中等度以上の肝機能障害（Child-Pugh分類BおよびC）
- 〔シンメトレル〕透析
- 〔F〕重症筋無力症
- 〔ドプス〕重篤な末梢血管病変（糖尿病性壊疽等）の血液透析

併用禁忌
- 〔C〕➡ペチジン，トラマドール，タペンタドールにて高度の興奮・精神錯乱等発現の報告（エフピー），セロトニン症候群等の重篤副作用発現（アジレクト，エクフィナ）のおそれ，三環系抗うつ薬で高血圧，失神，不全収縮，発汗，てんかん，動作・精神障害の変化，筋強剛の副作用発現し死亡例も報告，選択的セロトニン再取り込み阻害薬，セロトニン・ノルアドレナリン再取り込み阻害薬，選択的ノルアドレナリン再取り込み阻害薬，ノルアドレナリン・セロトニン作動性抗うつ薬にて両薬剤の作用増強の可能性およびセロトニン症候群等の重篤な副作用発現のおそれ
- 〔エフピー，アジレクト〕➡セロトニン再取り込み阻害・セロトニン受容体調節薬にて両薬剤の作用増強の可能性とセロトニン症候群等の重篤な副作用発現のおそれ
- 〔アジレクト，エクフィナ〕➡MAO阻害薬，中枢神経刺激薬にて高血圧クリーゼおよびセロトニン症候群の重篤副作用発現のおそれ，四環系抗うつ薬で高血圧，失神，不全収縮，発汗，てんかん，動作・精神障害の変化，筋強剛の副作用発現し死亡例も報告
- 〔ドプス〕➡ハロゲン含有吸入麻酔剤で頻脈，心室細動のおそれ，カテコールアミン製剤で不整脈，心停止のおそれ

■ 主な副作用と対策，フィジカルアセスメントのチェックポイント

（A）レボドパ含有製剤（ドパストン，ドパゾール，イーシー・ドパール，ネオドパゾール，マドパー，ネオドパストン，メネシット，デュオドーパ配合経腸用液，スタレボ）

主な副作用	患者に確認すべき症状	対策とPAのチェックポイント
不随意運動（顔面，頸部，口，四肢等）	手足や頭をゆっくりとくねらせるような動きをする，口をモグモグさせたり，舌をペチャペチャさせる	減量もしくは中止 PA 四肢・頸部（振戦），頸部（斜頸），口（モグモグ），舌（ペチャペチャ）
消化器症状（悪心・嘔吐，食欲不振）	ムカムカする，吐く，食欲がない	吐き気は投与初期に最も頻繁にみられる副作用。食事中から食直後の服用を行う。服薬継続により症状が軽くなる傾向がある。症状改善しなければ薬剤の変更や減量，ドンペリドンの併用等を検討する
精神症状（幻覚，妄想，興奮）	実際にないものをあるように思う，とり乱す	減量もしくは休薬
悪性症候群†	高熱，身体が動かない，筋肉がこわばる，意識が薄れる	PA 体温（37.5℃以上），意識（せん妄，昏睡），四肢・関節（固くなる），嚥下（障害），脈拍（↑）

†：厚生労働省の「重篤副作用疾患別対応マニュアル」参照

（B）ドパミンアゴニスト（ペルマックス，カバサール，ビ・シフロール，ミラペックスLA，レキップ，レキップCR，ハルロピテープ，ニュープロパッチ，アポカイン皮下注）

主な副作用	患者に確認すべき症状	対策とPAのチェックポイント
消化器症状（悪心・嘔吐，便秘）	ムカムカする，吐く，便秘	吐き気は投与初期に最も頻繁にみられる副作用。食事中から食直後の服用を検討。服薬継続により症状が軽くなる傾向がある。症状改善しなければ薬剤の変更や減量，ドンペリドンの併用等を検討する PA 腸音（↓）
精神神経症状（突発性睡眠，眠気，めまい，幻覚，妄想，興奮）	突然眠る，眠い，めまいがする，頭が痛い，実際にないものをあるように思う，取り乱す	減量・休薬もしくは中止 突発性睡眠は非麦角系に起きやすいので注意が必要

（C）MAO-B阻害薬（エフピー，アジレクト，エクフィナ）
（H）レボドパ賦活薬（トレリーフ）

主な副作用	患者に確認すべき症状	対策とPAのチェックポイント
消化器症状（悪心・嘔吐，食欲不振，口渇）	ムカムカする，吐く，便秘	制吐剤との併用等を検討する PA 腸音（↓）
精神神経症状（眠気，めまい，頭痛，不眠，幻覚，妄想，興奮）	眠い，めまいがする，頭が痛い，眠れない，実際にないものをあるように思う，取り乱す	減量・休薬もしくは中止

（D）COMT阻害薬（コムタン，オンジェンティス）
（I）アデノシンA$_{2A}$受容体拮抗薬（ノウリアスト）

主な副作用	患者に確認すべき症状	対策とPAのチェックポイント
不随意運動（顔面，頸部，口，四肢等）	手足や頭をゆっくりとくねらせるような動きをする，口をモグモグさせたり，舌をペチャペチャさせたりする	減量もしくは中止 PA 四肢・頭部（振戦），頸部（斜頸），口（モグモグ），舌（ペチャペチャ）
消化器症状（便秘，悪心・嘔吐，食欲不振）	便秘，ムカムカする，吐く，食欲がない	下剤や制吐剤の併用を検討する PA 腸音（↓）
精神症状（幻覚，妄想，不眠）	実際にないものをあるように思う，取り乱す，眠れない	減量もしくは休薬

（E）ドパミン遊離促進薬（シンメトレル）

主な副作用	患者に確認すべき症状	対策とPAのチェックポイント
消化器症状（口渇，便秘，嘔気，食欲不振）	口が渇く，便秘，吐き気，食欲がない	吐き気にはトリメブチンを使用。便秘は下剤の併用を検討。口渇には固い，酸っぱいキャンディー（砂糖分のない）を摂取 PA 腸音（↓）
精神症状（幻覚，妄想，興奮）	実際にないものをあるように思う，取り乱す	アマンタジンの血中濃度が上昇すると発現の危険性が高くなる。減量・休薬もしくは中止

（F）抗コリン薬（アーテン，アキネトン）

主な副作用	患者に確認すべき症状	対策とPAのチェックポイント
抗コリン様症状（口渇，便秘，排尿障害，視調節障害）	のどが渇く，便秘，尿が出にくい，物がだぶって見える	口渇には固い，酸っぱいキャンディー（砂糖分のない）を摂取。減量もしくは休薬 PA 排尿症状（尿勢低下，尿線分割・途絶，排尿遅延，腹圧排尿，終末滴下），尿量（↓），残尿（↑），口腔粘膜（乾燥）
精神症状（不眠，眠気，めまい，ふらつき，興奮，幻覚）	眠れない，眠い，めまい，ふらつき，実際にないものをあるように思う，ひどい思い込み	減量もしくは休薬
悪性症候群[†]	高熱，身体が動かない，筋肉がこわばる，意識が薄れる	PA 体温（37.5℃以上），意識（せん妄，昏睡），四肢・関節（固くなる），嚥下（障害），脈拍（↑）

[†]：厚生労働省の「重篤副作用疾患別対応マニュアル」参照

（G）ノルアドレナリン前駆物質（ドプス）

主な副作用	患者に確認すべき症状	対策とPAのチェックポイント
循環器症状（血圧上昇，動悸）	血圧が上がる，胸がどきどきする	減量・休薬もしくは中止 PA 血圧（↑），脈拍（↑）
消化器症状（悪心・嘔吐，食欲不振，口渇）	ムカムカする，吐く，便秘	制吐剤との併用等を検討する PA 腸音（↓）

主な副作用	患者に確認すべき症状	対策とPAのチェックポイント
精神神経症状（頭痛・頭重感，めまい，不眠，幻覚，妄想，興奮）	頭が痛い，頭が重い，めまい，眠れない，実際にないものをあるように思う，取り乱す	減量・休薬もしくは中止

■ 重大な副作用と妊婦・授乳婦への危険度

薬剤名	重大な副作用	妊婦[授乳婦]
ドパストン，ドパゾール，イーシー・ドパール，ネオドパゾール，マドパー，ネオドパストン，メネシット，デュオドーパ	悪性症候群，錯乱，幻覚，抑うつ，妄想（メネシットのみ），胃潰瘍・十二指腸潰瘍の悪化（マドパーを除く），溶血性貧血，血小板減少，突発的睡眠，閉塞隅角緑内障，悪性黒色腫（メネシット，デュオドーパのみ）	B3（ドパストン，デュオドーパ以外），D（デュオドーパ）[⊗○]
スタレボ	悪性症候群，横紋筋融解症，突発的睡眠，傾眠，幻覚，幻視，幻聴，錯乱，抑うつ，肝機能障害，胃潰瘍・十二指腸潰瘍の悪化，溶血性貧血，血小板減少，閉塞隅角緑内障	B3
ペルマックス	悪性症候群，間質性肺炎，胸膜炎，胸水，胸膜線維症，肺線維症，心膜炎，心膜滲出液，心臓弁膜症，後腹膜線維症，突発的睡眠，幻覚，妄想，せん妄，腸閉塞，意識障害，失神，肝機能障害，黄疸，血小板減少	C
カバサール	幻覚，妄想，失神，せん妄，錯乱，悪性症候群，間質性肺炎，胸膜炎，胸水，胸膜線維症，肺線維症，心膜炎，心囊液貯留，心臓弁膜症，後腹膜線維症，突発的睡眠，肝機能障害，黄疸，狭心症，肢端紅痛症	B1 [⊗☆]
ビ・シフロール，ミラペックスLA	突発的睡眠幻覚，妄想，せん妄，激越，錯乱，抗利尿ホルモン不適合分泌症候群，悪性症候群，横紋筋融解症，肝機能障害	禁忌/B3 [⊗△]
レキップ，レキップCR，ハルロピテープ	突発的睡眠，極度の傾眠，幻覚，妄想，興奮，錯乱，せん妄，悪性症候群	禁忌/B3（ハルロピテープ以外）[⊗△]
ニュープロパッチ	突発的睡眠，幻覚，妄想，せん妄，錯乱，悪性症候群，肝機能障害，横紋筋融解症	禁忌/B3 [⊗△]
アポカイン皮下注	突発的睡眠，傾眠，QT延長，失神，狭心症，血圧低下，起立性低血圧，幻視，幻覚，幻聴，妄想	B3
エフピー	幻覚，妄想，錯乱，せん妄，狭心症，悪性症候群，低血糖，胃潰瘍	[⊗△]
アジレクト	起立性低血圧，傾眠，突発的睡眠，幻覚，衝動制御障害，セロトニン症候群，悪性症候群	B3
エクフィナ	幻視，幻覚，傾眠，突発的睡眠，衝動制御障害，セロトニン症候群，悪性症候群	禁忌/B3
コムタン	悪性症候群，横紋筋融解症，突発的睡眠，傾眠，幻覚，幻視，幻聴，錯乱，肝機能障害	B3
オンジェンティス	ジスキネジア，幻覚，幻視，幻聴，せん妄，傾眠，突発的睡眠	−

No.10　抗パーキンソン病薬

薬剤名	重大な副作用	妊婦[授乳婦]
シンメトレル	悪性症候群，中毒性表皮壊死融解症皮，皮膚粘膜眼症候群，視力低下を伴うびまん性表在性角膜炎，角膜浮腫様症状，心不全，肝機能障害，腎障害，意識障害（昏睡を含む），幻覚，妄想，せん妄，錯乱，けいれん，ミオクロヌス，異常行動，横紋筋融解症	禁忌 [⊗禁忌/△]
アーテン	悪性症候群，精神錯乱，幻覚，せん妄	[⊗○]
アキネトン	悪性症候群，本剤により気分高揚等の依存性	B2 [⊗○]
ドプス	悪性症候群，白血球減少，無顆粒球症，好中球減少，血小板減少	禁忌 [⊗禁忌]
トレリーフ	悪性症候群，中毒性表皮壊死融解症，皮膚粘膜眼症候群，紅皮症，過敏症症候群，再生不良性貧血，無顆粒球症，赤芽球癆，血小板減少，急性腎障害，間質性肺炎，肝機能障害，黄疸，横紋筋融解症，腎・尿路結石，発汗減少に伴う熱中症，幻覚，妄想，錯乱，せん妄	禁忌 [⊗△]
ノウリアスト	幻視，幻覚，妄想，せん妄，不安障害，うつの悪化・抑うつ，被害妄想，幻聴，体感幻覚，躁病，激越，衝動制御障害	禁忌

■ その他の指導ポイント

	患者向け	薬剤師向け
使用上の注意	・長期に服用しなければならないため根気よく指示通りに飲み続けてください。体調がよくなったから，または効果がないからといって自己判断で服用を中止したり，量を加減したりすると症状が急に悪くなったり，高熱，発汗，手足のふるえ，けいれん等の症状が現れることがあるので絶対に突然中断しないでください ・〔ドプス以外〕この薬の服用中は，車の運転等，危険を伴う機械の操作は行わないでください ・〔F・ドプス以外〕急に立ち上がるとめまいや気を失うことがあるので，特に起床時はゆっくりと起き上がってください ・〔A，F〕次のような目の症状に気づいたらご相談ください：霧がかかったように見える，視界の中に見づらい部分がある，視野が欠けて狭くなる，視力の低下，目の痛み，目のかすみ，目の充血	長期間にわたり飲む必要があるので，根気よく正しく服用するよう指導する。抗パーキンソン病薬は突然中断するとパーキンソン症状の急激な悪化，悪性症候群，カタトニー（緊張病），錯乱，失見当識，精神状態の悪化，せん妄，薬剤離脱症候群等の発症の危険性が高いため，中止する場合は必ず入院管理下で行う ・〔シンメトレル以外〕突発的睡眠，傾眠，眼などの調節障害および注意力・集中力・反射機能の低下，著しい血圧低下・起立性低血圧（めまい，ふらつき，立ちくらみ），反射機能の低下のおそれ ・〔シンメトレル〕めまい，ふらつき，立ちくらみ，霧視のおそれ 閉塞隅角緑内障のおそれのある場合は隅角検査や眼圧検査の実施。緑内障の大部分を占める開放隅角緑内障には使用できる

使用上の注意	・〔A-①~③〕この薬は的確な効果を維持しつつ副作用を最小限に抑えるため，初めてレボドパ治療を受ける場合には，少量から開始し，観察を十分に行い，慎重に維持量まで増量していきます	レボドパは早期・進行期パーキンソン病の運動症状の改善に最も有効であるが，投与量・投与期間に応じてジスキネジアやウェアリングオフなどの運動合併症が誘発されるため，レボドパの効果を十分発揮しつつ可能な範囲で投与量を抑えて，益と害のバランスを良好に保つ
	・〔A, B, D〕ギャンブルが止められなかったり，無駄な買い物をしてしまったり，暴飲暴食，性欲亢進など自制が効かなくなったとき，また〔A〕治療に必要な服用量を超えて欲しがる症状が現れたときはご相談ください	病的賭博，病的性欲亢進，強迫性購買，暴食等の衝動制御障害のおそれ（Dについては併用必須のレボドパ含有製剤の注意をうけて），さらにレボドパを必要量を超えて求めるドパミン調節障害症候群のおそれがあるため，患者と家族等にこれらの症状について説明し，症状がみられた場合には減量や投与中止など適切に処置
	・〔A〕尿や汗，唾液が黒っぽくなることがありますが心配いりません	レボドパおよびその代謝物が諸条件下で変化を受けて黒いメラニン重合体を生成するため
	・〔デュオドーパ〕手足のしびれ・痛み，力が入らない，筋萎縮，手足のふるえが現れたら，速やかに相談してください	ニューロパチーのおそれがあるため感覚障害等の関連症状に注意し，必要に応じて神経伝導検査やビタミン補充
	・〔デュオドーパ〕この薬は胃瘻から直接空腸に投与する薬です．腹痛，吐き気，嘔吐が現れたら，直ちに投与を中止してご相談ください	医療機器（チューブ等）関連消化管事象や胃瘻増設関連合併症〔胃石，イレウス（腸閉塞），胃瘻部位びらん・潰瘍，術後創感染等〕による重篤な転帰（死亡等）のおそれ
	・〔デュオドーパ〕初めて使用するときは入院して患者ごとに適切な投与量を決定し，専用のポンプとチューブの操作を習得してもらいます	投与方法が複雑なため，患者や家族，指導する医療従事者は用法・用量，デバイス（ポンプの誤作動，チューブの閉塞など）の取り扱いに熟知しておくこと
	・〔デュオドーパ〕この薬は遮光，凍結を避けて2~8℃で保管する必要があるため，外箱に入れて冷蔵庫内に入れてください	
	・〔スタレボ，コムタン〕死にたいと強く思ったり考えたり，幻覚や精神病などの症状に気づいたらご相談ください	うつ病，自殺傾向の報告あり．自殺傾向のある患者には重篤な精神症状悪化に要注意
	・〔スタレボ，コムタン〕この薬が尿に排泄されると，尿が赤褐色になることがあります	本剤または本剤の代謝物により尿が赤褐色に着色（横紋筋融解症によるミオグロビン尿との鑑別必要）
	・〔スタレボ，D〕この薬の服用中に脱力感，尿が赤黒くなる，手足のしびれ，手足のこわばり，筋肉の痛みに気づいたらご相談ください	COMT阻害薬でレボドパの生物学的利用率が高まるとジスキネジアが発現しやすくなり，ジスキネジア続発性の横紋筋融解症のおそれ
	・〔スタレボ，D〕この薬を服用中にノウリアストを追加して，首や手足がくねくねと無目的に動く，船を漕ぐように体が前後に揺れる，手足を投げ出すように動く，	COMT阻害薬とノウリアストの併用でジスキネジア発現頻度上昇のため併用注意

使用上の注意	口をすぼめる・とがらす・もぐもぐ動かす等の意思に反した運動に気づいたり，これらの症状が悪化したらご相談ください	
	・〔B-①〕2週間以上続く息切れ，呼吸困難，動悸，むくみに気づいたらご相談ください →	ペルマックスやカバサールは中等度から重度の心臓弁膜症の危険因子のため
	・〔A-①，レキップ，レキップCR〕空腹時に服用せず，食事の直後に服用してください →	・〔A-①〕レボドパは空腹時に服用すると吸収が速くなり体内での急激な濃度変化を起こし，症状は急激に改善するが効果は持続しない（ただしno on現象，delayed on現象の場合は消化管からの吸収を高めるために食前や空腹時に服用したり，水やレモン水に溶かして服用する） ・〔レキップ，レキップCR〕空腹時に服用すると悪心，嘔吐等の消化器症状の発現頻度上昇
	・〔B-②〕特に飲み始めの時期にめまい，立ちくらみ，ふらつきがみられることがあるので転倒に注意して，このような症状に気づいたらご相談ください →	特に漸増期間に起立性低血圧による症状が発現することがあるので，少量から開始して血圧に注意
	・〔B-②〕この薬を服用中に他の抗パーキンソン病薬を追加すると，ジスキネジア，幻覚，錯乱等が現れることがあるので，これらの症状に気づいたらご相談ください →	他の抗パーキンソン病併用薬によってジスキネジア，幻覚，錯乱等の副作用が増強。発現時には他の抗パーキンソン病薬または本剤の減量や中止，抗精神病薬の考慮
	・〔レキップCR〕便の中にこの薬が見つかった場合はご相談ください →	24時間かけて有効成分を放出し溶解するように設計されている。本剤の消化管内滞留時間が短縮した場合や糞便中に本剤の残留物が確認された場合には効果減弱のおそれ
	・〔ミラペックスLA，レキップCR〕この薬は噛んだり，割ったり，砕いたりせずに，コップ1杯程度の水またはぬるま湯で飲んでください →	徐放性製剤であるため，徐放性が失われると過量投与となるおそれ
	・〔ペルマックス〕この薬は粉砕しないでください →	粉砕時に異臭，頭重感のおそれ
	・〔ニュープロパッチ，ハルロピテープ〕この薬を貼り替えるときは，前日に貼った薬を確実にはがしてから新しい薬を貼ってください。入浴などの時間を考慮して毎日1回，同じ時間に貼り替えてください →	前日分を除去せずに貼り続けると血中濃度が上昇し過量投与のおそれ
	・〔ニュープロパッチ，ハルロピテープ〕この薬を使用すると発疹やかゆみ等の皮膚症状が現れることがあるので，貼る場所を毎回変えて傷や皮膚に異常のある部位には貼らないでください。皮膚症状が現	皮膚症状に応じてステロイド外用剤などで対処。適用部位以外に及ぶ広範な皮膚炎には使用中止。日光により患部の皮膚が変色するおそれがあるため皮膚炎が回復するまで直射日光を避ける

使用上の注意	れたらご相談ください	
	・〔ニュープロパッチ，ハルロピテープ〕この薬を貼っている部位が過度の直射日光，電気毛布，こたつ，アンカ，カイロ，湯たんぽ，サウナ等で熱くならないようにしてください →	貼付部位の温度が上がると血中濃度が上昇し過量投与のおそれ
	・〔ニュープロパッチ，ハルロピテープ〕あらかじめ貼る部位の水分や汗を乾いたタオルで拭いて清潔にしてください。クリームやローション，パウダーは使用しないでください。はがれたときは，再貼付しないで新しいパッチを貼ってください →	粘着力の低下により吸収低下し効果減弱のおそれ
	・〔ニュープロパッチ，ハルロピテープ〕この薬をさわった手で目に触れないでください。パッチを扱った後はすぐに手を洗ってください。はがした本剤は，接着面を内側にして半分に折りたたんで廃棄してください →	本剤成分の刺激性により眼症状発現のおそれ
	・〔ニュープロパッチ〕MRI検査前，電気的除細動・自動体外式除細動器（AED），ジアテルミー（高周波療法）を使用する前には，この薬をはがして除去してください →	本剤の支持体にアルミニウムが含まれている。MRIでは貼付部位に火傷のおそれ，除細動器では接触した支持体のアルミニウム箔が破裂するおそれ，高周波療法では本剤の温度が上昇するおそれ
	・〔ニュープロパッチ〕この薬をハサミ等で切って使用しないでください →	切断するとマトリックス層の有効成分が結晶化し，血中濃度低下のおそれ
	・〔アポカイン皮下注〕この薬は自己注射するため，しっかりと手技を習得してもらいます。専用の注射器（アポカインインジェクター）と専用注射針を用います。この薬のカートリッジの薬液中に浮遊物がみられたり，使用中に液が変色した場合は使用しないでください →	十分な教育訓練を実施したのち，患者自ら確実に投与できることを確認したうえで，医師の管理指導のもとで実施。自己投与の継続が困難な場合は直ちに中止。少量から使用を始め，悪心・嘔吐などの消化器症状，傾眠，血圧等を観察しながら少しずつ慎重に増量して維持量を決定
	・〔アポカイン皮下注〕この薬の注射部位に結節，腫瘤等の皮膚の異常が認められた場合には直ちにご相談ください →	動物実験で注射部位に腫瘍（肉腫や線維腫）を認めたため，投与開始に先立ち患者や家族に投与局所の腫瘍発生のリスクを十分に説明
	・〔アポカイン皮下注〕この薬を皮下注射する際には，上腕，大腿，腹部に順序よく移動し，同じ部位に短期間内に繰り返し注射しないでください	
	・〔アポカイン皮下注〕使用開始後も室温に保存し，14日以内に使用してください	
	・〔シンメトレル〕この薬の服用中に睡眠障害，幻覚に気づいたらご相談ください →	血中濃度が高くなると，陽性（興奮系）の精神神経症状が発現しやすい
	・〔トレリーフ〕この薬の服用中は，汗が出にくくなり体温が上昇し熱中症になるこ →	発汗減少に伴う熱中症のおそれ

No.10 抗パーキンソン病薬

使用上の注意	とがあるので，高温になる場所をできるだけ避けてください．特に夏場は体温の上昇に注意してください	
	・〔ノウリアスト〕この薬を服用中に息切れ，呼吸困難，痰を伴わない乾いた咳が現れたらご相談ください	マクロファージを主体とする肺の炎症性変化のおそれ．症状が発現したら画像検査を実施し，必要に応じて減量・休薬・中止
	・〔アポカイン皮下注以外のB-②，エクフィナ，シンメトレル，ドプス，トレリーフ，ノウリアスト〕妊娠中または妊娠の可能性のある方は必ずご相談ください	以下の理由で投与禁忌 ・〔ビ・シフロール，ミラペックスLA，レキップ，レキップCR〕動物で妊娠率の低下，生存胎児数の減少，出生児体重の低下 ・〔ハルロピテープ〕動物で胎児毒性 ・〔ニュープロパッチ〕動物で受胎能低下，早期吸収胚増加，授乳障害による出生児の生存性・発育・機能の低下 ・〔エクフィナ〕動物で催奇形性 ・〔シンメトレル〕ヒトで催奇形性の疑い，動物で催奇形性 ・〔ドプス〕動物で胎児の波状肋骨の増加，dl-ノルアドレナリンで子宮血管収縮によりヒト胎児仮死状態 ・〔トレリーフ〕ヒトで催奇形性 ・〔ノウリアスト〕動物で受胎率・着床率の低下，全児死亡した母動物の増加，催奇形性
	・〔シンメトレル〕授乳中の方は必ずご相談ください	母乳中へ移行するため投与禁忌
	食 〔A, D, ドプス〕この薬の服用中に鉄剤（医薬品やサプリメント）を同時にとらないでください．摂取する場合は2～3時間以上あけてください	消化管内でキレート形成により本剤と鉄剤の吸収が低下し効果減弱のため併用注意
	食 〔A〕この薬の服用中に高蛋白食は食べないでください	レボドパの吸収低下と，摂取した蛋白質の消化で増加した血中アミノ酸がレボドパの血液脳関門の通過を競合的に阻害して脳内への移行が減少する．日中のレボドパの効果を高めるために日中の蛋白質を7～15gに制限し，夕食で約60gと多く摂取する（蛋白質再配分療法）
	食 〔A〕この薬の服用中にアミノ酸飲料は飲まないでください	日本人の通常の食生活では高蛋白食が問題になることは少ないがアミノ酸飲料等のサプリメントは要注意．アミノ酸の存在によりレボドパの吸収低下と，中性アミノ酸により脳内への移行性低下．アミノ酸がオンオフ現象に関与するおそれ
	食 〔A-①〕この薬の服用中にビタミンB_6を含むビタミン剤や食品（エンドウ豆，ソラ豆，アボガド，マグロ，サツマイモ，豚肉，スキムミルク，牛レバー，オート	ドパ脱炭酸酵素阻害薬（DCI）を併用していない場合，ドパ脱炭酸酵素（DDC）の補酵素であるビタミンB_6が末梢でのレボドパのドパミンへの代謝を促進し，本剤の脳内到達量

抗パーキンソン病薬

使用上の注意	ミール，強化穀物）を大量に摂取しないでください	が減少し効果減弱のため併用注意
	食 〔エフピー，アジレクト，ノウリアスト〕→この薬の服用中にセイヨウオトギリソウ（セント・ジョーンズ・ワート）を含む食品は食べないでください	・〔エフピー，アジレクト〕脳内セロトニン濃度上昇によるセロトニン症候群のおそれのため併用注意 ・〔ノウリアスト〕本剤の作用減弱のおそれのため併用注意
	食 〔エフピー，アジレクト〕この薬の服用中にチラミンを多く含む食品（チーズ，ビール，赤ワイン，レバー，ニシン，酵母エキス，バナナ，ソラ豆等）は食べないでください	過量服用や相互作用のある併用薬等にて本剤の血中濃度が上昇した場合に，MAO-B 選択性が低下して MAO-A 阻害作用によりチラミン中毒（神経終末でのノルアドレナリンの放出を促進して高血圧クリーゼを含む急激な血圧上昇，顔面紅潮，心拍数増加）のおそれのため併用注意（エクフィナには MAO-B 選択性が高く可逆的阻害薬であるため，特にこのような注意はない）
	食 〔ビ・シフロール，ミラペックス LA〕→この薬の服用中にアルコールを飲むと，アルコールの作用が強く出るおそれがあるので控えてください	アルコールの作用増強のため併用注意
	食 〔ノウリアスト〕この薬の服用中にタバコを吸わないでください	喫煙により本剤の代謝が亢進し効果減弱のため併用注意
服用（使用）を忘れたとき	・〔デュオドーパ〕思い出したときすぐに朝の投与から開始する ・〔ビ・シフロール〕思い出したときすぐに服用する。ただしその日の残りは等間隔で服用する（2回分を一度に服用しないこと） ・〔ハルロピテープ，ニュープロパッチ〕思い出したときすぐに貼り替えるが，前日分を確実に除去してから貼る。翌日からはいつもと同じ時間に貼り替える（2回分を一度に貼らないこと） ・〔コムタン〕レボドパ含有製剤とともに飲み忘れた場合は思い出したときすぐにレボドパ含有製剤と一緒に服用する。コムタンのみ忘れた場合は次のレボドパ含有製剤服用時に決められた用量を一緒に服用する（2回分を一度に服用しないこと） ・〔オンジェンティス〕思い出したときすぐに服用する。ただし1日1回の決められた時間帯を過ぎてしまった場合は服用しない。次の服用時に決められた用量を服用する（2回分を一度に服用しないこと） ・〔上記以外〕思い出したときすぐに服用する。ただし次の服用時間が近いときは忘れた分は服用しない。次の服用時間まで，服用回数が1日1回のときは8時間以上，1日2回のときは5時間以上，1日3回のときは4時間以上の間隔をあけること 　＊アポカイン皮下注は必要時に自己注射する目的の製剤のため，忘れたときの対処は除外した	

■ その他備考

- ■ 配合剤成分：・L-ドパ・DCI 配合：①イーシー・ドパール，ネオドパゾール，マドパー（レボドパ，ベンセラジド塩酸塩）
  ②ネオドパストン，メネシット，デュオドーパ（レボドパ，カルビドパ水和物）
  ・L-ドパ・DCI・COMT 阻害薬配合：スタレボ（レボドパ，カルビドパ水和物，エンタカポン）

抗パーキンソン病薬一覧

種類		一般名	商品名	適応	主な副作用	運動症状の改善度	単剤療法	レボドパ併用療法
(A)レボドパ含有製剤	①レボドパ単剤	レボドパ	ドパストン、ドパゾール	パーキンソン病、パーキンソン症候群	悪心・嘔吐、ジスキネジア、ウェアリングオフ	+++	全ての運動症状の改善	なし
	②レボドパ・DCI（ベンセラジド）合剤	レボドパ・ベンセラジド	イーシー・ドパール、ネオドパゾール、マドパー					
	③レボドパ・DCI（カルビドパ）合剤		ネオドパストン、メネシット					
	④ゲル状化空腸投与用レボドパ・DCI（カルビドパ）合剤	レボドパ・カルビドパ	デュオドーパ配合経腸用液	ウェアリングオフを認める進行期パーキンソン病（レボドパを1日5回以上内服しているにもかかわらず2時間以上のオフが出現し生活に障害のあるジスキネジアが1時間以上出現）	腹痛、便秘、肺炎、チューブ等関連消化管事象、胃瘻増設関連合併症		ウェアリングオフの改善	
	⑤レボドパ・DCI（カルビドパ）・COMT阻害薬	レボドパ・カルビドパ・エンタカポン	スタレボ	ウェアリングオフを認める進行期パーキンソン病	ジスキネジア、傾眠、不眠、幻覚			
(B)ドパミンアゴニスト	①麦角系	ペルゴリド	ペルマックス	早期・進行期パーキンソン病	心臓弁膜症			
		カベルゴリン	カバサール					
	②非麦角系	プラミペキソール	ビ・シフロール、ミラペックスLA	早期・進行期パーキンソン病	突発的睡眠、衝動制御障害、嘔気、眠気、めまい、ジスキネジア	++	全ての運動症状の改善	全ての運動症状の改善
		ロピニロール	レキップ、レキップCR、ハルロピテープ					
		ロチゴチン	ニュープロパッチ					
		アポモルヒネ	アポカイン皮下注	レボドパ含有製剤の頻回投与や他の抗パーキンソン病薬の増量にも反応しない進行期パーキンソン病のオフ症状の改善	血圧低下、不整脈、突発的睡眠、衝動制御障害、嘔気、眠気、めまい、ジスキネジア	+++	なし	オフ症状の改善

抗パーキンソン病薬一覧（続き）

種類	一般名	商品名	適応	主な副作用	運動症状の改善度	単剤療法	レボドパ併用療法
(C)MAO-B阻害薬	セレギリン	エフピー	早期・進行期パーキンソン病	悪心、嘔吐、ジスキネジア、幻覚、めまい。単剤療法では副作用は少ないが、レボドパとの併用療法ではレボドパの副作用を増強する。セロトニン作用のある薬剤と併用するとセロトニン症候群の危険性が高まる	++	早期パーキンソン病での運動症状の改善、レボドパ開始遅延、レボドパ節約	進行期パーキンソン病での運動症状の改善、ウェアリングオフの改善（レボドパ作用時間の延長、オフ症状の改善）
	ラサギリン	アジレクト					
	サフィナミド	エクフィナ	進行期パーキンソン病			なし	
(D)COMT阻害薬	エンタカポン	コムタン	レボドパ含有製剤で治療中の進行期パーキンソン病のウェアリングオフの改善	悪心、下痢、便秘、ジスキネジア、幻覚。レボドパの作用増強による副作用が多い	+	なし	オン時間の延長 30～60分
	オピカポン	オンジェンティス					
(E)ドパミン遊離促進薬	アマンタジン	シンメトレル	パーキンソン症候群	幻覚、せん妄	±		進行期パーキンソン病のレボドパ誘発ジスキネジアには有効であるが、運動症状改善効果は弱くエビデンスも少ない
(F)抗コリン薬	トリヘキシフェニジル	アーテン	特発性パーキンソニズム、その他のパーキンソニズム（脳炎後、動脈硬化性）、向精神薬投与によるパーキンソニズム・ジスキネジア（遅発性を除く）・アカシジア	口渇、排尿困難、便秘、せん妄、認知機能低下	+		薬剤性パーキンソン症候群、軽症のパーキンソン病
	ビペリデン	アキネトン					
(G)ノルアドレナリン前駆物質	ドロキシドパ	ドプス	パーキンソン病（Yahr重症度ステージⅢ）におけるすくみ足、立ちくらみの改善	血圧上昇、動悸、頭痛、頭重感、嘔気	±	なし	すくみ足、立ちくらみの改善
(H)レボドパ賦活薬	ゾニサミド	トレリーフ	レボドパ含有製剤で治療中の進行期パーキンソン病のウェアリングオフの改善	眠気、食欲不振、ジスキネジア、悪心、幻覚、気力低下	+	なし	全ての運動症状の改善（特に振戦）、ウェアリングオフの改善
(I)アデノシンA₂A受容体拮抗薬	イストラデフィリン	ノウリアスト		ジスキネジア、便秘、幻視、幻覚、傾眠、悪心	+	なし	ウェアリングオフの改善

パーキンソン病の日常生活と食事療法のポイント

　パーキンソン病は主に50歳以降に始まり，ゆっくり進行し脳内の黒質の神経が変性し，ドパミンが減少する病気です。大部分の方は手足のふるえや動作が遅くなる，歩き方がおかしい，姿勢が前かがみになる，声が小さくなった等の症状から気づかれます。症状が進むと，四大症状とよばれる症状* を示すようになります。長期間にわたって治療が必要ですが，きちんと治療を受ければ天寿を全うできる病気ですから，病気と上手につきあうことが非常に大切です。

　　* 四大症状：①手足のふるえ（振戦）　②筋肉のこわばり（筋固縮）　③動作がゆっくりとなる（無動症）　④体のバランスがとりにくくなる（姿勢反射障害）

【日常生活】
1. 自分で体を動かすことがリハビリになりますので，日常生活に必要なことは人に頼らず自分でするようにしましょう。
   - 朝は薬の切れる頃で体がこわばり思うように動かしにくいので，十分時間をかけゆっくり身支度しましょう。
   - 軽い散歩や外出は歩行訓練になりますから積極的に行いましょう。ただし，転ばないように必ずステッキを持ち，靴は軽く，足にぴったりするものを履きましょう。
2. 昼間はできるだけ活動的に過ごし昼寝は避けるように心がけましょう（脳の運動機能をつかさどる線条体の働きが眠ると悪くなるため）。
3. 入浴時滑りやすいので床にゴムマットを敷いたり，滑り止め付きの洗い場用のイスを使ったり，浴槽を出入りするときの手すりをつけたり工夫しましょう。
4. 夜間の排尿に備え寝床のそばに「しびん」を用意すると便利でしょう。
5. 声が小さい，話す速度が遅い，発音が不明瞭になる等の症状が現れる場合がありますので，あせらず一語一語落ちついて話す訓練をしましょう。
6. 急がばまわれ，何事も2倍の時間をかけるつもりで行動しましょう。
7. 寝返りができなくなるのは無動症の代表的なものです。寝ながら両腕を上げ左右に移動させて体勢を変えたり，寝ながら輪投げの輪を左右に移動させることで，寝返りの練習が可能です。
8. 症状の改善は8割程度をもってよしとしましょう。

【食事療法】
1. ご飯や大きなものは一口大にしておいたり，魚など前もってほぐしておき食べやすいように調理したり，スプーンやフォークを利用して食べやすくしましょう。
2. 食事の制限は通常ありませんが，便秘はよくないので食物繊維の多い野菜をたくさん食べ，日中は果物や水分を多くとるようにしましょう。しかし夜間のトイレが近いと困りますので，夕食後は水分や果物をとるのを控えましょう。
3. 食物中の蛋白質が薬のL-ドパの効果に影響を及ぼします。L-ドパ服用中で症状の

変動が起こっている方に、朝昼合わせて食事中の蛋白質を制限する（7～15 g）と症状の変動がおさまる場合があるので、蛋白質を制限されることがあります。ただし、蛋白質の不足分は夕食時に補う必要があります。（朝昼低蛋白食療法）

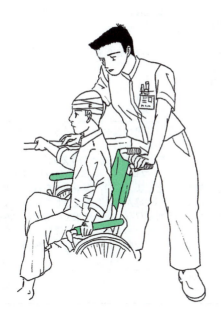

11 レストレスレッグス症候群治療薬

■対象薬剤

プラミペキソール塩酸塩水和物（ビ・シフロール），ガバペンチンエナカルビル（レグナイト），ロチゴチン（ニュープロパッチ 2.25・4.5 mg）
＊ビ・シフロール，ニュープロパッチは No.10 抗パーキンソン薬（p.155）参照

■指導のポイント

	患者向け	薬剤師向け
薬効	この薬は足の裏やふくらはぎ，太ももなどにむずむずする，虫がはう，痛がゆいなどの不快感が起こりじっとしていられなくなる（特発性レストレスレッグス症候群：むずむず脚症候群）等の症状を改善する薬です ☆この薬は手足のふるえ，筋肉のこわばりや動作が遅くなったり，姿勢のバランスがとれなくなるのを改善する薬です（ビ・シフロール，ニュープロパッチ）（参）No.10 抗パーキンソン病薬	・ドパミン受容体作動作用（ビ・シフロール，ニュープロパッチ） ・興奮性神経伝達物質遊離抑制作用（レグナイト） ドパミン受容体作動作用
詳しい薬効	・この薬は脳のドパミン受容体を刺激することにより，足の裏やふくらはぎ，太ももなどにむずむずする，虫がはう，痛がゆいなどの不快感が起こりじっとしていられなくなる（特発性レストレスレッグス症候群：むずむず脚症候群）等の症状を改善する飲み薬（ビ・シフロール），貼り薬（ニュープロパッチ）です（ビ・シフロール，ニュープロパッチ） ・この薬は興奮性神経伝達物質の遊離を抑制することにより，足の裏やふくらはぎ，太ももなどにむずむずする，虫がはう，痛がゆいなどの不快感が起こりじっとしていられなくなる（特発性レストレスレッグス症候群：むずむず脚症候群）等の症状を改善する飲み薬です。抗てんかん薬ガバペンチンのプロドラッグで，ガバペンチンよりも吸収されやすく徐放性製剤なので，夕食後の服用により症状のでやすい夜間に高い血中濃度が維持できます（レグナイト）	
禁忌	本剤・ガバペンチン過敏症既往歴，高度の腎機能障害	

■主な副作用と対策・フィジカルアセスメントのチェックポイント

主な副作用	患者に確認すべき症状	対策と PA のチェックポイント
神経症状（傾眠，浮動性めまい）	うとうとする，身体が宙に浮いてフワフワした感覚のめまい	減量もしくは中止
全身（体重増加）	体重が増える	定期的に体重計測を実施。肥満の徴候が現れた場合は，食事療法，運動療法等の適切な処置 PA 体重（↑）

主な副作用	患者に確認すべき症状	対策とPAのチェックポイント
眼症状（霧視，調節障害）	ぼやけて見える	眼障害について問診を行い，異常が認められた場合は適切な処置

■ 重大な副作用と妊婦・授乳婦への危険度

薬剤名	重大な副作用	妊婦[授乳婦]
レグナイト	急性腎障害，皮膚粘膜眼症候群，薬剤性過敏症症候群，肝炎，肝機能障害，黄疸，横紋筋融解症，アナフィラキシー	−

■ その他の指導ポイント

	患者向け	薬剤師向け
使用上の注意	・この薬の服用中は車の運転等，危険を伴う機械の操作は行わないでください	眠気，注意力・集中力・反射運動能力等低下が起こることがあるため
	・この薬は割ったり，砕いたり，すりつぶしたりしないで，そのままかまずに飲んでください	徐放性製剤で徐放性が失われるおそれがあるため
	・この薬の服用中，肥満の兆候が現れたらご相談ください	体重増加をきたすことがあるので，投与中定期的に体重計測を実施し，肥満の兆候が現れたら食事療法，運動療法等の処置
	食 この薬の服用中アルコールは飲まないでください	アルコールとの同時服用により本剤の徐放性が失われるおそれがあるため併用注意（*in vitro*の溶出試験において，アルコール存在下で徐放錠から成分が急速に溶出したとの報告）
	・高温での保管を避け，涼しい場所で保管してください。また，内袋開封後は乾燥剤が封入された専用の保管袋に入れ，高温・湿気を避け，涼しい場所で保管してください	本品の品質は熱・湿気の影響を受けるため
服用を忘れたとき	飲み忘れに気づいても服用しない。次の服用時（夕食後）に決められた用量を服用する（2回分を一度に服用しないこと）	

■ その他備考

■ レストレスレッグス症候群（むずむず脚症候群）とは

　レストレスレッグス症候群（むずむず脚症候群）は脚の表面ではなく内側（深部）に不快な感じがあり，その不快感はむずむずする，虫が這う，痛がゆい，などさまざまな言葉で表現される。レストレスレッグス症候群がなぜ発症するかという病態生理については解明されていないが，ドパミン作動性経路の障害と鉄代謝の異常が原因として注目されている。特別な原因のない特発性（一次性）と，他の疾患などにより起

こる二次性の2つに大きく分けることができる。また，発病時期によっても45歳以前に発病する早期発症と，老年期になって発症する後期発症の2つに分けることができる。レストレスレッグス症候群の診断には，下記の4つの必須診断基準にすべて当てはまることが必要である。そのほかに診断を補助する3つの特徴を加味するが，患者の症状の訴えを聞き取ることで診断が可能である。

（必須診断基準）
1. 脚を動かしたいという強い欲求が存在し，また通常その欲求が，不快な下肢の異常感覚に伴って生じる
2. 静かに横になったり座ったりしている状態で出現，増悪する
3. 歩いたり下肢を伸ばすなどの運動によって改善する
4. 日中より夕方・夜間に増強する

（診断を補助する特徴）
1. 家族歴
2. ドパミン作動薬による効果
3. 睡眠時の periodic leg movements が睡眠ポリグラフ検査上有意に多く出現

レストレスレッグス症候群（むずむず脚症候群）の日常生活と食事療法のポイント

　むずむず脚症候群の患者さんには，脚の不快な感覚や，脚を動かしたい強い欲求がみられます。そのためになかなか寝つけなかったり，寝てもすぐ目が覚めてしまうため，深い睡眠がとれずに睡眠の質も悪くなります。不眠はそれ自体が苦痛なだけでなく，日中の眠気や疲労感，集中力の低下などにつながり，日常生活にさまざまな支障をきたします。不眠や日中の活動性の低下から不安障害，うつ病などの心の病気を発症するリスクも増大することがわかっています。さらに交感神経の活動が活発になっているため，血圧が高くなったり脈拍が増える傾向があり，心臓や脳血管に関係する病気を発症するリスクが約2倍高まっていることが指摘されています。次のような生活習慣の見直しや工夫を行うことで，症状が改善することがあります。

【日常生活】
1. 過多月経，胃腸障害から鉄欠乏など，可能なかぎり基礎疾患を見つけて治療しましょう。
2. レストレスレッグス症候群の要因となる薬剤（ドパミン阻害薬，抗うつ薬，抗ヒスタミン薬など）を飲んでる場合は医師・薬剤師に相談しましょう。
3. ウォーキングやストレッチなどの軽い運動を日常に取り入れることもよいことです。
4. 規則的な就床および寝起き，寝る前のリラックスなどを心がけましょう。
5. 就寝前に風呂または温かい風呂または冷たいシャワー，四肢のマッサージなどをするようにしましょう。
6. 座っている時には，会話やゲームなどの趣味等，自分なりに集中・熱中できることを見つけ，症状から注意をそらす工夫をしましょう。

【食事療法】
1. カフェインを含む飲料やアルコール，タバコは症状を悪化させ，睡眠にも悪影響を及ぼします。とくに夕方以降は，これらを避けるようにしましょう。
2. 健康的でバランスの取れた食事で，体調を常に良好に保つようにしましょう。とくに鉄分不足には注意しましょう。

12 筋弛緩薬

■対象薬剤

- 中枢性：クロルフェネシンカルバミン酸エステル(リンラキサー)，バクロフェン(ギャバロン，リオレサール)，アフロクアロン（アロフト），エペリゾン塩酸塩（ミオナール），チザニジン塩酸塩（テルネリン）
- 末梢性：ダントロレンナトリウム水和物（ダントリウム）

■指導のポイント

	患者向け	薬剤師向け
薬効	この薬は筋肉を緊張させている神経を鎮め，筋肉のこり・つっぱり・こわばりをほぐして，痛みをやわらげる薬です ☆この薬は高熱・意識障害・全身の筋肉硬直等の悪性症候群の症状を改善する薬です（ダントリウム）	骨格筋弛緩作用 中枢性…ダントリウム以外 末梢性…ダントリウム ドパミン-セロトニン神経活性不均衡改善作用
詳しい薬効	この薬は中枢神経に作用（ダントリウム以外）したり，骨格筋の興奮−収縮に作用（ダントリウム）して，筋肉を緊張させている神経を鎮め，筋肉のこり・つっぱり・こわばりをほぐして，痛みをやわらげる薬です	
禁忌・併用禁忌	禁忌 ・〔ダントリウム以外〕本剤過敏症既往 ・〔リンラキサー〕類似化合物過敏症既往，肝障害 ・〔ダントリウム〕肝疾患，閉塞性肺疾患あるいは心疾患により著しい心肺機能低下，筋無力症状 ・〔テルネリン〕重篤な肝障害 併用禁忌 〔テルネリン〕⇔フルボキサミン，シプロフロキサシンで本剤の血中濃度上昇	

■主な副作用と対策，フィジカルアセスメントのチェックポイント

主な副作用	患者に確認すべき症状	対策とPAのチェックポイント
精神神経症状	体がだるい，めまい，ふらつき，眠い，頭が重い	減量もしくは休薬
消化器症状	吐き気，嘔吐，食欲がない，腹痛	軽症の場合減量もしくは休薬，胃腸薬の投与。重症の場合中止

■重大な副作用と妊婦・授乳婦への危険度

薬剤名	重大な副作用	妊婦[授乳婦]
リンラキサー	ショック，中毒性表皮壊死融解症	−
ギャバロン，リオレサール	意識障害，呼吸抑制，依存性	B3 [✕○]

薬剤名	重大な副作用	妊婦[授乳婦]
ミオナール	ショック，アナフィラキシー様症状，皮膚粘膜眼症候群，中毒性表皮壊死融解症	[😟〇]
テルネリン	ショック，急激な血圧低下，心不全，呼吸障害，肝炎，肝機能障害，黄疸	[😟〇]
ダントリウム	黄疸，肝障害，PIE症候群，胸膜炎，イレウス，呼吸不全，ショック，アナフィラキシー様症状	B2 [😟×]

■ その他の指導ポイント

	患者向け	薬剤師向け
使用上の注意	・この薬の服用中は，車の運転等，危険を伴う機械の操作は行わないでください →	眠気，めまい，ふらつき，脱力感が注意力・集中力・反射運動能力の低下を招く
	・〔ダントリウム〕薬の量を調節しながら維持量を決定していくので，指示されたとおり根気よく服用してください →	用量には個人差が認められ，用量が多くなると出現する脱力感，倦怠感等の副作用を考慮して，1日1回25 mgより開始し，1週間ごとに25 mgずつ増量して維持量（75〜150 mg/日）を決定
	・〔ギャバロン，リオレサール〕この薬は飲むのを急にやめると幻覚，興奮，けいれん等の症状が現れることがありますので，勝手に服用を中止しないでください →	長期連用中の急激な中止で，幻覚，せん妄，錯乱，興奮状態，けいれん発作等が現れることがあるので漸減して中止
	・〔テルネリン〕めまい，立ちくらみ，動悸，全身倦怠感，冷汗に気づいたらご相談ください →	投与開始初期に急激な血圧低下のリスク。中枢性α₂刺激作用による血圧低下と徐脈
	食〔リンラキサー，ギャバロン，リオレサール，テルネリン〕この薬の服用中にアルコールを飲むと，薬の作用が強く出るので控えてください →	相互に作用を増強するため併用注意
服用を忘れたとき	・〔ダントリウム以外〕思い出したときすぐに服用する。ただし次の服用時間が近いとき（テルネリン：4時間以内）は忘れた分は服用しない（2回分を一度に服用しないこと）	
	・〔ダントリウム〕飲み忘れに気づいても服用しない。次の服用時に決められた用量を服用する（2回分を一度に服用しないこと）	

■ その他備考

■悪性症候群

抗精神病薬の副作用や睡眠薬，抗てんかん薬，抗パーキンソン病薬の中断でも起こる。主な症状は原因不明の高熱，発汗，頻脈，筋強剛，振戦，嚥下困難等である。治療としてブロモクリプチン，ダントロレン，輸液等を使用する

■筋弛緩薬適応一覧

	商　品　名	適　応　症				
		痙性麻痺 （※1）	全身こむら 返り病（※2）	有痛性痙縮 （※3）	筋緊張状態 の改善	悪性症候群
中枢性	リンラキサー			○		
	ギャバロン・リオレサール	○				
	アロフト	○			○	
	ミオナール	○			○	
	テルネリン	○			○	
末梢性	ダントリウム	○	○			○

※1：痙性麻痺（痙縮）：脳卒中，脊髄損傷，脳性麻痺などにより麻痺した手や足の筋が異常に緊張している状態で，手や足の指が曲がり伸びなくて痛い，肘が屈曲したまま伸びないなどの症状を引き起こす。
※2：全身こむら返り病：全身に「こむら返り」の起こる病気で，身体のあちこちの筋肉がさしたる誘因なく，縮んで，激しい痛みを出す。
※3：有痛性痙縮：筋肉痛の場合筋肉の緊張が亢進し，いわゆる「こり」という自覚症状を伴うことが多くこのような疼痛をさす。

13 自律神経作用薬　①抗コリンエステラーゼ薬

■ 対象薬剤

アンベノニウム塩化物（マイテラーゼ），ネオスチグミン臭化物（ワゴスチグミン），ピリドスチグミン臭化物（メスチノン），ジスチグミン臭化物（ウブレチド）

■ 指導のポイント

	患者向け	薬剤師向け
薬効	この薬は筋肉の収縮を高めて筋力を回復させ，重症筋無力症の症状を改善する薬です →	アセチルコリンエステラーゼ阻害作用（真正ChE 阻害薬） 骨格筋の神経筋接合部に作用（四級アンモニウム塩で末梢性）
	☆この薬は胃や腸の運動を良くする薬です →（ワゴスチグミン）	消化管蠕動運動促進作用，胃酸分泌亢進作用による麻痺性イレウス，弛緩性便秘，慢性胃炎の改善
	☆この薬は尿を出しやすくする薬です（ワゴスチグミン，ウブレチド） → （参）No.44 泌尿器科用薬③	膀胱排尿筋収縮作用による弛緩性神経因性膀胱（低活動膀胱）の改善
詳しい薬効	重症筋無力症は運動神経と骨格筋の隙間（神経筋接合部）にあるニコチン性アセチルコリン（ACh）受容体に自己抗体が結合して筋肉が機能不全に陥る自己免疫疾患で，手足に力が入らない・飲み込みにくい（全身の筋力低下），疲れやすい（易疲労性），まぶたが下がる（眼瞼下垂），ものが二重に見える（複視）などの症状が出ます。この薬は，ACh を分解する酵素の働きを抑えて，ACh の作用を強め筋肉の収縮力を回復させる薬で，重症筋無力症の対症療法薬です。		

	患者向け	薬剤師向け
警告	〔ウブレチド〕この薬の服用中にお腹がゴロゴロして痛い，水のような下痢，吐き気，水のような物を吐く，生つばがいっぱい出る，息苦しい，周りが暗く見える，汗が出る，脈が遅くなるなどの症状に気づいたら服用を中止してすぐにご相談ください →	意識障害を伴う重篤なコリン作動性クリーゼが発現し，致命的な転帰例の報告。医師の厳重な監督下，患者の状態を十分観察。コリン作動性クリーゼ徴候（悪心・嘔吐，腹痛，下痢，唾液分泌過多，発汗，徐脈，縮瞳，呼吸困難，血清コリンエステラーゼ低下）発現時直ちに投与中止。 アトロピン硫酸塩水和物 0.5～1mg 静注。呼吸不全時気道確保し人工換気を考慮。副作用発現の可能性について患者・代諾者に十分理解させ，コリン作動性クリーゼの初期症状発現時は直ちに服用中止し受診するよう指導
禁忌・併用禁忌	禁忌　本剤過敏症既往，消化管・尿路の器質的閉塞，迷走神経緊張症 併用禁忌　スキサメトニウムの作用増強し，全身麻酔時に持続性呼吸麻痺発現のおそれ	

■ 主な副作用と対策，フィジカルアセスメントのチェックポイント

主な副作用	患者に確認すべき症状	対策とPAのチェックポイント
ムスカリン様作用（AChによる副交感神経節後線維刺激作用）	下痢，腹痛，お腹がゴロゴロ鳴る，吐き気，嘔吐，異常に汗が出る，唾液が出る，涙があふれる，光が異様にまぶしく感じ痛みを感じる，脈が遅くなる，どきどきする，痰・咳が出る	軽症：減量 重症：中止してアトロピン 0.5〜1mg（メスチノン：1〜2mg）を経口，皮下または静注 PA 脈拍（徐脈：＜60回/min），腸音（↑），腹鳴（空気と腸管内容物が移動する際に自然に発するゴロゴロという音），瞳孔（縮瞳），発汗（↑），呼吸音（いびき音：ロンカイ）

■ 重大な副作用と妊婦・授乳婦への危険度

薬剤名	重大な副作用	妊婦[授乳婦]
マイテラーゼ	コリン作動性クリーゼ	B2
ワゴスチグミン	〃	B2 [◎○]
メスチノン	〃	[◎◎]
ウブレチド	コリン作動性クリーゼ，狭心症，不整脈	−

■ その他の指導ポイント

	患者向け	薬剤師向け
使用上の注意	〔ウブレチド〕胸の痛み・不快感・圧迫感，→動悸，めまい，気が遠くなる，気を失うなどの症状があればご相談ください	狭心症，不整脈（心室頻拍，心房細動，房室ブロック，洞停止など）の副作用報告あり
服用を忘れたとき	・〔ウブレチド以外〕思い出したときすぐに服用する。ただし次の服用時間が近いときは忘れた分は服用しない（2回分を一度に服用しないこと） ・〔ウブレチド〕飲み忘れに気づいても服用しない。次の服用時に決められた用量を服用する（2回分を一度に服用しないこと）	

■ その他備考

■ 重症筋無力症とは

　　　Myasthenia Gravis（ミアステニア・グラービス）といい，MGと略称されている。MGは神経と筋肉の接合部分の異常のために，筋力が弱まり疲れやすく，ひとつの筋肉を繰り返し使うと急速に力が落ちて動かなくなり，全身的な脱力が起こる病気。筋力低下の起こる部分は自分の意志で動かすことのできる筋肉（随意筋）のみで，心臓や内臓などの平滑筋の力が弱くなることはない。日や時間により症状の変動が現れる（日内変動）。そのため時には「なまけ病」と誤解されることもある。症状には個人差がある。弱くなる筋肉の場所は目の周り，口の周り，肩の周り，腕，腰，足など人によって大きく異なる。

自己免疫疾患であるため，治療方法は副腎皮質ステロイドと免疫抑制薬，免疫グロブリン製剤などによる免疫療法に，補助的に対症療法薬である抗コリンエステラーゼ薬が併用される。

■各薬剤の特徴

薬剤名	特徴
マイテラーゼ	一番強力で作用時間が長い。クリーゼのリスクが高いので慎重に投与
ワゴスチグミン	効果発現15～20分。効果持続2～4時間。作用時間が短いため単剤使用されない。球麻痺型の内服困難時に筋注製剤使用。球麻痺型にはしゃべりにくい，鼻声になる，かたい食べ物が噛めない，味噌汁が飲みにくい（嚥下障害）などの球症状（球は延髄球のことで口や舌の運動を司る神経が集合）がみられる
メスチノン	効果発現30分。効果持続3～6時間。マイテラーゼより副作用が少ない。糖衣錠で粉砕すると効果減弱するため微調整しにくい
ウブレチド	効果発現1時間。効果持続72時間と長く副作用も少ない。1日1～2回と他剤よりも少ない投与回数。眼筋型に優れている。眼筋型には，瞼が下がって開かない（眼瞼下垂），物が二重に見える（複視），左右の焦点が合わない（斜視）などの眼の症状がみられる

13 自律神経作用薬　②自律神経調整薬

■対象薬剤

ガンマオリザノール（ハイゼット），トフィソパム（グランダキシン）

■指導のポイント

	患　者　向　け	薬　剤　師　向　け
薬効	この薬は自律神経のバランスを整えること→でイライラ，不安，頭痛・頭重，うつ感，のぼせ，発汗，動悸などの症状を改善する薬です ☆この薬はコレステロールの消化管からの→吸収を抑え，血液中のコレステロールを低下させる薬です（ハイゼット）（参） No.25 脂質異常症治療薬⑩	自律神経調整作用 心身症における不定愁訴（軽い身体・精神症状）の対症療法薬 コレステロール吸収抑制作用
詳しい薬効	この薬は内分泌自律神経系のアンバランスを改善し，自律神経失調症，更年期障害等におけるイライラ，不安，頭痛，うつ感，のぼせ，発汗，動悸などの症状を改善する薬です	
併用禁忌	〔グランダキシン〕⇔ロミタピドの血中濃度の著しい上昇のおそれ	

■ 主な副作用と対策

主な副作用	患者に確認すべき症状	対策
精神神経症状	眠気，めまい，ふらつき，頭が痛い	減量もしくは中止
消化器症状	吐き気，嘔吐，食欲不振，便秘，のどが渇く	〃

■ 重大な副作用と妊婦・授乳婦への危険度

薬剤名	重大な副作用	妊婦[授乳婦]
グランダキシン	－	－

■ その他の指導ポイント

	患者向け	薬剤師向け
使用上の注意	〔グランダキシン〕この薬の服用中は，車の運転等，危険を伴う機械の操作は行わないでください → 食 〔グランダキシン〕この薬の服用中にアルコールを飲むと，薬の作用が強く出るので控えてください →	眠気，注意力・集中力・反射運動能力等の低下のおそれ 中枢神経抑制作用増強のため併用注意
服用を忘れたとき	思い出したときすぐに服用する。ただし次の服用時間が近いときは忘れた分は服用しない（2回分を一度に服用しないこと）	

自律神経失調症の日常生活と食事療法のポイント

　自律神経失調症とは，生活習慣の乱れや過度なストレス，疲労，女性では，女性ホルモンの急激な変動などにより，自律神経のバランスが崩れ，さまざまな不定愁訴（全身の愁訴：疲れやすい・全身がだるい・熱っぽい・のぼせ・発汗・ほてり・冷え・生理不順，神経・筋肉の愁訴：頭痛・頭が重い・めまい・ふらつき・肩こり・腰や背中の痛み・しびれ感・手のふるえ，心臓・呼吸器の愁訴：動悸・胸が苦しい・脈の乱れ・息苦しい・息切れ，胃・腸の愁訴：食欲不振・吐き気・ムカムカする・胃痛・腹痛・腹部不快感・便秘・下痢）が現れることがあり，症状・原因別に4つの傾向がみられます。

①本　態　性：自律神経の働きがもともと不安定傾向を示す。
②心身症型：ストレスに心身が対処できず自律神経のバランスが崩れる。
③神経症型：何も異常がないにもかかわらず，何らかのきっかけで「自分は病気だ」と思い込むことにより起こる。神経質な人に起こりやすい。
④抑うつ型：心身症型と同様，ストレスが多く関係して，不眠・食欲不振・頭痛などとともに抑うつが現れる。几帳面な人に起こりやすい。

【日常生活のポイント】
1．起床時間・就寝時間を一定にし，早寝・早起きを心がけ，十分な睡眠時間をとるようにしましょう。
2．適度な運動で，基礎体力をつけるようにしましょう。
3．適度に息抜きや休養をはかり，意識的に気分転換のチャンスを作りましょう。
4．規則正しい生活をするようにしましょう。
5．入浴はぬるめのお湯（38〜40℃）にゆったりつかるようにしましょう。
6．1日のリズムができたら，次は1週間のリズムを正しましょう。
7．週末は必ず休養し，家族や友人たちと交流する時間をとったり，ストレスを発散させるために自分にあった運動や趣味・レジャーを行いましょう。

【食事療法のポイント】
1．食事時間を一定にし，暴飲暴食を避け，栄養バランスの良いものをとるようにしましょう。
2．食事はカルシウム・ミネラルたっぷりのものをとるようにしましょう。

14 眼科用薬 ①内服

■ 対象薬剤
ヘレニエン（アダプチノール）

■ 指導のポイント

	患者向け	薬剤師向け
薬効	この薬は、暗いところで早く目が見えるようにしたり、ものが見える範囲を改善する薬です	視紅合成促進作用→第二次暗順応改善 錐状体機能促進作用→第一次暗順応改善
詳しい薬効	この薬は網膜の色素上皮において好気的代謝を促進することにより、暗いところで早く目が見えるようにしたり、ものが見える範囲を改善する薬です	

■ 主な副作用と対策、フィジカルアセスメントのチェックポイント

主な副作用	患者に確認すべき症状	対策とPAのチェックポイント
羞明、光視症	光がまぶしく感じる	減量もしくは中止
消化器症状	下痢、軟便	減量もしくは中止 PA 腸音（↑）
全身倦怠感、頭部圧迫痛	体のだるさ、頭の痛み	減量もしくは中止

■ その他の指導ポイント

服用を忘れたとき	思い出したときすぐに服用する。ただし次の服用時間が近いときは忘れた分は服用しない（2回分を一度に服用しないこと）

14 眼科用薬　②散瞳薬

■ 対象薬剤

アトロピン硫酸塩水和物（日点アトロピン㊂，リュウアト㊟），シクロペントラート塩酸塩（サイプレジン㊂），トロピカミド（ミドリンM㊂），フェニレフリン塩酸塩（ネオシネジンコーワ㊂）
配合剤（ミドリンP㊂）

[㊂点眼液，㊟眼軟膏]

■ 指導のポイント

	患者向け	薬剤師向け
薬効	この薬は瞳孔（ひとみ）を拡げる目薬（眼軟膏）です	散瞳作用 調節麻痺作用 副交感神経抑制作用：日点アトロピン点眼，リュウアト眼軟膏，サイプレジン点眼，ミドリンM 副交感神経抑制作用，交感神経刺激作用：ミドリンP 選択的α₁受容体刺激作用：ネオシネジンコーワ点眼
詳しい薬効	・この薬は副交感神経を抑えることで，瞳を大きく開いたりピントを調節する筋肉を休ませたりする作用があります．遠視や乱視などにおける屈折検査（日点アトロピン，サイプレジン）や眼底検査（ミドリンP，ミドリンM）に用いたり，目の中の炎症の治療（日点アトロピン）や，ピント調節の改善（ミドリンM）に用いられる点眼薬（眼軟膏）です（ネオシネジンコーワ以外） ・この目薬は，その交感神経を刺激することで，瞳を大きく開いて眼底検査で用いられる点眼薬です（ネオシネジンコーワ）	
禁忌	・眼圧上昇の素因 ・〔ネオシネジンコーワ，ミドリンP〕本剤過敏症既往	

■ 主な副作用と対策，フィジカルアセスメントのチェックポイント

主な副作用	患者に確認すべき症状	対策とPAのチェックポイント
眼瞼発赤，腫脹，瘙痒感	まぶたが赤くなる・腫れ・かゆみ	中止 PA 眼瞼（発赤，腫張，かゆみ）
結膜炎，角膜上皮障害	結膜充血・むくみ，目やに，目の痛み，見えにくい，目の異物感	中止 PA 結膜（充血），眼周囲（目やに）
眼圧上昇	目の痛み，見えにくい，頭痛	中止
循環器症状	血圧が上がる，脈が速くなる	中止 PA 血圧（↑），脈拍（↑）

主な副作用	患者に確認すべき症状	対策とPAのチェックポイント
消化器症状	吐き気，嘔吐，口の渇き	中止
顔面潮紅	顔が赤くなる	〃

■ 重大な副作用と妊婦・授乳婦への危険度

薬剤名	重大な副作用	妊婦[授乳婦]
リュウアト	－	A
サイプレジン	－	B2
ミドリンM，ネオシネジンコーワ	－	B2 [授○]
ミドリンP	ショック，アナフィラキシー	B2

■ その他の指導ポイント

	患者向け	薬剤師向け
使用上の注意	・点眼薬の正しい使い方 → ・この目薬の使用中は車の運転等，危険を伴う機械の操作は行わないでください。また，サングラスを着用する等，太陽光や強い光を直接見ないでください ・緑内障もしくは眼圧が高いといわれた方 → は必ずご相談ください ・〔ミドリンM〕治療目的で1日1回投与 → の場合は就寝前に点眼してください ・2種類以上の点眼薬投与時の使用法 →	p.221参照 散瞳または調節麻痺が起こり，見えにくくなることがあるので，本剤投与中の患者には，散瞳または調節麻痺が回復するまで自動車の運転や危険を伴う機械の操作に従事させないように注意する 急性閉塞隅角緑内障の発作を起こすおそれがある ・〔日点アトロピン点眼・リュウアト眼軟膏〕乳児，小児には0.25％液を使用することが望ましい ・〔ミドリンM・ミドリンP〕小児には必要に応じて希釈して使用することが望ましい ・〔サイプレジン点眼〕小児の場合けいれん等が現れるおそれがある ・〔サイプレジン点眼〕再投与する場合は10～30分の間隔をおいて慎重に投与する 散瞳作用のため，日中に点眼するとまぶしくなる p.222参照
点眼を忘れたとき	思い出したときすぐに点眼（点入）する。ただし次の点眼（点入）時間が近いときは忘れた分は使用しない（2回分を一度に点眼（点入）しないこと）	

■ その他備考

- 配合剤成分：ミドリンP（トロピカミド，フェニレフリン塩酸塩）

14 眼科用薬　③緑内障治療薬

■ 緑内障治療薬―薬物治療の確認と指導のポイント

項目	確認のポイント
緑内障の症状とタイプの確認	**緑内障とは** 眼圧の上昇により視神経乳頭部の変化と視野障害をきたす疾患。自覚なしに症状が進行する。不可逆性であるため早期発見，早期治療が重要 **緑内障の分類** 1．原発緑内障（原因がわからないもの） 　・開放隅角緑内障：(緑内障の80％を占める。90％が正常眼圧緑内障) 線維柱帯やシュレム管での房水の流出が妨げられ徐々に眼圧が上昇。初期には自覚症状がほとんどない。中期以降は視野異常がみられる 　・閉塞隅角緑内障：隅角が狭窄，閉塞するために房水が流出せず，眼圧が上昇。高眼圧の持続で視神経萎縮，視力低下，視野狭窄をきたす。激しい眼痛，悪心嘔吐，頭痛，霧視症状がみられることが多い→急性緑内障発作が起きた場合，失明に至ることもある 2．続発緑内障（他の疾患や薬物使用が原因のもの） 3．発達緑内障（小児緑内障）（隅角発達異常によるもの）
薬物治療の確認	緑内障は定期的に眼圧，視神経乳頭，視野の状態を確認し，治療方針を変更 1．**開放隅角緑内障**（p.201参照） 　　薬物治療で第一選択薬①②を単剤，併用で使用。眼圧下降が不十分であれば多剤併用する 　　第一選択薬：①プロスタグランジン（PG）系製剤（房水流出促進）：ラタノプロスト，タフルプロスト，トラボプロスト，ビマトプロスト，イソプロピルウノプロストン 　　　　　　②β受容体遮断薬（房水産生抑制）： 　　　　　　　・β遮断薬受容体非選択性：チモロール，カルテオロール 　　　　　　　・β_1受容体選択性：ベタキソロール 　　　　　　　・$\alpha \cdot \beta$遮断薬：ニプラジロール，レボブノロール 　　第一選択薬が使用できない場合：炭酸脱水酵素阻害薬，交感神経α_2受容体刺激薬，α_1受容体遮断薬，副交感神経刺激薬，ROCK阻害薬を使用 2．**閉塞隅角緑内障**：(急性時) マンニトール（眼圧低下），ピロカルピン（隅角開放）等を投与→レーザー虹彩切開術→眼圧低下不十分時レーザー治療・手術療法→瞳孔ブロック解消後の高眼圧→開放隅角緑内障に準じて薬物治療実施 　・併用療法時は2種類のβ受容体遮断薬併用，炭酸脱水酵素阻害薬の点眼薬と内服の併用など同じ薬理作用の薬剤は併用しないよう注意。配合点眼薬使用時にも併用薬に同系統の薬剤が含まれないよう注意

項目	確認のポイント
眼圧上昇を引き起こす薬剤服用の有無の確認	1．隅角閉塞で眼圧を上昇させる薬： ・抗コリン作用：抗コリン薬（気管支拡張薬，頻尿治療薬，抗パーキンソン病薬，鎮痙薬等），抗不安薬，抗うつ薬，抗不整脈薬，第一世代抗ヒスタミン薬，OTCの感冒薬 ・交感神経刺激作用：交感神経刺激薬，麻薬 2．隅角の形状に影響を及ぼさず眼圧を上昇させる薬： ・副腎皮質ホルモン，抗悪性腫瘍薬，硝酸薬
副作用の確認	・PG製剤：眼瞼・虹彩色素沈着やまつげの多毛 ・β受容体遮断薬：喘息，心不全では禁忌
アドヒアランス向上のための指導	多剤併用が多く点眼回数も異なることも多いので理解度を確認する。PG製剤は眼瞼等の色素沈着が起こるので，あらかじめ十分説明を行い，中断しないように指導する。β受容体遮断薬の全身性副作用を軽減するため，点眼量は1滴で涙嚢部を圧迫あるいは閉眼（1～5分）する

■ 対象薬剤

(A) プロスタグランジン（PG）系製剤
　　・プロスタグランジン $F_{2\alpha}$ 誘導体：ラタノプロスト（キサラタン㊗），トラボプロスト（トラバタンズ㊗），タフルプロスト（タプロス㊗，タプロスミニ㊗）
　　・プロスタマイド誘導体：ビマトプロスト（ルミガン㊗）
　　・イオンチャンネル開口薬：イソプロピル ウノプロストン（レスキュラ㊗）
　　・EP2受容体作動薬：オミデネパグ イソプロピル（エイベリス㊗）
(B) 交感神経遮断薬
　　・β遮断薬（受容体非選択性）：チモロールマレイン酸塩（チモプトール㊗，チモプトール XE㊗，リズモン TG㊗），カルテオロール塩酸塩（ミケラン㊗，ミケラン LA㊗）
　　・β遮断薬（β_1受容体選択性）：ベタキソロール塩酸塩（ベトプティック㊗，ベトプティックエス㊗）
　　・αβ遮断薬：ニプラジロール（ハイパジールコーワ㊗），レボブノロール塩酸塩（レボブノロール㊗）
　　・α_1遮断薬：ブナゾシン塩酸塩（デタントール㊗）
(C) 炭酸脱水酵素阻害薬
　　・ドルゾラミド塩酸塩（トルソプト㊗），ブリンゾラミド（エイゾプト㊗）
(D) 交感神経刺激薬
　　・α_2受容体選択性刺激薬：ブリモニジン酒石酸塩（アイファガン㊗）
(E) 副交感神経作動薬
　　・コリン作動薬：ピロカルピン塩酸塩（サンピロ㊗）
　　・コリンエステラーゼ阻害薬：ジスチグミン臭化物（ウブレチド㊗）
(F) Rhoキナーゼ（ROCK）阻害薬
　　・リパスジル塩酸塩水和物（グラナテック㊗）
(G) 配合剤
　　①PG＋β遮断薬：ザラカム配合㊗，デュオトラバ配合㊗，タプコム配合㊗，ミケルナ配合㊗
　　②β遮断薬＋炭酸脱水酵素阻害薬：コソプト配合㊗，コソプトミニ配合㊗，アゾルガ配合㊗

③ $α_2$ 受容体選択性刺激薬＋β 遮断薬：**アイベータ配合**㊥
④ $α_2$ 受容体選択性刺激薬＋炭酸脱水酵素阻害薬：**アイラミド配合**㊥

[㊞点眼液，㊥懸濁性点眼液]

■ 指導のポイント

	患 者 向 け	薬 剤 師 向 け
薬効	この薬は眼内の圧力を下げ緑内障の治療に用いる目薬です →	眼圧降下作用（房水産生抑制・流出促進）
詳しい薬効	・この薬は体内の生理的物質（プロスタグランジン）の誘導体で，房水の流出を促進させて眼圧を下げ，緑内障における視野の悪化を抑える目薬です（キサラタン，トラバタンズ，タプロス，タプロスミニ，ルミガン） ・この薬は体内の生理的物質（プロスタグランジン）の誘導体で，細胞膜のイオンチャンネルを開口することで線維柱帯本路から房水の流出を促進させて眼圧を下げ，緑内障における視野の悪化を抑える目薬です（レスキュラ） ・この薬は房水流出に関わる生理活性脂質プロスタグランジン E2 の受容体である EP2 を刺激し，線維柱帯流出路およびぶどう膜強膜流出路を介し房水流出を促進させて眼圧を下げ，緑内障における視野の悪化を抑える目薬です（エイベリス） ・この薬は交感神経の β 受容体を遮断して房水の産生を抑えて眼圧を下げ，緑内障における視野の悪化を抑える目薬です（ミケラン，ミケラン L，チモプトール，リズモン，ベトプティック） ・この薬は交感神経の αβ 受容体を遮断して房水の産生を抑え（β 遮断作用）たり，房水の流出を促進（α 遮断作用）させて眼圧を下げ，緑内障における視野の悪化を抑える目薬です（ハイパジールコーワ，レボブノロール） ・この薬は交感神経の $α_1$ 受容体を遮断して房水の流出を促進させて眼圧を下げ，緑内障における視野の悪化を抑える目薬です（デタントール） ・この薬は目の毛様体に存在する炭酸脱水酵素を特異的に阻害して，房水産生を抑えて眼圧を下げ，緑内障における視野の悪化を抑える目薬です（トルソプト，エイゾプト） ・この薬は交感神経の $α_2$ 受容体を刺激して房水の産生を抑えたり，房水の流出を促進させて眼圧を下げ，緑内障における視野の悪化を抑える目薬です（アイファガン） ・この薬は副交感神経を刺激して瞳を小さくし房水の流出を促進させて眼圧を下げ，緑内障における視野の悪化を抑えたり，検査後の縮瞳などに用いる目薬です（サンピロ） ・この薬は副交感神経を刺激して房水の流出を促進させて眼圧を下げ，緑内障における視野の悪化を抑えたり，瞳を小さくして遠視が原因で起こる内斜視での症状を改善したり，まぶたの筋力を回復させ眼筋型重症筋無力症の症状を改善する目薬です（ウブレチド） ・この薬は平滑筋収縮に関わる Rho キナーゼのアイソフォームである ROCK を選択的に阻害することにより，線維柱帯-シュレム管を介する主流出路から房水流出を促進して眼圧を下げ，緑内障における視野の悪化を抑える目薬です（グラナテック） ・この薬はラタノプロスト（キサラタン）という体内の生理的な物質（プロスタグランジン）の誘導体で房水の流出を促進させる薬と，チモロール（チモプトール）という交感神経の β 受容体を遮断して房水の産生を抑える薬の合剤で，眼圧下降効果を高め，緑内障における視野の悪化を抑える目薬です（ザラカム） ・この薬はトラボプロスト（トラバタンズ）という体内の生理的物質（プロスタグランジン）の誘導体で房水の流出を促進させる薬と，チモロール（チモプトール）という交感神経の β 受容体を遮断して房水の産生を抑える薬の合剤で，眼圧下降効果を高め，緑内障におけ

詳しい薬効	・る視野の悪化を抑える目薬です（デュオトラバ） ・この薬はタフルプロスト（タプロス）という体内の生理的物質（プロスタグランジン）の誘導体で房水の流出を促進させる薬と、チモロール（チモプトール）という交感神経のβ受容体を遮断して房水の産生を抑える薬の合剤で、眼圧下降効果を高め、緑内障における視野の悪化を抑える目薬です（タプコム） ・この薬はラタノプロスト（キサラタン）という体内の生理的物質（プロスタグランジン）の誘導体で房水の流出を促進させる薬と、カルテオロール（ミケラン）という交感神経のβ受容体を遮断して房水の産生を抑える薬の合剤で、眼圧下降効果を高め、緑内障における視野の悪化を抑える目薬です（ミケルナ） ・この薬はドルゾラミド（トルソプト）という目の毛様体に存在する炭酸脱水酵素を特異的に阻害して房水産生を抑える薬と、チモロール（チモプトール）という交感神経のβ受容体を遮断して房水の産生を抑える薬の合剤で、眼圧下降効果を高め、緑内障における視野の悪化を抑える目薬です（コソプト、コソプトミニ） ・この薬はブリンゾラミド（エイゾプト）という目の毛様体に存在する炭酸脱水酵素を特異的に阻害して房水産生を抑える薬と、チモロール（チモプトール）という交感神経のβ受容体を遮断して房水の産生を抑える薬の合剤で、眼圧下降効果を高め、緑内障における視野の悪化を抑える目薬です（アゾルガ） ・この薬はブリモニジン（アイファガン）という交感神経のα_2受容体を刺激して房水の産生を抑えたり房水の流出を促進する薬と、チモロール（チモプトール）という交感神経のβ受容体を遮断して房水の産生を抑える薬の合剤で、眼圧下降効果を高め、緑内障における視野の悪化を抑える目薬です（アイベータ） ・この薬はブリモニジン（アイファガン）という交感神経のα_2受容体を刺激して房水の産生を抑えたり房水の流出を促進する薬と、ブリンゾラミド（エイゾプト）という目の毛様体に存在する炭酸脱水酵素を特異的に阻害して房水産生を抑える薬の合剤で、眼圧下降効果を高め、緑内障における視野の悪化を抑える目薬です（アイラミド）
禁忌・併用禁忌	禁忌 ・〔サンピロ〕虹彩炎 ・〔ウブレチド〕前駆期緑内障 ・〔サンピロ、ウブレチド、レスキュラ以外〕本剤過敏症既往 ・〔エイベリス〕無水晶体眼または眼内レンズ挿入眼 ・〔ベトプティック、ベトプティックエス以外のβ、α・β遮断薬、アイラミド以外の配合剤〕気管支喘息、気管支けいれん、重篤な慢性閉塞性肺疾患、コントロール不十分な心不全、洞性徐脈、房室ブロック（Ⅱ、Ⅲ度）、心原性ショック ・〔ミケラン、ハイパジール、ミケルナ配合〕気管支けいれん既往 ・〔ベトプティック、ベトプティックエス〕コントロール不十分な心不全、妊婦 ・〔トルソプト、エイゾプト、コソプト配合、アゾルガ配合、アイラミド配合〕重篤な腎障害 ・〔アイファガン、アイベータ配合、アイラミド配合〕低出生体重児、新生児、乳児または2歳未満の幼児 併用禁忌 ・〔ウブレチド〕⇔脱分極性筋弛緩薬（スキサメトニウム）の作用増強 ・〔タプロス〕⇔オミデネパグ イソプロピルにて中等度以上の眼炎症が高頻度発現 ・〔エイベリス〕⇔タフルプロストにて中等度以上の眼炎症が高頻度発現

■ 主な副作用と対策，フィジカルアセスメントのチェックポイント

主な副作用	患者に確認すべき症状	対策とPAのチェックポイント
結膜充血，瘙痒感，刺激症状，霧視	目の充血，目のかゆみ，しみる，灼熱感，ごろごろする，不快感，かすむ	中止 PA 結膜（充血）

〔プロスタグランジン系製剤〕

主な副作用	患者に確認すべき症状	対策とPAのチェックポイント
眼瞼色素沈着，虹彩色素沈着，眼瞼の多毛症，睫毛の異常，眼瞼溝深化	目のまわりが黒ずむ，黒目の色が濃くなる，目のまわりの多毛，まつげが長く，太く，多くなる，上まぶたがくぼむ，二重まぶたになる	予防，軽減のため点眼時，目の皮膚に液がついた場合は，よく拭き取るか，洗顔する。投与の継続で徐々に進行し投与中止により停止し徐々に消失，軽減する PA 眼瞼（まぶた）・まつげ・虹彩（眼球の色のついている部分）（黒ずみ）
角膜障害（角膜炎，点状表層角膜炎，角膜びらん等）	目のごろごろ感・痛み，しみる，涙が出る，見えにくい	中止。コンドロイチン硫酸点眼液の併用により数日で改善

〔EP2受容体作動薬〕

主な副作用	患者に確認すべき症状	対策
虹彩炎	目の痛み，まぶしい	中止

〔交感神経遮断薬〕

主な副作用	患者に確認すべき症状	対策とPAのチェックポイント
角膜障害（角膜炎・角膜びらん等）	目のごろごろ感・痛み，しみる，涙が出る，見えにくい	中止。コンドロイチン硫酸点眼液の併用により数日で改善
眼瞼炎，眼瞼発赤	まぶたのただれ，まぶたの赤み	中止 PA 眼瞼（発赤・腫脹）
徐脈	脈が遅くなる，脈が減る	中止 ・症候性の徐脈の場合，アトロピン硫酸塩0.25〜2 mgを静脈内投与 PA 脈拍（減少：50以下，不整脈）
頭痛，呼吸困難，咳，悪心，不快感	頭の痛み，息苦しい，吐き気	中止

〔炭酸脱水酵素阻害薬〕

主な副作用	患者に確認すべき症状	対策
角膜障害（角膜炎，点状表層角膜炎，角膜びらん等）	目のごろごろ感・痛み，しみる，涙が出る，見えにくい	中止。コンドロイチン硫酸点眼液の併用により数日で改善
頭痛，嘔気	頭の痛み，吐き気	中止

主な副作用	患者に確認すべき症状	対策
味覚倒錯（エイゾプト）	点眼後に口の中に苦味を感じる	〃

・配合剤についてはそれぞれ交感神経刺激薬，交感神経遮断薬，プロスタグランジン系製剤，炭酸脱水酵素阻害薬を参照

〔交感神経刺激薬〕

主な副作用	患者に確認すべき症状	対策とPAのチェックポイント
頭痛・頭重，動悸，発汗，振戦	頭の痛み，心臓がどきどきする，汗が出る，ふるえる	中止 PA 脈拍（↑）
アレルギー性結膜炎，眼瞼炎（長期投与で頻度が高くなる）（アイファガン）	目の充血，目のかゆみ，目の異物感，涙が出る，目やにが出る，まぶたのただれ，まぶたの赤み	中止 PA 眼瞼（裏のぶつぶつ，赤み）

〔副交感神経作動薬〕

主な副作用	患者に確認すべき症状	対策とPAのチェックポイント
下痢，悪心・嘔吐，発汗	下痢，気分が悪い，嘔吐する，汗が出る，よだれを流す	全身症状が現れた場合中止し，アトロピンの投与等適切な処置 PA 腸音（下痢：↑）
虹彩嚢腫（長期連用時）（ウブレチド）	瞳の膨れ	休薬するかアドレナリン，フェニレフリンの点眼

〔Pho キナーゼ（ROCK）阻害薬〕

主な副作用	患者に確認すべき症状	対策とPAのチェックポイント
結膜充血	目の充血	点眼時に一過性に発現するが，持続する場合中止 PA 結膜（充血）
結膜炎，眼瞼炎	目やまぶたの裏側が赤くなる，まぶたのただれ	中止。長期投与においてアレルギー性結膜炎・眼瞼炎の発現頻度が高くなる PA 眼瞼（発赤・ただれ）

■ 重大な副作用と妊婦・授乳婦への危険度

薬剤名	重大な副作用	妊婦[授乳婦]
キサラタン，トラバタンズ，ルミガン	虹彩色素沈着	B3 [🚫◎]
タプロス，タプロスミニ	虹彩色素沈着	B3
エイベリス	嚢胞様黄斑浮腫を含む黄斑浮腫	−
チモプトール，チモプトール XE，リズモン TG	眼類天疱瘡，気管支けいれん，呼吸困難，呼吸不全，心ブロック，うっ血性心不全，心停止，脳虚血，脳血管障害，全身性エリテマトーデス	C [🚫◎] （チモプトール）

No.14　眼科用薬

薬剤名	重大な副作用	妊婦[授乳婦]
ミケラン, ミケランLA	喘息発作, 高度な徐脈に伴う失神, 房室ブロック, 洞不全症候群, 洞停止等の徐脈性不整脈, うっ血性心不全, 冠攣縮性狭心症, 眼類天疱瘡, 脳虚血, 脳血管障害, 全身性エリテマトーデス	[🚫◎]（ミケランLA）
ベトプティック, ベトプティックエス	眼類天疱瘡, 全身性エリテマトーデス, 脳虚血, 脳血管障害, 心不全, 洞不全症候群	禁忌/C
ハイパジール	喘息発作 [類薬] 眼類天疱瘡, 心ブロック, うっ血性心不全, 心停止, 洞不全症候群, 脳虚血, 脳血管障害, 全身性エリテマトーデス	－
レボブノロール	[類薬] 眼類天疱瘡, 気管支けいれん, 呼吸困難, 呼吸不全, うっ血性心不全, 心ブロック, 脳虚血, 心停止, 脳血管障害, 失神, 喘息発作, 全身性エリテマトーデス	－
トルソプト	皮膚粘膜眼症候群, 中毒性表皮壊死症	B3 [🚫◎/C]
サンピロ	眼類天疱瘡	B3
ザラカム	虹彩色素沈着, 眼類天疱瘡, 気管支けいれん, 呼吸困難, 呼吸不全, 心ブロック, 心不全, 心停止, 脳虚血, 脳血管障害, 全身性エリテマトーデス	C
タプコム, デュオトラバ	虹彩色素沈着, 眼類天疱瘡, 気管支けいれん, 呼吸困難, 呼吸不全, 心ブロック, うっ血性心不全, 脳虚血, 心停止, 脳血管障害, 全身性エリテマトーデス	C（デュオトラバ）
ミケルナ	喘息発作, 失神, 房室ブロック, 洞不全症候群, 洞停止等の徐脈性不整脈, うっ血性心不全, 冠攣縮性狭心症, 虹彩色素沈着, 眼類天疱瘡, 脳虚血, 脳血管障害, 全身性エリテマトーデス	－
コソプト, コソプトミニ	眼類天疱瘡, 気管支けいれん, 呼吸困難, 呼吸不全, 心ブロック, うっ血性心不全, 脳虚血, 心停止, 脳血管障害, 全身性エリテマトーデス, 皮膚粘膜症候群, 中毒性表皮壊死融解症	C
アゾルガ, アイベータ	眼類天疱瘡, 気管支けいれん, 呼吸困難, 呼吸不全, 心ブロック, うっ血性心不全, 脳虚血, 心停止, 脳血管障害, 全身性エリテマトーデス	C
エイゾプト, アイファガン, アイラミド	－	B3

■ その他の指導ポイント

	患者向け	薬剤師向け
使用上の注意	・点眼薬の正しい使い方　→	p.221 参照 ・〔β遮断薬, α・β遮断薬〕β遮断薬全身投与時と同様の副作用が現れることがある ・〔アイファガン, アイベータ, アイラミド〕$α_2$作動薬全身投与時と同様の副作用が現れることがある ・〔トルソプト, エイゾプト, コソプト, コソ

使用上の注意	・〔レスキュラ以外のA, エイゾプト, アイファガン, サンピロ, コソプト以外の配合剤〕薬の影響が回復するまで車の運転等, 危険を伴う機械の操作は行わないでください	プトミニ, アゾルガ, アイラミド〕スルホンアミド系薬剤の全身投与時と同様の副作用が現れることがある 〔エイベリス〕一時的に霧視, 羞明等が現れることがある 〔エイゾプト, アゾルガ〕一時的に目がかすむことがある 〔アイファガン, アイベータ, アイラミド〕眠気, めまい, 霧視等が起こることがある 〔サンピロ〕縮瞳（暗黒感）または調節けいれんが起こるため 〔上記以外〕一時的に霧視が現れるため
	・〔ベトプティック, ベトプティックエス〕→全身麻酔をするような手術を受けるときはご相談ください	全身麻酔で過度の心機能抑制が現れることがあるので, 徐々に減量し, 全身麻酔前には投与を休止
	・〔ベトプティック, ベトプティックエス〕→定期的に血圧測定を行ってください	血圧下降のおそれがあるため
	・〔チモプトールXE, リズモンTG〕この→目薬は点眼後べたつきます	〔チモプトールXE〕涙液と接触することにより点眼液がゲル化し, 霧視またはべとつきが数分間持続する 〔リズモンTG〕点眼液が熱によりゲル化する
	・〔チモプトールXE, リズモンTG, ミケ→ランLA, ミケルナ〕この目薬は最後に点眼してください	〔チモプトールXE, リズモンTG〕点眼液がゲル化し他の点眼薬の吸収を妨げるおそれがある。やむを得ず他の点眼薬を使用する場合は十分な間隔をあける 〔ミケランLA, ミケルナ〕本剤は眼表面での滞留性向上・持続性発揮のためアルギン酸を添加しているので他の点眼薬との併用時には他剤の吸収性あるいは, 他剤が本剤の持続性に影響を及ぼす可能性がある。そのため他の点眼薬との併用時には10分間の間隔をあけて本剤を最後に点眼する。やむを得ず本剤点眼後に他の点眼薬を使用する場合は十分な間隔をあける
	・〔チモプトールXE〕使用前キャップをしたまま点眼瓶を1回振ってください	何度も振る必要はない
	・〔リズモンTG〕室内に放置してしまいゼリー状になった場合は, 30分以上冷蔵庫で冷やしてから点眼してください	ゼリー状に変化しても品質には問題ない
	・〔キサラタン, ザラカム, タプロス, タプロスミニ, デュオトラバ, トラバタンズ, ルミガン, タプコム, ミケルナ〕瞳の色に変化がみられるときはご相談ください	虹彩色素沈着が現れることがあるため
	・〔トラバタンズ, タプロス, タプロスミニ, →ルミガン, キサラタン, ザラカム, デュ	眼瞼への色素沈着, 眼周囲の多毛化が現れることがあるため

	・オトラバ, タプコム, ミケルナ〕薬が, まぶたや皮膚についた場合はよく拭き取るか, 洗顔してください。また目のまわりの色に変化がみられる, まつげが濃くなるときはご相談ください	
	・〔エイベリス〕視力低下があればすぐに受診してください →	嚢胞様黄斑浮腫を含む黄斑浮腫および虹彩炎が現れることがあるため
	・〔キサラタン, トラバタンズ, ザラカム, タプロス, タプロスミニ, デュオトラバ, ルミガン, タプコム, ミケルナ〕しみる, 瘙痒感, 眼痛が持続するようならご相談ください →	角膜上皮障害（点状表層角膜炎, 糸状角膜炎, 角膜びらん）が現れることがあるため
使用上の注意	・〔タプロスミニ〕使用する前, 容器の先端をねじって取り外し, 最初の1〜2滴は捨ててください →	開封時の容器破片除去のため
	・〔コソプトミニ〕使用する前, 容器の先端をねじって取りはずし, 最初の1滴は捨ててください →	〃
	・〔タプロスミニ, コソプトミニ〕開封後は1回だけ使用して捨ててください →	保存剤を含まないため
	・〔ベトプティック, ベトプティックエス, エイゾプト, アイラミド, アゾルガ〕点眼時はコンタクトレンズをはずし, 15分以上経過してから装用してください →	ベンザルコニウム塩化物を含有するので, ソフトコンタクトレンズに吸着されることがあるため
	・〔エイベリス, チモプトール, デタントール〕点眼時はコンタクトレンズをはずし, 10分間の間隔をあけて装用してください →	〃
	・〔キサラタン, タプロス, ルミガン, ザラカム, タプコム〕点眼時はコンタクトレンズをはずし, 15分以上経過してから装用してください →	ベンザルコニウム塩化物によりコンタクトレンズを変色させることがあるため
	・〔グラナテック〕ソフトコンタクトレンズ装着時の点眼は避けてください →	ベンザルコニウム塩化物を含有するので, ソフトコンタクトレンズに吸着されることがあるため
	・〔タプロスミニ〕光を避けて, 涼しいところ（2〜8℃）で保管し, アルミピロー包装開封後は1年以内に使用してください。室温で保存した場合には1カ月以内に使用してください	
	・〔エイゾプト, ベトプティックエス〕用時よく振り混ぜてから使用してください	
	・〔レスキュラ〕霧視, 異物感, 眼痛が持続するようならご相談ください →	角膜障害が現れることがあるため
	・〔ベトプティック, ベトプティックエス〕妊娠中または妊娠の可能性のある方は必 →	動物実験で胚・胎児の死亡の増加が報告されているため投与禁忌

使用上の注意	・〔リズモンTG〕光を避けて，涼しい所に保管してください ・〔キサラタン，ザラカム，エイベリス〕開封前は涼しい所に保管してください。開封後は光を避けて室温で保管してもかまいません ・〔トラバタンズ〕開封前は涼しい所に保管してください。開封後は室温で保管してもかまいません ・2種類以上の点眼薬投与時の使用法　→　p.222参照
点眼を忘れたとき	思い出したときすぐに点眼する。ただし次の点眼時間が近いときは忘れた分は使用しない（2回分を一度に点眼しないこと）

■ その他備考
■ 配合剤成分

	(A)PG系	(B)β遮断薬	(C)炭酸脱水酵素阻害薬	(D)α_2受容体刺激薬
ザラカム	ラタノプロスト	チモロール		
デュオトラバ	トラボプロスト	チモロール		
タプコム	タフルプロスト	チモロール		
ミケルナ	ラタノプロスト	カルテオロール		
コソプト		チモロール	ドルゾラミド	
アゾルガ		チモロール	ブリンゾラミド	
アイベータ		チモロール		ブリモニジン
アイラミド			ブリンゾラミド	ブリモニジン

No.14 眼科用薬

緑内障

緑内障の分類			薬物療法を第一選択とする（第一選択薬）	薬剤の作用
原発緑内障（広義）	原発開放隅角緑内障（広義）	原発開放隅角緑内障	隅角が開放しているのに、線維柱帯部での房水流出がうまく排出されないために眼圧が上昇し、視神経がその圧力を受けるため、通常は慢性に眼圧が上昇する疾患。（高眼圧症）眼圧などが房水動態に関しては原発開放隅角緑内障と共通項目が多く、視神経症などを呈する病態。原発開放隅角緑内障または前段階がないまたは視神経の眼圧抵抗性の強い症例などがあると考えられる方がある。	薬物療法を第一選択とする（第一選択薬）プロスタグランジン関連薬 交感神経β受容体遮断薬 交感神経β受容体刺激薬（副作用等でβ遮断薬が不適当な場合、次の点眼薬も第1選択になり得る） 炭酸脱水酵素阻害薬 交感神経α₁受容体刺激薬 イオンチャネル開口薬 ROCK阻害薬 交感神経α₂受容体刺激薬 交感神経非選択性刺激薬 副交感神経刺激薬 高張浸透圧薬（内服） アセタゾラミド（内服）	ぶどう膜強膜路流出促進 房水産生抑制 ぶどう膜強膜路流出促進 房水産生抑制・ぶどう膜強膜路流出促進（直接） 線維柱帯路流出促進（直接） 線維柱帯路流出促進（間接） 房水産生抑制 ぶどう膜強膜路流出促進 線維柱帯路流出促進 線維柱帯非選択神経刺激薬
		正常眼圧緑内障	眼圧が正常範囲であるにもかかわらず視神経が障害を受け、乳頭陥凹や視野欠損を有する疾患。	（配合点眼薬は多剤併用時のアドヒアランス向上が主目的のため、第1選択薬ではない）
	原発閉塞隅角緑内障		隅角が狭いため房水の流出が障害され眼圧上昇を生じる疾患。急性的に眼圧が上昇し、視力低下、霧視、虹視症、頭痛、吐き気などの症状を呈することがある。急性緑内障発作といい、対光反射の減弱・消失などを主徴として表現される場合もある。原発閉塞隅角緑内障発症には瞳孔ブロック（毛様体・水晶体因子、水晶体因子、虹彩ブロートと虹彩形状など）が関与している。また、水晶体後方因子（毛様体・脈絡膜、硝子体が原発閉塞隅角緑内障発症に関与しているといわれている。	高張浸透圧薬点滴静注・内服 ピロカルピン（1〜2%） アセタゾラミド経静脈あるいは内服 交感神経β受容体遮断薬 交感神経α₂受容体刺激薬 プロスタグランジン関連薬 交感神経α₁受容体遮断薬 眼圧下降後原発閉塞隅角緑内障に準じ、薬物治療、レーザー療法、手術療法を行う
	混合型緑内障		原発開放隅角緑内障と原発閉塞隅角緑内障の合併例をいう。	瞳孔ブロックの解消が第一で、その後は原発閉塞隅角緑内障として治療を行う。
続発緑内障			他の眼疾患、全身疾患あるいは薬物使用が原因となって眼圧上昇が生じる病態。	可能な限り原因疾患の治療を第一とする。
発達緑内障（小児緑内障）			小児期に発症した原発緑内障を起因する緑内障で、原発小児緑内障、続発小児緑内障に分類される。散瞳時に隅角異常を生じる虹彩角膜形成異常、先天性の強度の屈曲を呈する硝子体異常などを生じる疾患。	原発小児緑内障治療の第一選択は手術療法で、薬物療法は手術療法後の補助手段として用いられる。

※ 原発開放隅角緑内障（広義）とは、従来の原発開放隅角緑内障と正常眼圧緑内障を包括した疾患概念。
※ 相対的瞳孔ブロック：瞳孔領において房水の流れが虹彩によって生じる前方圧較差が隅角閉塞をきたす病態
※ ブラトー虹彩：虹彩根部の前方に屈曲しているもの。散瞳時に隅角閉塞を生じる。

（日本緑内障学会緑内障診療ガイドライン作成委員会：緑内障診療ガイドライン（第4版）．日眼会誌．122（1），2018 をもとに作成）

緑内障の日常生活のポイント

　緑内障は古くから「青そこひ」ともいわれ，房水の流れが悪くなり，眼圧が上昇して視神経が障害され見える範囲（視野）が狭くなる病気です。患者さんの年齢は幼児から高齢者まで広い年齢層にわたりますが，特に40歳以上で多発します。

　眼の中には眼圧という一定の圧力があり，眼圧の高さは，房水といわれる透明な液体が眼で作られる量と，眼から出ていく量のバランスによって決まります。房水は毛様体突起で作られて眼球の前半部をめぐり，角膜と虹彩の境（隅角という）にある排出管から流出し血液中に吸収されます。排出管がつまり，房水がスムースに流れなくなると，眼内に房水がたまり眼圧が高くなり視神経が圧迫され障害を受けます。なかには眼圧が正常範囲内でも視神経を支える部分（篩板）が弱かったり，視神経の周りの血液循環が悪かったりして，視野に異常が認められる緑内障（正常眼圧緑内障）もあります。また急性緑内障と呼ばれ眼の痛み，頭痛や吐き気など，急激に症状が現れるものもありますが，大部分は徐々に病気が進行する慢性緑内障です。慢性緑内障は眼圧がゆっくり上昇するので，自覚症状はほとんどなく気がつく頃には手遅れになることが少なくありません。緑内障によって失われた視野は回復することができませんので，いかに進行を防ぐかが重要なポイントです。また治療には長い期間を必要とするので，眼科医とのコミュニケーションを大切にし，気長に治療を続けてください。

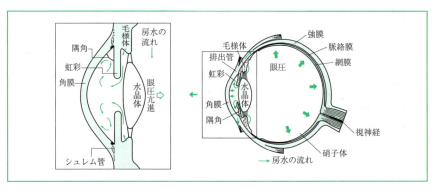

【日常生活のポイント】
1．無理のない規則正しい生活をしましょう。
2．過剰に興奮したり，長時間うつむいて仕事をしないようにしましょう。
3．首のまわりが楽な服装をしてください。
4．あまり大量の水を一度に飲まないようにしてください。
5．ニコチンは血液の流れを悪くするといわれているので，タバコを大量に吸わないようにしてください。

14 眼科用薬　④副腎皮質ステロイド

■ 対象薬剤

デキサメタゾンリン酸エステルナトリウム（**オルガドロン点眼・点耳・点鼻液**），デキサメタゾンメタスルホ安息香酸エステルナトリウム（**サンテゾーン㊗**），デキサメタゾン（**サンテゾーン㊟**），フルオロメトロン（**フルメトロン㊗**），プレドニゾロン酢酸エステル（**プレドニン㊟**），ベタメタゾンリン酸エステルナトリウム（**リンデロン点眼・点耳・点鼻液，リンデロン㊗**）

配合剤（**ネオメドロールEE軟膏，点眼・点鼻用リンデロンA液，眼・耳科用リンデロンA軟膏**）

　　　　　　　　　　　　　　　　　　　　　　　　　　　　　　　　［㊗点眼液，㊟眼軟膏］

■ 指導のポイント

	患者向け	薬剤師向け
薬効	・この薬は目およびその周囲の炎症やアレルギーを抑える目薬（眼軟膏）です（配合剤以外）	抗炎症作用，抗アレルギー作用
	・この薬は目およびその周囲の炎症やアレルギー，感染を抑える目薬（眼軟膏）です（配合剤）	抗炎症作用，抗アレルギー作用，抗菌作用
	☆この薬は鼻や耳およびその周囲の炎症，アレルギーを抑える点耳・点鼻薬です（オルガドロン点眼・点耳・点鼻液，リンデロン点眼・点耳・点鼻液）	
	☆この薬は鼻や耳およびその周囲の炎症やアレルギー，感染を抑える点耳・点鼻薬（軟膏）です（配合剤）	
詳しい薬効	・この薬は副腎皮質ホルモン（ステロイド）で目およびその周囲の炎症やアレルギーを抑えて眼瞼炎，結膜炎，角膜炎，手術後の炎症などの症状（腫れ，赤み，かゆみ，痛み）をやわらげる目薬（眼軟膏）です（配合剤以外） ・この薬は副腎皮質ホルモン（ステロイド）と抗生物質の配合剤で，目およびその周囲の細菌感染を伴う炎症性疾患の症状（腫れ，赤み，かゆみ，痛み）をやわらげる目薬（眼軟膏）です（配合剤） ☆この薬は副腎皮質ホルモン（ステロイド）で鼻や耳およびその周囲の炎症やアレルギーを抑えて外耳炎や中耳炎，アレルギー性鼻炎などの症状をやわらげる点耳・点鼻薬です（オルガドロン点眼・点耳・点鼻液，リンデロン点眼・点耳・点鼻液） ☆この薬は副腎皮質ホルモン（ステロイド）と抗生物質の配合剤で，鼻や耳およびその周囲の炎症やアレルギー，感染を抑えたり，手術後の炎症を抑えたりする点耳・点鼻薬（軟膏）です（配合剤）	
禁忌	・本剤過敏症既往 ・〔ネオメドロールEE軟膏，リンデロンA液，リンデロンA軟膏〕アミノ糖系抗生物質またはバシトラシン過敏症既往 ・〔ネオメドロールEE軟膏，リンデロンA軟膏〕鼓膜に穿孔のある場合の耳内使用	

■ 主な副作用と対策，フィジカルアセスメントのチェックポイント

主な副作用	患者に確認すべき症状	対策とPAのチェックポイント
眼刺激感，眼瞼炎，結膜炎	まぶたの赤み，結膜充血，目の痛み，目やに	中止 PA 眼瞼（まぶた）（発赤，腫脹），結膜（充血），眼周囲（目やに）
角膜感染症	見えにくい，目の痛み，異物感，充血，腫れ，涙が出る，目やに	中止 PA 結膜（充血），眼周囲（目やに）
眼圧上昇，緑内障（連用にて）	目が痛い，見えにくい，かすんで見える（光の回りに虹の輪），頭痛，吐き気	中止 PA （急性）結膜（充血），瞳孔（散大），眼痛，頭痛，角膜（白濁：浮腫）
白内障	かすんで見える，まぶしい	中止 PA 水晶体（混濁）

■ 重大な副作用と妊婦・授乳婦への危険度

薬剤名	重大な副作用	妊婦［授乳婦］
オルガドロン点眼，プレドニン，リンデロン	連用にて緑内障，角膜ヘルペス・角膜真菌症・緑膿菌感染症等の誘発，穿孔，長期使用にて後嚢下白内障	－
サンテゾーン		B3
フルメトロン		B3 ［授◎］
リンデロンA液		［授◎］
ネオメドロールEE，リンデロンA軟膏	非可逆性の難聴，連用にて眼圧亢進・緑内障，角膜ヘルペス・角膜真菌症・緑膿菌感染症等の誘発，穿孔，長期使用にて後嚢下白内障	－
オルガドロン点耳・点鼻	感染症の誘発	－

■ その他の指導ポイント

	患者向け	薬剤師向け
使用上の注意	・点眼薬の正しい使い方 → ・〔ネオメドロールEE軟膏，リンデロンA軟膏〕声や音が聞こえにくくなった場合は必ずご相談ください ・〔フルメトロン〕用時よく振り混ぜてから使用してください ・〔リンデロンA液〕光を避けて，涼しい所（15℃以下）に保管してください ・〔フルメトロン〕上向きで保管してください → ・2種類以上の点眼薬投与時の使用法 →	p.221参照 ・まれに非可逆性の難聴が現れることがある ・使用に際しては適応症，起炎菌の感受性を十分考慮する ・長期間連用しない ・聴力の変動に注意する ・感作されるおそれがあるので，観察を十分に行い，兆候が現れた場合中止する 保管の仕方によっては振り混ぜても粒子が分散しにくくなる場合がある p.222参照

点眼を忘れたとき	思い出したときすぐに点眼（点入）する。ただし次の点眼（点入）時間が近いときは忘れた分は使用しない（2回分を一度に点眼（点入）しないこと）

■ その他備考

- 配合剤成分：ネオメドロールEE軟膏(メチルプレドニゾロン，フラジオマイシン硫酸塩)
  リンデロンA液，A軟膏(ベタメタゾンリン酸エステルNa，フラジオマイシン硫酸塩)

14　眼科用薬　⑤抗生物質，抗菌薬，抗真菌薬

■ 対象薬剤

セフェム系：セフメノキシム塩酸塩（ベストロン㊧）
アミノグリコシド系：ジベカシン硫酸塩（パニマイシン㊧），トブラマイシン（トブラシン㊧），アジスロマイシン水和物（アジマイシン㊧）
ニューキノロン系：オフロキサシン（タリビッド㊧・㊨），ガチフロキサシン水和物（ガチフロ㊧），ノルフロキサシン（バクシダール㊧），塩酸ロメフロキサシン（ロメフロン㊧），レボフロキサシン水和物（クラビット㊧），トスフロキサシントシル酸塩水和物（オゼックス㊧），モキシフロキサシン塩酸塩（ベガモックス㊧）
グリコペプチド系：バンコマイシン塩酸塩（バンコマイシン㊨）
抗真菌薬：ピマリシン（ピマリシン㊧・㊨）
配合剤（エコリシン㊨，オフサロン㊧，コリナコール㊧）

[㊧点眼液，㊨眼軟膏]

■ 指導のポイント

	患　者　向　け	薬　剤　師　向　け
薬効	・この薬は菌を殺し感染を治療する目薬→（眼軟膏）です（ピマリシン以外）	抗菌作用 ・殺菌的（ペニシリン系，セフェム系，アミノグリコシド系，ニューキノロン系，グリコペプチド系） ・静菌的（マクロライド系，テトラサイクリン系，クロラムフェニコール系）
	・この薬はカビを殺し感染を治療する目薬→（眼軟膏）です（ピマリシン）	抗真菌作用
詳しい薬効	・この薬は細菌を殺し結膜炎，麦粒腫（ものもらい），眼瞼炎，角膜炎などの感染を治療する目薬（眼軟膏）です（ピマリシン，バンコマイシン以外）	

詳しい薬効	・この薬は他の抗生物質が効かない黄色ブドウ球菌（MRSA：メチシリン耐性黄色ブドウ球菌）や表皮ブドウ球菌（MRSE：メチシリン耐性表皮ブドウ球菌）を殺し，結膜炎，眼瞼炎などの感染を治療する眼軟膏です（バンコマイシン） ・この薬はカビを殺し抵抗力の落ちている人や，ステロイド点眼薬を長期に使用している場合に起きる角膜真菌症の感染を治療する目薬（眼軟膏）です（ピマリシン）
警告	〔バンコマイシン〕耐性菌の発現を防ぐため「効能・効果，用法・用量に関連する注意」の項を熟読し適正使用に努める
禁忌	・〔ベストロン，ロメフロン，アジマイシン，ピマリシン，オフサロン，コリナコール〕本剤過敏症既往 ・〔パニマイシン，トブラシン〕本剤，アミノ糖系抗生物質およびバシトラシン過敏症既往 ・〔エコリシン〕エリスロマイシン，コリスチン過敏症既往 ・〔バンコマイシン〕本剤ショック既往 ・〔ロメフロン，クラビットを除くキノロン系製剤〕本剤，キノロン系抗菌剤過敏症既往 ・〔クラビット〕本剤，オフロキサシンおよびキノロン系抗菌剤過敏症既往

■ 主な副作用と対策，フィジカルアセスメントのチェックポイント

主な副作用	患者に確認すべき症状	対策とPAのチェックポイント
眼刺激感，眼瘙痒感，眼痛，霧視	目の刺激・痛み，目のかゆみ，しみる，目のかすみ	中止 PA 眼瞼（かゆみ）
眼瞼炎，眼瞼皮膚炎，眼瞼浮腫	まぶたのただれ，まぶたのかゆみ，目のまわりの腫れ	中止 PA 眼瞼（発赤，腫脹），かゆみ
結膜炎，アレルギー性結膜炎	目やまぶたの裏側が赤くなる	中止 PA 結膜（充血）
角膜障害	目のゴロゴロ感・痛み，まぶしい，涙が出る，見えにくい，黒目の付着物	中止
過敏症状，発疹，じんま疹	発熱，寒気，ふらふら感，しびれ，息苦しい，瘙痒感，発疹，紅潮，目の腫れ，口唇周囲の腫れ，発汗，意識がなくなる，考えたり判断したりすることができにくい	中止 PA 皮膚（かゆみ，発赤），呼吸（喘鳴），眼（視覚異常），消化器（胃痛，吐き気）

■ 重大な副作用と妊婦・授乳婦への危険度

薬剤名	重大な副作用	妊婦[授乳婦]
ベストロン点眼	ショック	
アジマイシン点眼	角膜潰瘍等の角膜障害，ショック，アナフィラキシー	[授◎]
ガチフロ点眼，ベガモックス点眼，クラビット点眼，オゼックス点眼	ショック，アナフィラキシー	B3（ベガモックス） [授◎]
ロメフロン点眼，タリビッド点眼・眼軟膏		－
バンコマイシン眼軟膏	ショック，アナフィラキシー様症状，角膜障害	－

薬剤名	重大な副作用	妊婦[授乳婦]
オフサロン点眼，コリナコール点眼	長期投与にて骨髄形成不全	－

■ その他の指導ポイント

<table>
<tr><th colspan="2">患者向け</th><th>薬剤師向け</th></tr>
<tr><td rowspan="2">使用上の注意</td><td>
・点眼薬の正しい使い方　→
・医師の指示なしに勝手に長期にわたって→
　使用しないでください

・〔ベストロン〕気分が悪くなる，口の中に→
　違和感を感じる，ゼーゼー・ヒューヒュー
　という呼吸になる，めまい，耳鳴りがす
　る，汗が出る，顔面が青白くなる，意識
　がなくなるような症状が出た場合，すぐ
　に使用を中止し医師にご相談ください

・〔ベストロン〕溶解後は7日以内に使用
　してください
・〔トブラシン，バクシダール，クラビット，
　タリビッド点眼〕光を避けて保管してく
　ださい
・〔アジマイシン，バンコマイシン，オフサ
　ロン，コリナコール〕涼しい所に保管し
　てください
・2種類以上の点眼薬投与時の使用法　→
</td><td>
p.221 参照
抗菌点眼薬は菌交代や耐性菌の出現を抑える
ため漫然とした長期使用は避けるべきであ
る。特にクロラムフェニコールは長期投与に
より骨髄形成不全が報告されている
ショックが現れるおそれがあるので，十分な
問診を行う

・〔バンコマイシン〕耐性菌の発現を防ぐた
め，感受性を確認し，他の薬剤による効果
が期待できず，かつ，本剤に感性のMRSA
あるいはMRSEが起炎菌と診断された場
合に投与する
・〔バンコマイシン〕感染症の治療に十分な
知識と経験を持つ医師またはその指導の下
で投与する
・〔パニマイシン，エコリシン眼軟膏，オフサ
ロン，コリナコール〕感作されるおそれが
あるので，観察を十分に行い，兆候が現れ
た場合中止する
p.222 参照
</td></tr>
<tr><td>点眼を忘れたとき</td><td colspan="2">
・〔パニマイシン点眼以外〕思い出したときすぐに点眼（点入）する。ただし次の点眼（点入）
　時間が近いときは忘れた分は使用しない（2回分を一度に点眼（点入）しないこと）
・〔パニマイシン点眼〕思い出したとき使用する
</td></tr>
</table>

■ その他備考

　■配合剤成分：エコリシン眼軟膏（エリスロマイシンラクトビオン酸塩，コリスチンメ
　　　　　　　タンスルホン酸Na）
　　　　　　　オフサロン点眼，コリナコール点眼（クロラムフェニコール，コリスチ
　　　　　　　ンメタンスルホン酸Na）

14　眼科用薬　⑥白内障治療薬

■ 対象薬剤
グルタチオン（タチオン㊙），ピレノキシン（カタリン㊙，カタリンK㊙）

[㊙点眼液]

■ 指導のポイント

	患者向け	薬剤師向け
薬効	この薬は水晶体が濁るのを抑え白内障の治療に用いる目薬です ☆この薬は角膜のびらんや炎症などの治療に用いる目薬です（タチオン）	水晶体蛋白変性抑制作用（タチオン以外） 水晶体グルタチオン補充作用（タチオン） 角膜コラーゲン合成促進・コラーゼ（コラーゲン分解酵素）活性阻止作用
詳しい薬効	・この薬は水晶体の水溶性たんぱくが不溶性化するのを抑え，水晶体の透明性を保ち，白内障の進行を遅らせる目薬です（タチオン以外） ・この薬は水晶体や角膜のグルタチオン濃度を高めて，水晶体の透明性を保ち白内障の進行を遅らせ，また角膜のびらんや炎症などを改善する目薬です（タチオン）	

■ 主な副作用と対策，フィジカルアセスメントのチェックポイント

主な副作用	患者に確認すべき症状	対策とPAのチェックポイント
結膜充血，刺激感，瘙痒感，一過性の霧視	まぶたの裏が赤くなる，目の刺激，目のかゆみ，目のかすみ	中止 PA 結膜（充血，かゆみ）
びまん性表層角膜炎，眼脂，流涙，眼痛，眼の異常感，眼の異物感，眼瞼炎，接触性皮膚炎（タチオン以外）	目のゴロゴロ感・痛み，まぶしい，涙が出る，目やに，まぶたのただれ，薬がついた部分のかぶれ	中止 PA 眼瞼（発赤，腫張），眼周囲（目やに）

No.14 眼科用薬

■ その他の指導ポイント

	患 者 向 け	薬 剤 師 向 け
使用上の注意	・点眼薬の正しい使い方　→ ・〔タチオン〕溶解後は涼しい所に保管し，4週間以内に使用してください ・〔カタリン，カタリンK〕溶解後は光を避けて涼しい所に保管し，3週間以内に使用してください ・2種類以上の点眼薬投与時の使用法　→	p.221 参照 p.222 参照
点眼を忘れたとき	思い出したときすぐに点眼する。ただし次の点眼時間が近いときは忘れた分は使用しない（2回分を一度に点眼しないこと）	

■ その他備考

■白内障の自覚症状

　主な自覚症状は視力の低下であるが，疲労感を含めた不定愁訴であることも少なくない

霧視（かすんで見える）	水晶体の瞳孔領に皮質の混濁が進行すると，濁りを通して物を見ることになり，程度により霧視や視力低下が起こる
羞明（まぶしくなる）	水晶体の後囊下などの瞳孔領に混濁があると，そこで反射するために光の強い戸外や逆光ではまぶしく，見えにくくなり，中心部に濁りがあると特にまぶしさが強くなる
暗所での視力低下	加齢による水晶体核の着色に加え，核混濁が進行すると暗所での視力低下を自覚し，同時に明所でのまぶしさを訴えることがある
近視化（一時的に近くが見えやすくなる）	水晶体核の混濁が進行し，核の屈折率が上がると近視化が起こり，老眼鏡なしで近くが見えるようになることがある
複視（二重，三重に見える）	核と皮質の屈折率の差から物が二重，三重に見えることがある

眼科用薬

14　眼科用薬　⑦抗アレルギー薬

■ 対象薬剤

（A）ヒスタミン H_1 拮抗薬（第二世代抗ヒスタミン薬）：ケトチフェンフマル酸塩（ザジテン㊗），オロパタジン塩酸塩（パタノール㊗），レボカバスチン塩酸塩（リボスチン㊗），エピナスチン塩酸塩（アレジオン㊗，アレジオンLX㊗）

（B）ケミカルメディエーター遊離抑制薬：アシタザノラスト水和物（ゼペリン㊗），イブジラスト（ケタス㊗），クロモグリク酸ナトリウム（クロモグリク酸Na㊗），トラニラスト（リザベン㊗），ペミロラストカリウム（アレギサール㊗）

[㊗点眼液]

■ 指導のポイント

	患者向け	薬剤師向け
薬効	この薬はアレルギーによる目のかゆみ，充血，涙目などの症状を改善する目薬です	・ヒスタミン H_1 拮抗作用（A） ・ケミカルメディエータ遊離抑制作用（B）
詳しい薬効	・この薬はアレルギー反応に関与する物質（ヒスタミン）がヒスタミン受容体に結びついてアレルギー反応を起こすのを抑えて，アレルギーによる目のかゆみ，充血，涙目などの症状を改善する目薬です（A） ・この薬は肥満細胞からアレルギー反応に関与する物質（ケミカルメディエーター：ヒスタミン，ロイコトリエン，トロンボキサン，プロスタグランジン等）の遊離を抑えてアレルギーによる目のかゆみ，充血，涙目などの症状を改善する目薬です（B）	
禁忌	〔ゼペリン，アレギサール以外〕本剤過敏症既往	

■ 主な副作用と対策，フィジカルアセスメントのチェックポイント

主な副作用	患者に確認すべき症状	対策とPAのチェックポイント
眼刺激感，眼痛，眼瘙痒感，結膜充血	しみる，目の痛み，目のかゆみ，目の充血	中止 PA 結膜（充血，かゆみ）
眼瞼炎，眼瞼皮膚炎，眼瞼浮腫	まぶたのただれ，目の周囲ふちなどが赤くなる，まぶたが腫れる，ものもらいができる	中止 PA 眼瞼（発赤，腫脹）

No.14　眼科用薬

■ 重大な副作用と妊婦・授乳婦への危険度

薬剤名	重大な副作用	妊婦[授乳婦]
ザジテン，パタノール	−	B1（パタノール）[◎]
クロモグリク酸Na	アナフィラキシー様症状	[◎]
リボスチン	ショック，アナフィラキシー	[◎]

■ その他の指導ポイント

	患者向け	薬剤師向け
使用上の注意	・点眼薬の正しい使い方 → ・〔パタノール，リボスチン〕点眼薬使用時はソフトコンタクトの使用は避けてください ・〔パタノール〕点眼時はコンタクトレンズをはずし，10分以上経過してから装用してください ・〔ザジテン〕点眼時はコンタクトレンズを外し，15分以上経過してから装用してください ・〔ケタス，クロモグリク酸Na〕開封後1カ月経過した場合は残液を使用しないでください ・〔リボスチン〕用時よく振り混ぜてから使用してください ・〔パタノール，リザベン〕光を避けて，保管してください ・〔リザベン〕冷蔵庫では保管しないでください → ・〔リザベン〕上向きで保管してください → ・2種類以上の点眼薬投与時の使用法 →	p.221参照 ベンザルコニウム塩化物を含有するため含水性ソフトコンタクトレンズに吸着し，レンズを傷めたり，吸着物が角膜を傷つける可能性があるため ・〔リザベン〕重症例では十分な効果が得られないので，他の適切な治療法への切り替え，あるいはそれとの併用を考慮し，本剤のみを漫然と長期に使用しない ・〔パタノール，アレジオン，アレジオンLX〕本剤の使用により効果が認められない場合には，漫然と長期にわたり投与しない 結晶が析出するおそれがある 保管の仕方によっては振り混ぜても粒子が分散しにくくなる場合がある p.222参照
点眼を忘れたとき	思い出したときすぐに点眼する。ただし次の点眼時間が近いときは忘れた分は使用しない（2回分を一度に点眼しないこと）	

14 眼科用薬　⑧抗ウイルス薬

■ 対象薬剤
アシクロビル（ゾビラックス眼軟膏）

■ 指導のポイント

	患　者　向　け	薬　剤　師　向　け
薬効	この薬は単純ヘルペスウイルスを殺し，感染を治療する眼軟膏です →	抗ウイルス作用
詳しい薬効	この薬は単純ヘルペスウイルスのDNAの複製を阻害し，ウイルスが増えるのを抑えて，単純ヘルペスウイルスによる角膜炎の治療に用いる眼軟膏です	
禁忌	本剤・バラシクロビル塩酸塩過敏症既往	

■ 主な副作用と対策，フィジカルアセスメントのチェックポイント

主な副作用	患者に確認すべき症状	対策とPAのチェックポイント
びまん性表在性角膜炎	目の痛み，見えにくい，目の異物感	症状が現れた場合，必要最小限の使用にとどめる
結膜びらん	目の痛み	中止 PA 結膜（びらん）

■ 重大な副作用と妊婦・授乳婦への危険度

薬剤名	重大な副作用	妊婦[授乳婦]
ゾビラックス眼軟膏	－	[⊗◎]

■ その他の指導ポイント

	患　者　向　け	薬　剤　師　向　け
使用上の注意	・眼軟膏の正しい使い方 →	p.221参照
	・この薬を使用中はコンタクトレンズの着用は避けてください	コンタクトレンズに付着する可能性があるため 流れ出た軟膏が眼瞼炎等の原因になる場合がある
	・目から流れ出た余分な眼軟膏は清潔なティッシュペーパー等で拭き取ってください	・7日間使用し改善しない，または悪化する場合は他の療法に切り替える。長期投与はできるだけ避ける
	・2種類以上の点眼薬投与時の使用法 →	p.222参照

使用を忘れたとき	思い出したときすぐに使用する。ただし次の使用時間が近いときは忘れた分は使用しない（2回分を一度に使用しないこと）

14　眼科用薬　⑨角膜保護・治療薬

■ 対象薬剤

コンドロイチン硫酸エステルナトリウム（アイドロイチン㊂），フラビンアデニンジヌクレオチドナトリウム（フラビタン㊂・㊟），精製ヒアルロン酸ナトリウム（ヒアレイン㊂，ヒアレインミニ㊂），ジクアホソルナトリウム（ジクアス㊂），レバミピド（ムコスタ㊂）配合剤（人工涙液マイティア㊂，ムコファジン㊂，ムコティア㊂）

［㊂点眼液，㊟眼軟膏］

■ 指導のポイント

	患者向け	薬剤師向け
薬効	・この薬は角膜を保護する目薬です（アイドロイチン）	角膜保護作用，角膜乾燥抑制，角膜透明性保持
	・この薬は角膜の炎症，まぶたの炎症などを抑える目薬（眼軟膏）です（フラビタン）	角膜組織呼吸亢進作用
	・この薬は角膜の傷を治し，目の乾燥を防ぐ目薬です（ヒアレイン・ヒアレインミニ，ジクアス，ムコスタ）	角膜創傷治癒促進作用，角膜乾燥防止作用 角膜上皮伸展促進作用（ヒアレイン・ヒアレインミニ） ムチン・涙液分泌促進作用（ジクアス） ムチン産生促進作用（ムコスタ）
	・この薬は涙を補い，目の乾燥を防ぐ目薬です（人工涙液マイティア）	角膜乾燥防止作用
	・この薬は角膜の炎症を抑え，角膜を保護する目薬です（ムコファジン・ムコティア）	角膜組織呼吸亢進作用，角膜保護作用
詳しい薬効	・この薬は目の乾燥を防いだり，角膜の透明性を保持し，角膜表層の保護をする目薬です（アイドロイチン）	
	・この薬は角膜など目の粘膜を正常に保つ働きをするビタミンB_2で，ビタミンB_2の不足や代謝障害によって生じる角膜炎や眼瞼炎の治療に用いられる目薬（眼軟膏）です（フラビタン）	
	・この薬は角膜上皮の傷が治るのを助け，また涙液を保持し安定化させ目の乾燥を防ぎドライアイや角膜の障害の治療に用いられる目薬です（ヒアレイン・ヒアレインミニ）	
	・この薬は涙の成分であるムチンや水分の分泌を促進し，涙の状態を改善することで角結膜上皮の障害を改善したり，ドライアイの治療に用いられる目薬です（ジクアス）	
	・この薬は涙の成分であるムチンの産生を促進し，涙の状態を安定にすることで，角結膜上皮の障害を改善したり，ドライアイの治療に用いられる薬です（ムコスタ）	

詳しい薬効	・この薬は涙に近い人工涙液で，涙が足りない時に補い，目の乾燥による不快な症状をやわらげる目薬です（人工涙液マイティア） ・この薬は目の乾燥を防いだり，角膜の透明性を保持し，角膜表層の保護をするコンドロイチンと角膜など目の粘膜を正常に保つ働きをするビタミン B_2 が配合されています。ビタミン B_2 の不足や代謝障害があり，角膜保護が必要なドライアイや角膜炎などの治療に用いられる目薬です（ムコファジン，ムコティア）
禁忌	〔ジクアス，ムコスタ〕本剤過敏症既往

■ 主な副作用と対策，フィジカルアセスメントのチェックポイント

主な副作用	患者に確認すべき症状	対策とPAのチェックポイント
眼刺激感，眼瘙痒感，結膜充血	目の刺激・しみる，目のかゆみ，目の充血	中止 PA 結膜（充血）
眼瞼炎，眼瞼皮膚炎	まぶたのただれ・赤み・腫れ	中止 PA 眼瞼（発赤，腫脹）

■ 重大な副作用と妊婦・授乳婦への危険度

薬剤名	重大な副作用	妊婦[授乳婦]
ヒアレイン，ヒアレインミニ	－	[✕○]
ムコスタ	涙道閉塞，涙囊炎	[✕○]

■ その他の指導ポイント

	患者向け	薬剤師向け
使用上の注意	・点眼薬の正しい使い方 →	p.221 参照
	・〔ムコスタ〕この薬の点眼後は車の運転等，危険を伴う機械の操作には注意してください →	白色の水性懸濁液のため，一時的に目の前が白くなったり，目がかすむことがある
	・〔ムコスタ〕この薬の点眼後は目を閉じて1～5分間目頭を軽く押さえた後，目を開けてください →	点眼後1～5分間涙囊部を圧迫することにより，副作用の苦味が軽減できる
	・〔ムコスタ〕使用前に点眼容器の下部を持ち，丸くふくらんだ部分をしっかりはじいてください →	懸濁液のため薬剤を分散させる
	・〔ヒアレインミニ〕使用する前，容器の先端をねじって取り外し最初の1～2滴は捨ててください →	開封時の容器破片除去のため
	・〔ヒアレインミニ，ムコスタ〕開封後は1回だけ使用して捨ててください →	保存剤を含まないため
	・〔人工涙液マイティア〕ソフトコンタクトレンズをつけたまま点眼しないでください →	レンズの中に薬剤が徐々に吸着され，眼刺激やレンズ物性に影響を与えるおそれがあるため

使用上の注意	・〔ムコスタ〕ソフトコンタクトレンズをつけたまま点眼した際に目に違和感を感じた場合はご相談ください	本剤の有効成分はソフトコンタクトレンズに吸着することがあるため
	・〔ムコスタ〕目や鼻の奥に違和感を感じたときはご相談ください	眼表面，涙道等に本剤の成分が凝集することがあるため
	・〔ムコスタ〕この目薬は点眼口を下向きに保管しないでください	本剤は保管の仕方によっては振り混ぜても粒子が分散しにくくなる場合があるので，点眼口は上向きにして保管する
	・〔フラビタン〕開封後1カ月経過した場合は，残液を使用しないでください	
	・〔フラビタン，ムコファジン，ムコティア，ムコスタ〕光を避けて，保管してください	
	・2種類以上の点眼薬投与時の使用法　→	p.222参照
点眼を忘れたとき	・〔フラビタン点眼・眼軟膏を除く〕思い出したときすぐに点眼する。ただし，次の点眼時間が近いときは忘れた分は使用しない（2回分を一度に点眼しないこと）	
	・〔フラビタン点眼・眼軟膏〕思い出したときすぐに点眼（点入）する（2回分を一度に点眼しないこと）	

■ その他備考

- 配合剤成分：人工涙液マイティア点眼（塩化ナトリウム，塩化カリウム，乾燥炭酸ナトリウム，リン酸水素ナトリウム水和物，ホウ酸）
  ムコファジン点眼，ムコティア点眼（フラビンアデニンジヌクレオチドNa，コンドロイチン硫酸エステルNa）

14　眼科用薬　⑩非ステロイド抗炎症薬

■ 対象薬剤

アズレンスルホン酸ナトリウム水和物（AZ㊗），ジクロフェナクナトリウム（ジクロード㊗），プラノプロフェン（ニフラン㊗），ブロムフェナクナトリウム水和物（ブロナック㊗），ネパフェナク（ネバナック㊛）　　　　　　　　［㊗点眼液，㊛懸濁性点眼液］

■ 指導のポイント

	患者向け	薬剤師向け
薬効	・この薬は目の炎症を抑える目薬です→（AZ，ニフラン，ブロナック） ・この薬は術中，術後の炎症や合併症を予防する目薬です（ジクロード） ・この薬は術後の炎症を抑える目薬です→（ネバナック）	抗炎症作用，抗アレルギー作用（AZ） プロスタグランジン生成抑制による抗炎症作用（AZ以外） プロスタグランジン生成抑制による抗炎症作用 〃
詳しい薬効	・この薬は目の炎症やアレルギーを抑える作用があり，細菌やウイルスによる目の感染やアレルギーで生じる，目のかゆみや痛み，充血などを改善する目薬です（AZ） ・この薬は炎症や痛みに関与する物質（プロスタグランジン：PG）の生成を促進する酵素の働きを抑えて，プロスタグランジンの生成を抑え，目の炎症を鎮めて，腫れや発赤，痛みなどの症状を抑える目薬です（ニフラン，ブロナック） ・この薬は炎症や痛みに関与する物質（プロスタグランジン：PG）の生成を促進する酵素の働きを抑えて，プロスタグランジンの生成を抑え，目の炎症を鎮めて，白内障の術中，術後の発赤，痛みなどの症状を抑える（ジクロード），目の手術後の発赤，痛みなどの症状を抑える（ネバナック）目薬です	
禁忌	〔AZ以外〕本剤過敏症既往	

■ 主な副作用と対策，フィジカルアセスメントのチェックポイント

主な副作用	患者に確認すべき症状	対策とPAのチェックポイント
眼瞼発赤・腫脹	目のまわりの赤み・腫れ	中止 PA 眼瞼（発赤，腫脹）
眼痛，眼刺激感，結膜充血，瘙痒感，眼脂（AZ以外）	目の痛み，刺激感，目の充血，目のかゆみ，目やに	中止 PA 結膜（充血），眼周囲（目やに）
角膜びらん，びまん性表層角膜炎，点状表層角膜炎（AZ以外）	目のごろごろ感・痛み，まぶしい，涙が出る	中止

No.14　眼科用薬

■ 重大な副作用と妊婦・授乳婦への危険度

薬剤名	重大な副作用	妊婦[授乳婦]
ジクロード	ショック，アナフィラキシー，角膜潰瘍，角膜穿孔	−
ブロナック	角膜潰瘍，角膜穿孔	−
ネバナック		[❊◎]

■ その他の指導ポイント

	患者向け	薬剤師向け
使用上の注意	・点眼薬の正しい使い方　→ ・[AZ] 光を避けて，保管してください ・[ジクロード] 光を避けて，涼しい所(10℃以下)に保管してください ・[ニフラン] 開封後は光を避けて，保管してください ・[ネバナック] 用時よく振り混ぜてから使用してください ・2種類以上の点眼薬投与時の使用法　→	p.221 参照 ・[ジクロード，ネバナック] 感染を起こした場合は投与を中止する。感染症を不顕化するおそれがある ・[ニフラン，ブロナック] 本剤による治療は原因療法ではなく対症療法であることに留意する。また，感染症を不顕化するおそれがあるので，感染による炎症に対して用いる場合は観察を十分に行う p.222 参照
点眼を忘れたとき	・[AZ以外] 思い出したときすぐに点眼する。ただし次の点眼時間が近いときは忘れた分は使用しない（2回分を一度に点眼しないこと） ・[AZ] 思い出したときすぐに点眼する。ただし次に点眼するまで4〜5時間程度あけるようにする（2回分を一度に点眼しないこと）	

眼科用薬

14 眼科用薬　⑪その他

■ 対象薬剤

血管収縮薬：ナファゾリン硝酸塩（プリビナ㊁）
表面麻酔薬：オキシブプロカイン塩酸塩（ラクリミン㊁）
調節機能改善薬：シアノコバラミン（サンコバ㊁）
　　　　　　　　配合剤（ミオピン㊁）
免疫抑制薬：シクロスポリン（パピロックミニ㊁），タクロリムス水和物（タリムス㊁）
　　　　　　　　　　　　　　　　　　　　　　　　　　　　　　［㊁点眼液］

■ 指導のポイント

	患者向け	薬剤師向け
薬効	・この薬は目の充血をとる目薬です（プリビナ）	血管収縮作用，α作動薬
	・この薬は涙の分泌を抑える目薬です（ラクリミン）	結膜・角膜知覚麻痺，三叉神経反射弓遮断
	・この薬は目の疲れをとる目薬です（サンコバ，ミオピン）	調節筋賦活作用（サンコバ） ピント調節する筋肉の緊張・弛緩時間の改善作用（ミオピン）
	・この薬は免疫を抑えてアレルギー症状を改善する目薬です（パピロックミニ，タリムス）	抗アレルギー作用，T細胞由来のサイトカイン産生抑制作用
詳しい薬効	・この薬は目の血管を収縮させることで，目の充血をとる目薬です（プリビナ） ・この薬は目の知覚を鈍くして，刺激による涙の過剰な分泌を抑える目薬です（ラクリミン） ・この薬はビタミンB_{12}製剤で，疲れた目の神経の働きをよくして，調節機能，眼精疲労を改善する目薬です（サンコバ） ・この薬は疲れた目の中のピントを調節する筋肉に働いて，調節機能の異常を改善する目薬です（ミオピン） ・この薬は免疫抑制薬で，アレルギーなど免疫反応に関わる物質（サイトカイン）の産生を抑えて春季カタルのアレルギー症状（目のかゆみ，充血，目やになど）や，まぶたの裏の結膜に石垣のような形の隆起物（乳頭増殖）ができるのを改善する目薬です。従来の抗アレルギー薬では効果不十分な春季カタルに用います（パピロックミニ，タリムス）	
禁忌・併用禁忌	禁忌　・〔パピロックミニ，タリムス〕本剤過敏症既往，眼感染症 　　　・〔ラクリミン〕本剤・安息香酸エステル（コカイン以外）系局所麻酔薬過敏症既往 　　　・〔プリビナ〕閉塞隅角緑内障 併用禁忌　〔プリビナ〕⇒MAO阻害薬にて急激な血圧上昇	

■ 主な副作用と対策，フィジカルアセスメントのチェックポイント

主な副作用	患者に確認すべき症状	対策とPAのチェックポイント
調節近点延長，散瞳，乾燥感（プリビナ）	見えにくい，目の乾き	休薬 PA 瞳孔（散大，ピントが合わない）
過敏症状	目のかゆみ，目の充血，目のまわりの湿疹やただれ	中止 PA 結膜（充血），眼瞼（発赤，発疹），かゆみ
眼部熱感，眼の異物感・違和感，眼刺激，眼瘙痒感（パピロックミニ，タリムス）	目が熱く感じる，目がごろごろする，しみるなど刺激がある，目がかゆい	中止 PA 眼瞼（かゆみ）
角膜びらん・角膜潰瘍，角膜障害（パピロックミニ，タリムス）	目のごろごろ感・痛み，まぶしい，涙が出る，見えにくい	中止 PA 眼（かゆみ，流涙）

■ 重大な副作用と妊婦・授乳婦への危険度

薬剤名	重大な副作用	妊婦［授乳婦］
ラクリミン	ショック	－
サンコバ，パピロックミニ	－	［㊙◎］
タリムス	－	－

■ その他の指導ポイント

	患者向け	薬剤師向け
使用上の注意	・点眼薬の正しい使い方 ・〔パピロックミニ，タリムス〕免疫抑制薬をご使用の方は必ずご相談ください ・〔タリムス〕使用後，目が熱く感じたり，刺激を感じる場合があります ・〔タリムス〕緑内障治療中の方は必ずご相談ください ・〔タリムス〕用時よく振り混ぜてから使用してください ・〔パピロックミニ〕使用する前，最初の1〜2滴は捨ててください ・〔パピロックミニ〕開封後は1回だけ使用して捨ててください ・〔プリビナ〕1日に頻回使用したり長い間使用していると，かえって充血がひどくなることがあります	p.221 参照 本剤投与により感染症が発現または増悪するおそれがあり，他の免疫抑制薬との併用時には，その可能性がさらに高まるおそれがある ・〔パピロックミニ，タリムス〕本剤を長期にわたり投与する場合は観察を十分に行い，漫然と投与しない 高頻度に眼部熱感，眼刺激感が認められるので患者に説明する 眼圧が上昇することがあるため，投与中は定期的に眼圧検査をする 開封時の容器破片除去のため 保存剤を含まないため 連用または頻回使用により反応性の低下や局所粘膜の二次充血を起こすことがあるので，使用は急性充血期に限る。または適切な休薬

	・2種類以上の点眼薬投与時の使用法	期間をおく → p.222 参照
点眼を忘れたとき	・〔プリビナ以外〕思い出したときすぐに点眼する。ただし，次の点眼時間が近いときは忘れた分は使用しない（2回分を一度に点眼しないこと） ・〔プリビナ〕思い出したときすぐに点眼する。ただし，次の点眼時間が近いときは忘れた分は使用しない。次の点眼まで3時間程度あけるようにする（2回分を一度に点眼しないこと）	

■ その他備考

　■春季（しゅんき）カタルとは
　　アレルギー性結膜炎の重症型で20歳以下の若年層に多くみられる。春季カタルには上まぶたの裏側に石垣のようなでこぼこした隆起（乳頭）ができる眼瞼型と，角膜（黒目）周囲が腫れる眼球型があり，非常に強い眼のかゆみ，異物感や痛み，多量の目やになどの症状が現れる。炎症が長く続いて重症化すると乱視が強く残る場合や角膜が濁って視力が低下する場合がある。治療は抗アレルギー点眼薬，ステロイド点眼薬，免疫抑制点眼薬などが用いられる。
　■配合剤成分：ミオピン点眼（ネオスチグミンメチル硫酸塩，塩化 Na，塩化 Ca 水和物，炭酸水素 Na，L-アスパラギン酸 K）

■点眼薬の正しい使い方

① 最初に手を洗ってください
② まず上向きになり，指で下まぶたを軽く引き，薬液汚染防止のため容器の先が直接目やまつげに触れないように気を付けて点眼してください（図1）
③ 点眼液は1滴（結膜嚢におさまる薬液量は約30μL，点眼液1滴は30～50μL）で十分です。1滴以上点眼すると薬理作用が強い点眼薬（散瞳薬，緑内障治療薬，副腎皮質ステロイド等）は余分な薬液が鼻涙管を介して消化管から吸収され，全身性副作用が問題になることがあります*
　＊ただし，全身性副作用が問題とならないような点眼液では，2滴，3滴と点眼することで結膜嚢に洗浄効果等の付加効果が期待できる
④ 点眼した後は1～5分間静かに目を閉じて，軽く目頭を押さえてください（図2）
（確実に点眼でき，薬液が涙の流れにそって流れ出ないため効果が強くなり，安全性が高まる）
⑤ 目から流れ出た薬液は清潔なティッシュペーパーなどで拭いてください
（流れ出た薬液が眼瞼炎の原因となることがある）

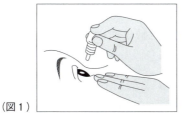

（図1）　（図2）

（イラスト：参天製薬株式会社資料）

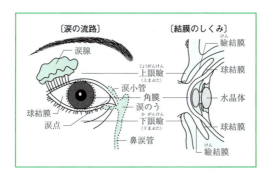

■薬理作用が強い点眼薬の全身性副作用軽減法

① 点眼用量を少なくする：点眼薬は通常1滴30～50μL（結膜嚢内に保持できる最大薬液量は約30μL）であるが，緑内障治療薬のチモプトールは1滴35μL，サンピロは40μL，ミケランは38μLとなっている
② 鼻涙管の閉塞（指先で涙嚢部を圧迫）あるいは閉瞼（目を閉じる）を行う：涙小管からの薬液の流出を止め，薬液と目の接触時間を長くし，薬液の全身への吸収を抑えることができる

■2種類以上の点眼薬投与時の使用方法

① 2種類以上の点眼薬を使う場合は5分以上間隔をあけてください

＊点眼液は1～2分以内に速やかに結膜嚢から排泄され，点眼間隔が5分以上では相互の影響はほとんどなくなる。また，防腐剤にベンザルコニウム塩化物配合の点眼薬との同時投与では，配合変化を起こす可能性があるため，これを回避するためにも5分以上の間隔をあけること

② 投与順序は，最も効果を期待する薬，懸濁性点眼液，油性点眼液，点眼後ゲル化する点眼液や眼軟膏を後に使用してください

＊原則として点眼間隔が5分以上あいていれば相互の影響はほとんどなくなるが，点眼した液が後の液によって多少とも洗い流される可能性があるため，より効果を発揮してほしい点眼液を後で点眼する。懸濁性点眼液は水に溶けにくく吸収されにくいため，また油性点眼液および眼軟膏は疎水性で効果が長いため，最後に用いるのがよい

■眼軟膏の正しい使い方

① 点入する前に手を洗ってください。
② 下まぶたを下方にひっぱり，まぶたの内側に横に細長く軟膏を入れてください。このとき容器の先端が直接眼に触れないようにします。
③ 点入したら目を閉じ，軟膏が溶けて全体に広がるまで少し待ちティッシュペーパーで余分な軟膏を拭きとってください。
軟膏を入れた直後，一時見えにくくなることがありますが心配ありません。

（イラスト：参天製薬株式会社資料）

15 耳鼻科用薬　①内服

■ 対象薬剤
配合剤（ストミンA配合）

■ 指導のポイント

	患者向け	薬剤師向け
薬効	この薬は耳鳴をやわらげる薬です →	内耳環境血流増加作用
薬詳効しい	この薬は耳の中（蝸牛）の血流量を増加させることによって，耳鳴を抑える薬です	
禁忌	本剤過敏症既往	

■ 主な副作用と対策，フィジカルアセスメントのチェックポイント

主な副作用	患者に確認すべき症状	対策とPAのチェックポイント
過敏症	発疹	中止
心悸亢進，頭痛，顔面潮紅	心臓がドキドキする，頭の痛み，顔が赤い	中止 PA 脈拍（↑）
消化器症状	便秘，胸やけ	中止 PA 腸音（↓：便秘）

■ その他の指導ポイント

忘れ用たを服ときた	思い出したときすぐに服用する。ただし次の服用時間が近いときは忘れた分は服用しない（2回分を一度に服用しないこと）

■ その他備考
- 配合剤成分：ストミンA（ニコチン酸アミド，パパベリン塩酸塩）

15 耳鼻科用薬 ②血管収縮薬

■ 対象薬剤

トラマゾリン塩酸塩（トラマゾリン点鼻液），ナファゾリン硝酸塩（プリビナ液），配合剤（コールタイジン点鼻液）

■ 指導のポイント

	患者向け	薬剤師向け
薬効	この薬は鼻の充血，うっ血を抑え鼻づまりの症状を軽くする薬です	・α受容体刺激（末梢血管収縮）作用 ・抗炎症，抗アレルギー作用（コールタイジン中プレドニゾロン）
詳しい薬効	・この薬は鼻の粘膜下の血管を収縮させることにより，鼻粘膜の充血，うっ血を抑えて鼻づまりの症状を軽くする薬です（トラマゾリン，プリビナ） ・この薬は血管収縮薬とステロイド薬が配合されており，鼻の粘膜下の血管を収縮させ鼻粘膜の充血を除き，ステロイドにより炎症やアレルギーを抑えて，鼻水，鼻づまりなどの症状を軽くする薬です（コールタイジン）	
禁忌・併用禁忌	禁忌 本剤過敏症既往，乳児，2歳未満の幼児 併用禁忌 セレギリン，ラサギリン，サフィナミドで急激な血圧上昇のおそれ	

■ 主な副作用と対策，フィジカルアセスメントのチェックポイント

主な副作用	患者に確認すべき症状	対策とPAのチェックポイント
過敏症状	発疹，じんま疹，かゆみ	中止 PA 皮膚（かゆみ，発疹）
悪心，苦味，口渇	むかむかする，吐き気，口の中が苦い，口が渇く	減量もしくは休薬
乾燥感，鼻やのどの刺激痛	鼻が乾く，鼻やのどの痛み・刺激感	〃
頭痛，めまい，眠気	頭が痛い，ふらつく，眠くなる	〃

■ 重大な副作用と妊婦・授乳婦への危険度

薬剤名	重大な副作用	妊婦[授乳婦]
プリビナ	－	[⊗○]

■ その他の指導ポイント

	患者向け	薬剤師向け
使用上の注意	・急性充血期に限って使用するか，または→適切な休薬期間をおいて使用してください ・眼科用に使用しないでください	連用または頻回使用により，反応性の低下や局所粘膜の二次充血を起こすことがある
点鼻を忘れたとき	・〔プリビナ〕思い出したときすぐに使用する。ただし次の使用まで3時間はあける（2回分を一度に使用しないこと） ・〔トラマゾリン，コールタイジン〕思い出したときすぐに使用する。ただし次の使用時間が近いときは忘れた分は使用しない（2回分を一度に使用しないこと）	

■ その他備考

■配合剤成分：コールタイジン（塩酸テトラヒドロゾリン，プレドニゾロン）

15 耳鼻科用薬 ③抗アレルギー薬，副腎皮質ホルモン薬

■ 対象薬剤

抗アレルギー薬：クロモグリク酸ナトリウム（**クロモグリク酸Na点鼻液**），ケトチフェンフマル酸塩（**ザジテン点鼻液**），レボカバスチン塩酸塩（**リボスチン点鼻液**）

副腎皮質ホルモン薬：ベクロメタゾンプロピオン酸エステル（**リノコートパウダースプレー鼻用**），フルチカゾンプロピオン酸エステル（**フルナーゼ点鼻液**），モメタゾンフランカルボン酸エステル水和物（**ナゾネックス点鼻液**），フルチカゾンフランカルボン酸エステル（**アラミスト点鼻液**），デキサメタゾンシペシル酸エステル（**エリザス点鼻粉末**）

配合剤（点眼・点鼻用リンデロンA液，眼・耳科用リンデロンA軟膏）

＊リンデロンA液・A軟膏はNo.14眼科用薬④（p.203）参照

■ 指導のポイント

	患者向け	薬剤師向け
薬効	・この薬は鼻の炎症やアレルギーを抑え→くしゃみ，鼻水，鼻づまりなどの症状を改善する薬です（リンデロンA液以外）	抗炎症作用，抗アレルギー作用（副腎皮質ホルモン薬） 化学伝達物質遊離抑制（クロモグリク酸Na，ザジテン） 抗ヒスタミン作用（ザジテン，リボスチン）
	・この薬は鼻の炎症やアレルギー，感染を→抑える薬です（リンデロンA液）	抗炎症作用，抗アレルギー作用，抗菌作用

薬効	・この薬は外耳，鼻の炎症やアレルギー，感染を抑える薬です（リンデロンA軟膏） → ☆この薬は目およびその周囲の炎症やアレルギー，感染を抑える目薬（軟膏）です（リンデロンA液・軟膏） →	抗炎症作用，抗アレルギー作用，抗菌作用 〃
詳しい薬効	・この薬は肥満細胞からアレルギー反応に関与する物質（ケミカルメディエーター：ヒスタミン，ロイコトリエン，トロンボキサン，プロスタグランジン等）の遊離を抑えて，鼻のアレルギーによるくしゃみ，鼻水，鼻づまりなどの症状を改善する薬です（クロモグリク酸Na，ザジテン） ・この薬はアレルギー反応に関与する物質（ヒスタミン）がヒスタミン受容体に結びついてアレルギー反応を起こすのを抑えて，鼻のアレルギーによるくしゃみ，鼻水，鼻づまりなどの症状を改善する薬です（ザジテン，リボスチン） ・この薬は副腎皮質ホルモン（ステロイド）で鼻およびその周囲の炎症やアレルギーを抑えて鼻のアレルギーによるくしゃみ，鼻水，鼻づまりなどの症状を改善する薬です（配合剤以外の副腎皮質ホルモン薬） ・この薬は副腎皮質ホルモン（ステロイド）と抗生物質の配合剤で，鼻およびその周囲の炎症やアレルギー，感染を抑えたり，手術後の炎症を抑えたりする薬です（リンデロンA液） ・この薬は副腎皮質ホルモン（ステロイド）と抗生物質の配合剤で，外耳・鼻およびその周囲の炎症やアレルギー，感染を抑えたり，手術後の炎症を抑えたりする薬です（リンデロンA軟膏）	
禁忌	・〔ザジテン以外〕本剤過敏症既往 ・〔エリザス，ナゾネックス，フルナーゼ，リノコート〕有効な抗菌薬の存在しない感染症，全身の真菌症 ・〔アラミスト〕有効な抗菌薬の存在しない感染症，深在性真菌症	

■ 主な副作用と対策，フィジカルアセスメントのチェックポイント

主な副作用	患者に確認すべき症状	対策とPAのチェックポイント
過敏症	じんま疹等の発疹，紅斑，瘙痒，むくみ	中止 PA 皮膚（かゆみ，発赤）
外鼻孔部等の接触皮膚炎	鼻腔の炎症・ただれ	中止
鼻症状（刺激感・痛，乾燥感，瘙痒感，発赤，不快感，鼻閉感，鼻出血）	鼻腔内の痛み・刺激感，鼻腔内の乾燥，かゆみ，赤い，不快感，鼻がつまった感じ，鼻血が出る	噴霧回数の減少もしくは中止
咽喉頭症状（刺激感，疼痛，不快感，乾燥）	のどの刺激感，痛み，不快感，乾燥感	噴霧回数の減少もしくは中止 PA 口腔内（乾燥），唾液分泌（↓）
眠気（ザジテン，リボスチン）	眠くなる	噴霧回数の減少もしくは中止

■ 重大な副作用と妊婦・授乳婦への危険度

薬剤名	重大な副作用	妊婦[授乳婦]
クロモグリク酸Na	アナフィラキシー様症状	—
ナゾネックス，フルナーゼ	アナフィラキシー	B3 [🅖◎]
アラミスト	アナフィラキシー反応	B3 [🅖◎]
リノコート	眼圧亢進，緑内障（外国）	B3
エリザス	アナフィラキシー	—
リボスチン	ショック，アナフィラキシー	—

■ その他の指導ポイント

	患者向け	薬剤師向け
使用上の注意	・〔ザジテン，リボスチン〕この薬の使用中→は，車の運転等，危険を伴う機械の操作は行わないでください ・〔リノコート〕喘息発作を起こしている→場合は必ずご相談ください ・〔副腎皮質ホルモン薬〕副腎皮質ホルモ→ン薬を服用されている場合は必ずご相談ください ・〔ナゾネックス〕鼻中隔潰瘍がある，鼻の→手術を受けた，鼻外傷のある方は必ずご相談ください ・〔アラミスト，ナゾネックス，フルナーゼ，リボスチン〕使用前によく振ってから使用してください	眠気を催すことがあるため 喘息発作重積状態または喘息の急激な悪化状態のときには使用しない 長期または大量の全身性ステロイド療法を受けている場合は副腎皮質機能不全が考えられるので，全身性ステロイド薬の減量中ならびに離脱後も副腎皮質機能検査を行い，外傷，手術，重症感染症等の侵襲には十分に注意 ステロイド薬は創傷治癒を抑制する作用があるため，患部が治癒するまで投与しない
点鼻を忘れたとき	・〔ザジテン以外〕思い出したときすぐに使用する。ただし，次の使用時間が近いときは忘れた分は使用しない（2回分を一度に使用しないこと） ・〔ザジテン〕思い出したときすぐに使用する。ただし次の点鼻時間が3時間以内の場合は1回飛ばす（2回分を一度に使用しないこと）	

■ その他備考

- ■配合剤成分：リンデロンA液・A軟膏（ベタメタゾンリン酸エステルNa，フラジオマイシン硫酸塩）

15　耳鼻科用薬　④抗菌薬

■ 対象薬剤

セフェム系：セフメノキシム塩酸塩（ベストロン耳鼻科用）
ホスホマイシン系：ホスホマイシンナトリウム（ホスミシンＳ耳科用）
ニューキノロン系：オフロキサシン（タリビッド耳科用液），塩酸ロメフロキサシン（ロメフロン耳科用液）
鼻腔内MRSA除菌剤：ムピロシンカルシウム水和物（バクトロバン鼻腔用軟膏）

■ 指導のポイント

	患者向け	薬剤師向け
薬効	・この薬は中耳，外耳等の感染を治療する薬です（ベストロン，バクトロバン以外） ・この薬は中耳，外耳，鼻の感染を治療する薬です（ベストロン） ・この薬は鼻腔内のMRSAという菌を除菌し，感染症の発症や伝染を予防する薬です（バクトロバン）	抗菌作用 〃 抗MRSA作用（MRSA：メチシリン耐性黄色ブドウ球菌）
詳しい薬効	・この薬は細菌を殺し，中耳炎，外耳炎，副鼻腔炎などの感染を治療する薬です（ベストロン） ・この薬は細菌を殺し，中耳炎，外耳炎などの感染を治療する薬です（ホスミシンS，タリビッド，ロメフロン） ・この薬は鼻腔内に塗布することで，他の抗生物質が効かない鼻腔内の黄色ブドウ球菌（MRSA：メチシリン耐性黄色ブドウ球菌）を殺し，免疫の低下したMRSA感染の発症の危険性の高い人（易感染患者）や，医療従事者が使用することで感染症の発症や伝染を予防する薬です（バクトロバン）	
禁忌	・本剤過敏症既往 ・〔タリビッド〕レボフロキサシン過敏症既往	

■ 主な副作用と対策，フィジカルアセスメントのチェックポイント

主な副作用	患者に確認すべき症状	対策とPAのチェックポイント
過敏症	発疹，じんま疹，かゆみ	中止 PA 皮膚（かゆみ，発疹）
点耳時耳痛，外耳道瘙痒感	耳の痛み，かゆみ	中止
めまい感	めまい	〃
喘鳴，咳嗽，鼻炎，嘔吐，頭痛（ベストロン鼻科用）	ヒューヒュー音，咳，鼻汁，くしゃみ，嘔吐・吐き気，頭の痛み	中止 PA 呼吸音（喘鳴），鼻（鼻汁，鼻閉）

■ 重大な副作用と妊婦・授乳婦への危険度

薬剤名	重大な副作用	妊婦[授乳婦]
ホスミンS，タリビッド	－	[☎◎]
ベストロン	ショック，アナフィラキシー，喘息発作，呼吸困難	－
ロメフロン	ショック，アナフィラキシー	－
バクトロバン	－	B1 [☎◎]

■ その他の指導ポイント

	患者向け	薬剤師向け
使用上の注意	・点眼しないでください ・〔バクトロバン〕鼻腔以外に使用しないでください ・〔バクトロバン〕うがい，手洗い等を行い，感染予防を心がけてください ・点耳するとき薬の温度が低いと，めまいを起こすおそれがあるので，使用時には注意してください ・点耳のとき，容器の先端が直接耳に触れないように注意してください ・〔ベストロン〕溶解後は冷所に保存し7日以内に使用してください。ただし，ネブライザーにて室温で保存する場合は，溶解後20時間以内に使用してください ・〔ホスミシンS〕溶解後は2週間以内に使用してください	眼科用として角膜・結膜，また熱傷，各種皮膚潰瘍（褥そう，糖尿病性壊疽，外傷性皮膚損等）の皮膚における創面感染に使用しない うがい，手洗い等の他の適切なMRSA感染対策を講じたうえで適用する。適応症についてはその他備考参照 ・〔バクトロバン以外〕使用にあたっては，4週間の投与を目安とし，その後の継続投与については，長期投与に伴う真菌の発現や菌の耐性化等に留意し，漫然と投与しない
点耳・点鼻を忘れたとき	・〔ホスミシンS，タリビッド〕思い出したときすぐに使用する。ただし次の使用時間が近いときは忘れた分は使用しない（2回分を一度に使用しないこと） ・〔ベストロン，ロメフロン〕思い出したときすぐに使用する。同日の2回目はできる限り間隔をあける ・〔バクトロバン〕思い出したときすぐに使用する。その後は指示どおり使用する（2回分を一度に使用しないこと）	

■ その他備考

■ バクトロバン鼻腔用軟膏適応

・適応症の「易感染患者」とは，厚生省「院内感染対策の手引き─MRSAに注目して─」で定義されている易感染患者（次の①～⑥に示す患者）を参考に，自らの鼻腔内に保菌するMRSAにより患者が内因性のMRSA感染症を発症する危険性が高い

場合に使用する
① 高齢者，特に寝たきりの高齢患者
② 免疫不全状態にある患者（悪性腫瘍患者，糖尿病患者，免疫抑制剤または抗癌剤投与患者等）
③ 侵襲が大きく，長時間を要する手術患者（心臓，大血管手術，腹部大手術患者等）
④ IVH 施行患者
⑤ 気管内挿管等による長期呼吸管理患者
⑥ 広範囲の熱傷または外傷患者

・鼻腔内に MRSA を保菌する入院患者は，易感染者から隔離するなど，接触を断つ措置を講ずる。やむを得ず，隔離が困難な場合に適用を考慮する
・鼻腔内に MRSA を保菌する医療従事者については，医師，看護師等で，易感染者と頻回に接することが避けられない場合に適用を考慮する（医療従事者は保険給付対象外）

耳鼻科用薬使用の手引

【点鼻薬】……「点鼻薬の使い方」参照
・点鼻以外に使用しないでください。

―― 点鼻薬の使い方 ――

① 使用する前に静かに鼻をかんでください。
② 手をきれいに洗ってください。
③ 起立したり，起き上がっている場合は頭を後方に傾け，横になっている場合は枕を肩の下にあてて頭を傾け，鼻が上を向くようにしてください。
④ 容器の先が鼻等に触れないように気をつけながら，点鼻液を鼻腔内に滴下してください。
⑤ 点鼻後，鼻の中に薬がよくゆきわたるように2～3分間そのままの姿勢でいてください。

【点耳薬】……「点耳・耳浴の方法」参照
・点耳以外に使用しないでください。

【点耳・耳浴の方法】

①医師の指導に従って分泌物を十分排除してください。
②点耳する前に手を洗ってください。
③手のひらで薬瓶をにぎって2～3分薬液を温めてください。
　※冷たい薬液をそのまま点耳すると「めまい」を起こすことがあります。
④悪い耳を上にして，横向きに寝てください。
⑤耳たぶを後ろにひっぱるようにして，点耳液を6～10滴（ステロイド含有剤は除く）滴下してください。
（中耳炎の場合は，点耳後耳たぶを後上方へ引っ張りながらゆするようにすると，外耳道がまっすぐになり空気の層がなくなり中耳腔まで十分に到達します。時には，つばを飲み込むようにするとよいでしょう。）このとき容器の先端が直接耳に触れないようにします。
⑥点耳後そのままの姿勢を保ってください。
　　点耳　　2～3分
　　耳浴　　約10分
⑦清潔なガーゼ，ティッシュペーパーなどを耳にあてて起き上がり，耳の外へ流れ出た点耳液を拭き取ってください。

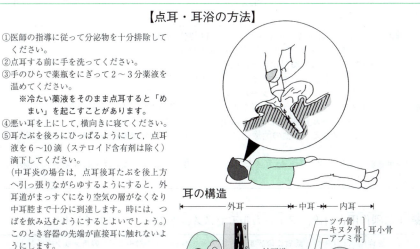

耳の構造

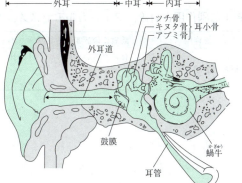

16 抗アレルギー薬　①第一世代抗ヒスタミン薬

■ 対象薬剤

ジフェンヒドラミン塩酸塩（レスタミンコーワ），シプロヘプタジン塩酸塩水和物（ペリアクチン），クレマスチンフマル酸塩（タベジール），d-クロルフェニラミンマレイン酸塩（ポララミン）
配合剤（セレスタミン配合）

■ 指導のポイント

		患者向け	薬剤師向け
薬効		この薬は鼻水，くしゃみ，湿疹，かゆみなど（アレルギー症状）を抑える薬です	ヒスタミン H_1 受容体拮抗作用 抗炎症作用（セレスタミン）
詳しい薬効		この薬はアレルギー反応に関与する物質（ヒスタミン）が，ヒスタミン受容体に結びついてアレルギー反応を起こすのを抑制して，鼻水，くしゃみ，湿疹，かゆみなど（アレルギー症状）を抑える薬です	
禁忌・併用禁忌	禁忌	・閉塞隅角緑内障，前立腺肥大等下部尿路閉塞性疾患 ・〔レスタミンコーワ以外〕本剤過敏症既往 ・〔ポララミン〕類似化合物過敏症既往 ・〔ペリアクチン，ポララミン〕低出生体重児・新生児 ・〔ペリアクチン，タベジール〕幽門十二指腸閉塞 ・〔ペリアクチン〕狭窄性胃潰瘍，気管支喘息急性発作時，老齢の衰弱 ・〔タベジール〕狭窄性消化性潰瘍 ・〔セレスタミン〕他の治療法によって十分に治療効果が期待できる場合，局所投与で十分な場合	
	併用禁忌	〔セレスタミン〕⇔デスモプレシン（男性における夜間多尿による夜間頻尿）にて低ナトリウム血症	

■ 主な副作用と対策，フィジカルアセスメントのチェックポイント

主な副作用	患者に確認すべき症状	対策と PA のチェックポイント
中枢神経症状	眠い，体がだるい，めまい，けいれん，頭が痛い	減量もしくは休薬。眠気は通常，連用により消失するが，支障をきたす場合は夕刻以降に用いる

No.16 抗アレルギー薬

主な副作用		患者に確認すべき症状	対策とPAのチェックポイント
抗コリン作用			
	口渇	口が渇く，唇があれる	うがい，ハードキャンディをなめたり，ガムをかんだり飲み物を飲む。症状により減量もしくは中止 PA 口腔粘膜（乾燥）
	便秘	便が出にくい	繊維質の多い食事，水分摂取をする 便秘の程度により下剤等を併用 PA 腸音（↓）
	排尿障害，視調節障害	尿が出にくい，尿量が少ない，尿が残っている気がする，目がかすむ，光がまぶしい	減量もしくは中止。他剤への変更 PA 尿量（↓），残尿（↑），排尿症状（尿勢低下，尿線分割・途絶，排尿遅延，腹圧排尿，終末滴下）
	消化器症状	むかつき，吐く，食欲がない，下痢，腹部の痛み	減量もしくは中止 PA 腸音（↑）

■ **重大な副作用と妊婦・授乳婦への危険度**

薬剤名	重大な副作用	妊婦[授乳婦]
レスタミンコーワ	ー	A [⊗○]
ペリアクチン	錯乱，幻覚，けいれん，無顆粒球症	[⊗○]
タベジール	けいれん，興奮，肝機能障害，黄疸	[⊗○]
ポララミン	ショック，けいれん，錯乱，再生不良性貧血，無顆粒球症	A [⊗○]
セレスタミン	誘発感染症，感染症の増悪，B型肝炎ウイルスの増殖による肝炎，続発性副腎皮質機能不全，糖尿病，急性副腎不全，消化性潰瘍，膵炎，精神変調，うつ状態，けいれん，錯乱，骨粗鬆症，ミオパシー，大腿骨および上腕骨等の骨頭無菌性壊死，緑内障，後嚢白内障，血栓症，再生不良性貧血，無顆粒球症，幼児・小児の発育抑制	A（ベタメタゾン，クロルフェニラミン） [⊗○]

■ **その他の指導ポイント**

	患者向け	薬剤師向け
使用上の注意	・この薬の服用中は，車の運転等，危険を伴う機械の操作は行わないでください → ・緑内障，前立腺肥大等がある方は必ず申し出てください → ・〔セレスタミン〕この薬は連用後，飲むのを急にやめると，発熱，頭痛，食欲不振，脱力感，筋肉痛，関節痛，ショックなどの症状が現れることがありますので，勝手に飲むのを中止しないでください ・〔セレスタミン〕予防接種をするときは， →	眠気を催すことがあるため 抗コリン作用により眼内圧上昇，排尿困難，尿閉等が現れるおそれがあるため投与禁忌 離脱症状が現れた場合には，直ちに再投与または増量。また，投与中は副作用の出現に対し，常に十分な配慮と観察を行い，患者をストレスから避けるようにし，事故，手術等の場合には増量するなど適切な処置 副腎皮質ホルモン剤を投与中の患者にワクチ

使用上の注意	必ずご相談ください ・〔セレスタミン〕この薬の服用中は，水痘→または麻疹の感染を避け，感染したときは，必ずご相談ください 食 この薬の服用中にアルコールを飲む→と，薬の作用が強く出るので控えてください	ン（種痘など）接種で神経障害，抗体反応の欠如の報告があるため 免疫抑制用量のコルチコステロイド投与時，水痘あるいは麻疹の感染を避ける 相互に中枢神経抑制作用を増強するおそれのため併用注意
服用を忘れたとき	思い出したときすぐに服用する。ただし次の服用時間が近いときは忘れた分は服用しない（2回分を一度に服用しないこと）	

■ **その他備考**

　■配合剤成分：セレスタミン（d-クロルフェニラミンマレイン酸塩，ベタメタゾン）

第一世代抗ヒスタミン薬比較表

分　類	一　般　名	商　品　名	特　　徴
エタノールアミン系	ジフェンヒドラミン	レスタミンコーワ	鎮静，止痒作用が強い。局所麻酔作用，抗嘔吐作用，筋固縮減少作用ももつ。抗コリン，中枢神経抑制作用は強い
	クレマスチン	タベジール	止痒作用が強く，眠気が少ない
プロピルアミン系	クロルフェニラミン	ポララミン セレスタミン	中枢神経抑制作用が比較的少なく，第一世代抗ヒスタミン薬の中では昼間の投与に最適（比較的眠気が少ない）
ピペリジン系	シプロヘプタジン	ペリアクチン	抗セロトニン作用，筋固縮減少作用，食欲亢進，体重増加作用
フェノチアジン系	プロメタジン	ピレチア	α-遮断作用，局所麻酔作用，中枢神経抑制作用，鎮静作用，抗コリン作用が強い
ピペラジン系	ヒドロキシジン	アタラックス	鎮静剤，トランキライザー，制吐剤としても用いる
	ホモクロルシクリジン	ホモクロミン	抗セロトニン作用，抗ブラジキニン作用

16 抗アレルギー薬　②第二世代抗ヒスタミン薬

■ 対象薬剤

メキタジン（ゼスラン，ニポラジン），ケトチフェンフマル酸塩（ザジテン），アゼラスチン塩酸塩（アゼプチン），オキサトミド（オキサトミド），エメダスチンフマル酸塩（レミカット，アレサガテープ），エピナスチン塩酸塩（アレジオン），エバスチン（エバステル），セチリジン塩酸塩（ジルテック），ベポタスチンベシル酸塩（タリオン），フェキソフェナジン塩酸塩（アレグラ），オロパタジン塩酸塩（アレロック），ロラタジン（クラリチン），レボセチリジン塩酸塩（ザイザル），デスロラタジン（デザレックス），ビラスチン（ビラノア），ルパタジンフマル酸塩（ルパフィン）
配合剤（ディレグラ配合）

■ 指導のポイント

	患者向け	薬剤師向け
薬効	・この薬は，鼻水，くしゃみ，鼻づまりなどのアレルギー性鼻炎を抑える薬です→ ・この薬は，湿疹，かゆみなどのアレルギー症状を抑える薬です（ディレグラ配合以外）→ ・この薬は，気道の炎症を抑え，気管支喘息の発作や炎症を起こりにくくする薬です（ゼスラン，ニポラジン，ザジテン，アゼプチン，オキサトミドDS，アレジオン錠）→ ・この薬は，かゆみを伴った乾癬の症状を抑える薬です（アレジオン錠，アレロック：成人のみ）→	抗アレルギー作用 ヒスタミン H_1 受容体拮抗作用 〃 〃 〃
詳しい薬効	・この薬はアレルギー反応に関与する物質（ヒスタミン）が，ヒスタミン受容体に結びついてアレルギー反応を起こすのを抑制して，アレルギー症状（鼻水・くしゃみ，湿疹，かゆみなどの諸症状）を抑える薬です（ディレグラ配合以外） ・この薬はアレルギー反応に関与する物質（ヒスタミン）が，ヒスタミン受容体に結びついてアレルギー反応を起こすのを抑制して，気道の炎症を抑え，気管支喘息の発作や症状を起こりにくくする薬です（ゼスラン，ニポラジン，ザジテン，アゼプチン，オキサトミドDS，アレジオン錠） ・この薬は抗ヒスタミン薬と交感神経刺激薬が配合され，抗ヒスタミン薬はアレルギー反応に関与する物質（ヒスタミン）が，ヒスタミン受容体に結びついてアレルギー反応を起こすのを抑制して，アレルギー症状（鼻水・くしゃみ）を抑えます。交感神経刺激薬は鼻粘膜の血管平滑筋を収縮させ，充血や腫れを取り除くことで，鼻閉を改善しアレルギー性鼻炎を抑える薬です（ディレグラ配合）	

禁忌	・〔アゼプチン，レミカット以外〕本剤過敏症既往 ・〔ゼスラン，ニポラジン〕フェノチアジン系化合物およびその類似化合物過敏症既往，閉塞隅角緑内障，前立腺肥大等下部尿路に閉塞性疾患 ・〔ザジテン〕てんかんまたはその既往 ・〔ジルテック，ザイザル〕ピペラジン誘導体過敏症既往，重度腎障害（Ccr 10 mL/min 未満） ・〔デザレックス〕ロラタジン過敏症既往 ・〔ディレグラ配合〕本剤成分および塩酸プソイドエフェドリン類似化合物過敏症既往，重症高血圧，重症冠動脈疾患，閉塞隅角緑内障，尿閉，<u>交感神経刺激薬による不眠，めまい，脱力，振戦，不整脈等既往歴</u> ・〔オキサトミド〕妊婦

■ 主な副作用と対策，フィジカルアセスメントのチェックポイント

主な副作用	患者に確認すべき症状	対策と PA のチェックポイント
中枢神経症状 抗コリン作用（口渇，便秘，排尿障害，膀胱炎様症状） 消化器症状	No.16 ①第一世代抗ヒスタミン薬（p.232 参照）	
血液障害[†]（顆粒球減少，無顆粒球症，血小板減少，出血傾向）	高熱，さむけ，のどの痛み　歯茎・鼻から出血しやすい，青あざができる	PA 顔色（蒼白），眼瞼結膜（蒼白），体幹・四肢・歯肉（出血斑），体温（↑）
肝機能障害[†]	ひどく疲れる，発熱，だるい，皮膚がかゆい，白目や皮膚が黄色くなる	PA 眼球（黄色），皮膚（皮疹，瘙痒感，黄色），尿（褐色），体温（↑），腹部（肝肥大，心窩部・右季肋部圧痛，腹水貯留等）
錐体外路症状（オキサトミド）	手足のふるえ，筋肉のこわばり，歩きにくい，よだれが出る．	中止．他剤への変更 PA 動作（緩慢，無動），歩行・四肢運動（異常）

[†]：厚生労働省の「重篤副作用疾患別対応マニュアル」参照

No.16 抗アレルギー薬

■ 重大な副作用と妊婦・授乳婦への危険度

薬剤名	重大な副作用	妊婦[授乳婦]
ゼスラン，ニポラジン	ショック，アナフィラキシー，肝機能障害，黄疸，血小板減少	[✗○]
アゼプチン	－	B3 [✗○]
ザジテン	けいれん，興奮，肝機能障害，黄疸	[✗○]
オキサトミド	肝炎，肝機能障害，黄疸，ショック，アナフィラキシー，皮膚粘膜眼症候群，中毒性表皮壊死融解症，血小板減少	禁忌 [✗○]
タリオン，レミカット，アレサガテープ		[✗○]
アレジオン	肝機能障害，黄疸，血小板減少	[✗○]
エバステル	ショック，アナフィラキシー，肝機能障害，黄疸	[✗○]
ジルテック，ザイザル	ショック，アナフィラキシー，けいれん，肝機能障害，黄疸，血小板減少	B2 [✗○]
アレグラ	ショック，アナフィラキシー，肝機能障害，黄疸，無顆粒球症，白血球減少，好中球減少	B2 [✗○]
アレロック	劇症肝炎，肝機能障害，黄疸	B1 [✗○]
クラリチン，ルパフィン	ショック，アナフィラキシー，てんかん，けいれん，肝機能障害，黄疸	B1(クラリチン) [✗○]
デザレックス	ショック，アナフィラキシー，てんかん，けいれん，肝機能障害，黄疸	B1
ビラノア	－	－
ディレグラ配合	ショック，アナフィラキシー，けいれん，肝機能障害，黄疸，無顆粒球症，白血球減少，好中球減少，急性汎発性発疹性膿疱症	B2 [✗○]

■ その他の指導ポイント

患者向け	薬剤師向け
・服用（使用）してすぐに効くようなものではなく，しばらくして（2～4週間）効果が現れます。自分勝手に判断せずに医師の指示どおり服用（使用）してください ・〔アレグラ，クラリチン，デザレックス，ビラノア，ディレグラ配合以外〕この薬の服用中は，車の運転等，危険を伴う機械の操作は行わないでください ・〔ゼスラン，ニポラジン，ディレグラ配合〕緑内障，前立腺肥大等がある方は申し出	気管支拡張薬，ステロイド薬などと異なり，喘息発作や症状を速やかに軽減する薬剤ではないので，患者に十分説明しておく必要がある。また季節性患者には，好発季節直前より投与開始，終了時まで続けさせることが望ましい 眠気を催すことがあるため 抗コリン作用（ゼスラン，ニポラジン），交感神経刺激作用（ディレグラ配合）により眼内

（使用上の注意）

使用上の注意	てください	圧上昇，排尿困難，尿閉等が現れるおそれがあるため投与禁忌
	・〔アゼプチン〕この薬は口の中でころがしたり，かんだり，つぶしたりしないでください	薬剤自身に苦みがあるため，苦味感，味覚異常が現れることがあるため
	・〔レミカット〕この薬はかまずに飲んでください	徐放剤のため
	・〔ディレグラ配合〕この薬はかんだり，砕いたりせず水と一緒に飲んでください	徐放剤のため。またかんだり砕いたりすることで血漿中濃度の上昇や効果の持続時間が短くなると考えられる
	・〔ディレグラ配合〕この薬の服用後，便に錠剤が出ることがありますが心配りません	糞便中に有効成分放出後の殻錠が排泄されることがある
	・〔エバステルOD，タリオンOD，アレグラOD，アレロックOD，クラリチンレディタブ〕この薬は口の中で溶けますが溶けた後，唾液または水で飲み込んでください	口腔粘膜からの吸収で効果発現を期待する製剤でないため唾液または水で飲み込む
	・〔アレグラDS〕この薬を水に懸濁した後は速やかに使用し，保存は避けてください	用時調製の製剤のため
	・〔オキサトミド〕妊娠中または妊娠の可能性のある方は必ずご相談ください	ラットで口蓋裂，合指症，指骨の形成不全等の催奇形性報告のため投与禁忌
	食〔ゼスラン，ニポラジン，オキサトミド，ザジテン，レミカット，アレサガテープ，ジルテック，ザイザル，ルパフィン〕この薬の服用中にアルコールを飲むと，薬の作用が強く出るので控えてください	相互に中枢神経抑制作用を増強するおそれのため併用注意
	食〔アレグラ〕この薬の服用中はグレープフルーツジュース，オレンジジュース，アップルジュースは飲まないでください	各ジュース中の成分により小腸上皮細胞に存在する有機アニオントランスポートが阻害され，本剤濃度が低下し抗アレルギー作用が減弱
	食〔ルパフィン〕この薬を服用するときはグレープフルーツジュースと一緒に飲まないでください	同時服用により本剤の血中濃度上昇の報告のため併用注意
服用を忘れたとき	・〔アレロック，オキサトミド以外〕思い出したときすぐに服用（使用）する。ただし次の服用（使用）時間が近いとき（ザジテン：次回の服用まで4～5時間以内）は忘れた分は服用（使用）しない（2回分を一度に服用（使用）しないこと）	
	・〔アレロック，オキサトミド〕朝の分を飲み忘れた場合，思い出したとき（昼頃までであれば）すぐに服用する。それ以降は次回より服用する	

■ その他備考

■配合剤成分：ディレグラ（フェキソフェナジン塩酸塩，塩酸プソイドエフェドリン）

16 抗アレルギー薬　③ケミカルメディエーター遊離抑制薬

■ 対象薬剤

クロモグリク酸ナトリウム（インタール㊧），トラニラスト（リザベン㊝，㊞），イブジラスト（ケタス㊝，㊞），ペミロラストカリウム（アレギサール㊝，㊞），ペミラストン㊝，㊞）
＊点眼薬（リザベン㊞，ケタス㊞，アレギサール㊞）は No.14 眼科用薬⑦（p.210）参照
＊ケタス㊝は No.26 脳循環・代謝改善薬，抗認知症薬（p.415）参照

　　　　　　　　　　　　　　　　　　　　　　［㊧吸入液，㊝内服，㊞点眼液］

■ 指導のポイント

	患者向け	薬剤師向け
薬効	・この薬は，気道の炎症を抑え，気管支喘息の発作や症状を起こりにくくする薬です（インタール吸入，リザベン，ケタス，アレギサール，ペミラストン） →	抗アレルギー作用 　ケミカルメディエーター遊離抑制作用
	・この薬は，鼻水，くしゃみ，鼻づまりなどのアレルギー性鼻炎の症状を抑える薬です（リザベン，アレギサール，ペミラストン） →	〃
	・この薬はアレルギーによる目のかゆみ，充血，涙目などアレルギー性結膜炎の症状を抑える薬です（点眼薬） →	〃
	☆この薬は，アトピー性皮膚炎の症状（湿疹，かゆみなど），ケロイドや肥厚性瘢痕（皮膚が増殖して厚くなり，かゆみ，痛み，赤みなどが起こる）の症状を抑える薬です（リザベン）	線維芽細胞のコラーゲン合成抑制
	☆この薬は脳の血液の流れや代謝をよくし，脳の働きを活発にし，頭痛，頭重，めまい，しびれ，意欲低下などの症状を改善する薬です（ケタス）(参) No.26 脳循環・代謝改善薬，抗認知症薬 →	脳循環・代謝改善作用

詳しい薬効	この薬は肥満細胞からアレルギー反応に関与する物質（ケミカルメディエーター：ヒスタミン，ロイコトリエン，トロンボキサン，プロスタグランジン等）の遊離を抑制して，アレルギー症状（鼻水・くしゃみ，湿疹，かゆみなどの諸症状）を抑えたり，気道の炎症を抑え，気管支喘息の発作や症状を起こりにくくする薬です ☆この薬は肥満細胞からアレルギー反応に関与する物質（ケミカルメディエーター：ヒスタミン，ロイコトリエン，トロンボキサン，プロスタグランジン等）の遊離を抑制して，コラーゲンができるのを防ぎ，ケロイド症状（皮膚が増殖して厚くなり，かゆみ，痛み，赤みなどの諸症状）を抑える薬です（リザベン）
禁忌	・本剤過敏症既往 ・〔アレギサール，ペミラストン〕妊婦 ・〔リザベン〕妊婦（特に3カ月以内）

■ 主な副作用と対策，フィジカルアセスメントのチェックポイント

➡ No.16 抗アレルギー薬② p.236 の中枢神経症状～肝機能障害参照

主な副作用	患者に確認すべき症状	対策とPAのチェックポイント
腎障害（リザベン）	血尿が出る，尿量が少ない，むくむ	中止。他剤への変更 PA 尿量（↓），体重（↑），浮腫（上眼瞼，下腿脛骨）

■ 重大な副作用と妊婦・授乳婦への危険度

薬剤名	重大な副作用	妊婦[授乳婦]
インタール吸入，エアロゾル	気管支けいれん，PIE症候群，アナフィラキシー様症状	[✕◎]
リザベン	膀胱炎様症状，肝機能障害，黄疸，腎機能障害，白血球減少，血小板減少	禁忌 [✕○]
アレギサール，ペミラストン	－	禁忌 [✕○]

■ その他の指導ポイント

	患者向け	薬剤師向け
使用上の注意	・服用（使用）してすぐに効くようなものではなく，しばらくして（2～4週間）効果が現れます。自分勝手に判断せずに医師の指示どおり服用（使用）してください ・〔インタール〕喘息の発作を鎮めるための薬ではありません。発作予防のために発作のないときから医師の指示どおり継続して使用し，勝手に中止したりしない	気管支拡張薬，ステロイド薬などと異なり，喘息発作や症状を速やかに軽減する薬剤ではないので，患者に十分説明しておく必要がある。また季節性患者には，好発季節直前より投与開始，終了時まで続けさせることが望ましい 本剤はすでに起こっている喘息発作を緩解する薬剤ではないので，このことを患者に十分説明しておく。発作発現時には，気管支拡張薬を投与するなど対症療法が必要である

使用上の注意	でください ・〔インタール吸入〕この薬は電動式ネブ→ライザーを使用して吸入してください ・〔インタールエアゾル〕よく振って使→用してください。また新しいボンベを使用する場合、最初の4噴霧は吸入しないで空気中に噴霧させてから吸入してください ・〔アレギサール，ペミラストン，リザベン〕→妊娠中または妊娠の可能性のある方は必ずご相談ください	患者，家族に使用法をよく指導し，習熟させること 噴霧前によく振らないと容器の中の噴霧剤と薬剤が分離してしまい，1回の噴霧薬剤量にばらつきが生じる。また新しいボンベは初回噴霧時から一定の薬物噴霧量を得ることは難しいので，4回分の空噴霧を必要とする ラットで大量投与により胎児発育遅延報告（アレギサール，ペミラストン），マウスで大量投与骨格異常例増加報告（リザベン）のため投与禁忌
服用を忘れたとき	思い出したときすぐに服用（使用）する。ただし次の服用時間が近いとき（アレギサール・ペミラストン：4〜5時間以内）は忘れた分は服用（使用）しない（2回分を一度に服用（使用）しないこと）	

16 抗アレルギー薬　④ロイコトリエン受容体拮抗薬

■対象薬剤

プランルカスト水和物（オノン），モンテルカストナトリウム（キプレス，シングレア）

■指導のポイント

	患者向け	薬剤師向け
薬効	・この薬は気道の炎症を抑え，気管支喘息の発作や症状を起こりにくくする薬です ・この薬は鼻水，くしゃみ，鼻づまりなど→（アレルギー性鼻炎）を抑える薬です（オノン，キプレス錠，シングレア錠）	抗アレルギー作用 　ロイコトリエン受容体拮抗作用 　　〃
詳しい薬効	この薬は気管支の収縮やアレルギー反応に関与する物質（ロイコトリエン）が，ロイコトリエン受容体に結びつくのを抑制して，気道の炎症を抑え，気管支喘息の発作や症状を起こりにくくしたり，鼻のアレルギー症状（鼻水・くしゃみ）を抑えたり（オノン，キプレス錠，シングレア錠）する薬です	
禁忌	本剤過敏症既往	

■ 主な副作用と対策，フィジカルアセスメントのチェックポイント

主な副作用	患者に確認すべき症状	対策とPAのチェックポイント
中枢神経症状	眠い，体がだるい，めまい，けいれん，頭が痛い	減量もしくは休薬。眠気は通常，運用により消失するが，支障をきたす場合は夕刻以降に用いる
消化器症状	下痢，むかつき，吐く，食欲がない，腹部の痛み	減量もしくは中止 PA 腸音（↑）
肝機能障害†	ひどく疲れる，発熱，だるい，皮膚がかゆい，白目や皮膚が黄色くなる	PA 抗アレルギー薬② p.236 参照
横紋筋融解症†（オノン）	手足に力が入らない，だるい，筋肉痛	PA 筋力（↓），筋肉（圧痛），尿（赤褐色尿：ミオグロビン尿）

†：厚生労働省の「重篤副作用疾患別対応マニュアル」参照

■ 重大な副作用と妊婦・授乳婦への危険度

薬剤名	重大な副作用	妊婦［授乳婦］
オノン	ショック，アナフィラキシー，白血球減少，血小板減少，肝機能障害，間質性肺炎，好酸球性肺炎，横紋筋融解症	［✕○］
キプレス，シングレア	アナフィラキシー，血管浮腫，劇症肝炎，肝炎，肝機能障害，黄疸，中毒性表皮壊死融解症，皮膚粘膜眼症候群，多形紅斑，血小板減少	B1 ［✕○］

■ その他の指導ポイント

	患者向け	薬剤師向け
使用上の注意	・服用（使用）してすぐに効くようなものではなく，しばらくして（2〜4週間）効果が現れます。自分勝手に判断せずに医師の指示どおり服用（使用）してください ・〔キプレスチュアブル，シングレアチュアブル〕本剤は口中で溶かすか，かみ砕いて服用してください ・〔キプレスOD，シングレアOD〕この薬は口の中で溶けますが，溶けた後，唾液または水で飲み込んでください ・〔キプレス細粒，シングレア細粒〕服用の準備ができるまで開封しないでください。柔らかい食物，調整ミルクまたは母乳と混ぜた場合も放置せずに直ちに（15分以内に）服用してください	気管支拡張薬，ステロイド薬などと異なり，喘息発作や症状を速やかに軽減する薬剤ではないので，患者に十分説明しておく必要がある。また季節性患者には，好発季節直前より投与開始，終了時まで続けさせることが望ましい 小児（6歳以上に適応あり）において，誤ってのどに詰まらせないようにするため 口腔粘膜からの吸収で効果発現を期待する製剤でないため唾液または水で飲み込む ・光により，分解生成物の増加，含量の低下および性状の変化が認められる ・年齢，体重，症状等による用量調節の必要がないので再分包は行わない ・〔キプレス，シングレア〕モンテルカストチュアブル錠とモンテルカストフィルムコーティング錠は生物学的に同等でないた

	め，同容量であってもそれぞれ相互に代用しない
服用を忘れたとき	思い出したときすぐに服用する。ただし次の服用時間が近いときは忘れた分は服用しない（2回分を一度に服用しないこと）

16 抗アレルギー薬　⑤トロンボキサンA_2合成阻害薬

■ 対象薬剤

オザグレル塩酸塩水和物（ドメナン）

■ 指導のポイント

	患者向け	薬剤師向け
薬効	この薬は気道の炎症を抑え，気管支喘息の発作や症状を起こりにくくする薬です →	抗アレルギー作用 　トロンボキサンA_2合成阻害作用
詳しい薬効	この薬は気管支の収縮やアレルギー反応に関与する物質（トロンボキサンA_2）を合成する酵素を阻害して，トロンボキサンA_2がつくられるのを抑制して，気道の炎症を抑え，気管支喘息の発作や症状を起こりにくくする薬です	
禁忌	本剤過敏症既往，小児等	

■ 主な副作用と対策，フィジカルアセスメントのチェックポイント

主な副作用	患者に確認すべき症状	対策とPAのチェックポイント
肝機能障害	食欲がない，吐き気，体がだるい，皮膚や白目が黄色くなる	中止 PA 抗アレルギー薬② p.236 参照
胃腸障害	吐き気，胃部不快感，下痢，お腹が痛い	休薬もしくは中止
出血傾向	出血しやすい，血が止まらない，青あざができる	休薬もしくは中止 PA 体幹・四肢（出血斑），口腔・鼻（出血），顔色（蒼白），眼瞼結膜（蒼白）

■ その他の指導ポイント

	患者向け	薬剤師向け
使用上の注意	服用（使用）してすぐに効くようなものではなく，しばらくして（2〜4週間）効果が現れます。自分勝手に判断せずに医師の指示どおり服用（使用）してください	気管支拡張薬，ステロイド薬などと異なり，喘息発作や症状を速やかに軽減する薬剤ではないので，患者に十分説明しておく必要がある。また季節性患者には，好発季節直前より投与開始，終了時まで続けさせることが望ましい
服用を忘れたとき	思い出したときすぐに服用する。ただし次の服用時間が近いときは忘れた分は服用しない（2回分を一度に服用しないこと）	

16　抗アレルギー薬　⑥トロンボキサン A_2 受容体拮抗薬

■ 対象薬剤

　　セラトロダスト（ブロニカ），ラマトロバン＊（バイナス）

＊：プロスタグランジン D_2・トロンボキサン A_2 拮抗薬

■ 指導のポイント

	患者向け	薬剤師向け
薬効	・この薬は気道の炎症を抑え，気管支喘息の発作や症状を起こりにくくする薬です（ブロニカ） ・この薬は鼻水，くしゃみ，鼻づまりなどのアレルギー性鼻炎を抑える薬です（バイナス）	抗アレルギー作用 　トロンボキサン A_2 受容体拮抗作用 　〃
詳しい薬効	この薬は気管支の収縮やアレルギー反応に関与する物質（トロンボキサン A_2）がトロンボキサン受容体に結びつくのを抑制して，気道の炎症を抑え，気管支喘息の発作や症状を起こりにくくしたり（ブロニカ），鼻のアレルギー症状（鼻水・くしゃみ・鼻づまり）を抑える（バイナス）薬です	
禁忌	〔バイナス〕本剤過敏症既往	

No.16 抗アレルギー薬

■ 主な副作用と対策，フィジカルアセスメントのチェックポイント

主な副作用	患者に確認すべき症状	対策とPAのチェックポイント
中枢神経症状	眠い，体がだるい，めまい，けいれん，頭が痛い	減量もしくは休薬。眠気は通常，連用により消失するが，支障をきたす場合は夕刻以降に用いる
消化器症状	むかつき，吐く，食欲がない，下痢，便秘，腹部の痛み	減量もしくは中止
出血傾向	鼻血が出る，歯茎から血が出る，青あざができる，出血が長引く	休薬もしくは中止 PA 抗アレルギー薬⑤ p.243 参照
肝機能障害[†]	ひどく疲れる，発熱，だるい，皮膚がかゆい，白目や皮膚が黄色くなる	PA 抗アレルギー薬② p.236 参照

[†]：厚生労働省の「重篤副作用疾患別対応マニュアル」参照

■ 重大な副作用と妊婦・授乳婦への危険度

薬剤名	重大な副作用	妊婦[授乳婦]
ブロニカ	重篤な肝機能障害，劇症肝炎	[✕○]
バイナス	肝炎，肝機能障害，黄疸	[✕○]

■ その他の指導ポイント

	患者向け	薬剤師向け
使用上の注意	服用（使用）してすぐに効くようなものではなく，しばらくして（2〜4週間）効果が現れます。自分勝手に判断せずに医師の指示どおり服用（使用）してください	気管支拡張薬，ステロイド薬などと異なり，喘息発作や症状を速やかに軽減する薬剤ではないので，患者に十分説明しておく必要がある。また季節性患者には，好発季節直前より投与開始，終了時まで続けさせることが望ましい
服用を忘れたとき	・〔ブロニカ〕思い出したときが，その日の夜であればすぐに服用する。ただし翌日に思い出したら，忘れた分は服用しない ・〔バイナス〕思い出したときすぐに服用する。ただし次の服用時間が近いときは忘れた分は服用しない（2回分を一度に服用しない）	

抗アレルギー薬

16 抗アレルギー薬　⑦ Th2 サイトカイン阻害薬

■ 対象薬剤
スプラタストトシル酸塩（アイピーディ）

■ 指導のポイント

	患者向け	薬剤師向け
薬効	・この薬は気道の炎症を抑え，気管支喘息の発作や症状を起こりにくくする薬です ・この薬は鼻水，くしゃみ，鼻づまりなど（アレルギー性鼻炎）や，湿疹，かゆみなど（アトピー性皮膚炎）を抑える薬です（アイピーディカプセル）	抗アレルギー作用 　サイトカイン合成阻害作用 　　〃
詳しい薬効	この薬はリンパ球に働いてサイトカインの産生を抑制し，アレルギー反応に関与する物質（IgE 抗体）がつくられるのを抑制し，アレルギー症状（鼻水・くしゃみ，湿疹，かゆみなどの諸症状）を抑えたり，気道の炎症を抑え，気管支喘息の発作や症状を起こりにくくする薬です	
禁忌	本剤過敏症既往	

■ 主な副作用と対策，フィジカルアセスメントのチェックポイント

主な副作用	患者に確認すべき症状	対策と PA のチェックポイント
中枢神経症状	眠い，体がだるい，めまい，けいれん，頭が痛い	減量もしくは休薬。眠気は通常，連用により消失するが，支障をきたす場合は夕刻以降に用いる
消化器症状	むかつき，吐く，食欲がない，下痢，腹部の痛み	減量もしくは中止
肝機能障害†	ひどく疲れる，発熱，だるい，皮膚がかゆい，白目や皮膚が黄色くなる	PA 抗アレルギー薬② p.236 参照

†：厚生労働省の「重篤副作用疾患別対応マニュアル」参照

■ 重大な副作用と妊婦・授乳婦への危険度

薬剤名	重大な副作用	妊婦［授乳婦］
アイピーディ	肝機能障害，黄疸，ネフローゼ症候群	［🚫○］

■ その他の指導ポイント

	患　者　向　け	薬　剤　師　向　け
使用上の注意	飲んですぐに効くようなものではなく，しばらくして（2〜4週間）効果が現れます。自分勝手に判断せずに医師の指示どおり服用してください	気管支拡張薬，ステロイド薬，抗ヒスタミン薬などと異なり，喘息発作や症状を速やかに軽減する薬剤ではないので，患者に十分説明しておく必要がある。また季節性患者には，好発季節直前より投与開始，終了時まで続けさせることが望ましい
服用を忘れたとき	思い出したときすぐに服用する。ただし次の服用時間が近いときは忘れた分は服用しない（2回分を一度に服用しないこと）	

抗アレルギー薬比較表

分類		第2世代ヒスタミン H_1 拮抗薬								
商品名		ゼスラン ニポラジン	ザジテン	アゼプチン	オキサトミド	レミカット アレサガテープ	アレジオン	エバステル	ジルテック	タリオン
一般名		メキタジン	ケトチフェン フマル酸塩	アゼラスチン 塩酸塩	オキサトミド	エメダスチン フマル酸塩	エピナスチン 塩酸塩	エバスチン	セチリジン 塩酸塩	ベポタスチン ベシル酸塩
薬価収載年月		1983.2	1983.2	1986.6	1987.5	1993.5	1994.5	1996.6	1998.8	2000.9
効能・効果	気管支喘息	○	○	○	○ DS		○ 錠			
	アレルギー性鼻炎	○	○	○	○ 錠	○	○	○	○	○
	アトピー性皮膚炎			○	○ DS					
	湿疹・皮膚炎	○	○	○	○ 錠		○	○	○	○
	皮膚瘙痒症	○	○	○	○ 錠		○	○	○	○
	じんま疹	○	○	○	○		○	○	○	○
	痒疹			○	○		○ 錠	○	○*1	○*1
	瘙痒を伴う尋常性乾癬						○ 錠			
	その他									
薬理作用	ヒスタミン遊離抑制	○	○	○	○	○	○	○	○	○
	SRS-A 遊離抑制 / 肥満細胞 好塩基球	○	○	○	○		○		○	○
	SRS-A 遊離抑制 / 好中球（好酸球）								○	
	PAF 遊離抑制作用	○	○	○	○		○			
	ケミカルメディエーター拮抗作用 / 抗ヒスタミン	○	○	○	○	○	○	○	○	○
	ケミカルメディエーター拮抗作用 / 抗LT	○		○	○		○	○		○
	ケミカルメディエーター拮抗作用 / 抗PAF	○	○	○	○		○			○
	ケミカルメディエーター拮抗作用 / 抗 TXA_2									
	LT 産生抑制		○	○					○	
	活性酸素産生抑制		○	○			○		○	
	抗アレルギー炎症作用	○	○	○				○	○	○

No.16 抗アレルギー薬

抗アレルギー薬比較表（続き）

分類			第2世代ヒスタミンH₁拮抗薬								ケミカルメディエーター遊離抑制薬
商品名			アレグラ	アレロック	クラリチン	ザイザル	デザレックス	ビラノア	ルパフィン	ディレグラ配合	インタール
一般名			フェキソフェナジン塩酸塩	オロパタジン塩酸塩	ロラタジン	レボセチリジン塩酸塩	デスロラタジン	ビラスチン	ルパタジンフマル酸塩	フェキソフェナジン塩酸塩・塩酸プソイドエフェドリン配合錠	クロモグリク酸ナトリウム
薬価収載年月			2000.11	2001.2	2002.8	2010.12	2016.11	2016.11	2017.9	2013.2	1971.6
効能・効果	気管支喘息										○（液・エアロゾル）
	アレルギー性鼻炎		○	○	○	○	○	○	○	○	
	アトピー性皮膚炎		○								
	湿疹・皮膚炎		○	○	○	○	○	○	○		
	皮膚瘙痒症		○	○	○	○	○	○	○		
	じんま疹		○	○	○	○	○	○	○		
	痒疹			○*1		○*1					
	瘙痒を伴う尋常性乾癬			○*1							
	その他			多形滲出性紅斑*1							
薬理作用	ヒスタミン遊離抑制		○	○	○	○	○	○	○	○	○
	SRS-A遊離抑制	肥満細胞好塩基球		○	○	○	○				○
		好中球（好酸球）	○						○		
	PAF遊離抑制作用			○							○
	ケミカルメディエーター拮抗作用	抗ヒスタミン	○	○	○	○	○	○	○	○	
		抗LT		○	○		○				
		抗PAF		○					○		○
		抗TXA₂									
	LT産生抑制			○		○					
	活性酸素産生抑制					○					○
	抗アレルギー炎症作用		○	○	○	○	○	○	○	○	○

*1：成人のみ

抗アレルギー薬比較表（続き）

分類			ケミカルメディエーター 遊離抑制薬			ロイコトリエン 受容体拮抗薬		トロンボキサン A_2阻害薬	トロンボキサン A_2 拮抗薬		Th2サイトカイン 阻害薬
商品名			リザベン	ケタス	アレギサール ペミラストン	オノン	キプレス シングレア	ドメナン	ブロニカ	バイナス[*2]	アイピーディ
一般名			トラニラスト	イブジラスト	ペミロラスト カリウム	プランルカスト 水和物	モンテルカスト ナトリウム	オザグレル 塩酸塩水和物	セラトロダスト	ラマトロバン	スプラタスト トシル酸塩
薬価収載年月			1982.8	1989.4	1991.3	1995.5	2001.8	1992.5	1995.11	2000.5	1995.3
効能・効果	気管支喘息		○	○	○	○	○	○	○		○
	アレルギー性鼻炎		○		○	○	○錠OD			○	○カプセル
	アトピー性皮膚炎		○								○カプセル
	湿疹・皮膚炎										
	皮膚瘙痒症										
	じんま疹										
	痒疹										
	瘙痒を伴う尋常性乾癬										
	その他		ケロイド・ 肥厚性瘢痕	脳梗塞後遺症 （めまい）							
薬理作用	ヒスタミン遊離抑制		○		○						○
	SRS-A 遊離抑制	肥満細胞 好塩基球	○		○				○		
		好中球 （好酸球）	○	○	○	○					
	PAF 遊離抑制作用		○		○						
	ケミカル メディエー ター拮抗 作用	抗ヒスタミン									
		抗LT		○		○	○				
		抗PAF		○	○						
		抗TXA_2						○	○	○	
	LT産生抑制										
	活性酸素産生抑制		○								
	抗アレルギー炎症作用		○				○				○

[*2]：プロスタグランジン D_2・トロンボキサン A_2 拮抗薬

1．通年性アレルギー性鼻炎の治療

重症度	軽症	中等症		重症	
病型		くしゃみ・鼻漏型	鼻閉型または鼻閉を主とする充全型	くしゃみ・鼻漏型	鼻閉型または鼻閉を主とする充全型
治療	①第2世代抗ヒスタミン薬 ②遊離抑制薬 ③Th2サイトカイン阻害薬 ④鼻噴霧用ステロイド薬	①第2世代抗ヒスタミン薬 ②遊離抑制薬 ③鼻噴霧用ステロイド薬 必要に応じて①または②に③を併用する。	①抗LTs薬 ②抗PGD₂・TXA₂薬 ③Th2サイトカイン阻害薬 ④第2世代抗ヒスタミン薬・血管収縮薬配合剤 ⑤鼻噴霧用ステロイド薬 必要に応じて①,②,③に⑤を併用する。	鼻噴霧用ステロイド薬 ＋ 第2世代抗ヒスタミン薬	鼻噴霧用ステロイド薬 ＋ 抗LTs薬または抗PGD₂・TXA₂薬 もしくは 第2世代抗ヒスタミン薬・血管収縮薬配合剤 オプションとして点鼻用血管収縮薬を治療開始時の1～2週間に限って用いる。
			鼻閉型で鼻腔形態異常を伴う症例，保存療法に抵抗する症例では手術		
	アレルゲン免疫療法				
	抗原除去・回避				

（鼻アレルギー診療ガイドライン作成委員会：鼻アレルギー診療ガイドライン―通年性鼻炎と花粉症―2020年版（改訂第9版），p69，ライフ・サイエンス，2020）

・症状が改善してもすぐには投薬を中止せず，数カ月の安定を確かめてステップダウンしていく。
・遊離抑制薬＝ケミカルメディエーター遊離抑制薬
・抗LTs薬＝抗ロイコトリエン薬
・抗PGD₂・TXA₂薬＝抗プロスタグランジンD_2・トロンボキサンA_2薬

2．重症度に応じた花粉症に対する治療法の選択

重症度 / 病型	初期療法	軽症	中等症 くしゃみ・鼻漏型	中等症 鼻閉型または鼻閉を主とする充全型	重症・最重症 くしゃみ・鼻漏型	重症・最重症 鼻閉型または鼻閉を主とする充全型
治療	①第2世代抗ヒスタミン薬 ②遊離抑制薬 ③抗LTs薬 ④抗PGD₂・TXA₂薬 ⑤Th2サイトカイン阻害薬 ⑥鼻噴霧用ステロイド薬	①第2世代抗ヒスタミン薬 ②遊離抑制薬 ③抗LTs薬 ④抗PGD₂・TXA₂薬 ⑤Th2サイトカイン阻害薬 ⑥鼻噴霧用ステロイド薬 ①～⑥のいずれか1つ。 ①～⑤のいずれかに加え，⑥を追加。	第2世代抗ヒスタミン薬 ＋ 鼻噴霧用ステロイド薬	抗LTs薬または抗PGD₂・TXA₂薬 ＋ 鼻噴霧用ステロイド薬 ＋ 第2世代抗ヒスタミン薬 もしくは 第2世代抗ヒスタミン薬・血管収縮薬配合剤* ＋ 鼻噴霧用ステロイド薬	鼻噴霧用ステロイド薬 ＋ 第2世代抗ヒスタミン薬	鼻噴霧用ステロイド薬 ＋ 抗LTs薬または抗PGD₂・TXA₂薬 ＋ 第2世代抗ヒスタミン薬 もしくは 鼻噴霧用ステロイド薬 ＋ 第2世代抗ヒスタミン薬・血管収縮薬配合剤* オプションとして点鼻用血管収縮薬を2週間程度，経口ステロイド薬を1週間程度用いる。
						抗IgE抗体**
		点眼用抗ヒスタミン薬または遊離抑制薬			点眼用抗ヒスタミン薬，遊離抑制薬またはステロイド薬	
					鼻閉型で鼻腔形態異常を伴う症例では手術	
	アレルゲン免疫療法					
	抗原除去・回避					

(鼻アレルギー診療ガイドライン作成委員会：鼻アレルギー診療ガイドライン—通年性鼻炎と花粉症—2020年版（改訂第9版），p 71，ライフ・サイエンス，2020）

初期療法はあくまでも本格的花粉飛散時の治療に向けた導入であり，よほど花粉飛散が少ない年以外は重症度に応じたシーズン中の治療に早めに切り替える。
遊離抑制薬：ケミカルメディエーター遊離抑制薬
抗LTs薬：抗ロイコトリエン薬
抗PGD₂・TXA₂：抗プロスタグランジンD_2・トロンボキサンA_2薬
　*本剤の使用は鼻症状が強い期間のみの最小限の期間にとどめ，鼻閉症状の緩解がみられた場合には，速やかに抗ヒスタミン薬単独療法などへの切り替えを考慮する。
**最適使用推進ガイドラインに則り使用する。

アレルギー性鼻炎の日常生活のポイント

　アレルギー性鼻炎のアレルゲンには一年中存在していつでも発作を起こす可能性のあるものと，一定の季節に発生してその時期にのみ発作を起こすものがあります。症状はくしゃみ・鼻みず・鼻づまりだけでなく目のかゆみ・なみだ等の症状が現れることがあります。

一年を通じて発作を起こすアレルゲン	ハウスダスト（室内塵），動物性のほこり，カビの胞子
季節的に発作を起こすアレルゲン	花粉（スギ，オオアワガエリ，ブタクサなど），カビの胞子

1．ハウスダストの防ぎ方
　　室内の畳や，内装品，寝具，衣類などのすきまにチリダニが無数に生息しており，このチリダニの死骸や排泄物が浮遊物となったり，寝具や衣類から出る繊維のくずが室内塵となります。ですから，ハウスダストの対策はチリダニの発生を防ぐことと繊維製品の扱いに気をつけることに要約されます。
　　①チリダニの発生を防ぐ
　　　・ホウキやハタキを使わず雑巾で拭き取るなどまめに掃除をしましょう。
　　　・チリダニの餌となる毛髪のフケや食物のくずを床に残さないようにしましょう。
　　　・寝具，畳，マットレス，絨毯などを頻回に日光にあてましょう。
　　②繊維製品の扱いに注意
　　　・布団や毛布は目の細かい布でカバーをして使いましょう。
　　　・布団は早めに敷いておき，ほこりが静まってから床に入りましょう。
　　　・ほこりの出やすい衣類はポリ袋に入れてから家具に収納しましょう。
2．動物性のほこりの防ぎ方
　　①犬，猫，鳥などの体毛の多い動物は飼わないようにしましょう。もしペットを飼いたい場合は金魚やカメなどにしましょう。
　　②動物を素材にした寝具，衣類，絨毯を避け，化学繊維の物を使いましょう。
3．カビの胞子の防ぎ方
　　①カビは湿気の多い場所で繁殖するので室内（押入れも）の乾燥につとめましょう。また台所や浴室などのカビを除去し定期的にカビ防止剤を吹きつけましょう。
　　②季節的に増加するカビは5月頃と9～10月頃に特に増加する傾向で，戸外に多く発生するため家の周りの枯れたり腐ったりした木や草を除去しましょう。
　　③風の吹く日には胞子の飛散が多いので，できるだけ外出しないようにしましょう。

4．花粉の防ぎ方

　花粉は風に乗って広範囲に広がるため除去といってもむずかしいので，いかに花粉から身を守るかが対策のポイントになります。

①原因となる植物の開花期，特に前日または当日の未明まで雨で，その後晴れて風の強い日には外出をひかえましょう。

②外出時はマスク・帽子・メガネをつけ，帰宅したら目，鼻をよく洗いうがいをしましょう。

③衣類，ペットについた花粉は玄関でよく落として，なるべく室内に持ち込まないようにしましょう。

④ドアや窓を閉めて花粉の侵入を防ぎましょう。

⑤身近の雑草（ブタ草など）が原因のときは開花期前に除草してください。

17　抗リウマチ薬

■抗リウマチ薬─薬物治療の確認と指導のポイント

項目	確認のポイント
関節リウマチ（RA）の症状から進行状況の確認	RAとは何らかの自己免疫機序によって起こる，慢性的な，多発性関節炎を主病変とする炎症性疾患で，関節の破壊をきたす疾患である．RAの関節症状は全身性で，多発性，左右対称性である場合が多い．好発は30〜50歳代女性 ①初期：関節の腫脹・疼痛，朝のこわばり ②進行過程：関節破壊の進行に伴って，特に小関節[※1]での変形・強直などが目立つようになる．炎症が末期に至ると，関節は変形し，可動性を失って機能しなくなる
治療目標の説明	完治ではなく寛解（臨床症状・徴候が消失した状態）をめざし，その維持により長期予後の改善をめざす（根治療法は確立していない）
RAの検査と診断	RAの検査には血液検査や画像検査があり，これらの検査結果と症状を組み合わせて診断する **自覚症状**：関節の腫脹・疼痛，朝のこわばり，全身倦怠感の度合い **血液検査**：・自己抗体（リウマトイド因子（RF），ACPA） 　　　　　　・炎症反応（赤沈，CRP） **画像検査**：単純レントゲン，超音波検査，MRI検査
薬物療法の確認	・疾患活動性を有するRA患者の治療において，メトトレキサート（MTX）が第一選択薬として使用（MTXは効果発現期間が平均2〜3週間と比較的早いうえ，エスケープ現象[※2]が起こりにくいため，RA治療のアンカードラッグ（中心的薬剤）として用いられている） ・十分量のMTXで効果不十分 　→・MTX＋他のcsDMARD 　　・MTX＋bDMARDやJAK阻害薬 ・MTXが使えない，効果不十分 　→MTX以外のcsDMARDを考慮 ・NSAIDsや少量のステロイドは補助的に用いて疼痛などの自覚症状のコントロールを図る
MTXの服用方法の指導	・服用方法は，1週間のうち曜日を決めて1回だけ飲むか，あるいは1〜2日にかけて2〜3回に分けて服用する．1日で服用する場合は6日間，2日で服用する場合は5日間休薬する ・葉酸または活性型葉酸は，MTXによる消化器症状や肝障害などの副作用を軽減しMTX継続率を上げる効果が期待できる．葉酸を服用する場合，MTX服用の最終日の翌日または翌々日に服用（MTXと同時服用だと治療効果が弱まる）
副作用の初期症状を確認	**免疫調節薬**：皮疹，腹痛，下痢，蛋白尿，肝障害 **免疫抑制薬**：発熱，体がだるい，咳，のどが痛い，青あざができる，尿が出にくい，むくむ，肝障害 **JAK阻害薬**：発熱，体がだるい，咳，のどが痛い，息切れ，めまい，腹痛，赤い発疹，局所の激しい痛み，肝障害，黄疸 **生物学的製剤**：風邪のような症状（発熱，のどの腫れ・痛み，咳，痰，鼻水，息苦しさ），体がだるい，皮膚の赤み，発疹，かゆみ
日常生活での留意点の指導	関節リウマチの日常生活と食事療法のポイント（p.271）参照

・ACPA：抗CCP（シトルリン化ペプチド）抗体
・CsDMARD：従来型抗リウマチ薬
・bDMARD：生物学的抗リウマチ薬
・JAK阻害薬：ヤヌスキナーゼ阻害薬

※1：手・手指や足指の関節

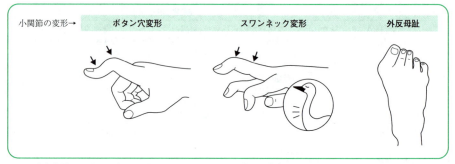

※2：治療奏効例であっても再び病勢のコントロールが悪くなってしまう場合がありこれをエスケープ現象という

17 抗リウマチ薬　①DMARD

■ 対象薬剤

（A）免疫調節薬：オーラノフィン（オーラノフィン），ブシラミン（リマチル），ペニシラミン（メタルカプターゼ），アクタリット（オークル，モーバー），サラゾスルファピリジン（アザルフィジンEN），イグラチモド（ケアラム）

（B）免疫抑制薬：ミゾリビン（ブレディニン），メトトレキサート（リウマトレックス），レフルノミド（アラバ），タクロリムス水和物（プログラフ）

（C）ヤヌスキナーゼ（JAK）阻害薬：トファシチニブクエン酸塩（ゼルヤンツ），バリシチニブ（オルミエント），ペフィシチニブ臭化水素酸塩（スマイラフ），ウパダシチニブ水和物（リンヴォック），フィルゴチニブマレイン酸塩（ジセレカ）

■ 指導のポイント

	患者向け	薬剤師向け
薬効	・この薬は免疫機能の異常を調節して，関節などの炎症や腫れをやわらげる薬です（A）	抗体産生抑制作用 抗炎症作用
	・この薬は異常な免疫機能を抑えて，関節などの炎症や腫れをやわらげる薬です（B：ブレディニン，リウマトレックス，アラバ，プログラフ0.5・1 mgカプセル）	免疫抑制作用
	・この薬は免疫機能に関わる酵素を阻害して，関節などの炎症や腫れをやわらげる薬です（C）	JAK阻害作用
	☆この薬は臓器を移植するとき，免疫機能を抑えて拒絶反応を抑える薬です（ブレディニン，プログラフ）（参）No.67 免疫抑制薬	免疫抑制作用
	☆この薬は骨髄を移植するとき，免疫機能を抑えて拒絶反応や移植片対宿主病（GVHD）を抑える薬です（プログラフ）	〃
	☆この薬は異常な免疫機能を抑えて腎炎やネフローゼ症候群（ブレディニン）で腎臓の組織が障害されるのを改善する薬です（ブレディニン，プログラフ0.5・1 mgカプセル）	〃
	☆この薬は異常な免疫機能を抑えて重症筋無力症での筋力低下を改善する薬です（プログラフ0.5・1 mgカプセル）	〃
	☆この薬は異常な免疫機能を抑えて免疫異	〃

薬効	常が関与している潰瘍性大腸炎の炎症をやわらげる薬です（プログラフ0.5・1mgカプセル，ゼルヤンツ）	
	☆この薬は異常な免疫機能を抑えて呼吸筋の炎症によって起こる多発性筋炎，皮膚筋炎に合併する間質性肺炎を改善する薬です（プログラフ0.5・1mgカプセル）	免疫抑制作用
	☆この薬は異常な免疫機能を抑えて，乾癬の皮膚や関節の炎症反応を鎮める薬です（リウマトレックス，リンヴォック）	免疫抑制作用（リウマトレックス），JAK阻害作用（リンヴォック）
	☆この薬はアトピー性皮膚炎の炎症をコントロールし，服薬開始早期からかゆみや湿疹といった自覚症状を改善する薬です（オルミエント，リンヴォック）	JAK阻害作用
	☆この薬は入院下で，酸素吸入や人工呼吸管理・ECMO導入下でレムデシビルとの併用でSARS-CoV-2（新型コロナウイルス）による肺炎症状を改善する薬です（オルミエント）	〃

詳しい薬効	・この薬は体のリンパ球などの免疫機能に働いて，免疫が亢進しているときは抑制し，低下しているときは増強して免疫機能の異常を調節し，関節リウマチの関節の炎症や腫れをやわらげる薬です（A）
	・この薬は体のリンパ球などの免疫機能に働いて，異常な免疫機能を抑えることにより，関節リウマチの骨の破壊や，関節の炎症や痛み・腫れをやわらげる薬です（B：ブレディニン，リウマトレックス，アラバ，プログラフ0.5・1mgカプセル）
	・この薬はヤヌスキナーゼ（JAK）という酵素の働きを阻害し，細胞内の信号伝達経路を阻害することにより，免疫細胞から炎症を誘発する物質（サイトカイン）の産生を抑え，関節リウマチの骨の破壊や，関節の炎症・痛み・腫れをやわらげる薬です（C）

	患者向け	薬剤師向け
警告	・〔メタルカプターゼ〕咽頭痛，発熱，紫斑等が出現した場合は中止し，直ちに受診してください	無顆粒球症等の重篤な血液障害等発現のおそれ
	・〔リウマトレックス，アラバ〕咳，発熱，息苦しい，口内炎，体がだるい（リウマトレックス），咳，発熱，息苦しい，発疹，皮膚がかゆい，皮膚や白目が黄色くなる（アラバ）が出現した場合は中止し，直ちに受診してください	副作用（間質性肺炎，肺線維症，消化管障害，感染症，出血傾向（リウマトレックス），間質性肺炎，結核，アナフィラキシー，Stevens-Johnson症候群，中毒性表皮壊死症，感染症，血液障害，骨髄抑制，肝障害（アラバ））の発現の可能性について十分理解させ，症状が認められた場合は中止し受診
	警告の記載のある免疫調節薬（メタルカプターゼ，ケアラム），免疫抑制薬（リウマトレックス，アラバ，プログラフ），JAK阻害薬（ゼルヤンツ，オルミエント，スマイラフ，リンヴォック，ジセレカ）についてはp.264の別表参照．なお，警告の中で重篤な副作用を防ぐために，患者向けに主な症状を説明する必要のあるものは上記に記載した	

No.17 抗リウマチ薬

禁忌・併用禁忌	
	禁忌 別表（p.264）参照
	併用禁忌 ・〔メタルカプターゼ〕⇔金製剤にて重篤な血液障害
	・〔ケアラム〕⇔ワルファリンにて重篤な出血報告
	・〔ブレディニン，プログラフ〕⇔生ワクチンにてワクチン由来の感染増強または持続のおそれ
	・〔プログラフ〕⇔シクロスポリン，ボセンタンの血中濃度上昇により副作用増強の可能性，スピロノラクトン，カンレノ酸カリウム，トリアムテレンにて高K血症発現のおそれ

■ 主な副作用と対策，フィジカルアセスメントのチェックポイント

主な副作用	患者に確認すべき症状	対策とPAのチェックポイント
皮膚障害	皮疹，発疹，かゆみ，脱毛	減量もしくは休薬，中止。ステロイド外用を中心に使用し，そう痒感を伴う場合は抗ヒスタミン薬や抗アレルギー薬を追加 PA 皮膚（かゆみ，発疹，発赤）
血液障害† （無顆粒球症，汎血球減少，リンパ球減少，血小板減少）	さむけ，高熱，のどが痛い，手足にあざができる，出血しやすい，口内炎	PA 顔色（蒼白），眼瞼結膜（蒼白），体幹・四肢・歯肉（出血斑），体温（↑）
消化器症状	口内炎，吐き気，食欲がない，腹痛，下痢	減量もしくは中止。胃腸薬と併用
感染症誘発	発熱，体がだるい	中止 PA 体温（↑），尿量（↓），脈拍（↑）
間質性肺炎†	発熱，咳，息苦しい，息切れ	PA 呼吸数（↑），呼吸音（捻髪音），指先・唇（チアノーゼ）
肝機能障害†	体がだるい，疲れる，熱がある，皮膚や白目が黄色くなる	PA 眼球（黄色），皮膚（皮疹，瘙痒感，黄色），尿（褐色），体温（↑），腹部（肝肥大，心窩部・右季肋部圧痛，腹水貯留等）
腎障害	尿が出にくい，むくむ，疲れる，血尿が出る	中止 PA 尿量（↓），浮腫（上眼瞼，下腿脛骨），体重（↑）
高血圧 （アラバ，プログラフ）	血圧上昇	定期的に血圧測定を実施。血圧上昇が現れた場合，降圧薬等投与 PA 血圧（↑）
高血糖† （プログラフ）	口渇，多飲，多尿，疲れやすい	PA 口渇（↑），尿量（↑・夜間尿），体重（↓），皮膚・口腔粘膜（乾燥：脱水），血圧（↓），脈拍（↑）
帯状疱疹 (C)	かゆみ，赤い発疹，小水疱が帯状にできる発疹，局所の激しい痛み	中断し，受診。早い時期に抗ウイルス薬による治療を行う PA 皮膚（かゆみ，発赤，水疱）

†：厚生労働省の「重篤副作用疾患別対応マニュアル」参照

■ 重大な副作用と妊婦・授乳婦への危険度

薬剤名	重大な副作用	妊婦[授乳婦]
オーラノフィン	間質性肺炎，再生不良性貧血，赤芽球癆，無顆粒球症，急性腎不全，ネフローゼ症候群 類薬 剥脱性皮膚炎，皮膚粘膜眼症候群，血小板減少，白血球減少，気管支炎，気管支喘息・発作の増悪，大腸炎，角膜潰瘍，網膜出血，多発性神経炎，ミオキミア（注射金製剤）	禁忌 [授△]
リマチル	再生不良性貧血，赤芽球癆，汎血球減少，無顆粒球症，血小板減少，過敏性血管炎，間質性肺炎，好酸球性肺炎，肺線維症，胸膜炎，急性腎障害，ネフローゼ症候群，肝機能障害，黄疸，皮膚粘膜眼症候群，中毒性表皮壊死融解症，天疱瘡様症状，紅皮症型薬疹，重症筋無力症，筋力低下，多発性筋炎，ショック，アナフィラキシー	[授△]
メタルカプターゼ	白血球減少症，無顆粒球症，顆粒球減少症，好酸球増多症，血小板減少症，再生不良性貧血，貧血，汎血球減少症，血栓性血小板減少性紫斑病，ネフローゼ症候群，肺胞炎，間質性肺炎・PIE症候群，閉塞性細気管支炎，グッドパスチュア症候群，味覚脱失，視神経炎，SLE様症状，天疱瘡様症状，重症筋無力症，神経炎，ギランバレー症候群を含む多発性神経炎，多発性筋炎，筋不全麻痺，血栓性静脈炎，アレルギー性血管炎，多発性血管炎，胆汁うっ滞性肝炎	禁忌 [授△]
オークル，モーバー	ネフローゼ症候群，間質性肺炎，再生不良性貧血，汎血球減少，無顆粒球症，血小板減少，肝機能障害，消化性潰瘍，出血性大腸炎 類薬 急性腎不全，肺線維症，天疱瘡様症状	禁忌 [授禁忌/△]
アザルフィジンEN	再生不良性貧血，汎血球減少症，無顆粒球症，血小板減少，貧血，播種性血管内凝固症候群，皮膚粘膜眼症候群，中毒性表皮壊死融解症，紅皮症型薬疹，過敏症症候群，伝染性単核球症様症状，間質性肺炎，薬剤性肺炎，PIE症候群，線維性肺胞炎，急性腎障害，ネフローゼ症候群，間質性腎炎，消化性潰瘍，S状結腸穿孔，脳症，無菌性髄膜（脳）炎，心膜炎，胸膜炎，SLE様症状，劇症肝炎，肝炎，肝機能障害，黄疸，ショック，アナフィラキシー	A [授○]
ケアラム	肝機能障害，黄疸，汎血球減少症，白血球減少，無顆粒球症，消化性潰瘍，間質性肺炎，感染症	禁忌 [授△]
ブレディニン	骨髄機能抑制，感染症，間質性肺炎，急性腎不全，肝機能障害，黄疸，消化管潰瘍，消化管出血，消化管穿孔，重篤な皮膚障害，膵炎，高血糖，糖尿病	禁忌 [授×]
リウマトレックス	ショック，アナフィラキシー，骨髄抑制，感染症，結核，劇症肝炎，肝不全，急性腎障害，尿細管壊死，重症ネフロパチー，間質性肺炎，肺線維症，胸水，皮膚粘膜眼症候群，中毒性表皮壊死融解症，出血性腸炎，壊死性腸炎，膵炎，骨粗鬆症，脳症	禁忌/D [授禁忌/×]
アラバ	アナフィラキシー，皮膚粘膜眼症候群，中毒性表皮壊死融解症，汎血球減少症，肝不全，急性肝壊死，肝炎，肝機能障害，黄疸，感染症，結核，間質性肺炎，膵炎	禁忌/X [授禁忌/×]

No.17 抗リウマチ薬

薬剤名	重大な副作用	妊婦[授乳婦]
プログラフ（0.5・1mg）カプセル	急性腎障害，ネフローゼ症候群，心不全，不整脈，心筋梗塞，狭心症，心膜液貯留，心筋障害，可逆性後白質脳症症候群，高血圧性脳症等の中枢神経系障害，脳血管障害，血栓性微小血管障害，汎血球減少症，血小板減少性紫斑病，無顆粒球症，溶血性貧血，赤芽球癆，イレウス，皮膚粘膜眼症候群，呼吸困難，急性呼吸窮迫症候群，感染症，進行性多巣性白質脳症，BKウイルス腎症，リンパ腫等の悪性腫瘍，膵炎，糖尿病，高血糖，肝機能障害，黄疸，クリーゼ，間質性肺炎	禁忌/C [授◎]
ゼルヤンツ，オルミエント	感染症，消化管穿孔，好中球減少，リンパ球減少，ヘモグロビン減少，肝機能障害，黄疸，間質性肺炎，静脈血栓塞栓症	禁忌/D [授△(ゼルヤンツ)]
スマイラフ	感染症，好中球減少症，リンパ球減少症，ヘモグロビン減少，消化管穿孔，肝機能障害，黄疸，間質性肺炎	禁忌
リンヴォック，ジセレカ	感染症，消化管穿孔，好中球減少，リンパ球減少，ヘモグロビン減少，肝機能障害，間質性肺炎，静脈血栓塞栓症	禁忌/D (リンヴォック)

■ その他の指導ポイント

	患者向け	薬剤師向け
使用上の注意	・この薬はすぐに効果が現れる薬ではないので，途中で勝手に服用を中止しないでください	遅効性（通常効果発現時期：1〜3カ月）のため，6カ月以降に効果がみられる例もあるので，少なくとも3カ月以上は継続投与する。なお従来より投与している非ステロイド性抗炎症薬はその間継続して併用することが望ましいが副作用が増強される薬があるので慎重に投与
	・〔リウマトレックス〕1週間のうち決められた日に，決められた量を服用してください	1週間のうち特定の日に投与するので，患者に対して誤用，過量投与を防止するための十分な服薬指導を行う
	下記の症状が現れた場合は速やかに受診してください	
	・〔オーラノフィン，リマチル，ケアラム，リウマトレックス，アラバ，C〕発熱，咳，息切れ，息苦しい	間質性肺炎が現れ呼吸不全に至ることがある
	・〔オーラノフィン，リマチル，メタルカプターゼ，ケアラム，B，C〕青あざができる，発熱，のどが痛い	血液障害（ケアラムは汎血球減少症に注意，めまい，鼻血，耳鳴り，歯ぐきの出血，息切れ，動悸，青あざができる，出血しやすい）
	・〔リウマトレックス〕口内炎，吐き気，下痢，体がだるい，皮膚や白目が黄色くなる	消化器症状，肝機能障害。これらの副作用の予防に葉酸の服用が有効であるとの報告
	・〔B，C〕発熱，体がだるい，皮膚や白目が黄色くなる，食欲不振	感染症，出血傾向の発現または増悪，B型肝炎またはC型肝炎の悪化
	・〔リウマトレックス，アラバ，C〕微熱，体がだるい，持続する咳，寝汗をかく	結核感染に注意
	・〔C〕かゆみ，赤い発疹，小水疱が帯状	帯状疱疹（ヘルペスウイルスの再活性化）に

使用上の注意	にできる発疹，局所の激しい痛み	注意
	・〔アザルフィジンEN〕この薬はかんだり，砕いたりせずにお飲みください →	腸溶性製剤のため
	・〔リウマトレックス〕この薬はコップ一杯の水と一緒にお飲みください →	食道に停留し，崩壊すると食道潰瘍を起こすおそれがあるため。特に就寝直前の服用は避ける
	・〔ブレディニンOD〕この薬は口の中で溶けますが溶けた後，唾液または水で飲み込んでください →	口腔粘膜からの吸収で効果発現を期待する薬剤でないため唾液または水で飲み込む
	・〔アラバ〕この薬は十分量の水でかまずにお飲みください →	フィルムコーティングのため
	・〔アザルフィジンEN〕ソフトコンタクトレンズを着色することがありますのでレンズの着用は避けてください →	本剤成分の未変化体（黄色〜黄褐色）が涙液に移行するため
	・〔アザルフィジンEN〕この薬の服用中に尿が黄赤色になることがありますが心配はいりません →	本剤成分の未変化体（黄色〜黄褐色）が尿に移行するため
	・〔リマチル，アザルフィジンEN，プログラフ以外〕妊娠中または妊娠の可能性のある方は必ずご相談ください →	以下の理由のため投与禁忌 ・〔オーラノフィン，ブレディニン，リウマトレックス，アラバ，ゼルヤンツ，オルミエント，リンヴォック〕動物実験で催奇形性報告 ・〔メタルカプターゼ，ブレディニン，リウマトレックス〕催奇形性を疑う症例報告 ・〔オークル，モーバー〕動物実験で胎児への移行，安全性は確立していない ・〔ケアラム〕動物実験で催奇形性，早期胎児死亡率の増加および胎児の動脈管収縮 ・〔ゼルヤンツ〕ラットで受胎能，出産，胎児の発達への影響報告 ・〔スマイラフ〕動物実験で催奇形性，胚・胎児致死作用 ・〔ジセレカ〕動物実験で催奇形性，胚致死作用
	・〔アラバ，リウマトレックス〕本剤投与中妊娠を希望する方は必ずご相談ください →	・〔アラバ〕上記理由により，婦人の場合はコレスチラミンによる薬物除去法を施行し，血漿中 A771726 濃度が胎児へのリスクが極めて低いと考えられる $0.02\,\mu g/mL$ 未満であることを確認する。男性の場合でも本剤投与の中止および薬物除去法を考慮する ・〔リウマトレックス〕婦人の場合1月経周期，男性の場合も3カ月間は中止後妊娠を避ける
	・〔オークル，モーバー，リウマトレックス，アラバ，メタルカプターゼ〕授乳中の方は必ずご相談ください →	以下の理由のため投与禁忌 ・〔オークル，モーバー，アラバ〕動物実験で乳汁中へ移行

No.17　抗リウマチ薬

使用上の注意	・〔B，C〕生ワクチンを接種しないでください	・〔リウマトレックス〕母乳中への移行報告 ・〔アラバ〕出生児に毒性発現報告 ・〔メタルカプターゼ〕乳児に対する安全性は確立していない ・〔ブレディニン，プログラフ〕併用禁忌参照 ・〔リウマトレックス〕ワクチン由来の感染増強または持続のおそれがあるため接種しない ・〔アラバ〕安全性が確立していないため接種しない ・〔C〕感染症発現のリスクを否定できないため接種しない
	食 〔アラバ〕この薬の服用中にアルコールを飲むと副作用が強く出るので控えてください	アルコールによる肝障害を助長させるおそれがあるため
	食 〔プログラフ，ゼルヤンツ〕この薬の服用中にグレープフルーツジュースは飲まないでください	薬物代謝酵素 CYP3A4 で代謝される他の薬物との併用により，本剤の代謝が阻害され血中濃度が上昇し，腎障害等の副作用が発現することがあるため併用注意
	食 〔プログラフ，ゼルヤンツ，リンヴォック〕この薬の服用中にセイヨウオトギリソウ（セント・ジョーンズ・ワート）を含む食品はとらないでください	肝薬物代謝酵素 CYP3A4 が誘導され，本剤の代謝が促進されて血中濃度が低下するおそれがあるため併用注意
	検 〔プログラフ〕この薬の剤形を変更したときは血中濃度測定を受けるため受診しましょう	血中濃度変動の有無のチェックのため
服用を忘れたとき	・〔リマチル，アザルフィジン EN，リウマトレックス，プログラフ〕飲み忘れに気づいても服用しない。次の服用時に決められた用量を服用する（2回分を一度に服用しないこと） ・〔オーラノフィン，メタルカプターゼ，オークル，モーバー，ブレディニン，アラバ，C〕思い出したときすぐに服用する。ただし次の服用時間が近いときは忘れた分は服用しない（2回分を一度に服用しないこと）	

別表 [警告・禁忌]

分類		警告	重篤な副作用既往、金製剤による	過敏症既往	腎障害	肝障害	血液障害	骨髄機能低下	活動性結核	感染症	全身状態悪化	高齢者	その他
免疫調節薬	オーラノフィン		○	金製剤	○	○	○	○					①
	リマチル			本剤	○	○	○	○				○	
	メタルカプターゼ	*1	◎	金製剤	○	○	○	○				○	②
	オークル、モーバー			本剤	○								
	アザルフィジンEN			サラゾ剤 サリチル酸									
	ケアラム	*2		本剤 重篤	重篤								⑤
免疫抑制薬	ブレディニン			本剤 重篤			⑥						
	リウマトレックス	*2〜*6、*14	◎	本剤	○	慢性	○	○					⑦
	アラバ	*2、*4、*5、*7、*8、*15、*16	◎	本剤	○	慢性	○						
	プログラフ0.5·1mgカプセル	*2、*3、*4、*9		本剤									⑧
JAK阻害薬	ゼルヤンツ／スマイラフ	*2、*10〜*13	◎	本剤	重度	重度	⑩					○	⑨
	リンヴォック	*2、*10〜*13	◎	本剤	重度	重度	⑪					○	
	ジセレカ	*2、*10〜*13	◎	本剤	重度	重度	⑫					○	⑫

○：禁忌　◎：警告

禁忌
① 重篤な血液障害、消化性潰瘍、ワルファリン投与中
② SLE、金製剤初投与中
③ 妊婦、長期間の小児で結合組織の代謝障害児
④ 新生児、低出生体重児
⑤ 消化性潰瘍、白血球数 3,000/mm³ 以下
⑥ 白血球数 3,000/mm³ 以下
⑦ 胸水、腹水
⑧ シクロスポリン、ボセンタン、K保持性利尿薬投与中
⑨ 重篤な感染症（敗血症）
⑩ 好中球数・リンパ球数 500/mm³ 未満
⑪ 好中球数 1,000/mm³、リンパ球数 500/mm³ 未満
⑫ 末期腎不全

警告
*1：無顆粒球症等の重篤な血液障害等発現
*2：重篤な感染症の発現により致命的な経過をたどることがあるので、緊急時に十分に措置できる医療施設で十分な知識とリウマチ治療の経験をもつ医師が使用すること。
*3：各患者に精通した医師と連携して使用すること。
*4：本剤投与中に呼吸器症状。
　　・プログラフ：は膿疱疹な免疫抑制療法を受ける患者で、副作用発現頻度が高くなる可能性について十分理解した上で使用。
　　・アラバ：は咳嗽、呼吸困難等、発熱、発疹、皮膚そう痒感、口内炎、倦怠感、黄疸
*5：副作用発現が軽微であっても重症化することがあるので、投与にあたっては緊急時処置のとれる準備を。
*6：長期間使用時は血液毒性・吸収の変動を測定し、1剤の抗リウマチ剤を確認すること。（少なくとも、1回の抗リウマチ薬を使用）
*7：肝障害：急性肝炎で間質性肺炎が発症した急性で間質性肺炎が急速に増悪して致命的な経過で致命的な経過をたどった症例の報告がある。
*8：折・血液毒性を最近まで投与または投与中止後投与または投与中止後本剤投与を最近まで又は投与中止後本剤投与または投与中止後に投与を中止して投与を中止すること。十分な問診。十分な問診。
*9：内服使用時は血中リンパ球濃度を測定、アセチルコリン反応症検査。
*10：関節炎リウマチ患者で急性化。
*11：腎機能が低下している場合は副作用増強のおそれがある。
*12：重篤な感染症の発現により致命的な経過をたどることがある。
*13：重篤な肝障害、本剤の成分に対し過敏症の既往歴のある患者、妊婦。
*14：本剤治療開始前に、非活性化結核または他の活動性リウマチ治療および抗炎症症例に対してネットベリスタとベネットリンクの使用を含めて本剤の使用を考慮してから本剤の使用を開始すること。
*15：腎機能が低下している。
*16：本剤投与開始前。

17 抗リウマチ薬　②生物学的製剤（bDMARD）

■ 対象薬剤

（A）TNF阻害薬：エタネルセプト（エンブレル），アダリムマブ（ヒュミラ），ゴリムマブ（シンポニー），セルトリズマブ ペゴル（シムジア）
（B）IL-6阻害薬：トシリズマブ（アクテムラ），サリルマブ（ケブザラ）
（C）T細胞刺激調節薬：アバタセプト（オレンシア）
（在宅自己注射指導対象のみ掲載）

■ 指導のポイント

	患者向け	薬剤師向け
薬効	・この薬は抗炎症作用や強力な骨破壊抑制→作用により関節リウマチに伴う痛みや腫れを改善し骨破壊の進行を止める薬です ☆この薬は多関節型若年性特発性関節炎，化膿性汗腺炎，壊疽性膿皮症，腸管型ベーチェット病，クローン病，潰瘍性大腸炎（中等症〜重症），尋常性乾癬，関節症性乾癬，膿疱性乾癬，強直性脊椎炎，非感染性の中間部，後部又は汎ぶどう膜炎を改善する薬です（ヒュミラ）（参）No.46 皮膚科用薬⑧ ☆この薬は潰瘍性大腸炎（中等症〜重症）を改善する薬です（シンポニー） ☆この薬は尋常性乾癬，関節性乾癬，膿疱性乾癬，乾癬性紅皮症を改善する薬です（シムジア）（参）No.46 皮膚科用薬⑧ ☆この薬は高安動脈炎，巨細胞性動脈炎を改善する薬です（アクテムラ）	TNF-α抑制（A） IL-6サイトカイン抑制（B） 抗原提示細胞-T細胞間刺激シグナル抑制（C）
詳しい薬効	・この薬は免疫の働きや，炎症や痛みの主要な原因の一つとされているTNF（腫瘍壊死因子）の働きを抑えることで，関節リウマチに伴う痛みや腫れを改善し骨破壊の進行を止める薬です（A） ・この薬は炎症などを引き起こす要因となるIL-6（インターロイキン6）の働きを抑えることで，関節リウマチに伴う痛みや腫れを改善し骨破壊の進行を止める薬です（B） ・この薬は免疫システムの中心的な役割をしているT細胞の働きを抑制することで，TNF-αやIL-6など炎症の元となる炎症性サイトカインが過剰に作られるのを防ぎ，関節リウマチに伴う痛みや腫れを改善し骨破壊の進行を止める薬です（C）	
警告	〔A〕結核，敗血症など重篤な感染症，脱髄疾患の悪化，悪性腫瘍の発現の可能性。疾病を完治させる薬剤でないことも含め十分に説明。有益性投与。致命的副作用の可能性のため緊急対応可能な医療施設・医師が使用。副作用発現時，主治医に連絡するよう注意。結核については投与前問診，結核既感染者には抗結核薬投与。脱髄疾患とその既往は	

警告		
		禁忌，疑いがある場合は十分観察。十分な知識，治療経験をもつ医師が使用
	[B]	敗血症，肺炎など重篤な感染症の報告。患者状態を十分に観察，問診。症状が軽微で急性期反応が認められなくてもWBC・好中球数変動に注意。患者に十分説明，有益性投与。十分な知識，治療経験をもつ医師が使用
	[C]	敗血症など重篤な感染症，悪性腫瘍発現の可能性。疾病を完治させる薬剤でないことも含め十分説明。有益性投与。致命的副作用の可能性のため緊急対応可能な医療施設・十分な知識，治療経験をもつ医師が使用

禁忌	
	・本剤過敏症既往，重篤な感染症
	・〔エンブレル〕敗血症またはそのリスク
	・〔オレンシア以外〕活動性結核
	・〔A〕脱髄疾患（多発性硬化症等）およびその既往，うっ血心不全

■ 主な副作用と対策，フィジカルアセスメントのチェックポイント

主な副作用	患者に確認すべき症状	対策
感染症	風邪のような症状（発熱，息苦しさ，のどの腫れ・痛み，咳，痰，鼻水），体がだるい	中止 PA 体温（↑），尿量（↓），脈拍（↑）
アレルギー反応	のどのかゆみ，じんま疹，ふらつき，どきどきする，息苦しい，目の前が暗くなる	中止 PA 皮膚（かゆみ，発赤，発疹），呼吸（喘鳴），体温（↑），眼（視覚異常）
間質性肺炎†	発熱，咳，息苦しい，息切れ	PA 呼吸数（↑），呼吸音（捻髪音），指先・唇（チアノーゼ）
血液障害†	さむけ，高熱，のどが痛い，手足にあざができる，出血しやすい，口内炎	PA 顔色（蒼白），眼瞼結膜（蒼白），体幹・四肢・歯肉（出血斑），体温（↑）
注射部位反応	皮膚の赤み，赤い発疹，痛み，かゆみ，皮膚の盛り上がり	毎回注射の部位を変える。皮膚の状態によりステロイド薬，抗アレルギー薬，抗ヒスタミン薬による処置を行う

†：厚生労働省の「重篤副作用疾患別対応マニュアル」参照

■ 重大な副作用と妊婦・授乳婦への危険度

薬剤名	重大な副作用	妊婦[授乳婦]
エンブレル	重篤な感染症，結核，重篤なアレルギー反応，重篤な血液障害，脱髄疾患，間質性肺炎，抗dsDNA抗体の陽性化を伴うループス様症候群，肝機能障害，中毒性表皮壊死融解症，皮膚粘膜眼症候群，多形紅斑，抗好中球細胞質抗体（ANCA）陽性血管炎，急性腎障害，ネフローゼ症候群，心不全	D
ヒュミラ	重篤な感染症，結核，ループス様症候群，脱髄疾患，重篤なアレルギー反応，重篤な血液障害，間質性肺炎，劇症肝炎，肝機能障害，黄疸，肝不全	C
シンポニー	敗血症性ショック，敗血症，肺炎等の重篤な感染症，間質性肺炎，結核，脱髄疾患，重篤な血液障害，うっ血性心不全，重篤なアレルギー反応，ループス様症候群	C

No.17 抗リウマチ薬

薬剤名	重大な副作用	妊婦［授乳婦］
シムジア	重篤な感染症，結核，重篤なアレルギー反応，脱髄疾患，重篤な血液障害，抗dsDNA抗体の陽性化を伴うループス様症候群，間質性肺炎	C
アクテムラ	アナフィラキシーショック，アナフィラキシー，感染症，間質性肺炎，腸管穿孔，無顆粒球症，白血球減少，好中球減少，血小板減少，心不全，肝機能障害	C
ケブザラ	感染症，無顆粒球症，白血球減少症，好中球減少症，血小板減少症，腸管穿孔，ショック，アナフィラキシー，間質性肺炎，肝機能障害	−
オレンシア	重篤な感染症，重篤な過敏症，間質性肺炎	C

■ その他の指導ポイント

	患者向け	薬剤師向け
使用上の注意	下記の症状が現れた場合は速やかに受診してください ・風邪のような症状（発熱，息苦しさ，のどの腫れ・痛み，咳，痰，鼻水），体がだるい → ・持続する咳，微熱，体がだるい，寝汗をかく → ・注射部位に皮膚の赤み，赤い発疹，痛み，かゆみ，皮膚の盛り上がりがみられることがあるので，毎回注射の部位を変えてください。前回の注射の部位から少なくとも3cmは離してください → ・皮膚の痛み，赤み，傷，硬くなっているなどの異常がある部位には注射しないでください ・使用する前に冷蔵庫から出して室温にもどしておいてください → ・生ワクチンを接種しないでください →	感染症（敗血症，肺炎，結核，真菌感染症など）の新たな発現または増悪 結核感染の新たな発現または増悪 注射部位は大腿部，腹部，上腕部を選び，順番に場所を変更し，短期間に同一部位へ繰り返し注射は行わないこと 〔エンブレル〕15～30分前，〔ヒュミラ〕10～15分前，〔シンポニー，シムジア，アクテムラ，オレンシア〕30分前，〔ケブザラ〕60分以上前 免疫機能低下により生ワクチン接種による感染の可能性を否定できない
注射を忘れたとき	・〔エンブレル〕気がついたときに1回分を注射する。その後は1週間に1回または2回となるよう次の注射を行う。ただし，次に使用する時間が近い場合はその回は使用せず，次の指示された時間に1回分を使用する（2回分を一度に使用しないこと） ・〔ヒュミラ，オレンシア〕気がついたときに1回分を注射する。その後は2週間（オレンシアは1週間）に1回の注射となるよう次の注射を行う（2回分を一度に使用しないこと） ・〔シンポニー〕予定日に注射ができなかった場合は，医師または薬剤師に連絡し指示を受ける（2回分を一度に使用しないこと） ・〔シムジア〕主治医に連絡をとり，指示を受ける（2回分を一度に使用しないこと） ・〔アクテムラ〕注射予定日から7日以内であれば気がついたときに1回分を注射する。注射予定日から8日以上過ぎているときは，医師または薬剤師に連絡し指示を受ける（2回分を一度に使用しないこと）	

- 〔ケブザラ〕注射予定日から3日以内であれば気がついたときに1回分を注射する。注射予定日から4日以上過ぎているときは，医師，薬剤師に連絡し指示を受ける（2回分を一度に使用しないこと）

関節リウマチ治療薬の分類と特徴

分類		商品名	作用機序と特徴
非ステロイド性消炎鎮痛薬（NSAIDs）		ボルタレン ロキソニン オステラック モービック ロルカム　等	速やかに鎮痛効果をもたらすが，抗炎症作用の発現には1～2週間を要し，RAでは炎症の程度を軽減させても，その進行の阻止や関節破壊を防止する作用はない 主な副作用は胃腸障害，腎障害である
ステロイド薬		プレドニン メドロール　等	強力な抗炎症作用と免疫抑制作用を持つためRAの炎症を迅速かつ効果的に抑制し，活動性の病変を有するRA患者のQOLを著明に改善する 依存性や長期連用による副作用の問題があるため，ステロイド薬使用の際は，適応を慎重に考慮するとともに，患者からの減量と中止の必要性の理解を得たうえで投与を開始することが必要になる
抗リウマチ薬（DMARDs）	免疫調節薬	オーラノフィン シオゾール リマチル メタルカプターゼ オークル，モーバー アザルフィジンEN ケアラム	炎症自体を抑える作用はないがRAの免疫異常を是正することによって，RAの活動性をコントロールする 抗リウマチ薬の多くは効果発現まで2～3カ月を要するので，服薬を開始したら最低3カ月は投与を続け，3カ月続けても効果がみられないときは治療を見直す
	免疫抑制薬	ブレディニン リウマトレックス アラバ プログラフ エンドキサン サンディミュン／ ネオーラル	効果は個人差が大きく，ある薬剤がある症例に有効（レスポンダー）でも，他の症例には無効（ノンレスポンダー）であることがある 投与を続けRAがよくコントロールされていても，治療法を変えないのに再び活動性が亢進してくることがある（エスケープ現象）
	JAK阻害薬	ゼルヤンツ オルミエント スマイラフ リンヴォック ジセレカ	
生物学的製剤	抗TNF製剤	エンブレル レミケード ヒュミラ シンポニー シムジア	RAの病態に深く関与するサイトカイン（TNF-α，IL-6など）を選択的に抑制する 速効性の顕著な抗炎症効果が認められ関節破壊の進行も抑えられるとの期待も大きいが，投与をやめるとリウマチ炎症が再燃するので根治療法ではないと考えられる 副作用のリスクは他の抗リウマチ薬に比べて高く，特に感染症（肺炎や結核など）には注意が必要である 使用する際には，他の抗リウマチ薬によって十分な治療を実施できない理由を十分に検討する必要がある
	抗IL-6製剤	アクテムラ ケブザラ	
	T細胞刺激調節薬	オレンシア	

NSAIDs: non-steroidal anti-inflammatory drugs（非ステロイド性消炎鎮痛薬）
DMARDs: disease-modifying anti-rheumatic drugs（疾患修飾性抗リウマチ薬）
TNF: tumor necrosis factor（腫瘍壊死因子）

■関節リウマチに保険適応のある生物学的製剤

製品名	レミケード	エンブレル	ヒュミラ	シンポニー	シムジア	アクテムラ	ケブザラ	オレンシア
一般名	インフリキシマブ	エタネルセプト	アダリムマブ	ゴリムマブ	セルトリズマブペゴル	トシリズマブ	サリルマブ	アバタセプト
標的分子	TNF-α	TNF-α/β	TNF-α	TNF-α	TNF-α	IL-6	IL-6	CD80/86-CD28
構造	キメラ型モノクローナル抗体	ヒト型レセプター融合蛋白	ヒト型モノクローナル抗体	ヒト型モノクローナル抗体	ペグヒト化モノクローナル抗体Fab断片	ヒト化モノクローナル抗体	ヒト型モノクローナル抗体	ヒト型CTLA4-IgG融合蛋白
国内販売	2003年7月	2005年3月	2008年6月	2011年7月	2013年3月	2008年6月	2018年2月	2010年9月
用法	点滴静注（外来）	皮下注射（自己）	皮下注射（自己）	皮下注射（自己）	皮下注射（自己）	点滴静注（外来）皮下注射（自己）	皮下注射（自己）	点滴静注（外来）皮下注射（自己）
投与間隔（関節リウマチ）	0, 2, 6週, 以降4～8週毎	週1～2回	2週毎	4週毎	0, 2, 4週, 以降2週～4週毎	4週毎（点滴）, 2週毎（皮下注）	2週毎	0～2週, 以降4週毎（点滴），週1回皮下注
関節リウマチ以外の適応症（点滴・皮下注射含む）	ベーチェット病による難治性網膜ぶどう膜炎，クローン病，潰瘍性大腸炎（中等症～重症），尋常性乾癬，関節症性乾癬，膿疱性乾癬，乾癬性紅皮症，強直性脊椎炎，腸管型ベーチェット病，神経型ベーチェット病，血管型ベーチェット病，川崎病の急性期	（バイアルのみ）多関節型若年性特発性関節炎	多関節性若年性特発性関節炎，化膿性汗腺炎，壊疽性膿皮症，腸管型ベーチェット病，クローン病，潰瘍性大腸炎（中等症～重症），尋常性乾癬，膿疱性乾癬，関節症性乾癬，強直性脊椎炎，非感染性の中間部，後部又は汎ぶどう膜炎	潰瘍性大腸炎（中等症～重症）	尋常性乾癬，関節症性乾癬，膿疱性乾癬，乾癬性紅皮症	（点滴）多関節型若年性特発性関節炎，全身型若年性特発性関節炎，成人スチル病，キャッスルマン病，サイトカイン放出症候群（皮下）高安動脈炎，巨細胞性動脈炎		（点滴）多関節型若年性特発性関節炎

—270—

関節リウマチの日常生活と食事療法のポイント

　関節リウマチは関節炎を主な症状として慢性に経過する病気ですが，単なる関節だけの病気ではなく，全身の病気です。最近の研究では何か不明の感染が引き金となって，これに体質やホルモンの分泌，気候などの因子が加わると免疫の異常が起こり，これが原因となっているのではないかと考えられています。

　最初に自覚する症状は朝起きたときの手指のこわばりと関節の痛みです。また全身の病気ですから微熱があったり貧血を起こすこともありますので，早期に正しい診断を行い治療を開始することが非常に大切です。

　関節リウマチでは，患者さんの日常生活が重要な基礎治療法になりますので積極的に治療に参加して，病気をうまくコントロールしてください。

1．栄養のバランスのよい食事

　リウマチにとって，特に食べて悪い食べ物はありませんが，全身病ですので規則的でバランスのとれた食事により病気に対して体力を保持することが大切です。具体的には牛乳・卵・肉・野菜・果物等の高蛋白・高ビタミン食を太りすぎない程度にとり，骨を強くする意味でカルシウムをとることも心がけてください。

2．身体の安静

　リウマチの患者さんは他の人に比べて疲れやすいので，睡眠は十分にとりましょう。（9～10時間ぐらい）

3．身体の安静は正しい姿勢から

　患者さんは，痛みが少しでも楽になる姿勢をとりがちですが，これは関節の強直や，変形を助長しているようなものです。寝ているときでも，座っているときでも正しい姿勢をとるようにしてください。

4．適度な運動

　リウマチは適度の安静を保ちながら全身の状態をよくすることが大切ですが，安静にしすぎると関節は固まり，筋肉は縮み，ますます病状を悪化させてしまいます。そこで治療としての運動は関節の変形を予防し，関節の動きをよくし，弱った筋肉に力をつけることを目的として行われます。運動は病気の程度に即した運動—リウマチ体操等—を行うことが大切ですから医師や理学療法士の指導を受けて行うことが大切です。そして毎日少しずつでも運動を続けるように努力してください。

5．湿気を避け関節を温める

　冷えと湿気はリウマチの症状を悪化させることがありますので，身体の保温には十分気をつけましょう。関節を温めるにはサポーターの着用や，入浴や温水シャワー等が効果的です。

　入浴は全身の血液循環をよくし，心身の疲れをやわらげます。また，関節の痛みや，

こわばりを軽減し，体も軽くなりますから，入浴中や，湯上がりの運動は効果的です。

6．薬は正しく服用する

　薬は患者さん個々の状態に応じて処方されていますから，他の人に効果があったからといって自分にも効くとは限りません。また効果のある薬でも服用が不規則だと，効果がない場合などもあります。〝あなたの薬〟を〝規則正しく〟服用することが大切です。

　薬によっては2～3カ月後ぐらいから効き目が出てくるものがありますから，効かないからといって勝手にやめてはいけません。しかし3～4カ月服用してもまったく症状が改善しない場合や身体に異常を感じた場合は，どんな些細なことでも遠慮なく主治医に相談してください。

18 利尿薬

■利尿薬—薬物治療の確認と指導のポイント

項目	確認のポイント
病態ごとの利尿薬の用途を確認	・浮腫軽減（心不全、腎・肝不全、胸水、腹水）：利尿目的にはループ利尿薬が第一選択、効果が強すぎる場合はサイアザイド系利尿薬を使用、効果が不十分な場合はサイアザイド系・K保持性利尿薬と併用 ・心不全、肝不全のループ利尿薬等で効果不十分な浮腫軽減：トルバプタン併用 ・高アルドステロン状態（肝硬変）による浮腫：K保持性利尿薬（抗アルドステロン薬） ・高血圧：サイアザイド系利尿薬の少量投与（ループ利尿薬） ・緑内障：炭酸脱水酵素阻害薬
利尿薬の効果確認	チェック項目：尿量、飲水量、体重（1日体重減少は0.5～1kg程度に抑える）、血圧、脈拍、浮腫の状態（頸静脈怒張、眼瞼、顔面、手指、下腿）、脱水・口渇症状の有無 〔サムスカ〕心不全・SIADH：投与開始4～6時間後並びに8～12時間後血清Na濃度測定。投与開始後1週間程度は毎日測定。 ・肝硬変：投与開始4～8時間後血清Na濃度測定。投与開始2日後、3～5日後に1回測定。肝機能検査は開始前、増量時、再開時は頻回に検査。投与中は月1回検査実施（警告参照）
副作用発現の確認	・サイアザイド系・非サイアザイド系：低K血症、高Ca血症、低Na血症、高尿酸血症、耐糖能低下、皮膚炎 ・ループ系：低K血症、低Cl性アルカローシス、高尿酸血症、耐糖能低下 ・K保持性：高K血症、女性化乳房 ・炭酸脱水酵素阻害：代謝性アシドーシス、低K血症、低Na血症、尿路結石 ・V_2受容体拮抗：口渇、頻尿、高Na血症、血栓塞栓症、腎不全、肝機能障害
服薬指導時のポイント	〔サムスカ〕口渇、のどの渇きなどの症状のときの適切な水分補給の重要性や、SIADH時の低Na血症時の水分制限を指導、毎日の決められた時間での体重測定と飲水量の記録記載を指導

■利尿薬分類表

分類	薬品名		主な効能・効果		作用発現時間(hr)	最大効果発現時間(hr)	効果持続時間(hr)
	一般名	商品名	高血圧	各種浮腫の利尿			
サイアザイド系	トリクロルメチアジド	フルイトラン	○	○	2	6	24
非サイアザイド系	インダパミド	ナトリックス	○		2	2	24
	トリパミド	ノルモナール	○		1	4	8
	メチクラン	アレステン	○		1	不明	6
	メフルシド	バイカロン	○	○	2	6～12	20～24
ループ系	フロセミド	ラシックス		○	1	1～2	6
	アゾセミド	ダイアート		○	1	3～6	12
カリウム保持性	スピロノラクトン	アルダクトンA	○	○	48～96	48～72	48～72
炭酸脱水酵素阻害薬	アセタゾラミド	ダイアモックス		○	20 min～1 hr	2～4	6～12
V_2受容体拮抗薬	トルバプタン	サムスカ		○	2	2～4	12～24

■ 対象薬剤

　（A）サイアザイド系：トリクロルメチアジド（フルイトラン）
　（B）非サイアザイド系：メフルシド（バイカロン）
　（C）ループ系：フロセミド（ラシックス），アゾセミド（ダイアート）
　（D）K保持性：スピロノラクトン（アルダクトンA）
　（E）炭酸脱水酵素阻害薬：アセタゾラミド（ダイアモックス）
　（F）V_2受容体拮抗薬：トルバプタン（サムスカ）

■ 指導のポイント

	患者向け	薬剤師向け
薬効	・この薬はNaの再吸収を抑えて，Naと水分を尿として出しむくみをとる薬です（サムスカ以外）	・Na再吸収抑制による利尿作用（A，B，C） ・抗アルドステロン作用による利尿作用（D） ・炭酸脱水酵素阻害による利尿作用（E）
	・この薬は心不全（7.5 mg，15 mg，顆粒）及び肝硬変（7.5 mg，顆粒）で体にたまった余分な水分を排泄することでむくみを取り除く薬です（サムスカ）	バソプレシンV_2受容体拮抗作用による水の再吸収阻害
	・この薬はSIADH（抗利尿ホルモン不適合分泌症候群）で血液中に必要以上に存在するバソプレシンの働きをさまたげ，体内の余分な水分を排泄することで血液中のナトリウムの濃度を調節する薬です（サムスカ）	〃
	☆この薬は腎臓でのバソプレシンの働きをさまたげ，多発性のう胞腎の，のう胞が増大する速度を抑えて腎臓の働きが低下する速度を遅くする薬です（サムスカ）	バソプレシンV_2受容体拮抗作用によるのう胞増大速度抑制
	・この薬は尿を出して血圧を下げる薬です（ダイアート，ダイアモックス，サムスカ以外）	・Na再吸収抑制による利尿降圧作用（A，B，C） ・抗アルドステロン作用による利尿降圧作用（D）
	☆この薬は副腎皮質の腫瘍や腫れでアルドステロンが大量に分泌されたとき（原発性アルドステロン症），アルドステロンの働きを抑え，尿を出して血圧を下げる薬です（アルダクトンA）	・抗アルドステロン作用による利尿降圧作用
	☆この薬は生理前の緊張をやわらげる薬です（フルイトラン，ラシックス，ダイアモックス）	月経前緊張症の緩解
	☆この薬は尿を出して尿管の結石を体外に出す薬です（ラシックス）	尿管結石排出促進作用
	☆この薬は眼圧を下げたり，てんかんの発作を抑えたり，めまいや睡眠時の無呼吸を改善したりする薬です（ダイアモックス）	眼圧低下作用，てんかん発作抑制作用，メニエル症候群の改善，呼吸性アシドーシスの睡眠時の無呼吸の改善

No.18 利尿薬

<table>
<tr><td rowspan="6">詳しい薬効</td><td>・この薬は，腎臓の尿細管でNaが再び取り込まれるのを抑えて，Naを水分とともに尿として出し，むくみをとる薬です。同時に体内のNa量を減少させ，血管内を循環する血液量を減らすことで血圧を下げたり（ダイアート以外）する薬です（フルイトラン，バイカロン，ラシックス，ダイアート）</td></tr>
<tr><td>・この薬は腎臓の遠位尿細管で，水分を増やし血圧を上げるホルモン（アルドステロン）の働きを抑えて，Naが再び取り込まれるのを抑えてNaを水分とともに尿として出しKの排泄を抑え，むくみをとったり，血圧を下げたりする薬です（アルダクトンA）</td></tr>
<tr><td>・この薬は腎臓の近位尿細管で，炭酸ガスと水から炭酸を作る酵素（炭酸脱水酵素）の働きを抑えて，Naが再び取り込まれるのを抑えてNaを水分とともに尿として出し，むくみをとる薬です（ダイアモックス）</td></tr>
<tr><td>・この薬は腎集合管において，バソプレシン（利尿を抑えるホルモン）の特定部位（V2受容体）への結合を選択的に阻害し，水の再吸収を抑えて電解質排泄に影響を与えずに水分のみを排泄して，心不全（7.5mg，15mg，顆粒）及び肝硬変（7.5mg，顆粒）で体にたまった余分な水分を排泄することでむくみを取り除く薬です。またSIADH（抗利尿ホルモン不適合分泌症候群）で血液中に必要以上に存在するバソプレシンの働きをさまたげ，体内の余分な水分を排泄することで血液中のナトリウムの濃度を調節する薬です（サムスカ）</td></tr>
<tr><td>☆この薬は多発性のう胞腎（腎臓にのう胞がたくさんでき，そののう胞が大きくなる遺伝性の病気）において腎臓でのバソプレシンの働きをさまたげ，のう胞が増大する速度を抑えて腎臓の働きが低下する速度を遅くし，腎不全になる時期を延ばす薬です（サムスカ）</td></tr>
<tr><td>☆この薬は，生体内で炭酸ガスと水から炭酸を作る酵素の働きを抑えることにより，眼で作られる透明の液体の房水が産生されるのを抑えて眼圧を下げたり，脳の炭酸ガス濃度を増やし異常な興奮を抑えててんかんの発作を抑えたり，尿の量を増やし内耳のリンパ液を排出してメニエル症候群によるめまいを改善したり，水素イオンを増やして呼吸中枢を刺激し換気を改善することにより睡眠時の無呼吸を改善したりする薬です（ダイアモックス）</td></tr>
</table>

	患者向け	薬剤師向け
警告	〔サムスカ：心不全及び肝硬変における体液貯留，SIADHにおける低Na血症〕 手足のまひ，けいれん，意識がなくなる，のどが渇き水を飲んでも良くならない，皮膚の渇きが急に目立つ等の症状が現れることがあるので入院してください 検 この薬の服用開始または再開時は血清Na濃度を頻回に測定するため入院しましょう	急激な水利尿から脱水症状や高Na血症から意識障害症例が報告。急激な血清Na濃度上昇で浸透圧性脱髄症候群を来すおそれのため入院下で投与開始または再開。投与開始日または再開日には血清Na濃度を頻回に測定
	〔サムスカ：SIADHにおける低Na血症〕 ・血液中のNa濃度の急激な上昇を防ぐため指導された水分をとりましょう。また「口が渇いた」，「のどが渇いた」と感じたときは脱水になることがありますので早めに水分をとってください。 ・血液中のNaが低下した場合お水を飲む量を制限しますので必ず守ってください	増量または再開し，急激な血清Na濃度の上昇時は適切な処置。特に投与開始日，増量日また再開日は水分制限を解除し，血清Na濃度を頻回に測定。血清Na濃度をモニタリングし，患者ごとに飲水量を調節し，適切な水分制限を指導

警告	〔サムスカ：常染色体優性多発性のう胞腎〕 ・「口が渇いた」、「のどが渇いた」と感じた→ときは早めに水分をとってください。就寝前はコップ1～2杯の水分を補給し、夜間は排尿に行くたびに水分を補給してください。朝晩の体重を測定し体重のバランスを見て適切に水分がとれているか確認してください ・強い倦怠感、吐き気や食欲低下、皮膚や→白目が黄色くなった、尿が茶褐色になった等の症状が現れた場合直ちに受診してください 検 この薬の投与開始前及び増量時に肝機能検査を測定し、投与中は血清Na濃度、肝機能検査を月1回測定するため受診しましょう	投与開始時または漸増期、過剰な水利尿に伴う脱水症状、高Na血症などが現れるおそれで少なくとも投与開始は入院下で行う。適切な水分補給の必要性について指導。投与中は少なくとも月1回は血清Na濃度を測定 重篤な肝機能障害症例報告。肝機能検査を必ず投与開始前及び増量時に実施し、本剤投与中は月1回肝機能検査を実施
	〔サムスカ：常染色体優性多発性のう胞腎〕 本疾患に十分な知識をもつ医師が、治療上の有益性が危険性を上回ると判断した時のみ投与。投与開始前、本剤の有効性及び危険性を患者に十分に説明し、同意を得る	
禁忌・併用禁忌	禁忌 別表（p.279）参照 併用禁忌 ・〔フルイトラン、バイカロン、ラシックス、ダイアート〕⇔デスモプレシン（男性における夜間多尿による夜間頻尿）にて低Na血症発現のおそれ ・〔アルダクトンA〕⇔タクロリムス、エプレレノンにて高K血症発現のおそれ、ミトタンの作用阻害	

■ 主な副作用と対策，フィジカルアセスメントのチェックポイント

主な副作用	患者に確認すべき症状	対策とPAのチェックポイント
血圧低下（ダイアモックス以外）	ふらつき，めまい	減量もしくは中止 PA 血圧（↓）
低K血症（アルダクトンA，サムスカ以外）	力が入らない，筋肉が痛い，筋肉のけいれん，どきどきする，	中止しK剤の補給 PA 筋力（↓），脈拍（不整脈）
尿酸値上昇（アルダクトンA以外）	足指，手指の付け根が痛い	減量もしくは休薬 PA 足親指のつけ根・足関節（発赤，腫脹）
光線過敏症（アルダクトンA，サムスカ以外）	日光のあたる部分に発疹，水ぶくれ	中止 PA 顔面・耳介・うなじ・手背（日焼け様皮疹）
知覚異常（ダイアモックス）	手指，足先などがしびれる	減量もしくは休薬
内分泌異常（女性ホルモン様作用）（アルダクトンA）	乳房のしこり・痛み・腫れ，性欲が減退する，生理不順	スピロノラクトンはステロイド骨格を有し女性ホルモン様作用を示すことがある。女性化乳房は減量もしくは中止で1～2カ月後に消失することが多い。

No.18 利尿薬

主な副作用	患者に確認すべき症状	対策と PA のチェックポイント
高 K 血症（アルダクトン A）	手足に力が入らない，筋肉のけいれん，吐き気，下痢，食欲がない	減量もしくは休薬 PA 筋力（↓），脈拍（不整脈）
頻尿，多尿，脱水，高 Na 血症（サムスカ）	トイレに何回も行く，尿量が多い，のどが渇く，意識がもうろうとする	口渇感の持続，脱水等の症状がみられた場合，減量または中止し輸液を含めた水分補給を行う PA 体重（急激↓），飲水量（↑），尿量（↑），脈拍（↑），口渇（↑），舌の下の粘膜・腋窩・皮膚（乾燥）
肝障害（サムスカ）	体がだるい，白目が黄色くなる，吐き気，吐く，食欲不振，かゆみ，皮膚が黄色くなる，尿が黄色い	投与初期から発現することがあるため，投与 2 週間は頻回に肝機能検査を行う PA 眼球（黄色），皮膚（皮疹，瘙痒感，黄色），尿（褐色），体温（↑），腹部（肝肥大，心窩部・右季肋部圧痛，腹水貯留等）
腎障害（サムスカ）	尿が出ない，尿量が減る，体のむくみ，疲れやすい	投与を中止 PA 体重（↑），尿量（↓），浮腫（上眼瞼，下腿脛骨）

■ 重大な副作用と妊婦・授乳婦への危険度

薬剤名	重大な副作用	妊婦[授乳婦]
フルイトラン	再生不良性貧血，低 Na 血症，低 K 血症，間質性肺炎	[⊗○]
バイカロン	低 Na 血症，低 K 血症 類薬 間質性肺炎，肺水腫	C
ラシックス	ショック，アナフィラキシー，再生不良性貧血，汎血球減少症，無顆粒球症，血小板減少，赤芽球癆，水疱性類天疱瘡，難聴，中毒性表皮壊死融解症，皮膚粘膜眼症候群，多形紅斑，急性汎発性発疹性膿疱症，心室性不整脈，間質性腎炎，間質性肺炎	[⊗○]
ダイアート	電解質異常，無顆粒球症，白血球減少	－
アルダクトン A	電解質異常，急性腎不全，中毒性表皮壊死融解症，皮膚粘膜眼症候群	[⊗○]
ダイアモックス	代謝性アシドーシス，電解質異常，ショック，アナフィラキシー様症状，再生不良性貧血，溶血性貧血，無顆粒球症，血小板減少性紫斑病，皮膚粘膜眼症候群，中毒性表皮壊死融解症，急性腎不全，腎・尿路結石，精神錯乱，けいれん，肝機能障害，黄疸	B3 [⊗○]
サムスカ	腎不全，血栓塞栓症，高 Na 血症，急激な血清 Na 濃度上昇，肝機能障害，急性肝不全，ショック，アナフィラキシー，過度の血圧低下，心室細動，心室頻拍，肝性脳症，汎血球減少，血小板減少	D/禁忌 [⊗△]

■ その他の指導ポイント

	患者向け	薬剤師向け
使用上の注意	・夜間の休息が特に必要な場合には夜間の排尿を避けるため午前中に服用してください	夜間の排尿を避けるために午前中に投与することが望ましい
	・〔アルダクトンA以外〕服用後1時間前後でトイレに行きたくなりますが、薬の作用のためですので心配いりません	利尿効果は急激に現れることがある。利尿作用の発現時間、最大効果発現時間は、利尿薬分類表（p.273）参照
	・〔ダイアート以外〕この薬の服用中は、高所作業、車の運転等、危険を伴う機械の操作は行わないでください	降圧作用に基づくめまい、ふらつきが現れることがあるため
	・〔ダイアモックス〕緑内障で眼科にかかっている方は必ずご相談ください	慢性閉塞隅角緑内障の患者に長期投与した場合、緑内障の悪化が不顕性化されるおそれがあるため禁忌
	食 〔フルイトラン，バイカロン〕この薬の服用中にアルコールを飲むと、薬の作用が強く出るので控えてください	アルコールは心血管系の抑制作用があり、利尿薬の降圧作用を増強するため併用注意
	食 〔ラシックス〕この薬の服用中に高麗ニンジン（朝鮮ニンジン、オタネニンジン、チクセツニンジン）を含む食品はとらないでください	利尿作用の減弱、作用機序不明
	食 〔ラシックス〕この薬の服用中に綿実油はとらないでください	綿実油によりKの腎排泄が促進されるため副作用である低K血症の出現
	食 〔アルダクトンA〕この薬の服用中にカンゾウを含む食品をとるのを控えてください	カンゾウによりKの腎排泄が促進されるためカンゾウの副作用である低K血症の出現
	食 〔ダイアモックス〕この薬の服用中にビタミンCを大量にとらないでください	大量のビタミンC服用後は、その代謝物であるシュウ酸の尿中排泄が増加し、腎・尿路結石が起こりやすいため併用注意
	食 〔サムスカ〕この薬の服用中はグレープフルーツジュースは控えてください	CYP3A4の阻害により本剤の作用が増強するおそれがあるため併用注意
	食 〔サムスカ〕セイヨウオトギリソウ（セント・ジョーンズ・ワート）を含む食品はとらないでください	CYP3A4の誘導により本剤の作用が減弱するおそれがあるため併用注意
服用を忘れたとき	思い出したときすぐに服用する。ただし次の服用時間が近いときは忘れた分は服用しない（2回分を一度に服用しないこと）	

No.18　利尿薬

その他備考

別表［禁忌］

	無尿	急性腎不全	体液中Na・K減少	サイアザイド系・その類似化合物過敏症既往	スルホンアミド誘導体過敏症既往	モザバプタン等過敏症既往	本剤過敏症既往	肝性昏睡	高K血症	アジソン病	副腎機能不全	高Cl血症性アシドーシス	肝硬変等の進行した肝疾患・高度の肝機能障害	タクロリムス・エプレレノン・ミトタン投与中	慢性閉塞隅角緑内障への長期投与	口渇を感じないまたは水分摂取が困難	高Na血症	適切な水分補給困難な肝性脳症	妊婦	重篤な腎機能障害	慢性肝炎・薬剤性肝機能障害等の肝機能障害	デスモプレシン投与中
フルイトラン	○	○	○	○																		○
バイカロン	○	○	○	○				○														
ラシックス	○																					
ダイアート	○																					
アルダクトンA	○	○					○		○	○												
ダイアモックス	○	○	○							○	○	○	○									
サムスカ*1	○					○	○									○	○	○				
サムスカ*2						○	○									○	○		○	○		
サムスカ*3						○	○											○	○			

＊1：心不全および肝硬変における体液貯留
＊2：常染色体優性多発性のう胞腎
＊3：SIADHにおける低ナトリウム血症

19　降圧薬

■ 降圧薬―薬物治療の確認と指導のポイント

項目	確認のポイント
(原因疾患の有無による分類) 二次性高血圧の可能性確認	高血圧とは診察室血圧で 140/90 mmHg，家庭内血圧で 135/85 mmHg 以上を示し，持続すると脳卒中や心血管疾患などを引き起こす 1．**本態性高血圧**：原因の明らかでない高血圧。高血圧の 90％ が本態性 2．**二次性高血圧**：原因疾患（腎性高血圧，内分泌性高血圧，血管性高血圧，薬剤誘発性高血圧* 等）が特定できる高血圧で原因疾患の治療を行えば血圧は降下し寛解する 　＊：高血圧に影響を与える可能性の薬剤の服用確認：NSAIDs，甘草，グリチルリチン，糖質コルチコイド，消化器疾患治療薬，健康食品，グルココルチコイド，シクロスポリン，タクロリムス，抗うつ薬を含む交感神経刺激作用を有する薬物，がん分子標的薬等
生活習慣の確認と修正指導	生活習慣の修正は高血圧治療の基本で降圧薬開始前，開始後も積極的に実施が重要であり，生活習慣を下記の項目を中心に聴取し指導する 1．**食塩制限**：6 g/日未満に抑える 2．**適正体重の維持・減量**：(BMI 25 未満を維持，BMI 25 未満でも内臓脂肪増加症例) 3．**栄養素と食品**：野菜・果物・積極的摂取。飽和脂肪酸・コレステロールの摂取を控え多価不飽和脂肪酸，低脂肪乳製品の積極的摂取 4．**運動**：速歩など有酸素運動を中心に毎日 30 分以上または週 180 分以上を目標に行う 5．**節酒**：エタノールで男性 20〜30 mL/日以下（日本酒 1 合，ビール中瓶 1 本，焼酎半合，ウイスキーダブル 1 杯，ワイン 2 杯），女性で 10〜20 mL/日以下 6．**禁煙**：禁煙の治療・指導と受動喫煙の防止
リスク層別化（低リスク，中度リスク，高リスク）の評価の確認	高血圧の血圧分類（Ⅰ〜Ⅲ度）と予後影響因子（高血圧以外の危険因子，高血圧による臓器障害の程度，脳心血管病既往の有無等）により低リスク，中等リスク，高リスクの 3 段階に層別化する。(危険因子の中でも糖尿病や慢性腎臓病のリスクは特に大きい (p.322 参照))
降圧目標の確認	・**診察室血圧で 130/80 mmHg 未満**：75 歳未満の成人，脳血管障害患者（両側頸動脈狭窄や脳主幹動脈閉塞なし）冠動脈疾患患者，CKD 患者（蛋白尿陽性），糖尿病患者，抗血栓薬服用中 (p.323 参照) ・**診察室血圧で 140/90 mmHg 未満**：75 歳以上の高齢者，脳血管障害患者（両側頸動脈狭窄や脳主幹動脈閉塞あり，または未評価），CKD 患者（蛋白尿陰性） 家庭血圧での目標値は診察室血圧の収縮期・拡張期血圧ともに 5 mmHg ずつ低い値を目安にする

No.19　降圧薬

項目	確認のポイント
血圧測定場所による血圧測定の確認	血圧測定は方法により高血圧の基準が異なる。家庭内血圧による高血圧診断，降圧薬の効果測定には朝晩それぞれ7日間（少なくとも5日間）の平均を用いる。 診察室血圧：1～2分の間隔をおいて複数回測定し，安定した値を示した2回の平均を血圧値とする 診察室外血圧：a．家庭血圧：1回に原則2回測定し平均を血圧値とする。朝と晩の2回の測定が必須で必要に応じて追加する 　　　　　　　b．自由行動下血圧：測定装置を装着することで血圧が通常30分間隔で自動的に測定される →診察室血圧と診察外血圧を調べることで白衣高血圧や仮面高血圧（早朝高血圧，昼間高血圧，夜間高血圧）の診断が可能
薬物治療の選択と効果の確認	主要降圧薬はCa拮抗薬，ARB，ACE阻害薬，利尿薬，β遮断薬で個々の患者の積極的適応や禁忌，慎重投与となる病態，合併症の有無で選択（p.324参照） ・一般的高血圧治療：基本的には単剤から開始し降圧不十分であれば増量または他の降圧薬を併用。降圧目標達成のためには2～3剤併用が必要になる場合が多い。 積極的適応がない場合（p.325参照） （第1ステップ）第一選択薬：Ca拮抗薬，ARB，ACE阻害薬，サイアザイド系利尿薬の単剤 （第2ステップ）降圧薬の併用：ARBorACE阻害薬，Ca拮抗薬，ARBorACE阻害薬＋利尿薬，Ca拮抗薬＋利尿薬のいずれか （第3ステップ）降圧薬3剤併用：ARBorACE阻害薬＋Ca拮抗薬＋サイアザイド系利尿薬 （治療抵抗性高血圧）ARBorACE阻害薬＋Ca拮抗薬＋サイアザイド系利尿薬＋MR拮抗薬，βもしくはα遮断薬，さらに中枢性交感神経抑制薬などの他の種類の降圧薬
主な副作用発現の確認	・ジヒドロピリジン系Ca拮抗薬：（血圧低下による副作用）ふらつき，めまい，（血管拡張による副作用）動悸，顔面紅潮，頭痛，浮腫（その他）歯肉増殖 ・非ジヒドロピリジン系Ca拮抗薬：（催不整脈作用による副作用）徐脈，房室ブロック，（心筋収縮力低下による副作用）心不全 ・レニン・アンジオテンシン系阻害薬：高K血症，血管浮腫，空咳（ACE阻害薬） ・β遮断薬：喘息様症状，徐脈，心不全の誘発・増悪

19 降圧薬 ①Ca拮抗薬

■ 対象薬剤

ニフェジピン（ニフェジピン，ニフェジピンL，アダラートCR），ニカルジピン塩酸塩（ペルジピン，ペルジピンLA），マニジピン塩酸塩（カルスロット），ニルバジピン（ニバジール），ジルチアゼム塩酸塩（ヘルベッサー，ヘルベッサーR），ベニジピン塩酸塩（コニール），ニトレンジピン（バイロテンシン），アムロジピンベシル酸塩（アムロジン，ノルバスク），バルニジピン塩酸塩（ヒポカ），エホニジピン塩酸塩エタノール付加物（ランデル），シルニジピン（アテレック），アゼルニジピン（カルブロック）
配合剤A（Ca拮抗薬/スタチン：カデュエット配合）
配合剤B（Ca拮抗薬/ARB：エックスフォージ配合，レザルタス配合，ユニシア配合，ミカムロ配合，アイミクス配合，ザクラス配合，アテディオ配合）
配合剤C（Ca拮抗薬/ARB/利尿薬：ミカトリオ配合）
＊配合剤B，CはNo.19降圧薬②（p.288）参照

■ 指導のポイント

	患者向け	薬剤師向け
薬効	・この薬は末梢の血管を拡げて血圧を下げる薬です（カデュエット以外） ・この薬は末梢の血管を拡げて血圧を下げるとともに，血液中のコレステロールを下げる薬です（カデュエット） ☆この薬は心臓へ酸素や栄養を供給している冠血管を拡げ，締めつけられるような胸の痛みを改善したり予防したりする薬です（ニフェジピン，ニフェジピンL，アダラートCR，ヘルベッサー，ヘルベッサーR，コニール，バイロテンシン，アムロジン，ノルバスク，ランデル，カデュエット）(参) No.22 狭心症治療薬② ◆この薬は食道アカラシアの症状を改善するために用いられる薬です（適応外）（ニフェジピン，ニフェジピンL） ◆この薬はレイノー病の症状を改善するために用いられる薬です（適応外）（ニフェジピン）	・Caチャネル遮断による末梢血管（動脈系）拡張作用（配合剤以外） ・Caチャネル遮断による末梢血管（動脈系）拡張作用，アンジオテンシンⅡ受容体拮抗による動・静脈系血管拡張作用（配合剤B） ・Caチャネル遮断による末梢血管（動脈系）拡張作用，アンジオテンシンⅡ受容体拮抗による動・静脈系血管拡張作用，降圧利尿作用（配合剤C） Caチャネル遮断による末梢血管（動脈系）拡張作用，コレステロール合成抑制作用，脂質低下作用，動脈硬化進展抑制作用 冠血管拡張作用

No.19　降圧薬

詳しい薬効	・この薬は血管や心筋を収縮させるカルシウムの血管の細胞内への流入を阻止し，カルシウムの作用を抑えて，末梢の血管（動脈）を拡げて血圧を下げる薬です（カデュエット以外） ・この薬は血管や心筋を収縮させるカルシウムの血管の細胞内への流入を阻止し，カルシウムの作用を抑えて，末梢の血管（動脈）を拡げて血圧を下げるとともにコレステロールの合成を抑えて，血液中のコレステロールを下げる薬です（カデュエット）
禁忌・併用禁忌	**禁忌** ・〔ニフェジピン，ニフェジピン L，アダラート CR，ニバジール，ヘルベッサー，ヘルベッサー R，カルブロック，カデュエット〕本剤過敏症既往 ・〔ニフェジピン，ニフェジピン L，アダラート CR〕妊婦（妊娠20週未満） ・〔ニフェジピン，ニフェジピン L，アダラート CR を除く〕妊婦 ・〔ニフェジピン，ニフェジピン L，アダラート CR，コニール〕心原性ショック ・〔ニフェジピン〕急性心筋梗塞 ・〔ペルジピン，ペルジピン LA，ニバジール〕頭蓋内出血で止血が未完成，脳卒中急性期で頭蓋内圧が亢進 ・〔ヘルベッサー，ヘルベッサー R〕重篤なうっ血性心不全，2度以上の房室ブロック，洞不全症候群（持続性の洞性徐脈（50拍/分未満），洞停止，洞房ブロック等 ・〔アムロジン，ノルバスク，カデュエット〕ジヒドロピリジン系化合物過敏症既往 ・〔カデュエット〕肝代謝能の低下（急性肝炎，慢性肝炎の急性増悪，肝硬変，肝癌，黄疸），授乳婦 **併用禁忌** ・〔ヘルベッサー，ヘルベッサー R〕⇔イバブラジンにて過度の徐脈，ロミタピドの血中濃度が著しく上昇のおそれ ・〔カルブロック〕⇔イトラコナゾール，ミコナゾール，フルコナゾール，ホスフルコナゾール，ボリコナゾール，ノービア配合，カレトラ配合，アタザナビル，ホスアンプレナビル，ダルナビル含有製剤，プレジコビックス配合，スタリビルド配合，ゲンボイア配合にて本剤の作用増強のおそれ ・〔カデュエット〕⇔マヴィレット配合にてアトルバスタチンの血中濃度上昇して副作用発現のおそれ

■ 主な副作用と対策，フィジカルアセスメントのチェックポイント

主な副作用	患者に確認すべき症状	対策と PA のチェックポイント
動悸，頭痛，顔面潮紅	胸がドキドキする，頭が痛い，ほてり，顔がほてって赤くなる，顔が上気する，顔が赤くなる	減量もしくは中止 PA 脈拍（不整脈↑）
浮腫	体のむくみ，眼が腫れぼったい	減量もしくは中止 PA 体重（↑），浮腫（上眼瞼，下腿脛骨）
歯肉増生	歯ぐきの腫れ	中止，予防対策として歯のブラッシングと定期的な歯科受診を勧める PA 歯肉（腫脹・肥大）
肝機能障害，黄疸	体がだるい，白目が黄色くなる，吐き気，吐く，食欲不振，かゆみ，皮膚が黄色くなる，尿が黄色い，尿が褐色になる	観察を十分に行い，異常が認められた場合には投与を中止し，適切な処置を行う PA 眼球（黄色），皮疹（皮疹，瘙痒感，黄色），尿（褐色），体温（↑），腹部（肝肥大，心窩部・右季肋部圧痛，腹水貯留等）

■ 重大な副作用と妊婦・授乳婦への危険度

薬剤名	重大な副作用	妊婦[授乳婦]
ニフェジピン，ニフェジピンL	紅皮症（剥脱性皮膚炎），無顆粒球症，血小板減少，ショック，意識障害，肝機能障害，黄疸	禁忌/C [🚫○]
アダラートCR	紅皮症（剥脱性皮膚炎），無顆粒球症，血小板減少，肝機能障害，黄疸，意識障害	禁忌/C [🚫○]
ペルジピン，ペルジピンLA	血小板減少，肝機能障害，黄疸	禁忌/C [🚫○]
カルスロット	過度の血圧低下による一過性の意識消失，脳梗塞等，無顆粒球症，血小板減少，心室性期外収縮，上室性期外収縮，紅皮症	禁忌
ニバジール	肝機能障害	禁忌
ヘルベッサー，ヘルベッサーR	完全房室ブロック，高度徐脈，うっ血性心不全，皮膚粘膜眼症候群，中毒性表皮壊死融解症，紅皮症（剥脱性皮膚炎），急性汎発性発疹性膿疱症，肝機能障害，黄疸	禁忌/C [🚫○]
コニール	肝機能障害，黄疸	禁忌 [🚫○]
バイロテンシン	過度の血圧低下による意識消失，呼吸減弱，顔面蒼白等のショック様症状，肝機能障害，黄疸	禁忌 [🚫○]
アムロジン，ノルバスク	劇症肝炎，肝機能障害，黄疸，無顆粒球症，白血球減少，血小板減少，房室ブロック，横紋筋融解症	禁忌/C [🚫○]
ヒポカ	アナフィラキシー，過度の血圧低下，肝機能障害，黄疸	禁忌 [🚫○]
ランデル	洞不全症候群，房室接合部調律，房室ブロック，ショック	禁忌
アテレック	肝機能障害，黄疸，血小板減少	禁忌 [🚫○]
カルブロック	肝機能障害，黄疸，房室ブロック，洞停止，徐脈	禁忌 [🚫○]
カデュエット	劇症肝炎，肝機能障害，黄疸，無顆粒球症，白血球減少，血小板減少，房室ブロック，横紋筋融解症，ミオパチー，免疫介在性壊死性ミオパチー，肝炎，過敏症，汎血球減少症，中毒性表皮壊死融解症，皮膚粘膜眼症候群，多形紅斑，高血糖，糖尿病，間質性肺炎	禁忌/D [🚫禁忌]

■ その他の指導ポイント

	患者向け	薬剤師向け
使用上の注意	・この薬の服用中は高所作業，車の運転等，危険を伴う機械の操作は行わないでください ・〔アムロジン，ノルバスク，配合剤A以外〕服薬を急に中止すると症状が悪化することがありますので勝手に服用を中止しないでください	降圧作用に基づくめまい等が現れることがあるため Ca拮抗薬の投与を急に中止したとき，症状が悪化した症例が報告されているので，休薬を要する場合は徐々に減量し，観察を十分に行う。また患者に医師の指示なしに服薬を中

No.19　降圧薬

使用上の注意		
	・〔ニフェジピン〕かみ砕かずに服用してください →	止しないように注意する 速効性を期待した舌下投与（カプセルをかみ砕いた後，口中に含むかまたは飲み込ませること）は，過度の降圧や反射性頻脈をきたすことがあるため
	・〔アダラートCR〕この薬は割ったり，砕いたり，すりつぶしたりしないで，そのままかまずに服用してください →	割ったり，かみ砕いたりして服用すると，血中濃度が高くなり，頭痛，顔面潮紅等の副作用が発現しやすくなる可能性があるため
	・〔ヘルベッサー〕この薬はかまずに服用してください →	徐放性が損なわれるおそれがあるため
	・〔ヘルベッサーR，ヒポカ〕この薬はカプセルを開けず，また，かみ砕かずに服用してください →	体内動態が変わる可能性があるため
	・〔アムロジンOD，ノルバスクOD〕この薬は口の中で溶けますが溶けた後，唾液または水で飲み込んでください →	口腔粘膜から吸収されないため
	・〔カデュエット〕気分が悪い，吐く，体がだるい等の症状が現れた場合，使用をやめてすぐに受診してください →	アトルバスタチンによる劇症肝炎等の肝炎が現れることがあるため，定期的（半年に1回等，投与開始または増量時は12週までに1回以上）に肝機能検査を行う
	・妊娠中または妊娠の可能性のある方は必ずご相談ください →	以下の理由にて投与禁忌 ・〔ニフェジピン，ニフェジピンL，アダラートCR〕動物実験で催奇形性および胎児毒性のため妊娠20週未満の妊婦には投与禁忌 ・〔ペルジピン，ペルジピンLA〕動物実験で妊娠末期に投与すると出生児の低体重，その後の体重増加抑制 ・〔カルスロット，ニバジール，アムロジン，ノルバスク〕動物実験で妊娠期間および分娩時間延長 ・〔ヘルベッサー，ヘルベッサーR〕動物実験で催奇形作用および胎児毒性 ・〔コニール〕動物実験で胎児毒性，また妊娠末期に投与すると妊娠期間および分娩時間延長 ・〔バイロテンシン〕動物実験で催奇形作用および胎児致死作用 ・〔ヒポカ〕動物実験で出生児の発育抑制 ・〔ランデル〕動物実験で親動物，出生児の体重増加抑制 ・〔アテレック〕動物実験で胎児毒性ならびに妊娠期間および分娩時間延長 ・〔カルブロック〕動物実験で妊娠前〜初期の投与において着床前および着床後胚死亡率の増加，出生児の体重低下，妊娠期間お

使用上の注意	・〔ニフェジピン，ニフェジピン L，アダラート CR〕この薬の服用中にタバコ（喫煙）は控えてください 食 〔ヘルベッサー，ヘルベッサー R 以外〕この薬の服用中にグレープフルーツジュースは飲まないでください。また，ザボン，ボンタン，ナツミカンもとらないでください	よび分娩時間延長，妊娠末期の投与において妊娠期間および分娩時間の延長 ・〔カデュエット〕動物実験で妊娠期間および分娩時間延長，出生児数の減少および生存・発育に影響，胎児の生存率低下と発育抑制 ニフェジピン服用中の喫煙者が禁煙することによる狭心症の発作回数の減少等 グレープフルーツに含まれる特有の苦味成分フラボノイドが肝臓ミクロゾーム P-450 の活性を抑制して代謝を阻害し，本剤の血中濃度を上昇させるため併用注意。オレンジジュースには含まれていないが，ザボン，ボンタン，ナツミカン等にも含まれている
服用を忘れたとき	・〔ニフェジピン，ニフェジピン L，アダラート CR，ニバジール，ヘルベッサー，ヘルベッサー R，バイロテンシン，ノルバスク，ランデル，アテレック，カルブロック〕思い出したときすぐに服用する。ただし次の服用時間が近いときは忘れた分は服用しない（2 回分を一度に服用しないこと） ・〔ヘルベッサー，ヘルベッサー R：狭心症治療時〕思い出したときすぐに服用する。その後は次の服用時に決められた用量を服用する（2 回分を一度に服用しないこと） ・〔ペルジピン，ペルジピン LA〕飲み忘れに気づいても服用しない。次の服用時に決められた用量を服用する（2 回分を一度に服用しないこと） ・〔カルスロット〕思い出したとき（その日のうちに）すぐに服用する。夜に飲み忘れに気づいたときは服用せず，翌日の朝に決められた用量を服用する（2 回分を一度に服用しないこと） ・〔コニール〕思い出したときすぐに服用する。その後は 8 時間程度あけて決められた用量を服用する（2 回分を一度に服用しないこと） ・〔コニール：狭心症治療時〕思い出したときすぐに服用する。その後は 5 時間程度あけて決められた用量を服用する（2 回分を一度に服用しないこと） ・〔アムロジン〕飲み忘れに気づいても服用しない。翌日から決められた用量を服用する（2 回分を一度に服用しないこと） ・〔アムロジン：狭心症治療時〕思い出したときすぐに服用する。ただし次の服用時間が近いときは（8 時間以内）忘れた分は服用しない（2 回分を一度に服用しないこと） ・〔ヒポカ〕思い出したとき（午前中に）すぐに服用する。午後以降に飲み忘れに気づいても服用しない。翌日の朝に決められた用量を服用する（2 回分を一度に服用しないこと） ・〔カデュエット〕思い出したときすぐに服用する（2 回分を一度に服用しないこと）	

■ その他備考

- ■〔ニフェジピン〕速効性を期待した本剤の舌下投与（カプセルをかみ砕いた後，口中に含むかまたは飲み込ませること）は，過度の降圧や反射性頻脈をきたすことがあるので，用いないこと
- ■配合剤成分：カデュエット（アムロジピンベシル酸塩，アトルバスタチンカルシウム水和物）

■Ca拮抗薬の分類表

分類	一般名	商品名	適応症 高血圧症	適応症 本態性高血圧症	適応症 腎(実質)性高血圧症	適応症 腎血管性高血圧症	適応症 狭心症	適応症 異型狭心症	薬物動態 作用持続時間(hr)	薬物動態 半減期(hr)	薬物動態 最高血中濃度到達時間(hr)
ジヒドロピリジン系	ニフェジピン	ニフェジピン		○	○		○		約6	α : 1.03 β : 2.61	1
		ニフェジピンL		○	○		○		約12	3.51〜3.72	2.12〜2.47
		アダラートCR	○		○	○	○	○	約24	8.1	二峰性3, 12
	ニカルジピン	ペルジピン		○					約8	約1.5	0.5〜1
		ペルジピンLA		○					約24	7.6	二峰性0.8, 6.0
	マニジピン	カルスロット	○						約24	α : 1.5 β : 7.3	3.6
	ニルバジピン	ニバジール		○					8〜10	10.7〜10.9	1.08〜1.5
	ベニジピン	コニール	○		○		○		24	0.97〜1.7	0.8〜1.1
	ニトレンジピン	バイロテンシン	○		○				約24	β : 約10	2〜3
	アムロジピン	アムロジン ノルバスク	○*2				○		約24	35.4〜37.8	5.5〜6.0
	バルニジピン	ヒポカ	○		○	○			24	約10	二峰性1.0, 6.0
	エホニジピン	ランデル	○		○		○		約24	約2	1.4〜2.2
	シルニジピン	アテレック	○						24	α : 1.0〜1.1 β : 5.2〜8.1	2.8〜3.7
	アゼルニジピン	カルブロック	○						約24	19〜23	2〜3
ベンゾチアゼピン系	ジルチアゼム	ヘルベッサー		○*1			○	○	約7〜8	約4.5	3〜5
		ヘルベッサーR		○*1			○	○	約24	約7	約14

＊1：本態性高血圧症（軽症〜中等症）
＊2：6歳以上の小児に対する用法・用量明記
※カデュエット配合錠の適応症：高血圧症または狭心症と，高コレステロール血症または家族性高コレステロール血症を併発している患者

19 降 圧 薬　②アンジオテンシン受容体拮抗薬(ARB(配合剤含む))，ARB・NEP阻害薬

■ 対象薬剤

- ARB：ロサルタンカリウム（ニューロタン），カンデサルタンシレキセチル（ブロプレス），バルサルタン（ディオバン），テルミサルタン（ミカルディス），オルメサルタンメドキソミル（オルメテック），イルベサルタン（アバプロ，イルベタン），アジルサルタン（アジルバ）
- ARB・ネプリライシン阻害薬：サクビトリルバルサルタンナトリウム水和物（エンレスト）
- 配合剤A（ARB/利尿薬：プレミネント配合，エカード配合，コディオ配合，ミコンビ配合，イルトラ配合）
- 配合剤B（ARB/Ca拮抗薬：エックスフォージ配合，レザルタス配合，ユニシア配合，ミカムロ配合，アイミクス配合，ザクラス配合，アテディオ配合）
- 配合剤C（ARB/Ca拮抗薬/利尿薬：ミカトリオ配合）

＊エンレストはNo.20 心不全治療薬②（p.336）参照

■ 指導のポイント

	患者向け	薬剤師向け
薬効	・この薬は末梢の血管を拡げて血圧を下げる薬です（配合剤A・B・C以外）	アンジオテンシンⅡ受容体拮抗による動・静脈系血管拡張作用
	・この薬は末梢の血管を拡げると同時に尿を出して血圧を下げる薬です（配合剤A）	〃 降圧利尿作用
	・この薬は末梢の血管を拡げて血圧を下げる薬です（配合剤B）	アンジオテンシンⅡ受容体拮抗による動・静脈系血管拡張作用 Caチャネル遮断による末梢血管（動脈系）拡張作用
	・この薬は末梢の血管を拡げると同時に尿を出して血圧を下げる薬です（配合剤C）	アンジオテンシンⅡ受容体拮抗による動・静脈系血管拡張作用 Caチャネル遮断による末梢血管（動脈系）拡張作用 降圧利尿作用
	・この薬は血圧を下げ，体内にたまる水分量を減らして心臓への負担を軽くし，高血圧や心不全の悪化を抑制する薬です（エンレスト）	アンジオテンシンⅡ受容体拮抗による動・静脈系血管拡張作用 利尿作用，心肥大抑制作用，抗線維化作用，心血管リモデリング異常に対する抑制作用
	☆この薬はたんぱく尿を減らすなど糖尿病による腎機能の悪化を抑える薬です（ニューロタン）	腎保護作用（2型糖尿病） (腎の輸出細動脈拡張作用による糸球体内圧低下)
	☆この薬は末梢の血管を拡げて，心臓の働きを助ける薬です（ブロプレス（12 mgを除く））	アンジオテンシンⅡ受容体拮抗による動・静脈系血管拡張作用（前負荷・後負荷軽減）

詳しい薬効	・この薬は血管を収縮させる物質（アンジオテンシンⅡ（AⅡ））が，血管の特定部位（AⅡ受容体）に結びつくのを防ぎ，血管収縮を抑えることによって末梢の血管を拡げて血圧を下げる薬です（配合剤 A・B・C 以外） ・この薬は血管を収縮させる物質（AⅡ）が，血管の特定部位（AⅡ受容体）に結びつくのを防ぎ，血管収縮を抑えることによって末梢の血管を拡げると同時に，腎臓の尿血管でナトリウムが再び取り込まれるのを抑えて尿を出して，血管内を循環する血液量を減らすことで血圧を下げる薬です（配合剤 A） ・この薬は血管を収縮させる物質（AⅡ）が，血管の特定部位（AⅡ受容体）に結びつくのを防ぎ，血管収縮を抑えることによって末梢の血管を拡げると同時に，血管や心筋を収縮させるカルシウムの血管の細胞内への流入を阻止し，カルシウムの作用を抑えて，末梢の血管（動脈）を拡げて血圧を下げる薬です（配合剤 B） ・この薬は血管を収縮させる物質（AⅡ）が，血管の特定部位（AⅡ受容体）に結びつくのを防ぎ，血管収縮を抑えることによって末梢の血管を拡げると同時に，血管や心筋を収縮させるカルシウムの血管の細胞内への流入を阻止し，カルシウムの作用を抑えて，末梢の血管（動脈）を拡げ，また腎臓の尿血管でナトリウムが再び取り込まれるのを抑えて尿を出して，血管内を循環する血液量を減らすことで血圧を下げる薬です（配合剤 C）
禁忌・併用禁忌	禁忌 ・本剤過敏症既往，妊婦，アリスキレン投与中の糖尿病（他の降圧治療を行ってもなお血圧のコントロールが著しく不良の患者を除く） ・〔ニューロタン，プレミネント〕重篤な肝障害 ・〔ミカルディス，ミコンビ，ミカムロ〕胆汁の分泌が極めて悪いまたは重篤な肝障害 ・〔配合剤 A・C〕サイアザイド系・類似化合物過敏症既往，無尿または透析，急性腎不全，体液中の Na・K が明らかに減少 ・〔配合剤 B（レザルタス，アテディオ以外）・C〕ジヒドロピリジン系化合物過敏症既往 ・〔配合剤 C〕肝障害 併用禁忌 ・アリスキレンにて非致死性脳卒中，腎機能障害，高 K 血症及び低血圧のリスク増加の報告 ・〔レザルタス〕⇔イトラコナゾール，ミコナゾール，フルコナゾール，ホスフルコナゾール，ボリコナゾール，ノービア，カレトラ配合，アタザナビル，ホスアンプレナビル，ダルナビル含有製剤，スタリビルド配合，ゲンボイヤ配合，プレジコビックス配合にてアゼルニジピンの作用増強のおそれ ・〔配合剤 A・C〕⇔デスモプレシンにて低 Na 血症発現のおそれ

■ 主な副作用と対策，フィジカルアセスメントのチェックポイント

主な副作用	患者に確認すべき症状	対策とPAのチェックポイント
血管浮腫[†]	まぶたの腫れ，唇の腫れ，舌の腫れ，息苦しい，じんま疹	直ちに投与中止 PA 皮膚・粘膜（口唇，咽頭，眼瞼，頬部，頸部の発作性浮腫）
肝機能障害	体がだるい，白目が黄色くなる，吐き気，吐く，食欲不振，かゆみ，皮膚が黄色くなる，尿が黄色い	肝機能検査を実施するなど観察を十分に行い，異常が認められた場合には投与を中止し，適切な処置を行う PA 眼球（黄色），皮膚（皮疹，瘙痒感，黄色），尿（褐色），体温（↑），腹部（肝肥大，心窩部・右季肋部圧痛，腹水貯留等）

主な副作用	患者に確認すべき症状	対策とPAのチェックポイント
腎不全	むくみ，全身のけいれん，貧血，頭痛，のどが渇く，吐き気，食欲不振，尿量が減る，無尿，血圧上昇	投与を中止し，適切な処置を行う PA 尿量（↓），体重（↑），浮腫（上眼瞼，下腿脛骨）
低血糖	脱力感，空腹感，冷汗，手の震え，集中力低下，けいれん，意識障害	投与を中止し，適切な処置を行う PA 脈拍（↑），皮膚（発汗・湿潤），体温（↓），意識レベル（↓）
横紋筋融解症†	脱力感，手足のしびれ，手足のこわばり，筋肉の痛み，赤褐色尿	投与中止 PA 筋力（↓），筋肉（圧痛），尿（赤褐色尿：ミオグロビン尿）
汎血球減少†	めまい，鼻血，耳鳴り，歯ぐきの出血，息切れ，動悸，青あざができる，出血しやすい	直ちに適切な処置を行う PA 体幹・四肢・歯肉（出血斑），顔色（蒼白），眼瞼結膜（蒼白）
ショック，失神，意識消失	冷や汗，めまい，意識がうすれる，考えがまとまらない，血の気が引く，息切れ，判断力の低下，気を失う	投与を中止し，適切な処置を行う。定期的（投与開始時：2週間ごと，安定後：月1回程度）に血圧のモニタリングを実施する。特に血液透析中，厳重な減塩療法中，利尿降圧薬投与中の患者では低用量から投与を開始し，増量する場合は患者の状態を十分に観察しながら徐々に行う PA 血圧（↓），脈拍数（↑），尿量（↓），皮膚温（↓），意識（↓），口唇（チアノーゼ）
高K血症	唇がしびれる，手足が動きづらい，手足に力が入らない，手足のしびれ，手足の麻痺，筋肉が衰える，筋力の減退	投与中止。直ちにループ利尿薬，高K血症改善薬の投与等適切な処置を行う PA 筋力（↓），脈拍（不整脈↑）

†：厚生労働省の「重篤副作用疾患別対応マニュアル」参照

■ 重大な副作用と妊婦・授乳婦への危険度

薬剤名	重大な副作用	妊婦[授乳婦]
ニューロタン	アナフィラキシー，血管浮腫，急性肝炎または劇症肝炎，腎不全，ショック，失神，意識消失，横紋筋融解症，高K血症，不整脈，汎血球減少，白血球減少，血小板減少，低血糖，低Na血症	禁忌/D [🚫◎]
ブロプレス	血管浮腫，ショック，失神，意識消失，急性腎不全，高K血症，肝機能障害，黄疸，無顆粒球症，横紋筋融解症，間質性肺炎，低血糖	禁忌/D [🚫◎]
ディオバン	血管浮腫，肝炎，腎不全，高K血症，ショック，失神，意識消失，無顆粒球症，白血球減少，血小板減少，間質性肺炎，低血糖，横紋筋融解症，中毒性表皮壊死融解症，皮膚粘膜眼症候群，多形紅斑，天疱瘡，類天疱瘡	禁忌/D [🚫○]
ミカルディス	血管浮腫，高K血症，腎機能障害，ショック，失神，意識消失，肝機能障害，黄疸，低血糖，アナフィラキシー，間質性肺炎，横紋筋融解症	禁忌/D [🚫○]

No.19 降圧薬

薬剤名	重大な副作用	妊婦[授乳婦]
オルメテック	血管浮腫，腎不全，高K血症，ショック，失神，意識消失，肝機能障害，黄疸，血小板減少，低血糖，横紋筋融解症，アナフィラキシー，（長期投与）重度の下痢，間質性肺炎	禁忌/D [⊗○]
アバプロ，イルベタン	血管浮腫，高K血症，ショック，失神，意識消失，腎不全，肝機能障害，黄疸，低血糖，横紋筋融解症	禁忌/D [⊗○]
アジルバ	血管浮腫，ショック，失神，意識消失，急性腎不全，高K血症，肝機能障害，横紋筋融解症	禁忌 [⊗○]
プレミネント	アナフィラキシー，血管浮腫，急性肝炎または劇症肝炎，急性腎不全，ショック，失神，意識消失，横紋筋融解症，低K血症，高K血症，不整脈，汎血球減少，白血球減少，血小板減少，再生不良性貧血，溶血性貧血，壊死性血管炎，間質性肺炎，肺水腫，全身性エリテマトーデスの悪化，低血糖，低Na血症，急性近視，閉塞隅角緑内障	禁忌/D（ロサルタン），C（ヒドロクロロチアジド）
エカード	血管浮腫，ショック，失神，意識消失，急性腎不全，高K血症，低Na血症，肝機能障害，黄疸，無顆粒球症，横紋筋融解症，間質性肺炎，低血糖，再生不良性貧血，溶血性貧血，壊死性血管炎，肺水腫，全身性エリテマトーデスの悪化，アナフィラキシー，中毒性表皮壊死融解症，間質性腎炎，急性近視，閉塞隅角緑内障	禁忌/D
コディオ	アナフィラキシー，血管浮腫，肝炎，腎不全，高K血症，低Na血症，ショック，失神，意識消失，無顆粒球症，白血球減少，血小板減少，再生不良性貧血，溶血性貧血，壊死性血管炎，中毒性表皮壊死融解症，皮膚粘膜眼症候群，多形紅斑，天疱瘡，類天疱瘡，間質性肺炎，肺水腫，全身性エリテマトーデスの悪化，低血糖，横紋筋融解症，急性近視，閉塞隅角緑内障	禁忌/D
ミコンビ	血管浮腫，高K血症，低Na血症，腎機能障害，ショック，失神，意識消失，肝機能障害，黄疸，低血糖，アナフィラキシー，再生不良性貧血，溶血性貧血，間質性肺炎，肺水腫，肺臓炎を含む呼吸窮迫症，横紋筋融解症，急性近視，閉塞隅角緑内障，壊死性血管炎，全身性紅斑性狼瘡の悪化	禁忌/D
イルトラ	血管浮腫，ショック，失神，意識消失，高K血症，低Na血症，腎不全，肝機能障害，黄疸，低血糖，横紋筋融解症，再生不良性貧血，間質性肺炎	禁忌
エックスフォージ	血管浮腫，劇症肝炎，肝炎，肝機能障害，黄疸，腎不全，高K血症，ショック，失神，意識消失，無顆粒球症，白血球減少，血小板減少，間質性肺炎，低血糖，房室ブロック，横紋筋融解症，中毒性表皮壊死融解症，皮膚粘膜眼症候群，多形紅斑，天疱瘡，類天疱瘡	禁忌/D
レザルタス	血管浮腫，腎不全，高K血症，ショック，失神，意識消失，肝機能障害，黄疸，血小板減少，低血糖，房室ブロック，洞停止，徐脈，横紋筋融解症，アナフィラキシー，（長期投与）重度の下痢，間質性肺炎	禁忌/D
ユニシア	血管浮腫，ショック，失神，意識消失，急性腎不全，高K血症，劇症肝炎，肝機能障害，黄疸，無顆粒球症，白血球減少，横紋筋融解症，間質性肺炎，低血糖，血小板減少，房室ブロック	禁忌

薬剤名	重大な副作用	妊婦[授乳婦]
ミカムロ	血管浮腫，高K血症，腎機能障害，ショック，失神，意識消失，劇症肝炎，肝機能障害，黄疸，低血糖，アナフィラキシー，間質性肺炎，横紋筋融解症，無顆粒球症，白血球減少，血小板減少，房室ブロック	禁忌/D
アイミクス	血管浮腫，高K血症，ショック，失神，意識消失，腎不全，劇症肝炎，肝機能障害，黄疸，低血糖，横紋筋融解症，無顆粒球症，白血球減少，血小板減少，房室ブロック	禁忌
ザクラス	血管浮腫，ショック，失神，意識消失，急性腎不全，高K血症，劇症肝炎，肝機能障害，黄疸，横紋筋融解症，無顆粒球症，白血球減少，血小板減少，房室ブロック	禁忌
アテディオ	血管浮腫，肝炎，肝機能障害，黄疸，腎不全，高K血症，ショック，失神，意識消失，無顆粒球症，白血球減少，血小板減少，間質性肺炎，低血糖，横紋筋融解症，中毒性表皮壊死融解症，皮膚粘膜眼症候群，多形紅斑，天疱瘡，類天疱瘡	禁忌
ミカトリオ	血管浮腫，高K血症，低Na血症，腎機能障害，ショック，失神，意識消失，劇症肝炎，肝機能障害，黄疸，低血糖，アナフィラキシー，再生不良性貧血，溶血性貧血，間質性肺炎，肺水腫，肺臓炎を含む呼吸窮迫症，横紋筋融解症，無顆粒球症，白血球減少，血小板減少，房室ブロック，急性近視，閉塞隅角緑内障，壊死性血管炎，全身性エリテマトーデスの悪化	禁忌D（テルミサルタン），C（アムロジピン），C（ヒドロクロロチアジド）

■ その他の指導ポイント

	患者向け	薬剤師向け
使用上の注意	・この薬の服用中は高所作業，車の運転等，危険を伴う機械の操作は行わないでください	降圧作用に基づくめまい，ふらつきが現れることがあるため
	・手術を行う予定のある方は申し出てください	ARB投与中の患者は，麻酔および手術中にレニン・アンジオテンシン系の抑制作用による高度な血圧低下を起こす可能性があり，手術前24時間は投与しないことが望ましい
	・〔ディオバンOD，オルメテックOD，エックスフォージOD〕この薬は舌の上で唾液を含ませ，舌で軽くつぶしてから，唾液と一緒に服用してください．水で服用することもできます．寝たままの状態では水なしで服用しないでください	口腔粘膜から吸収されないため
	・〔ディオバンOD，エックスフォージOD〕この薬は服用直前までPTPシートから取り出さないでください．錠剤が欠けたり，割れたりした場合は，それらもすべて一緒に飲んでください	吸湿性があるため PTPシートより取り出す際，縁が欠けるまたは割れる可能性があるが，品質に問題はないため
	・〔ミカルディス，ミコンビ，ミカムロ，配合剤〕この薬を食後に服用している方	テルミサルタンの薬物動態は食事の影響を受け，空腹時投与した場合は，食後投与よりも

No.19 降圧薬

使用上の注意	・は，毎日食後に服用してください	血中濃度が高くなることが報告されており，副作用が発現するおそれがあるため
	・〔配合剤A・C〕夜間の休息が特に必要な場合には，午前中に服用してください →	夜間の排尿を避けるため
	・〔レザルタス，アテディオ〕服薬を急に中止すると症状が悪化することがありますので勝手に服用を中止しないでください →	Ca拮抗薬の投与を急に中止したとき，症状が悪化した症例が報告されているので，休薬を要する場合は徐々に減量し，観察を十分に行う。また患者に医師の指示なしに服薬を中止しないように注意する
	・妊娠中または妊娠の可能性のある方は必ずご相談ください →	以下の理由により投与禁忌 ・〔ARB〕妊娠中期および末期に投与された患者で，羊水過少症，胎児・新生児の死亡，新生児の低血圧，腎不全，高K血症，頭蓋の形成不全等が現れたとの報告がある ・〔配合剤A〕サイアザイド系薬剤では新生児または乳児に高ビリルビン血症，血小板減少症等を起こすことがある。また，利尿効果に基づく血漿量減少，血液濃縮，子宮・胎盤血流量減少等が現れることがある ・〔配合剤B〕Ca拮抗薬では動物実験で妊娠末期に投与すると妊娠期間及び分娩時間が延長すること等が認められている
	・降圧薬（直接的レニン阻害薬）をお飲みの方で糖尿病の方は必ずご相談ください	非致死性脳卒中，腎機能障害，高K血症および低血圧のリスク増加が報告されているため
	・減塩療法を受けている方，利尿薬をお飲みの方（プロプレス，アジルバ，ザクラス），透析を受けている方（配合剤A・C以外）はご相談ください	一過性の血圧低下（ショック症状，意識消失，呼吸困難等を伴う）を起こすおそれがある
	食〔配合剤B・C〕この薬の服用中にグレープフルーツジュースは一緒に飲まないでください →	グレープフルーツジュースに含まれる成分がCYP3A4による本剤の代謝を阻害し，アゼルニジピン（レザルタス），シルニジピン（アテディオ），アムロジピン（配合剤Bのレザルタス，アテディオ以外・C）の血中濃度が上昇するため併用注意
	食〔配合剤A・C〕この薬の服用中にアルコールを飲むと，薬の作用が強く出るので控えてください →	ヒドロクロロチアジドと血管拡張作用を有するアルコールとの併用により降圧作用を増強するため併用注意
服用を忘れたとき	・〔ミカルディス（食後服用時），ミコンビ（食後服用時），ミカムロ（食後服用時），ミカトリオ以外〕思い出したときすぐに服用する。ただし次の服用時間が近いとき（プロプレス，ディオバン，アジルバ，エカード，コディオ，エックスフォージ，ユニシア，ザクラス：8時間以内）は忘れた分は服用しない（2回分を一度に服用しないこと） ・〔ミカルディス，ミコンビ，ミカムロ：食後服用時〕思い出したときに軽食をとり，その後に服用する（2回分を一度に服用しないこと） ・〔ミカトリオ〕飲み忘れに気づいても服用しない。次の服用時に決められた用量を服用する（2回分を一度に服用しないこと）	

■ その他備考

- 配合剤成分：プレミネント（ロサルタンカリウム，ヒドロクロロチアジド）
  エカード（カンデサルタンシレキセチル，ヒドロクロロチアジド）
  コディオ（バルサルタン，ヒドロクロロチアジド）
  ミコンビ（テルミサルタン，ヒドロクロロチアジド）
  イルトラ（イルベサルタン，トリクロルメチアジド）
  エックスフォージ（バルサルタン，アムロジピンベシル酸塩）
  レザルタス（オルメサルタンメドキソミル，アゼルニジピン）
  ユニシア（カンデサルタンシレキセチル，アムロジピンベシル酸塩）
  ミカムロ（テルミサルタン，アムロジピンベシル酸塩）
  アイミクス（イルベサルタン，アムロジピンベシル酸塩）
  ザクラス（アジルサルタン，アムロジピンベシル酸塩）
  アテディオ（バルサルタン，シルニジピン）
  ミカトリオ（テルミサルタン，アムロジピンベシル酸塩，ヒドロクロロチアジド）

ARBの分類表

一般名	商品名	適応症 高血圧症	適応症 腎(実質)性高血圧症	適応症 慢性心不全(軽症～中等症)	適応症 高血圧およびタンパク尿を伴う2型糖尿病における糖尿病性腎症	薬物動態 作用持続時間(hr)	薬物動態 最高血中濃度到達時間(hr)	薬物動態 半減期(hr)	尿中未変化体排泄率(%)	蛋白結合率(%)
ロサルタンカリウム	ニューロタン	○			○	24	(未)約1 (代)約3	(未)約2 (代)約4	30hrまでに (未)3.2～4.1 (代)6.1～7.9	(未)98.6～98.8 (代)99.8
カンデサルタンシレキセチル	ブロプレス	○*1	○	○*2		24	(代)5.0±1.1	(代)α:2.2±1.4 β:9.5±5.1	24hrまでに (未)なし (代)11～12	99以上
バルサルタン	ディオバン	○*3				24	2～3	4～6	9～14	93.0～95.9
テルミサルタン	ミカルディス	○				24	3.6～6.9	20.3～24.0	0.02以下	99以上
オルメサルタンメドキソミル	オルメテック	○				24	(代)1.7～2.2	(代)10.2～11.0	48hrまでに (代)11.7～12.4	99
イルベサルタン	アバプロ イルベタン	○				24	1.6±0.9	13.6±15.4	48hrまでに 0.67	96.6±1.0
アジルサルタン	アジルバ	○				24	1.8±0.6	13.2±1.4	168hまでに 15.1	99.5

未:未変化物　代:活性代謝物

*1:小児に対する用法・用量明記　*3:6歳以上の小児に対する用法・用量明記
*2:2・4・8mg
※配合剤の適応症はいずれも高血圧症(過度な血圧低下のおそれ等があり，高血圧治療の第一選択薬としないこと)

19 降圧薬　③アンジオテンシン変換酵素（ACE）阻害薬

■ 対象薬剤

カプトプリル（カプトリル，カプトリル-R），アラセプリル（セタプリル），イミダプリル塩酸塩（タナトリル），リシノプリル水和物（ゼストリル，ロンゲス），エナラプリルマレイン酸塩（レニベース），デラプリル塩酸塩（アデカット），シラザプリル水和物（シラザプリル），ベナゼプリル塩酸塩（チバセン），テモカプリル塩酸塩（エースコール），ペリンドプリルエルブミン（コバシル），トランドラプリル（オドリック）

■ 指導のポイント

	患者向け	薬剤師向け
薬効	・この薬は末梢の血管を拡げて血圧を下げる薬です ☆この薬は末梢の血管を拡げて，心臓の働きを助ける薬です（ゼストリル，ロンゲス，レニベース）（ゼストリル，ロンゲス，レニベース以外は適応外として使用） ☆この薬は糖尿病性腎症の進行を抑える薬です（タナトリル）（タナトリル以外（カプトリルは小児のみ）は適応外として使用）	アンジオテンシン変換酵素阻害による動・静脈系血管拡張作用 （前負荷・後負荷軽減） 糖尿病性腎症改善作用（1型糖尿病）
詳しい薬効	この薬は血管を収縮させる物質（アンジオテンシンⅡ）を生成する酵素（アンジオテンシン変換酵素）の働きを抑えて，アンジオテンシンⅡの産生を抑えて，末梢の血管を拡げて血圧を下げる薬です	
禁忌・併用禁忌	禁忌　・本剤過敏症既往，血管浮腫の既往，デキストラン硫酸固定化セルロース，トリプトファン固定化ポリビニルアルコールまたはポリエチレンテレフタレートを用いた吸着器によるアフェレーシス施行中，アクリロニトリルメタリルスルホン酸Na膜（AN69）を用いた血液透析施行中，妊婦，アリスキレン投与中の糖尿病（他の降圧治療を行ってもなお血圧のコントロールが著しく不良の患者を除く） ・〔シラザプリル〕腹水を伴う肝硬変 併用禁忌　・デキストラン硫酸固定化セルロース，トリプトファン固定化ポリビニルアルコールまたはポリエチレンテレフタレートを用いた吸着器によるアフェレーシス施行にてショック ・アクリロニトリルメタリルスルホン酸Na膜（AN69）を用いた透析にてアナフィラキシー ・〔セタプリル，エースコール，コバシル，オドリック〕⇔サクビトリルバルサルタン投与中または投与中止36時間以内でブラジキニンの分解抑制にて血管浮腫発現のおそれ	

■ 主な副作用と対策，フィジカルアセスメントのチェックポイント

主な副作用	患者に確認すべき症状	対策と PA のチェックポイント
空咳	乾いた咳	投与中止。ARB への変更を考慮
血管浮腫[†]	まぶたの腫れ，唇の腫れ，舌の腫れ，息苦しい，じんま疹	直ちに投与中止 PA 皮膚・粘膜（口唇，咽頭，眼瞼，頬部，頸部の発作性浮腫）
高 K 血症	唇がしびれる，手足が動きづらい，手足に力が入らない，手足のしびれ，手足の麻痺，筋肉が衰える，筋力の減退	投与中止。直ちにループ利尿薬，高 K 血症改善薬の投与等適切な処置を行う。カリウム含量の多い食品（バナナ等）の多量摂取を避けるよう指導 PA 脈拍（不整脈↑），筋力（↓）
急性腎不全[†]	体がだるい，体のむくみ，疲れやすい，意識の低下，頭痛，眼が腫れぼったい，息苦しい，尿が出ない，尿量が減る	直ちに投与中止 PA 尿量（↓），体重（↑），浮腫（上眼瞼，下腿脛骨）

[†]：厚生労働省の「重篤副作用疾患別対応マニュアル」参照

■ 重大な副作用と妊婦・授乳婦への危険度

薬剤名	重大な副作用	妊婦[授乳婦]
カプトリル，カプトリル-R	血管浮腫，汎血球減少，無顆粒球症，急性腎不全，ネフローゼ症候群，高 K 血症，天疱瘡様症状，狭心症，心筋梗塞，うっ血性心不全，心停止，アナフィラキシー，皮膚粘膜眼症候群，剝脱性皮膚炎，錯乱，膵炎	禁忌 [◎○]
セタプリル	血管浮腫，無顆粒球症，天疱瘡様症状，高 K 血症 類薬 汎血球減少，急性腎不全，膵炎	禁忌
タナトリル	血管浮腫，血小板減少，急性腎不全，腎機能障害の増悪，高 K 血症，紅皮症（剝脱性皮膚炎），皮膚粘膜眼症候群，天疱瘡様症状 類薬 汎血球減少，膵炎	禁忌 [◎○]
ゼストリル，ロンゲス	血管浮腫，急性腎不全，高 K 血症，膵炎，中毒性表皮壊死融解症，皮膚粘膜眼症候群，天疱瘡様症状，溶血性貧血，血小板減少，肝機能障害，黄疸，抗利尿ホルモン不適合分泌症候群（SIADH）	禁忌 [◎○]
レニベース	血管浮腫，ショック，心筋梗塞，狭心症，急性腎不全，汎血球減少症，無顆粒球症，血小板減少，膵炎，間質性肺炎，剝脱性皮膚炎，中毒性表皮壊死融解症，皮膚粘膜眼症候群，天疱瘡，錯乱，肝機能障害，肝不全，高 K 血症，抗利尿ホルモン不適合分泌症候群（SIADH）	禁忌/D [◎○]
アデカット	血管浮腫，急性腎不全，高 K 血症	禁忌
シラザプリル	血管浮腫，急性腎不全，高 K 血症，膵炎	禁忌
チバセン	血管浮腫，急性腎不全，高 K 血症，肝炎，肝機能障害，黄疸，無顆粒球症，好中球減少，膵炎 類薬 ネフローゼ症候群，天疱瘡様症状	禁忌 [◎○]
エースコール	血管浮腫，肝機能障害，黄疸，血小板減少，高 K 血症，天疱瘡様症状，汎血球減少，無顆粒球症	禁忌

降圧薬

薬剤名	重大な副作用	妊婦[授乳婦]
コバシル	血管浮腫，急性腎不全，高K血症	禁忌 [授○]
オドリック	血管浮腫，腎機能障害の増悪，高K血症，横紋筋融解症，肝機能障害，黄疸，膵炎	禁忌/D [授○]

■ その他の指導ポイント

	患者向け	薬剤師向け
使用上の注意	・この薬の服用中は高所作業，車の運転等，危険を伴う機械の操作は行わないでください	降圧作用に基づくめまい，ふらつきが現れることがあるため
	・手術を行う予定のある方は申し出てください	手術前24時間は投与しないことが望ましい
	・妊娠中または妊娠の可能性のある方は必ずご相談ください	妊娠中期および末期に投与された患者で，羊水過少症，胎児・新生児の死亡，新生児の低血圧，腎不全，高K血症，頭蓋の形成不全および四肢の拘縮，頭蓋顔面の変形等が現れたとの報告がある。また，海外で妊娠初期に投与された患者群で胎児奇形の相対リスクが高かったとの報告があるため投与禁忌
	・〔レニベース，エースコール，オドリック以外〕透析を受けている方，利尿薬をお飲みの方，減塩療法を受けている方はご相談ください	一過性の急激な血圧低下を起こす場合がある
	食 この薬を服用中にカゼインデカペプチド，かつお節オリゴペプチド，ラクトトリペプチド等（血圧が高い方にすすめる特定保健用食品）はなるべく控えてください	食品に含まれるペプチド類にはACE阻害作用があり，相互に作用が重なり，副作用が発現しやすくなる
	食 〔カプトリル〕この薬の服用中にトウガラシ（カプサイシン）を含む食品は控えてください	カプサイシンの吸入により咳が誘発され副作用出現
服用を忘れたとき	思い出したときすぐに服用する。ただし次の服用時間が近いとき（アデカット：5時間以内，チバセン：8時間以内）は忘れた分は服用しない（2回分を一度に服用しないこと）	

■ その他備考

- 〔タナトリル〕1型糖尿病に伴う糖尿病性腎症の場合，投与初期に急速に腎機能の悪化や高K血症が発現するおそれ。投与初期は血清Cr値および血清K値を測定し，急速な腎機能の悪化や血清K値の上昇発現の場合は減量，投与中止等の適切な処置

ACE阻害薬の分類表

分類	一般名	商品名	適応症 高血圧症	本態性高血圧症	腎(実質)性高血圧症	腎血管性高血圧症	悪性高血圧	等症～中等症(慢性心不全軽症)	1型糖尿病に伴う糖尿病性腎症	薬物動態 作用持続時間(hr)	最高血中濃度到達時間(hr)	半減期(hr)	尿中未変化体排泄率(%)
活性体	カプトプリル	カプトリル	○	○	○		○			4	0.68~1.13	0.43~0.62	35 (24 hr)
	カプトプリル	カプトリル-R		○	○					8~12	1.25	2.13	
	リシノプリル	ゼストリル ロンゲス	○*1					○		24	6.7±0.8	α:4.5±1.7 β:33.7±10.3	21~27
	アラセプリル	セタプリル	○	○	○					12~24	0.5~1	1~2	60~70 (24 hr)
	イミダプリル	タナトリル	○						○*	24	6~8	約8	25.5 (24 hr)
	エナラプリル	レニベース		○*2	○*2	○*2	○*2			24	約4	約14	代謝物 30~34.4 (48 hr)
	デラプリル	アデカット	○	○	○					12~24	1.6	1.1	0.8 (24 hr)
プロドラッグ	シラザプリル	インヒベース	○							24	2	α:2.0~2.6 β:52.6~66.0	20 (24 hr)
	ベナゼプリル	チバセン	○	○						24	1.2~1.5	3.7~8.2	1未満 (72 hr)
	テモカプリル	エースコール	○		○					24	1~1.6	α:1.4~1.6 β:14.5~21.5	0.6~1.8 (24 hr)
	ペリンドプリルエルブミン	コバシル	○							24	5.0~10.7	57.3~105.4	21~26 (24 hr)
	トランドラプリル	オドリック	○							24	2.8~6.8	96.7~187.7	7.3~16.3 (24 hr)

※ 2.5・5 mg
*1：6歳以上の小児に対する用法・用量明記
*2：生後1カ月以上の小児に対する用法・用量明記

19 降圧薬　④直接的レニン阻害薬

■ 対象薬剤
アリスキレンフマル酸塩（ラジレス）

■ 指導のポイント

	患者向け		薬剤師向け
薬効	この薬は血圧を下げる薬です	→	ヒトレニン選択的阻害作用
詳しい薬効	この薬は，血管を収縮させ血圧を上げる原因物質（アンジオテンシンⅠ）をつくる酵素（レニン）の働きを直接抑えることにより，アンジオテンシンⅠの産生を抑えて，末梢の血管を拡げて血圧を下げる薬です		
禁忌・併用禁忌	禁忌　本剤過敏症既往，妊婦，ACE阻害薬・ARB投与中の糖尿病患者（ACE阻害薬・ARBを含む他の降圧治療を行ってもなお血圧コントロールが著しく不良の患者を除く）		
	併用禁忌　イトラコナゾール，シクロスポリンにて本剤の血中濃度上昇のおそれ		

■ 主な副作用と対策，フィジカルアセスメントのチェックポイント

主な副作用	患者に確認すべき症状	対策とPAのチェックポイント
高K血症	唇がしびれる，手足が動きづらい，手足に力が入らない，手足のしびれ，手足の麻痺，筋肉が衰える，筋力の減退	投与中止。直ちにループ利尿薬，高K血症改善薬の投与等適切な処置を行う PA 脈拍（不整脈↑），筋力（↓）
腎機能障害	尿が出ない，尿量が減る，体のむくみ，疲れやすい	適切な処置を行う PA 尿量（↓），体重（↑），浮腫（上眼瞼，下腿脛骨）
下痢，頭痛	下痢，頭が痛い	中止もしくは程度により継続可能。継続する場合には対症療法薬の投与を考慮 PA 腸音（↑）

■ 重大な副作用と妊婦・授乳婦への危険度

薬剤名	重大な副作用	妊婦[授乳婦]
ラジレス	血管浮腫，アナフィラキシー，高K血症，腎機能障害	禁忌[❷○]

No.19　降圧薬

■ その他の指導ポイント

	患者向け	薬剤師向け
使用上の注意	・この薬の服用中は高所作業，車の運転等，危険を伴う機械の操作は行わないでください	降圧作用に基づくめまい，ふらつきが現れることがあるため
	・この薬を食後に服用している方は，毎日食後に服用してください。また毎日決まったときに服用してください	本剤の薬物動態は食事の影響を受けるため，患者ごとに食後または食前（空腹時）のいずれかに規定し，原則として毎日同じ条件で服用する。なお，食前（空腹時）投与で食後投与に比べ血中濃度が高くなること等を踏まえ，食後投与での開始を考慮する
	・妊娠中または妊娠の可能性のある方は必ずご相談ください	妊婦への投与に関する情報は得られていない。ARBならびにACE阻害薬で，妊娠中期～末期投与患者で，胎児・新生児死亡，羊水過少症等が現れたとの報告あり。また，海外でACE阻害薬の疫学調査で，妊娠初期患者群で，胎児奇形の相対リスクが高かったとの報告のため投与禁忌
	・透析を受けている方，利尿薬をお飲みの方，減塩療法を受けている方，レニン・アンジオテンシン系阻害薬をお飲みの方は必ずご相談ください	症候性の低血圧を起こすおそれがあるため
	・降圧薬（ACE，ARB）をお飲みの方で糖尿病の方は必ずご相談ください	非致死性脳卒中，腎機能障害，高K血症および低血圧のリスク増加が報告されているため
服用を忘れたとき	飲み忘れた場合は，服用を決めてある朝，昼，晩にかかわりなく，次の食事のときに決められた用量を服用する。ただし，その食事の前か後かは決められたとおりする（2回分を一度に服用しないこと）	

19 降圧薬　⑤利尿薬

■ 対象薬剤

（A）サイアザイド系利尿薬：ヒドロクロロチアジド（ヒドロクロロチアジド），トリクロルメチアジド（フルイトラン）
（B）非サイアザイド系利尿薬：メフルシド（バイカロン），インダパミド（ナトリックス），トリパミド（ノルモナール）
（C）ループ系利尿薬：フロセミド（ラシックス）
＊フルイトラン，バイカロン，ラシックスはNo.18利尿薬（p.273）参照

■ 指導のポイント

	患者向け	薬剤師向け
薬効	・この薬はNaの再吸収を抑えて，Naと水分を尿として出し血圧を下げる薬です	Na再吸収抑制による降圧利尿作用 末梢血管を拡張させる作用もあるので高血圧に対する利尿薬としてはサイアザイド系が第一選択薬
	☆この薬はNaの再吸収を抑えて，Naと水分を尿として出しむくみをとる薬です（ヒドロクロロチアジド）	Na再吸収抑制による利尿作用
	☆この薬は生理前の緊張をやわらげる薬です（ヒドロクロロチアジド）	月経前緊張症の緩解
詳しい薬効	この薬は腎臓の尿細管でNaが再び取り込まれるのを抑えて，Naを水分とともに尿として出し，血管内を循環する血液量を減らすことで血圧を下げる薬です	
禁忌・併用禁忌	禁忌 〔ヒドロクロロチアジド，ナトリックス，ノルモナール〕無尿，急性腎不全，体液中のNa・Kが明らかに減少，サイアザイド系・類似化合物過敏症既往 併用禁忌 〔ヒドロクロロチアジド，ナトリックス，ノルモナール〕⇔デスモプレシン（男性における夜間多尿による夜間頻尿）にて低Na血症	

■ 主な副作用と対策，フィジカルアセスメントのチェックポイント

主な副作用	患者に確認すべき症状	対策とPAのチェックポイント
低Na血症	体がだるい，食欲がない，吐き気，吐く，けいれん，意識がもうろうとする，意識を失う	中止するなど，直ちに適切な処置 PA 意識レベル（↓）

主な副作用	患者に確認すべき症状	対策とPAのチェックポイント
低K血症	脱力感，意識がうすれる，考えがまとまらない，口渇，息苦しい，手足の麻痺，筋力の低下，判断力の低下	柑橘類や野菜を努めて食べるようにする。電解質失調，脱水に十分注意し，少量から投与を開始して徐々に増量する。定期的に検査を行い，異常が認められた場合には減量もしくは休薬。必要に応じKの補給や，K保持利尿薬の投与等を考慮。K含有量の多い食品（バナナ，サツマイモなど）の摂取を勧める PA 筋力（↓），脈拍（不整脈）
高血糖症	体がだるい，体重が減る，のどの渇き，水を多く飲む，尿の量が増える	減量もしくは休薬 PA 口渇（↑），尿量（↑・夜間尿），体重（↓），皮膚・口腔粘膜（乾燥：脱水），血圧（↓），脈拍（↑）
高尿酸血症	熱感，腫れ，突然始まる足親指のつけ根の激痛・発赤	減量もしくは休薬。必要に応じ尿酸生成抑制薬の投与を考慮 PA 足親指のつけ根・足関節（発赤，腫脹）

■ 重大な副作用と妊婦・授乳婦への危険度

薬剤名	重大な副作用	妊婦［授乳婦］
ヒドロクロロチアジド	再生不良性貧血，溶血性貧血，壊死性血管炎，間質性肺炎，肺水腫，全身性紅斑性狼瘡の悪化，アナフィラキシー，低Na血症，低K血症，急性近視，閉塞隅角緑内障	［授◎］
ナトリックス	中毒性表皮壊死融解症，皮膚粘膜眼症候群，多形滲出性紅斑，低Na血症，低K血症	［禁○］
ノルモナール	低Na血症，低K血症	－

■ その他の指導ポイント

	患者向け	薬剤師向け
使用上の注意	・〔ヒドロクロロチアジド〕夜間の休息が特に必要な場合には，午前中に服用してください	夜間の排尿を避けるため
	・服用後1時間前後でトイレに行きたくなりますが，薬の作用のためですので心配いりません	利尿効果は急激に現れることがある。利尿作用の発現時間，最大効果発現時間は，No.18 利尿薬分類表（p.273）参照
	・この薬の服用中は，高所作業，車の運転等，危険を伴う機械の操作は行わないでください	降圧作用に基づくめまい，ふらつきが現れることがあるため
	・〔ヒドロクロロチアジドOD〕この薬は口の中で溶けますが，溶けた後唾液または水で飲み込んでください。寝たままの状態では水なしで服用しないでください	口腔粘膜から吸収されないため

使用上の注意	🍴 この薬の服用中にアルコールを飲む→と，薬の作用が強く出るので控えてください	アルコールは心血管系の抑制作用があり，利尿薬の降圧作用を増強するため併用注意
服用を忘れたとき	思い出したときすぐに服用する。ただし次の服用時間が近いとき（ナトリックス：8時間以内程度）は忘れた分は服用しない（2回分を一度に服用しないこと）	

■ その他備考

- 利尿薬の体内動態については No.18 利尿薬の項の利尿薬分類表（p.273）参照

19 降圧薬 ⑥β遮断薬（含αβ遮断薬）

■ 対象薬剤

(A) 非選択性：カルテオロール塩酸塩（ミケラン，ミケランLA），プロプラノロール塩酸塩（インデラル），ニプラジロール（ハイパジール），ピンドロール（カルビスケン）
(B) $β_1$選択性：アテノロール（テノーミン），ビソプロロールフマル酸塩（メインテート），ビソプロロール（ビソノテープ），メトプロロール酒石酸塩（セロケン，セロケンL），セリプロロール塩酸塩（セレクトール），ベタキソロール塩酸塩（ケルロング）
(C) αβ遮断：アロチノロール塩酸塩（アロチノロール塩酸塩），アモスラロール塩酸塩（ローガン），カルベジロール（アーチスト），ラベタロール塩酸塩（トランデート）

■ 指導のポイント

	患者向け	薬剤師向け
薬効	この薬は血圧を下げる薬です →	β受容体遮断作用（降圧作用）
	☆この薬は脈の乱れを整える薬です（ミケラン，インデラル，カルビスケン，テノーミン，メインテート，ビソノテープ，セロケン，アロチノロール塩酸塩，アーチスト）(参) No.23抗不整脈薬④ →	〃　　　　（抗不整脈作用）
	☆この薬は心臓の収縮をゆっくりさせて心臓の負担を減らし，狭心症の発作を予防する薬です（ミケラン，インデラル，ハイパジール，カルビスケン，テノーミン，メインテート，セロケン，セレクトール，ケルロング，アロチノロール塩酸塩，アーチスト）→	〃　　　　（抗狭心症作用）
	☆この薬は片頭痛が起きるのを予防する薬です（インデラル）(参) No.5片頭痛治療薬参照 →	β受容体遮断作用
	☆この薬は手などのふるえを軽減する薬です（アロチノロール塩酸塩）→	β受容体遮断作用（抗振戦作用）
	☆この薬は心臓の働きを改善し，心不全の悪化を予防する薬です（メインテート，アーチスト）→	β受容体遮断作用（抗心不全作用） β受容体遮断作用・$α_1$受容体遮断作用（虚血心筋保護作用，抗心不全作用）（アーチスト）
	◆この薬は低酸素発作を予防する薬です（適応外）（インデラル）	
	◆この薬は肥大型心筋症を改善するために用いられる薬です（適応外）（メインテート）	

薬効	◆この薬は心不全の進展を予防し，心不全の症状や予後を改善することが期待できる薬です（適応外）（セロケン，セロケンL）
	◆この薬は食道胃静脈瘤の再出血を予防する薬です（適応外）（インデラル）
詳しい薬効	No.23 抗不整脈薬④の項参照

	患者向け	薬剤師向け
警告	〔メインテート〕この薬の服用初期または→薬の量が増えたときは，むくみ，体重が増える，めまい，血圧の下がりすぎ，脈が遅くなるなどが起こることがありますので，そのような場合は必ずご相談ください	慢性心不全患者に使用時，投与初期および増量時に症状が悪化（浮腫，体重増加，めまい，低血圧，徐脈等）することに注意し，慎重に用量調節を行う
	〔メインテート，アーチスト〕慢性心不全患者に使用時，慢性心不全治療の経験が十分にある医師のもとで使用	
禁忌・併用禁忌	禁忌 別表（p.312）参照	
	併用禁忌 ・〔インデラル〕⇔リザトリプタンの作用増強	
	・〔ハイパジール〕⇔シルデナフィル，バルデナフィル，タダラフィル，リオシグアトにて降圧作用増強	

■ 主な副作用と対策，フィジカルアセスメントのチェックポイント

主な副作用	患者に確認すべき症状	対策とPAのチェックポイント
心不全の誘発・悪化	体がだるい，全身のむくみ，横になるより座っているときに呼吸が楽になる，息苦しい，息切れ，動くときの息切れ	定期的に心機能検査を行い，必要に応じ，減量もしくは中止 PA 体重（↑），浮腫（上眼瞼，下腿脛骨），頸静脈（怒張），脈拍（↑・不整脈），呼吸音（水泡音），心音（Ⅲ音・Ⅳ音），体位（起座呼吸）
喘息症状の誘発・悪化	ヒューヒュー音がする，発作的な息切れ	減量もしくは中止し，β₂刺激薬の投与等を考慮 PA 呼吸音（笛声音），呼吸数（↑），顔色（チアノーゼ）
徐脈	めまい，意識の低下，考えがまとまらない，息切れ，脈がとぶ，脈が遅くなる，判断力の低下	減量もしくは中止。必要に応じアトロピンを使用 PA 脈拍（↓：50以下・不整脈）
悪夢	不快な夢	中止
涙液分泌減少	目が乾く，涙の減少	〃

No.19　降圧薬

■ 重大な副作用と妊婦・授乳婦への危険度

薬剤名	重大な副作用	妊婦[授乳婦]
ミケラン，ミケランLA	房室ブロック，洞不全症候群，洞房ブロック，洞停止等の徐脈性不整脈，うっ血性心不全（またはその悪化），冠攣縮性狭心症，高度な徐脈に伴う失神	禁忌 [🚼○]
インデラル	うっ血性心不全（またはその悪化），徐脈，末梢性虚血（レイノー様症状等），房室ブロック，失神を伴う起立性低血圧，無顆粒球症，血小板減少症，紫斑病，気管支けいれん，呼吸困難，喘鳴	[🚼○]
ハイパジール	心不全，完全房室ブロック，洞停止，高度徐脈	禁忌
カルビスケン	心不全の誘発・悪化，心胸比増大，喘息症状の誘発・悪化	禁忌/C [🚼○]
テノーミン	徐脈，心不全，心胸比増大，房室ブロック，洞房ブロック，失神を伴う起立性低血圧，呼吸困難，気管支けいれん，喘鳴，血小板減少症，紫斑病	[🚼△]
メインテート，ビソノテープ	心不全，完全房室ブロック，高度徐脈，洞不全症候群	禁忌/C [🚼○]
セロケン，セロケンL	心原性ショック，うっ血性心不全，房室ブロック，徐脈，洞機能不全，喘息症状の誘発・悪化，肝機能障害，黄疸	禁忌 [🚼◎]
セレクトール	心不全，房室ブロック，洞房ブロック	禁忌
ケルロング	完全房室ブロック，心胸比増大，心不全	禁忌 [🚼○]
アロチノロール塩酸塩	心不全，房室ブロック，洞房ブロック，洞不全症候群，徐脈	禁忌
ローガン	－	禁忌
アーチスト	高度な徐脈，ショック，完全房室ブロック，心不全，心停止，肝機能障害，黄疸，急性腎不全，中毒性表皮壊死融解症，皮膚粘膜眼症候群，アナフィラキシー	禁忌/C [🚼○]
トランデート	うっ血性心不全，肝壊死等の重篤な肝障害，黄疸等，SLE様症状（筋肉痛，関節痛，抗核抗体陽性），乾癬，ミオパチー	C [🚼◎]

■ その他の指導ポイント

	患者向け	薬剤師向け
使用上の注意	・服薬を中止すると症状が悪化することがあるので，勝手に服用を中止しないでください ・手術を行う予定のある方は申し出てください ・この薬の服用中（特に投与初期：ケルロング，ローガン以外）（特に投与初期や増量時：アーチスト）は，車の運転等，危険を伴う機械の操作は行わないでください	狭心症の患者で症状が悪化したり，心筋梗塞を起こした症例が報告されている。また，甲状腺中毒症患者では症状を悪化させることがあるため徐々に減量する 手術前は投与しないことが望ましい （その他備考参照） 降圧作用に基づくめまい，ふらつきが現れることがあるため

降圧薬

使用上の注意	・〔ミケランLA〕この薬はかまずに服用してください →	徐放性製剤であるため
	・〔ビソノテープ〕この薬は毎回場所を変えて貼ってください。皮膚の損傷または湿疹、皮膚炎等がみられる部位には貼らないでください。貼る部位の皮膚を清潔なタオル等でよく拭き取ってから貼ってください。皮膚から一部はがれてしまった場合は、絆創膏等で固定してください →	同じ場所に貼ると、かゆみや発赤、かぶれの原因となるため
	・〔セロケンL〕2つに割って服用してもよいが、かまずに服用してください →	徐放性製剤であるため
	・〔セレクトール〕この薬は食後に服用してください →	空腹時投与で、食後に比較して最高血漿中濃度が約2倍程度に上昇するとの報告があるため
	・〔インデラル,テノーミン,トランデート以外〕妊娠中または妊娠の可能性のある方は必ずご相談ください →	以下の理由にて投与禁忌 ・〔ミケラン,ミケランLA,カルビスケン,セロケン,セロケンL,セレクトール,アーチスト〕妊娠中の投与に関する安全性は確立していない ・〔ハイパジール〕動物実験で高用量投与により胎児の死亡率増加および発育抑制、死産児数の増加、新生児生存率の低下が報告 ・〔メインテート,ビソノテープ〕動物実験で胎児毒性(致死、発育抑制)および新生児毒性(発育毒性等)が報告 ・〔ケルロング〕動物実験で胚・胎児の死亡増加が報告 ・〔アロチノロール塩酸塩〕動物実験で臨床用量の250倍以上で腎盂拡大、600倍以上で視神経欠損の自然発生頻度の増加報告 ・〔ローガン〕動物実験で妊娠末期の投与で死産率・新生児死亡率の増加が報告 ・〔アーチスト〕動物実験で妊娠前および妊娠初期の投与にて臨床用量の約900倍で黄体数の減少、骨格異常の増加が報告
	・〔インデラル〕この薬の服用中にタバコを吸うと薬の作用が弱くなるので控えてください →	喫煙によりCYP1A2が誘導されるため、本剤の代謝が促進され、血中濃度が下がる可能性がある
	食 〔インデラル〕この薬の服用中にアルコールを飲むと、薬の作用が弱くまたは強くなるので控えてください →	アルコールにより本剤の吸収、代謝が変動するため併用注意
	食 〔インデラル〕この薬の服用中に高タンパク食、プロテインやアミノ酸を含むサプリメントを同時にとらないでください →	高タンパク食により薬剤の消化管吸収が減少し、血中プロプラノロール濃度が低下するため
	食 〔セレクトール〕この薬の服用中にグ →	グレープフルーツジュースの1日間併用(2

使用上の注意	レープフルーツジュースは飲まないでください 食〔テノーミン〕この薬の服用中にオレ→ ンジジュースは飲まないでください	日間前処置）により血中濃度は有意に減少し効果減弱 オレンジジュースの1日間併用（3日間前処置）により血中濃度は有意に減少し効果減弱（小腸上皮細胞常在性OATP阻害の可能性）
服用（使用）を忘れたとき	・〔アロチノロール塩酸塩：狭心症治療時，ローガン以外〕思い出したときすぐに服用する。ただし次の服用時間が近いときは忘れた分は服用しない（2回分を一度に服用しないこと） ・〔ビソノテープ〕思い出したときすぐに貼り（貼りかえ），次回からはいつもと同じ時間に使用する。ただし次の貼りかえ時間が近いときは忘れた分は使用しない。（2回分を一度に使用しないこと） ・〔アロチノロール塩酸塩：狭心症治療時〕思い出したときすぐに服用する。その後は次の服用時に決められた用量を服用する（2回分を一度に服用しないこと） ・〔ローガン〕飲み忘れに気づいても服用しない。次の服用時に決められた用量を服用する（2回分を一度に服用しないこと）	

■その他備考

■手術前の注意点

①手術前は投与しないことが望ましい。

24時間：ミケラン，ミケランLA，ハイパジール，カルビスケン，セロケン

48時間：テノーミン，メインテート，ビソノテープ，セロケンL，セレクトール，ケルロング，アロチノロール塩酸塩，アーチスト

②褐色細胞腫の手術時に使用する場合を除き，手術前は投与しないことが望ましい。

24時間：インデラル，ローガン，トランデート

β遮断薬

| Prichardによる分類 ||| 一般名 | 商品名 | 適応症 |||||||| その他 |
類	群	ISA	MSA			高血圧症	高本態性血圧症	高腎血圧症(実質性)	褐色細胞腫による高血圧症に	狭心症	不整脈	心房細動	
Ⅰ 非選択性	2	-	+	プロプラノロール	インデラル	○*1				○	○*7	○	褐色細胞腫手術時片頭痛発作の発症抑制 低酸素発作の発症抑制*8
	3	+	-	ピンドロール	カルビスケン	○*1				○	○		
				カルテオロール	ミケラン*9	○*1*2				○	○		心臓神経症
					ミケランLA	○*1							
	4	-	-	ナドロール	ナディック	○*1				○	○		
Ⅱ β1選択性	1	+	+	アセブトロール	アセタノール	○*1				○	○		
	3	+	-	セリプロロール	セレクトール	○*1	○						
	4	-	-	メトプロロール	セロケン	○*1				○	○		
					セロケンL	○*1							
				アテノロール	テノーミン	○*1				○	○		
				ビソプロロール	メインテート	○*1				○	○	○	慢性心不全
					ビソノテープ	○*1*3						○	
				ベタキソロール	ケルロング	○*1	○						
Ⅲ βα1非遮断選択性	1	+	+	ラベタロール	トランデート	○		○					
	2	-	+	カルベジロール	アーチスト	○*1*4	○*4			○*4	○*5	○*5	慢性心不全*6
				ベバントロール	カルバン	○							
	4	-	-	アモスラロール	ローガン	○		○					
				アロチノロール	アロチノロール塩酸塩	○*1				○	○		本態性振戦
Ⅳ 拡血張管	4	-	-	ニプラジロール	ハイパジール	○*1				○			

ISA：内因性交感神経刺激作用　　MSA：膜安定化作用
＊1：本態性高血圧症（軽症～中等症）　　＊2：錠　　＊3：ビソノテープ2mg以外
＊4：アーチスト10mg・20mg　　＊5：アーチスト1.25mg以外　　＊6：アーチスト20mg以外
＊7：小児に対する用法・用量明記　　＊8：乳幼児に対する用法・用量明記　　＊9：〔小児用細粒〕ファロー四徴症に伴うチアノーゼ発作

分類表

β遮断効力比	薬物動態			血液脳関門通過性	備考
	最高血中濃度到達時間(hr)	半減期(hr)	尿中未変化体排泄率(%)		
1	1.5	3.9	ほとんどが代謝	+	
15〜20	1.33	3.65	35	+	
5〜15	約1	約5	約70	−	
	5	7〜10	50〜70		
5	4	α：2.5〜4.8 β：17.4〜19.6	11.5〜14.1 (72hr)	−	
0.1	2.1	6.7	尿中23（68hr) 糞中22（72hr)	−	
0.2〜0.3	2.2〜5.4	3.94〜5.89	ほとんどが未変化体で排泄(24hr)	−	$β_2$選択性のISAを有し，総コレステロール低下作用を認める
1.0〜1.8	1.9	2.8	5	−	
	3.7	資料なし	ほとんどが代謝	−	
1	3.8〜4.6	7.88〜10.8	尿・糞中から各約50%，その90%が未変化体	−	
4〜5	3.1	8.6	47.8（72hr)	−	
	11.947 ± 4.651	15.79 ± 2.07	33.390（72hr)		
1	5	12.9	約16（48hr)	±	Ca拮抗作用
0.3	0.97〜1.22	17.22〜17.65	2	±	$α：β = 1：3$
3〜5	0.6〜0.9	1.95〜7.72	尿中約0.2 糞中約22.7（48hr)	+	$α：β = 1：8$
<1	0.75	α：1.36 β：9.7	0.59（48hr)	±	弱い$α_1$遮断作用とCa拮抗作用
0.25	2〜4	4〜6	30.1（24hr)	−	$α：β = 1：1$
5	約2	約10	3.6〜5.2（24hr)	−	$α：β = 1：8$
3	2	3.7	ほとんどが代謝	−	硝酸系薬様作用を有する

別表 [禁忌]

		本剤過敏症既往	気管支喘息	気管支けいれんのおそれ	糖尿病ケトアシドーシス	代謝性アシドーシス	高度の徐脈	房室ブロック（Ⅱ・Ⅲ度）	洞不全症候群	洞房ブロック	心原性ショック	肺高血圧による右心不全	うっ血性心不全	低血圧症	未治療の褐色細胞腫	妊婦	長期間絶食状態	重度の末梢循環障害	異型狭心症	チオリダジン投与中	リザトリプタン投与中	シルデナフィル・バルデナフィル・タダラフィル・リオシグアト投与中	強心薬または血管拡張薬を静脈内投与する必要のある心不全	非代償性の心不全
非選択性	ミケラン	○	○	○	○	○	○	○	○	○	○	○	○											
	ミケランLA	○	○	○	○	○	○	○	○	○	○	○	○											
	インデラル	○	○	○	○	○	○	○	○	○	○		○		○	○	○				○			
	ハイパジール	○	○	○	○	○	○	○	○	○	○	○	○						○					
	カルビスケン	○*	○	○	○	○	○	○	○	○	○	○	○											
β1選択性	テノーミン	○	○	○	○	○	○	○	○	○	○	○	○											
	メインテート	○	○	○	○	○	○	○	○	○	○	○	○										○	○
	ビソノテープ	○	○	○	○	○	○	○	○	○	○	○	○										○	○
	セロケン	○*	○	○	○	○	○	○	○	○	○	○	○											
	セロケンL	○*	○	○	○	○	○	○	○	○	○	○	○											
	セレクトール	○	○	○	○	○	○	○	○	○	○	○	○											
	ケルロング	○	○	○	○	○	○	○	○	○	○	○	○											
αβ遮断	アロチノロール塩酸塩	○	○	○	○	○	○	○	○	○	○	○	○											
	ローガン	○	○	○	○	○	○	○	○	○	○	○	○											
	アーチスト	○	○	○	○	○	○	○	○	○	○	○	○	○									○	
	トランデート	○	○	○	○	○	○	○	○	○	○	○	○											

＊：本剤および他のβ遮断薬に過敏症既往

19 降圧薬　⑦α遮断薬

■ 対象薬剤

ドキサゾシンメシル酸塩（カルデナリン），プラゾシン塩酸塩（ミニプレス），ブナゾシン塩酸塩（デタントール，デタントールR），テラゾシン塩酸塩水和物（バソメット），ウラピジル（エブランチル）

■ 指導のポイント

	患者向け	薬剤師向け
薬効	この薬は血管を拡げて血圧を下げる薬です→ ☆この薬は尿を出しやすくする薬です（ミニプレス，バソメット，エブランチル） （参）No.44 泌尿器科用薬①	末梢血管拡張作用 α_1遮断作用，前立腺・尿道および膀胱平滑筋弛緩作用
詳しい薬効	この薬は，血管平滑筋にある血管を収縮させるホルモン（カテコールアミン）が特定部位（α受容体）に結びつくのを遮断し，血管を拡げて血圧を下げる薬です
禁忌	本剤過敏症既往

■ 主な副作用と対策，フィジカルアセスメントのチェックポイント

主な副作用	患者に確認すべき症状	対策とPAのチェックポイント
血圧低下による失神・意識喪失	気を失う，意識がなくなる	中止し，仰臥位をとらせる PA 血圧（↓），意識レベル（↓）
起立性低血圧	立ちくらみ，めまい	仰臥位をとらせる。また，必要に応じて対症療法を行う。減量もしくは中止 PA 血圧（↓），脈拍（↑・不整脈）
動悸	胸がドキドキする	
頭痛	頭が痛い	

■ 重大な副作用と妊婦・授乳婦への危険度

薬剤名	重大な副作用	妊婦[授乳婦]
カルデナリン	失神・意識喪失（起立性低血圧によることが多い），不整脈，脳血管障害，狭心症，心筋梗塞，無顆粒球症，白血球減少，血小板減少，肝炎，肝機能障害，黄疸	B3 [授△]
ミニプレス	一過性の血圧低下に伴う失神・意識喪失，狭心症	[授△]
デタントール，デタントールR	失神，意識喪失（多くは一過性の意識消失による）	―
バソメット	血圧低下に伴う一過性の意識喪失等，肝機能障害，黄疸	B2 [授△]
エブランチル	肝機能障害	

■ その他の指導ポイント

	患者向け	薬剤師向け
使用上の注意	・〔バソメット以外〕この薬の服用初期または薬の量が急に増えたときなどは、高所作業、車の運転等、危険を伴う機械の操作は行わないでください	起立性低血圧に基づく立ちくらみ、めまい等が現れることがあるため
	・〔バソメット〕この薬の服用中は、高所作業、車の運転等、危険を伴う機械の操作は行わないでください	降圧作用に基づくめまい等が現れることがあるため
	・〔バソメット〕アレルギー体質の方は必ずご相談ください	アレルギー体質の患者では副作用発現率が高くなる傾向があるため
	・〔バソメット以外〕白内障の手術を行う予定のある方は申し出てください	α_1遮断薬を服用中または過去に服用経験のある患者において、α_1遮断作用によると考えられる術中虹彩緊張低下症候群(手術の最中に瞳孔が小さくなったり、虹彩がふにゃふにゃになり、手術中の水流によってうねったり、バタバタ動いたりする)が現れるとの報告があるため
	・〔カルデナリンOD〕この薬は口の中で溶けますが溶けた後、唾液または水で飲み込んでください	口腔粘膜から吸収されないため
	・〔デタントールR〕この薬はかみ砕かないようにしてください	かみ砕いて服用すると、一過性の血中濃度の上昇に伴って副作用が発生しやすくなるおそれがあるため
	・〔エブランチル〕この薬はカプセルの中の顆粒をかみ砕かないようにしてください	徐放性製剤であるため(一過性の血中濃度上昇による副作用が起こるおそれがある)
服用を忘れたとき	・〔デタントール、デタントールR、エブランチル以外〕思い出したときすぐに服用する。ただし次の服用時間が近いときは忘れた分は服用しない(2回分を一度に服用しないこと) ・〔デタントール〕飲み忘れに気づいても服用しない。次の服用時に決められた用量を服用する。(2回分を一度に服用しないこと) ・〔デタントールR〕思い出したときすぐに服用する。服用時間より半日以上過ぎている場合には、その日は服用せず、翌日の服用時に1回分だけ服用する(2回分を一度に服用しないこと) ・〔エブランチル〕思い出したときすぐに服用する。ただし次の服用時間まで4〜5時間程度あけるようにする。次の服用時間が近いとき(2〜3時間以内)は忘れた分は服用しない。(2回分を一度に服用しないこと)	

■ その他備考

- 起立性低血圧が現れることがあるので、臥位のみならず立位または坐位で血圧測定を行い、体位変換による血圧変化を考慮し、坐位にて血圧をコントロールする

19 降圧薬　⑧ミネラルコルチコイド受容体（MR）拮抗薬

■ 対象薬剤

スピロノラクトン（アルダクトンA），エプレレノン（セララ），エサキセレノン（ミネブロ）
＊アルダクトンAはNo.18利尿薬（p.273）参照

■ 指導のポイント

	患者向け	薬剤師向け
薬効	・この薬は血圧を上げるホルモン（アルドステロン）の働きを抑えて血圧を下げる薬です	ミネラルコルチコイド受容体阻害による降圧作用
	・この薬は心臓を保護する薬です（セララ→25，50 mg）	心保護作用
詳しい薬効	・この薬は，体の中にナトリウムを取り込んでカリウムを排泄させ，体の中の水分を増やし血圧を上げるホルモン（アルドステロン）がミネラルコルチコイド受容体に結びつくのを防ぎ，このホルモンの作用を抑えて，体から水分とともにナトリウムを尿として出し，カリウムの排泄を抑えて，血圧を下げる薬です（セララ，ミネブロ） ☆この薬は，心臓や血管などの臓器障害に関与し，心不全や悪化の要因となるホルモン（アルドステロン）がミネラルコルチコイド受容体に結びつくのを防ぎ，このホルモンの作用を抑えて，心臓を保護する薬です（セララ25，50 mg）	
禁忌・併用禁忌	禁忌　・本剤過敏症既往，高K血症・本剤投与開始時に血清K値が5.0 mEq/Lを超える患者，重度の腎機能障害 ・〔セララ〕重度の肝機能障害 ・〔セララ（高血圧症）〕微量アルブミン尿または蛋白尿を伴う糖尿病，中等度以上の腎機能障害 併用禁忌　・〔セララ，ミネブロ〕⇔スピロノラクトン，トリアムテレン，カンレノ酸にて血清K値上昇のおそれ ・〔セララ（高血圧症），ミネブロ〕⇔塩化K，グルコン酸K，アスパラギン酸K，ヨウ化K，酢酸Kにて血清K値上昇 ・〔セララ〕⇔イトラコナゾール，リトナビル，ネルフィナビルにて本剤の血漿中濃度上昇し，血清K値上昇を誘発 ・〔ミネブロ〕⇔エプレレノンにて血清K値上昇のおそれ	

■ 主な副作用と対策，フィジカルアセスメントのチェックポイント

主な副作用	患者に確認すべき症状	対策とPAのチェックポイント
高K血症	唇がしびれる，手足が動きづらい，手足に力が入らない，手足のしびれ，手足の麻痺，筋肉が衰える，筋力の減退	定期的（投与開始前，投与開始後（または用量調節後）の1週間以内および1カ月後，その後も定期的）に検査を行い，異常が認められた場合には，減量もしくは休薬。直ちにループ利尿薬，高K血症改善薬の投与など適切な処置を行う PA 脈拍（不整脈↑），筋力（↓）
女性化乳房（セララ）	男性にみられる女性のような乳房	減量もしくは中止によって通常減退ないしは消失するが，まれに持続する例もみられる
月経異常	月経の異常，月経不順，無月経	中止

■ 重大な副作用と妊婦・授乳婦への危険度

薬剤名	重大な副作用	妊婦［授乳婦］
セララ	高K血症	B ［㊟○］
ミネブロ	高K血症	―

■ その他の指導ポイント

	患者向け	薬剤師向け
使用上の注意	・この薬の服用中は，高所作業，車の運転等，危険を伴う機械の操作は行わないでください 食 この薬の服用中にセイヨウオトギリソウ（セント・ジョーンズ・ワート）を含む食品はとらないでください	降圧作用に基づくめまい等が現れることがあるため セイヨウオトギリソウにより本剤の代謝が促進され血中濃度低下のおそれがあるため併用注意
服用を忘れたとき	・〔ミネブロ〕思い出したときすぐに服用する。ただし次の服用時間が近いときは忘れた分は服用しない（2回分を1度に服用しないこと） ・〔セララ〕思い出したとき（1日以内）すぐに服用する（2回分を一度に服用しないこと）	

■ その他備考

▪ アルドステロンとは

　副腎皮質から分泌されるステロイドホルモン（鉱質コルチコイド）で，レニン・アンジオテンシン・アルドステロン系の最終生成物である。腎の遠位尿細管に作用してナトリウムや水の再吸収とカリウムの排泄を促進することで体液量を増加させ血圧を上昇させる。最近ではアルドステロンが心臓・血管・腎臓等の臓器障害に関与していることが明らかになっている。

19 降 圧 薬　⑨中枢性交感神経抑制薬

■ 対象薬剤
メチルドパ水和物（アルドメット），クロニジン塩酸塩（カタプレス）

■ 指導のポイント

	患 者 向 け	薬 剤 師 向 け
薬効	この薬は中枢に作用して末梢の血管を拡げ→て血圧を下げる薬です	中枢の α_2 受容体に作用し，交感神経活動抑制作用
詳しい薬効	この薬は，脳の特定部位（α_2 受容体）を刺激することによって血管が収縮する神経（交感神経）の緊張を抑え，末梢の血管を拡げて血圧を下げる薬です	
禁忌・併用禁忌	禁忌 ・本剤過敏症既往 　　　・〔アルドメット〕急性肝炎，慢性肝炎・肝硬変の活動期 併用禁忌 〔アルドメット〕⇔非選択的 MAO 阻害薬にて高血圧クリーゼ	

■ 主な副作用と対策，フィジカルアセスメントのチェックポイント

主な副作用	患者に確認すべき症状	対策と PA のチェックポイント
眠気	眠気	中止
抑うつ，倦怠感	やる気がおきない，気分がふさぎ込む，気分が落ち込む，不眠，体がだるい	〃
口渇	口・のどの渇き	中止 PA 口腔粘膜（乾燥）
レイノー様症状	体がだるい，顔が青白くなる，息苦しい，手・足の指先が白～紫色になりやがて赤くなる，手・足の指先の痛み，手足が冷たい，手足のかゆみ	適切な処置を行う PA 手足の指（蒼白）
陰萎	男性の性交不能	中止

■ 重大な副作用と妊婦・授乳婦への危険度

薬剤名	重大な副作用	妊婦[授乳婦]
アルドメット	溶血性貧血，白血球減少，血小板減少，無顆粒球症，脳血管不全症状，舞踏病アテトーゼ様不随意運動，両側性ベル麻痺，狭心症発作誘発，心筋炎，SLE 様症状，脈管炎，うっ血性心不全，骨髄抑制，中毒性表皮壊死融解症，肝炎	[⊗◎]
カタプレス	幻覚，錯乱	[⊗○]

■ その他の指導ポイント

	患者向け	薬剤師向け
使用上の注意	・〔アルドメット〕この薬の服用初期または薬の量が増えたときは，高所作業，車の運転等，危険を伴う機械の操作は行わないでください →	投与初期または増量時に眠気，脱力感が現れることがあるため
	・〔カタプレス〕この薬の服用中は，高所作業，車の運転等，危険を伴う機械の操作は行わないでください →	鎮静作用により反射運動等が減弱することがあるため
	・〔カタプレス〕服薬を急に中止するとまれに血圧が上昇したり，神経過敏，頻脈，不安感，頭痛などの症状が現れることがあるので，勝手に服用を中止しないでください →	急に投与を中止すると，まれに血圧の上昇，神経過敏，頻脈，不安感，頭痛等のリバウンド現象が現れることがあるので，投与を中止しなければならない場合には，高血圧治療で，一般的に行われているように，投与量を徐々に減らす
	・〔アルドメット〕尿を放置すると尿が黒くなることがありますが心配はありません →	尿を放置すると，メチルドパまたはその代謝物が分解され，尿が黒変することがあるため
	食〔カタプレス〕この薬の服用中にアルコールを飲むと，薬の作用が増強するので控えてください	相加的に鎮静作用が増強されるため併用注意
	食〔カタプレス〕この薬の服用中にヨヒンベをとるのを控えてください	効果（降圧作用）の減弱
服用を忘れたとき	思い出したときすぐに服用する。ただし次の服用時間が近いときは忘れた分は服用しない（2回分を一度に服用しないこと）	

■ その他備考

- 〔カタプレス〕ときに起立性低血圧が現れることがあるので，臥位のみならず立位または坐位で血圧測定を行い，体位変換による血圧変化を考慮し，坐位にて血圧をコントロールする

19 降圧薬 ⑩血管拡張薬

■ 対象薬剤
ヒドララジン塩酸塩（アプレゾリン）

■ 指導のポイント

	患者向け	薬剤師向け
薬効	この薬は末梢の血管を拡げて血圧を下げる薬です→	末梢血管拡張作用（動脈系）
詳しい薬効	この薬は，末梢の血管平滑筋に直接作用して血管を拡げ，血圧を下げる薬です	
禁忌	虚血性心疾患，大動脈弁狭窄，僧帽弁狭窄および拡張不全による心不全，高度の頻脈および高心拍出性心不全，肺高血圧症による右心不全，解離性大動脈瘤，頭蓋内出血急性期，本剤過敏症既往	

■ 主な副作用と対策，フィジカルアセスメントのチェックポイント

主な副作用	患者に確認すべき症状	対策とPAのチェックポイント
狭心症	冷や汗，胸がしめつけられる感じ，胸が押しつぶされるような感じ，胸の痛み，胸を強く押さえつけた感じ	投与を中止し，適切な処置を行う PA 前胸部（狭心痛），頸部・左肩へ（放散痛）
頭痛，動悸，頻脈	頭が痛い，胸がドキドキする，めまい，胸の痛み	中止 PA 脈拍（不整脈↑）
浮腫	体のむくみ，眼が腫れぼったい	中止 PA 体重（↑），尿量（↓），浮腫（上眼瞼，下腿脛骨）
劇症肝炎	発熱，意識がなくなる，意識の低下，考えがまとまらない，頭が痛い，目が黄色くなる，吐き気，吐く，食欲不振，羽ばたくような手のふるえ，皮膚が黄色くなる，尿が黄色い，判断力の低下	定期的に検査を行い，異常が認められた場合には投与を中止し，適切な処置を行う PA 体温（↑），意識レベル（肝性脳症：Ⅱ度以上），眼球（黄色），皮膚（皮疹，瘙痒感，黄色），尿（褐色）

■ 重大な副作用と妊婦・授乳婦への危険度

薬剤名	重大な副作用	妊婦[授乳婦]
アプレゾリン	SLE様症状（発熱，紅斑，関節痛，胸部痛等），劇症肝炎，肝炎，肝機能障害，黄疸，うっ血性心不全，狭心症発作誘発，麻痺性イレウス，呼吸困難，急性腎不全，溶血性貧血，汎血球減少，多発性神経炎，血管炎	[⊗○]

■ その他の指導ポイント

	患 者 向 け	薬 剤 師 向 け
使用上の注意	この薬の服用中は，車の運転等，危険を伴う機械の操作は行わないでください	降圧作用に基づくめまい等が現れることがあるため
服用を忘れたとき	思い出したときすぐに服用する。ただし次の服用時間が近いとき（3時間以内）は忘れた分は服用しない（2回分を一度に服用しないこと）	

日本高血圧学会による高血圧治療ガイドライン2019（JSH 2019）

①成人における血圧値の分類

　JSH 2019では診察室血圧120/80 mmHgを正常血圧と定義され，血圧分類の表に家庭血圧による分類が追加された。これまで「正常高血圧」とみなされていた130-139/85-89 mmHgは「高値血圧」に分類され，基準となる値は130-139/85-89 mmHgから130-139/80-89mmHgへと拡張期血圧の基準が5 mmHg引き下げられた。

分類	診察室血圧（mmHg）			家庭血圧（mmHg）		
	収縮期血圧		拡張期血圧	収縮期血圧		拡張期血圧
正常血圧	＜120	かつ	＜80	＜115	かつ	＜75
正常高値血圧	120-129	かつ	＜80	115-124	かつ	＜75
高値血圧	130-139	かつ/または	80-89	125-134	かつ/または	75-84
Ⅰ度高血圧	140-159	かつ/または	90-99	135-144	かつ/または	85-89
Ⅱ度高血圧	160-179	かつ/または	100-109	145-159	かつ/または	90-99
Ⅲ度高血圧	≧180	かつ/または	≧110	≧160	かつ/または	≧100
（孤立性）収縮期高血圧	≧140	かつ	＜90	≧135	かつ	＜85

（日本高血圧学会高血圧治療ガイドライン作成委員会・編：高血圧治療ガイドライン2019，p 18, ライフサイエンス出版，2019）

②異なる測定法における高血圧基準

　家庭血圧の測定は，患者の治療継続率を改善するとともに，降圧治療薬による過剰な降圧，あるいは不十分な降圧を評価するのに役立つ。服薬前の測定は，薬効の持続時間の評価に有用である。診察室血圧と家庭血圧の間に診断の差がある場合，家庭血圧による診断を優先する。

	収縮期血圧（mmHg）		拡張期血圧（mmHg）
診察室血圧	≧140	かつ/または	≧90
家庭血圧	≧135	かつ/または	≧85
自由行動下血圧　24時間	≧130	かつ/または	≧80
昼間	≧135	かつ/または	≧85
夜間	≧120	かつ/または	≧70

（日本高血圧学会高血圧治療ガイドライン作成委員会・編：高血圧治療ガイドライン2019，p 19, ライフサイエンス出版，2019）

③診察室血圧に基づいた脳心血管病リスク層別化

高値血圧レベル以上（130/80 mmHg以上）では，血圧レベルおよびその他の予後影響因子から，高リスク，中等リスク，低リスクの3群に層別化される。

リスク層 \ 血圧分類	高値血圧 130-139/80-89 mmHg	I 度高血圧 140-159/90-99 mmHg	II 度高血圧 160-179/100-109 mmHg	III 度高血圧 ≧180/≧110 mmHg
リスク第一層 予後影響因子がない	低リスク	低リスク	中等リスク	高リスク
リスク第二層 年齢（65歳以上），男性，脂質異常症，喫煙のいずれかがある	中等リスク	中等リスク	高リスク	高リスク
リスク第三層 脳心血管病既往，非弁膜症性心房細動，糖尿病，蛋白尿のあるCKDのいずれか，または，リスク第二層の危険因子が3つ以上ある	高リスク	高リスク	高リスク	高リスク

JALSスコアと久山スコアより得られる絶対リスクを参考に，予後影響因子の組合せによる脳心血管病リスク層別化を行った。

層別化で用いられている予後影響因子は，血圧，年齢（65歳以上），男性，脂質異常症，喫煙，脳心血管病（脳出血，脳梗塞，心筋梗塞）の既往，非弁膜症性心房細動，糖尿病，蛋白尿のあるCKDである。

（日本高血圧学会高血圧治療ガイドライン作成委員会・編：高血圧治療ガイドライン2019, p 50, ライフサイエンス出版, 2019）

④初診時の血圧レベル別の高血圧管理計画

リスクの層別化に応じた治療計画を立て，生活習慣の修正をすべての患者に徹底させながら，降圧目標達成のために必要に応じて降圧治療を開始する。

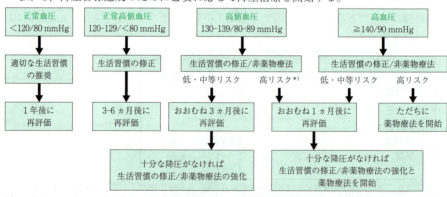

*1 高値血圧レベルでは，後期高齢者（75歳以上），両側頸動脈狭窄や脳主幹動脈閉塞がある，または未評価の脳血管障害，蛋白尿のないCKD，非弁膜症性心房細動の場合は，高リスクであっても中等リスクと同様に対応する。その後の経過で症例ごとに薬物療法の必要性を検討する。

（日本高血圧学会高血圧治療ガイドライン作成委員会・編：高血圧治療ガイドライン2019, p 51, ライフサイエンス出版, 2019）

⑤降圧目標

　JSH 2019 では，年齢による分類表現と降圧目標が変更され，若年・中年・前期高齢者患者が 140/90 mmHg 未満から 75 歳未満の成人 130/80 mmHg 未満へ，後期高齢者患者が 150/90 mmHg 未満から 75 歳以上の患者 140/90 mmHg 未満へと引き下げられた。その他，冠動脈疾患患者の降圧目標が 130/80 mmHg に変更されるなど，全体として血圧管理が厳格化された。

	診察室血圧 (mmHg)	家庭血圧 (mmHg)
75歳未満の成人[*1] 脳血管障害患者 　（両側頸動脈狭窄や脳主幹動脈閉塞なし） 冠動脈疾患患者 CKD患者（蛋白尿陽性）[*2] 糖尿病患者 抗血栓薬服用中	<130/80	<125/75
75歳以上の高齢者[*3] 脳血管障害患者 　（両側頸動脈狭窄や脳主幹動脈閉塞あり，または未評価） CKD患者（蛋白尿陰性）	<140/90	<135/85

[*1] 未治療で診察室血圧 130-139/80-89 mmHg の場合は，低・中等リスク患者では生活習慣の修正を開始または強化し，高リスク患者ではおおむね 1 ヵ月以上の生活習慣修正にて降圧しなければ，降圧薬治療の開始を含めて，最終的に 130/80 mmHg 未満を目指す。すでに降圧薬治療中で 130-139/80-89 mmHg の場合は，低・中等リスク患者では生活習慣の修正を強化し，高リスク患者では降圧薬治療の強化を含めて，最終的に 130/80 mmHg 未満を目指す。
[*2] 随時尿で 0.15 g/gCr 以上を蛋白尿陽性とする。
[*3] 併存疾患などによって一般に降圧目標が 130/80 mmHg 未満とされる場合，75 歳以上でも忍容性があれば個別に判断して 130/80 mmHg 未満を目指す。

降圧目標を達成する過程ならびに達成後も過降圧の危険性に注意する。過降圧は，到達血圧のレベルだけでなく，降圧幅や降圧速度，個人の病態によっても異なるので個別に判断する。
（日本高血圧学会高血圧治療ガイドライン作成委員会・編：高血圧治療ガイドライン 2019, p 53, ライフサイエンス出版, 2019）

⑥主要降圧薬の積極的適応

	Ca拮抗薬	ARB/ACE阻害薬	サイアザイド系利尿薬	β遮断薬
左室肥大	●	●		
LVEFの低下した心不全		●[*1]	●	●[*1]
頻脈	●(非ジヒドロピリジン系)			●
狭心症	●			●[*2]
心筋梗塞後		●		●
蛋白尿/微量アルブミン尿を有するCKD		●		

[*1] 少量から開始し,注意深く漸増する [*2] 冠攣縮には注意
(日本高血圧学会高血圧治療ガイドライン作成委員会・編:高血圧治療ガイドライン 2019, p77, ライフサイエンス出版, 2019)

⑦主要降圧薬の禁忌や慎重投与となる病態

	禁忌	慎重投与
Ca拮抗薬	徐脈(非ジヒドロピリジン系)	心不全
ARB	妊娠	腎動脈狭窄症[*1] 高カリウム血症
ACE阻害薬	妊娠 血管神経性浮腫 特定の膜を用いるアフェレーシス/血液透析[*2]	腎動脈狭窄症[*1] 高カリウム血症
サイアザイド系利尿薬	体液中のナトリウム,カリウムが明らかに減少している病態	痛風 妊娠 耐糖能異常
β遮断薬	喘息 高度徐脈 未治療の褐色細胞腫	耐糖能異常 閉塞性肺疾患 末梢動脈疾患

[*1] 両側性腎動脈狭窄の場合は原則禁忌
(日本高血圧学会高血圧治療ガイドライン作成委員会・編:高血圧治療ガイドライン 2019, p77, ライフサイエンス出版, 2019)

⑧積極的適応がない場合の降圧治療の進め方

*¹ 高齢者では常用量の1/2から開始。1-3ヵ月間の間隔で増量
(日本高血圧学会高血圧治療ガイドライン作成委員会・編:高血圧治療ガイドライン2019, p78, ライフサイエンス出版, 2019)

高血圧の日常生活と食事療法のポイント

　高血圧であっても多くの場合，特別な自覚症状が現れません。ところが，高血圧を放っておくと血管や心臓に負担がかかり，脳卒中や，狭心症・心筋梗塞などの心臓病，腎臓病を引き起こす場合があります。
　このような病気を未然に防ぐためにも，高血圧の予防および治療が大切です。減塩・減量・節酒や運動などの生活習慣を改善すること自体で血圧を下げる効果があります。

【日常生活】
1．規則正しい生活を行い，睡眠を十分にとりましょう。
2．家庭でも血圧を測りましょう。
   ・家庭では，リラックスした状態で測ることができるので，家庭で測定した血圧値は治療の参考になります。
   ・血圧の測定は，朝起床後1時間以内，排尿後，朝の服用前，朝食前，および晩（就床前）に，座った姿勢で1～2分の安静後に測定しましょう。
   ・正確に測定できる血圧計を選びましょう。上腕にカフを巻いて測るタイプがおすすめです。指先や手首で測るタイプは正確性に欠けます。
   ・左右どちらの腕で測っても問題ありませんが，左右どちらか一方に決めて測るようにしましょう。
   ・1機会に原則2回測定し，測定した血圧値はすべて記録し，診察時に医師に見せるようにしましょう。
3．適度な運動をしましょう。
   ・早歩きやランニング，水中歩行などの有酸素運動をしましょう。
   ・1日30分以上，できれば毎日，または週180分以上行いましょう。
   ・心不全や脳卒中などの病気がある方は運動を禁止あるいは制限した方がよいので医師の指示に従いましょう。
4．過度の飲酒は避けましょう。
   ・男性で1日日本酒1合，またはビール中びん1本（500 mL），焼酎半合弱，ウイスキーダブル1杯，ワイン2杯弱程度にしましょう。女性では男性の半分程度にしましょう。
5．禁煙しましょう。
   ・タバコはがんの発生や心筋梗塞，脳卒中の危険因子です。高血圧の方は合併症の予防のために禁煙しましょう。
6．心身をリラックスさせましょう。
   ・過度のストレスを避け，ストレスを解消する工夫をしましょう。
   ・寒さは血圧を上げます。冬場外出するときはマフラーや手袋をしましょう。ま

た，トイレや脱衣所なども暖房しましょう。
- 入浴は38〜42℃くらいで5〜10分にしましょう。また冷水浴やサウナも避けましょう。

7. 便秘は大敵，毎日排便する習慣をつけましょう。
- 排便時のいきみは血圧を上げます。便秘がちな人は食生活などに注意して便秘解消に努めましょう。

8. 特定保健用食品（トクホ）の使用については医師に相談しましょう。
- 正常よりも血圧が高めの人を対象とした特定保健用食品「血圧が高めの方に適した食品」があります。これは治療を目的としたものではなく，降圧薬の代わりにはなりません。
- 高血圧症の治療中で，特定保健用食品を使用したい場合には，医師に相談しましょう。
- 医師と相談の上，特定保健用食品を使用する場合には，表示されている1日当たりの摂取目安量を守りましょう。
- 「血圧が高めの方に適した食品」の種類によっては，まれに咳が出ることがあります。

【食事療法】

1. 塩分は1日6g未満にしましょう。
- 塩分のとりすぎは血圧を上昇させます。（日本人の1日の食塩摂取量は10g前後）
- 調味料を控え薄味に慣れましょう。また，ほとんどの加工食品に食塩が含まれているので，控えるようにしましょう。
- みそ汁やすまし汁等は，具を多くし，汁まで吸わないようにしましょう。また，ラーメンやうどん等の麺類もつゆを飲まないようにしましょう。
- 薄味でもおいしく食べられる新鮮な素材を選びましょう。

2. 栄養バランスのとれた食事をしましょう。
- 野菜や果物には血圧を下げる作用がありますので，積極的にとるようにしましょう。しかし，腎障害がある場合には積極的にとらないようにしましょう。また，果物は糖分が多く，摂取カロリーが増えてしまうので，糖尿病の方は控えるようにしましょう。
- コレステロールや飽和脂肪酸は動脈硬化を進めるので，控えるようにしましょう。
- 肥満の人は，甘いもの・動物性脂肪の多いものは控えて標準体重になる食事量にしましょう。4kgの減量でも血圧を下げることが期待できます。

3. 献立に工夫しましょう。
- 季節の香り・風味・盛りつけを大切にしましょう。
- 調味料（酢のもの，ごま油），香辛料，柑橘類を上手に使いましょう。

20 心不全治療薬

■ 心不全治療薬―薬物治療の確認と指導のポイント

項目	確認のポイント
心不全の重症度(ステージA~D分類)と治療薬の確認	ステージA：器質的疾患なし，心不全症状なし。ACE阻害薬やARBの投与 ステージB：器質的心疾患あり，心不全症候なし。β遮断薬追加を考慮 ステージC：器質的心疾患あり，心不全症候あり。治療は左室駆出率の低下した心不全と左室駆出率の保たれた心不全で分かれる（心不全治療アルゴリズム（p.330）参照） ・左室駆出率の低下した心不全（HFrEF：LVEF40％未満） 　→ ACE阻害薬/ARB＋β遮断薬＋MRA ➡ ACE阻害薬/ARBからARNIへの切り替え＋SGLT2 　（併用薬）うっ血に対し利尿薬，洞調律75拍/分以上イバブラジン，必要に応じてジギタリス，血管拡張薬投与 ・左室駆出率の保たれた心不全（HFpEF：LVEF50％以上） 　→ うっ血に対し利尿薬，併存症に対する治療 ステージD：治療抵抗性（難治性・末期）心不全。強心薬の静注やANP製剤（カルペリチド），トルバプタン追加を考慮
症状や身体所見，検査値等から心不全の状態と治療効果の評価	左心不全の症状：左心機能低下により心拍出量低下と肺うっ血をきたし，労作時の呼吸困難や動悸，低血圧，四肢チアノーゼ，起坐呼吸，意識障害，乏尿を引き起こす（肺野に水泡音が聴診できる） 右心不全の症状：右心の機能低下により右心心拍出量低下と体静脈うっ血をきたし，頸静脈怒張，悪心・嘔吐，食欲不振，浮腫，浮腫に伴う体重増加，腹水による腹部膨満感，肝腫大，右季肋部痛などを引き起こす 検査値：心不全マーカー：BNP（脳性ナトリウム利尿ペプチド），NT-proBNP（付録：検査値の読み方 p.1066参照） 胸部X線像：心陰影の拡大（心胸郭比の増大），蝶形像（肺門部を中心とした浸潤影・すりガラス陰影），肺血管陰影の増強
心不全治療薬選択の確認	1. 前負荷[*]の軽減：利尿薬，硝酸薬 2. 後負荷[*]の軽減：硝酸薬，ACE阻害薬，ARB 3. 心筋収縮力の増強：強心薬 4. 心保護作用をもち長期予後の改善に働く薬剤：ACE阻害薬，ARB，ARB・NEP阻害薬，抗アルドステロン薬（スピロノラクトン，エプレレノン），β遮断薬（カルベジロール，ビソプロロール），SGLT2阻害薬（ダパグリフロジン），sGC刺激薬（ベルイシグアト） 5. 心拍数抑制：HCNチャネル阻害薬（イバブラジン）
原因疾患や合併症の治療状態を確認	虚血性心疾患，弁膜症，心筋症，高血圧など
QOLの向上，心不全の増悪防止，予後の改善を目指すため生活上の一般管理の指導を実施	・塩分・水分制限，肥満解消，適度な運動，節酒，ストレス軽減 ・感染予防のためのインフルエンザワクチン接種の推奨，禁煙教育・支援の実施

項目	確認のポイント
患者，家族および介護者に対する薬物治療に関する指導の強化の実施	薬剤名，服薬方法に関する指示内容，副作用に関する情報提供を実施。さらに，定期的に治療アドヒアランスの評価，副作用のモニタリングなどを行い，必要に応じて治療内容の是正，患者教育の強化などを行う

* ・前負荷軽減：静脈の拡張→静脈還流量↓，アルドステロン分泌↓→体液量↓，利尿作用→循環血液量↓
　これらの作用で肺水腫や浮腫の改善
・後負荷軽減：血管拡張作用（主に細動脈の拡張）→末梢血管抵抗↓

左室駆出率（LVEF：left ventricular ejection fraction）
LVEF の低下した心不全（HFrEF：heart failure with reduced ejection fraction）
　　　　　　　　　左室駆出率（LVEF）40％未満
LVEF の保たれた心不全（HFpEF：heartfailure with preserved ejection fraction）
　　　　　　　　　（左室駆出率（LVEF）50％以上）
LVEF が軽度低下した心不全（HFmrEF：heart failure with midrange ejection fraction）
　　　　　　　　　（左室駆出率（LVEF）40％以上50％未満）

■心不全治療アルゴリズム

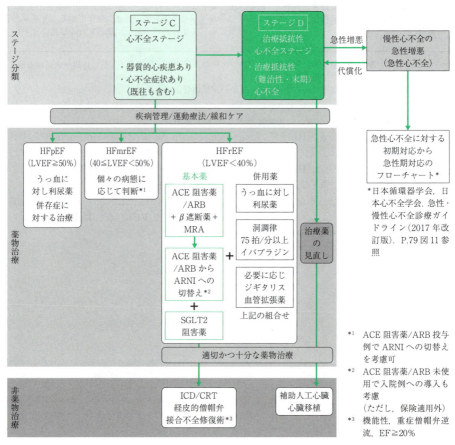

(日本循環器学会/日本心不全学会合同ガイドライン：2021年 JCS/JHFS ガイドライン フォーカスアップデート版 急性・慢性心不全治療, p13, 2021 (https://www.j-circ.or.jp/cms/wp-content/uploads/2021/03/JCS2021_Tsutsui.pdf), 2022年3月閲覧)
・LVEF（left ventricular ejection fraction）：左室駆出率
・HFrEF（heart failure with reduced ejection fraction）：LVEF の低下した心不全（左室駆出率（LVEF）40%未満）
・HFpEF（heartfailure with preserved ejection fraction）：LVEF の保たれた心不全（左室駆出率（LVEF）50%以上）
・HFmrEF（heart failure with midrange ejection fraction）：LVEF が軽度低下した心不全（左室駆出率（LVEF）40%以上50%未満）

20 心不全治療薬　①強心薬— a)強心配糖体

■ 対象薬剤

ジゴキシン（ジゴキシン，ジゴシン，ハーフジゴキシンKY），メチルジゴキシン（ラニラピッド）

■ 指導のポイント

	患者向け	薬剤師向け
薬効	この薬は心臓の筋肉に直接働き，心臓の収縮力を高め，息切れや息苦しさなどの症状を改善する薬です	心筋収縮力増強作用，利尿作用
	☆この薬は，脈をゆっくりにする薬です →	徐脈作用，抗不整脈作用
詳しい薬効	この薬は，心臓の収縮に必要なカルシウムを取り込み，心臓の収縮力を高め，尿を出し，息切れや息苦しさなどの症状を改善する薬です	
禁忌	房室ブロック，洞房ブロック，ジギタリス中毒，閉塞性心筋疾患，本剤またはジギタリス剤過敏症既往	

■ 主な副作用と対策，フィジカルアセスメントのチェックポイント

主な副作用	患者に確認すべき症状	対策とPAのチェックポイント
消化器症状	食欲がない，吐き気，嘔吐，下痢	ジギタリス中毒の症状として現れることがあるので心電図，血中濃度測定，腎機能，血清電解質（K，Ca，Mg）の測定等を行い減量もしくは休薬を実施する PA 脈拍（不整脈，徐脈）
不整脈（徐脈，多源性心室性期外収縮等）	脈が遅い，どきどきする，胸の不快感，胸が痛む	
目，神経系症状	めまい，頭痛，取り乱す，目の前がチカチカ光る	

■ 重大な副作用と妊婦・授乳婦への危険度

薬剤名	重大な副作用	妊婦[授乳婦]
ジゴキシン，ジゴシン，ハーフジゴキシン	ジギタリス中毒，非閉塞性腸間膜虚血	[❊◎]
ラニラピッド		[❊○]

■ その他の指導ポイント

	患者向け	薬剤師向け
使用上の注意	・症状が回復したと思っても医師の指示どおりに服用してください	血中濃度の治療域はジゴキシンで1～2 ng/mLであり,継続的に服用しなければ血中濃度の低下により発作が起こる可能性があるため,指示されたとおり正しく服用するよう指導する
	食 この薬を服用中にセイヨウオトギリソウ(セント・ジョーンズ・ワート)を含む食品はとらないでください	本剤の血中濃度が低下し,作用が減弱するため併用注意
	食 この薬の服用中にビタミンD補給用健康食品はとらないでください	ビタミンD製剤により血中Ca値が上昇し本剤の作用を増強するため併用注意
	食〔ジゴキシン,ジゴシン〕この薬を服用中にカンゾウ・エゾウコギ(シベリアニンジン)・綿実油・セイヨウサンザシを含む食品はとらないでください	副作用の出現(ジギタリス中毒の出現)のため
	食 この薬の服用中に食物繊維を含む食品(ガラクトマンナン,小麦ふすま,ポリデキストロース,サイリウム種皮,低分子アルギン酸Na,難消化性デキストリン等:お腹の調子を整える特定保健用食品)を一緒にとらないでください	同時服用により薬剤の吸収が遅れる可能性
	食〔ジゴキシン,ジゴシン〕この薬を服用中にオオバコを含む食品を一緒にとらないでください	オオバコの種子により薬剤の消化管吸収が減少し,血中ジゴキシン濃度が低下
服用を忘れたとき	飲み忘れに気づいても服用しない。次の服用時に決められた用量を服用する(2回分を一度に服用しないこと)	

■ その他備考
■ 強心配糖体(経口)の体内動態

	ジゴキシン	ラニラピッド
作用発現開始時間	30～60 min	5～15 min
最大効果発現時間	3～6 h	1～2 h
効果持続時間	2～6日	5～8日
体内から完全に排泄されるのに要する時間	8日	7日以上
生物学的半減期	36 h	20～24 h
1日排泄率	33%中30%は尿中排泄 残りの3%は糞便中	18～22%
腸管吸収率	60～85%	ほぼ100%
腸肝循環率	6.5%	あり

至適有効血中濃度	0.8～2 ng/mL	0.8～2 ng/mL（ジゴキシンとして）
中毒血清濃度	2 ng/mL 以上の 66.6％が中毒例，2.6 ng/mL 以上では全例が中毒	2 ng/mL 以上
血漿蛋白結合率	一般的にはアルブミン結合率は 25％であるが，他の組織蛋白，心筋への結合が高い	29.8 ± 3.4％
主たる代謝および排泄	60～70％は原形のまま腎より排泄，20～30％が主に肝臓代謝	腎排泄

20 心不全治療薬　①強心薬— b)β受容体刺激薬

■ 対象薬剤
カテコラミン：ドカルパミン（**タナドーパ**）
カテコラミン近縁薬：デノパミン（**カルグート**）

■ 指導のポイント

	患者向け	薬剤師向け
薬効	・この薬は心臓の収縮力を高め，息切れや息苦しさなどの症状を改善する薬です ・この薬は腎臓の血のめぐりをよくして尿量を増やす薬です	心筋収縮力増強作用（心筋 β_1 受容体選択的刺激作用） 腎血流・尿量増加作用
詳しい薬効	この薬は，心臓の収縮力を強くするホルモン（カテコラミン）と同じ作用を現し，心臓の特定部位（β受容体）に働いて，心臓の収縮力を高め，尿を出し，息切れや息苦しさなどの症状を改善する薬です	
禁忌	〔タナドーパ〕褐色細胞腫	

■ 主な副作用と対策，フィジカルアセスメントのチェックポイント

主な副作用	患者に確認すべき症状	対策と PA のチェックポイント
不整脈（頻脈，心室性期外収縮等）	どきどきする，胸の不快感，胸が痛む	減量もしくは休薬または抗不整脈薬の投与をおこなう PA 脈拍（不整脈，頻脈）

■ 重大な副作用と妊婦・授乳婦への危険度

薬剤名	重大な副作用	妊婦[授乳婦]
タナドーパ	心室頻拍等不整脈，肝機能障害・黄疸	－

薬剤名	重大な副作用	妊婦[授乳婦]
カルグート	心室頻拍等不整脈	−

■ その他の指導ポイント

服用を忘れたとき	思い出したときすぐに服用する。ただし次の服用時間が近いとき（3～5時間以内）は忘れた分は服用しない（2回分を一度に服用しないこと）

■ その他備考

- 〔タナドーパ〕ドパミン，ドブタミン注射液少量持続点滴療法（5 μg/kg/min 未満）の実施時（発症後約1週間），点滴剤からの早期離脱を必要とする場合に切り換える

20 心不全治療薬　①強心薬— c)Ca 感受性増強薬

■ 対象薬剤

ピモベンダン（ピモベンダン）

■ 指導のポイント

	患者向け	薬剤師向け
薬効	この薬は心臓の収縮力を高め，息切れや息苦しさなどの症状を改善する薬です	心筋収縮力増強作用（心筋 Ca^{2+} 感受性増強作用，PDE-Ⅲ活性抑制作用）
詳しい薬効	この薬は心筋の収縮に必要なカルシウムを効率よく生体で利用させ，心臓の収縮力を高め，息切れや息苦しさなどの症状を改善する薬です	

■ 主な副作用と対策，フィジカルアセスメントのチェックポイント

主な副作用	患者に確認すべき症状	対策と PA のチェックポイント
不整脈（心室性期外収縮，心房細動等）	どきどきする，胸の不快感，胸が痛む	減量もしくは休薬または抗不整脈薬の投与を行う PA 脈拍（不整脈・頻脈・徐脈）

■ 重大な副作用と妊婦・授乳婦への危険度

薬剤名	重大な副作用	妊婦[授乳婦]
ピモベンダン	心室細動，心室頻拍，心室性期外収縮，肝機能障害，黄疸	−

その他の指導ポイント

服用を忘れたとき	思い出したときすぐに服用する。ただし次の服用時間が近いときは忘れた分は服用しない(2回分を一度に服用しないこと)

20　心不全治療薬　①強心薬— d)心筋代謝賦活薬

■ 対象薬剤

ユビデカレノン（ノイキノン）

■ 指導のポイント

	患者向け	薬剤師向け
薬効	この薬は心臓の収縮力を高め，息切れや息苦しさなどの症状を改善する薬です	虚血心筋での酸素利用効率改善，心筋でのATP産生賦活，低下した心機能の改善，抗アルドステロン作用
詳しい薬効	この薬は酸素が不足した状態の心筋に酸素を効率よく利用させて，心臓の収縮力を高め，息切れや息苦しさなどの症状を改善する薬です	

■ 主な副作用と対策

主な副作用	患者に確認すべき症状	対策
消化器症状	食欲がない，吐き気，胃の調子が悪い	胃腸薬の併用を検討する

■ 重大な副作用と妊婦・授乳婦への危険度

薬剤名	重大な副作用	妊婦[授乳婦]
ノイキノン	—	[⊗○]

■ その他の指導ポイント

服用を忘れたとき	思い出したときすぐに服用する。ただし次の服用時間が近いときは忘れた分は服用しない(2回分を一度に服用しないこと)

20 心不全治療薬　②アンジオテンシン受容体ネプリライシン阻害薬（ARB・NEP阻害薬）

■ 対象薬剤
サクビトリルバルサルタンナトリウム水和物（エンレスト）

■ 指導のポイント

	患者向け	薬剤師向け
薬効	この薬は血圧を下げ体内にたまる水分量を→減らして心臓への負担を軽くし，高血圧や心不全の悪化を抑制する薬です	ネプリライシン阻害作用およびアンジオテンシンⅡ受容体拮抗による降圧作用，水分貯留の改善
詳しい薬効	この薬は体内でネプリライシン（NEP）阻害作用を持つサクビトリルとアンジオテンシンⅡ受容体拮抗作用を持つバルサルタンに解離します。ネプリライシン阻害によりナトリウム利尿ペプチドが増加しアルドステロン分泌抑制作用，利尿作用，心肥大抑制作用を現し，アンジオテンシンⅡ受容体拮抗作用により心肥大，心血管リモデリング異常に対する作用を現します。ネプリライシンとレニン・アンジオテンシン・アルドステロン系（RAAS）を同時に阻害することで血圧を下げ体内にたまる水分量を減らして，高血圧や慢性心不全の悪化を抑える薬です	
禁忌・併用禁忌	【禁忌】本剤過敏症既往，血管浮腫の既往，重篤な肝機能障害，妊婦　【併用禁忌】アラセプリル，イミダプリル，エナラプリル，カプトプリル，キナプリル，シラザプリル，テモカプリル，デラプリル，トランドラプリル，ベナゼプリル，ペリンドプリル，リシノプリル投与中あるいは投与中止から36時間以内で血管浮腫発現のおそれ，アリスキレン投与中の糖尿病患者で非致死性脳卒中・腎機能障害・高K血症・低血圧のリスク増加	

■ 主な副作用と対策，フィジカルアセスメントのチェックポイント

主な副作用	患者に確認すべき症状	対策とPAのチェックポイント
血管浮腫	唇・まぶた・舌・口の中・顔・首が急に腫れる，のどがつまる感じ，息苦しい，声が出にくい	適切な処置。血管浮腫が消失しても再投与しない　PA 皮膚，粘膜（口唇，咽頭，眼瞼，頬部，頸部の発作性浮腫）
腎機能障害	むくみ，尿量が減る，体がだるい	投与開始後1カ月間に多く発現。併用薬の用量調節又は本剤の減量　PA 尿量（↓），体重（↑），浮腫（上眼瞼，下腿脛骨）
低血圧	脱力感，めまい，ふらつき，立ちくらみ，意識の消失	投与開始時及び増量時多く発現。併用の利尿薬及び降圧薬の用量を調節。減量又は一時中断　PA 血圧（↓）

主な副作用	患者に確認すべき症状	対策とPAのチェックポイント
高カリウム血症	体のしびれ，体に力が入らない，吐き気，嘔吐，下痢	カリウム摂取量の減量もしくは併用薬の用量調節又は本剤の一時減量。腎機能障害患者等は血清カリウム値をモニタリング PA 筋力（↓），脈拍（不整脈↑）
脱水	のどが渇く，頭痛，ふらつき	減量，投与中止。補液投与 PA 皮膚，粘膜（口唇，咽頭，眼瞼，頬部，頸部の発作性浮腫）

■ 重大な副作用と妊婦・授乳婦への危険度

薬剤名	重大な副作用	妊婦[授乳婦]
エンレスト	血管浮腫，腎機能障害，腎不全，低血圧，高カリウム血症，ショック，失神，意識消失，無顆粒球症，白血球減少，血小板減少，間質性肺炎，低血糖，横紋筋融解症，中毒性表皮壊死融解症，皮膚粘膜眼症候群，多形紅斑，天疱瘡，類天疱瘡，肝炎	禁忌/D [授△]

■ その他の指導ポイント

	患者向け	薬剤師向け
使用上の注意	・アンジオテンシン変換酵素阻害薬をお飲みの方は必ずご相談ください→ ・この薬の服用中は，高所作業，車の運転等，危険を伴う機械の操作に注意してください→ ・手術を行う予定のある方はご相談ください→ ・妊娠中または妊娠の可能性のある方は必ずご相談ください→	併用により血管浮腫のおそれ。本剤とACE阻害薬を切り替え時は36時間あけること 降圧作用に基づくめまい，ふらつきが現れることがあるため 麻酔及び手術中にレニン・アンジオテンシン系の抑制作用により低血圧を起こす可能性があるため，手術前24時間は投与しないことが望ましい ラット等で胚・胎児致死及び催奇形性が認められた報告があるため投与禁忌
服用を忘れたとき	思い出したときすぐに服用する。ただし次の服用時間が近いときは忘れた分は服用しない（2回分を一度に服用しないこと）	

20 心不全治療薬　③ HCN チャネル阻害薬

■ 対象薬剤

イバブラジン塩酸塩（コララン）

■ 指導のポイント

	患者向け	薬剤師向け
薬効	この薬は心臓の過剰な働きを緩やかにする→ことにより心拍数を減少させて心不全の悪化を防ぐ薬です	HCN4 チャネル（過分極活性化環状ヌクレオチド依存性）阻害による心拍数減少（洞調律かつ投与開始時の安静時心拍数が 75 回/分以上の慢性心不全が対象）
詳しい薬効	この薬は心臓の洞結節にある HCN チャネルへの Na^+ の流入を抑制することにより，ペースメーカー電流の発生を抑制します。その結果，第 4 相の脱分極の立ち上がりが緩やかになり，心拍数を減少させて心不全の悪化を防ぐ薬です。洞調律かつ投与開始時の安静時心拍数が 75 回/分以上の慢性心不全が対象になります	
禁忌・併用禁忌	禁忌 本剤過敏症既往，不安定または急性心不全，心原性ショック，高度の低血圧，洞不全症候群，洞房ブロックまたは第三度房室ブロック，重度の肝機能障害，妊婦 併用禁忌 ノービア，ジョサマイシン，イトラコナゾール，クラリスロマイシン，スタリビルド配合，ボリコナゾール，ベラパミル，ジルチアゼムにて過度の徐脈	

■ 主な副作用と対策，フィジカルアセスメントのチェックポイント

主な副作用	患者に確認すべき症状	対策と PA のチェックポイント
心房細動	動悸，胸の不快感，めまい，脈がとぶ	中止 PA 不整脈（↑）
徐脈	めまい，立ちくらみ，息切れ，脈が遅くなる，脈がとぶ，気を失う	安静時心拍数 50 回/分以下または徐脈症状が認められた場合段階的に減量 PA 安静時目標心拍数（50～60 回/分），脈拍（↓），不整脈（↑）
光視症，霧視	視野の隅に稲妻のような光が走る，霧がかかったような見え方	減量または中止

■ 重大な副作用と妊婦・授乳婦への危険度

薬剤名	重大な副作用	妊婦[授乳婦]
コララン	徐脈，光視症，霧視，房室ブロック，心房細動，心電図 QT 延長	禁忌

■ その他の指導ポイント

	患者向け	薬剤師向け
使用上の注意	・この薬の服用中は車の運転等, 危険を伴う機械の操作をする際には十分注意してください	光視症, 霧視, めまい, ふらつきが現れることがあるため (光視症, 霧視は投与開始から3カ月以内に発現しやすい)
	・妊娠中または妊娠の可能性がある方は必ずご相談ください	ラット等で胎児毒性及び催奇形性が報告されているため投与禁忌
	食 この薬の服用中にグレープフルーツジュースは飲まないでください	グレープフルーツに含まれるCYP3Aによる本剤の代謝阻害で血中濃度上昇し過度の徐脈発現の可能性で併用注意
	食 この薬の服用中にセイヨウオトギリソウ (セント・ジョーンズ・ワート) を含む食品は摂らないでください	CYP3Aによる本剤の代謝が促進され血中濃度低下により心拍数減少作用が減弱するおそれのため併用注意
	検 定期的に心拍数を測定してください	徐脈が現れるおそれがあるため
	検 定期的に心電図検査をしてください	心房細動が現れるおそれがあるため
服用を忘れたとき	思い出したときすぐに服用する。ただし次の服用時間が近いときは忘れた分は服用しない (2回分を一度に服用しないこと)	

20 心不全治療薬 ④ SGLT2阻害薬

■ 対象薬剤

ダパグリフロジンプロピレングリコール水和物 (フォシーガ), エンパグリフロジン (ジャディアンス)

＊フォシーガ, ジャディアンスはNo.57 糖尿病治療薬⑤ (p.816) 参照

■ 指導のポイント

	患者向け	薬剤師向け
薬効	・この薬は心血管死や心不全悪化を抑制する薬です (フォシーガ, ジャディアンス 10 mg)	SGLT2阻害作用 利尿作用, 交感神経過剰興奮低減作用, 心筋エネルギー代謝効率改善作用
	☆この薬は血液中の過剰なブドウ糖を尿中に排泄させることによって血糖値を下げる薬です (参) No.57 糖尿病治療薬⑤	腎近位尿細管に発現するSGLT2阻害作用によるブドウ糖再吸収抑制作用
	☆この薬は腎臓を保護する作用があり慢性腎臓病に用いる薬です (フォシーガ) (参) No.53 腎疾患治療薬⑥	SGLT2阻害作用 腎保護作用, 腎尿細管障害の低減

詳しい薬効	この薬は利尿作用による体液量の減少で心負荷の軽減や交感神経過剰興奮抑制による血圧上昇を緩和し，さらに心筋収縮力の改善などにより心血管死や心不全悪化を抑制する薬です

20　心不全治療薬　⑤ sGC 刺激薬

■ 対象薬剤
ベルイシグアト（ベリキューボ）

■ 指導のポイント

	患者向け	薬剤師向け
薬効	この薬は血管拡張作用と心機能を改善させることにより心不全の悪化を防ぐ薬です	可溶性グアニル酸シクラーゼ（sGC）刺激による血管拡張作用・心機能改善作用
詳しい薬効	慢性心不全では NO（一酸化窒素）の利用能が障害されて sGC（可溶性グアニル酸シクラーゼ）が十分に刺激されずに cGMP（サイクリック GMP）が低下している状態です。この薬は血管と心臓の sGC を刺激して血管を拡げる物質（cGMP）の生成を促すことにより，血管を拡張し心機能を改善して，心不全の悪化を防ぐ薬です	
禁忌・併用禁忌	禁忌　本剤過敏症既往	
	併用禁忌　リオシグアトにて症候性低血圧を起こすおそれ	

■ 主な副作用と対策，フィジカルアセスメントのチェックポイント

主な副作用	患者に確認すべき症状	対策と PA のチェックポイント
不動性めまい，頭痛，動悸，血圧低下	頭が痛い，どきどきする，目が回る，血圧が下がる	減量もしくは中止 PA 脈拍（↑），血圧（↓）
消化器症状	便秘，下痢，腹痛，吐き気	減量もしくは中止

■ 重大な副作用と妊婦・授乳婦への危険度

薬剤名	重大な副作用	妊婦［授乳婦］
ベリキューボ	低血圧	—

■ その他の指導ポイント

<table>
<tr><th colspan="2">患 者 向 け</th><th>薬 剤 師 向 け</th></tr>
<tr><td rowspan="2">使用上の注意</td><td>・この薬の服用中は，車の運転等，危険を伴う機械の操作をする際には十分注意してください</td><td>めまいが現れることがあるため</td></tr>
<tr><td>検 この薬は定期的に血圧測定を行い用量調節を行います</td><td>血管を拡張させる作用があり低血圧を起こすおそれがあるため，収縮期血圧が 90 mmHg 未満で低血圧症状がある場合は投与を中断する</td></tr>
<tr><td>服用を忘れたとき</td><td colspan="2">思い出したときすぐに服用する。ただし次の服用時間が近いときは忘れた分は服用しない（2回分を一度に服用しないこと）</td></tr>
</table>

■ その他備考

■心不全とは

心不全は全身の臓器の酸素需要に対し心臓が十分な血液を供給できない状態で，様々な原因疾患により心臓のポンプ機能が低下し心拍出量の低下や末梢循環不全，肺や体静脈系のうっ血をきたす病態

■心不全の分類

・急性心不全，慢性心不全：進行速度による分類
・収縮不全，拡張不全：低下する心機能による分類
・左心不全，右心不全：症状や身体所見による分類

心不全時の日常生活と食事療法のポイント

　心不全は心臓本来のポンプ機能が弱まり，その結果肺や末梢血管に血液がうっ滞する状態です。心不全には左心不全と右心不全があり，左心不全の場合は運動時の息切れ，夜間の呼吸困難発作，起座呼吸（座ったままで荒い息をする）や，頻繁な咳がみられます。右心不全の場合は下肢のむくみや肝臓の腫大や腹水などがみられます。

【日常生活】
1. 風邪をひくと症状が悪くなるきっかけとなることもあるので，風邪をひかないように注意しましょう。また風邪をひいた場合，早めに受診しましょう。
2. 睡眠不足や職場のストレスなど精神的，肉体的過労は避けましょう。
3. 水分のとりすぎは心不全を助長するので水分のガブ飲みなどしないようにしましょう。
4. タバコやお酒はよくないのでなるべくやめましょう。

【食事指導】
1. ナトリウム過剰は心不全を助長するので，なるべく塩分をとらないように味付けなども酢を使うなど工夫しましょう。
　（塩分量の目安：重症例1日2g，中症例1日5g，軽症例1日10g以下）
2. なるべくカロリーを控え過食をやめましょう。
3. 心不全の場合低蛋白血症になる傾向が強いので，なるべく豆腐，鳥のササミ，ひれ肉，刺身など高蛋白食で胃腸に負担が少ない物をとるようにしましょう。

21 昇圧薬（低血圧治療薬）

■ 対象薬剤

ミドドリン塩酸塩（メトリジン），アメジニウムメチル硫酸塩（リズミック），
ドロキシドパ（ドプス）
＊ドプスはNo.10抗パーキンソン病薬（p.155）参照

■ 指導のポイント

	患者向け	薬剤師向け
薬効	・この薬は血管を収縮させて血圧を上げたり，立ち上がったときの血圧低下を防ぐ薬です ☆この薬は手足のふるえ，筋肉のこわばりや動作が遅くなったり，姿勢のバランスがとれなくなるのを改善する薬です（ドプス）（参）No.10抗パーキンソン病薬 ◆この薬は起立性調節障害（※）(小児含む)を改善する薬です(適応外)（リズミック）	選択的$α_1$受容体刺激作用（メトリジン） 間接的$αβ$受容体刺激作用（内因性ノルアドレナリンの作用増強）（リズミック） $αβ$受容体刺激作用（ドプス） ノルアドレナリン作動作用 間接的$αβ$受容体刺激作用（起立性低血圧と起立性調節障害は同様の疾患概念）
詳しい薬効	・この薬は血管の特定部位（α受容体）に働いて血管を収縮させて血圧を上げたり，立ち上がったときの血圧低下を防ぐ薬です（メトリジン） ・この薬は生体内の神経伝達物質（ノルアドレナリン）の作用を高め，心臓（β受容体）や血管（α受容体）に間接的に働いて，心臓の収縮力を高めて心臓の拍出量を増加させ，血管を収縮させて血圧を上げたり，立ち上がったときの血圧低下を防ぐ薬です（リズミック） ・この薬は神経伝達物質（ノルアドレナリン）の前駆物質で，生体内でノルアドレナリンに変換され，心臓（β受容体）や血管（α受容体）に働いて血圧を上げたり，立ち上がったときの血圧低下を防ぎ，めまい，ふらつき，立ちくらみ等の症状を改善する薬です（シャイドレーガー症候群，家族性アミロイドポリニューロパチー，血液透析患者）（ドプス）	
禁忌	・甲状腺機能亢進症 ・〔リズミック〕高血圧 ・〔メトリジン，リズミック〕褐色細胞腫 ・〔リズミック〕閉塞隅角緑内障，残尿を伴う前立腺肥大	

■ 主な副作用と対策，フィジカルアセスメントのチェックポイント

主な副作用	患者に確認すべき症状	対策とPAのチェックポイント
動悸，頭痛	胸がドキドキする，頭が痛い	減量，または頭部を高くして寝ることで調節できるが，臥位高血圧が続く場合には投与を中止 PA 血圧（↑）

■ 重大な副作用と妊婦・授乳婦への危険度

薬剤名	重大な副作用	妊婦［授乳婦］
メトリジン，リズミック	－	［⊗○］

■ その他の指導ポイント

	患者向け	薬剤師向け
使用上の注意	・〔メトリジン〕この薬の服用中に動悸，頭痛等の症状が現れた場合はご相談ください ・〔メトリジンD〕この薬は口の中で溶けますが溶けた後，唾液または水で飲み込んでください	動悸，頭痛等の症状は臥位血圧の上昇による場合が考えられ，本剤の減量または頭部を高くして寝ることで調節できるが，臥位高血圧が続く場合は投与を中止する 口腔粘膜から吸収されないため唾液または水で飲み込む
服用を忘れたとき	・〔メトリジン〕思い出したときすぐに服用する。ただし，次の服用時間が近いときは忘れた分は服用しない。(2回分を一度に服用しないこと) ・〔リズミック〕飲み忘れに気づいても服用しない。次の服用時に決められた用量を服用する。ただし，血液透析を受けている場合は，血液透析前に思い出せばすぐに服用する。(2回分を一度に服用しないこと)	

■ 継続的な服薬指導・確認のポイント

項目	確認のポイント
低血圧治療薬をどのように服用しているか	定期的に服用している，または透析前に服用している
低血圧が起こる状況（時間帯や背景）	起床時や長時間起立しているとき，立ち上がったとき，お風呂に入った後など発生に規則性はあるか
低血圧の原因の確認	原因となる疾患や異常の有無。糖尿病やパーキンソン病，心筋梗塞や不整脈，アジソン病や甲状腺機能低下症などが原因となることがある
低血圧を引き起こしている薬剤がないか	精神安定薬，精神刺激薬，レボドパなどのパーキンソン病治療薬，利尿薬，血管拡張薬，降圧薬などが影響

■ その他備考

■ 透析施行時の血圧低下への適応にあたって
・〔リズミック〕透析中に血圧が低下したために透析の継続が困難となることが確認されている慢性腎不全患者のみを対象とする
・〔ドプス〕透析終了後の起立時に収縮期血圧が15 mmHg以上低下する患者を対象とする。1カ月間服用しても効果が認められない場合には中止する

■ ※起立性調節障害
　立ちくらみ，失神，朝起き不良，倦怠感，動悸，頭痛などの症状を伴い，思春期に好発する自律神経機能不全の一つ

低血圧の日常生活と食事療法のポイント

　血圧が正常より低い状態（最高血圧 100〜110 mmHg 以下）を低血圧といい，急に立ち上がったり長時間立ち続けていると血圧が下がり，立ちくらみ，めまいなどの症状が現れる場合を起立性低血圧といいます。低血圧の人は「体がだるい」「疲れやすい」などの不定愁訴を訴えます。低血圧は「持病だからなおらない」とあきらめず日常生活の工夫や生活スタイルの改善で効果を上げることができます。

【日常生活】
1. 低血圧の人は朝の弱い人が多いですが，朝から1日の生活スタイルを変えてゆくことが必要です。
2. 散歩，ラジオ体操など軽い運動を毎日行うなど自分のペースにあわせて積極的に取り組んでください。
3. 朝起きるときには，まず動作に注意し，ゆっくり座り，それからゆっくり立ち上がるようにしましょう。
4. 早朝目覚めたとき起立性低血圧が起きにくいように，夜寝るとき頭をやや高くして寝ましょう。
5. 過労を避け，十分睡眠をとりましょう。
6. 血液の循環をよくし冷えを改善するため入浴やシャワーを浴びたりしましょう。また入浴中下肢に冷水と温水を交互にかけるのも一法です。
7. 皮膚を鍛えることも大切ですから乾布摩擦，冷水摩擦や風呂上がりにマッサージするなどして皮膚に刺激を与えてください。

【食事療法】
1. 低血圧の人は一般に食が細く胃腸が弱い人が多いので，胃に負担のかからないよう食事は時間をかけてゆっくりと食べましょう。また一回の量が少ないときは食事の回数を多くしましょう。
2. 栄養のバランスに心がけ，特に消化のよい蛋白質（若どりのささみ，とりのレバー，ひれ肉，白身の魚，半熟卵，牛乳，ヨーグルト，ソフトチーズ，豆腐等）を十分とるようにしましょう。

22　狭心症治療薬

■ 狭心症治療薬―薬物治療の確認と指導のポイント

項目	確認のポイント
狭心症のタイプと使用薬剤，狭心症状の確認	①労作性狭心症（酸素供給量が酸素需要の増大に間に合わない労作時に狭心痛が出現）に対する主な薬剤は硝酸薬（冠動脈の拡張，末梢血管動・静脈の拡張→前・後負荷↓），Ca拮抗薬（冠血管スパズム抑制，細動脈の拡張→後負荷↓），β遮断薬（心筋収縮性↓，心拍数↓で心筋酸素需要低下），抗血小板薬※（血栓形成の予防） ②冠攣縮性狭心症（安静時狭心症）（冠動脈の攣縮により一過性狭窄となり狭心痛が出現）に対する主な薬剤は硝酸薬，Ca拮抗薬で，β遮断薬の単独投与は血管拡張作用（β_2作用）が抑制され冠攣縮を悪化させるため禁忌（Ca拮抗薬との併用は可） ③不安定狭心症は高率に心筋梗塞へ進展しうる状態であるため，心筋梗塞に準じる安静度と治療が必要。初期治療の主な薬剤は硝酸薬，Ca拮抗薬でβ遮断薬，アスピリン（抗血小板薬），ヘパリン（抗凝固薬），スタチン，ARBまたはACE阻害薬等 症状の確認：狭心痛の発現時期（労作時or安静時），発作頻度・発作時の持続時間（労作性は3～5分，冠攣縮性は数分～15分），狭心痛の増悪の有無，即効型硝酸薬の効果の有無
副作用発現の有無の確認	硝酸薬：血管拡張→頭痛，顔面紅潮，血圧低下→動悸，頻脈，立ちくらみ，めまい，（硝酸薬の連用は耐性を生じるので耐性防止として経皮吸収薬は休薬時間（8～12時間）をおく Ca拮抗薬：末梢血管拡張作用→頭痛，顔面紅潮，めまい β遮断薬：脈が遅くなる，めまい，喘息症状の悪化
併用薬の確認	硝酸薬はPDE5（勃起不全治療薬等），sGC刺激薬と併用で降圧作用増強にて併用禁忌
生活習慣の改善などによる冠危険因子の是正治療	高血圧，糖尿病，脂質異常症，肥満，喫煙，多量の飲酒習慣，ストレス，運動不足の是正のための指導

冠攣縮とは：一過性に起きる冠動脈の攣縮で，細動脈レベルよりも太い部位の冠動脈に主に生じる。
※冠動脈内の血栓は動脈血栓であるため虚血性心疾患に対しては抗血小板薬を主に使用する

22 狭心症治療薬　①硝酸薬

■ 対象薬剤
(A) 一硝酸イソソルビド
　　　　内　　服：アイトロール
(B) 硝酸イソソルビド
　　　　内　　服：ニトロール，ニトロールR，フランドル
　　　　テ ー プ：フランドルテープ
　　　　スプレー：ニトロールスプレー
(C) ニトログリセリン
　　　　舌 下 錠：ニトロペン
　　　　テ ー プ：ニトロダームTTS，バソレーターテープ，ミリステープ，メディトランステープ
　　　　スプレー：ミオコールスプレー

■ 指導のポイント

	患 者 向 け	薬 剤 師 向 け
薬効	・この薬は心臓へ酸素や栄養を供給している冠血管を拡げ，締めつけられるような胸の痛みを改善したり，予防したりする薬です（内服）	冠血管拡張作用
	・この薬は皮膚を通して吸収させ，心臓へ酸素や栄養を供給している冠血管を拡げ，締めつけられるような胸の痛みを改善したり，予防したりする薬です（テープ）	
	・この薬は口腔粘膜を通して吸収させ，心臓へ酸素や栄養を供給している冠血管を拡げ，締めつけられるような胸の痛みを改善する薬です（スプレー，舌下錠）	
	・この薬は末梢の血管を拡張して心臓の負担を少なくする薬です（ミリステープ）	末梢血管（静脈・動脈系）拡張による前・後負荷の軽減による心仕事量の軽減
	◆この薬は末梢の血管を拡張して心臓の負担を少なくする薬です（適応外）（フランドルテープ）	
詳しい薬効	この薬は，血管を拡張させる物質（c-GMP）の生成を高めて，心臓へ酸素と栄養を供給している冠血管を拡げ，けいれん（スパズム）を抑え，締めつけられるような胸の痛みを改善したり，予防したりする薬です．同時に末梢の静脈を拡げて，心臓へ戻ってくる血液を減らし，末梢の動脈を拡げて血圧を下げ，心臓の負担を少なくする薬です（ミリステープ）	
禁忌・併用禁忌	禁忌　重篤な低血圧または心原性ショック，閉塞隅角緑内障，頭部外傷または脳出血，高度な貧血，硝酸・亜硝酸エステル系薬剤過敏症既往	
	併用禁忌　シルデナフィル，バルデナフィル，タダラフィル，リオシグアトにて降圧作用増強	

■ 主な副作用と対策, フィジカルアセスメントのチェックポイント

主な副作用	患者に確認すべき症状	対策と PA のチェックポイント
起立性低血圧	立ちくらみ, めまい	過度の血圧低下が起こった場合には, 投与を中止し下肢の挙上あるいは昇圧薬の投与など適切な処置を行う PA 血圧（↓）
頭痛	頭が痛い	投与開始時には, 頭痛等の副作用を起こすことがある。鎮痛薬を投与するか, 減量もしくは中止するなど適切な処置を行う。頭痛は徐々に慣れることが多い
熱感, 潮紅	ほてり, 顔が赤くなる	通常一過性で自然に消失
一次刺激性の接触皮膚炎（刺激症状, 発赤, 瘙痒等）（テープ）	局所的にヒリヒリする皮膚の痛み, 発赤, 局所が充血して赤くなる, かゆみ	貼付部位を変更し, ステロイド軟膏等を投与するか, 投与中止するなど適切な処置を行う PA 皮膚（発赤, かゆみ）

■ 重大な副作用と妊婦・授乳婦への危険度

薬剤名	重大な副作用	妊婦 ［授乳婦］
アイトロール	肝機能障害, 黄疸	B2 ［◎○］
ニトロール, ニトロール R	−	B2 ［◎○］
フランドル, フランドルテープ		B1
バソレーターテープ, ミオコールスプレー	−	− ［◎○］

■ その他の指導ポイント

	患者向け	薬剤師向け
使用上の注意	・この薬の服用中は, 車の運転等, 危険を伴う機械の操作は行わないでください	本剤開始時は, 血管拡張作用による頭痛等の副作用が起こりやすく, これらの副作用のために注意力, 集中力, 反射運動能力等の低下が起こることがあるため。また, 頭痛等が起きた場合には, 鎮痛薬を投与するか減量または中止する等の適切な処置を行う
	・血圧が下がりすぎたり, 立ちくらみを起こすことがあるので注意してください	服用後過度の血圧低下, 起立性低血圧を起こすことがある。過度の血圧低下が起こった場合には本剤の投与を中止し, 下肢の挙上あるいは昇圧薬の投与等, 適切な処置を行う
	・〔ニトロペン〕この薬は立ったままで服用せず椅子に腰掛けるか座って服用してください	めまいや, 失神等を起こすことがあるため
	・〔ニトロール, ニトロールスプレー, ニト →	硝酸・亜硝酸エステル系薬剤を使用中の患者

使用上の注意	ロペン，ミオコールスプレー以外〕急に服用を中止すると症状が悪化することがあるので，勝手に使用を中止しないでください	で，急に投与を中止したとき症状が悪化した症例が報告されているので，休薬を要する場合には他剤との併用下で徐々に投与量を減じる。また，患者に医師の指示なしに使用を中止しないよう注意する
	食 この薬の服用中にアルコールを飲むと，薬の作用が強く出るので控えてください	血管拡張作用が増強され，血圧低下作用が増強されるおそれがあるため併用注意
	〔ニトロールR，フランドル〕・この薬はかんだり，つぶしたり，小さく砕いたりしないでください	一過性の血中濃度の上昇に伴った頭痛が発生しやすくなる
	〔ニトロール（舌下時），ニトロペン〕・この薬は舌の下で溶かしてください。また口内が乾いているときは水で舌を湿らせるか，かみ砕いて舌下してください	飲み込むと胃腸粘膜から吸収され肝臓で90％が代謝されてしまうので効果がなくなる。唾液分泌が少ない場合には溶解性が低下し吸収遅延が生じる
	・この薬は（ニトロール：2〜3分，ニトロペン：1〜2分）で効果が現れます。5分ほどしても胸の痛みがあるときは追加（ニトロール：1錠，ニトロペン：1〜2錠）してください。（ニトロール：2錠，ニトロペン：3錠まで）追加しても発作が治まらないとき，発作開始から15〜20分以上持続するときには心筋梗塞の可能性がありますので，直ちに医師にご相談ください	
	・本剤を初めて使用する場合は，最初の数回は必ず1錠で使用してください	一過性の頭痛が起こることがある。この症状は投与を続ける間に起こらなくなる
	〔テープ〕・貼る際には（フランドルテープ：胸・上腹部・背中，ニトロダームTTS・バソレーターテープ・メディトランステープ：胸・腰・上腕，ミリステープ：胸・上腹部・背中・上腕・太もも）のいずれかに毎回貼る場所を変えて貼ってください	同じ場所に貼ると，かゆみやかぶれの原因となる
	・〔ミリステープ〕足の裏には貼らないでください	
	・皮膚の損傷または湿疹，皮膚炎等がみられる部位には貼らないでください	
	・貼る部位の皮膚を清潔なタオル等でよくふき取ってから貼ってください	
	・自動体外式除細動器（AED）の妨げになる部位には貼らないでください	
	・〔ニトロダームTTS〕電気的除細動や高周波療法，MRIを行うときは，本剤を除	除細動器と接触した場合，本剤の支持体（アルミニウム箔）が破裂するおそれがある。高

使用上の注意	去してください	周波療法では本剤の温度が上昇するおそれがある。MRIでは本剤の貼付部位に火傷を引き起こすおそれがある
	・〔ミリステープ〕心電図測定，電気的除細動等の妨げにならないよう貼る場所に気をつけてください →	電気抵抗が大きいため
	〔ニトロールスプレー，ミオコールスプレー〕	
	・なるべく容器を立てた状態で持ってください →	傾斜角度により缶内の内容液が出る場合がある
	・口を大きく開けて息を止めた状態で噴霧してください（ただしミオコールスプレーは舌下に噴霧してください）	
	・噴霧した後は息を深く吸い込まないようにしながら口を閉じてください →	高用量を直接肺に吸収した場合には過度の血圧動態変化につながるおそれがある
	・初回使用する場合は，ニトロールスプレーは2〜3回，ミオコールスプレーは6〜7回空吹きし，正常に薬剤が噴霧することを確認してから使用してください	
	・ニトロールスプレーは3日間以上，ミオコールスプレーで1カ月以上間隔をあけて使用する場合，あるいはミオコールスプレーを横にしたり，逆さまの状態で保管・携帯した場合は1回空吹きしてから使用してください	
	・火気に近づけたり，また目に向けて使用しないでください	
	・発作が起こったら口の中に1噴霧してください。5分たっても効果が十分でないと感じたら，1噴霧に限り追加してください。それでも効き目が悪い場合は直ちにご相談ください	
	・アルコールに過敏な方はご相談ください →	エタノールを含有しているため
	【保管方法】	
	・〔ニトロール〕温度，湿度の高いところに長期間保存すると，錠剤表面に結晶が析出することがあるので注意してください →	含量低下が認められるため，自動分包機内での保存や，長期の分包処方は避ける
	・〔ニトロールスプレー〕保護キャップをした状態で保管してください	
	・〔ニトロールスプレー〕車中や温度が45℃以上の場所に置かないようにしてください →	噴霧できなくなることがある
	・〔ミオコールスプレー〕夏期の車中，日の当たる場所などでは60℃を超えることがあるので，このような場所には放置しないでください →	高温にて漏洩することがある

服用・使用を忘れたとき	・〔ニトロール，ニトロールR〕思い出したときすぐに服用する。ただし次の服用時間が近いとき（ニトロール2時間以内，ニトロールR：6時間以内）は忘れた分は服用しない。次の服用時に決められた用量を服用する（2回分を一度に服用しないこと） ・〔アイトロール，フランドル〕思い出したときすぐに服用する。次の服用時間まで約6時間以上ある場合は，次回は通常どおり服用する。ただし約6時間以内のときは，次回分は6時間たってから服用し，次々回から通常どおり服用する（2回分を一度に服用しないこと） ・〔フランドルテープ，ニトロダームTTS，バソレーターテープ，ミリステープ，メディトランステープ〕思い出したときすぐに貼り（貼り替え），次回からは通常どおり使用する（2回分を一度に使用しないこと）

■ その他備考

- **硝酸薬使用中**に本剤または他の硝酸・亜硝酸エステル系薬剤に対し耐薬性を生じ，作用が減弱することがある。

（硝酸薬耐性の予防）

　　経皮剤の場合：硝酸薬を使用しない時間を作る
　　　　　　　　　12時間貼付，12時間休薬　　Cowan
　　　　　　　　　16時間貼付，8時間休薬　　Luke
　　経口徐放薬の場合：投与回数を1日2～3回にする。頻回投与の場合ニトロールの
　　　　　　　　　　　錠剤を併用する。

硝酸製剤の体内動態

分類	薬品名	適応症 狭心症	適応症 心筋梗塞	適応症 その他の虚血性心疾患	適応症 急性心不全	その他	効果発現時間 (min)	効果持続時間 (h)	Cmax (ng/mL)	Tmax (min)	消失半減期 (min) α相	消失半減期 (min) β相
A	アイトロール (20 mg)	○					30〜60	8〜12	373.3±29.3	102±24	300	
	ニトロール （舌下）	○					2	1.5〜2	35.7	18.2	7.5	55.2
	ニトロール （経口）	○	○				30	3〜5	5.8	25.6	18.2	93.5
B	ニトロール徐放剤（ニトロールR）	○	○（急性期を除く）	○			60	8〜12	2.7±0.14	210±30		
	（フランドル）	○	○（急性期を除く）	○			60	8〜12	2.3±1.0	175±115		
	フランドルテープ	○	○（急性期を除く）	○			120	24〜48	2.7±0.8	786±480		
	ニトロールスプレー（2回噴霧）	○※					1〜2	0.5〜2	36.5±4.2	7.7±0.9	7.5	55.2
	ニトロペン	○				心臓喘息アカラジアの一時的緩解	1〜2	1	約1.3	4	3.8	10
C	ニトロダームTTS	○					〜60	24以上	0.30	60		
	バソレーターテープ	○			○*		〜30	24以上	0.441±0.253	216±48		
	ミリステープ	○					30	12	0.55	120		
	メディトランステープ	○					30〜60	24〜48	0.441±0.253	216±48		
	ミオコールスプレー（舌下噴霧）	○※					1〜2	約0.5	3.55±0.4	4.1±0.3	3.0	

Cmax：最高血中濃度　Tmax：最高血中濃度到達時間　α相：分布相　β相：消失相
*慢性心不全の急性増悪期を含む
※狭心症発作の寛解

22 狭心症治療薬　②その他の冠血管拡張薬

■ 対象薬剤

ジピリダモール（ペルサンチン），ニコランジル（シグマート），トラピジル（ロコルナール），ジラゼプ塩酸塩水和物（コメリアンコーワ），トリメタジジン塩酸塩（バスタレルF）

■ 指導のポイント

	患者向け	薬剤師向け
薬効	・この薬は心臓へ酸素や栄養を供給している冠血管を拡げ，締めつけられるような胸の痛みを改善したり，予防したりする薬です	冠血管拡張作用
	☆この薬は血を固まりにくくするとともに血行をよくし，血栓ができるのを抑える薬です（ペルサンチン）(参) No.52 抗血栓薬④	抗血小板作用（1日300～400 mg），抗血栓作用
	☆この薬は尿中に蛋白が出るのを防ぐ薬です（ペルサンチン，コメリアンコーワ）	尿蛋白減少作用（ペルサンチン，コメリアンコーワ：1日300 mg）
	◆この薬は川崎病冠動脈後遺症合併症の管理に使用する薬です（適応外）（ペルサンチン）	
詳しい薬効	・この薬は血管を拡張させる物質（アデノシン）の作用を強めて，心臓へ酸素や栄養を供給している冠血管を拡げる薬です。また，血管の収縮や血小板の凝集を起こす物質（トロンボキサンA_2）の生成や作用を抑えて，同時に血管の拡張や血小板の凝集を抑える物質（プロスタサイクリン）の生成や作用を高めて，血液を固まりにくくし，血栓ができるのを抑え，尿中に蛋白が出るのを防ぐ薬です（ペルサンチン） ・この薬は血管を拡張させる物質（c-GMP）の生成を高め（硝酸薬様作用），同時にカリウムの透過性を高めて（カリウムチャネル開口作用）血管を収縮させるカルシウムの流入を抑えて，心臓へ酸素や栄養を供給している冠血管を拡げる薬です（シグマート） ・この薬は血管の収縮や血小板の凝集を起こす物質（トロンボキサンA_2）の生成や作用を抑えて，同時に血管の拡張や血小板の凝集を抑える物質（プロスタサイクリン）の生成や作用を高めて，心臓へ酸素や栄養を供給している冠血管を拡げる薬です（ロコルナール） ・この薬は血管を拡張させる物質（アデノシン）の作用を強めて，心臓へ酸素や栄養を供給している冠血管を拡げたり，尿中に蛋白が出るのを防ぐ薬です（コメリアンコーワ） ・この薬は血管を収縮させる物質（プロスタグランジン$F_{2α}$）の作用を抑えて，心臓へ酸素や栄養を供給している冠血管を拡げる薬です（バスタレルF）	
禁忌・併用禁忌	禁忌　・〔ペルサンチン，ロコルナール〕本剤過敏症既往 　　　・〔ロコルナール〕頭蓋内出血発作後の止血が完成していない患者 併用禁忌 ・〔ペルサンチン〕⇔アデノシンにて完全房室ブロック，心停止等発現のおそれ ・〔シグマート〕⇔シルデナフィル，バルデナフィル，タダラフィル，リオシグアトにて降圧作用増強	

■ 主な副作用と対策，フィジカルアセスメントのチェックポイント

主な副作用	患者に確認すべき症状	対策とPAのチェックポイント
頭痛	頭が痛い	投与開始時には，頭痛を起こすことがある。減量もしくは中止，鎮痛薬を投与する等適切な処置を行う
めまい，ふらつき	めまい，ふらつき	減量もしくは休薬 PA 血圧（↓）

■ 重大な副作用と妊婦・授乳婦への危険度

薬剤名	重大な副作用	妊婦[授乳婦]
ペルサンチン	狭心症状の悪化，出血傾向，血小板減少，過敏症	－ [😣◎]
シグマート	肝機能障害，黄疸，血小板減少，口内潰瘍，舌潰瘍，肛門潰瘍，消化管潰瘍	B3
ロコルナール	皮膚粘膜眼症候群，肝機能障害，黄疸	－

■ その他の指導ポイント

	患者向け	薬剤師向け
使用上の注意	・〔シグマート〕この薬を服用中にずきずきするような頭痛が現れた場合はご相談ください ・〔コメリアンコーワ〕この薬は砕いたりしないでそのまま服用してください	投与開始時に，硝酸・亜硝酸エステル系薬剤と同様に血管拡張作用による拍動性の頭痛を起こすことがある 軽度の局所麻酔作用を有しており舌がしびれる。また苦味がある
服用を忘れたとき	・〔シグマート以外〕思い出したときにすぐに服用する。ただし次の服薬時間が近いときは忘れた分は服用しない（2回分を一度に服用しないこと） ・〔シグマート〕飲み忘れに気づいても服用しない。次の服用時に決められた用量を服用する（2回分を一度に服用しないこと）	

■ その他備考

■ペルサンチン製剤の適応症一覧

	狭心症，心筋梗塞（急性期除く），その他の虚血性心疾患，うっ血性心不全	ワルファリン併用による心臓弁置換術後の血栓・塞栓の抑制	ステロイド抵抗性ネフローゼ症候群における尿蛋白減少	慢性糸球体腎炎（ステロイド抵抗性ネフローゼ症候群を含む）における尿蛋白減少
ペルサンチン 12.5 mg	○			
ペルサンチン 25 mg	○	○	○	
ペルサンチン 100 mg		○	○	

22 狭心症治療薬　③Ca拮抗薬

■ 対象薬剤

ベラパミル塩酸塩（ワソラン）
＊ワソラン以外のCa拮抗薬（ニフェジピン，バイロテンシン，コニール，アムロジン・ノルバスク，ランデル，ヘルベッサー）はNo.19 降圧薬①（p.282）参照，ベプリコールはNo.23 抗不整脈薬⑥（p.369）参照

■ 指導のポイント

	患者向け	薬剤師向け
薬効	・この薬は心臓へ酸素や栄養を供給している冠血管を拡げ，締めつけられるような胸の痛みを改善したり，予防したりする薬です	冠血管拡張作用
	☆この薬は末梢の血管を拡げて血圧を下げる薬です（ワソラン，ベプリコール以外）	末梢血管（動脈系）拡張作用
	☆この薬は脈の乱れを整える薬です（ベプリコール，ワソラン）	抗不整脈作用 　　　（心室性不整脈：ベプリコール） 　　　（上室性不整脈：ワソラン）
詳しい薬効	この薬は，血管や心筋を収縮させるカルシウムの血管の細胞内への流入を阻止し，カルシウムの作用を抑えて，心臓へ酸素や栄養を供給している冠血管を拡げ，けいれん（スパズム）を抑え，締めつけられるような胸の痛みを改善したり，予防したりする薬です。同時に末梢の血管（動脈）を拡げて血圧を下げ，心臓の負担を少なくする薬です	
禁忌	本剤過敏症既往，重篤なうっ血性心不全，第Ⅱ度以上の房室ブロック，洞房ブロック，妊婦	

■ 主な副作用と対策，フィジカルアセスメントのチェックポイント

主な副作用	患者に確認すべき症状	対策とPAのチェックポイント
動悸，頭痛，顔面紅潮，血圧低下	胸がドキドキする，頭が痛い，ほてり，めまい	減量もしくは中止 PA 脈拍（↑），血圧（↓）
便秘	便秘	減量もしくは中止。緩下薬の投与を考慮 PA 腸音（↓）
房室伝導時間の延長	胸が苦しい，どきどきする，めまい	定期的に心電図検査を行い，異常な変動が観察された場合には投与を中止し，適切な処置を行う PA 脈拍（不整脈）
歯肉増生	歯ぐきの腫れ	中止 PA 歯肉（腫脹・肥大）

主な副作用	患者に確認すべき症状	対策と PA のチェックポイント
浮腫	体のむくみ，眼が腫れぼったい	減量もしくは中止 PA 体重（↑），尿量（↓），浮腫（上眼瞼，下腿脛骨）

■ 重大な副作用と妊婦・授乳婦への危険度

薬剤名	重大な副作用	妊婦[授乳婦]
ワソラン	循環器障害，皮膚障害	禁忌/C [㊜◎]

■ その他の指導ポイント

		患者向け	薬剤師向け
使用上の注意		・服薬を急に中止すると症状が悪化することがありますので勝手に服用を中止しないでください	Ca 拮抗薬の投与を急に中止したとき，症状が悪化した症例が報告されているので，休薬を要する場合は徐々に減量し，観察を十分に行う。また患者に医師の指示なしに服薬を中止しないように注意する
		・妊娠中または妊娠の可能性のある方は必ずご相談ください	動物実験で胎児毒性が報告されているため投与禁忌
		食 この薬の服用中にグレープフルーツジュースは飲まないでください。また，ザボン，ボンタン，ナツミカンもとらないでください	グレープフルーツに含まれる特有の苦味成分フラボノイドが肝臓ミクロゾーム P-450 の活性を抑制して代謝を阻害し，本剤の血中濃度を上昇させるため併用注意。オレンジジュースには含まれていないが，ザボン，ボンタン，ナツミカン等にも含まれている
		食 この薬の服用中に極端に塩分の少ない食事は控えてください	低塩食により薬剤の消化吸収が増大し，血中ベラパミル濃度が上昇し，起立性低血圧などの副作用の出現
服用を忘れたとき		思い出したときすぐに服用する。ただし次の服用時間が近いときは忘れた分は服用しない（2回分を一度に服用しないこと）	

22 狭心症治療薬　④β遮断薬（含むαβ遮断薬）

■ 対象薬剤

ブフェトロール塩酸塩（アドビオール）
＊アドビオール以外のβ遮断薬（ミケラン，インデラル，ハイパジール，カルビスケン，テノーミン，メインテート，セロケン，セレクトール，ケルロング，アロチノロール塩酸塩，アーチスト）はNo.19降圧薬⑥（p.305）参照

■ 指導のポイント

	患者向け	薬剤師向け
薬効	この薬は心臓の収縮をゆっくりさせて心臓の負担を減らし，狭心症の発作を予防する薬です → ☆この薬は脈の乱れを整える薬です →	β遮断作用（抗狭心症作用） 〃　　（抗不整脈作用：洞性頻脈）
詳しい薬効	この薬は心臓の働きを活発にするホルモン（カテコールアミン）が心筋の特定部位（β受容体）に結びつくのを遮断して心筋の酸素の需要を減らし狭心症の発作を予防したり脈の乱れを整えたりする薬です	
禁忌	気管支喘息，気管支痙攣，糖尿病性ケトアシドーシス，代謝性アシドーシス，高度の徐脈（著しい洞性徐脈），房室ブロック（Ⅱ，Ⅲ度），洞房ブロック，心原性ショック，肺高血圧による右心不全，うっ血性心不全，未治療の褐色細胞腫，妊婦	

■ 重大な副作用と妊婦・授乳婦への危険度

薬剤名	重大な副作用	妊婦[授乳婦]
アドビオール	うっ血性心不全	禁忌

■ その他の指導ポイント

服用を忘れたとき	思い出したときすぐに服用する。ただし次の服用時間が近いときは忘れた分は服用しない（2回分を一度に服用しないこと）

23 抗不整脈薬

■ 抗不整脈薬―薬物治療の確認と指導のポイント

項目	確認のポイント
不整脈の種類（下表参照）と脈拍や自覚症状の変化の確認	不整脈は大きくは頻脈性不整脈（100回/分以上）と徐脈性不整脈（50回/分未満），期外収縮（不規則な拍動）に分類。 頻脈性不整脈の主な症状：動悸や胸の痛み，不快感，失神 徐脈性不整脈の主な症状：息切れやだるさ，足のむくみ，めまい・失神 期外収縮の主な症状：胸がドキドキする（動悸），一瞬胸がつまる。単発の期外収縮は心機能が良好であれば心配いらない 致死性不整脈があるので治療対象不整脈かの確認を行う
心房細動（日常臨床で最も遭遇する不整脈）の場合の治療方針の確認	臨床的問題点：脳梗塞発症，左室機能障害や心不全の合併，そして心不全や脳卒中に伴う死亡があげられるので以下の薬物を使用する ①脳梗塞予防のための抗凝固療法（No.52（p.764）参照） ②心拍数調節療法：β遮断薬（ビソプロロール，カルベジロール），ジギタリス製剤，非ジヒドロピリジン系Ca拮抗薬（ベラパミル，ジルチアゼム） ③洞調律維持療法：抗不整脈薬（Ia群またはIc群，アミオダロン，ベプリジル），カルディオバージョン
抗不整脈薬の副作用の確認 　抗不整脈を服用中に不整脈が新たに出現した場合，薬剤の催不整脈作用（抗不整脈薬自体が新たな不整脈を引き起こすこと）も念頭に置く	投与開始から4日以内に起こることが多い。 Ia群：抗コリン作用に基づく口渇，排尿障害，眼圧上昇，著明な頻脈 Ia群，Ⅲ群：心室性頻拍（Torsades de Pointesを含む） Ic群：頻拍，徐脈 Ⅱ群：全身倦怠感，睡眠障害，うつ傾向 アミオダロン：肝毒性，間質性肺炎，甲状腺機能異常，白内障（半減期は19～53日と極めて長い） Ⅳ群：下肢浮腫 ・抗不整脈薬を服用中に不整脈が新たに出現した場合，薬剤の催不整脈作用（抗不整脈薬自体が新たに不整脈を引き起こすこと）も念頭に置く

■不整脈の種類

種類 \ 異常部位	上室性不整脈 （心室より上部の刺激伝導系に異常がある）	心室性不整脈 （心室の刺激伝導系に異常がある）
頻脈性不整脈 （100回/分以上）	・心房頻拍 ・心房細動（粗動） ・発作性上室性頻拍	★心室頻拍（Torsades de Pointes含む） ★心室細動 ・WPW症候群
徐脈性不整脈 （50回/分未満）	★洞不全症候群 ★房室ブロック	
期外収縮	・心房性期外収縮	・心室性期外収縮

★：致死性不整脈

23 抗不整脈薬　①Vaughan Williams 分類Ⅰa

■ 対象薬剤

キニジン硫酸塩水和物（**キニジン硫酸塩**），プロカインアミド塩酸塩（**アミサリン**），ジソピラミド（**リスモダン**），リン酸ジソピラミド（**リスモダンR**），シベンゾリンコハク酸塩（**シベノール**），ピルメノール塩酸塩水和物（**ピメノール**）

■ 指導のポイント

	患者向け		薬剤師向け
薬効	この薬は脈の乱れを整える薬です	→	抗不整脈作用 （上室性および心室性不整脈：ピメノール以外） （心室性不整脈：ピメノール）
詳しい薬効	心筋の興奮は，心筋の細胞膜に存在するイオンチャネル（ナトリウムチャネル，カルシウムチャネル，カリウムチャネル）を通るイオンの出入りによって起こっていますが，この薬はナトリウムチャネルを抑えることで，心筋の異常な興奮の生成や興奮の伝達を抑えて，脈の乱れを整える薬です		
禁忌・併用禁忌	**禁忌** ・本剤過敏症既往 ・〔キニジン硫酸塩，アミサリン〕刺激伝導障害，重篤なうっ血性心不全 ・〔キニジン硫酸塩〕高カリウム血症 ・〔アミサリン〕重症筋無力症 ・〔リスモダン，リスモダンR，シベノール，ピメノール〕高度の房室ブロック，高度の洞房ブロック，うっ血性心不全，閉塞隅角緑内障，尿貯留傾向 ・〔リスモダンR〕透析患者を含む重篤な腎機能障害，高度な肝機能障害 ・〔シベノール〕透析中 **併用禁忌** ・〔キニジン硫酸塩〕⇔バルデナフィル，キヌプリスチン・ダルホプリスチン，ボリコナゾール，モキシフロキサシン，ミコナゾール，サキナビルにてQT延長，アミオダロン注にてTorsade de pointes，トレミフェン，フルコナゾール，ホスフルコナゾールにてQT延長し心室性頻拍（Torsade de pointes含む），ネルフィナビル，リトナビルにて不整脈，血液障害，痙攣等副作用発現，イトラコナゾールにて本剤の作用増強，メフロキンにて急性脳症候群，暗赤色尿，呼吸困難，貧血，溶血発現 ・〔アミサリン，ピメノール〕⇔バルデナフィル，モキシフロキサシン，トレミフェン，アミオダロン注にてQT延長，心室性頻拍（Torsades de pointes含む） ・〔リスモダン，リスモダンR〕⇔モキシフロキサシン，トレミフェンにてQT延長，心室性頻拍（Torsades de pointes含む），バルデナフィルにてQT延長，アミオダロン注にてTorsades de pointes，フィンゴリモドにてTorsades de pointes等の重篤な不整脈，エリグルスタットにてQT延長 ・〔シベノール〕⇔バルデナフィル，モキシフロキサシン，トレミフェン，フィンゴリモド，エリグルスタットにてQT延長，心室頻拍（Torsades de pointes含む）		

■ 主な副作用と対策，フィジカルアセスメントのチェックポイント

主な副作用	患者に確認すべき症状	対策とPAのチェックポイント
抗コリン作用に基づく排尿障害，口渇，複視等	尿が出にくい，尿が残った感じがする，のどが渇く，物が二重に見える	減量もしくは中止 PA 排尿症状（尿勢低下，尿線分割・途絶，排尿遅延，腹圧排尿，終末滴下），尿量（↓），残尿（↑），口腔粘膜（乾燥）
消化器症状	吐き気がする，おなかが痛い，食欲がない	胃腸薬の併用を検討
精神神経症状	頭が痛い，めまい，眠れない	減量もしくは中止
不整脈	胸が苦しい，脈が遅くなる，脈がとぶ	減量もしくは中止 PA 脈拍（不整脈・頻脈・徐脈）
低血糖（リスモダン，リスモダンR，シベノール，ピメノール）	冷や汗がでる，急に空腹感を覚える，寒気がする，動悸がする，手足が震える	5～20gのブドウ糖，砂糖，ジュース，キャンディーなどを経口摂取させる PA 脈拍（↑），皮膚（発汗・湿潤），体温（↓），意識レベル（↓）

■ 重大な副作用と妊婦・授乳婦への危険度

薬剤名	重大な副作用	妊婦［授乳婦］
キニジン硫酸塩	高度伝導障害，心停止，心室細動，心不全，SLE様症状，無顆粒球症，白血球減少，再生不良性貧血，溶血性貧血，血小板減少性紫斑病	［⊗○］
アミサリン	心室頻拍，心室粗動，心室細動，心不全，SLE様症状，無顆粒球症	［⊗○］
リスモダン，リスモダンR	心停止，心室細動，心室頻拍（Torsades de pointesを含む），心室粗動，心房粗動，房室ブロック，洞停止，失神，心不全悪化，低血糖，無顆粒球症，肝機能障害，黄疸，麻痺性イレウス，緑内障悪化，けいれん	［⊗◎］（リスモダン）
シベノール	催不整脈作用，ショック，アナフィラキシー，心不全，低血糖，循環不全による肝障害，肝機能障害・黄疸，顆粒球減少，白血球減少，貧血，血小板減少，間質性肺炎	［⊗△］
ピメノール	心不全，心室細動，心室頻拍（Torsades de pointesを含む），房室ブロック，洞停止，失神，低血糖	―

■ その他の指導ポイント

	患者向け	薬剤師向け
使用上の注意	・この薬は勝手に服用を中止しないでください ・〔キニジン硫酸塩，アミサリン以外〕この薬の服用中は，車の運転等，危険を伴う機械の操作は行わないでください	服用を急に中止すると心機能に重篤な変化をきたすことがあるため ・〔リスモダン，リスモダンR，シベノール〕めまい，低血糖等が現れることがあるため ・〔ピメノール〕失神，めまい，ふらつき，手足のしびれ等が現れることがあるため

使用上の注意	食〔キニジン硫酸塩，リスモダン，リスモダンR〕この薬を服用中にセイヨウオトギリソウ（セント・ジョーンズ・ワート）を含む食品はとらないでください	→	本剤の代謝が促進され血中濃度が低下するため併用注意
	食〔キニジン硫酸塩〕この薬を服用中は低塩食にしないでください	→	低塩食により薬剤の消化管吸収が増大し，血中キニジン濃度が上昇し，副作用出現

服用を忘れたとき	・〔ピメノール以外〕思い出したときすぐに服用する。ただし次の服用時間が近いとき（リスモダン：3時間以内）は忘れた分は服用しない（2回分を一度に服用しないこと） ・〔ピメノール〕飲み忘れに気づいても服用しない。次の服用時に決められた用量を服用する（2回分を一度に服用しないこと）

■ その他備考

- ■〔リスモダン，リスモダンR，シベノール，ピメノール〕本剤には抗コリン作用があり，その作用に基づくと思われる排尿障害，口渇，複視等が現れることがあるので，このような場合には減量または投与を中止する
- ■〔シベノール〕1日用量450 mgを超えて投与する場合，副作用発現の可能性が増大するので注意する
- ■〔ピメノール〕1日用量200 mgを超えて投与する場合，副作用発現の可能性が増大するので注意する

23 抗不整脈薬　②Vaughan Williams 分類 Ⅰ b

■ 対象薬剤

メキシレチン塩酸塩（メキシチール），アプリンジン塩酸塩（アスペノン）

■ 指導のポイント

	患者向け		薬剤師向け
薬効	この薬は脈の乱れを整える薬です ☆この薬は糖尿病による手足のしびれや痛みをとる薬です（メキシチール）	→	抗不整脈作用（心室性不整脈：メキシチール） （上室性および心室性不整脈：アスペノン）
詳しい薬効	心筋の興奮は，心筋の細胞膜に存在するイオンチャネル（ナトリウムチャネル，カルシウムチャネル，カリウムチャネル）を通るイオンの出入りによって起こっていますが，この薬はナトリウムチャネルを抑えることで，心筋の異常な興奮の生成や興奮の伝達を抑えて，脈の乱れを整える薬です		

禁忌	・〔メキシチール〕本剤過敏症既往,重篤な刺激伝導障害(ペースメーカー未使用のⅡ~Ⅲ度房室ブロック等) ・〔アスペノン〕重篤な刺激伝導障害(完全房室ブロック等),重篤なうっ血性心不全,妊婦

■ 主な副作用と対策,フィジカルアセスメントのチェックポイント

主な副作用	患者に確認すべき症状	対策とPAのチェックポイント
精神神経症状	めまい,指先が震える,ふらつく,しびれる	減量もしくは中止
消化器症状	吐き気がする,お腹が痛い,食欲がない,胸やけ,のどが渇く	メキシチールの消化器症状は服用後に水分を多くとる(コップ1杯くらい)ことで解消することが多い。胃腸薬の併用を検討 PA 心窩部・上腹部(圧痛),便(黒色)
不整脈,房室ブロック	脈が乱れる,息切れ,動悸,めまい,気を失う	減量もしくは中止 PA 脈拍(不整脈,徐脈)
肝障害(アスペノン)	体がだるい,白目が黄色くなる	中止 PA 眼球(黄色),皮膚(皮疹,瘙痒感,黄色),尿(褐色),体温(↑),腹部(肝肥大,心窩部・右季肋部圧痛,腹水貯留等)

■ 重大な副作用と妊婦・授乳婦への危険度

薬剤名	重大な副作用	妊婦[授乳婦]
メキシチール	中毒性表皮壊死融解症,皮膚粘膜眼症候群,紅皮症,過敏症症候群,心室頻拍,房室ブロック,腎不全,幻覚,錯乱,肝機能障害,黄疸,間質性肺炎,好酸球性肺炎 類薬 心停止,心室細動,失神,洞房ブロック,徐脈	[妊◎]
アスペノン	催不整脈,無顆粒球症,間質性肺炎,肝機能障害,黄疸	禁忌 [妊△]

■ その他の指導ポイント

	患者向け	薬剤師向け
使用上の注意	・この薬の服用中は,車の運転等,危険を伴う機械の操作は行わないでください ・〔メキシチール〕皮膚が斑状に赤くなる,水ぶくれ,ただれ,目の充血,目の痛み,目やに,口の中のあれ,発熱等の症状があれば服用を中止し,すぐにご相談ください ・〔メキシチール〕この薬は食道につかえると食道の粘膜を傷つけるので,多めの	・〔メキシチール〕頭がボーッとする,めまい,しびれ等の精神神経系症状が発現することがあるため ・〔アスペノン〕手指振戦,めまい,ふらつき等の精神神経系症状が発現することがあるため 紅斑,水疱・びらん,結膜炎,口内炎,発熱等が現れた場合には中毒性表皮壊死融解症(Lyell症候群),皮膚粘膜眼症候群(Steven-Johnson症候群),紅皮症の前駆症状である可能性があるため 胃腸障害が多いので多めの水で食後直ちに服用させ,空腹時の服用は避ける。また食道に

使用上の注意	水でカプセルのまま服用してください。また，空腹時の服用は避けてください。就寝直前に服用する場合は，横になったまま服用しないでください ・〔メキシチール〕ペースメーカーをご使用中の方は，必ずご相談ください → ・〔アスペノン〕妊娠中または妊娠の可能性がある方は必ずご相談ください → ・〔メキシチール〕この薬の服用中はタバコ（喫煙）を控えてください	停留し，崩壊すると局所麻酔作用により食道潰瘍を起こすおそれがあるので，カプセルを外さずに多めの水で服用させ，特に就寝前の服用等には注意する 心臓ペーシング閾値，植え込み型徐細動器（ICD）の徐細動閾値を上昇させる場合がある 妊娠中の投与に関する安全性は確立していないため投与禁忌 喫煙がCYP1A2を誘導するため，本剤の代謝を促進し，作用を減弱させる可能性
服用を忘れたとき	・〔メキシチール〕思い出したときすぐに服用する。ただし次の服用時間が近いときは忘れた分は服用しない（2回分を一度に服用しないこと） ・〔アスペノン〕飲み始めて2週間以内の場合：思い出したときすぐに服用する。ただし次の服用時間が近いとき（5時間以内）は忘れた分は服用しない（2回分を一度に服用しないこと） ・〔アスペノン〕飲み始めて2週間以上の場合：飲み忘れに気づいても服用しない。次の服用時に決められた用量を服用する（2回分を一度に服用しないこと）	

■ その他備考

- 〔メキシチール〕糖尿病性神経障害に伴う自覚症状（自発痛，しびれ感）の改善を目的として投与する場合

    本剤による治療は原因療法ではなく対症療法であるので漫然と投与しない。2週間投与しても症状の改善が認められない場合には，投与を中止する。
    1日300 mgの用量を超えて投与しない
- 〔アスペノン〕1日用量60 mgを超えて投与する場合，副作用発現の可能性が増大するので注意する

23 抗不整脈薬　③Vaughan Williams 分類Ⅰc

■ 対象薬剤

ピルシカイニド塩酸塩水和物（サンリズム），フレカイニド酢酸塩（タンボコール），プロパフェノン塩酸塩（プロノン）

■ 指導のポイント

	患者向け	薬剤師向け
薬効	この薬は脈の乱れを整える薬です →	抗不整脈作用（上室性および心室性不整脈）
詳しい薬効	心筋の興奮は，心筋の細胞膜に存在するイオンチャネル（ナトリウムチャネル，カルシウムチャネル，カリウムチャネル）を通るイオンの出入りによって起こっていますが，この薬はナトリウムチャネルを抑えることで，心筋の異常な興奮の生成や興奮の伝達を抑えて，脈の乱れを整える薬です	
禁忌・併用禁忌	禁忌 ・うっ血性心不全，高度の房室ブロック，高度の洞房ブロック ・〔タンボコール〕心筋梗塞後の無症候性心室性期外収縮あるいは非持続型心室頻拍，妊婦 併用禁忌 〔タンボコール，プロノン〕⇔リトナビルにて不整脈，血液障害，けいれん等のおそれ，ミラベグロンにてQT延長し心室性不整脈のおそれ	

■ 主な副作用と対策，フィジカルアセスメントのチェックポイント

主な副作用	患者に確認すべき症状	対策とPAのチェックポイント
心室頻拍，心室細動，洞停止，房室ブロック	息切れ，胸がどきどきする，胸苦しい，意識がなくなる	投与中止し体外ペーシングや直流除細動等を行う PA 血圧（↓），顔色（蒼白），動脈拍動（消失），意識レベル（↓）
精神神経系症状	めまい，ふらつき，頭痛	減量もしくは中止
消化器症状	吐き気，口が渇く，便秘，お腹が痛い	胃腸薬の併用を検討 PA 口腔（乾燥），腸音（↓）

■ 重大な副作用と妊婦・授乳婦への危険度

薬剤名	重大な副作用	妊婦[授乳婦]
サンリズム	心室細動，心室頻拍（Torsades de pointesを含む），洞停止，完全房室ブロック，失神，心不全，急性腎不全，肝機能障害	[✕△]
タンボコール	心室頻拍（torsades de pointesを含む），心室細動，心房粗動，高度房室ブロック，一過性心停止，洞停止（または洞房ブロック），心不全の悪化，Adams-Stokes発作，肝機能障害，黄疸	禁忌/B3 [✕○]
プロノン	心室頻拍（Torsades de pointesを含む），心室細動，洞停止，洞房ブロック，房室ブロック，徐脈，失神，肝機能障害，黄疸	[✕○]

■ その他の指導ポイント

	患者向け	薬剤師向け
使用上の注意	・〔タンボコール〕めまい，ふらつき等の症状があればご相談ください →	めまい，ふらつき等の精神神経系症状が発現し，増悪する傾向がある場合は，減量または中止
	・〔サンリズム，プロノン〕この薬の服用中 →	めまい等が現れることがあるため

使用上の注意	は車の運転等，危険を伴う機械の操作は行わないでください ・〔タンボコール〕妊娠中または妊娠の可能性のある方は必ずご相談ください →	動物実験において催奇形性が認められているため投与禁忌
	食〔タンボコール〕母乳および乳製品をとるとき，また母乳等を急に中止するときは必ずご相談ください →	母乳等の摂取により本剤の吸収が抑制され，有効性が低下するおそれがあり，また母乳等の摂取中止時には本剤の血中濃度上昇のおそれがあるため
	食〔プロノン〕この薬の服用中にセイヨウオトギリソウ（セント・ジョーンズ・ワート）を含む食品はとらないでください →	本剤の代謝が促進され血中濃度が低下するため併用注意
服用を忘れたとき	・〔サンリズム〕1日3回服用の場合：思い出したときすぐに服用する．ただし次の服用時間が近いときは忘れた分は服用しない（2回分を一度に服用しないこと） ・〔タンボコール〕飲み忘れに気づいても服用しない．次の服用時に決められた用量を服用する（2回分を一度に服用しないこと） ・〔プロノン〕思い出したときすぐに服用する．ただし次の服用時間が近いとき（4時間以内）は忘れた分は服用しない（2回分を一度に服用しないこと）	

■ その他備考

- 〔タンボコール〕**重篤な腎障害**（クレアチニンクリアランスが 20 mL/min 以下）を伴う患者では，血漿中濃度が予測以上に上昇する可能性があるので，1日量として 100 mg（1回 50 mg，1日2回）を超えないことが望ましい

23　抗不整脈薬　④Vaughan Williams 分類 II

■ 対象薬剤

プロプラノロール塩酸塩（**インデラル**），ピンドロール（**カルビスケン**），カルテオロール塩酸塩（**ミケラン**），メトプロロール酒石酸塩（**セロケン**），アテノロール（**テノーミン**），ビソプロロールフマル酸塩（**メインテート**），アロチノロール塩酸塩（**アロチノロール塩酸塩**）
* No.19 降圧薬⑥（p.305）参照

■ 指導のポイント

	患者向け	薬剤師向け
薬効	この薬は脈の乱れを整える薬です → ☆この薬は心臓の収縮をゆっくりさせて心臓の負担を減らし，狭心症の発作を予防する薬です → ☆この薬は血圧を下げる薬です（参）→ No.19 降圧薬⑥ ☆この薬は手・頸等のふるえを軽減する薬です（アロチノロール塩酸塩）→ ☆この薬は片頭痛が起きるのを予防する薬です（インデラル）（参）No.5 片頭痛治療薬	β受容体遮断作用（抗不整脈作用） 〃　　　　　（抗狭心症作用） 〃　　　　　（降圧作用） 〃　　　　　（抗振戦作用） β受容体遮断作用
詳しい薬効	この薬は，心臓の働きを活発にするホルモン（カテコールアミン）が心臓の特定部位（β受容体）に結びつくのを遮断して，脈の乱れを整えたり，心臓の収縮をゆっくりさせて血圧を下げたり，心筋の酸素の需要を減らし狭心症の発作を予防したりする薬です ☆この薬は本態性振戦（ある特定の姿勢をとったとき手がふるえたり，肩がふるえたり，頭が左右に揺れる）を抑える薬です（アロチノロール塩酸塩）	

23　抗不整脈薬　⑤Vaughan Williams 分類Ⅲ

■ 対象薬剤

アミオダロン塩酸塩（アンカロン），ソタロール塩酸塩（ソタコール）

■ 指導のポイント

	患者向け	薬剤師向け
薬効	この薬は脈の乱れを整える薬です →	抗不整脈作用 （上室性および心室性不整脈：アンカロン） （心室性不整脈：ソタコール）
詳しい薬効	心筋の興奮は，心筋の細胞膜に存在するイオンチャネル（ナトリウムチャネル，カルシウムチャネル，カリウムチャネル）を通るイオンの出入りによって起こっていますが，この薬はカリウムチャネルを抑えることで，心筋の異常な興奮の生成や伝達を抑えて，脈の乱れを整える薬です	
警告	〔ソタコール〕気を失う，動悸，脈が速くなる等が現れたら，直ちに受診してください →	外国臨床試験で，Torsades de pointes を発現し，用量依存的に増大との報告。Torsades de pointes を含む新たな不整脈の発現に注意

警告	〔アンカロン〕 1．施設の限定：致死的不整脈治療の十分な経験のある医師に限り，緊急対応できる施設でのみ使用 2．患者の限定：他の抗不整脈薬が無効か，副作用で使用できない致死的不整脈患者のみ使用。副作用発現頻度は高く，致死的な副作用（間質性肺炎，肺胞炎，肺線維症，肝障害，甲状腺機能亢進症，甲状腺炎）の報告あり 3．患者への説明と同意：本剤の有効性及び危険性を十分説明し，可能な限り同意を得て入院中に投与開始 4．副作用に関する注意：長期間投与した際，血漿からの消失半減期は 19〜53 日と極めて長く，投与中止あるいは減量しても副作用はすぐに消失しない場合がある 5．相互作用に関する注意：種々の薬剤との相互作用報告あり
禁忌・併用禁忌	禁忌 ・〔アンカロン〕重篤な洞不全症候群，2 度以上の房室ブロック，本剤およびヨウ素に対する過敏症既往 ・〔ソタコール〕心原性ショック，重度のうっ血性心不全，重篤な腎障害，高度の洞性徐脈，高度の刺激伝導障害，気管支喘息，気管支けいれんのおそれ，先天性または後天性の QT 延長症候群，本剤の重篤な過敏症既往 併用禁忌 ・〔アンカロン〕⇔リトナビルにて不整脈等の重篤な副作用発現，モキシフロキサシンにて QT 延長，心室性不整脈発現，バルデナフィル，シルデナフィル（勃起不全を効能効果とするもの）にて QT 延長，トレミフェンにて QT 延長，心室性頻拍（Torsades de pointes を含む）等，フィンゴリモドにて Torsades de pointes 等の重篤な不整脈，エリグルスタットにて QT 延長 ・〔ソタコール〕⇔心筋抑制のある麻酔薬（シクロプロパン等）にて循環不全，アミオダロン注，バルデナフィル，モキシフロキサシン，トレミフェン，フィンゴリモドにて QT 延長，心室頻拍（Torsades de pointes を含む）等

■ 主な副作用と対策，フィジカルアセスメントのチェックポイント

〔アンカロン〕

主な副作用	患者に確認すべき症状	対策と PA のチェックポイント
肺機能障害（間質性肺炎，肺線維症，肺胞炎等）	発熱，息苦しい，息切れ，から咳，頭痛	胸部レントゲン検査や胸部 CT 検査にて異常陰影が出現した場合，また咳，呼吸困難および捻髪音等が認められた場合には投与を中止し，必要に応じてステロイド等の処置 PA 呼吸数（↑），呼吸音（捻髪音），指先・唇（チアノーゼ）
角膜色素沈着	まぶしい，目がかすむ，光のまわりにかさが見える	減量もしくは中止。定期的に眼科受診を勧める
甲状腺機能異常 ・甲状腺機能低下 ・甲状腺機能亢進	体がだるい，動作やしゃべり方が遅い，むくみ，寒がる 体重が減る，汗をかきやすい，どきどきする，手が震える，眠れない	投与を中止する等の処置。投与中止後数カ月においても，甲状腺機能検査を行う PA 体重（↑），脈拍（↓） PA 体重（↓），脈拍（↑）

主な副作用	患者に確認すべき症状	対策とPAのチェックポイント
房室ブロック,徐脈,心不全（本剤による催不整脈作用）	めまい，気を失う，脈が遅い，息苦しい，手足がむくむ，体がだるい，動悸がする	減量または投与を中止する等の処置。心室細動，心室頻拍またはTorsades de pointesの場合は，直流徐細動，頸静脈ペーシング，アドレナリンの投与，硫酸マグネシウムの投与 PA 脈拍（徐脈・不整脈），体重（↑），浮腫（上眼瞼，下腿脛骨），頸静脈（怒張），呼吸音（水泡音），心音（Ⅲ音・Ⅳ音）

〔ソタコール〕

主な副作用	患者に確認すべき症状	対策とPAのチェックポイント
房室ブロック,徐脈,心不全（本剤による催不整脈作用）	めまい，気を失う，脈が遅い，息苦しい，手足がむくむ，体がだるい，動悸がする	減量または投与を中止する等の処置。心室細動，心室頻拍またはTorsades de pointesの場合は，直流除細動，頸静脈ペーシング，アドレナリンの投与，硫酸マグネシウムの投与 PA アンカロン参照

■重大な副作用と妊婦・授乳婦への危険度

薬剤名	重大な副作用	妊婦[授乳婦]
アンカロン	間質性肺炎，肺線維症，肺胞炎，既存の不整脈の重度の悪化，Torsades de pointes，心不全，徐脈，心停止，完全房室ブロック，血圧低下，劇症肝炎，肝硬変，肝障害，甲状腺機能亢進症，甲状腺炎，甲状腺機能低下症，抗利尿ホルモン不適合分泌症候群，肺胞出血，急性呼吸窮迫症候群（本剤投与中の患者の心臓，心臓以外の手術後），無顆粒球症，白血球減少	[㊞×]
ソタコール	心室細動，心室頻拍，Torsades de pointes，洞停止，完全房室ブロック，心不全，心拡大	[㊞△]

■その他の指導ポイント

	患者向け	薬剤師向け
使用上の注意	・〔ソタコール〕服薬を中止すると症状が悪化することがあるので，勝手に服用を中止しないでください	投与を急に中止した後に，狭心症，不整脈または心筋梗塞を誘発するおそれがあるので，長期間投与した後に投与を中止する際には徐々に減量して，観察を十分に行う
	食〔アンカロン〕この薬の服用中にセイヨウオトギリソウ（セント・ジョーンズ・ワート）を含む食品はとらないでください	セイヨウオトギリソウにより本剤の代謝酵素が誘導され，血中濃度が低下するおそれがあるため併用注意
	食〔アンカロン〕この薬の服用中にグレープフルーツジュースは一緒に飲まないでください	グレープフルーツジュース中フラノクマリン類により小腸上皮細胞に存在するCYP3A4が阻害され，血中濃度が上昇し副作用が現れる
服用を忘れたとき	思い出したときすぐに服用する。ただし次の服用時間が近いときは忘れた分は服用しない（2回分を一度に服用しない）	

23 抗不整脈薬　⑥Vaughan Williams 分類Ⅳ

■ 対象薬剤

ベプリジル塩酸塩水和物（ベプリコール），ベラパミル塩酸塩（ワソラン）
＊ワソランは No.22 狭心症治療薬③（p.355）参照

■ 指導のポイント

	患者向け		薬剤師向け
薬効	この薬は脈の乱れを整える薬です	→	抗不整脈作用（上室性・心室性不整脈：ベプリコール） 〃　　　（上室性不整脈：ワソラン）
	☆この薬は心臓へ酸素や栄養を供給している冠血管を拡げ，締めつけられるような胸の痛みを改善したり，予防したりする薬です（参）No.22 狭心症治療薬③	→	冠血管拡張作用
詳しい薬効	心筋の興奮は，心筋の細胞膜に存在するイオンチャネル（ナトリウムチャネル，カルシウムチャネル，カリウムチャネル）を通るイオンの出入りによって起こっていますが，この薬はカルシウムチャネル・ナトリウムチャネル・カリウムチャネル（ベプリコール），カルシウムチャネル（ワソラン）を抑えることで，心筋の異常な興奮の生成や伝達を抑えて，脈の乱れを整える薬です		

	患者向け	薬剤師向け
警告	動悸，息切れ，めまい，ふらつき，脈が速くなる，意識がなくなる，胸の違和感や痛みが現れたら，直ちに受診してください →	持続性心房細動患者を対象とした国内臨床試験で，心室頻拍の死亡例．心房細動・心房粗動を対象とした臨床研究で，Torsades de pointes を発現したとの報告あり．過度の QT 延長，Torsades de pointes の発現に十分注意
禁忌・併用禁忌	[禁忌] うっ血性心不全，高度の刺激伝導障害，著明な洞性徐脈，著明な QT 延長，妊婦 [併用禁忌] リトナビル，アタザナビル，ホスアンプレナビルにて心室頻拍等，エリグルスタット，イトラコナゾールにて QT 延長，シポニモド，アミオダロン注にて Torsades de pointes	

■ 主な副作用と対策，フィジカルアセスメントのチェックポイント

主な副作用	患者に確認すべき症状	対策と PA のチェックポイント
房室ブロック, 徐脈, 心不全	めまい，気を失う，脈が遅い，息苦しい，手足がむくむ，体がだるい，動悸がする	投与を中止し，リドカイン，硫酸マグネシウム，イソプレナリンの静注，除細動やペーシング等の適切な処置を行う PA 脈拍（徐脈・不整脈），体重（↑），浮腫（上眼瞼，下腿脛骨），頸静脈（怒張），呼吸音（水泡音），心音（Ⅲ音・Ⅳ音）

■ 重大な副作用と妊婦・授乳婦への危険度

薬剤名	重大な副作用	妊婦[授乳婦]
ベプリコール	QT 延長，心室頻拍（Torsades de pointes を含む），心室細動，洞停止，房室ブロック，無顆粒球症，間質性肺炎	禁忌 [❷○]

■ その他の指導ポイント

	患者向け	薬剤師向け
使用上の注意	・服薬を中止すると症状が悪化することがあるので，勝手に服用を中止しないでください →	Ca 拮抗薬の投与を急に中止したとき，症状が悪化した症例が報告されているので，休薬を要する場合は観察を十分に行う。また患者に医師の指示なしに服薬を中止しないように注意する
	・すぐに効果が現れる薬ではないので，途中で勝手に服用を中止しないでください →	血中濃度が定常状態に達するまでに通常3週間を要する。このためこの間は十分な効果が発現しないことがあるため
	・妊娠中または妊娠の可能性のある方は必ずご相談ください →	生殖・発生毒性試験で分娩障害，出生児の体重増加抑制および生存率低下の報告のため投与禁忌
服用を忘れたとき	思い出したときすぐに服用する。ただし次の服用が近いときは忘れた分は服用しない（2回分を一度に服用しないこと）	

■ その他備考

- ベプリコールは，Vaughan Williams 分類のクラス Ⅰ，Ⅲ および Ⅳ の電気生理学的特徴を有するが，Ca 拮抗薬の性質も有しているため，Ⅳ群に分類している。

抗不整脈薬の分類

最も一般的に用いられているのが，薬剤の電気生理学的性質，心筋細胞のイオンチャネルに及ぼす影響を考慮した Vaughan Williams 分類である。しかし近年 CAST（cardiac arrhythmia suppression trial）を契機に抗不整脈薬の催不整脈作用が重視されるようになり，薬物療法のあり方が大きく変化したことから，抗不整脈薬の薬理作用を多角的にとらえることの重要性が叫ばれている。Sicilian Gambit では病態生理学的薬剤選択法を提唱しており，薬理作用機序別一覧表となっている。

抗不整脈薬の Vaughan Williams 分類

クラス		主作用機序	活動電位持続時間	Na チャネルとの結合，解離	主な薬剤	適応不整脈
I	a	膜安定化作用（Na チャネル抑制）	延長	中間	硫酸キニジン アミサリン リスモダン（リスモダン R） シベノール ピメノール[※3]	上室性 心室性
	b		不変		アスペノン	
			短縮	速い	メキシチール キシロカイン アレビアチン[※1]	心室性
	c		不変	遅い	プロノン サンリズム タンボコール	上室性 心室性
II		交感神経 β 受容体遮断作用			インデラル カルビスケン ミケラン セロケン テノーミン メインテート アロチノロール　他	上室性 心室性
III		活動電位持続時間延長（K チャネル抑制）			アンカロン ソタコール[※3] （IIの作用もある）	上室性 心室性
IV		Ca 拮抗作用（Ca チャネル抑制）			ワソラン ヘルベッサー[※2]	上室性 （心室性）
					ベプリコール	上室性 心室性

※1　適応なし
※2　内服薬は適応なし
※3　心室性不整脈のみ適応

Sicilian Gambit が提唱する薬剤分類枠組（日本版）

薬剤	Na Fast	Na Med	Na Slow	Ca	K	If	α	β	M₂	A₁	Na-K ATPase	左室機能	洞調律	心外性	PR	QRS	JT
リドカイン	○											→	→	●			↓
メキシレチン	○											→	→	●			↓
プロカインアミド		Ⓐ			●							↓	→	●	↑	↑	↑
ジソピラミド			Ⓐ		●				○			↓	→	●	↑↓	↑	↑
キニジン		Ⓐ			●		○		○			→	↑	●	↑↓	↑	↑
プロパフェノン		Ⓐ						●				↓	→	○	↑	↑	
アプリンジン	Ⓘ			○	○	○						↓	→	●	↑	↑	→
シベンゾリン			Ⓐ	○	●				○			↓	→	●	↑	↑	
ピルメノール			Ⓐ		●				○			↓	↑	○	↑	↑	↑→
フレカイニド			Ⓐ		○							↓	→	○	↑	↑	
ピルシカイニド			Ⓐ									↓	→	○	↑	↑	
ベプリジル	○			●	●							→	↓	○			↑
ベラパミル	○			●			○					↓	↓	○	↑		
ジルチアゼム				●								↓	↓	○	↑		
ソタロール					●			●				↓	↓	○			↑
アミオダロン	○			○	●		●	●				→	↓	●			↑
ニフェカラント					●							→	→	○			↑
ナドロール								●				↓	↓	○	↑		
プロプラノロール	○							●				↓	↓	○	↑		
アトロピン									●			→	↑	●	↓		
ATP										■		?	↓	○	↑		
ジゴキシン									■		●	↑	↓	●	↑		↓

遮断作用の相対的強さ　○低　●中等　●高
■＝作動薬
A＝活性化チャネルブロッカー　I＝不活性化チャネルブロッカー
If：過分極活性化内向き電流　M₂：ムスカリン受容体　A₁：アデノシン受容体　JT：Q間隔に相当
（抗不整脈薬ガイドライン委員会・編：抗不整脈薬ガイドライン—CD-ROM版ガイドラインの解説とシシリアンガンビットの概念，ライフメディコム，2000 より一部改変）

不整脈時の日常生活と食事療法のポイント

　心臓は血液を送り出すため一定のリズムで収縮と拡張を繰り返していますが何らかの原因で，心臓の打つ回数が極端に速くなったり，遅くなったり不規則になったりすることがあります。このような状態を不整脈といいます。不整脈にはさまざまな種類があり，緊急の治療を要するものやそのまま放っておいても心配のないものもあります。一般的には重篤な心臓病がない人で不整脈がみられても，不整脈の重症度が高くなく症状も軽ければ，生活習慣の改善などの指導を行うだけで積極的な薬物治療などは行わないというのが最近の考え方です。

【日常生活】
1. タバコの吸いすぎ，過労，ストレス，睡眠不足は不整脈の誘因になりますので避けるようにしましょう。
2. 熱い風呂，寒い戸外へ急に出るなどの急激な温度変化は避けましょう。
3. 運動は一概に禁止するわけではありませんが，どの程度の運動が適切かは医師に相談してください。なお運動中息切れ，動悸，めまいが起きたら危険信号ですから，すぐに運動を中止しましょう。

【食事療法】
1. 塩分や動物性脂肪は高血圧や動脈硬化を促進しますから，できるだけ控えめにしましょう。
2. バランスのとれた食事で太りすぎを防ぎましょう。
3. コーヒーや酒の飲みすぎは不整脈の誘因になりますのでなるべく控えましょう。

24 肺動脈性肺高血圧症治療薬

■ 肺動脈性肺高血圧症治療薬—薬物治療の確認と指導のポイント

項目	確認のポイント
PAHの原因分類と重症度の確認（Pulmonary-arterial-hypertension）	PAHは左心系の圧上昇を伴わない肺高血圧症（肺動脈圧の上昇認める病態）の一群 **原因** ・特発性PAH（原因不明のもの） ・遺伝性PAH ・薬物，毒物誘発性PAH ・各種疾患に伴うPAH（膠原病，HIV感染症，門脈肺高血圧症，先天性心疾患，住血吸虫） **重症度** Ⅰ度：無症状（強い運動をしても症状は現れない） Ⅰ～Ⅱ度：軽度（強い運動をすると症状が現れる） Ⅱ～Ⅲ度：中等度（軽い運動でも症状が現れる） Ⅳ度：重度（安静にしていても呼吸困難等症状が現れる） **検査** 心電図，心エコー，右心カテーテル検査，胸部レントゲン・CT検査，動脈血ガス
PAHの重症度別薬物治療と効果の確認	①軽度（Ⅰ～Ⅱ度）：内服薬（エンドセリン受容体拮抗薬，PDE5阻害薬・sGC刺激薬，セレキシパグ）のうち1種類の単剤療法，または複数の薬剤を使用する併用療法 ②中等度（Ⅱ～Ⅲ度）：上記薬剤にプロスタグランディンI_2製剤（トレプロスチニル皮下注，イロプロスト吸入，エポプロステノール静注）を併用 ③重度（Ⅳ度）：治療初期から，内服薬に注射薬（エポプロステノールの持続静注）を含む併用療法 効果の確認：薬物効果は最低3カ月以上6～12カ月
PAH発症リスクとなりうる薬物，毒物の確認	確実な関連あり：アミノレックス，フェンフルラミン，デキスフェンフルラミン，毒性を有する菜種油，ベンフルオレックス，ダサチニブ，メタンフェタミン 関連性が高い：コカイン，フェニルプロパノールアミン，L-トリプトファン，セイヨウオトギリソウ，アンフェタミン，インターフェロンアルファ・ベータ，アルキル化薬，ボスチニブ，直接作用型抗ウイルス薬（C型肝炎治療薬），青黛（セイタイ），レフルノミド
日々の症状・服薬状況の確認	「PAHケアノート」（PAHの患者が，日々の症状や治療薬の服薬状況を記録し，データ化することで，グラフやレポートによって振り返ることができる無料アプリ）などを活用して状態を把握し指導する

■ 対象薬剤

A. プロスタサイクリン誘導体：ベラプロストナトリウム（ケアロードLA，ベラサスLA），セレキシパグ（ウプトラビ），イロプロスト（ベンテイビス吸入液）
B. エンドセリン受容体拮抗薬：ボセンタン水和物（トラクリア），アンブリセンタン（ヴォリブリス），マシテンタン（オプスミット）
C. PDE5阻害薬：シルデナフィルクエン酸塩（レバチオ），タダラフィル（アドシルカ）
D. 可溶性グアニル酸シクラーゼ刺激薬：リオシグアト（アデムパス）

■ 指導のポイント

	患者向け	薬剤師向け
薬効	この薬は肺動脈を拡げ，肺動脈の圧を下げることで，呼吸を楽にしたり，心臓への負担を減らす薬です ☆この薬は手指の血管を拡げて全身性強皮症（※）の手指潰瘍を抑える薬です（トラクリア）	肺動脈拡張作用 ・cAMP増加作用（A） ・エンドセリン受容体拮抗作用（B） ・PDE5阻害作用（C） ・可溶性グアニル酸シクラーゼ刺激作用（D） 手指の血管障害改善 線維芽細胞からのコラーゲン産生抑制
詳しい薬効	肺動脈性肺高血圧症は，心臓から肺に血液を送る肺動脈末梢が狭くなり，肺動脈の血圧が高くなる疾患で，息切れ，倦怠感などの症状を伴い，進行すると心不全を引き起こす病気です ・この薬は血管の拡張や血液の凝固にかかわるホルモン（プロスタサイクリン）誘導体で，血管の平滑筋を拡げる物質（cAMP）を増加させることにより，血液を固まりにくくし，肺動脈を拡げ，血管の圧を下げることで，呼吸を楽にしたり，心臓への負担を減らし，肺動脈性肺高血圧症を治療する飲み薬（ケアロード，ベラサス，ウプトラビ），吸入薬（ベンテイビス）です（A） ・この薬は血管の平滑筋を収縮させる物質（エンドセリン）が結合する部位（受容体）に結合してその働きを遮断することにより，エンドセリンの働きを抑えて，肺動脈を拡げ，血管の圧を下げることで，呼吸を楽にしたり，心臓への負担を減らし，肺動脈性肺高血圧症を治療する薬です（B） ・この薬は血管の平滑筋を拡げる物質（サイクリックGMP：cGMP）を分解する酵素（ホスホジエステラーゼ5：PDE5）を阻害することにより，肺動脈を拡げ，血管の圧を下げることで，呼吸を楽にしたり，心臓への負担を減らし，肺動脈性肺高血圧症を治療する薬です。この薬の同一成分は勃起不全治療薬として販売されています（C） ・この薬は一酸化窒素（NO）の受容体である酵素（可溶性グアニル酸シクラーゼ：sGC）を刺激して血管を拡げる物質（サイクリックGMP：cGMP）の合成を促すことにより，肺動脈を拡げ，血管の圧を下げることで，呼吸を楽にしたり，心臓への負担を減らし肺動脈性肺高血圧症を治療したり，手術のできない場合や，手術後も肺高血圧症が持続・再発する慢性血栓塞栓性肺高血圧症を治療する薬です（D） ☆この薬は血管の平滑筋を収縮させる物質（エンドセリン）が結合する部位（受容体）に結合して，その働きを遮断することによりエンドセリンの働きを抑えて血管平滑筋の増殖・肥大化を防いだり，強皮症の線維芽細胞からのコラーゲン産生を抑制し，全身性強皮症の手指潰瘍を抑える薬です。発症を抑制するもので，できている潰瘍を直す効果は認められていません（トラクリア）	

	患者向け	薬剤師向け
警告	〔トラクリア〕（肝機能障害の症状）だるい、→食欲不振、吐き気、皮膚や白目が黄色くなる、かゆいなどの症状があればご相談ください 検 この薬の服用前と服用中は1カ月に1回（服用開始3カ月間は2週に1回）肝機能検査を受けてください	肝機能障害発現のため。肝機能検査を投与前と、投与中は少なくとも1カ月に1回実施。投与開始3カ月間は2週に1回の検査が望ましい。異常の場合は減量および投与中止など適切な処置
	〔レバチオ、アドシルカ〕硝酸剤・NO供与剤併用で過度に血圧下降。本剤投与中、投与後も併用しないよう注意。肺動脈性肺高血圧症で一酸化窒素吸入療法との併用が必要な場合、緊急時に十分対応できる医療施設、医師のもとで慎重に投与	
禁忌・併用禁忌	禁忌 ・〔ウプトラビ、ベンテイビス、レバチオ、アドシルカ以外〕妊婦 ・〔ケアロード、ベラサス〕出血 ・〔ベンテイビス〕出血または出血リスクが高い ・〔ケアロード、ベラサス以外〕本剤過敏症既往歴 ・〔ケアロード、ベラサス、ベンテイビス、トラクリア以外〕重度の肝障害 ・〔トラクリア〕中等度・重度の肝障害 ・〔アドシルカ〕重度の腎障害 ・〔アデムパス〕重度の腎機能障害または透析中 ・〔ウプトラビ、ベンテイビス〕肺静脈閉塞性疾患を有する肺高血圧症 ・〔ベンテイビス〕重度の冠動脈疾患または不安定狭心症、6カ月以内に心筋梗塞を発症、医師の管理下にない非代償性心不全、重度の不整脈、3カ月以内に脳血管障害の発症、肺高血圧症に関連しない心機能障害を伴う先天性または後天性心臓弁疾患 併用禁忌 ・〔トラクリア〕⇔シクロスポリン、タクロリムスにて本剤の血中濃度急激上昇し、副作用発現、シクロスポリン、タクロリムスの血中濃度低下し効果減弱、グリベンクラミドにて肝酵素値上昇の発現率が2倍に増加 ・〔オプスミット〕⇔リファンピシン、セイヨウオトギリソウ含有食品、カルバマゼピン、フェニトイン、フェノバルビタール、リファブチンにて本剤の血中濃度が低下し効果減弱 ・〔レバチオ〕⇔硝酸薬およびニトログリセリン、亜硝酸アミル、硝酸イソソルビド、ニコランジル等にて降圧作用を増強、リトナビル、ダルナビル、イトラコナゾール、コビシスタット含有製剤にて本剤の血漿中濃度が上昇、リオシグアトにて症候性低血圧発現 ・〔アドシルカ〕⇔硝酸薬およびニトログリセリン、亜硝酸アミル、硝酸イソソルビド、ニコランジル等にて降圧作用を増強、リオシグアトにて血圧低下、イトラコナゾール、リトナビル含有製剤、アタザナビル、ダルナビル含有製剤、クラリスロマイシン、コビシスタット含有製剤にて本剤の血漿中濃度上昇、リファンピシン、フェニトイン、カルバマゼピン、フェノバルビタールにて本剤の血漿中濃度低下し効果減弱 ・〔アデムパス〕⇔硝酸薬およびニトログリセリン、亜硝酸アミル、硝酸イソソルビド、ニコランジル等にて降圧作用を増強、シルデナフィル、タダラフィル、バルデナフィルにて症候性低血圧発現、イトラコナゾール、ボリコナゾール、リトナビル、カレトラ配合、アタザナビルにて本剤のクリアランスが低下	

■ 主な副作用と対策，フィジカルアセスメントのチェックポイント

主な副作用	患者に確認すべき症状	対策とPAのチェックポイント
頭痛，顔面潮紅，ほてり，動悸，めまい，血圧低下	顔が赤くほてったり，頭が痛い，ドキドキする，目が回る，血圧が下がる	減量もしくは中止 PA 脈拍（↑），血圧（↓）
消化器症状	便秘，下痢，腹痛，吐き気	減量もしくは中止
出血傾向，貧血（A，B）	皮下出血や歯ぐきの出血，鼻出血，息切れ，動悸，疲労，めまい，顔が悪い	中止 PA 体幹・四肢（出血斑），歯肉・鼻（出血），顔色（蒼白），眼瞼結膜（蒼白） 消化器系出血：便（血便，黒色便） 呼吸系出血：痰（血痰） 頭蓋内出血：頸部（硬直），意識（↓），視力・感覚（障害）
肝機能障害（トラクリア）	だるい，食欲不振，吐き気，発熱，発疹，かゆみ，皮膚や白目が黄色くなる，尿が茶褐色	肝機能検査値異常の程度および臨床症状に応じて減量もしくは中止 PA 眼球（黄色），皮膚（皮疹，瘙痒感，黄色），尿（褐色），体温（↑），
むくみ，体重増加（B）	手足や顔がむくむ，急に体重が増える	減量もしくは中止 PA 体重（↑），浮腫（上眼瞼，下腿脛骨），尿量（↓）
眼障害（レバチオ，アドシルカ）	まぶしい，かすむ，青いめがねをしているように見える	急激な視力低下・視力喪失が現れた場合，速やかに眼科医を受診するよう指導しておく
顎痛，咳嗽，咽喉刺激感（ベンテイビス）	あごを動かしたときに痛む，喉が刺激され咳が出る	減量もしくは中止

■ 重大な副作用と妊婦・授乳婦への危険度

薬剤名	重大な副作用	妊婦[授乳婦]
ケアロード，ベラサス	出血傾向（脳出血，消化管出血，肺出血，眼底出血），ショック，失神，意識消失，間質性肺炎，肝機能障害，狭心症，心筋梗塞	禁忌
ウプトラビ	低血圧，出血，甲状腺機能異常	B1
ベンテイビス	出血，気管支痙攣，過度の血圧低下，失神，血小板減少症，頻脈	B3
トラクリア	重篤な肝機能障害，汎血球減少，白血球減少，好中球減少，血小板減少，貧血，心不全，うっ血性心不全	禁忌/X [⊗△]
ヴォリブリス	貧血，体液貯留，心不全，間質性肺炎	禁忌/X
オプスミット	貧血	禁忌/X
レバチオ	－	B1 [⊗○]
アドシルカ	過敏症（発疹，蕁麻疹，顔面浮腫，剥脱性皮膚炎，Stevens-Johnson症候群）	B1
アデムパス	喀血，肺出血	禁忌/X

■ その他の指導ポイント

	患者向け	薬剤師向け
使用上の注意	・〔ケアロード，ベラサス〕この薬は割ったり，砕いたり，すりつぶしたりしないで，そのままかまずに飲んでください	徐放性が失われ，過量投与となるおそれがあるため
	・〔A，C，D〕この薬の服用中は，車の運転等，危険を伴う機械の操作は行わないでください	以下の症状が現れることがあるため ・〔ケアロード，ベラサス，ウプトラビ〕意識障害等 ・〔レバチオ〕めまい，視覚障害，色視症，霧視 ・〔アドシルカ〕めまい，視覚障害 ・〔ベンテイビス，アデムパス〕めまい
	・〔レバチオ OD フィルム〕この薬は舌の上にのせ唾液で崩壊するので，唾液のみまたは水で服用してください	OD フィルムのため
	・〔レバチオ懸濁用DS〕この薬は容器に水60 mL を加え，振り混ぜた後さらに水 30 mL を加えて振り混ぜ調製してください。服用時に 10 秒間振とうしてください。30℃以下で遮光して保存し，30日以内に使用してください	1 瓶に 90 mL 水を加えて懸濁するとシルデナフィル 10 mg/mL の溶液 112 mL となる
	・〔ベンテイビス〕この薬は専用の電気式吸入器（I-nebAAD ネブライザ）で吸入し，毎回の吸入ごとに新しいアンプルの全量をネブライザに入れてください。希釈したり他剤と混ぜたりしないでください。マウスピースをくわえ，できるだけゆっくり吸ったり吐いたりしてください。吸入後ネブライザ内に残った薬液は捨ててください	本剤を希釈または他の物質と混合すると構造的または機能的変化が起こる可能性があるため
	・〔トラクリア〕この薬の服薬中は，経口避妊薬単独での避妊を避け，別の避妊法を併用してください。妊娠する可能性のある女性は服用前・服用中は毎月妊娠検査を必ず受けてください	経口避妊薬の血中濃度が低下し，避妊効果が低下する可能性があるため
	・〔ウプトラビ，ベンテイビス，レバチオ，アドシルカ以外〕妊娠中または妊娠の可能性がある方は必ずご相談ください	以下の理由にて投与禁忌 ・〔ケアロード，ベラサス〕妊娠中の投与に関する安全性は確立していない ・〔トラクリア，ヴォリブリス，オプスミット〕動物実験で催奇形性が報告 ・〔アデムパス〕動物実験で心室中隔欠損，骨化遅延（胸骨分節）等報告
	・〔アデムパス〕この薬の服用中は喫煙を避けてください	喫煙者では本剤の血中濃度が 50～60% 低下する
	・喫煙は病態を悪化させるので，禁煙して	喫煙は肺動脈圧の上昇をきたすため

使用上の注意	ください	
	食 〔トラクリア，アドシルカ〕この薬の服用中にグレープフルーツジュースは飲まないでください	グレープフルーツジュースに含まれる成分のCYP3A4阻害作用により本剤の血中濃度上昇の可能性のため併用注意
	食 〔トラクリア，オプスミット，アデムパス〕この薬の服用中にセイヨウオトギリソウ（セント・ジョーンズ・ワート）を含む食品はとらないでください	セイヨウオトギリソウに含まれる成分のCYP3A4酵素誘導作用により本剤の血中濃度低下の可能性のため併用注意
服用を忘れたとき	・〔ベンテイビス以外〕思い出したときすぐに服用する。ただし次の服用時間が近いとき（ケアロード・ベラサス：12時間以内，アデムパス：6時間以内）は忘れた分は服用しない。（2回分を一度に服用しない） ・〔ベンテイビス〕吸入し忘れた場合は，思い出したときすぐに吸入する。その後は2時間以上あけてから次の吸入をする。（2回分を一度に吸入しない）	

■ その他備考

※全身性強皮症とは

皮膚や臓器の硬化（線維化），血行の障害（血管障害），免疫の異常を特徴とする膠原病の一つである。線維化は膠原線維（コラーゲンなど）が過剰に増えた結果として正常組織に障害が起こるもので，皮膚をはじめ肺，関節，心臓，消化管，腎臓などさまざまな臓器に起こる。皮膚の線維化は皮膚が厚くなってつまみづらくなる皮膚硬化としてみられ，手足の指先から始まり，徐々に体幹に向かってひろがっていく。国が指定する難病である。

肺動脈性肺高血圧症の日常生活と食事療法のポイント

　肺動脈性肺高血圧症は，心臓から肺に血液を送る肺動脈の血圧が高くなり，心臓と肺の機能に障害をもたらす原因不明の病気です。肺高血圧症では，何らかの原因で肺小動脈が細くなりその結果，肺への血液が流れにくくなり，肺動脈内の圧力が高くなります。肺動脈に血液が流れにくくなると，そこに血液を送り込んでいる右心室は，心筋を肥大させて血液を送り出すように変化します。しかし，右心室はもともと高い圧力に耐えられるようにできていないため，このような負荷のかかった状態が続くと，心筋の収縮力は低下し，右心室は拡がったまま戻らなくなります。こうして右心房を含む右心系の機能が障害された状態を右心不全といい，全身の血液の循環に障害がでてきます。

　肺動脈性肺高血圧症になると，動いたときに息切れがする，疲れやすい，胸痛や動悸がするなどの症状が現れます。他にも失神発作を起こしたり，声がかすれたり，咳が止まらなくなったり，血痰が出たりします。右心室が拡張して働きが悪くなると，中心静脈圧が上昇して全身のうっ血が起こります。その結果食欲がなくなったり，顔面や下肢のむくみが生じたり，肝臓が大きくなり右上腹部が痛むなどの症状が現れます。黄疸になることもあります。肺高血圧が高度になり右心不全にいたると，血液循環はさらに悪くなり，息切れは極軽い労作でも起きるほどに悪化し，立ち上がるだけでも気を失いかけたり，お腹に水がたまったり，チアノーゼ（低酸素血症では皮膚や粘膜が青みを帯びてくること）を起こしたりします。

心臓の構造

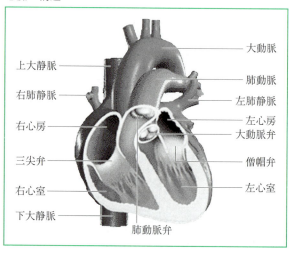

【日常生活】
1. 心身の安静が第一です。運動によって肺動脈圧が大きく上昇するので，過度の運動は避けてください。
2. 心臓と肺の仕事量を軽くするため，住居環境に配慮する必要があります。呼吸困難時は，寝ている姿勢よりも上半身を起こした姿勢の方が呼吸が楽です。ベッドを起こしたり，首や背に枕を入れ込むなどの工夫が必要です。また，失神発作の多くがトイレで起こることや，立ち上がりによる血圧の変化が大きいことから，和式便器は避けて洋式便器を使うことをすすめます。
3. 喫煙は病態を悪化させるので，禁煙してください。
4. 妊娠・出産は禁忌とされています。
5. 心臓と肺への負担が大きい飛行機の利用，高所への旅行および滞在は避けた方がよいでしょう。

【食事療法】
1. いわゆる生活習慣病とは違って，特に食事に気をつけなければならないということはありません。しかし，心不全からむくみや腹水を起こす病気なので，水分制限，塩分制限が必要になります。
2. 服用している薬剤との関連で，控えなければならない食品も出てきます。薬との飲み合わせについては，医師または薬剤師の指導を守るようにしましょう。

25 脂質異常症治療薬

■ 脂質異常症治療薬―薬物治療の確認と指導のポイント

項目	確認のポイント
（原因に基づいて分類） 1. 原発性脂質異常症 2. 続発性（二次性）脂質異常症の可能性の確認（基礎疾患，服用薬剤）	**病態** 高 LDL-C 血症，低 HDL-C 血症，高 TG 血症のいずれかを認め，全身の血管の動脈硬化が促進され，心筋梗塞や脳梗塞などの合併症が出現 **鑑別法** 家族歴，生活習慣，薬歴，冠動脈疾患の既往歴などの聴取を実施 1. 原発性脂質異常症：主に遺伝因子によるもの（家族歴の聴取，リポ蛋白測定など） 2. 続発性脂質異常症：併存する別の疾患（糖尿病，肝・胆道系疾患，甲状腺機能低下症，ネフローゼ症候群，クッシング症候群等）や服用中の薬物，生活習慣の乱れなどによるものを続発性脂質異常症といい脂質異常症の約 40％を占めるといわれている **脂質異常に影響を与える可能性の薬剤**：糖質コルチコイド，エストロゲン，降圧薬（β遮断薬，チアジド系利尿薬），レチノイン酸，シクロスポリン等
脂質管理目標値の確認	動脈硬化性疾患の発症リスクに応じて，LDL-C，HDL-C，TG 等の管理目標値を設定し治療を行うので目標値の確認を行う（リスク区分別脂質管理目標値（p.411）参照）
脂質異常症の発症に関わる生活習慣の確認と指導	脂質異常症の治療だけでなく，動脈硬化性疾患の予防・治療のため，①禁煙，②肥満対策，③食事療法，④運動療法の 4 つを軸に生活習慣改善の指導を実施（脂質異常症の日常生活と食事療法のポイント（p.412）参照）
薬物治療の選択と主な副作用の確認	**薬剤選択** ・LDL-C の低下，TG の低下，HDL-C の上昇を指標とした薬剤選択が必要 ・高 LDL-血症：スタチンが第一選択（動脈硬化性疾患のリスクが高い場合はストロングスタチン[*1)]：アトルバスタチン，ピタバスタチン，ロスバスタチンを選択）。エゼチミブや陰イオン交換樹脂，プロブコールはスタチンが使用できない場合の単剤使用や，スタチンだけでは効果不十分な場合に併用で使用 ・高リスクの高 LDL-血症：スタチン＋エゼチミブもしくはスタチン＋イコサペント酸エチル（EPA） ・低 LDL-血症を伴う高 TG 血症：フィブラート系やニコチン酸誘導体 **主な副作用**：主な副作用と対策参照 ・スタチン，エゼチミブ，フィブラート系：横紋筋融解症（筋肉痛，脱力感，CK 上昇），肝機能障害，消化器症状 ・多価不飽和脂肪酸（EPA，DHA）：出血傾向，消化器症状，発疹 ・ニコチン酸誘導体：顔面紅潮，熱感（血管拡張作用等により），消化器症状 ・MTP 阻害薬：肝機能障害（**警告**月 1 回以上肝機能検査実施が必要）

No.25 脂質異常症治療薬

項目	確認のポイント
併用薬の確認	・腎機能障害患者にスタチンとフィブラート系を併用した場合，急激な腎機能悪化を伴う横紋筋融解症が現れやすいので併用注意（適宜クレアチンキナーゼを確認） ・脂溶性スタチン[*2]（シンバスタチン，フルバスタチン，アトルバスタチン）は主としてチトクローム P450 で代謝される。ケトコナゾール，イトラコナゾールなどの抗真菌薬，HIV プロテアーゼ阻害薬，エリスロマイシン，クラリスロマイシンなどの抗菌薬，シクロスポリンなどの免疫抑制薬等はチトクローム P450 を阻害し本剤の代謝が抑制され横紋筋融解症発現のおそれがあるため併用禁忌・併用注意

* 1) ストロングスタチン（強い）は 30～50％コレステロールを低下させる
　　スタンダードスタチン（標準）は 20～30％コレステロールを低下させる（プラバスタチン，シンバスタチン，フルバスタチン）
* 2) 水溶性スタチン：プラバスタチン，ロスバスタチン

25 脂質異常症治療薬　①HMG-CoA還元酵素阻害薬（スタチン）

■ 対象薬剤

プラバスタチンナトリウム（メバロチン），シンバスタチン（リポバス），フルバスタチンナトリウム（ローコール），アトルバスタチンカルシウム水和物（リピトール），ピタバスタチンカルシウム（リバロ），ロスバスタチンカルシウム（クレストール）
配合剤（A）（スタチン/小腸コレステロールトランスポーター阻害薬：アトーゼット配合，ロスーゼット配合）
配合剤（B）（スタチン/Ca拮抗薬：カデュエット配合）
＊カデュエットはNo.19降圧薬①（p.282）参照

■ 指導のポイント

	患者向け	薬剤師向け
薬効	・この薬は血液中のコレステロールを下げる薬です（配合剤A・B以外） →	コレステロール合成抑制作用 LDLレセプター活性亢進作用
	・この薬は血液中のコレステロールを下げる薬です（配合剤A） →	コレステロール合成抑制作用 LDLレセプター活性亢進作用 コレステロール吸収抑制作用
	・この薬は血液中のコレステロールを下げるとともに，末梢の血管を拡げて血圧を下げる薬です（配合剤B） →	コレステロール合成抑制作用，脂質低下作用，動脈硬化進展抑制作用，末梢血管（動脈系）拡張作用
詳しい薬効	脂質異常症は，血液中の悪玉コレステロール（LDLコレステロール）や中性脂肪（トリグリセライド）が，正常範囲を超えて増加していたり，善玉コレステロール（HDLコレステロール）が低下している状態をいいます。この状態が長く続くと，血管にコレステロールがたまり，動脈が狭く，もろくなり動脈硬化症に陥ってしまいます。 ・この薬は，肝臓でのコレステロールを作る酵素（HMG-CoA還元酵素）の働きを阻害することにより，コレステロールが作られるのを抑えて，血液中のコレステロールを下げる薬です（配合剤A・B以外） ・この薬は，肝臓でのコレステロールを作る酵素（HMG-CoA還元酵素）の働きを阻害することにより，コレステロールが作られるのを抑えるとともに，コレステロール吸収に関する小腸コレステロールトランスポーターに結びついて，食事性コレステロールの腸管からの吸収を抑えて，血液中のコレステロールを下げる薬です（配合剤A） ・この薬は，肝臓でのコレステロールを作る酵素（HMG-CoA還元酵素）の働きを阻害することにより，コレステロールが作られるのを抑えて，血液中のコレステロールを下げるとともに，血管や心筋を収縮させるカルシウムの血管細胞内への流入を阻止し，カルシウムの作用を抑えて末梢の血管（動脈）を拡げて血圧を下げる薬です（配合剤B）	
禁忌・併用禁忌	**禁忌** ・本剤過敏症既往，妊婦，授乳婦 ・〔リポバス，ローコール，リバロ，アトーゼット配合，ロスーゼット配合〕重篤な肝障害 ・〔リピトール，クレストール，アトーゼット配合，ロスーゼット配合〕肝代謝能低下 ・〔リバロ〕胆道閉塞 **併用禁忌** ・〔リポバス〕⇔イトラコナゾール，ミコナゾール，ポサコナゾールにて急激な腎機能悪化を	

禁忌・併用禁忌	伴う横紋筋融解症，アタザナビル，スタリビルド配合にて横紋筋融解症を含むミオパチー等 ・〔リピトール，アトーゼット配合〕➡マヴィレット配合にて本剤の血中濃度が上昇し，副作用発現 ・〔リバロ〕➡シクロスポリンにて急激な腎機能悪化を伴う横紋筋融解症の副作用発現増加 ・〔クレストール，ロスーゼット配合〕➡心臓移植患者でシクロスポリンと併用にて本剤のAUC$_{0-24h}$が上昇

■ 主な副作用と対策，フィジカルアセスメントのチェックポイント

主な副作用	患者に確認すべき症状	対策とPAのチェックポイント
横紋筋融解症†	脱力感，手足のしびれ，手足のこわばり，筋肉の痛み，赤褐色尿	腎機能障害患者に対し投与の可否を検討し，投与の場合は減量や投与間隔をあける等注意。CK値が正常値上限の10倍以上の場合投与中止（CK値が2〜5倍の上昇である場合は横紋筋融解症ではない可能性があるので経過観察）。軽症の場合は飲水奨励，重症の場合には大量の等張生理食塩水の投与，腎障害を伴う場合には血液透析の導入 PA 筋力（↓），筋肉（圧痛），尿（赤褐色尿：ミオグロビン尿）
肝機能障害†	体がだるい，白目が黄色くなる，吐き気，吐く，食欲不振，かゆみ，皮膚が黄色くなる，尿が黄色い	投与開始後または増量時より12週以内に1回以上，それ以降は定期的に（半年に1回等）肝機能検査を実施。AST・ALT値のどちらかが正常値上限の3倍以上になったら投与を中止。徐々に上昇する場合には3カ月の時点で他の肝障害の少ない薬剤へ変更 PA 眼球（黄色），皮膚（皮疹，瘙痒感，黄色），尿（褐色），体温（↑），腹部（肝肥大，心窩部・右季肋部圧痛，腹水貯留等）
過敏症	発熱，疲れやすい，体重減少，関節や筋肉の痛み，青あざができる，まぶたの腫れ，唇の腫れ，舌の腫れ，息苦しい，じんま疹	中止 PA 皮膚（かゆみ，発赤，腫脹，チアノーゼ），呼吸（喘鳴），体温（↑），眼（視覚異常）

†：厚生労働省の「重篤副作用疾患別対応マニュアル」参照

■ 重大な副作用と妊婦・授乳婦への危険度

薬剤名	重大な副作用	妊婦［授乳婦］
メバロチン	横紋筋融解症，肝機能障害，血小板減少，間質性肺炎，ミオパチー，免疫介在性壊死性ミオパチー，末梢神経障害，過敏症状	禁忌/D ［㊟禁忌/△］
リポバス	横紋筋融解症，ミオパチー，免疫介在性壊死性ミオパチー，肝炎，肝機能障害，黄疸，末梢神経障害，血小板減少，過敏症候群，間質性肺炎	禁忌/D ［㊟禁忌/△］
ローコール	横紋筋融解症，ミオパチー，免疫介在性壊死性ミオパチー，肝機能障害，過敏症状，間質性肺炎	禁忌/D ［㊟禁忌/△］

薬剤名	重大な副作用	妊婦[授乳婦]
リピトール	横紋筋融解症，ミオパチー，免疫介在性壊死性ミオパチー，劇症肝炎，肝炎，肝機能障害，黄疸，過敏症，無顆粒球症，汎血球減少症，血小板減少症，中毒性表皮壊死融解症，皮膚粘膜眼症候群，多形紅斑，高血糖，糖尿病，間質性肺炎	禁忌/D [⑧禁忌/△]
リバロ	横紋筋融解症，ミオパチー，免疫介在性壊死性ミオパチー，肝機能障害，黄疸，血小板減少，間質性肺炎	禁忌/D [⑧禁忌/△]
クレストール	横紋筋融解症，ミオパチー，免疫介在性壊死性ミオパチー，肝炎，肝機能障害，黄疸，血小板減少，過敏症状，間質性肺炎，末梢神経障害，多形紅斑	禁忌 [⑧禁忌/△]
アトーゼット配合	過敏症，中毒性表皮壊死融解症，皮膚粘膜眼症候群，多形紅斑，横紋筋融解症，ミオパチー，免疫介在性壊死性ミオパチー，劇症肝炎，肝炎，肝機能障害，黄疸，無顆粒球症，汎血球減少症，血小板減少症，高血糖，糖尿病，間質性肺炎	禁忌 [⑧禁忌]
ロスーゼット配合	過敏症，多形紅斑，横紋筋融解症，ミオパチー，免疫介在性壊死性ミオパチー，肝炎，肝機能障害，黄疸，血小板減少，間質性肺炎，末梢神経障害	禁忌/D [⑧禁忌]

■ その他の指導ポイント

	患者向け	薬剤師向け
使用上の注意	・薬を飲んでいても，指示された食事療法や運動療法をきちんと守ってください	
	・[カデュエット配合]この薬の服用中は高所作業，車の運転等，危険を伴う機械の操作は行わないでください →	降圧作用に基づくめまい，ふらつきが現れることがあるため
	・[メバロチン，リポバス]この薬は夕食後の服用がより効果的ですので，特に指示のない場合はできるだけ夕食後に服用しましょう →	コレステロールの生合成が夜間に亢進するため
	・[リピトール]気分が悪い，吐く，体がだるい等の症状が現れた場合，使用をやめてすぐに受診してください →	劇症肝炎等の肝炎が現れることがあるため
	・[リバロ OD，クレストール OD]この薬は舌の上にのせて湿らせ，溶けた後，唾液または水で飲み込んでください →	口腔内で崩壊する。口腔粘膜から吸収されることはないため唾液または水で飲み込む
	・[アトルバスタチン OD]この薬は舌の上で唾液を含ませ，舌で軽くつぶしてから，唾液と一緒に服用してください。水で服用することもできます。寝たままの状態では水なしで服用しないでください →	口腔粘膜から吸収されないため
	・妊娠中または妊娠の可能性がある方は必ずご相談ください →	妊娠3カ月までの間に服用した場合に胎児の先天性奇形等の報告のため投与禁忌
	・他の脂質異常症治療薬をお飲みの方で腎臓の機能が悪い方は必ずご相談ください →	フィブラート系薬との併用により，急激な腎機能悪化を伴う横紋筋融解症が現れやすいため併用注意。やむを得ずフィブラート系薬を

使用上の注意		併用する場合には，定期的に腎機能検査等を実施し，自覚症状（筋肉痛，脱力感）の発現，CK上昇，血中および尿中ミオグロビン上昇，血清クレアチニン上昇等の腎機能の悪化を認めた場合は直ちに投与を中止
	食〔リポバス，リピトール，アトーゼット→配合，カデュエット配合〕この薬の服用中にグレープフルーツジュースを大量に飲まないでください	・〔リポバス〕グレープフルーツジュースの成分がCYP3A4を阻害し，本剤のAUCが上昇したとの報告があるため併用注意 ・〔リピトール，アトーゼット配合，カデュエット配合〕グレープフルーツジュース1.2L/日との併用により，本剤のAUCが約2.5倍に上昇したとの報告があるため併用注意
	食〔リポバス〕この薬の服用中にセイヨ→ウオトギリソウ（セント・ジョーンズ・ワート）を含む食品はとらないでください	セイヨウオトギリソウ中成分により薬物代謝酵素が誘導され，血中シンバスタチン濃度が低下する
服用を忘れたとき	〔高コレステロール血症〕 ・〔リピトール，配合剤A以外〕思い出したときすぐ服用する。ただし次の服用時間が近いときは忘れた分は服用しない（2回分を一度に服用しないこと） ・〔リピトール，配合剤A〕思い出したとき寝る前までにできるだけ早く服用する（2回分を一度に服用しないこと）	

■ その他備考

- ■配合剤成分：アトーゼット配合（アトルバスタチンカルシウム水和物，エゼチミブ）
  　　　　　　ロスーゼット配合（ロスバスタチンカルシウム，エゼチミブ）
  　　　　　　カデュエット配合（アトルバスタチンカルシウム水和物，アムロジピンベシル酸塩）

25 脂質異常症治療薬　②小腸コレステロールトランスポーター阻害薬

■ 対象薬剤
エゼチミブ（ゼチーア）

■ 指導のポイント

	患者向け	薬剤師向け
薬効	この薬は小腸でのコレステロール吸収を抑えて血液中のコレステロールを下げる薬です	コレステロール吸収抑制作用
詳しい薬効	この薬はコレステロール吸収に関する小腸コレステロールトランスポーターに結びついて，食事性コレステロールの腸管からの吸収を抑え，血液中のコレステロールを下げる薬です	
禁忌	本剤過敏症既往，HMG-CoA 還元酵素阻害薬を併用する場合，重篤な肝機能障害	

■ 主な副作用と対策，フィジカルアセスメントのチェックポイント

主な副作用	患者に確認すべき症状	対策と PA のチェックポイント
消化器症状	下痢，胃部不快感，腹が張る，便秘	減量もしくは中止 PA 腸音（下痢：↑，便秘：↓）
横紋筋融解症†	脱力感，手足のしびれ，手足のこわばり，筋肉の痛み，赤褐色尿	脂質異常症治療薬①参照
肝機能障害†	体がだるい，白目が黄色くなる，吐き気，吐く，食欲不振，かゆみ，皮膚が黄色くなる，尿が黄色い	減量もしくは中止 PA 眼球（黄色），皮膚（皮疹，瘙痒感，黄色），尿（褐色），体温（↑），腹部（肝肥大，心窩部・右季肋部圧痛，腹水貯留等）
過敏症	発熱，疲れやすい，体重減少，関節や筋肉の痛み，青あざができる，まぶたの腫れ，唇の腫れ，舌の腫れ，息苦しい，じんま疹	脂質異常症治療薬①参照

†：厚生労働省の「重篤副作用疾患別対応マニュアル」参照

■ 重大な副作用と妊婦・授乳婦への危険度

薬剤名	重大な副作用	妊婦[授乳婦]
ゼチーア	過敏症，横紋筋融解症，肝機能障害	C [㊙△]

■ その他の指導ポイント

	患者向け	薬剤師向け
使用上の注意	薬を飲んでいても，指示された食事療法や運動療法をきちんと守ってください	
服用を忘れたとき	思い出したときすぐ服用する。ただし次の服用時間が近いときは忘れた分は服用しない（2回分を一度に服用しないこと）	

25 脂質異常症治療薬　③陰イオン交換樹脂（レジン）

■ 対象薬剤

コレスチラミン（クエストラン），コレスチミド（コレバイン）

■ 指導のポイント

	患者向け	薬剤師向け
薬効	この薬は血液中のコレステロールを下げる薬です ☆この薬は抗リウマチ薬のレフルノミド（アラバ）を体内から除去する薬です（クエストラン）	コレステロール吸着作用 コレステロール吸収抑制作用 コレステロール排泄促進作用 レフルノミド活性代謝物の吸着，再吸収の抑制
詳しい薬効	この薬は陰イオン交換樹脂で腸管内で胆汁酸と結合し胆汁酸コレステロールの再吸収を抑えるとともに胆汁酸の排泄を促進して血液中のコレステロールを下げる薬です ☆この薬は胆汁中に排泄された抗リウマチ薬レフルノミド（アラバ）活性代謝物を吸着することにより，消化管からの再吸収を抑制し，体外排泄を促進させる薬です（クエストラン）	
禁忌	・本剤過敏症既往，完全な胆道閉塞 ・〔コレバイン〕腸閉塞	

■ 主な副作用と対策，フィジカルアセスメントのチェックポイント

主な副作用	患者に確認すべき症状	対策とPAのチェックポイント
消化器症状	便秘，膨満感，食欲不振，吐き気，下痢	緩下薬の併用あるいは減量もしくは中止 PA 腸音（便秘：↓，下痢：↑）

■ 重大な副作用と妊婦・授乳婦への危険度

薬剤名	重大な副作用	妊婦[授乳婦]
クエストラン	腸閉塞	B2 [妊◎]
コレバイン	腸管穿孔，腸閉塞，横紋筋融解症	[妊◎]

■ その他の指導ポイント

	患者向け	薬剤師向け
使用上の注意	・薬を飲んでいても，指示された食事療法や運動療法をきちんと守ってください ・〔クエストラン〕この薬は水（約100 mL）に懸濁し，粉末のままでは服用しないでください。また，食後だとお腹が張って服用しにくい場合は空腹時や食前に服用してください（その他備考参照） ・他の薬の作用を弱める可能性があるため，他の薬と一緒に服用しないでください。この薬の服用1時間前もしくは服用後4～6時間以上，または可能な限り間隔をあけて服用する場合があるので，他の薬をお飲みの方はご相談ください ・〔コレバイン，コレバインミニ〕この薬は十分量（約200 mL）の常温の水または冷水で速やかに服用してください。のどの奥に残った場合には，さらに水を飲み足してください ・〔コレバイン〕錠剤の場合は1錠ずつ服用してください	微粒子が気道に入ると咳き込むことがあるため，乾燥状態では服用しない 陰イオン交換樹脂製剤であり，同時に経口投与した併用薬剤を吸着し，吸収を遅延あるいは減少させる可能性があるため 誤って気道に入った本剤が膨潤し，呼吸困難を起こした症例が報告されている。また，温水（湯・温かい茶等）にて服用すると膨張によって服用しにくくなる
服用を忘れたとき	思い出したときすぐ服用する。ただし次の服用時間が近いときは忘れた分は服用しない（2回分を一度に服用しないこと）	

■ その他備考

■ クエストランの服用方法について

　　コップ一杯の水，牛乳，フレーバードリンク，好みのジュース，炭酸飲料に本剤を入れ，混合したときに固まりができないように，かきまわさず1～2分間そのまま沈ませる。そして服用する前に完全に混合するまで（溶解することはない）攪拌する。オートミール，薄いスープと混ぜてもよい。あるいは砕いたパイナップル，洋梨，桃，フルーツカクテルなどの水分の多い果実に入れてもよい。

25　脂質異常症治療薬　④プロブコール

■ 対象薬剤

プロブコール（シンレスタール，ロレルコ）

■ 指導のポイント

	患者向け	薬剤師向け
薬効	この薬は血液中のコレステロールを下げる→薬です	コレステロール異化排泄促進作用 コレステロール合成抑制作用
詳しい薬効	この薬はコレステロールの胆汁中への排泄を促進したり，コレステロールの合成を抑えて，血液中のコレステロールを下げる薬です	
禁忌	本剤過敏症既往，妊婦，重篤な心室性不整脈	

■ 主な副作用と対策，フィジカルアセスメントのチェックポイント

主な副作用	患者に確認すべき症状	対策とPAのチェックポイント
消化器症状	軟便，吐き気，下痢，腹痛，食欲不振	減量もしくは中止 PA 腸音（下痢：↑）
QT延長	胸が苦しい，どきどきする，めまい	投与開始後6カ月までは1カ月ごと，その後は6カ月に1回心電図測定を行い，異常発現時は中止 PA 脈拍（不整脈）

■ 重大な副作用と妊婦・授乳婦への危険度

薬剤名	重大な副作用	妊婦[授乳婦]
シンレスタール，ロレルコ	心室性不整脈，失神，消化管出血，末梢神経炎，横紋筋融解症	禁忌 [㊚△]

■ その他の指導ポイント

	患者向け	薬剤師向け
使用上の注意	・薬を飲んでいても，指示された食事療法や運動療法をきちんと守ってください ・妊娠中または妊娠の可能性のある方は必ずご相談ください →	妊娠中の投与に関する安全性は確立していないため投与禁忌
服用を忘れたとき	思い出したときすぐ服用する。ただし次の服用時間が近いときは忘れた分は服用しない（2回分を一度に服用しないこと）	

25 脂質異常症治療薬　⑤フィブラート系薬

■ 対象薬剤

　ベザフィブラート（ベザトールSR），フェノフィブラート（トライコア，リピディル），ペマフィブラート（パルモディア）

■ 指導のポイント

	患者向け	薬剤師向け
薬効	この薬は血液中の中性脂肪やコレステロールを下げる薬です →	コレステロール合成抑制作用 トリグリセライド合成抑制作用 LPL活性亢進作用 LDLレセプター活性亢進作用 HDL-コレステロール増加作用
	◆この薬は原発性胆汁性肝硬変における胆道系酵素を低下させる薬です（適応外）（ベザトールSR）	
詳しい薬効	この薬は肝臓での中性脂肪の合成を抑えたりコレステロールの合成を抑えて，血液中の中性脂肪やコレステロールを下げる薬です	

<table>
<tr><td rowspan="2">禁忌・併用禁忌</td><td>禁忌</td><td colspan="2">
・本剤過敏症既往，妊婦
・〔トライコア，リピディル〕授乳婦
・〔トライコア，リピディル，パルモディア〕中等度以上の腎機能障害（目安として血清クレアチニン値 2.5 mg/dL 以上）
・〔ベザトール SR〕人工透析（腹膜透析含む），腎不全などの重篤な腎疾患，血清クレアチニン値 2.0 mg/dL 以上
・〔トライコア，リピディル〕肝障害，胆嚢疾患
・〔パルモディア〕重篤な肝障害，Child-Pugh 分類 B または C の肝硬変，胆道閉塞，胆石
</td></tr>
<tr><td>併用禁忌</td><td colspan="2">〔パルモディア〕⇔シクロスポリン，リファンピシンにて本剤の血中濃度上昇</td></tr>
</table>

■ 主な副作用と対策，フィジカルアセスメントのチェックポイント

主な副作用	患者に確認すべき症状	対策と PA のチェックポイント
消化器症状	便秘，膨満感，食欲不振，吐き気，下痢	減量もしくは中止 PA 腸音（便秘：↓，下痢：↑）
横紋筋融解症[†]	脱力感，手足のしびれ，手足のこわばり，筋肉の痛み，赤褐色尿	脂質異常症治療薬①参照
胆石，肝機能障害[†]	体がだるい，白目が黄色くなる，吐き気，吐く，食欲不振，かゆみ，皮膚が黄色くなる，尿が黄色い，腹部の痛み	投与開始 3 カ月までは毎月，その後は 3 カ月に 1 回肝機能検査を実施。AST・ALT 値が継続して正常上限の 2.5 倍あるいは 100 単位を超えた場合には投与を中止 PA 眼球（黄色），皮膚（皮疹，瘙痒感，黄色），尿（褐色），体温（↑），腹部（肝肥大，心窩部・右季肋部圧痛，腹水貯留等）
糖尿病（パルモディア）	口渇，多飲，多尿，頻尿	減量もしくは中止 PA 高血糖：口渇（↑），尿量（↑・夜間尿），皮膚・口腔粘膜（乾燥・脱水）

[†]：厚生労働省の「重篤副作用疾患別対応マニュアル」参照

■ 重大な副作用と妊婦・授乳婦への危険度

薬剤名	重大な副作用	妊婦[授乳婦]
ベザトール SR	横紋筋融解症，アナフィラキシー，肝機能障害，黄疸，皮膚粘膜眼症候群，多形紅斑	禁忌 [⊗△]
トライコア，リピディル	横紋筋融解症，肝障害，膵炎	禁忌/B3 [⊗禁忌/△]
パルモディア	横紋筋融解症	禁忌

■ その他の指導ポイント

	患 者 向 け	薬 剤 師 向 け
使用上の注意	・薬を飲んでいても，指示された食事療法や運動療法をきちんと守ってください	
	・〔ベザトールSR〕この薬は割ったり，砕いたりしないでそのまま服用してください →	徐放剤のため
	・〔ベザトールSR〕透析を受けている方は必ずご相談ください →	横紋筋融解症が現れやすいため投与禁忌
	・〔トライコア，リピディル〕この薬は空腹時を避け食後すぐに服用してください →	吸収の低下を防ぐため
	・妊娠中または妊娠の可能性のある方は必ずご相談ください →	妊娠中の投与に関する安全性は確立していないため投与禁忌
	・〔トライコア，リピディル〕授乳中の方は必ずご相談ください →	動物実験で乳汁中移行の報告のため投与禁忌
	・他の脂質異常症治療薬をお飲みの方で腎臓の機能が悪い方は必ずご相談ください →	HMG-CoA 還元酵素阻害薬（スタチン）との併用により，急激な腎機能悪化を伴う横紋筋融解症が現れやすいため併用注意
	・食〔パルモディア〕この薬の服用中にセイヨウオトギリソウ（セント・ジョーンズ・ワート）を含む食品はとらないでください →	セイヨウオトギリソウの強いCYP3Aの誘導作用により，本剤の代謝が促進され，血漿中濃度低下のおそれがあるため併用注意
服用を忘れたとき	・〔トライコア，リピディル以外〕思い出したときすぐ服用する。ただし次の服用時間が近いときは忘れた分は服用しない（2回分を一度に服用しないこと）	
	・〔トライコア，リピディル〕飲み忘れに気がついても服用しない。次の服用時に決められた用量を服用する。（2回分を一度に服用しないこと）	

25 脂質異常症治療薬　⑥多価不飽和脂肪酸

■ 対象薬剤

イコサペント酸エチル（EPA）（エパデール，エパデール S），オメガ-3 脂肪酸エチル（EPA・DHA）（ロトリガ）

■ 指導のポイント

	患者向け	薬剤師向け
薬効	この薬は血液中の中性脂肪を下げる薬です→ ☆この薬は血を固まりにくくして血栓ができるのを抑え，血液の流れをよくする薬です（エパデール，エパデール S）	トリグリセライド合成抑制作用 トリグリセライド分泌抑制作用 末梢循環改善作用，抗血小板作用
詳しい薬効	この薬は中性脂肪の合成や分泌を抑えて，血液中の中性脂肪を下げる薬です ☆この薬は直接末梢の血管を拡げたり，血小板の凝集を促進する物質（トロンボキサン A_2）の産生を抑えることで血小板が固まるのを抑え血栓ができるのを予防したり，血管を柔らかく保つことで，末梢の血液の流れをよくする薬です（エパデール，エパデール S）	
禁忌	・出血（血友病，毛細血管脆弱症，消化管潰瘍，尿路出血，喀血，硝子体出血等） ・〔ロトリガ〕本剤過敏症既往	

■ 主な副作用と対策，フィジカルアセスメントのチェックポイント

主な副作用	患者に確認すべき症状	対策と PA のチェックポイント
消化器症状	下痢，腹部不快感，吐き気	減量もしくは中止 PA 腸音（下痢：↑）
過敏症	発疹，かゆみ	中止
出血傾向	鼻血，歯ぐきの出血，青あざができる，血が止まりにくい	減量もしくは中止 PA 顔色（蒼白），眼瞼結膜（蒼白），体幹・四肢・歯肉（出血斑）

■ 重大な副作用と妊婦・授乳婦への危険度

薬剤名	重大な副作用	妊婦[授乳婦]
エパデール，エパデール S，ロトリガ	肝機能障害，黄疸	− [授○]

■ その他の指導ポイント

	患者向け	薬剤師向け
使用上の注意	・薬を飲んでいても，指示された食事療法や運動療法をきちんと守ってください ・この薬は空腹時を避け，食後すぐに服用してください → ・この薬はかまずに服用してください →	吸収の低下を防ぐため 軟カプセルのため，かむと油状の主成分がでてしまうため
服用を忘れたとき	飲み忘れに気がついても服用しない。次の服用時に決められた用量を服用する（2回分を一度に服用しないこと）	

25 脂質異常症治療薬　⑦ニコチン酸誘導体

■ 対象薬剤

トコフェロールニコチン酸エステル（**ユベラN**），ニコモール（**コレキサミン**），ニセリトロール（**ペリシット**）

■ 指導のポイント

	患者向け	薬剤師向け
薬効	この薬は血液中のコレステロールや中性脂肪を下げる薬です → ☆この薬は血を固まりにくくして血栓ができるのを抑え，血液の流れをよくする薬です → ◆この薬は未熟児網膜症を予防する薬です（適応外）（ユベラN）	リポ蛋白合成抑制作用 コレステロール異化排泄促進作用 コレステロール吸収抑制作用 トリグリセライド吸収抑制作用 中性脂肪分解抑制作用 末梢循環改善作用，抗血小板作用
詳しい薬効	この薬はコレステロールの腸管からの吸収を抑えたり，コレステロールの合成を抑えたり，排泄を促進することで，血液中のコレステロールや中性脂肪を下げる薬です ☆この薬は直接末梢の血管を拡げたり，血小板が固まるのを抑え血栓ができるのを予防したり，血管を柔らかく保つことで，末梢の血液の流れをよくする薬です	
禁忌	・〔コレキサミン〕重症低血圧，出血の持続 ・〔ペリシット〕本剤過敏症既往，重症低血圧，動脈出血	

■ 主な副作用と対策

主な副作用	患者に確認すべき症状	対策
顔面潮紅，頭痛，熱感	ほてり，顔がほてって赤くなる，顔が上気する	少量から開始し，漸増。症状が現れた場合，減量もしくは投与継続により消失することが多いが，症状がひどくなった場合には中止あるいは少量のアスピリンの併用

■ 重大な副作用と妊婦・授乳婦への危険度

薬剤名	重大な副作用	妊婦[授乳婦]
ユベラN	ー	[⊗◎]
ペリシット	血小板減少（透析患者）	ー

■ その他の指導ポイント

	患者向け	薬剤師向け
使用上の注意	・薬を飲んでいても，指示された食事療法や運動療法をきちんと守ってください ・〔コレキサミン，ペリシット〕この薬は空腹時を避け，食後すぐに服用してください	・〔コレキサミン〕潮紅，発赤等の発現を防ぐため ・〔ペリシット〕潮紅，熱感等の発現を防ぐため
服用を忘れたとき	・〔コレキサミン以外〕思い出したときすぐ服用する。ただし次の服用時間が近いときは忘れた分は服用しない（2回分を一度に服用しないこと） ・〔コレキサミン〕飲み忘れに気がついても服用しない。次の服用時に決められた用量を服用する（2回分を一度に服用しないこと）	

25 脂質異常症治療薬　⑧PCSK9阻害薬(ヒト抗PCSK9モノクローナル抗体薬)

■ 対象薬剤
エボロクマブ（レパーサ皮下注）

■ 指導のポイント

	患者向け	薬剤師向け
薬効	この薬は肝臓でのコレステロールの取り込みを増やして，血液中のコレステロールを下げ，家族性高コレステロール血症（FH）または高コレステロール血症に使用する皮下注射です	PCSK9タンパク阻害作用（ヒトプロタンパク質転換酵素サブチリシン/ケキシン9型）LDL取り込み促進作用
詳しい薬効	この薬はLDL受容体分解促進タンパク質であるPCSK9のLDLR（低比重リポタンパク（LDL）受容体）との結合を阻害することで，血中LDLを除去するLDLR数を増加させて，LDLコレステロール値を低下させて，HMG-CoA還元酵素阻害剤で効果不十分な，家族性高コレステロール血症（FH）または高コレステロール血症に使用する皮下注射です	
禁忌	本剤過敏症既往	

■ 主な副作用と対策

主な副作用	患者に確認すべき症状	対策
注射部位反応	注射部位が赤く腫れる，痛み，かゆくなる	注射部位を変える
糖尿病	口渇，多飲，多尿，頻尿	脂質異常症治療薬⑤参照

■ 重大な副作用と妊婦・授乳婦への危険度

薬剤名	重大な副作用	妊婦［授乳婦］
レパーサ	－	B1

■ その他の指導ポイント

	患者向け	薬剤師向け
使用上の注意	・薬を注射していても，指示された食事療法や運動療法，禁煙を守ってください ・〔レパーサ皮下注ペン〕天然ゴム（ラテックス）アレルギーのある方は必ずご相談ください → ・注射の仕方は次の点に留意し，パンフ →	シリンジ注射針カバーにアレルギー反応を起こす可能性がある天然ゴム（ラテックス）が含有されているため 自己投与にはレパーサ皮下注ペン，レパーサ

No.25 脂質異常症治療薬

使用上の注意	レット等を参考に正しく使用しましょう		皮下注 420 mg オートミニドーザーを用いる（企業提供パンフレット参照）
	（投与前） ・遮光した状態で室温に戻してから（レパーサ皮下注ペン：投与前 30 分程度，レパーサ皮下注オートミニドーザー：投与前 45 分程度）投与してください	→	冷温による不快感を防ぐため
	・激しく振らないでください	→	一般的に，振とうがタンパク質の立体構造に影響を与えることが知られているため
	（投与時） ・注射部位は上腕，腹部（へそのまわり約 5 cm は避ける），太ももとし，毎回変えてください		
	・傷，皮疹，炎症，硬くなっているところ，発赤，熱感など，皮膚に異常のある部位には注射しないでください		
	（取扱い上の注意） ・冷蔵庫で保存してください	→	凍結を避け，2～8℃で遮光保存
	・変色，にごり，浮遊物があるときは使用しないでください		
	・使用後，再使用しないでください	→	1 回使用の製剤のため使用後，再使用しない。安全な廃棄方法に関する指導を徹底する
注射を忘れたとき	医師に連絡する（2 回分を一度に注射しないこと）		

25 脂質異常症治療薬　⑨MTP阻害薬

■ 対象薬剤
ロミタピドメシル酸塩（ジャクスタピッド）

■ 指導のポイント

	患者向け	薬剤師向け
薬効	この薬は体の中で脂質が作られるのを抑えて，血液中のLDLコレステロールを下げる薬です	脂質転送阻害作用 VLDL・カイロミクロン形成阻害作用
詳しい薬効	この薬は肝臓から組織へコレステロールを運ぶ物質（VLDL）を作るのに関与する特定のタンパク質（ミクロソームトリグリセリド転送タンパク質：MTP）の働きを阻害し，VLDLの形成を抑えて血液中のLDLコレステロールを下げて，ホモ接合体家族性高コレステロール血症に用いる薬です	

	患者向け	薬剤師向け
警告	この薬の服用中に肝機能障害（悪心，嘔吐，腹痛，発熱，疲れやすい）が現れることがあるので，黄疸（白眼が黄色くなる）が発現した場合はご相談ください 検 この薬の服用中は定期的に，特に服用を始めて1年間は月1回以上，肝機能検査を受けてください	肝機能障害が発現するため，肝機能検査を必ず投与前に行い，投与開始から1年間は，増量前もしくは月1回のいずれか早い時期に肝機能検査を実施。2年目以降は少なくとも3カ月に1回かつ増量前には必ず検査を実施。異常が認められた場合は減量または投与中止
禁忌・併用禁忌	禁忌 妊婦，中等度または重度の肝機能障害及び血清中トランスアミナーゼ高値持続，本剤過敏症既往 併用禁忌 クラリスロマイシン，インジナビル，イトラコナゾール，ボリコナゾール，リトナビル含有製剤，コビシスタット含有製剤，アプレピタント，アタザナビル，シプロフロキサシン，クリゾチニブ，ジルチアゼム，エリスロマイシン，フルコナゾール，ホスアンプレナビル，イマチニブ，ベラパミル，イストラデフィリン，ミコナゾール，トフィソパムにて血中濃度が著しく上昇	

■ 主な副作用と対策，フィジカルアセスメントのチェックポイント

主な副作用	患者に確認すべき症状	対策とPAのチェックポイント
肝機能障害	体がだるい，白目が黄色くなる，吐き気，吐く，食欲不振，かゆみ，皮膚が黄色くなる，尿が黄色い	投与前，開始1年間は，増量前か月1回のいずれか早い時期，2年目以降は3カ月に1回かつ増量前に肝機能検査実施。異常値発現時減量または投与中止（その他備考参照） PA 眼球（黄色），皮膚（皮疹，瘙痒感，黄色），尿（褐色），体温（↑），腹部（肝肥大，心窩部・右季肋部圧痛，腹水貯留等）
胃腸障害	重度の下痢，吐き気，嘔吐，食欲不振，腹痛	服用時期（夕食後2時間以上の間隔をあけて服用）を遵守，減量または中止

■ 重大な副作用と妊婦・授乳婦への危険度

薬剤名	重大な副作用	妊婦[授乳婦]
ジャクスタピッド	肝炎，肝機能障害，胃腸障害	禁忌

■ その他の指導ポイント

	患者向け	薬剤師向け
使用上の注意	・飲む時期（夕食後2時間以上の間隔をあける）を必ず守ってください	臨床試験において食直後に服用したときに胃腸障害の発現割合が高くなる傾向が認められているため
	・妊娠中または妊娠の可能性のある方は必ずご相談ください	動物実験で催奇形性が認められているため投与禁忌
	・この薬の服用中は避妊薬単独での避妊は避けてください	嘔吐や下痢が発現した場合に経口避妊薬からのホルモン吸収が不完全になるおそれがあるため
	食 この薬の服用中にグレープフルーツジュースを飲まないでください	グレープフルーツジュースの成分がCYP3A4を阻害し，本剤の血中濃度が上昇するおそれがあるため併用注意
	食 この薬の服用中は飲酒を控えてください	飲酒により脂肪肝が増加し，肝機能障害を誘発または悪化させるおそれがあるため
	食 この薬の服用中は低脂肪食（脂肪由来のカロリーが摂取カロリーの20%未満）をとるようにしてください	胃腸障害を低減するため
	食 この薬の服用中は食事に加えてビタミンE，リノール酸，αリノレン酸，エイコサペンタエン酸およびドコサヘキサエン酸を毎日とってください	小腸における脂溶性栄養素の吸収が低下するおそれがあるため
服用を忘れたとき	飲み忘れに気づいても服用しない。次の服用時に決められた用量を服用する（2回分を一度に服用しないこと）	

■ その他備考
- A. 本剤を投与中に血清トランスアミナーゼ高値を認めた場合の用量調節および肝機能検査の実施時期
  - 【Ⅰ】AST（GOT）または ALT（GPT）値：基準値上限の3倍以上かつ5倍未満の場合
    - ①1週間以内に再検査を実施
    - ②高値の場合は減量，他の肝機能検査（アルカリホスファターゼ，総ビリルビン，PT-INR 等の測定）実施
    - ③毎週肝機能検査を実施。肝機能異常（ビリルビン上昇またはPT-INR延長）を認めた場合，血清トランスアミナーゼ値が基準値上限の5倍を超えた場合，または4週間程度経過しても基準値上限の3倍を下回らない場合には休薬
    - ④血清トランスアミナーゼ値が基準値上限の3倍未満まで回復後，本剤の投与を再開の場合，減量とともに肝機能検査をより頻回に実施
  - 【Ⅱ】AST（GOT）または ALT（GPT）値：基準値上限の5倍以上の場合
    - ①投与中止し，他の肝機能検査実施
    - ②血清トランスアミナーゼ値が基準値上限の3倍を下回った場合再開を考慮。再開の場合，投与中止時の用量より低い用量で投与を開始し肝機能検査より頻回に実施
- B. 血清トランスアミナーゼ値の上昇が肝機能障害の臨床症状（悪心，嘔吐，腹痛，発熱，黄疸，嗜眠，インフルエンザ様症状等）を伴う場合，もしくは基準値上限の2倍以上のビリルビン高値または活動性肝疾患を伴う場合には，本剤の投与を中止

25 脂質異常症治療薬　⑩その他

■ 対象薬剤

（A）植物ステロール：ガンマオリザノール（ハイゼット）
（B）その他：デキストラン硫酸エステルナトリウム（MDS コーワ），エラスターゼ（エラスチーム），ポリエンホスファチジルコリン（EPL）
＊ハイゼットは No.13 自律神経作用薬②（p.185）参照

■ 指導のポイント

	患者向け	薬剤師向け
薬効	この薬は血液中のコレステロールを下げる→薬です	コレステロール吸収抑制作用（ハイゼット） LPL・HTGL 活性亢進作用（MDS コーワ） コレステロール異化排泄促進作用，LPL・LCAT 活性亢進作用（エラスチーム） コレステロール代謝回転調整（EPL）
	☆この薬は肝臓の働きを改善する薬です→（EPL）	肝・脂質代謝改善作用
	☆この薬は自律神経のバランスを整えることでいらいら，不安，動悸，頭痛，うつ（不定愁訴）等の症状を改善する薬です（ハイゼット）（参）No.13 自律神経作用薬②	自律神経調節作用
詳しい薬効	この薬はコレステロールの腸管からの吸収を抑えたり，コレステロールの合成を抑えたり，排泄を促進することで，血液中のコレステロールの量を下げる薬です ☆この薬は細胞内の酵素の働きを保ち，脂質などの代謝をよくすることで，肝臓の働きを改善する薬です（EPL） ☆この薬は間脳視床下部および大脳辺縁系に直接作用し，この機能失調によって起こるいらいら，動悸，頭痛，不安，うつ（不定愁訴）等の症状を改善する薬です（ハイゼット）	
禁忌	〔MDS コーワ，EPL〕本剤過敏症既往	

■ 主な副作用と対策，フィジカルアセスメントのチェックポイント

主な副作用	患者に確認すべき症状	対策と PA のチェックポイント
消化器症状	下痢，胃部不快感，お腹が張る，便秘	減量もしくは中止 PA 腸音（下痢：↑，便秘：↓）

■ 重大な副作用と妊婦・授乳婦への危険度

薬剤名	重大な副作用	妊婦[授乳婦]
MDSコーワ	ショック	－
EPL	－	[⊗○]

■ その他の指導ポイント

	患 者 向 け	薬 剤 師 向 け
使用上の注意	・薬を飲んでいても，指示された食事療法や運動療法をきちんと守ってください ・〔エラスチーム〕この薬は食前に服用してください	酵素製剤（腸溶錠）であり，食事により誘引される胃酸等により失活するおそれがある
服用を忘れたとき	思い出したときすぐ服用する。ただし次の服用時間が近いときは忘れた分は服用しない（2回分を一度に服用しないこと）	

脂質異常症治療薬の作用

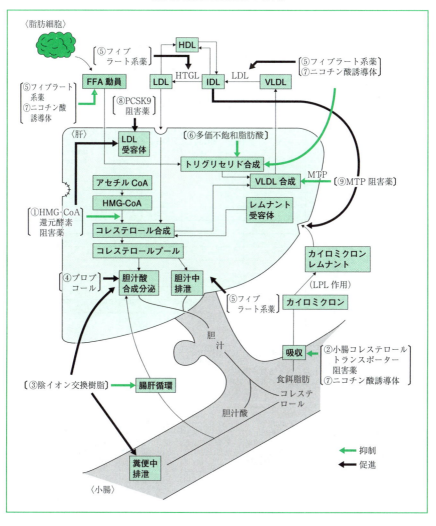

脂質異常症治療薬

分類	HMG-CoA 還元酵素阻害薬（スタチン）					
一般名	プラバスタチンナトリウム	シンバスタチン	フルバスタチンナトリウム	アトルバスタチンカルシウム水和物	ピタバスタチンカルシウム	ロスバスタチンカルシウム
商品名	メバロチン	リポバス	ローコール	リピトール	リバロ	クレストール
（販売年月日）	(89.10)	(91.12)	(98.9)	(00.05)	(03.9, OD：13.7)	(05.4, OD：16.6)
用法・用量（1日量）	10 mg・分1～2 重症：20 mg	5 mg・分1 重症：20 mg	20～30 mg・分1夕食後 開始：20 mg 重症：60 mg	10 mg・分1 重症： ①20 mg まで ②40 mg まで	①②1～2 mg・分1，1日4 mg まで ②10歳以上の小児：1 mg・分1，1日2 mg まで	開始：2.5～5 mg・分1 重症： ①10 mg まで（家族性高コレステロール血症以外） ②20 mg まで（家族性高コレステロール血症）
脂質低下作用比較※　LDL-C	↓↓	↓↓		↓↓↓	↓↓↓	↓↓↓
TG	－（↓高値 TG）			↓	↓↓	↓
HDL-C	－	－				－
Non-HDL-C						↓↓↓
保険適応症　高脂血症	○	○				
FH	○	○	○	②	②※1	②
高 Chol 血症			○	①	①	①
高 TG 血症						
その他						
特徴	・水溶性であるため，選択的な膜透過性を有す ・肝選択性 ・冠動脈硬化進展の抑制効果	・脂溶性 ・肝選択性 ・冠動脈硬化進展の抑制効果 ・HMG-CoA 還元酵素作用はメバロチンより強い	・高齢者や閉経後女性など酸化ストレスが亢進している患者に適する ・冠動脈硬化進展の抑制効果 ・腎排泄率5％	・冠動脈硬化進展の抑制効果 ・代謝物も同程度の HMG-CoA 還元酵素阻害作用をもつ ・LDL 受容体活性増加作用ももつ	・脂溶性 ・チトクローム P 450 が関与する代謝をほとんど受けない	・親水性のため，相互作用が少ない

・LDL-C 値が増加するⅡa 型やⅡb 型高脂血症，レムナントリポ蛋白が増加するⅢ型高脂血症が適応
・高 LDL-C 血症に対する第一選択薬
・現在 LDL-C 値を最も効果的に低下させる薬剤

適応症の丸数字と用法・用量の丸数字は対応している　　※1　1 mg・2 mg：10歳以上の小児に対する用法・用量明記
　　　　　　　　　　　　　　　　　　　　　　　　　　　※2　家族性含む

FH＝家族性高コレステロール血症
Chol＝コレステロール
TG＝トリグリセライド
FFA＝遊離脂肪酸
LPL＝リポ蛋白リパーゼ　　　　HDL＝高比重リポ蛋白
TC＝総コレステロール　　　　　SETP＝コレステロールエステル転送蛋白
LDL＝低比重リポ蛋白　　　　　HTGL＝肝性 TG リパーゼ

比較表

小腸コレステロールトランスポーター阻害薬	陰イオン交換樹脂（レジン）		プロブコール	フィブラート系薬		
エゼチミブ	コレスチラミン	コレスチミド	プロブコール	ベザフィブラート	フェノフィブラート	ペマフィブラート
ゼチーア (07.6)	クエストラン (85.7)	コレバイン，コレバインミニ (99.7，ミニ：02.9)	シンレスタール，ロレルコ (85.2)	ベザトールSR (91.4)	トライコア，リピディル (05.3)	パルモディア (18.6)
10 mg・分1食後	①8〜12 g・分2〜3，水約100 mLに懸濁し服用 ②12 g・分3，水約100 mLに懸濁し服用 重篤な副作用発現時：24 g・分3，水約200 mLに懸濁し服用	3 g・分2朝夕食前 4 gまで	500 mg・分2食後 ①1,000 mgまで	400 mg・分2朝夕食後	106.6〜160 mg・分1食後 160 mgまで	1回0.1 mg，1日2回朝夕 最大用量：1回0.2 mg，1日2回
↓↓	↓↓	↓↓	↓	↓↓↓	↓〜↓↓	↓↓↓
↓			—	↓↓	↑↑	—
↑	↑	—	↓↓	↑↑	↑↑	↑↑
↓↓			↓			
			○	○※2	○※2	○※2
○	①	○	①			
○		○				
ホモ接合体性シトステロール血症	②レフルノミドの活性代謝物の体内からの除去		黄色腫			
・スタチン単独でLDL-C値が管理目標値に達しない際に有効な併用薬 ・コレステロール吸収の亢進している場合（糖尿病，肥満など）には，単剤でも有効性が期待 ・CYPが関与する代謝を受けない	・LDL-C値が高いⅡa型高脂血症が適応 ・高LDL-C血症の妊婦で薬物療法が必要な場合には第一選択薬 ・投与の最大の意義はスタチンとの併用療法 ・体内に吸収されない ・多量の粉末（1回9 g/1包）投与のため飲みづらい ・併用薬がある場合は服用時間に注意	・体内に吸収されない ・フィルムコート錠（顆粒）で，クエストランに比べ飲みやすい ・併用薬がある場合は服用時間に注意	・LDL-C値が高いⅡa型高脂血症が適応 ・持続性（Tmax 18 h） ・活性化HDLを増やし，CETPを活性化させることで著明な黄色腫縮小作用を示す ・抗酸化作用（酸化LDL産生抑制作用など）	・高TG血症に対して最も効果的な薬剤 ・Ⅲ型高脂血症においては著効 ・徐放錠 ・TCおよびTGの両方を強力に下げる ・HMG-CoA還元酵素活性を低下させる ・アセチルCoA活性を抑制 ・LPL，HTGL活性亢進作用	・TCおよびTGの両方を強力に下げる ・胆汁排泄促進 ・アセチルCoA活性を抑制 ・LPL，HTGL活性亢進作用 ・尿酸値低下作用	・PPARαの標的遺伝子の発現を選択的に調節することにより作用を示す（選択的PPARαモジュレーター） ・LDL-Cのみが高い高脂血症に対し，第一選択薬とはしないこと ・2型DM合併患者において，空腹時血清TG低下作用，HDL-C増加作用が認められた

＊〔判定基準〕

↓↓↓↓	−50％以上
↓↓↓	−50〜−30％
↓↓	−20〜−30％
↓	−10〜−20％
↑	10〜20％
↑↑	20〜30％
—	−10〜10％

脂質異常症治療薬

分類	多価不飽和脂肪酸		ニコチン酸誘導体		
一般名	イコサペント酸エチル(EPA)	オメガ-3脂肪酸エチル(EPA, DHA)	トコフェロールニコチン酸エステル	ニコモール	ニセリトロール
商品名(販売年月日)	エパデール，エパデールS(90.6, S：99.1・04.7)	ロトリガ(13.1)	ユベラN(84.7)	コレキサミン(71.6)	ペリシット(84.6)
用法・用量(1日量)	①1,800 mg・分2～3毎食直後 TG異常時：2,700 mg まで ②1,800 mg・分3毎食直後	1回2g，1日1回，食直後 TG高値の程度により1回2g，1日2回まで	300～600 mg・分3	600～1,200 mg・分3食後	750 mg・分3毎食直後
脂質低下作用比較* LDL-C	−	−	−	−	−
TG	↓	↓	−	−	↓↓
HDL-C	−	−	−	−	↑↑
Non-HDL-C	−	−	−	−	−
保険適応症 高脂血症	①	○	○※3	○	○※4
FH					
高Chol血症					
高TG血症					
その他	②閉塞性動脈硬化症にともなう潰瘍，疼痛および冷感の改善		・高血圧症にともなう随伴症状 ・閉塞性動脈硬化症にともなう末梢循環障害	・凍瘡，四肢動脈閉塞症，レイノー症候群にともなう末梢循環障害の改善	・ビュルガー病，閉塞性動脈硬化症，レイノー病およびレイノー症候群にともなう末梢循環障害の改善
特徴	・TG値が上昇する高脂血症，とくにⅡb型高脂血症やⅣ型高脂血症が適応 ・多価不飽和脂肪酸 ・抗血小板作用 ・動脈の進展性保持作用 ・血清脂質低下作用	・スタチン併用の有無によらずTG低下作用を示す ・LDLの粒子サイズなど脂質の質改善 ・EPAとDHAを含有した医療用医薬品	・高LDL-C血症，高TG血症やレムナントリポ蛋白が増加する高脂血症などが適応 ・遊離トコフェロールにより過酸化脂質低下，膜安定化作用を有する ・Lp(a)を減少させる	・flushingにより顔面紅潮，熱感を惹起(PGの放出が関与) ・Lp(a)を減少させる ・血行改善作用	・flushingにより顔面紅潮，熱感を惹起(PGの放出が関与) ・Lp(a)を減少させる ・血行改善作用

※3　高脂質血症
※4　高脂質血症の改善
※5　心血管イベントの発現リスクが高く，HMG-CoA還元酵素阻害薬で効果不十分，またはHMG-CoA還元酵素阻害薬による治療が適さない
※6　ホモ接合体家族性

比較表（続き）

	PCSK9阻害薬 (ヒト抗PCSK9モノクローナル抗体) エボロクマブ レパーサ皮下注 (シリンジ:16.4, ペン:16.7, オートミニドーザー:18.1)	MTP阻害薬 ロミタピドメシル酸塩 ジャクスタピッド (16.12)	植物ステロール ガンマオリザノール ハイゼット (70.6)	その他		
				デキストラン硫酸エステルナトリウム MDSコーワ (65.11)	エラスターゼ エラスチーム (84.6)	ポリエンホスファチジルコリン EPL (69.3)
	①家族性ヘテロ接合体・高コレステロール血症：140 mg・2週に1回又は420 mg・4週に1回皮下注 ②家族性ホモ接合体：420 mg・4週に1回，効果不十分時：420 mg・2週に1回 LDLアフェレーシスの補助時：開始420 mg・2週に1回皮下注	開始：5 mg・1日1回夕食後2時間以上あけて，効果不十分時：10 mg（2週間以上の間隔をあけて），さらに増量が必要な場合：20 mg, 40 mg（4週間以上の間隔で）	①300 mg・分3食後 ②10～50 mg 過敏性腸症候群：50 mgまで	450～900 mg・分3～4	3錠・分3食前 効果不十分時：6錠まで	1,500 mg・分3
	↓↓↓↓	↓↓↓				
	↓↓	↓		↓		
	↑	↓				
	↓↓↓↓	↓↓↓				
			①※3		○	○※3
	①②※5					
	①※5	○※6				
				○		
			②心身症（更年期障害，過敏性腸症候群）における身体症候群ならびに不安・緊張・抑うつ			・慢性肝疾患における肝機能の改善 ・脂肪肝
	・既存の脂質低下療法でコントロールが不十分な患者に適応	・他の経口脂質低下薬で効果不十分又は忍容性が不良な場合に適応				
	・血中LDLコレステロール濃度の調節に関与するPCSK9を標的としたIgG1完全ヒト型モノクローナル抗体 ・2週間に1回注射する（自己注射あり）	・ミクロソームトリグリセリド転送蛋白質（MTP）阻害薬	・コレステロールの消化管吸収抑制作用が主作用 ・血清過酸化脂質の低下作用を有す ・内分泌，自律神経系疾患の適応を有す	・血小板粘着凝集抑制作用 ・凝固線溶系改善作用 ・注射剤あり	・粥状動脈硬化退縮促進作用 ・泡沫細胞，脂肪蓄積改善作用	・細胞内脂質代謝の改善により，糖代謝，蛋白代謝，排泄などの細胞機能を改善

高脂血症の表現型分類

表現型	I	IIa	IIb	III	IV	V
増加する リポ蛋白分画	カイロミクロン	LDL	VLDL LDL	レムナント	VLDL	カイロミクロン VLDL
コレステロール	→または↑	↑～↑↑↑	↑～↑↑	↑↑	→または↑	↑
トリグリセライド	↑↑↑	→	↑↑	↑↑	↑↑	↑↑↑

日本動脈硬化学会による動脈硬化性疾患予防ガイドライン 2017 年版

①脂質異常症診断基準（空腹時採血）*

- LDL-C および TG が高いほど，HDL-C が低いほど冠動脈疾患の発症頻度は高い。
- 2017 年版のガイドラインでは，動脈硬化性疾患予防のためのスクリーニングにおける脂質異常症診断基準が設定されている。

LDL コレステロール	140 mg/dL 以上	高 LDL コレステロール血症
	120～139 mg/dL	境界域高 LDL コレステロール血症**
HDL コレステロール	40 mg/dL 未満	低 HDL コレステロール血症
トリグリセライド	150 mg/dL 以上	高トリグリセライド血症
Non-HDL コレステロール	170 mg/dL 以上	高 non-HDL コレステロール血症
	150～169 mg/dL	境界域高 non-HDL コレステロール血症**

＊10 時間以上の絶食を「空腹時」とする。ただし水やお茶などカロリーのない水分の摂取は可とする。
＊＊スクリーニングで境界域高 LDL-C 血症，境界域高 non-HDL-C 血症を示した場合は，高リスク病態がないか検討し，治療の必要性を考慮する。

- LDL-C は Friedewald 式（TC−HDL-C−TG/5）または直接法で求める。
- TG が 400 mg/dL 以上や食後採血の場合は non-HDL-C（TC−HDL-C）か LDL-C 直接法を使用する。ただしスクリーニング時に高 TG 血症を伴わない場合は LDL-C との差が＋30 mg/dL より小さくなる可能性を念頭においてリスクを評価する。

（日本動脈硬化学会・編：動脈硬化性疾患予防ガイドライン 2017 年版，p 14，日本動脈硬化学会，2017）

②リスク区分別脂質管理目標値
- 基本的には75歳未満の成人に適用されることを前提に作成されている。
- 前回の2012年版の管理目標値が引き継がれ，二次予防のLDL-C管理目標値も100 mg/dL未満とされているが，100 mg/dL未満の管理が難しい場合にはベースライン時から50%以上のLDL-C低下を目標とすることも可とされた。
- 二次予防例の中でも家族性高コレステロール血症，急性冠症候群を合併する場合は，LDL-C 70 mg/dL未満を目標としたより厳格な脂質管理を考慮し，糖尿病患者の中で他の高リスク病態を合併した例も，これに準じた管理を考慮するよう提唱された。

治療方針の原則	管理区分	脂質管理目標値（mg/dL）			
		LDL-C	Non-HDL-C	TG	HDL-C
一次予防 まず生活習慣の改善を行った後薬物療法の適用を考慮する	低リスク	<160	<190	<150	≧40
	中リスク	<140	<170		
	高リスク	<120	<150		
二次予防 生活習慣の是正とともに薬物治療を考慮する	冠動脈疾患の既往	<100 (<70)*	<130 (<100)*		

* 家族性高コレステロール血症，急性冠症候群の時に考慮する。糖尿病でも他の高リスク病態（次表b）を合併する時はこれに準ずる。
- 一次予防における管理目標達成の手段は非薬物療法が基本であるが，低リスクにおいてもLDL-Cが180 mg/dL以上の場合は薬物療法を考慮するとともに，家族性高コレステロール血症の可能性を念頭においておくこと。
- まずLDL-Cの管理目標値を達成し，その後non-HDL-Cの達成を目指す。
- これらの値はあくまでも到達努力目標値であり，一次予防（低・中リスク）においてはLDL-C低下率20～30%，二次予防においてはLDL-C低下率50%以上も目標値となり得る。
- 高齢者（75歳以上）については動脈硬化性疾患予防ガイドライン2017年版第7章を参照。

（日本動脈硬化学会・編：動脈硬化性疾患予防ガイドライン2017年版，p 54, 日本動脈硬化学会, 2017）

二次予防においてより厳格な管理が必要な患者病態

a	・家族性高コレステロール血症 ・急性冠症候群 ・糖尿病
b	・非心原性脳梗塞 ・末梢動脈疾患（PAD） ・慢性腎臓病（CKD） ・メタボリックシンドローム ・主要危険因子の重複 ・喫煙

（日本動脈硬化学会・編：動脈硬化性疾患予防ガイドライン2017年版，p 55, 日本動脈硬化学会, 2017）

脂質異常症の日常生活と食事療法のポイント

　血液中の悪玉コレステロール（LDLコレステロール）や中性脂肪（トリグリセライド）が，血液中に正常範囲を超えて増加していたり，善玉コレステロール（HDLコレステロール）が低下している状態を脂質異常症といいます。この状態が長く続くと動脈硬化の原因となります。食事を含めた生活習慣が血液中の脂質の値に大きく関与しています。まず生活習慣の改善を行いましょう。

【日常生活】
①適度な運動をしましょう
　　適度な運動をすることにより，HDL-C（善玉コレステロール）が増え，またトリグリセライドが下がります。汗ばむ程度の軽い有酸素運動を1日30分以上を毎日，少なくとも週に3日は行うようにし，長く続けることが大切です。
　　種類：早歩き，スロージョギング，水泳，水中歩行，サイクリング，ラジオ体操，社交ダンス，ベンチステップ運動など
②タバコをやめましょう
　　受動喫煙でも脳卒中，心筋梗塞などの心血管病のリスクが高くなるため，受動喫煙を避けるようにしましょう。
③ストレスを避け，睡眠を十分にとりましょう
　　ストレスは，血液中のコレステロールを増やし，血圧を上げ血管に負担をかけます。規則正しい生活を心がけ，自分なりのストレス解消法を工夫しましょう。
④お酒はほどほどにしましょう
　　適量のアルコールは体によいですが，飲み過ぎると血液中のトリグリセライドを増やします。（アルコール1日25gまで：日本酒1合，ビール中瓶1本（500mL），焼酎半合，ウイスキーダブル1杯，ワイン2杯）

【食事療法】
①栄養バランスのよい食事をとりましょう
　　コレステロールを下げるための食事でも，健康な体を維持するために必要な栄養をとることが前提です。蛋白，糖分，脂質，ビタミン，カルシウムや鉄などのミネラルなど，片寄りなく各栄養素をとることが大事です。
②多価不飽和脂肪酸を増やして，飽和脂肪酸を控えめにしましょう
　　主に植物油や魚に多く含まれている多価不飽和脂肪酸は，コレステロールや中性脂肪（トリグリセライド）を下げる働きがあります。特に青魚にはエイコサペンタエン酸（EPA）やドコサヘキサエン酸（DHA）であるn-3系多価不飽和脂肪酸が含まれて

いるので積極的にとるようにしましょう。
　乳製品，肉などの動物性脂肪には血液中のコレステロールを上げる飽和脂肪酸が含まれているので，とりすぎないようにしましょう。

③食べ過ぎは禁物です。総カロリーをチェックしましょう
　食べ過ぎなどでカロリーをとりすぎると脂肪合成を高めてしまうので，標準体重を守るようにしましょう。

　1日に必要なカロリー＝標準体重〈身長（m）^{2}×22〉×25〜30 kcal
　　　　　例：160 cm 男性
　　　　　　　　1.6×1.6×22＝56 kg……標準体重
　　　　　　　　56×30＝1,700 kcal

④食物繊維は多くとりましょう
　野菜，果物には食物繊維が多く含まれ，コレステロールの排泄を促します。
　穀類，野菜類，果物類，いも類，藻類，きのこ類などに食物繊維が多く含まれているので，コレステロールの多い食品を食べるときは，これらの食品も同時に加えバランスをとりましょう。

⑤甘いもののとりすぎに注意しましょう
　菓子や甘い果物などの糖分のとりすぎは，体内のトリグリセライドを増やし肥満の原因を作ります。また HDL-C（善玉コレステロール）を低下させる働きがあります。なるべく少なめにしましょう。

⑥コレステロール摂取量に注意しましょう
　コレステロールの摂取は1日200 mg 未満に抑えましょう。
　卵1個の平均的なコレステロール量は約250 mg ですので，過剰にとることは控えましょう。また，モツ，レバーなどの内臓部分はコレステロールを多く含むので控えましょう。蛋白源としては，コレステロールの多い動物性食品を控えめにし，コレステロールを上げる心配のない植物性蛋白（大豆食品など）や，魚介類（内臓を含まない）を積極的にとりましょう。

⑦味付けはうす味にしましょう
　血圧に注意し，調理は酸味，香味野菜，スパイスなどを上手に使いましょう。動脈硬化による疾患を予防するために，食塩量は1日6 g 未満にしましょう。

⑧ビタミンE，C，カロチンをとりましょう
　コレステロールの酸化を防ぎ動脈硬化を進めにくくします。果物は1日1個（1日80〜100 kcal 以内），いも類，緑黄色野菜，種実類を十分にとりましょう。
　製造後日数を経て保存の悪い加工食品は過酸化脂質が多く，動脈硬化や肝障害の原因となるので，避けましょう。

積極的に食べた方がよい食品	魚（ブリ，サバ，サンマ，イワシなど）・大豆とその加工品（豆腐など）・繊維質の多いもの（キノコ類，海藻，コンニャクなど）・いも類（サツマイモ，ジャガイモ，サトイモなど）・緑黄色野菜（カボチャ，ホウレンソウ，ブロッコリー，ニンジンなど）・果物（リンゴ，キウイ，ミカンなど）
控えめに食べた方がよい食品	霜降りの牛肉・うなぎ・バター，クリームなどの乳製品・レバー・マヨネーズ・ウニ・タラコ・カズノコ・イカ・カニ・スジコ・卵（特に黄身の部分）・貝類（サザエ，バカガイなど）・チョコレート

26 脳循環・代謝改善薬，抗認知症薬

■ 認知症治療薬—薬物治療の確認と指導のポイント

項目	確認のポイント
認知症の原因の確認 (*三大認知症)	認知症：脳の病気や障害など様々な原因により，認知機能が低下し，日常生活全般に支障が出てくる状態 **原因疾患** ・神経変性：①アルツハイマー型認知症（AD）*：脳神経が変性して脳の一部が萎縮していく過程でおきる認知症 　　　　　　②レビー小体型認知症（DLB）*：進行性認知機能障害とともに幻視やパーキンソニズムを呈する認知症 　　　　　　③前頭側頭型認知症 ・脳血管障害：血管性認知症*：脳梗塞や脳出血などの脳血管障害によっておきる認知症 ・その他：正常圧水頭症，甲状腺機能低下症，薬剤性（抗精神病薬，三環系抗うつ薬等） **診断**：問診（発症時の様子と経過，特徴的症状，心理症状等），認知機能検査(MMSE，HDS-R 等)，画像検査（CT，MRI，SPECT 等）
中核症状に対する治療法の確認	**治療目標**：神経変性認知症は完治する治療法はないので，できるだけ症状を軽くし進行の速度を遅らせる 　　　　　＊中核症状：脳の障害により直接起こる認知機能障害で記憶障害，見当識障害，失語・失行・失認，遂行機能障害がみられる **薬物療法** ・AD の中核症状：コリンエステラーゼ阻害薬（ドネペジル，ガランタミン，リバスチグミン）と NMDA 受容体拮抗薬（メマンチン）が認められている。進行度が軽度であれば ChE 阻害薬の少量から開始，中等度に達した時点でメマンチンを追加，もしくはメマンチンに変更。投与初期から中等度以上であれば，はじめからメマンチンを投与してもよい ・DLB：ドネペジルのみ保険適応が認められている ・血管性認知症：効果がある薬剤は存在しないが脳卒中の再発予防のために高血圧などの生活習慣の治療が不可欠
行動・心理症状(BPSD※)に対する治療法の確認	BPSD：中核症状に付随して引き起こされる二次的な症状（不安，抑うつ，幻覚・妄想，徘徊，暴力行為）で周辺症状ともいう。 BPSD の出現は急激な生活環境（介護環境）の変化や服用中の薬物，周囲の人間の態度などが原因となる場合があるので，症状の出現原因を見直す。適切なケアや環境調整としてはデイサービス等の利用を検討し，認知症の人が心地よく安心して暮らせるような環境（段差をなくして階段や廊下の照明を明るくする，室内は使い慣れた物を置き，模様替えはできるだけ避けるなど），そして，介護する人が介護しやすい環境を作ることが必要 また，リハビリテーション（ウォーキングや体操などの運動療法，リアリティ・オリエンテーション（常に問いかけを行い，場所・時間・状況・人物などの見当識を維持），簡単な楽器演奏などの音楽療法，過去を回想することも有効）等の非薬物療法を優先。BPSD のコントロールが難しく，苦痛が強い場合は，抗精神病薬，抗うつ薬，漢方薬などを使用する

項目	確認のポイント
服薬アドヒアランス向上のための指導のポイント	副作用の発現の確認と対処法の指導：ChE 阻害薬は消化器症状が多いが慣れによる症状軽減や制吐薬や止痢薬の併用により改善。リバスチグミンの皮膚症状には貼付部位の毎日の変更や背中など患者の手が届かない場所に貼付を指導 服薬継続の理解の確認：効果発現に3カ月ほどかかるうえ，症状の進行抑制効果が実感できないので自己判断で服薬中断（認知機能が無治療時と同じレベルまで一気に低下）することが多いので継続の重要性を理解させる

※ BPSD：Behavioral and Psychological Symptoms of Dementia

■認知症症状とは

認知機能障害：中核症状ともいう。主な例を下記に示す

①記憶障害：探し物が多い，食べたことを忘れる，同じことを話したり質問したりする，よく知っていたことを思い出せない

②見当識障害：時間・空間・人などの環境と自分の置かれた状況を判断する機能の低下（何月何日何曜日？ここはどこ？あなたは誰？）

③理解・判断力の低下：会話を理解できなくなる，「なぜ？」「えっなんて言った？」を繰り返す，物の使い方を忘れる

④遂行機能障害：ものごとを計画し順序だてて実行する機能が低下する。仕事や家事の段取りが悪くなる，今までできていた料理の手順がわからなくなる

⑤注意力の低下：周囲の音に反応して食事や会話に集中できなくなる，ぼーっとしているようにみえる

⑥失語：言語機能の低下。言葉がスムーズに出てこない，単語が出てこなくなり「あれ，それ」が多くなる，会話の意味を理解できなくなる

⑦失行：身につけた一連の動作を行う機能の低下。運動機能に問題がないのに，いつもできていた動作ができなくなる。ネクタイを締められない，鍵を開けられない

⑧失認：五感を通じて周辺状況を把握する機能の低下。感覚器は正常でも状況を誤って解釈してしまう。顔見知りの人物を不審者と捉える，ペットを野良犬と勘違いする

No.26 脳循環・代謝改善薬, 抗認知症薬

■ 対象薬剤

（A）脳循環・代謝改善薬
　　①イフェンプロジル酒石酸塩（セロクラール），ニセルゴリン（サアミオン），イブジラスト（ケタス）
　　②アマンタジン塩酸塩（シンメトレル）
（B）抗認知症薬
　　①コリンエステラーゼ阻害薬：ドネペジル塩酸塩（アリセプト），ガランタミン臭化水素酸塩（レミニール），リバスチグミン（イクセロンパッチ，リバスタッチパッチ）
　　②NMDA受容体阻害薬：メマンチン塩酸塩（メマリー）
＊シンメトレルはNo.10抗パーキンソン病薬（p.155）参照

■ 指導のポイント

	患者向け	薬剤師向け
薬効	・この薬は脳の血液循環や代謝をよくして，脳卒中後遺症のめまい（セロクラール，ケタス）や意欲低下（サアミオン）を改善する薬です	脳循環・代謝改善作用（比較表参照）
	・この薬は脳の神経の働きを強めて，脳梗塞後遺症の感情・活動・興味の乏しさを活発にする薬です（シンメトレル）	脳代謝・精神活動改善作用（比較表参照）
	・この薬はアルツハイマー型認知症（B）やレビー小体型認知症（アリセプト）の主な症状（物忘れ，時間や場所や人がわからなくなる，いつもの作業が段取りよくできなくなる，道に迷う，判断・問題解決力の低下など）の進行を遅らせる薬です	・記憶，視空間認知，言語，遂行機能，社会的認知などの認知機能障害（認知症の中核症状）の進行を遅らせる ・脳内アセチルコリンエステラーゼ阻害作用（B-①） ・ニコチン性アセチルコリン受容体活性化増強作用（レミニール） ・NMDA受容体拮抗作用（メマリー）
	☆この薬は気道の炎症を抑え，気管支喘息の発作や症状を起こりにくくする薬です（ケタス）（参）No.16抗アレルギー薬	抗アレルギー作用（ケミカルメデイエーター遊離抑制作用）
	☆この薬は手足のふるえ，筋肉のこわばりや動作が遅くなったり，姿勢のバランスがとれなくなるのを改善する薬です（シンメトレル）（参）No.10抗パーキンソン病薬	ドパミン放出促進作用
	☆この薬はA型インフルエンザウイルスが増えるのを抑え，インフルエンザの症状（発熱頭痛，筋肉痛，咽頭痛など）を改善したり予防したりする薬です（シンメトレル）（参）No.62抗ウイルス薬①	抗A型インフルエンザウイルス作用

詳しい薬効	・この薬は脳の血流やエネルギー代謝を改善して，めまい・意欲低下などの脳卒中後遺症の症状を改善する薬です（A-①）。軽い抗血小板作用があるため脳梗塞再発予防効果もあるかもしれません（A-①） ・この薬は脳内神経伝達物質のアセチルコリンを不活化する酵素アセチルコリンエステラーゼの働きを阻害して，認知機能に関係するアセチルコリン作動性神経系の障害を緩和し，アルツハイマー型認知症の中核症状（認知機能障害：記憶障害，見当識障害，実行機能障害，判断力の低下，失語・失認・失行など）の進行を遅らせる薬です（B-①） ・この薬はレビー小体型認知症の特徴的な認知機能障害（認知症の中核症状）である集中力・注意力の低下や，「頭がはっきりしているとき」と「ぼーっとしているとき」の変動を改善する薬です（アリセプト） ・認知症の進行に伴って興奮性神経伝達物質のグルタミン酸が増えてくると，NMDA受容体が過剰に活性化されて神経細胞の障害を招きます。この薬はNMDA受容体に拮抗的に結合して過剰興奮による神経細胞の障害を防いで，アルツハイマー型認知症の中核症状や周辺症状（興奮性・攻撃性・徘徊・怒りっぽいなど）を改善する薬です（メマリー）
禁忌	・〔A-①〕 頭蓋内出血後止血未完成 ・〔アリセプト〕本剤またはピペリジン誘導体過敏症既往 ・〔レミニール，メマリー〕本剤過敏症既往 ・〔イクセロン，リバスタッチ〕本剤またはカルバメート系誘導体過敏症既往

■ 主な副作用と対策，フィジカルアセスメントのチェックポイント

主な副作用	患者に確認すべき症状	対策とPAのチェックポイント
消化器症状	食欲がない，吐き気，嘔吐，腹痛，下痢	減量もしくは中止 PA 腸音（↑）
精神神経症状	めまい，頭痛，不眠，易怒性，多弁，興奮，眠気	減量もしくは中止

■ 重大な副作用と妊婦・授乳婦への危険度

薬剤名	重大な副作用	妊婦[授乳婦]
セロクラール，サアミオン	−	[✗○]
ケタス	血小板減少，肝機能障害，黄疸	[✗○]
アリセプト	QT延長，心室頻拍，心室細動，洞不全症候群，洞停止，高度徐脈，心ブロック，失神，心筋梗塞，心不全，消化性潰瘍，十二指腸潰瘍穿孔，消化管出血，肝炎，肝機能障害，黄疸，脳性発作，脳出血，脳血管障害，錐体外路障害，悪性症候群，横紋筋融解症，呼吸困難，急性膵炎，急性腎障害，原因不明の突然死，血小板減少	B3 [✗△]
レミニール	失神，徐脈，心ブロック，QT延長，急性汎発性発疹性膿疱症，肝炎，横紋筋融解症	B1 [✗△]
イクセロン，リバスタッチ	狭心症，心筋梗塞，徐脈，房室ブロック，洞不全症候群，脳血管発作，けいれん発作，食道破裂を伴う重度の嘔吐，胃潰瘍，十二指腸潰瘍，胃腸出血，肝炎，失神，幻覚，激越，せん妄，錯乱，脱水	B2 [✗△]

No.26 脳循環・代謝改善薬，抗認知症薬

薬剤名	重大な副作用	妊婦［授乳婦］
メマリー	けいれん，失神，意識消失，精神症状（激越，攻撃性，妄想，幻覚，錯乱，せん妄），肝機能障害，黄疸，横紋筋融解症，完全房室ブロック，高度な洞徐脈等の徐脈性不整脈	B2 ［❷△］

■ その他の指導ポイント

<table>
<tr><th colspan="2">患 者 向 け</th><th>薬 剤 師 向 け</th></tr>
<tr><td rowspan="11">使用上の注意</td>
<td>・〔A〕すぐに効果は現れませんので根気よく服用してください。ただし3カ月間服用しても症状がよくならない場合はお申し出ください</td>
<td>効果発現に4～8週間かかり，12週間服用しても効果がない場合は中止する必要があるため，患者に症状の確認をする</td></tr>
<tr><td>・〔B〕この薬は副作用に注意しながら，目標の量まで徐々に薬を増やしていきますので，すぐに効果は実感できません</td>
<td>各薬剤に応じた漸増法によって維持量にもっていく。効果判定や副作用モニタリングを頻繁に実施して，増量や減量，中止等適切に対応する必要がある</td></tr>
<tr><td>・〔ケタス〕この薬はカプセルをはずして服用しないでください</td>
<td>徐放性製剤のため</td></tr>
<tr><td>・〔B〕この薬の使用中は，車の運転や機械の操作，高所作業など危険を伴う作業は行わないでください</td>
<td>アルツハイマー型認知症やレビー小体型認知症では，車の運転等，危険を伴う機械の操作能力が低下している可能性と，めまいや眠気の副作用発現のおそれ</td></tr>
<tr><td>・〔B-①〕同じ作用の薬と一緒に服用できないので，現在服用中の薬についてお申し出ください</td>
<td>コリンエステラーゼ阻害薬同士との併用不可。効果不十分例にはNMDA受容体拮抗薬との併用を検討</td></tr>
<tr><td>・〔メマリー〕服用開始初期に，一日中眠った状態になったり，眠気のせいで転倒することがあるため，注意してください</td>
<td>傾眠を認めることがあることを介護者に伝えておく</td></tr>
<tr><td>・〔アリセプトD，レミニールOD，メマリーOD〕この薬は口の中で溶けますが，唾液や水で確実に飲み込んでください。寝たままの状態では水で服用してください</td>
<td>口腔内崩壊錠は口腔粘膜から吸収されるものではない</td></tr>
<tr><td>・〔アリセプト内服ゼリー〕この薬は服用直前にアルミ袋を開封して，水を必要としないカップ入りのゼリーなのでスプーンですくって服用してください</td>
<td>主薬が酸化により分解されることがあるためアルミ袋を直前まで開封しない。誤用を避けるため他の容器に移し替えて保存しないよう指導する</td></tr>
<tr><td>・〔アリセプトドライシロップ〕この薬は服用直前に水に溶かしてよくかき混ぜてから服用しますが，粉末のまま水とともに服用することもできます</td>
<td>用時懸濁する製剤のため</td></tr>
<tr><td>・〔アリセプト〕この薬を服用する前に比べて，動きがさらに遅くなった，手足のふるえが増えた，顔の表情が乏しくなった場合にはご相談ください</td>
<td>レビー小体型認知症において本剤の服用により錐体外路障害が悪化または発現したら減量または中止</td></tr>
</table>

使用上の注意	・〔レミニール〕この薬は食後に服用してください →	消化器症状の副作用軽減のため
	・〔イクセロン，リバスタッチ〕この薬は毎日同じ時間に24時間ごとに貼りかえてください。貼付部位は傷や発赤，かぶれのない，背中・上腕・胸の正常な皮膚，体毛の少ない乾燥した，衣服でこすれない箇所に貼ってください。交換時に前日に貼った薬を確実にはがしたことを確認して前日と違う箇所に貼ってください。貼付箇所にはクリーム，ローション，パウダーを塗布しないでください →	接触性皮膚炎の副作用が多い。皮膚症状に対してステロイド外用剤または抗ヒスタミン外用剤投与か，本剤の減量・一時中止。同一箇所への連日貼付と除去で生じる皮膚角質層の剥離面への貼付では血中濃度上昇のおそれ。経皮吸収パッチの誤用による死亡例あり。新しいパッチへの交換時に古いパッチのはがし忘れによる過量事故が多い
	・〔イクセロン，リバスタッチ〕この薬をさわった手で目に触れないでください。パッチを扱った後はすぐに手を洗ってください →	本剤成分の刺激性により眼症状発現のおそれ
	・〔イクセロン，リバスタッチ〕この薬がはがれたときは，再貼付しないで新しいパッチを貼ってください →	粘着力の低下により吸収低下して効果減弱
	・〔イクセロン，リバスタッチ〕MRI検査時に貼付したまま検査できます。電気的除細動や自動体外式除細動器（AED）を使用する際は，電極パッドを装着するところにある全ての貼り薬は除去します →	支持体に伝導性の金属は含有されていないので，MRI検査時にはがさなくても貼付部位の火傷のおそれはない
服用（使用）を忘れたとき	・〔A，B（イクセロン，リバスタッチを除く）〕思い出したときすぐに服用する。ただし次の服用時間が近いときは忘れた分は服用しない。次の服用時間まで，服用回数が1日1回のときは8時間以上，1日2回のときは5時間以上，1日3回のときは4時間以上の間隔をあけること。ただしアリセプトは12時間以上あけること（2回分を一度に服用しないこと）	
	・〔イクセロン，リバスタッチ〕思い出したときすぐに貼りかえるが，前日分を確実に除去してから貼る。翌日からはいつもと同じ時間に貼りかえる	

その他備考

脳循環・代謝改善薬，抗認知症薬比較表

	商品名	薬理作用				脳血管拡張		赤血球変形能改善	血小板凝集抑制	適応		アルツハイマー型認知症			症状
		脳循環改善	脳代謝改善	神経伝達改善	NMDA受容体拮抗	平滑筋弛緩	α遮断			脳梗塞後遺症	脳出血後遺症	軽度	中等度	高度	
(A)	セロクラール	○	○			○	○		○	○	○				めまい
(A)	サアミオン	○	○	A・D		○	○	○		○	○				意欲低下
(A)	ケタス	○	○					○	○	○					めまい
(A)	シンメトレル			D・N・S						○					意欲・自発性低下
(B)	アリセプト			A								○	○	○	
(B)	レミニール			A								○	○		行動・感情・言動が不活発
(B)	イクセロン リバスタッチ			A								○	○		
(B)	メマリー				○								○	○	行動・感情・言動が興奮

A：アセチルコリン系，D：ドパミン系，N：ノルアドレナリン系，S：セロトニン系

アルツハイマー型認知症の介護の方の対応について

1. アルツハイマー型認知症は「進行性の病気で基本的には治らない」「進行を遅らせることはできるが，よくなる可能性は少ない」ということを理解しましょう。
2. 将来起こりうる認知症の症状（例えば徘徊や昼夜逆転など）や，どんな症状が出るのかをよく理解しておくと適切な対応をとることができますので理解しましょう。
3. 妄想や幻覚などを抱いたときの患者さんの心を理解して，否定したり怒ったりせず話をよく聞くようにしましょう。
4. 「トイレの場所がわからなくなって，失禁してしまう」などの症状が起こるとき，トイレに赤い丸印をつけ，患者さんに同じ赤い丸印のマークを持ってもらい「このマークを見ながらトイレに連れて行く」動作を繰り返し，日常生活のなかで記憶を再生するように工夫しましょう。
5. 介護が長期化し負担が家族に重くのしかかり，疲れきってくるので，介護保険など公的なサービスを有効に利用しましょう。

27 気管支拡張薬・気管支喘息治療薬

■ 気管支喘息—薬物治療の確認と指導のポイント

項目	確認のポイント
喘息重症度の確認	喘息は慢性の気道炎症，可逆性の気道閉塞を特徴とする疾患 **症状**：喘鳴，息切れ，咳，胸苦しさの複数の組み合わせが変動をもって出現。夜間や早朝に増悪する傾向 **喘息重症度**：喘息発作の頻度・強度・夜間症状，PEF 値，FEV_1 より判定し治療ステップを決める（p.452 参照）
原因因子の回避・除去（喘息発作を起こさない環境づくり）の確認と指導	・アレルゲンの除去（ダニ，カビ，昆虫類，動物，花粉など） ・呼吸器感染（上気道感染）の予防・激しい運動を控える（気流制限を防止） ・禁煙・禁酒，肥満防止，疲労やストレスの回避 ・症状を増悪させる薬剤（β 遮断薬，NSAIDs）
治療法とコントロール状態の確認	喘息治療ではコントロール良好状態を維持することが重要 【コントロール状態の確認と治療法】 **未治療患者**：喘息症状を重症度判定の基準とするが PEF 値，FEV_1 も客観的な把握に重要である。判定して重症度に応じた治療ステップを選択する。治療開始1カ月以内に症状，増悪治療薬の使用，活動制限，呼吸機能，増悪頻度などを評価しコントロール状態を判定（p.452参照）。同時に吸入手技，服薬アドヒアランス，治療薬による副作用，患者の治療に対する理解と満足度を評価 **薬物治療中の患者**：現在の治療ステップ下で認められる症状から重症度を判定し適切な治療ステップを選択（p.453参照）し薬物治療を行う ・コントロール良好状態が3～6カ月持続の場合ステップダウンを試みる ・症状が毎週あるいは毎日の場合，治療を1～2段階ステップアップする ・喘息症状が毎週ではない場合同一治療ステップでの治療強化 【喘息治療薬】 長期管理薬（コントローラー）と増悪治療薬（リリーバー）に分類 ・**長期管理薬（コントローラー）**：毎日使用（p.429参照） 治療は第一選択薬の吸入ステロイド薬を中心とし重症度に応じて他の薬剤（LABA，LAMA，LTRA，テオフィリン徐放製剤等）を追加していく。 ・**発作治療薬（リリーバー）**：増悪治療のために短期的に使用 SABA（短時間作用性吸入 β_2 刺激薬），他はステロイド（内服，点滴静注），アドレナリン（皮下注），アミノフィリン（点滴静注）等
喘息の状態把握のためのピークフロー（PEF）メーターによるチェックの確認	ピークフローメーターによる PEF 値の測定：FEV_1 とよく相関し日常の喘息の状態を把握する有用な指標となる。PEF 値の日内変動（朝，夕測定）が 20% 以上になると気道過敏性の亢進を示し増悪傾向になっていると考えられる。薬物投与前の決まった時間に測定する
アドヒアランス向上・維持の指導	喘息治療では患者自身が病気や治療法を正しく理解し，主体的に治療を続けることが重要 1．治療薬は毎日使うコントローラーと増悪時のみ使うリリーバーに分かれる。リリーバーは外出時も携帯するよう指導 2．ステロイド薬，LABA，LAMA など吸入薬が治療の主体となり吸入デバイスも薬品により異なるので正しい吸入の仕方を十分練習させる 1回の吸入指導ではほとんどの患者が吸入手技を完全に取得できず，4回程度の指導が必要であるといわれている。指導後1カ月で約40％の患者の吸入手技の低下が認められたとの報告もあるので定期的な再指導を行うことが重要。 また，吸入ステロイド薬による嗄声等の副作用予防のため吸入後のうがいや，食前の吸入を勧める

項目	確認のポイント
	3．吸入ステロイド薬は長期間使用するが吸入で使用するので全身の副作用が少なく正しく使用すれば安全な薬であることを理解させる 4．症状がないときでも完全に治癒することはないので，増悪予防のために，薬は指示通り使用を続けるよう指導

・LABA：長時間作用性 β_2 刺激薬（Long Acting β_2 Agonist）
・SABA：短時間作用性 β_2 刺激薬（Short Acting β_2 Agonist）
・LAMA：長時間作用抗コリン薬（Long-Acting-Muscarinic-Antagonist）

■ 慢性閉塞性肺疾患（COPD）—薬物治療の確認と指導のポイント

項目	確認のポイント
重症度，病態の評価の確認	COPDはタバコ煙を主とする有害物質を長期に吸入曝露することなどにより生ずる肺疾患であり，呼吸機能検査で気流閉塞を示す **臨床所見**：呼吸困難（息切れ），慢性の咳・痰，喘鳴，体重減少，食欲不振 **身体所見**：呼気延長，口すぼめ呼吸，樽状胸郭，胸鎖乳突筋の肥大，チアノーゼ，ばち指，聴診上の呼吸音減弱 **COPDの診断**：長期間の喫煙歴などの曝露歴があり，気管支拡張薬投与後のスパイロメトリーで1秒率が70%未満 **COPDの病期分類**：1秒量で判断（Ⅰ期，Ⅱ期，Ⅲ期，Ⅳ期） **総合的な重症度**：病期＋その他の症状の程度（呼吸困難・運動能力の低下・繰り返す増悪）で判断する
管理目標 （危険因子の回避・除去の確認と非薬物療法の指導）	**管理目標** ①症状やQOLの改善，運動耐容能と身体活動性の向上および維持 ②増悪の予防，全身併存症と肺合併症の予防・診断・治療 ・タバコ煙曝露からの回避 ・インフルエンザワクチン，肺炎球菌ワクチン接種の有無（病期等にかかわらず，すべての患者に有用） ・身体活動性の向上と維持 ・呼吸リハビリテーション（患者教育，運動療法，栄養管理）の導入（COPDの日常生活のポイント（p.458）参照）
薬物療法とコントロール状態の確認	**安定期の薬物療法**：薬物療法の中心は気管支拡張薬である（p.455参照） ・軽症：労作時の呼吸困難などに対して短時間作用性 β_2 刺激薬や抗コリン薬を使用 ・中等症以上：長時間作用性気管支拡張薬（LAMA, LABA）を定期的に使用する。第一選択薬はCOPDの増悪抑制効果が優れるLAMA（スピリーバ，シーブリ，エンクラッセ，エクリラ）が使用されることが多い。単剤で不十分であればLABA（セレベント，オーキシス，オンブレス）を追加，あるいはLAMA＋LABA配合薬（スピオルト，ウルティブロ，アノーロ，ビベスピ）。喘息病態合併の場合ICS（吸入ステロイド薬）を併用するが，ICS＋LAMA＋LABAの合剤（テリルジー，ビレーズトリ）も登場した
吸入指導とアドヒアランス向上・維持の指導	患者の吸気流速や年齢や吸気との同調が必要なのか等を考慮して最も適切な吸入デバイスを選択して正しい吸入の仕方を指導する。1回の吸入指導ではほとんどの患者が吸入手技を完全に取得できず，手技の劣化も生じるので定期的な再指導を行う

27 気管支拡張薬・気管支喘息治療薬　①キサンチン系薬―内服

■ 対象薬剤

テオフィリン（テオドール，テオロング，ユニコン，ユニフィル LA），アミノフィリン水和物（ネオフィリン）

■ 指導のポイント

	患者向け	薬剤師向け
薬効	この薬は気管支を拡げて呼吸を楽にする薬です ☆この薬は心臓の働きを強めて，むくみを取る薬です（ネオフィリン）	気管支拡張作用 強心利尿作用
詳しい薬効	この薬は気管支を拡げる物質（サイクリック AMP）を分解する酵素（ホスホジエステラーゼ）の作用を抑えて気管支内のサイクリック AMP の濃度を高めて気管支を拡げて呼吸を楽にする薬で，喘息や気管支炎・肺気腫（テオドール顆粒・50 mg 錠以外）などに用いる薬です ☆この薬は心筋のサイクリック AMP を増加させ，心臓の収縮力を高め，むくみを取り，息切れや息苦しさなどの症状を改善する薬です（ネオフィリン）	
禁忌	本剤・キサンチン系過敏症既往	

■ 主な副作用と対策，フィジカルアセスメントのチェックポイント

主な副作用	患者に確認すべき症状	対策と PA のチェックポイント
血中テオフィリン濃度の上昇	吐き気，嘔吐，動悸，頻脈，不整脈，興奮，不眠	血中濃度をモニタリングし，減量，他の薬剤への変更 PA 脈拍（↑，不整脈）
消化器症状	吐き気，食欲が無い	減量，制酸剤の投与等
頻尿	トイレに行き尿をする回数が増える	減量もしくは中止 PA 尿の回数（↑：昼間 8 回以上，夜間睡眠時 3 回以上）

■ 重大な副作用と妊婦・授乳婦への危険度

薬剤名	重大な副作用	妊婦[授乳婦]
テオドール，テオロング，ユニコン，ユニフィル LA	けいれん，意識障害，急性脳症，横紋筋融解症，消化管出血，赤芽球癆，アナフィラキシーショック，肝機能障害，黄疸，頻呼吸，高血糖症	A [◎○]
ネオフィリン	ショック，アナフィラキシーショック，けいれん，意識障害，急性脳症，横紋筋融解症，消化管出血，赤芽球癆，肝機能障害，黄疸，頻呼吸，高血糖症	A [◎○]

■ その他の指導ポイント

	患者向け	薬剤師向け
使用上の注意	・定期的に服用することにより，血中濃度を一定に保ち発作を予防しますので医師の許可なく量を増やしたり，中止したりしないでください	テオフィリンによる副作用の発現は血中濃度の上昇に起因する場合が多いことから血中濃度のモニタリングを適切に行い，患者個々に適した投与計画を設定することが望ましい。一般的に有効血中濃度は5〜15 μg/mLであり，20 μg/mL以上で，悪心，嘔吐，頭痛，40 μg/mL以上で不整脈，けいれん，精神症状等が出現する。
		・気管支喘息の発作は深夜から早朝に集中する。そこで発作が多発する時間帯に薬剤の血中濃度を高くし，発作が起こらない日中の時間帯には低く抑える投与法が行われている
		・ユニコン・ユニフィルLA錠は，最高血中濃度到達時間が摂食時で約12時間，絶食時で約8時間なので，夕方に1回服用すると早朝4時頃に最高血中濃度に達するように設計されている
	・小児，特に乳幼児の場合，医師から発熱時に減量または中止するよう指示を受けている場合は，必ず指示に従ってください	発熱によりテオフィリンの血中濃度の上昇やけいれん等の症状が現れることがある。調剤時には，一時減量や中止等に対応するため，他の薬剤と配合しないことが望ましい
	・〔ネオフィリン以外〕この薬は消化器内で少しずつ溶けて効果の現れる薬なので，つぶしたり，かみ砕いたりしないで服用してください	徐放性の製剤（錠剤，顆粒）なので，粉砕して服用すると血中濃度が急激に上昇し，副作用の発現につながるおそれがある
	・〔テオドール顆粒，テオロング，ユニコン，ユニフィルLA〕この薬は服用後，糞便中にまれに白色物質がみられることがありますが心配はいりません	白色物質は各製剤のテオフィリン溶出後の賦形剤の一部である
	・市販の薬を服用する場合，必ずご相談ください	OTC（鎮咳去痰薬や乗り物酔い止め等）の中にはテオフィリンやアミノフィリンを含むものが多い。特にアネトンせき止め顆粒は1日量が160 mg，ミルコデ錠Aは300 mgになるので注意が必要
	・タバコを吸っている人が禁煙したり，普段タバコを吸わない人が急に喫煙したりすると，薬の効き目に影響を及ぼすことがあり，ときには中毒症状が現れることがあります。常にタバコを吸わない生活を心がけてください。また禁煙をする場合は，医師と相談のうえ，慎重に行ってください	喫煙により肝薬物代謝酵素が誘導され，テオフィリンクリアランスが40〜60％上昇し，テオフィリン血中濃度が40〜60％低下する可能性がある。よって喫煙者が禁煙（禁煙補助剤であるニコチン製剤使用時を含む）することにより血中濃度が上昇し，テオフィリンの中毒症状が現れることがあるので，禁煙する場合は医師にも禁煙することを伝え，定期的

使用上の注意	食 この薬を服用中にコーヒーや紅茶，コーラなどカフェインを多く含むものを飲みすぎると，副作用が出やすくなるので控えてください	に血中濃度を測定することが必要であるカフェインとの相互作用により血中濃度が上昇し，けいれん，興奮等の中枢性の副作用が強く現れることがある
	食 この薬の服用中にセイヨウオトギリソウ（セント・ジョーンズ・ワート）を含む食品はとらないでください。	セイヨウオトギリソウにより誘導された肝薬物代謝酵素がテオフィリンの代謝を促進し血中濃度が低下するおそれがあるため併用注意
	食〔ネオフィリン以外〕この薬の服用中にトウガラシを含む食品はとらないでください	トウガラシにより薬剤の消化吸収が増大し，血中テオフィリン濃度が上昇する
	食〔ネオフィリン以外〕この薬の服用中に炭火焼肉を大量にとらないでください	炭で肉を焼く際に生じるポリサイクリックカーボンにより薬物代謝酵素が誘導され，血中テオフィリン濃度が低下する
	食〔ネオフィリン以外〕この薬の服用中に高蛋白食を同時にとらないでください	高蛋白食により薬物代謝酵素が誘導され，血中テオフィリン濃度が低下する
	・〔ネオフィリン〕光を避けて保管してください	光により黄変する
服用を忘れたとき	・〔テオドール〕思い出したときすぐに服用する。ただし次の服用が近いときは忘れた分は服用しない（2回分を一度に服用しないこと） ・〔テオロング・ネオフィリン〕思い出したときすぐに服用する。ただし次の服用が6時間以内の場合は忘れた分は服用しない（2回分を一度に服用しないこと） ・〔ユニコン・ユニフィル LA〕飲み忘れに気づいた時間が就寝前までであれば，すぐに1回分を服用する。それ以外（起床後気づいた場合など）は服用しないで，次の服用時に決められた用量を服用する（2回分を一度に服用しないこと） 理由 血中濃度が上がりすぎると副作用が発現しやすいため	

■ その他備考

■ 小児への投与について

- 6〜15歳では8〜10 mg/kg/日（1回4〜5 mg/kg，1日2回）より開始し，臨床効果と血中濃度を確認しながら調節する。
- 小児，特に乳幼児は成人に比べてけいれんを惹起しやすく，また，テオフィリンクリアランスが変動しやすいので血中濃度のモニタリングを行うなど慎重に投与する。
- テオフィリン使用中のけいれんは5歳以下に多く，特に6カ月未満の乳児ではテオフィリンクリアランスが低く，テオフィリン血中濃度が上昇することがあるため慎重に投与する。
- 発熱時などは中止，減量を検討する。

27 気管支拡張薬・気管支喘息治療薬　②β_2刺激薬　a) 内服

■対象薬剤

テルブタリン硫酸塩（ブリカニール），プロカテロール塩酸塩水和物（メプチン，メプチンミニ），ツロブテロール塩酸塩（ベラチン，ホクナリン），クレンブテロール塩酸塩（スピロペント）

■指導のポイント

	患者向け	薬剤師向け
薬効	この薬は気管支を拡げて呼吸を楽にする薬です ☆この薬は尿失禁（いきんだり，笑ったり，お腹に力を入れると尿がもれる症状）を改善する薬です（スピロペント）	β_2刺激作用（気管支拡張作用） β_2刺激作用（膀胱平滑筋弛緩作用，膀胱内圧低下作用，外尿道括約筋収縮作用）（適応症：腹圧性尿失禁）
詳しい薬効	この薬は気管の平滑筋に存在する特定部位（交感神経のβ_2受容体）を刺激し，気管支をとりまく筋肉の緊張をゆるめ，気管支を拡げて呼吸を楽にする薬です ☆この薬は膀胱の平滑筋および外尿道括約筋に存在する特定部位（交感神経のβ_2受容体）を刺激し，膀胱平滑筋を弛緩させるとともに，外尿道括約筋を収縮させることにより，腹圧性の尿失禁を改善する薬です（スピロペント）	
禁忌	・本剤過敏症既往 ・〔スピロペント〕下部尿路閉塞	

■主な副作用と対策，フィジカルアセスメントのチェックポイント

主な副作用	患者に確認すべき症状	対策とPAのチェックポイント
振戦	手の指の細かい震え	減量もしくは中止
動悸，頻脈	心臓がドキドキと速く打つ	減量もしくは中止 PA 脈拍（↑）
低K血症	脱力感，筋力低下，筋肉痛，便秘，麻痺，血圧の上昇	中止しK剤の補給 PA 筋力（↓），脈拍（不整脈）
頭痛	頭が痛い	減量もしくは中止
嘔気・嘔吐	吐き気・吐く	〃

■重大な副作用と妊婦・授乳婦への危険度

薬剤名	重大な副作用	妊婦[授乳婦]
ブリカニール	アナフィラキシー様症状，血清K値の低下	[⊗○]
メプチン，メプチンミニ	ショック，アナフィラキシー，重篤な血清K値の低下	[⊗○]

No.27　気管支拡張薬・気管支喘息治療薬

薬剤名	重大な副作用	妊婦[授乳婦]
ベラチン，ホクナリン，スピロペント	重篤な血清 K 値の低下	[⊗○]

■ その他の指導ポイント

	患者向け	薬剤師向け
使用上の注意	・吸入ステロイド薬を併用している方は，薬（交感神経刺激剤）の服用により症状の改善を感じても，吸入ステロイド薬を減量したり，中止しないでください ・発作予防のために医師の指示どおり継続して服用してください。勝手に量を増やしたり，中止したりしないでください ・服用を始めた頃に手の震えや心臓がドキドキすることがあります。ほとんどの場合，続けていくうちに起こらなくなりますが，ひどい場合や症状が続く場合はご相談ください	気管支喘息治療における長期管理の基本は，吸入ステロイド薬等の抗炎症薬の使用であるため，吸入ステロイド等により十分な効果が得られない場合にのみ，本剤を併用する。本剤の投与期間中に発現する急性の発作に対しては，短時間作動型吸入 β_2 刺激薬等の他の適切な薬剤の使用を考慮する 過度に使用を続けた場合，不整脈，場合によっては心停止を起こすことがあるので，使用が過度にならないように注意する 連用により減少してくることが多いが，患者の訴えによっては減量・中止が必要である。経口から貼付剤への変更でこのような副作用が軽快・消失することがある
服用を忘れたとき	思い出したときすぐに服用する。ただし次の服用時間が近いときは忘れた分は服用しない（2 回分を一度に服用しないこと）	

■ その他備考

■ 喘息治療薬の分類

長期管理薬（コントローラー）	増悪治療薬（リリーバー）
毎日定期的に使用し発作を予防する薬	発作時のみ使用し，発作を鎮める薬
ステロイド薬（吸入・経口） テオフィリン徐放製剤 長時間作用型 β 刺激薬（経口・吸入・テープ） 抗アレルギー薬	ステロイド薬（静注・経口） 短時間作用型 β 刺激薬（吸入） アドレナリン皮下注射 速効性テオフィリン薬（静注・経口） 抗コリン薬（吸入）

■ β_2刺激薬比較一覧表

成　分　名	テルブタリン	プロカテロール	ツロブテロール	クレンブテロール
商　品　名	ブリカニール	メプチン	ホクナリン ベラチン	スピロペント
構造上の特徴	レゾルシン骨格 (カテコール同族体)	カルボスチリル骨格	フェネチルアミン骨格	カテコール骨格 (カテコール誘導体)
効果発現時間	1h 以内	約 30 min	30 min 以内	30 min
作用持続時間	7h	約 8h	8h 以上	11～15h
選　択　性	$\beta_2 > \beta_1$	$\beta_2 \gg \beta_1$	$\beta_2 \gg \beta_1$	$\beta_2 \gg \beta_1$
抗アレルギー作用 (予防効果)	±	+	+	+

27　気管支拡張薬・気管支喘息治療薬　②β_2刺激薬　b) 貼付剤

■ 対象薬剤

ツロブテロール（ホクナリンテープ）

■ 指導のポイント

	患者向け	薬剤師向け
薬効	この薬は気管支を拡げて呼吸を楽にする貼り薬です	→ β_2刺激作用（気管支拡張作用）
詳しい薬効	この薬は気管の平滑筋に存在する特定部位（交感神経の β_2 受容体）を刺激し、気管支をとりまく筋肉の緊張をゆるめ、気管支を拡げて呼吸を楽にする貼り薬です	
禁忌	本剤過敏症既往	

■ 主な副作用と対策

主な副作用	患者に確認すべき症状	対策
皮膚	接触性皮膚炎，適用部位の瘙痒感	貼り付け部位を変更。部位を変更しても再発する場合は中止

➡ 上記以外は No.27 気管支拡張薬・気管支喘息治療薬② a)（p.428）参照

■ 重大な副作用と妊婦・授乳婦への危険度

薬剤名	重大な副作用	妊婦[授乳婦]
ホクナリンテープ	アナフィラキシー，血清K値の低下	[⊗○]

■ その他の指導ポイント

	患者向け	薬剤師向け
使用上の注意	・吸入ステロイド薬を併用している方は，薬（交感神経刺激剤）の服用により症状の改善を感じても，吸入ステロイド薬を減量したり，中止しないでください ・発作予防のために医師の指示どおり継続して使用してください。勝手に量を増やしたり，中止したりしないでください ・使用を始めた頃に手の震えや心臓がドキドキすることがあります。ほとんどの場合，続けていくうちに起こらなくなりますが，ひどい場合や症状が続く場合はご相談ください	気管支喘息治療における長期管理の基本は，吸入ステロイド薬等の抗炎症薬の使用であるため，吸入ステロイド等により十分な効果が得られない場合にのみ，本剤を併用する。本剤の投与期間中に発現する急性の発作に対しては，短時間作動型吸入β_2刺激薬等の他の適切な薬剤の使用を考慮する 過度に使用を続けた場合，不整脈，場合によっては心停止を起こすことがあるので，使用が過度にならないように注意する ・気管支喘息の発作は深夜から早朝に集中する。そこで発作が多発する時間帯に薬剤の血中濃度を高くし，発作が起こらない日中の時間帯には低く抑える投与法が行われている ・ホクナリンテープは，12〜14時間後に最高血中濃度になるように設計されているので，入浴後の18時から20時くらいに貼るのが効果的である 連用により減少してくることが多いが，患者の訴えによっては減量・中止が必要である。発生頻度は経口剤よりも少なく，吸入剤よりも多い
	【テープを貼るときの注意】 1．胸，背中，上腕のいずれか1ヵ所に貼る 2．貼る場所を乾いたタオル等でよく拭いてから貼る 3．テープの接着面に指が触れないよう注意する 4．貼った後，手のひらでしっかりとまんべんなく押さえる 5．一度はがしたら，再び貼り直すことはできない 6．傷口や湿疹のあるところ，汗をかきやすいところや軟膏等を塗った部分には貼らない 7．テープをはがしてしまう子供には，手の届かないところに貼る 8．少しはがれた場合は，刺激の少ない絆創膏等で固定する 9．新しいテープに貼りかえるときは，同じ所を避けて貼る	
貼り忘れたとき	思い出したときすぐに貼る。ただし次の貼りかえは，主治医に指示された間隔で行う（2回分を一度に貼らないこと）	

27 気管支拡張薬・気管支喘息治療薬　②β₂刺激薬　c) 吸入

■ 対象薬剤

【短時間作用型：SABA】
　サルブタモール硫酸塩（サルタノールインヘラー，ベネトリン吸入液），プロカテロール塩酸塩水和物（メプチンエアー・メプチンキッドエアー・吸入液・スイングヘラー），フェノテロール臭化水素酸塩（ベロテックエロゾル）

【長時間作用型：LABA】
　サルメテロールキシナホ酸塩（セレベントディスカス），インダカテロールマレイン酸塩（オンブレス吸入用カプセル），ホルモテロールフマル酸塩水和物（オーキシスタービュヘイラー）

■ 指導のポイント

	患者向け	薬剤師向け
薬効	この薬は気管支を拡げて呼吸を楽にする吸入薬です	β_2刺激作用（気管支拡張作用）
詳しい薬効	・この薬は気管の平滑筋に存在する特定部位（交感神経のβ_2受容体）を刺激し，気管支をとりまく筋肉の緊張をゆるめ，短時間（SABA），長時間（セレベント）気管支を拡げて呼吸を楽にする吸入薬で，喘息や慢性閉塞性肺疾患等に用いる薬です（オンブレス，オーキシス以外） ・この薬は気管の平滑筋に存在する特定部位（交感神経のβ_2受容体）を刺激し，気管支をとりまく筋肉の緊張をゆるめ，長時間気管支を拡げて呼吸を楽にする吸入薬で，慢性閉塞性肺疾患に用いる薬です（オンブレス，オーキシス）	
警告	〔ベロテック〕本剤の使用は他のβ_2刺激薬吸入剤が無効な場合で，かつ患者が適正な使用方法を十分理解し，過量投与になるおそれがない場合に限る．小児への投与は他のβ_2刺激薬吸入剤が無効な場合で医師の厳重な管理監督下に限る	
禁忌・併用禁忌	禁忌 本剤過敏症既往 併用禁忌 〔ベロテック〕⇔エピネフリン，イソプロテレノールにて不整脈，心停止のおそれ	

■ 主な副作用と対策，フィジカルアセスメントのチェックポイント

➡ No.27 気管支拡張薬・気管支喘息治療薬② a)（p.428）参照

No.27 気管支拡張薬・気管支喘息治療薬

■ 重大な副作用と妊婦・授乳婦への危険度

薬剤名	重大な副作用	妊婦[授乳婦]
サルタノール，ベネトリン	重篤な血清K値の低下	A [授◎]
メプチン	ショック，アナフィラキシー，重篤な血清K値の低下	[授◎]
ベロテック	重篤な血清K値の低下	[授◎]
セレベント	重篤な血清K値の低下，ショック，アナフィラキシー	B3 [授◎]
オンブレス，オーキシス	血清K値の低下	B3 [授◎]

■ その他の指導ポイント

	患者向け	薬剤師向け
使用上の注意	・医師の指示どおり使用してください。勝手に量を増やしたり，回数を増やしたりしないでください 〔受診の目安の指導例〕 ・使用を始めた頃に手の震えや心臓がドキドキすることがあります。ほとんどの場合，続けていくうちに起こらなくなりますが，ひどい場合や使用を続けても症状が続く場合はご相談ください。 ・〔SABA〕医師の指示どおり使用しても薬の効きが悪いと感じたり，10〜20分で頻回に吸入したくなったり，一日の使用回数を増やしたくなる場合は，受診してください ・〔SABA〕この薬は喘息発作に対する対症療法剤なので，喘息発作時以外には使用しないでください ・〔セレベント〕この薬は喘息発作を速やかに鎮める薬ではありませんので，発作止めとしては使用しないでください ・〔LABA〕この薬は毎日規則正しく使用する薬で，慢性閉塞性肺疾患の急な症状の悪化（咳，痰，息切れの悪化等）を速やかに鎮める薬ではありません	→ 過度に使用を続けた場合，不整脈，場合によっては心停止を起こすことがあるので，使用が過度にならないように注意する → 連用により減少してくることが多いが，患者の訴えによっては減量・中止が必要である。発生頻度は経口剤や貼付剤よりも少ない → β刺激薬の吸入薬は軽，中等症の患者では非常に有効であるが重症発作時ではほとんど無効であるので，受診する時期を教育しておく必要がある → 本剤の投与期間中に発現する急性の発作に対しては，短時間作動型吸入β₂刺激薬等の他の適切な薬剤を使用するよう指導しておく（両剤の併用は問題ないといわれている）。本剤は一般に効果発現まで15〜20分かかり，12時間以上持続する → 本剤は急性増悪の治療を目的としておらず，慢性閉塞性肺疾患に基づく症状を安定させるためには，本剤を継続して投与する必要がある。ただし，用法・用量どおり正しく使用しても効果が認められない場合には，本剤が適当ではないと考えられるので，受診を勧める

使用上の注意	・〔セレベントディスカス，オーキシス〕吸った感じがしなくても薬は十分吸入されていますので，指示された回数を超えて吸入しないでください →	セレベントディスカス，オーキシスは従来の薬剤と比較すると吸入した実感が乏しい。セレベントディスカスは添加剤の乳糖の量がロタディスクに比べ約半分になったので，ロタディスクからディスカスに変更になった場合でも吸入を失敗したかのような印象を与える
	・〔オンブレス〕この薬は専用の吸入器具（ブリーズヘラー）を用いて吸入してください。内服はしないでください → ・〔オンブレス〕専用の吸入器具（ブリーズヘラー）は週に一度を目安に手入れし，30日を目安に新しいものに交換してください。水洗いはしないでください	本剤は吸入用カプセルであり，内服等の吸入以外の投与経路，または専用の吸入用器具以外を用いて吸入した場合の有効性および安全性は確立されていない。呼吸状態の改善が認められない場合には本剤を吸入せずに内服していないか確認すること
	・〔サルタノールインヘラー，メプチンエアー・キッドエアー，ベロテックエロゾル〕よく振ってから使用してください →	噴霧前によく振らないと容器の中の噴霧剤と薬剤が分離してしまい，1回の噴霧薬剤量にばらつきが生じる
	・吸入後は水でうがいをしてください →	吸入後の口腔内への沈着や吸収による副作用を予防できる
	〈他の吸入薬との併用時：吸入順序〉 交感神経刺激薬（β刺激薬）→抗コリン薬→副腎皮質ホルモン薬（副腎皮質ホルモン薬とβ刺激薬の配合剤を含む）の順番で吸入する 吸入薬と吸入薬を使用する間隔は数分間あけてください →	即効性であるβ刺激薬を先に吸入させ気道を拡張した後，抗コリン薬，副腎皮質ホルモン薬を吸入すると，それだけ多くの薬剤が末梢まで沈着する。この3剤のうち2剤を併用する場合も吸入順序は変わらない ただし，LABAにおいては，順番にこだわる必要はないといわれている
使用を忘れたとき	・〔セレベント，オーキシス〕思い出したときすぐに吸入する。ただし次の吸入時間が近いときは忘れた分は吸入しない（2回分を一度に使用しないこと） ・〔オンブレス〕吸入忘れに気づいても吸入しない。次の吸入時に決められた用量を吸入する（2回分を一度に使用しないこと）	

■ その他備考

■ 長時間作用型交感神経刺激剤（LABA）の最大の特徴は，吸入ステロイドとの併用により互いに効果を高めあう点である。気管支喘息は気道閉塞を伴う慢性の炎症性疾患で，持続型喘息のコントロール達成とその維持の目的で長期管理薬（コントローラー）が使用される。コントローラーは大きく抗炎症薬と長時間作用型気管支拡張薬に分類される。炎症性疾患である気管支喘息に対し，ベースとなる治療薬として各国の喘息治療ガイドラインにおいて吸入ステロイドが推奨されており，LABAと吸入ステロイドの併用で，ステロイドがβ受容体数を増加させることに加えて，LABAがステロイドの核内受容体への結合を高める作用も報告されており，両剤の併用により高い効果を持続できる。

27 気管支拡張薬・気管支喘息治療薬　③抗コリン薬―吸入

■ 対象薬剤
【短時間作用型：SAMA】
　イプラトロピウム臭化物水和物（アトロベントエロゾル）
【長時間作用型：LAMA】
　チオトロピウム臭化物水和物（スピリーバ吸入用カプセル・レスピマット），グリコピロニウム臭化物（シーブリ吸入用カプセル），アクリジニウム臭化物（エクリラジェヌエア），ウメクリジニウム臭化物（エンクラッセエリプタ）

■ 指導のポイント

	患者向け	薬剤師向け
薬効	この薬は気管支を拡げて呼吸を楽にする吸入薬です	抗コリン性気管支収縮予防作用
詳しい薬効	この薬は気管支を収縮させる物質（アセチルコリン）の働きを抑えることにより，気管支が収縮するのを防ぎ，気管支を拡げて呼吸を楽にする吸入薬で，気管支喘息（アトロベント，スピリーバレスピマット）や慢性閉塞性肺疾患（慢性気管支炎・肺気腫）（スピリーバレスピマット1.25以外）に用いる薬です	
禁忌	・本剤過敏症既往，閉塞隅角緑内障，前立腺肥大症等による排尿障害 ・〔アトロベント，スピリーバ〕アトロピン系過敏症既往	

■ 主な副作用と対策，フィジカルアセスメントのチェックポイント

主な副作用	患者に確認すべき症状	対策とPAのチェックポイント
口渇	口が渇く，唇が荒れる	口を湿らす（うがい，少量の飲水）か糖分を含まないキャンディー，ガムの摂取 PA 口腔粘膜（乾燥）
胃腸症状	吐き気，消化不良，便秘	減量もしくは中止 便秘に対しては水分，腸のぜん動を刺激する食物の摂取 PA 腸音（便秘：↓）
排尿障害	尿が出にくい，尿量が少ない	減量もしくは中止。ベタネコール塩化物，ジスチグミン臭化物，ネオスチグミン等の投与 PA 尿量（↓），残尿（↑），体重（↑），浮腫（上眼瞼，下腿脛骨），下腹部（張り感，膨隆）
眼圧上昇	初期では自覚症状はないが，高くなると，見えにくい，充血，まぶしいなどの症状が出ることがある	減量もしくは中止 PA 視力（↓），結膜（充血），眼痛（↑）

■ 重大な副作用と妊婦・授乳婦への危険度

薬剤名	重大な副作用	妊婦[授乳婦]
アトロベント	アナフィラキシー，上室性頻脈，心房細動	B1 [授◎]
スピリーバ	心不全，心房細動，期外収縮，イレウス，閉塞隅角緑内障，アナフィラキシー	B1 [授◎]
シーブリ	心房細動	B3 [授◎]
エンクラッセ	心房細動	B1 [授◎]
エクリラ	心房細動	B3

■ その他の指導ポイント

	患者向け	薬剤師向け
使用上の注意	・〔アトロベント，スピリーバレスピマット〕この薬は喘息発作を速やかに鎮める薬ではありませんので，発作止めとしては使わないで，毎日決められた量を吸入してください。勝手に量を増やしたり，中止したりしないでください	吸入β刺激薬に比べて気管支拡張効果は弱く，作用発現が遅い（最大効果発現まで1～2時間）が，効果持続時間は長いので，予防的な持続投与が主となる
	・〔スピリーバレスピマット1.25以外〕この薬は毎日規則正しく使用する薬で，慢性閉塞性肺疾患の急な症状の悪化（咳，痰，息切れの悪化等）を速やかに鎮める薬ではありません	吸入β刺激薬に比べて気管支拡張効果は弱く，作用発現が遅いが，効果持続時間は長い
	・〔アトロベント〕よく振ってから使用してください	噴霧前によく振らないと容器の中の噴霧剤と薬剤が分離してしまい，1回の噴霧薬剤量にばらつきが生じる
	・〔スピリーバカプセル〕この薬は専用の吸入用器具（ハンディヘラー）を用いて吸入してください。内服はしないでください	本剤は吸入製剤であり，消化管からの吸収率は低いため，内服しても期待する効果は得られない
	・〔シーブリ〕この薬は専用の吸入器具（ブリーズヘラー）を用いて吸入してください。内服はしないでください ・〔シーブリ〕専用の吸入器具（ブリーズヘラー）は週に一度を目安に手入れし，30日を目安に新しいものに交換してください。水洗いはしないでください	本剤は吸入用カプセルであり，内服等の吸入以外の投与経路，または専用の吸入用器具以外を用いて吸入した場合の有効性および安全性は確立されていない。呼吸状態の改善が認められない場合には，本剤を吸入せずに内服していないか確認すること
	・〔アトロベント，エンクラッセ〕吸入後は水でうがいをしてください	口腔内に付着した薬剤が全身に移行し，口渇等がみられる場合がある
	・〔スピリーバ〕25℃以下の所に保存してください	本剤は25℃を超える所に保存しないこと。冷凍しないこと

使用を忘れたとき	・〔シーブリ,エンクラッセ以外〕思い出したときすぐに吸入する。ただし次の吸入時間が近いときは忘れた分は吸入しない(2回分を一度に使用しないこと) ・〔シーブリ,エンクラッセ〕思い出したときすぐに吸入する。ただし1日1回を超えて吸入しないこと(2回分を一度に使用しないこと)

■ その他備考

- 抗コリン薬は気道収縮が存在するときにその有効性が示され,その場合 β_2 刺激薬と相加効果がある。抗コリン薬は肺気腫の患者では β_2 刺激薬以上の気管支拡張効果を示す。したがって,抗コリン薬は特に肺気腫を合併した高齢の喘息患者に有効である

27 気管支拡張薬・気管支喘息治療薬 ④副腎皮質ホルモン薬―吸入

■ 対象薬剤

ベクロメタゾンプロピオン酸エステル(キュバールエアゾール),フルチカゾンプロピオン酸エステル(フルタイドエアゾール・ディスカス),ブデソニド(パルミコートタービュヘイラー・吸入液),シクレソニド(オルベスコインヘラー),モメタゾンフランカルボン酸エステル(アズマネックスツイストヘラー),フルチカゾンフランカルボン酸エステル(アニュイティエリプタ)

■ 指導のポイント

	患者向け	薬剤師向け
薬効	この薬は気道の炎症を抑えて喘息発作の程度や頻度を軽減する吸入薬です →	喘息発作抑制作用,抗炎症作用
詳しい薬効	この薬は喘息の原因である気道の炎症を抑え,気道が狭くなるのを改善し,喘息発作の程度や頻度を軽減する吸入薬です	
禁忌・併用禁忌	禁忌 ・本剤過敏症既往,有効な抗菌剤の存在しない感染症 ・〔キュバール〕全身の真菌症 ・〔キュバール以外〕深在性真菌症 併用禁忌 〔キュバール,アズマネックス〕⇔デスモプレシン酢酸塩水和物にて低Na血症	

■ 主な副作用と対策,フィジカルアセスメントのチェックポイント

主な副作用	患者に確認すべき症状	対策とPAのチェックポイント
嗄声(声がれ)	のどの刺激感,声が枯れる	吸入方法の再教育,スペーサー使用,薬剤の減量・変更

主な副作用	患者に確認すべき症状	対策とPAのチェックポイント
カンジダ症	口の中にカビが付着する	うがい，吸入方法の再教育，スペーサー使用，食前の吸入，抗真菌薬によるうがい，薬剤の減量・変更 PA 口腔粘膜（白色被苔，紅斑）
副腎皮質機能抑制（高用量長期投与の場合）	体がだるい，吐き気，嘔吐，食欲不振，力が入らない	ステロイドを減量し，長時間作用型β_2刺激薬やロイコトリエン拮抗薬を併用 PA 血圧（↓），体重（↓），筋力（↓）

■ 重大な副作用と妊婦・授乳婦への危険度

薬剤名	重大な副作用	妊婦［授乳婦］
キュバール，オルベスコ	−	B3［✕◎］
フルタイド	アナフィラキシー	B3［✕◎］
パルミコート	−	A［✕◎］
アズマネックス	アナフィラキシー	［✕◎］
アニュイティ	アナフィラキシー反応	B3

■ その他の指導ポイント

	患者向け	薬剤師向け
使用上の注意	・この薬は喘息発作を速やかに鎮める薬ではありませんので，発作止めとしては使わないで，医師の指示どおり使用してください。勝手に量を増やしたり，中止したりしないでください	現在，気管支喘息の気道閉塞に伴って起こるさまざまな変化は，気道の炎症によって始まると考えられている。この気道の炎症は，気道過敏性の亢進の最も重要な因子であると考えられることから，経口ステロイドに比べ有意に全身性の副作用が少なく最も強力な抗炎症薬である吸入ステロイドが安全かつ有効である。そのため比較的早い段階から使用が勧められている
	・すぐに効果の現れる薬ではありませんが，継続して使用する（およそ2〜3週間）ことにより，効果が出てくるので，自己判断で中止しないようにしてください	効果がないといった理由で患者の自己判断による中止例が多い。効果は3〜4日後から現れ始め，1カ月ほどでピークに達する
	・この薬を大量に長期間使用して，体がだるい，吐き気，嘔吐，力が入らない，食欲不振などの症状が現れたら，早めにご相談ください	全身性ステロイド薬と比較して可能性は低いが，本剤の高用量を長期間投与する場合には，副腎皮質機能低下等の全身作用が発現する可能性がある
	・吸入薬を吸った後は必ずうがいをしてください	口腔や気道に沈着した薬剤により，口腔や咽頭にカビが繁殖することによるカンジダ症，

使用上の注意	・〔パルミコート吸入液〕フェイスマスクを使用する場合には、吸入後水で顔を洗ってください	咽頭痛・違和感、嗄声、咳嗽、口腔内乾燥感、味覚異常等の副作用が起こるが、うがいを十分に行うことによって予防できる 口のまわりに薬剤が付着して残った場合、かぶれ等の症状が発症する可能性がある
	・〔フルタイドディスカス、パルミコートタービュヘイラー、アズマネックスツイストヘラー〕吸った感じがしなくても薬は十分吸入されていますので、指示された回数を超えて吸入しないでください	フルタイドディスカスとパルミコートタービュヘイラー、アズマネックスツイストヘラーは従来の薬剤と比較すると吸入した実感が乏しい。フルタイドディスカスは添加剤の乳糖の量がロタディスクに比べ約半分になっているため、ロタディスクからディスカスに変更になった場合、吸入を失敗したかのような印象を与える。またパルミコートタービュヘイラーには添加剤が入っていないため、ほとんど吸入した感じがしない
	・〔フルタイドエアゾール〕よく振ってから使用してください	噴霧前によく振らないと容器の中の噴霧剤と薬剤が分離してしまい、1回の噴霧薬剤量にばらつきが生じる。ただし、キュバールエアゾール、オルベスコインヘラーは完全溶解系製剤のため、使用前に振る必要がない ただし製剤ごとに使用方法が異なることによる混乱を避けるため、使用前に振とうすることに統一した指導を行うことも有用である
	・〔パルミコート吸入液〕泡立てない程度に揺り動かしてから使用してください	本剤は懸濁剤のため、粒子が沈殿している場合がある。吸入前に粒子をよく再懸濁させる必要がある
	・〔アズマネックスツイストヘラー〕使用後はキャップを完全に閉め、吸入時以外はキャップを開閉しないでください	本剤はキャップ開閉の一連の操作により次回吸入分の薬剤を充填する構造になっている。またキャップの開閉操作を60回行うとキャップがロックされ使用できなくなる
使用を忘れたとき	・〔オルベスコ、アニュイティ以外〕思い出したときすぐに吸入する。ただし次の吸入時間が近いときは忘れた分は吸入しない（2回分を一度に吸入しないこと） ・〔オルベスコ〕1日1回吸入の場合、思い出したときすぐ吸入する。1日2回吸入の場合、気づいても吸入せず次の吸入時に決められた用量を吸入する（2回分を一度に吸入しないこと） ・〔アニュイティ〕思い出したときすぐに吸入する。ただし1日1回を超えて吸入しない（2回分を一度に吸入しないこと）	

27 気管支拡張薬・気管支喘息治療薬　⑤抗コリン薬・β_2刺激薬配剤—吸入

■ 対象薬剤

配合剤（ウルティブロ吸入用カプセル，アノーロエリプタ吸入用，スピオルトレスマピット，ビベスピエアロスフィア）

■ 指導のポイント

	患者向け	薬剤師向け
薬効	この薬は気管支を拡げて呼吸を楽にする吸入薬です	β_2刺激作用（気管支拡張作用）と抗コリン性気管支収縮予防作用の相加効果
詳しい薬効	この薬は気管の平滑筋に存在する特定部位（交感神経のβ_2受容体）を刺激し，気管支をとりまく筋肉の緊張をゆるめ，気管支を拡げる作用と，気管支を収縮させる物質（アセチルコリン）の働きを抑えることにより，気管支が収縮するのを防ぎ，気管支を拡げる作用の相加効果により，気道抵抗の低下や肺の過膨張の改善を促し，呼吸を楽にする吸入薬で，慢性閉塞性肺疾患（COPD）に用いる薬です	
禁忌	・本剤過敏症既往，閉塞隅角緑内障，前立腺肥大症等による排尿障害 ・〔スピオルト〕アトロピン系過敏症既往	

■ 主な副作用と対策，フィジカルアセスメントのチェックポイント

→ No.27 気管支拡張薬・気管支喘息治療薬② a）（p.428），No.27 気管支拡張薬・気管支喘息治療薬③（p.435）をそれぞれ参照

■ 重大な副作用と妊婦・授乳婦への危険度

薬剤名	重大な副作用	妊婦［授乳婦］
ウルティブロ	重篤な血清 K 値の低下，心房細動	B3
アノーロ	心房細動	B3
スピオルト	心不全，心房細動，期外収縮，イレウス，閉塞隅角緑内障，アナフィラキシー	B3
ビベスピ	心房細動，重篤な血清 K 値の低下	−

■ その他の指導ポイント

	患者向け	薬剤師向け
使用上の注意	・1日1回（ビベスピは1日2回）なるべく同じ時間帯に吸入してください。勝手に指示された回数を超えて吸入しないで	過度に使用を続けた場合，不整脈，場合によっては心停止を起こすことがあるので，使用が過度にならないように注意する

使用上の注意	・くださレ ・この薬は毎日規則正しく使用する薬で，慢性閉塞性肺疾患の急な症状の悪化（咳，淡，息切れの悪化等）を速やかに鎮める薬ではありません	本剤は長時間作用性 β_2 刺激薬と長時間作用性抗コリン薬の配合剤であり，気管支拡張効果が長時間持続する。急性増悪時に頓用する薬剤ではない
	・〔ウルティブロ，スピオルト〕目に入らないように注意してください。万一，結膜の充血や角膜の浮腫に伴う赤眼，眼痛などが現れた場合には，できるだけ早く眼科医を受診してください	本剤が目に入ると，抗コリン作用により急性閉塞隅角緑内障が発現する可能性がある
	・〔アノーロ〕吸入後は水でうがいをしてください	口腔内に沈着した薬剤が全身に移行し，口渇等がみられる場合がある
	・〔ウルティブロ〕この薬は専用の吸入器具（ブリーズヘラー）を用いて吸入してください。内服はしないでください	本剤は吸入用カプセルであり，内服等の吸入以外の投与経路，または専用の吸入用器具以外を用いて吸入した場合の有効性および安全性は確立されていない。呼吸状態の改善が認められない場合には本剤を吸入せずに内服していないか確認すること
	・〔アノーロ〕この薬はあらかじめ薬が充填されているので，カバーをカチッと音がするまで開けて，息を吐き出してから吸入口をくわえて強く深く「スーッ」と吸い込んでください	
	・〔ウルティブロ〕専用の吸入器具（ブリーズヘラー）は週に一度を目安に手入れし，30日を目安に新しいものに交換してください。水洗いはしないでください	
使用を忘れたとき	・〔ウルティブロ，アノーロ〕思い出したときすぐに吸入する。ただし1日1回を超えて吸入しないこと（2回分を一度に使用しないこと） ・〔スピオルト，ビベスピ〕思い出したときすぐに吸入する。ただし次の吸入時間が近いときは忘れた分は吸入しない（2回分を一度に吸入しないこと）	

■ その他備考

- ■ 配合剤成分：(長時間作動性抗コリン薬(LAMA)／長時間作動性 β_2 刺激薬(LABA))
  ウルティブロ（グリコピロニウム臭化物／インダカテロールマレイン酸塩）
  アノーロ（ウメクリジニウム臭化物／ビランテロールトリフェニル酢酸塩）
  スピオルト（チオトロピウム臭化物水和物／オロダテロール塩酸塩）
  ビベスピ（グリコピロニウム臭化物／ホルモテロールフマル酸塩水和物）

27 気管支拡張薬・気管支喘息治療薬
⑥副腎皮質ホルモン薬・β_2刺激薬配合剤—吸入

■ **対象薬剤**

配合剤（アドエアディスカス・エアゾール，シムビコートタービュヘイラー，フルティフォームエアゾール，レルベアエリプタ吸入用，アテキュラ吸入用カプセル）

■ **指導のポイント**

	患者向け	薬剤師向け
薬効	この薬は長時間にわたり気管支を拡げ，さらに気道の炎症を抑えることにより喘息発作の程度や頻度を軽減する吸入薬で，喘息や慢性閉塞性肺疾患（アドエア 250 ディスカス・125 エアゾール，シムビコート，レルベア 100 エリプタ）に用いる薬です	β_2刺激作用（気管支拡張作用）と喘息発作抑制作用，抗炎症作用の併用効果
詳しい薬効	この薬は気管の平滑筋に存在する特定部位（交感神経のβ_2受容体）を刺激し，気管支をとりまく筋肉の緊張をゆるめ，気管支を拡げて呼吸を楽にする交感神経刺激薬と，喘息の原因である気道の炎症を抑え，気道が狭くなるのを改善し，喘息発作の程度や頻度を軽減する副腎皮質ホルモン薬の 2 つの有効成分を含む吸入薬で，喘息や慢性閉塞性肺疾患（アドエア 250 ディスカス・125 エアゾール，シムビコート，レルベア 100 エリプタ）に用いる薬です	
禁忌・併用禁忌	禁忌 本剤過敏症既往，有効な抗菌剤の存在しない感染症，深在性真菌症 併用禁忌 〔フルティフォーム，アテキュラ〕⇒デスモプレシン酢酸塩水和物にて低 Na 血症	

■ **主な副作用と対策，フィジカルアセスメントのチェックポイント**

⇒ No.27 気管支拡張薬・気管支喘息治療薬② a）（p.428），No.27 気管支拡張薬・気管支喘息治療薬④（p.437）をそれぞれ参照

■ **重大な副作用と妊婦・授乳婦への危険度**

薬剤名	重大な副作用	妊婦[授乳婦]
アドエア，フルティフォーム	ショック，アナフィラキシー，重篤な血清 K 値低下，肺炎	B3 [✗◎]
シムビコート	アナフィラキシー，重篤な血清 K 値の低下	B3 [✗◎]
レルベア	アナフィラキシー反応，肺炎	B3 [✗◎]
アテキュラ	アナフィラキシー，重篤な血清 K 値の低下，心房細動	B3

■ その他の指導ポイント

	患 者 向 け	薬 剤 師 向 け
使用上の注意	・〔シムビコート以外〕この薬は喘息発作や慢性閉塞性肺疾患の症状悪化を速やかに軽減する薬ではありません。医師の指示どおり毎日規則正しく使用してください。毎日規則的に使用しても効果が不十分な場合には，できるだけ早く受診してください ・〔シムビコート〕この薬は毎日規則正しく使用する薬ですが，喘息発作時には別の発作止めを使用する場合と，喘息発作時にも本剤を使用する場合があります。発作時の対応については医師の指示に従ってください ・勝手に量を増やしたり，回数を増やしたりしないでください ・使用を突然中止すると症状の悪化を起こすことがあります。主治医の指示なく，自己判断で使用を中止したりしないでください。 ・この薬を大量に長期間使用して，体がだるい，吐き気，嘔吐，力が入らない，食欲不振などの症状が現れたら，早めにご相談ください ・〔アドエアディスカス，シムビコートタービュヘイラー〕吸った感じがしなくても薬は十分吸入されていますので，指示された回数を超えて吸入しないでください。吸った感じがしなくて不安な場合は，レバーを動かさずにそのまま1～2回吸入を繰り返してみてください ・〔アテキュラ〕この薬は専用の吸入器具（ブリーズヘラー）を用いて吸入してください。内服はしないでください ・〔アテキュラ〕専用の吸入器具（ブリーズヘラー）は週に一度を目安に手入れし，30日を目安に新しいものに交換してください。水洗いはしないでください ・吸入薬を吸った後は必ずうがいをしてく →	β_2刺激薬とステロイドの合剤は気道の慢性炎症と狭窄という2つの病態に対する基本的な薬物治療を1剤で可能とした製剤である。本剤の投与期間中に発現する喘息の急性症状または慢性閉塞性肺疾患の急性増悪に対しては，短時間作用型吸入β_2刺激薬等，他の適切な薬剤を使用するよう指導しておく 維持療法として1回1吸入あるいは2吸入を1日2回投与している患者は，発作発現時に本剤の頓用吸入を追加で行うことができる。本剤を維持療法に加えて頓用吸入する場合は，発作発現時に1吸入する。必要に応じてこれを繰り返すが，1回の発作発現につき，最大6吸入までとする 過度に使用を続けた場合，不整脈，場合によっては心停止を起こすことがあるので，使用が過度にならないように注意する 投与中止により症状が悪化するおそれがあるので，自己判断で使用を中止することがないよう指導するとともに，投与を中止する場合は観察を十分に行う 全身性ステロイド薬と比較して可能性は低いが，本剤の高用量を長期間投与する場合には，副腎皮質機能低下等の全身作用が発現する可能性がある フルタイドロタディスクと比較すると吸入した実感が乏しい。アドエアディスカスは添加剤の乳糖の量がフルタイドロタディスクに比べ約半分になったので，フルタイドロタディスクからアドエアディスカスに変更になった場合，吸入を失敗したかのような印象を与える。シムビコートタービュヘイラーはアドエアよりもさらに添加されている乳糖の量が少ないため，アドエアよりも吸入した実感が少ない 本剤は吸入用カプセルであり，内服等の吸入以外の投与経路，または専用の吸入用器具以外を用いて吸入した場合の有効性および安全性は確立されていない。呼吸状態の改善が認められない場合には本剤を吸入せずに内服していないか確認すること 口腔や気道に沈着した薬剤により，口腔や咽

使用上の注意	ださい	頭にカビが繁殖することによるカンジダ症，咽頭痛・違和感，嗄声，咳嗽，口腔内乾燥感，味覚異常等の副作用が起こるが，うがいを十分に行うことによって予防できる．うがいが困難な場合は，口腔内をすすぐよう指導する
使用を忘れたとき	・〔アドエア〕思い出したときすぐに吸入する．ただし1日2回を超えて吸入しないこと（2回分を一度に使用しないこと） ・〔シムビコート，フルティフォーム〕思い出したときすぐに吸入する．ただし次の吸入時間が近いときは忘れた分は吸入しない（2回分を一度に吸入しないこと） ・〔レルベア，アテキュラ〕思い出したときすぐに吸入する．ただし1日1回を超えて吸入しないこと（2回分を一度に使用しないこと）	

■ その他備考

- 配合剤成分：(吸入ステロイド（ICS）／長時間作動性β_2刺激薬（LABA））
  アドエア（フルチカゾンプロピオン酸エステル／サルメテロールキシナホ酸塩）
  シムビコート（ブデソニド／ホルモテロールフマル酸塩水和物）
  フルティフォーム（フルチカゾンプロピオン酸エステル／ホルモテロールフマル酸塩水和物）
  レルベア（フルチカゾンフランカルボン酸エステル／ビランテロールトリフェニル酢酸塩）
  アテキュラ（モメタゾンフランカルボン酸エステル／インダカテロール酢酸塩）

27 気管支拡張薬・気管支喘息治療薬
⑦副腎皮質ホルモン薬・抗コリン薬・β_2刺激薬配合剤―吸入

■ 対象薬剤
配合剤（テリルジーエリプタ，ビレーズトリエアロスフィア，エナジア吸入用カプセル）

■ 指導のポイント

	患者向け	薬剤師向け
薬効	この薬は長時間にわたり気管支を拡げ，さらに気道の炎症を抑えることにより喘息発作の程度や頻度を軽減する吸入薬で，喘息（テリルジー100・200，エナジア）や慢性閉塞性肺疾患（テリルジー100・ビレーズトリ）に用いる薬です	β_2刺激作用（気管支拡張作用）と抗コリン性気管支収縮予防作用，ステロイドの喘息発作抑制作用，抗炎症作用の併用効果
詳しい薬効	この薬は気管の平滑筋に存在する特定部位（交感神経のβ_2受容体）を刺激し，気管支をとりまく筋肉の緊張をゆるめ，気管支を拡げて呼吸を楽にする交感神経刺激薬と，喘息の原因である気道の炎症を抑え，気道が狭くなるのを改善し，喘息発作の程度や頻度を軽減する副腎皮質ホルモン薬，気管支を収縮させる物質（アセチルコリン）の働きを抑えることにより，気管支が収縮するのを防ぎ，気管支を拡げる抗コリン薬の3つの有効成分を含む吸入薬で，喘息（テリルジー100・200，エナジア）や慢性閉塞性肺疾患（テリルジー100・ビレーズトリ）に用いる薬です	
禁忌・併用禁忌	禁忌 本剤過敏症既往，有効な抗菌剤の存在しない感染症，深在性真菌症，閉塞隅角緑内障，前立腺肥大症等による排尿障害 併用禁忌 〔エナジア〕⇔デスモプレシン酢酸塩水和物にて低Na血症	

■ 主な副作用と対策，フィジカルアセスメントのチェックポイント
→ No.27 気管支拡張薬・気管支喘息治療薬②a)（p.428），No.27 気管支拡張薬・気管支喘息治療薬③（p.435），No.27 気管支拡張薬・気管支喘息治療薬④（p.437）をそれぞれ参照

■ 重大な副作用と妊婦・授乳婦への危険度

薬剤名	重大な副作用	妊婦[授乳婦]
テリルジー	アナフィラキシー反応，肺炎，心房細動	B3
ビレーズトリ	心房細動，重篤な血清K値の低下	－
エナジア	アナフィラキシー，重篤な血清K値低下，心房細動	B3

■ その他の指導ポイント

	患者向け	薬剤師向け
使用上の注意	・この薬は喘息発作や慢性閉塞性肺疾患の症状悪化を速やかに軽減する薬ではありません。医師の指示どおり毎日規則正しく使用してください。毎日規則的に使用しても効果が不十分な場合には、できるだけ早く受診してください	本剤はステロイド剤と長時間作用性$β_2$刺激薬、長時間作用性抗コリン薬の3剤を配合させ、気道の慢性炎症と狭窄という2つの病態に対する基本的な薬物治療を1剤で可能とした製剤である。本剤の投与期間中に発現する喘息の急性症状または慢性閉塞性肺疾患の急性増悪に対しては、短時間作用型吸入$β_2$刺激薬等、他の適切な薬剤を使用するよう指導しておく
	・勝手に量を増やしたり、回数を増やしたりしないでください	過度に使用を続けた場合、不整脈、場合によっては心停止を起こすことがあるので、使用が過度にならないように注意する
	・使用を突然中止すると症状の悪化を起こすことがあります。主治医の指示なく、自己判断で使用を中止したりしないでください	投与中止により症状が悪化するおそれがあるので、自己判断で使用を中止することがないよう指導するとともに、投与を中止する場合は観察を十分に行う
	・この薬を大量に長期間使用して、体がだるい、吐き気、嘔吐、力が入らない、食欲不振などの症状が現れたら、早めにご相談ください	全身性ステロイド薬と比較して可能性は低いが、本剤の高用量を長期間投与する場合には、副腎皮質機能低下等の全身作用が発現する可能性がある
	・〔エナジア〕この薬は専用の吸入器具(ブリーズヘラー)を用いて吸入してください。内服はしないでください ・〔エナジア〕専用の吸入器具(ブリーズヘラー)は週に一度を目安に手入れし、30日を目安に新しいものに交換してください。水洗いはしないでください	本剤は吸入用カプセルであり、内服等の吸入以外の投与経路、または専用の吸入用器具以外を用いて吸入した場合の有効性および安全性は確立されていない。呼吸状態の改善が認められない場合には本剤を吸入せずに内服していないか確認すること
	・吸入薬を吸った後は必ずうがいをしてください	口腔や気道に沈着した薬剤により、口腔や咽頭にカビが繁殖することによるカンジダ症、咽頭痛・違和感、嗄声、咳嗽、口腔内乾燥感、味覚異常等の副作用が起こるが、うがいを十分に行うことによって予防できる。うがいが困難な場合は、口腔内をすすぐよう指導する
使用を忘れたとき	・〔テリルジー、エナジア〕思い出したときすぐに吸入する。ただし1日1回を超えて吸入しないこと(2回分を一度に使用しないこと) ・〔ビレーズトリ〕思い出したときすぐに吸入する。ただし次の吸入時間が近いときは忘れた分は吸入しない(2回分を一度に吸入しないこと)	

No.27 気管支拡張薬・気管支喘息治療薬

■ その他備考
- 配合剤成分：(吸入ステロイド（ICS）／長時間作用性抗コリン薬（LAMA）／長時間作動性β_2刺激薬（LABA））
  テリルジー（フルチカゾンフランカルボン酸エステル／ウメクリジニウム臭化物／ビランテロールトリフェニル酢酸塩）
  ビレーズトリ（ブデソニド／グリコピロニウム臭化物／ホルモテロールフマル酸塩水和物）
  エナジア（モメタゾンフランカルボン酸エステル／グリコピロニウム臭化物／インダカテロール酢酸塩）

■気管支拡張薬・気管支喘息治療薬の適応症一覧（2021年8月）

薬効	経路	適応症		
		両方に適応有	気管支喘息	慢性閉塞性肺疾患（慢性気管支炎・肺気腫）
キサンチン系薬	内服	テオドール（100 mg錠・200 mg錠）・テオロング・ユニコン・ユニフィルLA・ネオフィリン	テオドール（顆粒・50 mg錠）	－
β₂刺激薬	内服	ブリカニール，メプチン，ベラチン・ホクナリン，スピロペント	－	－
	貼付	ホクナリンテープ	－	－
	吸入	サルタノール・ベネトリン，メプチン，ベロテック，セレベント	－	オンブレス，オーキシス
抗コリン薬	吸入	アトロベント，スピリーバ 2.5μg レスピマット	スピリーバ 1.25μg レスピマット	スピリーバ吸入用カプセル，シーブリ，エクリラ，エンクラッセ
副腎皮質ホルモン薬	吸入	－	キュバール，フルタイド，パルミコート，オルベスコ，アズマネックス，アニュイティ	
β₂刺激薬＋抗コリン薬	吸入	－	－	ウルティブロ，アノーロ，スピオルト，ビベスピ
β₂刺激薬＋副腎皮質ホルモン薬	吸入	アドエア（250ディスカス・125エアゾール），シムビコート，レルベア100	アドエア（250ディスカス・125エアゾールを除く），フルティフォーム，レルベア200，アテキュラ	－
β₂刺激薬＋抗コリン薬＋副腎皮質ホルモン薬	吸入	テリルジー100	テリルジー200，エナジア	ビレーズトリ
抗アレルギー薬	内服	－	ゼスラン・ニポラジン，ザジテン，アゼプチン，アレジオン（錠剤のみ），リザベン，ケタス，アレギサール・ペミラストン，オノン，キプレス・シングレア，ドメナン，ブロニカ，アイピーディ	
	吸入	－	インタール	

吸入薬の分類（2021年8月）

	β₂刺激薬	抗コリン薬	副腎皮質ホルモン薬	抗アレルギー薬	β₂刺激薬＋抗コリン薬	β₂刺激薬＋副腎皮質ホルモン薬	β₂刺激薬＋抗コリン薬＋副腎皮質ホルモン薬
ネブライザー型	ベネトリン吸入液 メプチン吸入液	/	パルミコート吸入液	インタール吸入液	/	/	/
p-MDI型	サルタノールインヘラー メプチンエアー メプチンキッドエアー ベロテックエロゾル	アトロベントエロゾル	キュバールエアゾール フルタイドエアゾール オルベスコインヘラー	インタールエアロゾル	ビベスピエアロスフィア	アドエアエアゾール フルティフォームエアゾール	ビレーズトリエアロスフィア
DPI型	メプチンスイングヘラー セレベントディスカス オンブレス吸入用カプセル オーキシスタービュヘイラー	スピリーバ吸入用カプセル シーブリ吸入用カプセル エクリラジェヌエア エンクラッセエリプタ	フルタイドディスカス パルミコートタービュヘイラー アズマネックスツイストヘラー アニュイティエリプタ		ウルティブロ吸入用カプセル アノーロエリプタ	アドエアディスカス シムビコートタービュヘイラー レルベアエリプタ アテキュラ吸入用カプセル	テリルジーエリプタ エナジア吸入用カプセル
SMI型		スピリーバレスピマット			スピオルトレスピマット		

吸入デバイスの選択

・吸入デバイスには，専用の器具で薬液を霧状にして吸入する「電動ネブライザー型」，薬剤と噴霧薬を噴射させて吸入する「p-MDI（pressurised metered dose inhaler）型：加圧式定量噴霧吸入」，p-MDIに吸入補助器具を付けて吸入する型，薬剤の粉末を吸気によって吸入する「DPI（dry powder inhaler）型：ドライパウダー吸入」，吸入薬をソフトミスト化して，噴射ガスを使わずに噴霧する「SMI（soft mist inhaler）型：ソフトミスト吸入」がある。

・かつてはp-MDI型が主流であったが，DPIはp-MDIよりも効率よく標的部位まで薬剤を到達させることができるため，現在では吸入剤の選択は可能な限りDPIを選

- 択するようになってきている。しかしながら，DPI は一定量以上の吸気速度を必要とするため，十分な吸気速度を得られない 6 歳未満の小児や 65 歳以上の患者等では p-MDI の使用を考慮する。
- p-MDI を使用する場合，吸入薬の噴霧に同調して十分な吸気動作ができない患者（特に小児）では期待した効果が得られない症例も多い。この問題を解決するために吸入補助器具（スペーサー）が用いられている。スペーサーを使用することで吸入効率を保つことができ，また吸入ステロイド薬の口腔内沈着を少なくすることができる。（オルベスコはプロドラッグのためスペーサーを用いる必要はないとの考え方もある。）購入費用や手間の問題もあるが，基本的に p-MDI を使用するすべての患者に対しスペーサーを使用することを勧めるべきである。小児気管支喘息治療・管理ガイドライン 2020 によると，現段階で推奨されるスペーサーは，「エアロチャンバー・プラス」「ボアテックス」「オプティチャンバーダイアモンド」の 3 種類であるとされている。
- 呼吸状態が悪化した場合，通常 DPI を使用できている患者でも必要な吸気速度が得られなくなる場合もあり，p-MDI への変更も考慮する必要がある。

■吸入方法の違いによる利点・欠点

	電動ネブライザー	p-MDI	p-MDI＋吸入補助器具	DPI	SMI
利点	・大量の薬剤を送ることが可能 ・呼吸のタイミングを合わせる必要がない ・乳幼児でも確実に吸入可能 ・加湿による去痰効果がある ・他剤と混合して吸入可能	・小型で携帯しやすい ・発作時など緊急時でも使いやすい ・投与時間が短い ・1回噴霧量が均一	・呼吸のタイミングを合わせる必要がない ・口腔内への薬剤沈着が少ない	・呼吸のタイミングを合わせる必要がない ・噴霧剤が不要 ・残量がわかりやすい	・肺内沈着率が高い ・室温保存可（スピリーバCPは25℃以下保存） ・呼吸機能が低い患者でも吸入できる
欠点	・電気または圧縮ガスを必要とする ・機器が高価 ・時間がかかる ・機器の性能にばらつきがある	・呼吸のタイミングを合わせる吸入技術が必要 ・喘息を誘発する危険性あり ・口腔内への薬剤沈着が多い	・かさばる ・薬剤が器具に残る ・使用後に手入れが必要	・幼児や呼吸機能が低い患者では使用できない ・口腔内への薬剤沈着が多い ・デバイスによって使用方法が異なる	・初回にカートリッジを装着する必要がある ・呼吸のタイミングを合わせる吸入技術が必要
成人	○	○	◎	○	◎
小児	◎	△	○	○	△
乳幼児	◎	×	×	×	×
携帯性	×	◎	△	◎	◎

■主な吸入補助器具(2021年8月)

名称	取扱会社名	価格(税別)	使用可能薬剤
①エアロチャンバー・プラス静電気防止タイプ マウスピースタイプ:大人用(5才〜)	アムコ	1,950円	インタールエアロゾル以外ほぼすべて
②エアロチャンバー・プラス静電気防止タイプ マウスピースタイプ:キッズ用(5才〜)		1,950円	
③エアロチャンバー・プラス静電気防止タイプ マスクタイプ:大人用ラージ(5才〜)		3,800円	
④エアロチャンバー・プラス静電気防止タイプ マスクタイプ:大人用スモール(5才〜)		3,800円	
⑤エアロチャンバー・プラス静電気防止タイプ マスクタイプ:小児用(1〜5才)		3,300円	
⑥エアロチャンバー・プラス静電気防止タイプ マスクタイプ:乳児用(0〜18カ月)		3,300円	
⑦オプティチャンバーダイアモンド	フィリップス・レスピロニクス	1,800円	ほぼすべて
⑧メプチンスペーダ(紙製)	大塚製薬	無償	ほぼすべて
⑨メプチンポケットスペーサー		無償	メプチンエアー・メプチンキッドエアー
⑩PARI ボアテックス(マスクなし)	村中医療器	2,000円	ほぼすべて
⑪PARI ボアテックス+小児用マスク(てんテン)(2才未満)		3,000円	
⑫PARI ボアテックス+小児用マスク(かえルン)(2才以上)		3,000円	
⑬マイクロヘラー	サノフィ	無償	インタールエアロゾル

「小児気管支喘息治療・管理ガイドライン2020」において,エアロチャンバー・プラスとボアテックス,オプティチャンバーダイアモンドの3種類が推奨されている。ただし,その他のスペーサーを否定するものではないとも記載されている。

■主なピークフローメーターの種類(2021年8月)

商品名	タイプ	測定範囲(L/分)	重量	価格(税別)	販売
アズマチェック	小児〜成人用	60〜810	55g	1,900円	チェスト(株)
					フィリップス・レスピロニクス
パーソナルベスト	フルレンジ(成人用)	60〜810	85g	2,800円	チェスト(株)
	ローレンジ(小児用)	50〜390	85g	2,800円	フィリップス・レスピロニクス
ミニライト	標準品 ATS目盛	60〜880	80g	3,800円	(株)タケウチ 他
	小児用 ATS目盛	30〜400	52g	3,800円	

喘息予防・管理ガイドライン2021
喘息の長期管理における重症度に対応した段階的薬物療法

治療ステップの選択

1．未治療患者　症状を目安にして選択

■未治療の喘息の臨床所見による重症度分類（成人）

重症度[*1]		軽症間欠型	軽症持続型	中等症持続型	重症持続型
喘息症状の特徴	頻度	週1回未満	週1回以上だが毎日ではない	毎日	毎日
	強度	症状は軽度で短い	月1回以上日常生活や睡眠が妨げられる	週1回以上日常生活や睡眠が妨げられる	日常生活に制限
				しばしば増悪	しばしば増悪
	夜間症状	月に2回未満	月に2回以上	週1回以上	しばしば
PEF FEV$_1$[*2]	%FEV$_1$, %PEF	80%以上	80%以上	60%以上80%未満	60%未満
	変動	20%未満	20〜30%	30%を超える	30%を超える

＊1：いずれか1つが認められればその重症度と判断する。
＊2：症状からの判断は重症例や長期罹患例で重症度を過小評価する場合がある。呼吸機能は気道閉塞の程度を客観的に示し，その変動は気道過敏性と関連する。
%FEV$_1$＝(FEV$_1$測定値/FEV$_1$予測値)×100，%PEF＝(PEF測定値/PEF予測値または自己最良値)×100

（日本アレルギー学会 喘息ガイドライン専門部会・監：喘息予防・管理ガイドライン2021，p8，協和企画，2021）

■未治療患者の症状と目安となる治療ステップ

	治療ステップ1	治療ステップ2	治療ステップ3	治療ステップ4
対象症状	(軽症間欠型相当) ・症状が週1回未満 ・症状は軽度で短い ・夜間症状は月に2回未満 ・日常生活は可能	(軽症持続型相当) ・症状が週1回以上，しかし毎日ではない ・症状が月1回以上，日常生活や睡眠が妨げられる ・夜間症状は月2回以上 ・日常生活は可能だが一部制限される	(中等症持続型相当) ・症状が毎日ある ・SABAがほぼ毎日必要 ・週1回以上，日常生活や睡眠が妨げられる ・夜間症状が週1回以上 ・日常生活は可能だが多くが制限される	(重症持続型相当) ・治療下でも増悪症状が毎日ある ・夜間症状がしばしばで睡眠が妨げられる ・日常生活が困難である

SABA：短時間作用性吸入β$_2$刺激薬

（日本アレルギー学会 喘息ガイドライン専門部会・監：喘息予防・管理ガイドライン2021，p110，協和企画，2021）

2．現在薬物治療中の患者　コントロール状態の評価を参考に選択

■喘息コントロール状態の評価

	コントロール良好 （すべての項目が該当）	コントロール不十分 （いずれかの項目が該当）	コントロール不良
喘息症状（日中および夜間）	なし	週1回以上	コントロール不十分の項目が3つ以上当てはまる
発作治療薬の使用	なし	週1回以上	
運動を含む活動制限	なし	あり	
呼吸機能 （FEV_1 および PEF）	予測値あるいは 自己最良値の80%以上	予測値あるいは 自己最良値の80%未満	
PEFの日（週）内変動	20%未満*1	20%以上	
増悪（予定外受診, 救急受診，入院）	なし	年に1回以上	月に1回以上*2

＊1：1日2回測定による日内変動の正常上限は8％である。
＊2：増悪が月に1回以上あれば他の項目が該当しなくてもコントロール不良と評価する。
（日本アレルギー学会 喘息ガイドライン専門部会・監：喘息予防・管理ガイドライン2021, p107, 協和企画, 2021）

■現在の治療を考慮した喘息重症度の分類（成人）

現在の治療における患者の症状	現在の治療ステップ			
	治療ステップ1	治療ステップ2	治療ステップ3	治療ステップ4
コントロールされた状態*1 ・症状を認めない ・夜間症状を認めない	軽症間欠型	軽症持続型	中等症持続型	重症持続型
軽症間欠型相当*2 ・症状が週1回未満である ・症状は軽度で短い ・夜間症状は月に2回未満である ・日常生活は可能	軽症間欠型	軽症持続型	中等症持続型	重症持続型
軽症持続型相当*3 ・症状が週1回以上，しかし毎日ではない ・症状が月1回以上で日常生活や睡眠が妨げられる ・夜間症状が月2回以上ある ・日常生活は可能だが一部制限される	軽症持続型	中等症持続型	重症持続型	重症持続型
中等症持続型相当*3 ・症状が毎日ある ・SABAがほとんど毎日必要である ・週1回以上，日常生活や睡眠が妨げられる ・夜間症状が週1回以上ある ・日常生活は可能だが多くが制限される	中等症持続型	重症持続型	重症持続型	最重症持続型
重症持続型相当*3 ・治療下でも増悪症状が毎日ある ・夜間症状がしばしばで睡眠が妨げられる ・日常生活が困難である	重症持続型	重症持続型	重症持続型	最重症持続型

＊1：コントロールされた状態が3〜6か月以上持続されていれば，治療のステップダウンを考慮する。
＊2：各治療ステップにおける治療内容を強化する。
＊3：治療のアドヒアランスを確認し，必要に応じて是正して治療をステップアップする。
（日本アレルギー学会 喘息ガイドライン専門部会・監：喘息予防・管理ガイドライン2021, p113, 協和企画, 2021）

喘息治療ステップ

		治療ステップ1	治療ステップ2	治療ステップ3	治療ステップ4
長期管理薬	基本治療	ICS（低用量）	ICS（低～中用量）	ICS（中～高用量）	ICS（高用量）
		上記が使用できない場合，以下のいずれかを用いる LTRA テオフィリン徐放製剤 ※症状が稀なら必要なし	上記で不十分な場合に以下のいずれか1剤を併用 LABA （配合剤使用可*5） LAMA LTRA テオフィリン徐放製剤	上記に下記のいずれか1剤，あるいは複数を併用 LABA （配合剤使用可*5） LAMA （配合剤使用可*6） LTRA テオフィリン徐放製剤 抗IL-4Rα抗体*7, 8, 10	上記に下記の複数を併用 LABA （配合剤使用可） LAMA （配合剤使用可*6） LTRA テオフィリン徐放製剤 抗IgE抗体*2, 7 抗IL-5抗体*7, 8 抗IL-5Rα抗体*7 抗IL-4Rα抗体*7, 8, 10 経口ステロイド薬*3, 7 気管支熱形成術*7, 9
	追加治療	アレルゲン免疫療法*1（LTRA以外の抗アレルギー薬）			
発作治療*4		SABA	SABA*5	SABA*5	SABA

ICS：吸入ステロイド薬，LABA：長時間作用性 β_2 刺激薬，LAMA：長時間作用性抗コリン薬，LTRA：ロイコトリエン受容体拮抗薬，SABA：短時間作用性吸入 β_2 刺激薬，抗IL-5Rα抗体：抗IL-5受容体α鎖抗体，抗IL-4Rα抗体：抗IL-4受容体α鎖抗体

*1：ダニアレルギーで特にアレルギー性鼻炎合併例で，安定期％FEV_1≧70％の場合にはアレルゲン免疫療法を考慮する．

*2：通年性吸入アレルゲンに対して陽性かつ血清総IgE値が30～1,500 IU/mLの場合に適用となる．

*3：経口ステロイド薬は短期間の間欠的投与を原則とする．短期間の間欠投与でもコントロールが得られない場合は必要最小量を維持量として生物学的製剤の使用を考慮する．

*4：軽度増悪までの対応を示し，それ以上の増悪についてはガイドラインの「急性増悪（発作）への対応（成人）」の項を参照．

*5：ブデソニド/ホルモテロール配合剤で長期管理を行っている場合には，同剤を発作治療にも用いることができる．通常長期管理と増悪治療を合わせて1日8吸入までとするが，一時的に（3日間が目安），1日合計12吸入まで増量可能である．ただし，1日8吸入を超える場合は速やかに医療機関を受診するよう患者に説明する．

*6：ICS/LABA/LAMAの配合剤（トリプル製剤）

*7：LABA，LTRAなどをICSに加えてもコントロール不良の場合に用いる．

*8：成人および12歳以上の小児に適応がある．

*9：対象は18歳以上の重症喘息患者であり，適応患者の選定は日本呼吸器学会専門医あるいは日本アレルギー学会専門医が行い，手技は日本呼吸器内視鏡学会気管支鏡専門医の指導の下で行う．

*10：中用量ICSとの併用は医師によりICSを高用量に増量することが副作用などにより困難であると判断された場合に限る．

（日本アレルギー学会 喘息ガイドライン専門部会・監：喘息予防・管理ガイドライン2021, p 109, 協和企画, 2021, 一部改変）

■ 安定期COPDの重症度に応じた管理

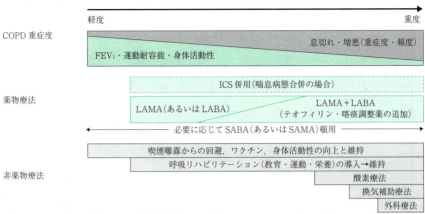

- COPDの重症度はFEV$_1$の低下程度（病期）のみならず運動耐容能や身体活動性の障害程度，さらに息切れの強度や増悪の頻度と重症度を加算し総合的に判断する。
- 通常，COPDが重症化するにしたがいFEV$_1$・運動耐容能・身体活動性が低下し，息切れの増加，増悪の頻回化を認めるがFEV$_1$と他の因子の程度に乖離がみられる場合は，心疾患などの併存症の存在に注意を要する。
- 治療は，薬物療法と非薬物療法を行う。薬物療法では，単剤で不十分な場合は，LAMA，LABA併用（LAMA/LABA配合薬の使用も可）とする。
- 喘息病態の合併が考えられる場合はICSを併用するが，LABA/ICS配合薬も可。

SABA：短時間作用性β_2刺激薬，SAMA：短時間作用性抗コリン薬，LABA：長時間作用性β_2刺激薬，
LAMA：長時間作用性抗コリン薬，ICS：吸入ステロイド薬
　　　　（日本呼吸器学会COPDガイドライン第5版作成委員会・編：COPD（慢性閉塞性肺疾患）
　　　　診断と治療のためのガイドライン2018（第5版），p 88，日本呼吸器学会，2018）

■安定期COPD管理のアルゴリズム

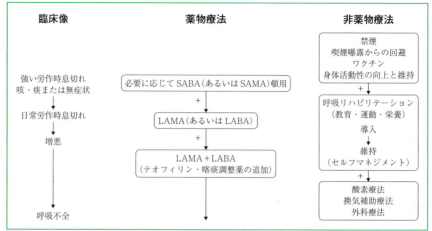

- COPD患者は症状を過小評価しがちなので詳細な聴取が重要.
- 喘息合併（ACO）患者を見逃さないため，ACO診断基準における喘息の特徴の項目に沿って観察および検査を考慮することが常に必要である．
- ACO患者であれば，気管支拡張薬に加えてICSを投与する．

SABA：短時間作用性β_2刺激薬，SAMA：短時間作用性抗コリン薬，LABA：長時間作用性β_2刺激薬，LAMA：長時間作用性抗コリン薬，ICS：吸入ステロイド薬，＋：加えて行う治療

（日本呼吸器学会COPDガイドライン第5版作成委員会・編：COPD（慢性閉塞性肺疾患）診断と治療のためのガイドライン2018（第5版），p89, 日本呼吸器学会，2018）

喘息の日常生活のポイント

1．喘息発作が起こったら
　①小発作（苦しいが横になれる程度）
　　　・早めに吸入剤，経口剤等の薬を使う。
　　　・ゆっくり腹式呼吸を反復して行う。
　　　・運動が原因のときは，安静にする。
　②中等度発作（苦しくて横になれない程度）
　　　・まず吸入剤，経口剤を使用し，腹式呼吸を反復して行う。
　　　・発作が軽くならなければ，早めに医師の治療を受ける。
　　　・痰を出しやすくするために水分を十分にとる。
　③大発作（苦しくて動けない）
　　　・まず薬を使い，病院へ行くか往診をしてもらう。
2．日常生活のポイント
　①禁煙を厳守しましょう。
　②風邪をひかないように人混みを避け帰宅したらうがいをしましょう。
　③皮膚を鍛錬するため，乾布まさつ等を励行しましょう。
　④腹式呼吸の練習を積極的に行いましょう。
　⑤喘息発作の原因になるハウスダスト（室内塵）の発生を防ぐため掃除をこまめに行い室内・布団はきれいにしておきましょう。
　⑥猫や犬や小鳥などは毛やふけが喘息の原因になりやすいので，飼うことをやめましょう。どうしても飼いたい場合は金魚やカメなどにしましょう。
　⑦食べすぎは喘息の発作を起こす原因にもなりますので，食べすぎには注意し，かたよりのないバランスのとれた食事をとりましょう。
　⑧痰を出しやすくするため水分を十分とりましょう。
　⑨気温の変化に注意して，急な寒冷は避けましょう。
　⑩十分な睡眠・休養をとり，規則正しい日常生活を心がけましょう。
　⑪アスピリン等の鎮痛剤で発作が起こることがあるので解熱・消炎鎮痛剤等の薬は注意して服用しましょう。

慢性閉塞性肺疾患の日常生活のポイント

慢性閉塞性肺疾患（COPD）は従来，慢性気管支炎，肺気腫と呼ばれていた疾患です。慢性気管支炎，肺気腫を含む COPD は，タバコによる気道や肺胞の炎症で生じ，肺の働きが低下します。COPD になると正常な呼吸が困難になり，咳，痰，息切れなどの症状がみられるようになります。COPD は進行性の病気で，治療を受けずに放置しておくと，咳や痰，息切れなどの症状が悪化し，次第に重症化していきます。COPD 患者さんの日常生活は，増悪の繰り返しによる重症化で著しく制限されます。外出はおろか，息苦しさのため入浴や洗面などもできなくなってしまいます。COPD は早期に適切な治療を受け，重症化させないことが大切です。COPD になると，肺や気管支が完全に元の状態にもどることはありません。しかし，禁煙，薬物療法，運動療法，食事療法などにより，病気の進行を遅らせ，症状を大きく軽減することが可能になりましたので次のような点に気をつけてください。

【日常生活】
①COPD の最大の原因であるタバコ煙の排除，すなわち，禁煙が不可欠です
②呼吸器感染症に注意しましょう
　・できるだけ人混みを避けましょう。
　・手洗いやうがいを励行しましょう。
　・十分な睡眠をとりましょう。
　・インフルエンザワクチンの接種をしましょう。
③呼吸リハビリテーションを行いましょう
　・歩行時には，空気を吸う時に2歩，吐き出す時に4歩などというように，呼吸のリズムと歩行のリズムを合わせることがポイントです。その際，口すぼめ呼吸で，ていねいに息を吐き出すようにします。このほか，前かがみの動作を避ける，椅子から立ち上がる際には，息を吐きながら立ち上がる，着替えの際には動作をゆっくりする，入浴時には連続した動作を行わないなども，日常生活で息切れを軽減するためのポイントです。
　・呼吸を楽にする方法として，口すぼめ呼吸や，腹式呼吸による呼吸法の訓練が有効です。口すぼめ呼吸は，肺に空気が残らないようにするイメージで，落ち着いて，口笛を吹くような口の形でゆっくりと最後まで息を吐ききるものです。腹式呼吸は，お腹を突き出すようにして息を深く吸い込みます。こうすると COPD のために，動きがよくない横隔膜を十分に使うことになります。最初はあお向けに寝て練習するとうまくできます。

【食事療法】

　COPDの患者さんは，呼吸をするときに多くのエネルギーを消費してしまうため，栄養障害が起こり，体重減少がみられることも少なくありません。体重が減少した患者さんでは，増悪を起こす頻度が高く，呼吸筋（呼吸運動に関わる筋肉）の力にも低下がみられるため，体力低下を防ぐ意味でも，栄養バランスの良い食事による積極的な栄養補給を心がけてください。

・栄養のあるバランスのとれた食事をとりましょう。
・健康な人より多くのカロリーをとりましょう。
・蛋白質の中でも特に分岐鎖アミノ酸を多く含むものを食べましょう。
・1日の食事回数を4～5回に分け少しずつ食べるなど，工夫しましょう。
・消化管内でガスを発生するような食品は避けましょう。
　（いも類，豆類，栗，かぼちゃ，炭酸飲料など）

正常な肺

COPDの肺
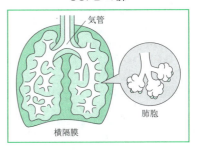

28 鎮咳・去痰薬　①鎮咳薬

■対象薬剤
- 中枢性麻薬性：コデインリン酸塩水和物（**コデインリン酸塩：以下，リンコデ**）
- 中枢性非麻薬性：デキストロメトルファン臭化水素酸塩水和物（**メジコン**），ジメモルファンリン酸塩（**アストミン**），クロペラスチン（**フスタゾール**），クロフェダノール塩酸塩（**コルドリン**），ベンプロペリンリン酸塩（**フラベリック**）
- 配合剤（フスコデ配合）

■指導のポイント

	患者向け	薬剤師向け
薬効	この薬は咳を鎮める薬です → ☆この薬は下痢を止める薬です（リンコデ）→ ☆この薬は痛みを抑える薬です（リンコデ）→ ◆この薬は糖尿病性末梢神経障害や帯状疱疹後神経痛等の慢性の痛みをやわらげる薬です（適応外）（メジコン）	鎮咳作用 止瀉作用 鎮痛作用 NMDA受容体拮抗作用
詳しい薬効	この薬は脳の中の咳をコントロールする部分に働いて咳を鎮める薬です ☆この薬は腸管の運動と，水分等の分泌を抑え，腸管からの水分の吸収を促進することで下痢を止める薬です（リンコデ） ☆この薬は脳の中の痛みをコントロールする部分に働いて痛みを鎮める薬です（リンコデ）	
禁忌・併用禁忌	禁忌 ・〔メジコン，フラベリック〕本剤過敏症既往 ・〔リンコデ，フスコデ〕重篤な呼吸抑制，12歳未満 ・〔リンコデ〕扁桃摘除後又はアデノイド切除術後の鎮痛目的で使用する18歳未満，気管支喘息発作中，重篤な肝障害，慢性肺疾患に続発する心不全，けいれん状態，急性アルコール中毒，アヘンアルカロイド過敏症，出血性大腸炎 ・〔フスコデ〕閉塞隅角緑内障，前立腺肥大等下部尿路閉塞性疾患，アヘンアルカロイド過敏症既往 併用禁忌 ・〔メジコン〕↔MAO阻害薬にてセロトニン症候群（けいれん，ミオクローヌス，反射亢進，発汗，異常高熱，昏睡等） ・〔フスコデ〕↔アドレナリン，イソプロテレノールにて不整脈，心停止のおそれ	

■主な副作用と対策，フィジカルアセスメントのチェックポイント

主な副作用	患者に確認すべき症状	対策とPAのチェックポイント
消化器	悪心，嘔吐，食欲不振，口渇，便秘	減量もしくは中止 PA 腸音（↓）
精神神経系	眠気，頭痛，めまい	減量もしくは中止

■ 重大な副作用と妊婦・授乳婦への危険度

薬剤名	重大な副作用	妊婦[授乳婦]
リンコデ	依存性，呼吸抑制，錯乱，せん妄，無気肺，気管支けいれん，喉頭浮腫，麻痺性イレウス，中毒性巨大結腸	A [⊗△]
メジコン	呼吸抑制，ショック，アナフィラキシー	[⊗◎]
コルドリン	ショック，アナフィラキシー，皮膚粘膜眼症候群，多形滲出性紅斑	[⊗○]
アストミン，フスタゾール，フラベリック	−	[⊗○]
フスコデ	無顆粒球症，再生不良性貧血，呼吸抑制	−

■ その他の指導ポイント

	患者向け	薬剤師向け
使用上の注意	・〔リンコデ，メジコン，フスコデ〕この薬の服用中は，車の運転等，危険を伴う機械の操作は行わないでください ・〔リンコデ〕この薬を服用中にタバコを吸うと，薬の効果が弱くなるので控えてください 食〔リンコデ，フスコデ〕この薬を服用中にアルコールを飲むと，薬の作用が強くでるので控えてください	眠気・めまい（リンコデ，フスコデ），眠気（メジコン）を起こすことがあるため 喫煙により薬物代謝酵素が誘導され，血中コデイン濃度が低下し，鎮咳作用等の効果が減弱される 中枢抑制作用が増強されることがあるため併用注意
服用を忘れたとき	・〔アストミン以外〕思い出したときすぐに服用する。ただし次の服用時間が近いとき（リンコデ：4時間以内）は忘れた分は服用しない（2回分を一度に服用しないこと） ・〔アストミン〕飲み忘れに気づいても服用しない。次の服用時に決められた用量を服用する（2回分を一度に服用しないこと）。咳がひどい場合は医師または薬剤師に相談する。	

■ その他備考

- 〔リンコデ，フスコデ〕厚生労働省は2019年7月9日，海外において死亡を含む重篤な呼吸抑制のリスクが高いとの報告があることから，コデインリン酸塩水和物およびジヒドロコデインリン酸塩を含む医薬品の添付文書を改訂し，「12歳未満の小児」と「扁桃摘除術後またはアデノイド切除術後の鎮痛目的で使用する18歳未満の患者」を禁忌とした。当該成分は一般用医薬品にも含まれているので注意が必要である。
- 配合剤成分：フスコデ（ジヒドロコデインリン酸塩，*dl*-メチルエフェドリン塩酸塩，クロルフェニラミンマレイン酸塩）

28 鎮咳・去痰薬　②去痰薬

■ 対象薬剤

気道粘膜潤滑薬：アンブロキソール塩酸塩（ムコサール，ムコソルバン）
気道粘液修復薬：L-カルボシステイン（ムコダイン），フドステイン（クリアナール，スペリア）
気道粘液溶解薬：L-エチルシステイン塩酸塩（チスタニン）
気道分泌促進薬：ブロムヘキシン塩酸塩（ビソルボン）

■ 指導のポイント

	患者向け	薬剤師向け
薬効	この薬は痰を出しやすくする薬です →	別表参照
	☆この薬は鼻汁を出しやすくして鼻づまりや頭痛をやわらげる薬です（ムコサール（錠のみ），ムコソルバン（15mg錠・液），ムコダイン，チスタニン）	慢性副鼻腔炎の排膿作用
	☆この薬は中耳にたまった液を出しやすくする薬です（ムコダインシロップ・小児におけるDS） →	滲出性中耳炎の排液作用
	◆この薬は唾液の分泌を促進して「口の中がかわく」，「口がねばねばする」などの口腔内の乾燥症状（シェーグレン症候群*1）を改善する薬です（適応外）（ビソルボン，チスタニン，ムコサール，ムコソルバン） →	唾液分泌促進作用
	◆この薬は肺胞蛋白症*2の症状を改善する薬です（適応外）（ムコサール，ムコソルバン） →	肺表面活性物質分泌促進作用
詳しい薬効	この薬は気道粘液の分泌を高めたり，痰の性状を変化（ムコ蛋白の細断）させて，痰の粘稠度を下げたり，肺表面活性物質の分泌を高め，気道壁をなめらかにして痰を出しやすくする薬です	
	☆この薬は慢性の副鼻腔炎の排膿をすすめ，鼻汁を出しやすくして鼻づまりや頭痛をやわらげる薬です（ムコサール（錠のみ），ムコソルバン（15mg錠・液），ムコダイン，チスタニン）	
	☆この薬は中耳炎で中耳にたまった液を出しやすくする薬です（ムコダインシロップ・小児におけるDS）	
禁忌	〔ムコサール，ムコソルバン，ムコダイン，ビソルボン〕本剤過敏症既往	

■ 主な副作用と対策

主な副作用	患者に確認すべき症状	対策
消化器	食欲不振，悪心・嘔吐，胃部不快感，腹痛，下痢	減量もしくは中止

■ 重大な副作用と妊婦・授乳婦への危険度

薬剤名	重大な副作用	妊婦[授乳婦]
ムコサール，ムコソルバン	ショック，アナフィラキシー様症状，皮膚粘膜眼症候群	[✕○]
ムコダイン	皮膚粘膜眼症候群，中毒性表皮壊死症，肝機能障害，黄疸，ショック，アナフィラキシー様症状	[✕○]
クリアナール，スペリア	肝機能障害，黄疸 類薬 皮膚粘膜眼症候群，中毒性表皮壊死症	[✕○]
チスタニン	−	[✕○]
ビソルボン	ショック，アナフィラキシー様症状	[✕○]

■ その他の指導ポイント

	患者向け	薬剤師向け
使用上の注意	・痰の出が悪い場合には，水分を十分とりましょう	痰の粘稠度低下
	・薬の作用で，痰の量が増えることがありますので，水分を十分にとる，うがいをするなど，できるだけ痰を出すようにしてください	気道分泌の増加や喀痰の粘稠度の低下により，痰の量が多くなることをあらかじめ患者に説明し痰を積極的に出すようアドバイスする
	・〔チスタニン〕この薬は割ったり，砕いたりしないでそのまま服用してください	腸溶性の糖衣錠のため
	・〔ムコソルバンシロップ〕冷蔵庫に入れないで室温で保管してください	低温で結晶析出
	・〔ムコダインシロップ〕服用の都度必ず密栓して冷蔵庫に保管してください	汚染防止のため
服用を忘れたとき	思い出したときすぐに服用する。ただし次の服用時間が近いときは忘れた分は服用しない（2回分を一度に服用しないこと）	

■ その他備考

- 〔ビソルボン〕喀痰量の一時的増加をきたし，神経質な患者では不安感を訴えることがある
- *1　シェーグレン症候群とは
  自己免疫疾患群の病気の一つで，膠原病の一類型といわれている。主に涙腺や唾液腺

が炎症を起こし，分泌物が減少することによって乾燥症状が現れる疾患

■*2 肺胞蛋白症とは

肺胞腔内，終末気管支内にサーファクタント（表面活性物質）の生成または分解過程に障害があり，それが原因で肺胞腔内，終末気管支内にサーファクタント由来物質の異常貯留をきたす疾患

■別表　去痰薬の薬理作用

作用機序による分類	一般名	商品名	粘液分泌促進	粘液溶解	繊毛運動亢進	肺表面活性物質	分泌促進	損傷組織修復	粘液成分正常化
気道粘膜潤滑薬	アンブロキソール塩酸塩	ムコサール	○		○	○			
		ムコソルバン							
気道粘液修復薬	カルボシステイン	ムコダイン		○	○			○	○
	フドステイン	クリアナール	○					○	
		スペリア							
気道粘液溶解薬	エチルシステイン塩酸塩	チスタニン		○	○				
気道分泌促進薬	ブロムヘキシン塩酸塩	ビソルボン	○	○	○				

・気道粘膜潤滑薬：肺サーファクタントの産生を増加させて痰の喀出経路である気道粘膜を潤滑にし，痰と気道粘膜との粘着性を低下させる作用を示す去痰薬
・気道粘液修復薬：異常状態の気道粘液の分泌を修復して，分泌物の性状を生理的気道液に近い性状に調整する作用を示す去痰薬
・気道粘液溶解薬：薬物の化学作用による分子間結合の開裂などにより痰を溶解し粘稠度を低下させる作用を示す去痰薬
・気道分泌促進薬：気管支粘膜および粘膜下気管腺の分泌を活性化し，漿液分泌を増加させる去痰薬

28 鎮咳・去痰薬　③鎮咳・去痰薬

■ 対象薬剤
チペピジンヒベンズ酸塩（アスベリン），エプラジノン塩酸塩（レスプレン）

■ 指導のポイント

	患者向け	薬剤師向け
薬効	この薬は咳を鎮め，痰を出しやすくする薬→です	鎮咳・去痰作用
詳しい薬効	この薬は脳の中の咳をコントロールする部分に働いて咳を鎮めるとともに，気道粘液の分泌を高めたり，痰の性状を変化（ムコ蛋白の細断）させることにより痰の粘稠度を下げて痰を出しやすくする薬です	
禁忌	〔アスベリン〕本剤過敏症既往	

■ 主な副作用と対策

主な副作用	患者に確認すべき症状	対策
消化器	悪心，嘔吐，食欲不振，腹痛	減量もしくは中止

■ 重大な副作用と妊婦・授乳婦への危険度

薬剤名	重大な副作用	妊婦［授乳婦］
アスベリン	咳嗽，腹痛，嘔吐，発疹，呼吸困難等を伴うアナフィラキシー様症状	［㊗○］
レスプレン	－	［㊗○］

■ その他の指導ポイント

	患者向け	薬剤師向け
使用上の注意	・〔アスベリン〕この薬の服用中に尿が変色することがありますが心配はいりません ・〔アスベリンシロップ〕軽く振ってから→服用してください	代謝物により赤みがかった着色尿がみられることがある 強く振とうすると発泡による秤量困難を起こすことがある
服用を忘れたとき	思い出したときすぐに服用する。ただし次の服用時間が近いときは忘れた分は服用しない（2回分を一度に服用しないこと）	

29 含嗽薬

■ 対象薬剤

ポビドンヨード（イソジンガーグル），アズレンスルホン酸ナトリウム水和物（アズレン含嗽用散，アズノールうがい液）
配合剤（含嗽用ハチアズレ）

■ 指導のポイント

	患者向け	薬剤師向け
薬効	・この薬は口やのどの菌やウイルスを殺し，感染を防ぐうがい薬です（イソジンガーグル）	殺菌作用，殺ウイルス効果
	・この薬は口やのどの粘膜の炎症を抑え，局所の清浄や傷の治りを早くするうがい薬です（アズレン含嗽用散，アズノールうがい液，含嗽用ハチアズレ）	抗炎症作用，ヒスタミン遊離抑制作用，上皮形成促進作用
禁忌	〔イソジンガーグル〕本剤，ヨウ素過敏症既往歴	

■ 主な副作用と対策

主な副作用	患者に確認すべき症状	対策
口腔・咽頭刺激感，口中のあれ	口の中やのどがひりひりする，口の中があれる	休薬もしくは中止

■ 重大な副作用と妊婦・授乳婦への危険度

薬剤名	重大な副作用	妊婦[授乳婦]
イソジンガーグル	ショック，アナフィラキシー	[◎○]
アズノールうがい液	―	[◎○]

■ その他の指導ポイント

	患者向け	薬剤師向け
使用上の注意	・うがいにのみ使用してください	含嗽用にのみ使用させる
	・あまり激しくうがいをすると，口の中の傷が治りにくい場合があります	抜歯後等の口腔創傷で，血餅の形成が阻害される時期は，激しい洗口を避ける
	・〔イソジンガーグル〕用時に2〜4 mLを約60 mL（コップ約1/3）の水でうすめ，1日数回うがいしてください	・〔イソジンガーグル〕銀歯（銀を含有する補綴物）等が変色することがある

使用上の注意	・〔アズレン含嗽用散，含嗽用ハチアズレ〕 　1回1包を約100 mLの水，または微温湯で溶かし，薬が十分に接触するよう，繰り返しうがいしてください ・〔イソジンガーグル〕眼に入らないように注意してください。入った場合は水でよく洗い流してください ・〔イソジンガーグル〕衣服に付いた場合→は，水で洗い流してください ・〔アズレン含嗽用散，含嗽用ハチアズレ〕誤って飲み込んでも特に害はありません ・〔アズノールうがい液〕1回4〜6 mg（1回押し切り分，または5〜7滴）を約100 mLの水，または微温湯で溶かして，1日数回うがいしてください	水で容易に洗い落とせる。また，チオ硫酸Na溶液で脱色できる

■ その他備考

- 配合剤成分：含嗽用ハチアズレ（アズレンスルホン酸ナトリウム水和物，炭酸水素ナトリウム）
- 効果的なうがいのしかた
  (1) 咽頭炎など，のどの炎症の場合
  　　うがい薬を10〜20 mL口に含み，天井が見えるほど上を向いて，のどの奥まで行きわたるようにガラガラを繰り返し吐き出す。これを数回繰り返す。
  (2) 口内炎など，粘膜の炎症や傷のある場合
  　　うがい薬を10〜20 mL口に含み，頬を左右交互にふくらませて移動させ，歯の間まで洗い出す要領でブクブクを繰り返し吐き出す。これを数回繰り返す。

30 トローチ剤

■ 対象薬剤

抗生物質含有：テトラサイクリン塩酸塩（**アクロマイシン**）
その　他：デカリニウム塩化物（**SP トローチ明治**），ドミフェン臭化物（**オラドール**）

■ 指導のポイント

	患者向け	薬剤師向け
薬効	**この薬は口やのどの細菌を殺し，感染を抑→えるトローチです**	抗菌作用（アクロマイシン） 殺菌作用（SP トローチ明治，オラドール）
禁忌	〔アクロマイシン〕テトラサイクリン系薬剤過敏症既往	

■ 主な副作用と対策

主な副作用	患者に確認すべき症状	対策
過敏症	発疹，口の中にぶつぶつができる	中止

■ 重大な副作用と妊婦・授乳婦への危険度

薬剤名	重大な副作用	妊婦［授乳婦］
SP トローチ明治	–	［授◎］

■ その他の指導ポイント

	患者向け	薬剤師向け
使用上の注意	・かみ砕いたり飲み込んだりせず口の中で→ゆっくり溶かしながら，できるだけ長く含んでください	有効成分が口腔内にできるだけ長時間保たれるようにするため ・〔**アクロマイシン**〕耐性菌の発現等を防ぐため感受性を確認し，最小限の投与期間にとどめる
	・溶けてしまってから 30 分間くらいは，お茶を飲んだり，食物を食べたりしないでください	
	・〔**アクロマイシン，オラドール**〕乳幼児に→は使用しないでください	乳幼児は誤って飲み込むおそれがあるため

服用を忘れたとき	思い出したときすぐに使用する。ただし次の使用時間が近いときは忘れた分は使用しない（2回分を一度に使用しないこと）

■ その他備考

- 〔オラドール〕オラドールには，オラドールトローチとオラドールＳトローチの2種類の製剤が販売されているが，添加物の違いによりその色，芳香が異なるだけで，有効成分およびその量は同じである（オラドールトローチは白色・ハッカ様の芳香，オラドールＳトローチは淡紅色，いちご様の芳香）

31 口内塗布剤

■ 対象薬剤

アズレンスルホン酸ナトリウム水和物（アズノールST錠口腔用），トリアムシノロンアセトニド（オルテクサー口腔用軟膏，アフタッチ口腔用貼付剤），デキサメタゾン（アフタゾロン口腔用軟膏，デキサルチン口腔用軟膏），ベクロメタゾンプロピオン酸エステル（サルコートカプセル外用）
配合剤（サリベートエアゾール）

■ 指導のポイント

	患者向け	薬剤師向け
薬効	・この薬は口やのどの炎症を抑える薬です（アズノールST）	消炎作用
	・この薬は口の中の粘膜のびらんや潰瘍等の炎症を抑える薬です（オルテクサー，アフタッチ，アフタゾロン，デキサルチン，サルコート）	抗炎症作用
	・この薬は唾液の分泌を補い，口の中の粘膜が乾燥するのを防ぐ薬です（サリベート）	人工唾液
禁忌	〔オルテクサー，アフタッチ，アフタゾロン，デキサルチン，サルコート〕本剤過敏症既往	

■ 主な副作用と対策，フィジカルアセスメントのチェックポイント

主な副作用	患者に確認すべき症状	対策とPAのチェックポイント
消化器症状（アズノールST，サリベート）	吐き気，むかむかする，食欲がない，胃のもたれ，お腹が張る	胃薬を併用し改善しない場合は中止
口腔の感染症（アズノールST，サリベート以外）	白い膜のようなものが口腔粘膜に付着する，粘膜が赤くなる，口腔粘膜がピリピリと痛む	適切な抗菌薬，抗真菌薬等を併用し，症状が速やかに改善しない場合は使用を中止 PA 口唇，舌，口蓋（乾燥，白色偽膜：口腔カンジダ）
過敏症（アズノールST以外）	じんま疹，かゆみ	中止

No.31 口内塗布剤

■ 重大な副作用と妊婦・授乳婦への危険度

薬剤名	重大な副作用	妊婦[授乳婦]
オルテクサー	口腔の感染症，下垂体・副腎皮質系機能抑制のおそれ（長期連用）	[授◎]
アフタッチ，サリベート	−	[授◎]
アフタゾロン	−	A

■ その他の指導ポイント

患者向け	薬剤師向け
・〔サリベート以外〕使用後は，しばらく飲食を避けてください。できれば食後や就寝前に用いるとよいでしょう	舌でさぐったり，飲食により，薬剤が患部よりはがれるため
・〔アズノールST〕上口唇と歯ぐきの間に入れてください。ただし傷がある場合は，避けて挿入してください。誤って飲み込んでも害はありませんが，効果は現れません。口の中が青色になりますが，心配ありません。自然に消失します	〔挿入部位〕
・〔アズノールST，サリベート以外〕長期に使用しないでください	下垂体・副腎皮質系機能の抑制または小児の発育障害をきたすことがあるため
・〔オルテクサー，アフタゾロン，デキサルチン〕眼科用として使用しないでください	
・〔アフタッチ〕飲み込まないでください。指先を唾液でぬらし，錠剤の淡赤色面に指先をつけ，患部粘膜に白色面を軽く当て，2〜3秒指先で押さえたのち指先を離してください。貼付後数分間は舌で触れないでください。使用法を間違えると付着しないことがあるので，注意してください。また，乳幼児は，貼付後指ではがしとるおそれがあるので，注意してください	白色面が唾液でぬれると粘膜への付着性が悪くなるので注意。また患部粘膜が唾液等で著しくぬれている場合はあらかじめティッシュペーパーやガーゼなどで軽く拭きとってから付着させる
・〔サルコート〕飲んだりまたは吸入したりしないでください。専用の小型噴霧器（パブライザー）を用いて口腔内の患部に噴霧します	約3週間使用しても効果が認められない場合は，中止する
・〔サルコート〕口の中に口内炎以外の傷や腫れなどの異常がある方は申し出てください	生検直後のような創面のある患者に使用すると創面より出血することがある
・〔サリベート〕使う前に缶の上部の青印のところに噴霧口を合わせ，容器をよく振ってからお使いください	正しい使用方法で使用しなかった場合，噴射剤（炭酸ガス）が先に消費されてしまうため，最後まで薬液が噴霧できなくなることがある

使用上の注意	・〔サリベート〕残り少なくなってきたとき（目安：1回1秒間の噴霧で30回以上噴霧したとき）は，噴霧時間を延ばしてください ・〔サリベート〕使用後は噴霧口付近をよく拭きとり，清潔に保存してください ・〔サリベート〕使用中は火中に投じないでください ・〔サリベート〕40℃以上になる所に長時間保存しないでください	→ 単位時間の噴霧液量が少なくなってくるため
服用を忘れたとき	・〔アズノールST，アフタッチ，サルコート〕思い出したときすぐに使用する。ただし次の使用時間が近いときは忘れた分は使用しない（2回分を一度に使用しないこと） ・〔オルテクサー，アフタゾロン，デキサルチン〕思い出したときすぐに使用する ・〔サリベート〕口の乾きが気になったとき随時噴霧する	

■ その他備考

- 配合剤成分：サリベート（塩化カリウム，塩化ナトリウム，塩化カルシウム，塩化マグネシウム，リン酸二カリウム）

32 消化性潰瘍治療薬

■ 消化性潰瘍治療薬—薬物治療の確認と指導のポイント

項目	確認のポイント
消化性潰瘍の原因の確認	**消化性潰瘍**:胃または十二指腸粘膜の正常な防御・修復メカニズムが弱まり,粘膜が胃酸により損傷を受け深く欠損した状態。主な原因はピロリ菌感染と薬剤(NSAIDs・抗血栓薬内服等)が挙げられる **症状**:心窩部痛,腹部膨満感,悪心嘔吐,胸やけ,下血(タール便),吐血 **診断**:上部消化管内視鏡検査,ピロリ菌検査
消化性潰瘍の薬物療とチェックポイント	**消化性潰瘍の治療のフローチャート**:p.474 参照 **チェックポイント** ・効果の確認:自覚症状の改善の有無(自覚症状が消失後も服用中断しないように指導) ・消化性潰瘍の発症原因となりうる NSAIDs や抗血栓薬(低用量アスピリン)と PPI 併用の有無の確認(低用量アスピリン服用例に近年消化性潰瘍や出血性潰瘍の増加傾向がみられ,PPI による潰瘍予防策が重要) ・現在,抗血小板薬 2 剤併用療法(DAPT:Dual Anti-Platelet Therapy)では上部消化管出血の予防のため PPI 投与が推奨されている(潰瘍既往例以外は保険適応外)
副作用と相互作用の確認	・PPI の長期処方時,肺炎,認知症,骨折,腸管感染症等が危惧されており,必要以上長期にわたる投与は避ける。H_2 拮抗薬の長期投与時,せん妄など中枢神経系の副作用が高齢者でみられる報告があるため注意が必要 ・ピロリ菌除菌時に使用されるクラリスロマイシンは併用注意,併用禁忌が多いので処方確認 ・OTC 薬(特に H_2 拮抗薬)服用有無の確認

■ 胃食道逆流症(GERD*)—薬物治療の確認と指導のポイント

項目	確認のポイント
胃食道逆流症の症状の確認	**胃食道逆流症**:下部食道括約筋(LES)機能障害等により酸性の胃内容物が逆流し胸やけや呑酸(苦味を伴う酸っぱい味覚)などの症状が出現する疾患 ・逆流性食道炎:内視鏡検査にて食道にびらんや潰瘍などの粘膜損傷を認める ・非びらん性胃食道逆流症(NERD*):症状はあるが食道に粘膜損傷は認めない **症状**:胸やけ,呑酸,心窩部痛,咳嗽,飲み込みづらさ,咽喉頭違和感,嗄声等 **診断**:症状の有無の確認(出雲スケール等),食道内の pH モニタリング検査,上部消化管内視鏡検査
生活習慣改善の指導	・睡眠時は上半身を挙上(10~15 cm)して寝る。寝る直前に食事をとらないことが重要。横になると胃袋と食道は同じ高さになり,胃の内容物が食道に流入するので左を下にして寝ると胃袋が食道よりも下になるため,逆流を防げる ・禁酒・禁煙に努め暴飲暴食を控え 3 食バランスよくとる。酸度が高い柑橘類やスパイスや脂物は症状を悪くすることが多いので控える。朝の胸やけが強い場合は起床時に水を 1 杯飲むだけでも症状が楽になる ・肥満の人は,胃袋にかかる圧力が強く,胃の中に入った食事が食道に戻りやすいので減量を心がける

項目	確認のポイント
薬物治療の効果確認	・逆流性食道炎：第一選択はプロトンポンプ阻害薬（PPI），ボノプラザン以外のPPIは8週間までの投与，ボノプラザンは4週間までで効果不十分な場合8週間まで投与 ・非びらん性胃食道逆流症：第一選択はPPI，ボノプラザン以外のPPIは4週間までの投与 ・その他：運動機能改善薬（モサプリド，トリメブチン，メトクロプラミド），粘膜保護薬（レバミピド，テプレノン，セトラキサート），制酸薬（マーロックス） ・維持療法：PPI（半量など）
胃酸を逆流させる薬剤服用有無の確認	Ca拮抗薬，亜硝酸薬，抗コリン薬，麻薬，抗パーキンソン病薬，利尿薬，向精神薬等の服用有無（Ca拮抗薬や亜硝酸薬は平滑筋の収縮抑制を介して，下部食道括約筋（LES）圧の低下を来たす。抗コリン薬や麻薬等は消化管運動を抑制して腹圧を上昇させる

＊ GERD：gastroesophageal reflux disease，NERD：non-erosive reflux disease

■消化性潰瘍の治療フローチャート

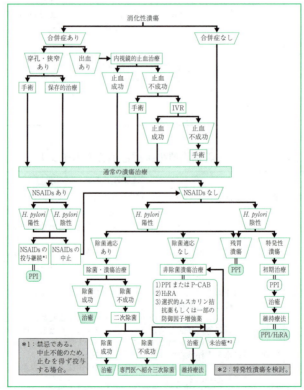

（「日本消化器病学会・編：消化性潰瘍診療ガイドライン2020 改訂第3版，xvi，南江堂，2020」より許諾を得て転載）

32 消化性潰瘍治療薬　①ヒスタミンH₂受容体拮抗薬

■ 対象薬剤

シメチジン（タガメット），ファモチジン（ガスター），ロキサチジン酢酸エステル塩酸塩（アルタット），ニザチジン（アシノン），ラフチジン（プロテカジン）

■ 指導のポイント

	患者向け	薬剤師向け
薬効	この薬は胃酸の分泌を抑え潰瘍や胃炎，出血等を改善する薬です ◆この薬は胃酸の分泌を抑えて間接的に膵液分泌を低下させ膵臓を保護したり，膵酵素補充時，胃酸により分解するのを予防して膵炎を改善する薬です（適応外） ◆この薬は小児の胃食道逆流現象を抑える薬です（適応外）（ガスター）	胃酸分泌抑制作用 ペプシン分泌抑制作用 （ヒスタミンH₂受容体拮抗薬）
詳しい薬効	この薬は胃粘膜上の胃酸分泌に関係する特定な部位（ヒスタミン受容体）を遮断することにより，胃酸やペプシンの分泌を抑え，潰瘍や胃炎，出血等を改善する薬です	
禁忌	〔アルタット，アシノン以外〕本剤過敏症既往	

■ 主な副作用と対策，フィジカルアセスメントのチェックポイント

主な副作用	患者に確認すべき症状	対策とPAのチェックポイント
過敏症	湿疹，じんま疹，かゆみ	中止 PA 皮膚（かゆみ，発赤，発疹），体温（↑），呼吸（喘鳴）
消化器症状	便秘，下痢	対症療法もしくは中止 PA 腸音（↑：下痢，↓：便秘）
意識障害（せん妄，錯乱，幻覚，うつ状態）	意識がもうろうとして，実際にない物が見えたり，聞こえたりする，取り乱す，気分が沈む	減量もしくは中止
肝機能障害†	体がだるい，かゆみ，湿疹，白目や皮膚が黄色くなる	PA 眼球（黄色），皮膚（皮疹，瘙痒感，黄色），尿（褐色），体温（↑），腹部（肝肥大，心窩部・右季肋部圧痛，腹水貯留等）
内分泌障害（女性化乳房）	乳房が腫れて痛くなる	中止

†：厚生労働省の「重篤副作用疾患別対応マニュアル」参照

■ 重大な副作用と妊婦・授乳婦への危険度

薬剤名	重大な副作用	妊婦[授乳婦]
タガメット	ショック，アナフィラキシー，再生不良性貧血，汎血球減少症，無顆粒球症，血小板減少，間質性腎炎，急性腎障害，皮膚粘膜眼症候群，中毒性表皮壊死融解症，肝障害，心ブロック，意識障害，けいれん	B1 [✕○]
ガスター	ショック，アナフィラキシー，汎血球減少症，無顆粒球症，再生不良性貧血，溶血性貧血，血小板減少，皮膚粘膜症候群，中毒性表皮壊死融解症，肝機能障害，黄疸，横紋筋融解症，QT延長，意識障害，けいれん，間質性腎炎，急性腎障害，間質性肺炎，不全収縮	B1 [✕○]
アルタット	ショック，アナフィラキシー，再生不良性貧血，汎血球減少症，無顆粒球症，血小板減少，皮膚粘膜眼症候群，中毒性表皮壊死融解症，肝機能障害，黄疸，横紋筋融解症，心ブロック	[✕○]
アシノン	ショック，アナフィラキシー，再生不良性貧血，汎血球減少症，無顆粒球症，血小板減少，肝機能障害，黄疸，間質性腎炎，中毒性表皮壊死融解症，房室ブロック	[✕○]
プロテカジン	ショック，アナフィラキシー，肝機能障害，黄疸，無顆粒球症，血小板減少，汎血球減少症，再生不良性貧血，間質性腎炎，皮膚粘膜眼症候群，中毒性表皮壊死融解症，横紋筋融解症，心ブロック	[✕○]

■ その他の指導ポイント

	患者向け	薬剤師向け
使用上の注意	・この薬を服用すると，すぐに胃の痛み等がなくなりますが，指示どおり服用を続けてください ・胃酸分泌は，夜間特に高まりますので，寝る前の服用を忘れないでください ・〔ガスターD，プロテカジンOD〕この薬は舌の上にのせ湿らせ，舌で軽くつぶし，唾液または水で飲み込んでください。また寝たままの状態では，水なしで服用しないでください ・〔タガメット〕この薬の服用中にタバコ（喫煙）は控えてください 食 〔タガメット〕この薬の服用中にカフェイン高含有飲食物（コーヒー，紅茶，緑茶等）を大量に飲まないでください 食 〔アルタット，プロテカジン以外〕この薬の服用中はビール，ワインを控えてください	自他覚症状がなくても医師の指示した用法・用量（特に就寝前）を服用させる。急にやめると反発的に胃酸の分泌が増え，潰瘍が悪化したり，再発するおそれがある。潰瘍治癒後も再発予防のため長期使用することがあるので，勝手な中止はさせないよう指導する 口腔粘膜から吸収されることがないため，唾液または水で飲み込む 食道に付着し炎症をおこす可能性がある 十二指腸潰瘍の再発率の上昇の報告 カフェインの代謝阻害で血中カフェイン濃度上昇によりカフェインの副作用出現（不眠，不安，いらいら状態） 体内に吸収されるアルコール量が増加し，アルコールの副作用増強の可能性

服用を忘れたとき	・〔タガメット〕思い出したときすぐに服用する。ただし次の服用時間が近いときは忘れた分は服用しないで，その後は指示された時間から服用する（2回分を一度に服用しないこと） 1日4回服用している場合：次に飲むまで服用しない。 1日2回服用している場合：次の服用まで5時間以上あける。 1日1回服用している場合：次の服用まで8時間以上あける。 ・〔アルタット，アシノン，プロテカジン〕思い出したときすぐに服用する。ただし次の服用時間が近いときは忘れた分は服用しない（2回分を一度に服用しないこと） ・〔ガスター〕飲み忘れに気づいても服用しない。次の服用時に決められた用量を服用する（2回分を一度に服用しないこと）

■ その他備考

- ■ **精神神経系の副作用**で錯乱状態は，血中濃度が異常に高くなったときに発現していること，また各薬剤によって発現する血中濃度が異なっていることを考慮し，高度の腎障害や腎不全の患者に投与する場合は，各薬剤の体内動態を把握し，投与方法の調節を行う。なお，症状が発現した場合は，減量もしくは中止で消失するが，緊急を要するときは，血液透析により除去できる。一般に，投与1週間以内に発現し，中止後48時間以内に改善する。
- ■ **喫煙**は胃酸を増し，潰瘍を悪化させ，本剤の効果を低下させるため，完全に禁煙するか，少なくとも1日の最終回服用後は禁煙する。

■ ヒスタミン H_2 受容体拮抗薬比較表

商品名 (発売年)		タガメット (S.57)	ガスター (S.60)	アルタット (S.61)	アシノン (H.2)	プロテカジン (H.12)
一般名		シメチジン	ファモチジン	ロキサチジン	ニザチジン	ラフチジン
構造		イミダゾール環	グアニジド・チアゾール環	ベンゼン環	チアゾール環	ピリジン環
体内動態	半減期	2 h	3.06 h	5.03±0.64 h	1.22～1.58 h	α：1.55±0.61 β：3.30±0.39
	作用持続時間	200 mg： 約4～5 h	20 mg： 約12 h 以上	75 mg： 約14 h 以上	150 mg： 約8 h 以上	10 mg： 約12 h 以上
	最高血中濃度 (到達時間)	200 mg： 1.2 μg/mL (1.9 h)	20 mg： 64 ng/mL (3.05 h)	75 mg： 329±53.8 ng/mL (2.88±0.35 h)	150 mg： 937.1 ng/mL (1.08 h)	10 mg：174± 20 (ng/mL) (0.8±0.1 h)
	有効血中濃度 (胃酸分泌50 ％抑制濃度)	0.4 μg/mL	13 ng/mL	64.1 ng/mL	60 ng/mL (米国健常人)	─

32 消化性潰瘍治療薬
②プロトンポンプ阻害薬，カリウムイオン競合型アシッドブロッカー

■ 対象薬剤

プロトンポンプ阻害薬（PPI）：オメプラゾール（**オメプラール，オメプラゾン**），ランソプラゾール（**タケプロン**），ラベプラゾールナトリウム（**パリエット**），エソメプラゾールマグネシウム水和物（**ネキシウム・懸濁用顆粒**）
カリウムイオン競合型アシッドブロッカー（P-CAB）：ボノプラザンフマル酸塩（**タケキャブ**）

■ 指導のポイント

	患 者 向 け	薬 剤 師 向 け
薬効	・この薬は胃酸の分泌を強く抑え潰瘍や炎症を改善する薬です	胃酸分泌抑制作用，ペプシン分泌抑制作用（タケキャブ以外：プロトンポンプ阻害作用）（タケキャブ：カリウムイオン競合型アシッド阻害作用）
	・この薬は胃潰瘍・十二指腸潰瘍の原因の1つである，ヘリコバクター・ピロリを除菌するのを補助する薬です（パリエット20 mg以外）	胃酸分泌抑制作用（胃内pHを上昇）による併用抗生物質の抗菌活性上昇
	・この薬は胃酸の分泌を強く抑えて，低用量アスピリン，非ステロイド性抗炎症薬投与時における胃潰瘍または十二指腸潰瘍の再発を防ぐ薬です（タケプロン15 mg，ネキシウム・懸濁用顆粒，タケキャブ）	胃酸分泌抑制作用
	・この薬は胃酸の分泌を強く抑えて，低用量アスピリン投与時における胃潰瘍または十二指腸潰瘍の再発を防ぐ薬です（パリエット20 mg以外）	〃
詳しい薬効	・この薬は胃粘膜壁細胞に存在するプロトンポンプ（H^+, K^+-ATPase）に結合し，プロトンポンプの機能を阻害して胃酸の分泌を強力に抑え，消化性潰瘍や逆流性食道炎などを改善する薬です（タケキャブ以外） ・この薬はプロトンポンプ阻害薬（PPI）の分類でしたが，従来のPPIとは異なり，H^+, K^+-ATPase（プロトンポンプ）のカリウムイオン結合部位に競合的に作用することでプロトンポンプの機能を阻害して強力かつ持続的に胃酸分泌を抑えるので，カリウムイオン競合型アシッドブロッカー（Potassium-Competitive Acid Blocker：P-CAB）と呼ばれ，消化性潰瘍や逆流性食道炎などを改善する薬です（タケキャブ） ・この薬は胃潰瘍の原因の1つである，ヘリコバクター・ピロリ菌を除菌するとき，胃酸の分泌を抑えて，胃内のpHを上昇させて，併用する抗生物質や抗原虫剤の抗菌力を高めてヘリコバクター・ピロリ菌を除菌するのを補助する薬です	
禁忌・併用禁忌	禁忌 本剤過敏症既往 併用禁忌 アタザナビル，リルピビリンの作用減弱のおそれ	

■ 主な副作用と対策，フィジカルアセスメントのチェックポイント

主な副作用	患者に確認すべき症状	対策とPAのチェックポイント
消化器症状	下痢，便秘	対症療法もしくは休薬
肝機能障害†	体がだるい，かゆみ，湿疹，白目や皮膚が黄色くなる	PA 消化性潰瘍治療薬① p.475 参照
口腔内症状	口が渇く，口内炎，舌の炎症，味覚異常	中止 PA 口腔粘膜（乾燥，炎症）
神経症状	頭痛，めまい	中止

†：厚生労働省の「重篤副作用疾患別対応マニュアル」参照

■ 重大な副作用と妊婦・授乳婦への危険度

薬剤名	重大な副作用	妊婦[授乳婦]
オメプラール オメプラゾン	ショック，アナフィラキシー，無顆粒球症，汎血球減少症，溶血性貧血，血小板減少，劇症肝炎，肝機能障害，黄疸，肝不全，中毒性表皮壊死融解症，皮膚粘膜眼症候群，視力障害，間質性腎炎，急性腎障害，低ナトリウム血症，間質性肺炎，横紋筋融解症，錯乱状態	B3 [⊗○]
タケプロン	アナフィラキシー（全身発疹，顔面浮腫，呼吸困難等），ショック，汎血球減少，無顆粒球症，溶血性貧血，顆粒球減少，血小板減少，貧血，肝機能障害，中毒性表皮壊死融解症，皮膚粘膜症候群，間質性肺炎，間質性腎炎，偽膜性大腸炎等の血便を伴う重篤な大腸炎（ヘリコバクター・ピロリの除菌の補助）	B3 [⊗○]
パリエット	ショック，アナフィラキシー，汎血球減少，無顆粒球症，血小板減少，溶血性貧血，劇症肝炎，肝機能障害，黄疸，間質性肺炎，皮膚障害，急性腎障害，間質性腎炎，低ナトリウム血症，横紋筋融解症，視力障害，錯乱状態	[⊗○]
ネキシウム	ショック，アナフィラキシー，汎血球減少症，無顆粒球症，血小板減少，劇症肝炎，黄疸，肝機能障害，肝不全，中毒性表皮壊死融解症，皮膚粘膜症候群，間質性肺炎，間質性腎炎，低ナトリウム血症，錯乱状態，横紋筋融解症，溶血性貧血，視力障害，急性腎不全	[⊗○]
タケキャブ	ショック，アナフィラキシー，汎血球減少，無顆粒球症，白血球減少，血小板減少，肝機能障害，中毒性表皮壊死融解症，皮膚粘膜眼症候群，多形紅斑，偽膜性大腸炎等の血便を伴う重篤な大腸炎（ヘリコバクター・ピロリの除菌の補助）	[⊗○]

■ その他の指導ポイント

	患者向け	薬剤師向け
使用上の注意	・この薬を服用すると，すぐに胃の痛み等→がなくなりますが，勝手に服用を中止しないでください ・〔オメプラール，オメプラゾン，パリエット〕服用する場合は，かんだり，砕いた	投与期間についてはその他備考参照 腸溶錠のため

使用上の注意	りせずにお飲みください ・〔タケプロン OD〕この薬は口の中で溶けますが溶けた後，唾液または水で飲み込んでください ・〔ネキシウム懸濁用顆粒〕この薬は，約 15 mL の水に懸濁し，粘性が増してから服用してください。なお，懸濁後は 30 分以内に服用してください。容器に顆粒が残った場合は，さらに水を入れて懸濁し，服用してください。開封後もしくは懸濁後の薬剤は保管せず，廃棄してください ・食〔オメプラール，オメプラゾン，ネキシウム〕この薬の服用中にセイヨウオトギリソウ（セント・ジョーンズ・ワート）を含む食品はとらないでください	→口腔粘膜からの吸収で効果発現を期待する製剤でないため唾液または水で飲み込む →懸濁後は顆粒が沈澱する可能性があるため，30 分以内に服用する →セイヨウオトギリソウにより本剤の代謝が促進され血中濃度低下のおそれがあるため併用注意
服用を忘れたとき	・思い出したときすぐに服用する。ただし次の服用時間が近いとき（タケプロン，タケキャブ：8 時間以内）は忘れた分は服用しない（2 回分を一度に服用しないこと） 〔ヘリコバクター・ピロリの除菌療法の場合〕 ・〔タケプロン，タケキャブ〕思い出したときすぐに服用する。ただし，次の服用時間が 5 時間以内ならば忘れた分は服用しない（2 回分を一度に服用しないこと）	

■ その他備考

- ■添付文書の用法・用量の項に投与期間について，胃潰瘍，吻合部潰瘍，逆流性食道炎は 8 週間まで（逆流性食道炎：タケキャブは 4 週間まで，効果不十分な場合 8 週間まで），十二指腸潰瘍は 6 週間まで，非びらん性胃食道逆流症は 4 週間までの投与とするとの記載があり，医師の指示したこれらの期間内はきっちり服用するよう指導する。
- ■胃潰瘍または十二指腸潰瘍におけるヘリコバクター・ピロリの除菌治療：消化性潰瘍治療薬⑨（p.494）を参照。

■効能・効果比較

	オメプラール,オメプラゾン	タケプロン	パリエット	ネキシウム	タケキャブ
胃潰瘍	○	○	○	○	○
十二指腸潰瘍	○	○	○	○	○
吻合部潰瘍	○	○	○	○	×
逆流性食道炎	○	○	○	○	○
Zollinger-Ellison症候群	○	○	○	○	×
非びらん性胃食道逆流症	○ 10 mg のみ	○ 15 mg のみ	○ 20 mg 除く	○ 10 mg のみ	×
低用量アスピリン投与時における胃潰瘍又は十二指腸潰瘍の再発抑制	×	○ 15 mg のみ	○ 20 mg 除く	○	○
非ステロイド性抗炎症薬投与時における胃潰瘍又は十二指腸潰瘍の再発抑制	×	○ 15 mg のみ	×	○	○
ヘリコバクター・ピロリの除菌の補助	○	○	○ 20 mg 除く	○	○

32 消化性潰瘍治療薬　③選択的ムスカリン受容体拮抗薬

■対象薬剤

ピレンゼピン塩酸塩水和物（ピレンゼピン塩酸塩），チキジウム臭化物（チアトン）

■指導のポイント

	患者向け		薬剤師向け
薬効	・この薬は胃酸の分泌を抑える薬です	→	胃酸分泌抑制作用 （選択的ムスカリン受容体拮抗作用）
	・この薬は消化管の過剰な運動を抑え，腹痛などの症状を改善する薬です（チアトン）	→	抗コリン作用による鎮痙作用，消化管運動亢進の抑制作用 抗コリン作用による胆嚢収縮抑制作用，胆管痙縮緩解作用
	☆この薬は尿路の平滑筋のけいれんを抑えて石などによる痛みを抑える薬です（チアトン）	→	抗コリン作用

詳しい薬効	・この薬は，消化管の働きを促進する物質（アセチルコリン）の働きを抑えることにより，消化管の運動や胃酸の分泌を抑え，潰瘍や胃炎を改善する薬です（ピレンゼピン塩酸塩） ・この薬は，消化管の働きを促進する物質（アセチルコリン）の働きを抑えることにより，消化管の運動や胃酸の分泌を抑え，潰瘍や胃炎を改善し，また内臓の平滑筋のけいれんを抑え，胃炎や下痢，胆管炎，胆石などによる腹痛を抑える薬です。膀胱の平滑筋にも作用するので，尿路結石症にも有効です（チアトン）
禁忌	・本剤過敏症既往 ・〔チアトン〕閉塞隅角緑内障，前立腺肥大による排尿障害，重篤な心疾患，麻痺性イレウス

■ 主な副作用と対策

主な副作用	患者に確認すべき症状	対策
消化器症状	口が渇く，便秘，下痢，悪心・嘔吐	対症療法もしくは休薬
過敏症	発疹	中止

■ 重大な副作用と妊婦・授乳婦への危険度

薬剤名	重大な副作用	妊婦[授乳婦]
ピレンゼピン塩酸塩	無顆粒球症，アナフィラキシー様症状	-
チアトン	ショック，アナフィラキシー，肝機能障害，黄疸	[凝○]

■ その他の指導ポイント

	患者向け	薬剤師向け
使用上の注意	・この薬を服用すると，すぐに胃の痛み等が軽くなりますが，指示どおり服用を続けてください ・胃酸の分泌は，特に夜間高まりますので寝る前の服用は忘れないでください ・この薬の服用中は，車の運転等，危険を伴う機械の操作は行わないでください	・〔ピレンゼピン塩酸塩〕眼の調節障害を起こすことがあるため ・〔チアトン〕まぶしい等の症状を起こすことがあるため
服用を忘れたとき	思い出したときすぐに服用する。ただし次の服用時間が近いときは忘れた分は服用しない（2回分を一度に服用しないこと）	

32 消化性潰瘍治療薬　④抗コリン薬

■ 対象薬剤

ブチルスコポラミン臭化物（ブスコパン），プロパンテリン臭化物（プロ・バンサイン），ブトロピウム臭化物（コリオパン），チメピジウム臭化物水和物（セスデン）
配合剤（コランチル配合）

■ 指導のポイント

	患者向け	薬剤師向け
薬効	・この薬は消化管の過剰な運動を抑え，腹痛などの症状を改善したり胃酸の分泌を抑える薬です（コランチル以外） →	抗コリン作用による鎮痙作用，消化管運動亢進の抑制作用，胃酸分泌抑制作用 抗コリン作用による胆嚢収縮抑制作用，胆管痙縮緩解作用
	・この薬は胃酸の分泌を抑え，同時に胃酸を中和し，痛みを抑える薬です（コランチル） →	胃酸分泌抑制作用（非選択的ムスカリン受容体拮抗作用），鎮痙作用，制酸作用
	☆この薬は尿路の平滑筋のけいれんを抑えて石などによる痛みを抑える薬です（ブスコパン，セスデン） →	抗コリン作用による尿管蠕動運動抑制作用
	☆この薬は夜尿症・遺尿症に用いる薬です（プロ・バンサイン） →	排尿筋収縮による膀胱内圧上昇の抑制作用
	☆この薬は多汗症に用いる薬です（プロ・バンサイン） →	抗コリン作用による腺分泌の抑制作用
詳しい薬効	・この薬は，消化管の働きを促進する物質（アセチルコリン）の働きを抑えることにより，消化管の運動を抑え胃腸管，胆管，尿管の筋肉の収縮による痛みをやわらげたり，胃酸の分泌を抑え潰瘍や胃炎を改善したりする薬です（コランチル以外） ・この薬は，消化管の働きを促進する物質（アセチルコリン）の働きを抑えることにより，消化管の運動や胃酸の分泌を抑え，同時に胃酸を中和，ペプシンの働きを抑え潰瘍や胃炎を改善する薬です（コランチル） ☆この薬は膀胱を収縮させる物質（アセチルコリン）の働きを抑え，膀胱の容積を増やすことで尿の回数が増えたり，強い尿意やまた無意識に尿が出たりする症状を改善する薬です（プロ・バンサイン）	
禁忌	・閉塞隅角緑内障，前立腺肥大による排尿障害，重篤な心疾患，麻痺性イレウス ・〔ブスコパン，コリオパン，セスデン〕本剤過敏症既往 ・〔ブスコパン〕出血性大腸炎 ・〔コランチル〕透析療法	

■ 主な副作用と対策，フィジカルアセスメントのチェックポイント

主な副作用		患者に確認すべき症状	対策とPAのチェックポイント
抗コリン作用			
	（口渇）	口が渇く	うがい，ハードキャンディをなめたり，ガムをかんだり飲み物を飲む。症状により減量もしくは中止 PA 口腔粘膜（乾燥）
	（便秘）	便が出にくい	繊維質の多い食事，水分摂取をする，便秘の程度により下剤等併用もしくは強く出現すれば中止 PA 腸音（↓）
	（排尿障害）	尿が出にくい，尿量が少ない，尿が残っている気がする	減量もしくは中止 PA 排尿症状（尿勢低下，尿線分割・途絶，排尿遅延，腹圧排尿，終末滴下），残尿（↑）
	（視調節障害）	目がかすむ，光がまぶしい，見えにくい	減量もしくは中止
アルミニウム脳症 アルミニウム骨症 （コランチル）		口ごもる，どもる 骨の痛み	中止

■ 重大な副作用と妊婦・授乳婦への危険度

薬剤名	重大な副作用	妊婦［授乳婦］
ブスコパン	ショック，アナフィラキシー様症状	［✕○］
コランチル	アルミニウム脳症，アルミニウム骨症，貧血	－

■ その他の指導ポイント

	患者向け	薬剤師向け
使用上の注意	・〔セスデン〕服用により尿の色が変わることがありますが心配ありません→ ・この薬を服用すると，すぐに胃の痛み等が軽くなりますが，指示どおり服用を続けてください ・胃酸の分泌は，特に夜間高まりますので寝る前の服用は忘れないでください ・この薬の服用中は，車の運転等，危険を伴う機械の操作は行わないでください→ ・〔コランチル〕この薬を服用中に他の薬を飲むときは1～2時間あけてください→	チメピジウムの代謝物により赤味がかかった着色尿となる 以下の症状を起こすことがあるため ・〔ブスコパン〕眼の調節障害等 ・〔プロ・バンサイン，コランチル〕視調節障害，眠気等 ・〔コリオパン，セスデン〕視調節障害，眠気，めまい 本剤中の Al^{3+}，Mg^{2+} の吸着作用や消化管内・体液のpH上昇により併用薬の吸収・排泄に影響を与えることがあるため

使用上の注意	🍴〔コランチル〕この薬の服用中に大量→の牛乳（1L以上），カルシウム製剤（Caとして1g以上）はとらないでください	代謝性アルカローシスが持続することにより，尿細管でのCa再吸収が増加しミルク・アルカリ症候群（高Ca血症，高窒素血症，アルカローシス等）が現れることがあるため併用注意（1～2時間あける）
服用を忘れたとき	思い出したときすぐに服用する。ただし次の服用時間が近いとき（セスデン：4時間以内）は忘れた分は服用しない（2回分を一度に服用しないこと）	

■ その他備考

- 〔セスデン〕代謝物により，赤味がかかった着色尿が現れることがあるので，ウロビリノーゲン等の尿検査には注意する
- 配合剤成分：コランチル（ジサイクロミン塩酸塩，乾燥水酸化アルミニウムゲル，酸化マグネシウム）

32 消化性潰瘍治療薬　⑤制酸剤

■ 対象薬剤

乾燥水酸化アルミニウムゲル（**乾燥水酸化アルミニウムゲル**），酸化マグネシウム（**酸化マグネシウム，マグミット**），炭酸水素ナトリウム（**重曹**），水酸化マグネシウム（**ミルマグ**）
配合剤（マーロックス懸濁用配合）

■ 指導のポイント

	患者向け	薬剤師向け
薬効	この薬は胃酸を中和し胃酸の働きを抑え，潰瘍や胃炎を改善する薬です →	制酸作用 胃粘膜保護作用（乾燥水酸化アルミニウムゲル，マーロックス）
	☆この薬は便通をよくする薬です（酸化マグネシウム，マグミット，ミルマグ）(参) No.34下剤①	塩類下剤による緩下作用
	☆この薬は血液中のリンを下げ，尿路結石ができるのを防ぐ薬です（乾燥水酸化アルミニウムゲル） →	尿中リン酸排泄増加作用
	☆この薬は血液または尿をアルカリ性にして尿酸の排泄を促し，尿路結石（尿酸結石）ができるのを防ぐ薬です（重曹）	尿のアルカリ化作用（アルカリ化により尿酸排泄の効率を高める）

| 薬効 | ☆この薬は口の中の粘液を溶かす薬です→（重曹） | 上気道炎の補助療法 |
| | ☆この薬は尿路結石（シュウ酸カルシウム結石）ができるのを防ぐ薬です（酸化マグネシウム，マグミット） | |

禁忌・併用禁忌	禁忌 ・〔乾燥水酸化アルミニウムゲル，マーロックス〕透析療法
	・〔ミルマグ（錠剤のみ）〕牛乳アレルギー
	・〔重曹〕Na 摂取制限
	併用禁忌 〔重曹〕⇄ヘキサミンの効果減弱

■ 主な副作用と対策，フィジカルアセスメントのチェックポイント

主な副作用	患者に確認すべき症状	対策と PA のチェックポイント
消化器症状	悪心，嘔吐，便秘，下痢	減量もしくは休薬 PA 腸音（↑：下痢，↓：便秘）
高 Mg 血症 （乾燥水酸化アルミニウムゲル・重曹以外）	悪心，口が渇く，血圧が下がる，脈が遅くなる，手足に力がはいらない，皮膚が赤くなる，体がだるい，傾眠	減量もしくは中止 PA 呼吸数（↓），脈拍（不整脈，↓），血圧（↓），筋力（↓），意識（↓）

■ 重大な副作用と妊婦・授乳婦への危険度

薬剤名	重大な副作用	妊婦[授乳婦]
酸化マグネシウム，マグミット	高マグネシウム血症	B [○]
ミルマグ，マーロックス	−	[○]

■ その他の指導ポイント

	患者向け	薬剤師向け
使用上の注意	・この薬を服用すると，すぐに胃の痛み等が軽くなりますが，指示どおり服用を続けてください	制酸薬として服用する場合は空腹時と就寝時に服用すると最も効果がよい
	・〔重曹以外〕この薬を服用中に他の薬を飲むときは 2〜3 時間あけてください	併用薬の吸収に影響を与えるため
	・〔乾燥水酸化アルミニウムゲル，マーロックス〕腎機能が悪く長期に服用している場合は，ご相談ください	腎機能が低下している患者に長期投与した場合は，Al 脳症，Al 骨症，貧血が発現する場合がある
	・〔マーロックス〕この薬は服用時懸濁し，懸濁後は速やかに服用してください．水とともに服用する場合は，コップ 1 杯の水で服用してください	
	・〔ミルマグ〕牛乳アレルギーの方は申し出てください	錠剤は添加物としてカゼインを含有するため投与禁忌

使用上の注意	食〔乾燥水酸化アルミニウムゲル以外〕→この薬の服用中に大量の牛乳（1L以上），カルシウム製剤（Caとして1g以上）はとらないでください	ミルク・アルカリ症候群（高Ca血症，高窒素血症，アルカローシス等）が現れることがあるため併用注意
	食〔酸化マグネシウム，マグミット，ミルマグ，マーロックス〕この薬の服用中に鉄剤（健康食品を含む）をとるときは，間隔をあけてください	本剤による胃内pHの上昇および難溶性塩形成により鉄剤の吸収排泄に影響を与えることがあり併用注意
服用を忘れたとき	・〔マーロックス〕飲み忘れに気づいても服用しない。次の服用時に決められた用量を服用する（2回分を一度に服用しないこと）	
	・〔乾燥水酸化アルミニウムゲル，酸化マグネシウム，マグミット，ミルマグ，重曹〕思い出したときすぐに服用する。ただし次の服用時間が近いときは忘れた分は服用しない（2回分を一度に服用しないこと）	

■ その他備考

- ■配合剤成分：マーロックス（乾燥水酸化アルミニウムゲル，水酸化マグネシウム）
- ■〔酸化マグネシウム，マグミット〕腎機能が正常な場合や通常用量以下の投与であっても，高Mg血症の重篤例が報告されているので，以下の点に注意する。
    ①必要最小限の使用にとどめる。
    ②長期または高齢者投与の場合は定期的に血清Mg濃度を測定する。
    ③嘔吐，徐脈，筋力低下，傾眠等の症状が現れた場合には服用を中止し直ちに受診するよう指導する

32 消化性潰瘍治療薬　⑥粘膜保護薬

■ 対象薬剤

スクラルファート水和物（アルサルミン），アルギン酸ナトリウム（アルロイドG）
配合剤（マーズレンS配合）

■ 指導のポイント

	患 者 向 け	薬 剤 師 向 け
薬効	この薬は胃の粘膜を保護する薬です　→	胃粘膜保護作用 ペプシン活性抑制，制酸作用（アルサルミン） 止血作用（アルロイドG） 消炎作用（マーズレンS）
	◆この薬は逆流性食道炎や口内炎を改善する薬です（適応外）（アルサルミン）（液のみ）	
詳しい薬効	この薬は，潰瘍の部位に直接くっつくことにより胃壁を保護し，胃液中のペプシンの働きを抑え（アルサルミン），胃の出血を抑え（アルロイドG），胃粘膜の炎症を抑え（マーズレンS），胃粘膜を保護し，潰瘍や胃炎を改善する薬です	
禁忌	〔アルサルミン〕透析療法	

■ 主な副作用と対策

主な副作用	患者に確認すべき症状	対策
消化器症状	便秘，下痢，口が渇く，悪心	対症療法もしくは中止
過敏症	発疹，じんま疹，かゆみ	中止

■ 重大な副作用と妊婦・授乳婦への危険度

薬剤名	重大な副作用	妊婦[授乳婦]
アルサルミン，アルロイドG	－	[㊟◎]

■ その他の指導ポイント

	患 者 向 け	薬 剤 師 向 け
使用上の注意	・この薬を服用すると，すぐに胃の痛み等が軽くなりますが，指示どおり服用を続けてください　→	〔アルサルミン〕空腹時と就寝前に水と一緒に服用すると最も効果がよい
	・〔アルサルミン〕腎機能が悪く長期に服　→	腎機能が低下している患者に長期投与した場

使用上の注意	用している場合は、ご相談ください ・この薬を服用中に他の薬を飲むときは2〜3時間あけてください ・〔アルロイドG〕服用後4〜5分は水の服用を控えてください ・〔アルロイドG〕開封後は冷蔵庫に保管してください	合は、Al脳症、Al骨症、貧血が発現する場合がある 併用薬を吸着する性質がある ・付着した薬剤がすぐに流れ落ちることはないが、できれば4〜5分水を飲まないことが望ましい。空腹時と就寝時に服用すると最も効果がよい ・患者が飲みにくい場合は冷蔵庫で冷やして飲むように、また薄めて飲まないように指導する
服用を忘れたとき	思い出したときすぐに服用する。ただし次の服用時間が近いときは忘れた分は服用しない（2回分を一度に服用しないこと）	

■ その他備考

- 配合剤成分：マーズレンS（水溶性アズレン，L-グルタミン）

32 消化性潰瘍治療薬　⑦粘膜血流組織修復促進薬

■ 対象薬剤

テプレノン（セルベックス），ベネキサート塩酸塩ベータデクス（ウルグート），セトラキサート塩酸塩（ノイエル），ソファルコン（ソロン），アルジオキサ（アルジオキサ），レバミピド（ムコスタ），トロキシピド（アプレース），イルソグラジンマレイン酸塩（ガスロンN），エカベトナトリウム水和物（ガストローム），ポラプレジンク（プロマック）

■ 指導のポイント

	患者向け	薬剤師向け
薬効	この薬は胃の粘膜を修復する薬です　→	胃粘膜血流増加作用 胃粘液成分生合成促進作用 胃粘膜のPG生合成促進作用 ・その他各薬剤の作用は「粘膜防御因子増強剤の主な薬理作用」（p.492）参照
	◆この薬は亜鉛を補う薬です（適応外）（プロマック）	亜鉛欠乏，味覚障害，貧血症等に対する亜鉛補給
詳しい薬効	この薬は，胃粘膜の血流の流れをよくし，胃粘液成分の合成と分泌を高めたり，胃の粘膜と粘液を正常に保つ働きをする物質（プロスタグランジン）を増やすことにより，潰瘍の組織を修復させる薬です	
禁忌	・〔ウルグート〕妊婦 ・〔アルジオキサ〕透析療法 ・〔ムコスタ〕本剤過敏症既往	

■ 主な副作用と対策

主な副作用	患者に確認すべき症状	対策
消化器症状	口が渇く，下痢，便秘	対症療法もしくは中止
過敏症	発疹，じんま疹，かゆみ	中止

■ 重大な副作用と妊婦・授乳婦への危険度

薬剤名	重大な副作用	妊婦［授乳婦］
セルベックス	肝機能障害，黄疸	［?○］
ウルグート	−	禁忌
ノイエル，ガスロンN	−	［?○］
ソロン	肝機能障害，黄疸	−
ムコスタ	ショック，アナフィラキシー様症状，白血球減少，血小板減少，肝機能障害，黄疸	［?○］

薬剤名	重大な副作用	妊婦[授乳婦]
アプレース	ショック，アナフィラキシー様症状，肝機能障害，黄疸	−
ガストローム	−	[⊗◎]
プロマック	肝機能障害，黄疸，銅欠乏症	−

■ その他の指導ポイント

	患者向け	薬剤師向け
使用上の注意	・この薬を服用すると，すぐに胃の痛み等が軽くなることがありますが，勝手に服用を中止しないでください ・〔アルジオキサ〕腎機能が悪く長期に服用している場合は，ご相談ください ・〔ガスロン N・OD，プロマック D〕この薬は口の中で溶けますが溶けた後，唾液または水で飲み込んでください ・〔プロマック D〕寝たままの状態では，水なしで服用しないでください ・〔ウルグート〕妊娠中または妊娠の可能性のある方は必ずご相談ください	腎機能が低下している患者に長期投与した場合は，Al 脳症，Al 骨症が発現する場合がある 口腔粘膜から吸収されることはないため唾液または水で飲み込む 動物実験で臨床用量の 150 倍投与で催奇形性作用報告のため投与禁忌
服用を忘れたとき	思い出したときすぐに服用する。ただし次の服用時間が近いときは忘れた分は服用しない（2 回分を一度に服用しないこと）	

粘膜防御因子増強剤の主な薬理作用

分類	成分名(商品名)	粘膜被覆保護	組織修復促進	粘膜細胞賦活	粘液成分変化	粘膜微小循環改善	PG合成増加	その他
粘膜増強剤	スクラルファート(アルサルミン)	○	○			○		ペプシン活性抑制, 制酸, ウレアーゼ阻害
	アルギン酸ナトリウム(アルロイドG)	○						止血
	水溶性アズレン・L-グルタミン(マーズレンS)		○					抗炎症, ヒスタミン遊離抑制
粘膜血流組織修復促進剤	テプレノン(セルベックス)		○	○	○	○	○	脂質過酸化抑制, 熱ショック蛋白(HSP)誘導による細胞保護作用
	ベネキサート塩酸塩ベータデクス(ウルグート)				○	○	○	
	セトラキサート塩酸塩(ノイエル)				○	○		ペプシン活性抑制, 胃酸分泌抑制 ウレアーゼ阻害
	ソファルコン(ソロン)		○		○	○	○	脂質過酸化抑制, ペプシン活性抑制 胃酸分泌抑制, ウレアーゼ阻害 金属プロテアーゼ産生抑制
	アルジオキサ(アルジオキサ)	○	○		○	○		ペプシン活性抑制, 制酸
	レバミピド(ムコスタ)		○		○	○	○	脂質過酸化抑制, 重炭酸イオン分泌増加 炎症性細胞浸潤抑制 炎症性サイトカイン(IL8)産生増加抑制
	トロキシピド(アプレース)		○		○	○		ウレアーゼ阻害
	イルソグラジンマレイン酸塩(ガスロンN)			○		○		抗炎症, 細胞防御作用
	エカベトナトリウム(ガストローム)	○	○		○	○		ペプシン活性抑制, 重炭酸イオン分泌増加, ウレアーゼ阻害
	ポラプレジンク(プロマック)	○	○					活性酸素の消去, 産生抑制
	スルピリド(ドグマチール)					○		胃腸運動亢進
PG	ミソプロストール(サイトテック)				○	○		胃酸分泌抑制, 重炭酸イオン分泌増加

(薬局, Vol.56, 増刊号, 南山堂, 2005 より作成)

32 消化性潰瘍治療薬　⑧ PG製剤

■ 対象薬剤
ミソプロストール（サイトテック）

■ 指導のポイント

	患者向け	薬剤師向け
薬効	この薬は痛み止めを服用中に胃を保護し、組織を修復する薬です（抗NSAID潰瘍薬）	胃粘膜細胞保護作用（サイトプロテクション作用） 胃粘膜血流量の増加 胃粘液分泌促進作用 胃酸分泌抑制作用
詳しい薬効	この薬は、胃酸の分泌を抑え、胃粘膜の血流の流れをよくし、粘液の分泌を高め、粘膜の細胞を保護する働きをする物質（プロスタグランジン）で、直接投与することにより胃の粘膜を保護し組織を修復する薬です	
禁忌	妊婦、PG製剤過敏症既往	

■ 主な副作用と対策、フィジカルアセスメントのチェックポイント

主な副作用	患者に確認すべき症状	対策とPAのチェックポイント
過敏症	発疹、じんま疹、かゆみ	中止 PA 皮膚（かゆみ、発赤、発疹）、呼吸（喘鳴）
消化器症状	便秘、下痢	対症療法もしくは中止 PA 腸音（↑：下痢、↓：便秘）
肝機能障害	体がだるい、かゆみ、湿疹、白目や皮膚が黄色くなる	減量もしくは中止 PA 消化性潰瘍治療薬① p.475参照

■ 重大な副作用と妊婦・授乳婦への危険度

薬剤名	重大な副作用	妊婦[授乳婦]
サイトテック	ショック、アナフィラキシー様症状	禁忌/X [⊗◎]

■ その他の指導ポイント

	患 者 向 け	薬 剤 師 向 け
使用上の注意	・下痢がひどいときは，主治医に申し出てください ・妊娠中または妊娠の可能性のある方は必ずご相談ください ・服用中は避妊するようにしてください。また，妊娠が確認された場合は服用を中止してください	下痢の訴えに注意する（減量の必要あり） 子宮収縮作用があり，流産を起こしたとの報告で投与禁忌
服用を忘れたとき	飲み忘れに気づいても服用しない。次の食事まで待って1回分服用する（2回分を一度に服用しないこと）	

■ その他備考

- 本剤は非ステロイド性消炎鎮痛薬を3カ月以上長期投与する必要のある，関節炎患者等の胃・十二指腸潰瘍の治療にのみ用いる
- 下痢の発現を少なくするために，マグネシウム含有制酸剤との併用を避ける
- 本剤を12週以上投与しても改善が認められない場合には他の治療法を考慮する

32 消化性潰瘍治療薬　⑨ヘリコバクター・ピロリ除菌薬

■ 対象薬剤

〔一次除菌用〕　パリエット：ラベプラゾール，サワシリン：アモキシシリン水和物，クラリス：クラリスロマイシン（ラベキュア）
　　　　　　　タケキャブ：ボノプラザン，アモリン：アモキシシリン水和物，クラリス：クラリスロマイシン（ボノサップ）
〔二次除菌用〕　パリエット：ラベプラゾール，サワシリン：アモキシシリン水和物，フラジール：メトロニダゾール（ラベファイン）
　　　　　　　タケキャブ：ボノプラザン，アモリン：アモキシシリン水和物，フラジール：メトロニダゾール（ボノピオン）

■ 指導のポイント

	患 者 向 け	薬 剤 師 向 け
薬効	この薬は胃潰瘍・十二指腸潰瘍等の原因の1つである，ヘリコバクター・ピロリ菌を除菌することにより，胃の炎症や潰瘍を治す薬です	ヘリコバクター・ピロリ菌殺菌作用 ・胃内pH上昇（胃酸分泌抑制）による併用薬の抗菌活性上昇（パリエット，タケキャブ）

薬効	・殺菌的な抗菌作用 　アモリン，クラリス（ボノサップ） 　サワシリン，クラリス（ラベキュア） 　アモリン，フラジール（ボノピオン） 　サワシリン，フラジール（ラベファイン）
詳しい薬効	この薬は 3 種類（ラベキュア，ボノサップ：2 種類の抗生物質とプロトンポンプ阻害薬，ラベファイン，ボノピオン：抗生物質と抗原虫薬とプロトンポンプ阻害薬）の薬を組み合わせたもので，プロトンポンプ阻害薬は胃酸分泌を抑制し胃内の pH を上昇させることにより併用薬の抗菌活性を高め，他の 2 種類はヘリコバクター・ピロリ菌に対し殺菌的な抗菌作用を示し，胃潰瘍・十二指腸潰瘍等の原因の 1 つであるヘリコバクター・ピロリ菌を除菌することにより胃の炎症や潰瘍を治す薬です
禁忌・併用禁忌	禁忌 ・伝染性単核症，高度の腎障害 　・〔ラベキュア〕パリエット，サワシリン，クラリス過敏症既往 　・〔ボノサップ〕タケキャブ，アモリン，クラリス過敏症既往 　・〔ラベファイン〕パリエット，サワシリン，フラジール過敏症既往 　・〔ボノピオン〕タケキャブ，アモリン，フラジール過敏症既往 　・〔ラベキュア，ボノサップ〕肝または腎障害者でコルヒチン投与中 　・〔ラベファイン，ボノピオン〕脳・脊髄に器質的疾患，妊娠 3 カ月以内 併用禁忌 ・〔クラリス〕⇔クリアミン配合，ジヒドロエルゴタミンで血管れん縮等の副作用発現，タダラフィルの作用増強，スボレキサントの作用増強，イブルチニブの作用増強，チカグレロル，ロミタピドの血中濃度上昇，イバブラジンで過度の徐脈，ベネトクラクスの用量漸増期の併用で腫瘍崩壊症候群発現のおそれ，ルラシドンの血中濃度上昇で作用増強のおそれ，アナモレリンの血中濃度上昇で副作用発現増強のおそれ 　・〔パリエット，タケキャブ〕⇔アタザナビル，リルピビリンの血中濃度低下による作用減弱

■ 主な副作用と対策，フィジカルアセスメントのチェックポイント

主な副作用	患者に確認すべき症状	対策と PA のチェックポイント
消化器症状	下痢，軟便，悪心，味覚異常	軽い下痢の場合，途中で服用をやめず 7 日間飲み続ける。発熱，腹痛を伴う下痢，下痢に粘液や血液が混ざっている場合直ちに中止 PA 腸音（↑）
過敏症	発疹，じんま疹，かゆみ	中止 PA 皮膚（かゆみ，発赤，腫脹），呼吸（喘鳴）
肝機能障害†	体がだるい，かゆみ，湿疹，白目や皮膚が黄色くなる，食欲不振	PA 消化性潰瘍治療薬① p.475 参照

†：厚生労働省の「重篤副作用疾患別対応マニュアル」参照

・上記以外の副作用については，各薬剤の項目を参照
　ラベプラゾール：No.32 消化性潰瘍治療薬②プロトンポンプ阻害薬
　ボノプラザン：　　　〃
　クラリスロマイシン：No.58 抗菌薬③マクロライド系
　アモキシシリン水和物：No.58 抗菌薬①ペニシリン系
　メトロニダゾール：No.61 抗原虫薬

■ 重大な副作用と妊婦・授乳婦への危険度

薬剤名	重大な副作用	妊婦［授乳婦］
ラベキュア	ラベプラゾール，アモキシシリン水和物，クラリスロマイシン参照	－
ボノサップ	ボノプラザン，アモキシシリン水和物，クラリスロマイシン参照	－
ラベファイン	ラベプラゾール，アモキシシリン水和物，メトロニダゾール参照	禁忌（妊娠3カ月以内）
ボノピオン	ボノプラザン，アモキシシリン水和物，メトロニダゾール参照	禁忌（妊娠3カ月以内）

■ その他の指導ポイント

	患者向け	薬剤師向け
使用上の注意	・この薬は個々の薬を単独では服用しないで，3種類の薬を同時に服用してください →	ヘリコバクター・ピロリ除菌のために，3製剤を組み合わせたものであるため
	・症状がよくなったと思ったり，軟便，下痢，味覚異常などが起こっても，途中で服用をやめないで7日間服用してください。ただし症状がひどい場合は必ずご相談ください →	飲み続けているうち下痢，味覚異常がひどくなった場合や，発熱，腹痛を伴う下痢あるいは下痢に粘液や血液が混じった場合は，直ちに服用を中止し，申し出るよう指導する
	・〔ラベファイン，ボノピオン〕尿が着色することがありますが，心配ありません →	メトロニダゾールで尿が着色するのは腸内細菌に含まれるニトロ基還元酵素により，ニトロ基が還元され，アゾキシ化合物を形成するためと考えられている
	・〔ラベキュア，ラベファイン〕この薬の中のパリエットは，かみ砕かずに飲み込んでください →	腸溶錠のため
	・〔ラベファイン，ボノピオン〕妊娠中（特に3カ月以内）または妊娠の可能性のある方は必ずご相談ください →	メトロニダゾールは胎児に対する安全性は確立していないので，特に妊娠3カ月以内は投与禁忌
	食 〔ラベファイン，ボノピオン〕この薬の服用中にアルコールを飲むと，副作用（腹痛・吐く・ほてり）が強く出るので控えてください →	メトロニダゾールはアルデヒド脱水酵素を阻害し，血中アセトアルデヒド濃度を上昇させ，腹部の疝痛，嘔吐，潮紅が現れることがあるため併用注意
服用を忘れたとき	思い出したときすぐに服用する。次の服用時間が近いとき（5時間以内：ボノサップ，ボノピオン）は忘れた分は服用しない（2回分を一度に服用しないこと）	

■ その他備考

■ ヘリコバクター・ピロリの除菌判定上の注意

ラベプラゾールナトリウム等のプロトンポンプインヒビターやアモキシシリン，クラリスロマイシン，メトロニダゾール等の服用中や投与終了直後では，^{13}C-尿素吸気試験の判定結果が偽陰性になる可能性があるため，^{13}C-尿素吸気試験による除菌の判定を行う場合には，これらの薬剤の投与終了後4週間以降の時点で実施することが望ましい。

■ 治療

1）*H. pylori* 除菌治療の第一選択薬：プロトンポンプ阻害薬（PPI）＋アモキシシリン水和物（AMPC）＋クラリスロマイシン（CAM）を1週間投与する3剤併用療法を，第一選択とする。

現時点での保険適用治療薬は，以下のⒶ＋Ⓑ＋Ⓒの組み合わせがある。

	一般名（1回用量）	主な商品名	パック製剤名※
Ⓐ プロトンポンプ阻害薬	ランソプラゾール 30 mg	タケプロン，ランソプラゾール	－
	オメプラゾール 20 mg	オメプラール，オメプラゾン	－
	ラベプラゾール 10 mg	パリエット，ラベプラゾールナトリウム	ラベキュア
	エソメプラゾール 20 mg	ネキシウム	－
	ボノプラザン 20 mg	タケキャブ	ボノサップ
Ⓑ	アモキシシリン水和物 750 mg	パセトシン，サワシリン，アモキシシリン	－
Ⓒ	クラリスロマイシン 200 mg または 400 mg	クラリス，クラリシッド，クラリスロマイシン	－

※：それぞれのⒶ＋Ⓑ＋Ⓒの1日分が1シートに収められている

以上の3剤を同時に1日2回7日間投与する。

2）*H. pylori* 除菌治療の第二選択薬：第一選択薬で除菌不成功例に対し以下の併用療法（PPI ＋ AMPC ＋メトロニダゾール）を行う。

1．プロトンポンプ阻害薬（ランソプラゾール 30 mg，オメプラゾール 20 mg，ラベプラゾール 10 mg，エソメプラゾール 20 mg，ボノプラザン 20 mg のいずれか1剤）
2．アモキシシリン水和物 750 mg
3．メトロニダゾール 250 mg

以上1～3の3剤を同時に1日2回7日間投与する。

なお，PPI のラベプラゾール 10 mg とボノプラザン 20 mg を含む処方では1日の服用分すべてが1シートに納められたパック製剤（ラベファイン，ボノピオン）がある。

32 消化性潰瘍治療薬　⑩その他

■ 対象薬剤

スルピリド（ドグマチール）
＊No.9 抗うつ薬（p.138）参照

■ 指導のポイント

	患　者　向　け	薬　剤　師　向　け
薬効	この薬は中枢（視床下部）に働いて胃腸の血流を増加し粘膜を修復し，同時に胃・腸の運動をよくする薬です →	胃・十二指腸血流量増加作用（視床下部へ作用）
		胃・小腸運動の亢進
	☆この薬は気分が落ち込み，憂うつな気持ちを楽にして意欲を高める薬です（参）No.9 抗うつ薬 →	抗うつ作用
	☆この薬は興奮を抑え幻覚・妄想を抑え，気分を安定させる薬です（参）No.7 抗精神病薬③ →	中枢性抗ドパミン作用

■ その他備考

- 長期投与により，口周部不随意運動等の不随意運動が現れ投与中止後も持続することがある
- 制吐作用を有するため，他の薬剤に基づく中毒，腸閉塞，脳腫瘍等による嘔吐症状を不顕性化することがあるので注意する

… No.33 健胃消化薬

33 健胃消化薬

■ 対象薬剤

パンクレアチン（パンクレアチン），ジアスターゼ（ジアスターゼ）
配合剤（エクセラーゼ配合，タフマックE配合，ベリチーム配合，S・M配合散，A・M配合散）

■ 指導のポイント

	患者向け	薬剤師向け
薬効	この薬は消化を助ける薬です → ☆この薬は苦味等により食欲を増進させた → りする薬です（S・M散，A・M散）	消化作用 消化液分泌促進，食欲増進，胃運動促進
詳しい薬効	・この薬は消化酵素剤で食物中のでんぷんを分解して消化を助ける薬です（ジアスターゼ） ・この薬は消化酵素剤で，食物中のでんぷん，蛋白質，脂肪，繊維素を分解して消化を助ける薬です（パンクレアチン，エクセラーゼ，タフマックE，ベリチーム） ・この薬は消化酵素剤，制酸剤，生薬を配合してあり，食物中のでんぷんを分解して消化を助け（消化酵素剤），過剰の胃酸を中和して（制酸剤）消化液の分泌や胃腸の運動を活発（生薬）にする薬です（S・M散，A・M散）	
禁忌	・本剤過敏症既往 ・〔ジアスターゼ，S・M散，A・M散以外〕ウシ，ブタ蛋白質の過敏症既往 ・〔S・M散，A・M散〕高Ca血症，透析，Na制限，甲状腺機能低下症，副甲状腺機能亢進症	

■ 主な副作用と対策，フィジカルアセスメントのチェックポイント

主な副作用	患者に確認すべき症状	対策とPAのチェックポイント
過敏症状	発疹	中止
過敏症状（パンクレアチン含有製剤：パンクレアチン，ベリチーム配合，タフマックE配合）	発疹，くしゃみ，涙が出る，皮膚が赤くなる	中止 PA 皮膚（かゆみ，発赤，発疹），体温（↑），呼吸（喘鳴）
消化器症状	・お腹が張る，嘔気，下痢等（エクセラーゼ，タフマックE） ・便秘（S・M散，A・M散）	減量もしくは中止 PA 腸音（↓：便秘，↑：下痢）

■ その他の指導ポイント

	患者向け	薬剤師向け
使用上の注意	・〔パンクレアチン〕口に入れたら直ちに口の中に飲み残しがないように十分量の水で飲み込んでください。また粉末を吸入しないよう気をつけてください	パンクレアチンを小児が誤って大量停滞させたため口内炎および口腔内潰瘍を発生，また吸入により気管支けいれん，鼻炎が発生したとの報告がある
	・〔ベリチーム〕砕いたりかんだりせずにお飲みください	腸溶性皮膜が施された顆粒が配合されているため
	・〔ベリチーム〕口に入れたら直ちに口の中に飲み残しがないように飲み込んでください	舌や口腔粘膜を刺激することがある
	・〔S・M散，A・M散〕できるだけオブラートに包まないで飲みましょう	苦味剤が舌を刺激し消化液の分泌を促進する
	・〔S・M散，A・M散〕心臓の悪い方，血圧の高い方はご相談ください	Naが含まれるので塩分摂取制限の必要な方は注意が必要
	・〔S・M散，A・M散〕腎機能の悪い方はご相談ください	長期服用によりAl脳症，Al骨症の発現の可能性
	食〔S・M散，A・M散〕この薬の服用中に大量の牛乳（1L以上），カルシウム製剤（Caとして1g以上）をとらないでください	ミルク・アルカリ症候群（高Ca血症，高窒素血症，アルカローシス等）が現れるおそれがあるため併用注意
	食〔S・M散，A・M散〕この薬の服用中にビタミンD製剤（健康食品を含む）をとるのを控えてください	ビタミンDはCaの腸管からの吸収を亢進し高Ca血症が現れやすくなるため併用注意
服用を忘れたとき	・〔タフマックE以外〕思い出したときすぐに服用する。ただし次の服用時間が近いとき（エクセラーゼ：4時間以内）は忘れた分は服用しない（2回分を一度に服用しないこと） ・〔タフマックE〕飲み忘れに気づいても服用しない。次の服用時に決められた用量を服用する（2回分を一度に服用しないこと）	

■ その他備考

■配合剤成分

エクセラーゼ ：消化酵素剤（サナクターゼM，プロクターゼ，オリパーゼ2S，メイセラーゼ，膵臓性消化酵素TA）

タフマックE ：消化酵素剤（セルロシンA.P.，ジアスメン，ジアスターゼ，オノテース，モルシン，ボンラーゼ，パンクレアチン，ポリパーゼ，オノプローゼA）

ベリチーム ：消化酵素剤（濃厚パンクレアチン，リパーゼAP_6，ビオヂアスターゼ1000，セルラーゼAP_3）

S・M散 ：健胃消化剤（タカヂアスターゼ，ショウキョウ，カンゾウ，その他の芳香苦味生薬），その他（メタケイ酸アルミン酸Mg，炭酸水素Na，沈降炭酸Ca）

No.33 健胃消化薬

A・M散 ：健胃消化剤（ジアスメン，ショウキョウ，カンゾウ，その他の芳香苦味生薬），その他（乾燥水酸化 Al ゲル，炭酸水素 Na，沈降炭酸 Ca，炭酸 Mg）

■健胃消化薬の消化対象

		ジアスターゼ	パンクレアチン	エクセラーゼ	タフマックE	ベリチーム
消化対象	でんぷん	○	○	○	○	○
	蛋白質		○	○		○
	脂　肪		○	○	○	○
	繊維素			○	○	○

34 下 剤 ①内服

■ 対象薬剤

（A）塩類下剤：酸化マグネシウム（酸化マグネシウム，マグミット）
　　　　　　　配合剤（モビコール配合）
（B）糖類下剤：ラクツロース（ラグノス NF）
（C）大腸刺激性下剤：センナ（アローゼン），センノシド A および B（プルゼニド），ピコスルファート Na 水和物（ラキソベロン）
（D）クロライドチャネルアクチベータ：ルビプロストン（アミティーザ）
（E）胆汁酸トランスポーター阻害剤：エロビキシバット水和物（グーフィス）
（F）末梢性μオピオイド受容体拮抗薬：ナルデメジントシル酸塩（スインプロイク）
（G）グアニル酸シクラーゼ C 受容体作動薬：リナクロチド（リンゼス）
（H）経口腸管洗浄剤：クエン酸マグネシウム（マグコロール，マグコロール P）
　　　　　　　　　　配合剤（サルプレップ配合，ニフレック配合，ピコプレップ配合，ビジクリア配合，モビプレップ配合）

＊酸化マグネシウム，マグミットは No.32 消化性潰瘍治療薬⑤（p.485）参照

■ 指導のポイント

	患 者 向 け	薬剤師向け
薬効	・この薬は便通をよくする薬です（酸化マグネシウム，マグミット，C）	塩類下剤による緩下作用（酸化マグネシウム，マグミット） 腸管蠕動運動亢進作用（C） 水分吸収阻害作用（ラキソベロン）
	・この薬は便をやわらかくし慢性の便秘症を改善する薬です（モビコール配合，ラグノス NF，アミティーザ，グーフィス，リンゼス）	塩類下剤による緩下作用（モビコール配合） 糖類下剤による緩下作用（ラグノス NF） 小腸上皮細胞の管腔側に存在するクロライドチャネル活性化による水分分泌促進作用（アミティーザ） 回腸末端部上皮細胞に発現する胆汁酸トランスポーターを阻害し，胆汁酸の再吸収抑制による，水分分泌促進作用および消化管運動亢進作用（グーフィス） 腸管上皮細胞に発現するグアニル酸シクラーゼ C 受容体への結合による，腸管分泌および腸管輸送能促進作用（リンゼス）
	・この薬は強い痛みを抑える薬によって起こる便秘症を改善する薬です（スインプロイク）	消化管に存在するμオピオイド受容体に結合し，オピオイド末梢作用に対する拮抗作用
	・この薬は婦人科手術後の腸内ガスの排出，排便を促す薬です（ラグノス NF）	糖類下剤による緩下作用
	・この薬は体内の寄生虫を殺したり，麻痺させることにより体外に排泄させる薬を	腸管蠕動運動亢進作用

薬効	・投与後に排便を促す薬です（アローゼン）	腸管蠕動運動亢進作用，水分吸収阻害作用
	・この薬は造影剤（硫酸バリウム）投与後の排便を促す薬です（ラキソベロン）	
	・この薬は大腸X線・内視鏡検査や腹部手術の前に腸内をきれいにする薬です（マグコロール，マグコロールP，ニフレック配合，ピコプレップ配合，モビプレップ配合，ラキソベロン液）	塩類下剤による緩下作用（マグコロール，マグコロールP） 腸管洗浄作用（ニフレック配合，ピコプレップ配合，モビプレップ配合） 腸管蠕動運動亢進作用,水分吸収阻害作用(ラキソベロン液)
	・この薬は大腸内視鏡の前に腸内をきれいにする薬です（サルプレップ，ビジクリア）	腸管洗浄作用
	☆この薬は胃酸を中和し胃酸の働きを抑え，潰瘍や胃炎を改善する薬です（酸化マグネシウム，マグミット）（参）No.32 消化性潰瘍治療薬⑤	制酸作用
	☆この薬は尿路結石の再発を予防する薬です（酸化マグネシウム，マグミット）	尿路シュウ酸Ca結石予防
	☆この薬は血中のアンモニアを下げ，意識障害（ぼうっとする，もうろうとする）を改善する薬です（ラグノスNF）	腸管内pHの酸性化作用 アンモニア産生菌の発育抑制作用 腸管内アンモニアの吸収抑制作用
	☆この薬は便秘，腹痛，腹部不快感等の消化器症状が長期間続くような（便秘型過敏性腸症候群）症状を改善する薬です（リンゼス）（参）No.37 その他の消化管用薬⑤	腸管上皮細胞に発現するグアニル酸シクラーゼC受容体への結合による，腸管分泌，腸管輸送能促進および大腸痛覚過敏症改善作用
詳しい薬効	・この薬は，腸管内に水分を移行させ腸管内容物を軟化・増大させ，その刺激により排便を容易にする薬です（A：塩類下剤） ・この薬は腸管内に水分を移行させるとともに，腸内細菌によって分解され乳酸や酢酸を産生して，腸管内容物を軟化・増大させ，その刺激により腸の運動を促進することにより排便を容易にする薬です（ラグノスNF） ・この薬は大腸の粘膜を刺激して蠕動運動を活発にし，水分の吸収を抑えて，便通をよくする薬です（C：大腸刺激性下剤） ・この薬は，小腸粘膜上に存在するクロライドチャネルを活性化し腸管内への水分分泌を促進し，便をやわらかくし腸管内容物の移動が促されることにより慢性の便秘症を改善する薬です（アミティーザ） ・胆汁酸は大腸内に水分および電解質を分泌させ，さらに消化管運動を亢進させます。この薬は食事をとることで分泌される胆汁酸（肝臓で合成，十二指腸に分泌され，その約95％が小腸で再吸収される）の再吸収に関わる胆汁酸トランスポーターの働きを抑え，大腸内の胆汁酸を増やすことにより，水分分泌や消化管運動を促すことで慢性の便秘症を改善する薬です（グーフィス） ・オピオイド鎮痛薬は中枢のμオピオイド受容体を介して鎮痛作用を発現します。μオピオイド受容体は末梢の消化管にも存在するので，オピオイド鎮痛薬が結合することにより，消化管の運動を抑え便秘等の胃腸障害が起こります。この薬は血液脳関門の透過性が低く脳内に入り難いので，末梢のμオピオイド受容体に結合し，消化管運動抑制，腸液の分泌	

詳しい薬効	・減少などが起こりにくくなることにより，オピオイド鎮痛薬による便秘を改善する薬です（スインプロイク） ・グアニル酸シクラーゼは腸管上皮細胞に存在し，腸液中のcGMPを増やすことにより腸管分泌や小腸輸送能を促進したり，大腸の過敏な痛みを改善します。この薬はグアニル酸シクラーゼ受容体を刺激することにより慢性便秘症や便秘型過敏性腸症候群の症状である腹痛・腹部不快感，便秘を改善する薬です（リンゼス） ・この薬は，腸管内で等張となるまで水分を移行させ腸管内容物を軟化・増大させ，その刺激により便を押し出す薬です（高張マグコロール・マグコロールP） ・この薬は，腸管内で水分を吸収・分泌させることなく摂取した水分を貯留させ，貯留した水分の力で便を押し出す薬です（等張マグコロール・マグコロールP，サルプレップ，ニフレック，ビジクリア，モビプレップ） ・この薬は，大腸の粘膜を刺激して蠕動運動を活発にし，水分の吸収を抑え，合わせて腸管内に水分を貯留させることにより腸管の蠕動運動を刺激して，便を水様化させて排出させる薬です（ピコプレップ）
警告	・〔サルプレップ，ニフレック，ピコプレップ，ビジクリア（類薬），モビプレップ〕腸管内圧上昇による腸管穿孔を起こすことがあるので，排便，腹痛等の状況を確認しながら慎重に投与。腹痛など消化器症状が現れた場合，投与を中断し，腹部の診察や画像検査（単純X線，超音波，CT等）を行い投与継続の可否を検討。特に腸閉塞を疑う患者，腸管狭窄，高度な便秘，腸管憩室の患者では注意 ・〔サルプレップ，ニフレック，モビプレップ〕ショック，アナフィラキシーのおそれがあるため，自宅での服用に際し副作用発現時の対応を患者に説明 ・〔ビジクリア〕急性腎不全，急性リン酸腎症（腎石灰沈着症）の発現のおそれがあるため以下の高リスク患者へは慎重に投与 　・高齢者　・高血圧症　・循環血液量の減少，腎疾患，活動期の大腸炎 　・腎血流量や腎機能に影響する薬剤服用中（利尿薬，ACE阻害薬，アンジオテンシン受容体拮抗薬，NSAIDs等） ・〔ビジクリア〕高血圧症の高齢者には投与しないこと ・〔ビジクリア〕重篤な不整脈やけいれん等発生のおそれがあるため，心疾患，腎疾患，電解質異常（脱水，または利尿薬使用に伴う二次性電解質異常等）を疑わせる所見がないことと電解質濃度に影響を及ぼし得る薬剤やQT延長をきたすおそれのある薬剤を服用中でないこと，血清電解質濃度が正常値であることを確認し投与
禁忌	別表（p.505）参照

No.34 下剤

別表 [禁忌]

	モビコール	ラグノスNF	プルゼニド	アローゼン	ラキソベロン液	ラキソベロン錠	アミティーザ	グーフィス	スインプロイク	リンゼス	マグコロールP	マグコロール	サルプレップ	ニフレック	ピコプレップ	ビジクリア	モビプレップ
消化管に閉塞またはその疑い					●*1				●	●*2	●	●	●	●	●	●	●
重症の硬結便			●								●						
急性腹症の疑い				●	●	●					●				●		
けいれん性の便秘				●													
腎障害											●						
中毒性巨大結腸症											●	●	●	●	●	●	●
腸管穿孔													●	●	●		
腸管穿孔またはその疑い																●	
本剤成分過敏症既往	●			●	●	●	●	●	●		●					●	
本剤またはセンノシド製剤に過敏症既往				●													
電解質失調（特に低K血症）				●													
うっ血性心不全または不安定狭心症，QT延長症候群，重篤な心室性不整脈，腹水を伴う疾患を合併，透析患者を含む重篤な腎機能障害，急性リン酸腎症，高血圧症の高齢者																●	
妊婦または妊娠の可能性							●										
腫瘍，ヘルニアなどの腸閉塞または疑い							●	●									
胃排出不全											●				●		●
重度の腎機能障害											●	●					
腸閉塞，腸管穿孔，重症の炎症性腸疾患（潰瘍性大腸炎等）またはその疑い	●																
ガラクトース血症		●															

*1：大腸前処置に用いる場合
*2：機械的消化管閉塞

■ 主な副作用と対策，フィジカルアセスメントのチェックポイント

〔大腸刺激性下剤〕

主な副作用	患者に確認すべき症状	対策とPAのチェックポイント
消化器症状	下痢，お腹が張る，腹痛，吐き気，嘔吐	服薬量や服用回数を調節することで，便通を調節する PA 腸音（↑：下痢）
低K血症（アローゼン，プルゼニド）	脈が乱れる，筋力低下，筋肉痛，けいれん，麻痺	K補正等適切な処置 PA 筋力（↓），脈拍（不整脈）

〔クロライドチャネルアクチベータ〕

主な副作用	患者に確認すべき症状	対策とPAのチェックポイント
消化器症状	下痢，腹痛，吐き気，お腹が張る 食欲がおちる	服薬量や服用回数を調節することで，便通を調節する PA 腸音（↑：下痢） 減量または中止
呼吸器症状	息苦しい，呼吸がしにくい，胸が苦しい	減量もしくは中止

〔経口腸管洗浄剤〕

主な副作用	患者に確認すべき症状	対策とPAのチェックポイント
過敏症状	発疹，かゆみ	中止
消化器症状	吐き気，嘔吐，お腹が張る，腹痛	休薬もしくは中止
電解質異常		電解質補正等適切な処置
・高Mg血症（ニフレック，ビジクリア以外）	吐き気，嘔吐，脈が遅くなる，筋力低下，意識が薄れる，眠くなる	PA 塩類下剤参照
・低Na血症	意識が薄れる，頭が痛い，吐き気，嘔吐，けいれん	PA 意識レベル（↓）
精神神経症状	不快感，頭痛	休薬もしくは中止

■ 重大な副作用と妊婦・授乳婦への危険度

薬剤名	重大な副作用	妊婦［授乳婦］
モビコール	ショック，アナフィラキシー	－
ラグノスNF	－	－
アローゼン	－	A［授◎］
プルゼニド	－	［授◎］
ラキソベロン内服液（大腸検査前処置）	腸閉塞，腸管穿孔，虚血性大腸炎	［授◎］
アミティーザ	－	禁忌［授○］
グーフィス	－	－
スインプロイク	重度の下痢	－
リンゼス	－	－
マグコロール，マグコロールP	腸管穿孔，腸閉塞，虚血性大腸炎，高Mg血症	［授◎］
サルプレップ	ショック，アナフィラキシー，腸管穿孔，腸閉塞，鼠径ヘルニア嵌頓，低Na血症，虚血性大腸炎，マロリー・ワイス症候群，失神，意識消失，高Mg血症	－
ニフレック	ショック，アナフィラキシー，腸管穿孔，腸閉塞，鼠径ヘルニア嵌頓，低Na血症，虚血性大腸炎，マロリー・ワイス症候群	－

薬剤名	重大な副作用	妊婦[授乳婦]
ピコプレップ	アナフィラキシー，腸管穿孔，腸閉塞，鼠径ヘルニア嵌頓，虚血性大腸炎，高 Mg 血症，低 Na 血症，低 K 血症	−
ビジクリア	急性腎不全，急性リン酸腎症，低 Ca 血症，低 Na 血症	−
モビプレップ	ショック，アナフィラキシー，腸管穿孔，腸閉塞，鼠径ヘルニア嵌頓，低 Na 血症，虚血性大腸炎，マロリー・ワイス症候群，失神，意識消失	−

■ その他の指導ポイント

	患者向け	薬剤師向け
使用上の注意	・〔A，B，C〕便通に合わせて薬の量を調節してください	
	・〔アローゼン，プルゼニド〕服用により尿の色が変わることがありますが，心配はいりません	尿が黄褐色または赤色に着色することがある
	・〔ラキソベロン液，H〕お渡しした検査の準備表に従って服用してください	
	・〔アローゼン，プルゼニド〕長期連用は避けてください	連用による耐性増大等のため。効果が減弱し薬剤に頼りがちになることがある
	・〔マグコロール，マグコロールP〕連用を避けてください	小腸の消化吸収を妨げ全身の栄養状態に影響を及ぼすことがある
	・〔高張マグコロール・マグコロールP，モビプレップ〕水を十分に摂取してください	体内水分を吸収し，脱水症状が現れることがある
	・〔ラキソベロン液〕大腸検査前処置の場合，水を十分に摂取してください	便とともに水分を体外に排泄するため，脱水症状を予防するとともに洗浄効果を高めるため（胃・小腸でほとんど作用せず，大腸細菌叢由来の酵素により加水分解されて瀉下作用を示す）
	・〔ラキソベロン液〕就寝前にコップ一杯の水に滴下して服用してください	
	・〔ラキソベロン液〕点眼薬ではありませんので間違って点眼しないでください	
	・〔ニフレック，ビジクリア，モビプレップ，ピコプレップ〕インスリンを使用または経口血糖降下薬を服用されている方は申し出てください	低血糖発作が起こることがあるので，検査当日は食事を摂取するまではインスリンの使用や経口血糖降下薬を服用させないこと
	・〔ラキソベロン液，H〕検査のため自宅で服用される場合には，一人で服用しないようにしてください	副作用発現時の対応が困難な場合がある
	・〔ラキソベロン液，H〕服用前日に排便のなかった方は申し出てください	通過障害のないことを確認しておくこと
	・〔マグコロール，マグコロールP，ニフレック，モビプレップ，ピコプレップ〕この薬の服用中に，腹痛，嘔吐，腹部膨満感，血便などの症状が現れたら服用を中止し，直ちにご相談ください	腸管内容物の増大や蠕動運動亢進による腸管内圧の上昇により腸管穿孔・腸閉塞および虚血性大腸炎を発症することがある

使用上の注意	・〔ニフレック，モビプレップ〕この薬の服用中に，吐き気，嘔吐，血便などの症状が現れたら服用を中止し，直ちにご相談ください	胃内圧上昇あるいは嘔吐，嘔気によりマロリー・ワイス症候群を発症することがある
	・〔マグコロール，マグコロールP，ピコプレップ〕この薬の服用中に，吐き気，嘔吐，筋力低下，傾眠，血圧低下，徐脈，皮膚潮紅などの症状が現れたら服用を中止し，ご相談ください	高Mg血症を発症することがある
	・〔アミティーザ〕この薬は食後に服用してください	食後よりも食前服用に吐き気が多い
	・〔グーフィス〕この薬は食前に服用してください	食事の刺激により胆汁酸が分泌される前に投与することで，より効果が期待される
	・〔リンゼス〕この薬は食前に服用してください	食後に投与すると食前投与に比べて下痢（軟便を含む）の発現率が高い
	・〔ビジクリア〕この薬を服用するとき，決められた服用方法を守って下さい。吐き気，嘔吐，腹痛，めまい，ふらつき，じんま疹等の症状が現れたらご相談ください	用法を超えた大量の水を摂取することで低Na血症を発現し，けいれん，意識喪失のおそれがある。また，飲水量が不十分な場合は循環血流量減少をきたすおそれがあるため飲水量を遵守する。また，この薬剤により急性腎不全，不整脈，けいれん，類薬で腸管穿孔が起こることがあるので排便や腹痛の状況を確認する
	・〔ビジクリア，モビプレップ，ピコプレップ〕この薬を服用前あるいは服用後にも適度な水分（水，お茶など）をとってください	脱水を予防するため
	・〔ピコプレップ〕この薬を服用するときには，水のみの飲用は避け，総飲量の半量以上はお茶やソフトドリンク等の他の透明な飲料を飲んでください	電解質異常を起こすおそれがある 透明な飲料 ・飲んでよいもの：お茶（温かいもの／冷たいもの），スポーツドリンク，透明なリンゴジュース，具のない透明なスープ（コンソメスープなど），透明な色の炭酸飲料，水 ・飲んではいけないもの：赤や紫など，色の濃い飲みもの，牛乳などの乳製品，果実や具が入ったジュースやスープ，アルコール飲料
	・〔ビジクリア〕この薬は水（ミネラルウォーター，お茶は可）で服用してください	飲んではいけないもの：コーヒー，アルコール類，スポーツ飲料，乳酸菌飲料（牛乳，飲むヨーグルト），砂糖や固形物が入っている飲料
	・〔アミティーザ，マグコロール，マグコロールP〕妊娠中または妊娠の可能性がある方は必ずご相談ください	・〔アミティーザ〕動物実験で胎児喪失の報告があるため投与禁忌 ・〔マグコロール，マグコロールP〕子宮収縮を誘発し，流早産の危険性がある

使用上の注意	・〔モビコール〕この薬は，水に溶かした後に飲まなかった場合には冷蔵庫内で保管し，当日中に飲んでください ・〔マグコロールP，ニフレック〕この薬は水に溶かした後に飲まなかった場合には冷蔵庫内で保管し，48時間以内に飲んでください
服用を忘れたとき	・〔モビコール，アローゼン〕思い出したとき便秘の症状があればすぐに服用する。ただし次の服用時間が近いときは忘れた分は服用しない（2回分を一度に服用しないこと） ・〔ラグノスNF，プルゼニド，ラキソベロン，アミティーザ，グーフィス，リンゼス〕飲み忘れに気づいても服用しない。次の服用時に決められた用量を服用する（2回分を一度に服用しないこと） ・〔スインプロイク〕思い出したときすぐに服用する。ただし次の服用時間が近いときは忘れた分は服用しない（2回分を一度に服用しないこと） ・〔ラキソベロン液（大腸検査前処置），マグコロール，マグコロールP，サルプレップ，ニフレック，ピコプレップ，ビジクリア，モビプレップ〕医師または薬剤師の指示に従う

■ 継続的な服薬指導・確認のポイント

項目	確認のポイント
便秘の原因と状態の確認	・便秘は①排便回数減少，②排便の困難さ，③硬便，④残便感などを呈する状態 ・便秘の原因疾患（悪性腫瘍，全身疾患）の有無や便秘の原因となる薬剤（オピオイド系鎮痛薬，抗コリン薬，向精神薬）投与の確認 ・排便の間隔，便の硬さ（Bristol便形状スケール使用（p.515参照）），排便時の状態（いきむ，排便困難感）の確認
生活習慣や食生活の改善指導	明らかな原因疾患がない場合，生活習慣や食生活の確認と改善指導 ①水分摂取・運動量増加，②生活習慣の改善，③食物繊維の摂取量増加（男性20g/日，女性18g/日（例：キャベツ1玉））
薬物治療の効果確認	一般に下剤は作用が穏やかで副作用が少ない塩類下剤（酸化マグネシウム）から使用。 刺激性下剤は耐性，依存性が強いため第一選択としては用いない。直腸性便秘には直腸刺激性下剤を用いる。排便の状況を確認しながら治療を追加する（下剤の分類表（p.513）参照）
下剤（酸化マグネシウム）の相互作用の有無の確認	酸化Mgはテトラサイクリン系・ニューキノロン系抗菌薬やビスホスホネート等，様々な薬と相互作用を生じ併用薬の効果を低下させるので避けるべきだが，やむを得ない場合は酸化Mg服用と併用薬の間隔を2時間以上あける

■ その他備考

■配合剤成分：モビコール配合（マクロゴール4000，塩化Na，炭酸水素Na，塩化K）
　　　　　　サルプレップ配合（無水硫酸Na，硫酸K，硫酸Mg水和物）
　　　　　　ニフレック配合（塩化K，塩化Na，炭酸水素Na，無水硫酸Na）
　　　　　　ピコプレップ配合（ピコスルファートNa水和物，酸化Mg，無水クエン酸）

ビジクリア配合（リン酸二水素 Na 一水和物，無水リン酸水素二 Na）
モビプレップ配合（大室（A 剤）：塩化 Na，塩化 K，無水硫酸 Na，マクロゴール 4000）（小室（B 剤）：アスコルビン酸，L-アルコルビン酸 Na）

■検査前処置におけるマグコロール，マグコロール P の服用法の注意

原則として検査予定時間の 10〜15 時間前に経口投与するが，検査が午前，午後にかかわらず，服用は午後 10 時頃までとする。マグコロール，マグコロール P の前処置に要する時間は，約 4 時間で，服用を忘れた場合でも午後 10 時以降服用するとかなり睡眠が妨げられ，特に高齢者では，翌日の検査に対し，体力の消耗が心配される。

■〔マグコロール，マグコロール P〕胃切除の既往歴のある患者への投与

ダンピング症候群が現れやすいので，一口ずつ時間をかけて服用させ，服用中にめまい，ふらつきなどが現れた場合には直ちに服用を中止する

34　下剤　②浣腸・坐薬

■ 対象薬剤

グリセリン（グリセリン浣腸），ビサコジル（テレミンソフト坐薬）
配合剤（新レシカルボン坐剤）

■ 指導のポイント

	患者向け	薬剤師向け
薬効	この薬は便秘に用いる坐薬（浣腸剤）です→ ☆この薬は消化管検査や手術前後に腸内をきれいにする坐薬です（テレミンソフト坐薬）	直腸局所刺激作用と便軟化潤滑作用（グリセリン浣腸） 直腸粘膜の刺激による蠕動運動促進作用ならびに水分吸収抑制作用（テレミンソフト坐薬） 炭酸ガスによる蠕動亢進作用（新レシカルボン坐剤）
詳しい薬効	・この薬は腸管壁の水分を吸収することにより，直腸を刺激して，大腸の運動を活発にし便をやわらかくして便通をよくする浣腸剤です（グリセリン浣腸） ・この薬は結腸・直腸粘膜を刺激して大腸の運動を活発にし，水分の吸収を抑えて腸内容積を増大させ便通をよくする坐薬です（テレミンソフト坐薬） ・この薬は直腸内で溶けて炭酸ガス（CO_2）を発生させ，直腸粘膜を刺激して，大腸の運動を活発にし便通をよくする坐薬です（新レシカルボン坐剤）	
禁忌	・〔グリセリン浣腸〕腸管内出血，腹腔内炎症，腸管に穿孔またはそのおそれ，全身衰弱，下部消化管術直後，吐気，嘔吐または激しい腹痛等の急性腹症の疑い ・〔テレミンソフト坐薬〕急性腹症の疑い，けいれん性便秘，重症の硬結便，肛門裂創，潰瘍性痔核 ・〔新レシカルボン坐剤〕本剤過敏症既往	

■ 主な副作用と対策，フィジカルアセスメントのチェックポイント

主な副作用	患者に確認すべき症状	対策とPAのチェックポイント
過敏症状 （レシカルボン以外）	発疹	中止 PA 皮膚（かゆみ，発赤，発疹），体温（↑）
消化器症状	腹痛，腹鳴，腹部膨満感，直腸不快感，肛門部違和感，残便感	中止
循環器症状	血圧変動，ふらつき，皮膚が青白い，顔が白くなる，発汗，冷感	中止 PA 血圧（↑↓）

■ 重大な副作用と妊婦・授乳婦への危険度

薬剤名	重大な副作用	妊婦［授乳婦］
グリセリン，テレミンソフト	－	［授◎］
新レシカルボン坐剤	ショック	－

■ その他の指導ポイント

<table>
<tr><th colspan="2">患者向け</th><th>薬剤師向け</th></tr>
<tr><td rowspan="9">使用上の注意</td><td>
・便通にあわせて薬の量を調節してください
・便通をつけたい20〜30分前にご使用ください
・〔グリセリン浣腸〕適温（40℃程度）に温め，挿入部分をワセリン，オリーブ油などでなめらかにして挿入してください（挿入部分・大人6〜7cm，小児3〜6cm）
・〔グリセリン浣腸〕連続の使用を避け，1個を1回で使用し，使用残液は容器ごと捨ててください
・〔グリセリン浣腸〕浣腸にのみ使用してください
・〔テレミンソフト坐薬，新レシカルボン坐剤〕坐薬の後部を指先またはガーゼなどでつかみ，肛門内にできるだけ深く挿入してください。坐薬の先に少量の水をつけると挿入しやすくなります
・〔テレミンソフト坐薬，新レシカルボン坐剤〕挿入後，激しい運動をすると坐薬が外に出ることがありますので排便があるまで，激しい運動は避けてください
・〔新レシカルボン坐剤〕冷所（冷蔵庫内）に，保管してください
</td><td>直腸粘膜を傷つけるおそれがあるので慎重に挿入する。出血がみられた場合，グリセリンが血管内に入り溶血を起こすおそれがある</td></tr>
<tr><td>使用を忘れたとき</td><td colspan="2">〔グリセリン浣腸，テレミンソフト坐薬〕思い出したときすぐに使用する。ただし次の使用時間が近いときは忘れた分は使用しない</td></tr>
</table>

■ その他備考

- ■〔グリセリン浣腸，テレミンソフト坐薬〕子宮収縮を誘発して流早産の危険があるので，妊婦または妊娠している可能性のある婦人には大量投与を避ける
- ■配合剤成分：新レシカルボン坐剤（炭酸水素Na，無水リン酸二水素Na）

No.34 下剤

下剤の分類表

分類	作用機序	一般名	商品名
塩類下剤	胃酸により塩化マグネシウムとなった後，腸管内で難吸収性のマグネシウム重炭酸塩または炭酸塩となることで，腸管内の浸透圧が上昇し，腸管内の水分を増やすことにより，便をやわらかくして，排便を促す。また便の容積が大きくなることで腸管壁が刺激されて排便を促す 酸化 Mg 胃：$MgO + 2HCl \rightarrow MgCl_2 + H_2O$ Mg 重炭酸塩 腸：$MgCl_2 + 2HCO_3^- \rightarrow Mg(HCO_3)_2 + 2Cl^-$ Mg 炭酸塩 $Mg(HCO_3)_2 \rightarrow MgCO_3 + H_2O + CO_2$	酸化マグネシウム	酸化マグネシウム マグミット
	主にはマクロゴール 4000（ポリエチレングリコール 3350）の浸透圧効果により，腸管内の水分量を増加・保持することにより排便を促進。便中の浸透圧を適正なレベルに保つため電解質が配合されている	マクロゴール 4000 塩化 Na 炭酸水素 Na 塩化 K	（浸透圧下剤） モビコール配合
糖類下剤	浸透圧下剤として経口投与により，ほとんどが消化・吸収されずに大腸に達し，浸透圧効果により，腸管内の水分分泌等を促進することにより排便を促進	ラクツロース	ラグノス NF
大腸刺激性下剤	大腸を刺激することで蠕動を亢進させる	センナ センノシド A および B ピコスルファートナトリウム	センナ，アローゼン プルゼニド ラキソベロン
クロライドチャネルアクチベータ	小腸上皮頂端膜のクロライドチャネルを活性化し，腸管内に水分分泌を促進する	ルビプロストン	アミティーザ
胆汁酸トランスポーター阻害剤	回腸末端部における胆汁酸の再吸収に関わる胆汁酸トランスポーター特異的阻害作用。大腸内に胆汁酸が増加することにより水分および電解質の分泌，さらに消化管運動の亢進により排便を促進	エロビキシバット	グーフィス
末梢性μオピオイド受容体拮抗薬	消化管のオピオイド受容体に結合し，オピオイド鎮痛薬（モルヒネ，オキシコドン，フェンタニル等）に拮抗することにより，オピオイド誘発性便秘症を改善 ナルデメジンはモルヒナン骨格を有する化合物で，中枢におけるオピオイド鎮痛薬の作用を阻害しにくいように，血液脳関門の透過性を低下させること等を目的として側鎖が付加されている	ナルデメジン	スインプロイク

分類	作用機序	一般名	商品名
グアニル酸シクラーゼ C (GC-C) 受容体作動薬	腸管上皮細胞の GC-C 受容体作動薬として腸液中の cGMP 濃度を増加させ，腸管分泌および小腸輸送能促進作用，さらに大腸痛覚過敏改善作用により，排便異常や便秘型過敏性腸症候群を改善	リナクロチド	リンゼス
腸管洗浄剤	腸管内に水分を移行させ（高張液），腸管内容物を軟化増大させその刺激により腸管洗浄効果を現す	クエン酸マグネシウム A剤：塩化ナトリウム・塩化カリウム・無水硫酸ナトリウム・マクロゴール 4000 B剤：アスコルビン酸・L-アスコルビン酸ナトリウム	マグコロール マグコロール P モビプレップ
	腸管からの水分の吸収を妨げて腸管内容物を流動化させるとともに大腸の蠕動運動を誘発させ腸管洗浄効果を現す	塩化カリウム・塩化ナトリウム・炭酸水素ナトリウム・無水硫酸ナトリウム・マクロゴール 4000	ニフレック
	腸管に水分を貯留させ，瀉下作用を示し，腸管洗浄効果を現す	リン酸二水素ナトリウム一水和物・無水リン酸水素二ナトリウム	ビジクリア
	有効成分である硫酸イオンが消化管内で浸透圧成分として水分を保持することにより腸管洗浄作用を示す	無水硫酸 Na 硫酸 K 硫酸 Mg	サルプレップ
浣腸剤 坐薬	直腸壁を刺激し，大腸の蠕動運動を誘発するとともに直腸壁面と大腸との潤滑液として作用し，直腸，S状結腸内容物を排泄する	グリセリン ビサコジル 炭酸水素ナトリウム・無水リン酸二水素ナトリウム	グリセリン浣腸 テレミンソフト坐薬 新レシカルボン坐剤

■便秘のタイプ

	直腸性（習慣性）便秘	結腸性（弛緩性）便秘	痙攣性便秘
便秘の種類			
原因など	直腸付近まで便が送られてきているのに排便が起こらない便秘で，習慣性便秘といわれている。便意を感じても，習慣的にがまんし続けることで起こりやすくなる	大腸の動きが低下して起こる便秘で，高齢者や体力の落ちている人に多く，便意も弱いとされている	ストレスにより大腸が過剰に動きすぎて起こる便秘で，便が大腸をスムーズに通過できずに水分が吸収されすぎてコロコロしたウサギのフンのような便になる。便意は強いが，排便困難で残便感がある

	直腸性（習慣性）便秘	結腸性（弛緩性）便秘	痙攣性便秘
改善法	●朝食を十分とる ●朝に，トイレタイムの時間的ゆとりをもつよう心がける（忙しさに紛れて便意をこらえないこと）	●繊維の多い食物をとる ●適度な運動をする	●精神面での余裕 　（ゆとりをもった生活） ●香辛料・繊維の多い食物は避ける

監修：平塚胃腸病院
平塚　秀雄

■ Bristol 便形状スケール

硬便/正常便/軟便	消化管の通過時間				
硬便	非常に遅い（約100時間）↑	1	コロコロ便		硬くてコロコロの兎糞状の便
		2	硬い便		ソーセージ状であるが硬い便
		3	やや硬い便		表面にひび割れのあるソーセージ状の便
正常便		4	普通便		表面がなめらかで柔らかいソーセージ状，あるいは蛇のようなとぐろを巻く便
		5	やや軟らかい便		はっきりとしたしわのある柔らかい半分固形の便
軟便		6	泥状便		境界がほぐれて，ふにゃふにゃの不定形の小片便 泥状の便
	非常に早い（約10時間）↓	7	水様便		水様で，固形物を含まない液体状の便

（「排泄ケアナビ」：ブリストルスケールによる便の性状分類（https://www.carenavi.jp/ja/jissen/ben_care/shouka/shouka_03.html）より引用）
1～2：腸内の停滞時間が長く，便秘と判断される
3～5：正常便，特に「4」が理想便
6～7：柔らかすぎて，下痢と判断される
＊便の硬さだけでなく，便の量や色，においの観察も大切

便秘症の日常生活と食事療法のポイント

【日常生活】
1. 朝食をゆっくりとたくさんとって朝の排便を習慣づけましょう。（規則的な排便の習慣をつけることが大切で，毎日時間を決めて一定時間トイレに入る。また，便意をもよおしたときはがまんせずトイレにいく etc.）
2. ストレスを解消するよう心がけましょう。
3. 適度な運動，腹部マッサージなどを行うよう心がけましょう。

【食事療法】
1. 繊維質の多いものをとるようにしましょう。（例：野菜類，果物，コンニャク，カンテン，海藻など）
2. 朝食を多めにとるようにしましょう。
3. 早朝，起きがけに冷たい水または牛乳などを飲むと便意をもよおしやすくなります。
4. 肉類にかたよった食事は避けましょう。

●便秘を改善させる食品
  ・乳製品（牛乳・ヨーグルト）
  ・油脂類（バター・ごま油）
  ・炭酸飲料・ビール
  ・糖分を多く含む食品（ケーキ・菓子類）
  ・香辛料
  ・繊維質の多い食品（野菜類・果物・豆類・コンニャク・カンテン・海藻）
  ・オリゴ糖

●便秘を悪化させる食品
  ・茶・ココア・しぶ柿・赤ワイン
  ・肉類にかたよった食事

※オリゴ糖

　オリゴ糖は果糖やブドウ糖が数個結合した糖質をいいます。胃の消化酵素で分解されないまま腸まで届き，善玉菌（ビフィズス菌）のえさになります。オリゴ糖を継続的に摂取することで腸内の善玉菌が増え，腸内環境が良くなります。オリゴ糖はバナナ，玉ねぎ，大豆，ゴボウ，長ネギなどにも含まれています。

35　整腸薬

■ 対象薬剤

（A）生菌製剤
1）ビフィズス菌（ビオフェルミン，ラックビー，ラックビー N）
2）耐性乳酸菌（レベニン，ビオフェルミン R，ラックビー R）
3）酪酸菌（宮入菌）（ミヤ BM）
4）配合：ラクトミン・糖化菌（ビオフェルミン配合）
　　　　ラクトミン・ビフィズス菌（レベニン S 配合）

（B）消化管ガス駆除薬：ジメチコン（ガスコン）

■ 指導のポイント

	患者向け	薬剤師向け
薬効	・この薬は腸の調子を整える薬です（ビオフェルミン，ラックビー，ビオフェルミン配合，レベニン S 配合，ミヤ BM） ・この薬は抗生物質や化学療法剤服用時の腸内細菌のバランスを整える薬です（レベニン，ビオフェルミン R，ラックビー R） ・この薬は胃や腸内のガスを除くための薬です（ガスコン）	整腸作用（乳酸菌，ビフィズス菌，酪酸菌による腸内細菌叢の正常化） 抗生物質・化学療法剤投与時の整腸作用（耐性乳酸菌，酪酸菌による腸内細菌叢の正常化） 消泡作用（胃腸管内のガスに起因する腹部症状の改善） 胃内有泡性粘液除去作用 　（胃内視鏡検査時の胃内有泡性粘液除去） 　（腹部 X 線検査時の腸内ガス駆除）
詳しい薬効	・腸管内に有害菌が存在しても，腸内菌叢のバランスがとれていれば，病原性を発揮しませんが，バランスがくずれると腸内に有害菌が増殖して有害物質を産生することで下痢，便秘などの胃腸障害を起こします。この薬は生菌製剤で，腸内で乳酸や酢酸，酪酸等を産生し有害菌の増殖を抑え，腸内細菌叢のバランスを整えることで下痢，便秘，腹部膨満等の症状を改善し腸の調子を整える薬です（A：生菌製剤） ・この薬は，消化管内のガスの泡を破裂させたり，流動性を高めることによってガスの体外への排出を容易にし，胃や腸内のガスを除く薬です（ガスコン）	
禁忌	〔ラックビー R〕本剤過敏症既往，牛乳アレルギー	

■ 主な副作用と対策，フィジカルアセスメントのチェックポイント

〔ラックビー〕

主な副作用	患者に確認すべき症状	対策
消化器症状	お腹が張る	休薬もしくは中止

〔ガスコン〕

主な副作用	患者に確認すべき症状	対策とPAのチェックポイント
消化器症状	便が緩くなる。胃の不快感，下痢，腹痛	休薬もしくは中止 PA 腸音（↑：下痢）

■ 重大な副作用と妊婦・授乳婦への危険度

薬剤名	重大な副作用	妊婦[授乳婦]
ラックビーR	アナフィラキシー様症状	−
ラックビー，ミヤBM，ビオフェルミン，ガスコン	−	[授◎]

■ その他の指導ポイント

	患者向け	薬剤師向け
使用上の注意	・〔ラックビーR〕牛乳アレルギーのある方は，必ずご相談ください	アナフィラキシー様症状を起こすことがあるため投与禁忌 ・〔ビオフェルミンR，ビオフェルミン配合，ミヤBM〕アミノフィリン，イソニアジドとの配合により着色することがあるので避けることが望ましい
服用を忘れたとき	思い出したときすぐに服用する。ただし次の服用時間が近いときは忘れた分は服用しない（2回分を一度に服用しないこと）	

■ その他備考

- ■抗生剤等投与時は，耐性乳酸菌製剤（多種の抗生物質や化学療法剤に耐性をもつ製剤）および酪酸菌製剤を使用することが望ましい。
- ■ラクトミン（Lactomin）（乳酸菌）

    「*Streptococcus faecalis*, *Streptococcus faecium*, *Lactobacillus acidophilus* または *Lactobacillus bulgaricus* の生菌菌体を集め，乾燥した後，澱粉，乳糖，白糖など適当な賦形剤またはそれらの混合物と混合したもの」と定められている。
- ■糖化菌：枯草菌やその亜種である納豆菌などの糖化作用をもつ細菌群の俗称。腸内で炭水化物を糖に変えて乳酸菌の発育を助ける
- ■酪酸菌：腸内で酪酸や酢酸を生成する嫌気性芽胞菌の一つ

36 止瀉薬

■ 対象薬剤
（A）収れん・吸着薬：タンニン酸アルブミン（**タンニン酸アルブミン**），天然ケイ酸アルミニウム（**アドソルビン**）
（B）その他：ロペラミド塩酸塩（**ロペミン，ロペミン小児用**）

■ 指導のポイント

	患者向け	薬剤師向け
薬効	この薬は下痢を止める薬です →	収れん作用による止瀉作用（タンニン酸アルブミン） 吸着作用による収れん，止瀉作用（アドソルビン） 消化管輸送能抑制作用，蠕動抑制作用，水分吸収促進作用（ロペミン，ロペミン小児用）
詳しい薬効	・この薬は，腸管内で膵液により徐々に分解してタンニン酸を遊離し，腸粘膜を覆って分泌や刺激を抑え，腸の過剰な運動を止めることで，下痢を止める薬です（タンニン酸アルブミン） ・この薬は胃および腸管内における異常有害物質，過剰の水分または粘液等を吸着・除去し，有害物質が腸管壁に吸収されるのを防ぎ，下痢を止める薬です（アドソルビン） ・この薬は腸管に直接働き，蠕動運動を抑えるとともに，腸管における水分などの分泌を抑え，腸管から水分の吸収を促進することで下痢を止める薬です（ロペミン，ロペミン小児用）	
禁忌・併用禁忌	禁忌 ・出血性大腸炎（腸管出血性大腸菌（O157等）や赤痢菌等の重篤な細菌性下痢） ・〔タンニン酸アルブミン，ロペミン，ロペミン小児用〕本剤過敏症既往 ・〔タンニン酸アルブミン〕牛乳アレルギー ・〔アドソルビン〕腸閉塞，透析 ・〔ロペミン，ロペミン小児用〕抗生物質による偽膜性大腸炎，低出生体重児・新生児および6カ月未満の乳児 併用禁忌 〔タンニン酸アルブミン〕⇔インクレミンシロップ，フェロミア，フェロ・グラデュメット等にて相互に作用減弱	

■ 主な副作用と対策，フィジカルアセスメントのチェックポイント

（A）タンニン酸アルブミン，アドソルビン

主な副作用	患者に確認すべき症状	対策とPAのチェックポイント
消化器症状	便秘，吐き気，食欲不振，お腹が張る	減量もしくは中止 PA 腸音（↓）
肝機能障害（タンニン酸アルブミン長期・大量投与時）	目の白目や皮膚が黄色くなる，吐き気，嘔吐，食欲不振，かゆみ，体がだるい	長期大量投与は避ける PA 眼球（黄色），皮膚（皮疹，瘙痒感，黄色），尿（褐色），体温（↑），腹部（肝肥大，心窩部・右季肋部圧痛，腹水貯留）

(B) ロペミン

主な副作用	患者に確認すべき症状	対策とPAのチェックポイント
過敏症	じんま疹，かゆみ，急に唇，まぶた，舌，口の中，顔などが腫れる	中止 PA 皮膚（発疹，かゆみ，発赤）
消化器症状	お腹が張る，お腹の不快感，悪心，消化不良，便秘	減量もしくは中止 PA 腸音（↓）
肝機能障害	眼の白目や皮膚が黄色くなる，吐き気，嘔吐，食欲不振，かゆみ，体がだるい	減量もしくは中止 PA (A) タンニン酸アルブミン，アドソルビン参照

■ 重大な副作用と妊婦・授乳婦への危険度

薬剤名	重大な副作用	妊婦[授乳婦]
タンニン酸アルブミン	ショック，アナフィラキシー様症状	[⊗◎]
ロペミン ロペミン小児用	イレウス，巨大結腸，ショック，アナフィラキシー，中毒性表皮壊死融解症，皮膚粘膜眼症候群	[⊗◎]

■ その他の指導ポイント

	患者向け	薬剤師向け
使用上の注意	・〔アドソルビン〕他の薬剤となるべくいっしょに服用しないでください。併用薬がある場合は，本剤服用後1〜2時間の間隔をあけて服用してください →	消化液，消化酵素，ビタミン剤等も吸着するため，なるべく同時服用は避けることが好ましい。また，消化酵素剤やビタミン剤との配合を避ける
	・〔ロペミン，ロペミン小児用〕水分の補給を行い，脱水症状に注意してください →	治療は下痢の対症療法であるので，脱水症状がみられた場合輸液等適切な水，電解質の補給に留意する
	・〔ロペミン，ロペミン小児用〕便秘になったときは服用を止めてください →	便秘が発現したら投与を中止する。また特に便秘を避けねばならない肛門疾患等の患者には注意して投与を行う
	・〔ロペミン，ロペミン小児用〕この薬の服用中は車の運転等，危険を伴う機械の操作は行わないでください →	眠気，めまいが起こることがあるため
	・〔タンニン酸アルブミン〕牛乳アレルギーのある方は，必ずご相談ください →	牛乳由来のアルブミンを使用しているため投与禁忌
服用を忘れたとき	思い出したときすぐに服用する。ただし次の服用時間が近いときは忘れた分は服用しない（2回分を一度に服用しないこと） 理由 〔ロペミン〕次の服用が近い場合は，2倍量の服用となり，便秘の原因となるので服用しない方がよい	

下痢の日常生活と食事療法のポイント

【日常生活】
1. 腸の運動を鎮めるため安静にしましょう。
2. 長引くときには，激しい運動や仕事，ストレスの原因となることは避けましょう。
3. 体を冷やさないようにしましょう。

【食事療法】
1. 避けたい食品

★冷たい飲みもの，食べもの
★脂肪の多いもの：揚げ物，バター，脂肪の多い肉や魚，脂ののった魚，うなぎなど
★繊維の多いもの：さつま芋，ごぼう，たけのこ，切干大根，わらび，ぜんまい，菜っぱ，果物，海藻，こんにゃくなど
★発酵しやすいもの：砂糖が多く含まれているもの（ケーキ，菓子類，カステラ，チョコレート，プリンなど），さつま芋，豆類
★消化しにくいもの：貝類，いか，たこ，ラーメンなど
★刺激の強いもの：炭酸飲料，香辛料，アルコール，コーヒー

2. 食べてもよい食品

☆下痢が激しいとき
　①湯ざまし，スポーツ飲料などの水分を十分にとりましょう。
　②重湯，野菜，スープ，酸味の少ない果汁などの流動食も同時にとりましょう。
☆下痢が回復してきたとき・長引くとき
　体力の消耗を防ぐため良質の蛋白質を十分にとり，ビタミン，無機質も不足しないよう注意しましょう。
　＊粥，軟らかい米飯，パン，うどん
　＊脂肪の少ない肉・魚，卵類，豆腐類，納豆
　＊ヨーグルト，チーズ，軟らかく煮た野菜，じゃがいも

乳幼児の下痢の日常生活と食事療法のポイント

【小児の下痢は脱水に注意】
　激しい下痢をしたり，いく日も下痢が続くと体の中からたくさんの水分が失われ栄養分の吸収も障害されるため，脱水や栄養障害などが起きてきます。特に乳幼児では，大人に比べて下痢や嘔吐による脱水を起こしやすいため，重症化するおそれがあります。

【日常生活】
1. 体を冷やさず，安静にしましょう。
2. 下痢便の性状（色，形，におい）や子供の様子（いつもと変わったところはないか）を観察し，受診時に医師に報告しましょう。
3. 排便のあとは，よく手を洗いましょう。特に乳幼児の場合，お尻はただれや感染を起こしやすいので，お湯で洗うなど清潔に保ちましょう。

【食事療法】
　母乳栄養児：母乳は続けて飲ませてください。
　人工栄養児：人工乳は半分に薄めて飲ませた方が良いでしょう。その後回復すれば，元の濃さに2～3日で戻してください。
　離乳期乳児・幼児：下痢が比較的軽いときは重湯，粥，あるいは軟らかく煮たうどんを食べさせましょう。下痢の激しいときは湯ざまし，番茶，乳児用イオン飲料，スポーツドリンクなどを少量ずつ頻回に飲ませ，水分の不足による脱水を防ぎましょう。

37 その他の消化管用薬 ①消化管運動調整薬

■ 対象薬剤

- ドパミン系：ドンペリドン（ナウゼリン），メトクロプラミド（プリンペラン），イトプリド塩酸塩（ガナトン）
- セロトニン系：モサプリドクエン酸塩水和物（ガスモチン）
- オピアト系：トリメブチンマレイン酸塩（セレキノン）
- アセチルコリン系：アコチアミド塩酸塩水和物（アコファイド）

■ 指導のポイント

	患者向け	薬剤師向け
薬効	・この薬は消化管の運動を整え，吐き気，嘔吐，腹痛，食欲不振，腹部膨満感，胸やけなどの症状を改善する薬です（アコファイド以外）	胃排出能改善作用 消化管運動調整作用 制吐作用
	・この薬は消化管の運動を活発にし，食後膨満感，早期満腹感（機能性ディスペプシア）等の症状を改善する薬です（アコファイド）	消化管運動亢進作用
	☆この薬はくり返し起こる腹痛を伴う下痢や便秘（過敏性腸症候群）を改善する薬です（セレキノン）（参）その他の消化管用薬⑤	腸運動調律作用
	◆この薬は過敏性腸症候群の症状を改善する薬です（適応外）（ガスモチン，ナウゼリン）	
	◆この薬は逆流性食道炎の症状を改善する薬です（適応外）（ガスモチン）	
	◆この薬はしゃっくり，めまいを改善する薬です（適応外）（プリンペラン）	
詳しい薬効	・この薬は胃腸に存在する特定の部位（ドパミン D_2 受容体）を遮断することにより，アセチルコリンを遊離させて胃腸の運動を活発にし，慢性胃炎における吐き気，嘔吐，腹痛，食欲不振，腹部膨満感，胸やけ等の症状を改善する薬です（ナウゼリン，プリンペラン，ガナトン）	
	・この薬は胃腸に存在する特定の部位（セロトニン受容体）を刺激することにより，アセチルコリンを遊離させて胃腸の運動を活発にし，慢性胃炎における吐き気，嘔吐，腹痛，食欲不振，腹部膨満感，胸やけ等の症状を改善する薬です（ガスモチン）	
	・この薬は胃腸に存在する特定の部位（オピオイド受容体）に作用して，胃腸の運動が亢進しているときはアセチルコリンの遊離を抑えて胃腸の運動を抑え，胃腸の運動が低下しているときはアセチルコリンを遊離させ胃腸の運動を活発にし，慢性胃炎における吐き気，嘔吐，腹痛，食欲不振，腹部膨満感，胸やけ等の症状やくり返し起こる腹痛を伴う下痢や便秘（過敏性腸症候群）を改善する薬です（セレキノン）	

詳しい薬効	・この薬は胃腸の運動を活発にする神経伝達物質（アセチルコリン）を分解する酵素（アセチルコリンエステラーゼ）の働きを抑えて，アセチルコリンを増やし胃腸の運動を活発にし食後膨満感，早期満腹感（機能性ディスペプシア）等の症状を改善する薬です（アコファイド）
禁忌	・〔ナウゼリン，プリンペラン，ガナトン，アコファイド〕本剤過敏症既往 ・〔ナウゼリン，プリンペラン〕消化管出血，穿孔 ・〔ナウゼリン〕妊婦，機械的イレウス，プロラクチン分泌性の下垂体腫瘍 ・〔プリンペラン〕消化管の器質的閉塞，褐色細胞腫の疑い

■ 主な副作用と対策，フィジカルアセスメントのチェックポイント

主な副作用	患者に確認すべき症状	対策とPAのチェックポイント
消化器症状	下痢，便秘，腹痛	減量もしくは中止
錐体外路症状（ナウゼリン，プリンペラン，ガナトン）	筋肉のこわばり，手足のふるえ，首のねじれやつっぱり，眼球が上を向く	中止，抗パーキンソン薬投与 PA 動作（緩慢，無動），歩行・四肢運動（異常）
乳汁分泌，女性化乳房（ナウゼリン，プリンペラン，ガナトン）	乳汁が出る，男性にみられる女性のような乳房	中止
肝機能障害（ナウゼリン，ガナトン，ガスモチン，セレキノン）	倦怠感，食欲不振，眼球の黄染	中止

■ 重大な副作用と妊婦・授乳婦への危険度

薬剤名	重大な副作用	妊婦[授乳婦]
ナウゼリン	ショック，アナフィラキシー，錐体外路症状，意識障害，けいれん，肝機能障害，黄疸	禁忌/B2 [⊗○]
プリンペラン	ショック，アナフィラキシー，悪性症候群，意識障害，けいれん，遅発性ジスキネジア	A [⊗○]
ガナトン	ショック，アナフィラキシー，肝機能障害，黄疸	[⊗○]
ガスモチン	劇症肝炎，肝機能障害，黄疸	[⊗○]
セレキノン	肝機能障害，黄疸	[⊗○]

■ その他の指導ポイント

	患者向け	薬剤師向け
使用上の注意	・〔ナウゼリン，プリンペラン〕この薬の服用中は車の運転等，危険を伴う機械の操作は行わないでください ・〔ナウゼリンOD〕この薬は口の中で溶けますが，溶けた後唾液または水で飲み込んでください	眠気，めまい，ふらつき等が現れることがあるため ・内分泌機能調節異常・錐体外路症状等の副作用が現れることがあるので注意する 口腔粘膜からの吸収で効果発現を期待する製剤でないため唾液または水で飲み込む

服用を忘れたとき	・〔ナウゼリン〕妊娠中または妊娠の可能性のある方は必ずご相談ください	動物実験で骨格，内臓異常等の催奇形性報告のため投与禁忌
	・〔ナウゼリン，アコファイド〕飲み忘れに気づいても服用しない。次の服用時に決められた用量を服用する（2回分を一度に服用しないこと）	
	・〔ナウゼリン，アコファイド以外〕思い出したときすぐに服用する。ただし次の服用時間が近いときは忘れた分は服用しない（2回分を一度に服用しないこと）	

■ その他備考

■ 小児等への投与

小児において錐体外路症状，意識障害，けいれんが発現することがあるため，用量に気をつける（ナウゼリン，プリンペラン）。特に1歳以下の乳児には用量に注意し，3歳以下の乳幼児には7日以上の連用を避けること（ナウゼリン）。

■〔ガナトン，ガスモチン，アコファイド〕改善がみられない場合，長期にわたり（ガスモチン：2週間，アコファイド：1カ月）漫然と使用しない

消化管運動調整薬の作用比較

	運動促進	運動抑制
ドパミン系	ナウゼリン プリンペラン ガナトン	
セロトニン系	ガスモチン	
オピアト系	セレキノン（低用量）	セレキノン（高用量）
アセチルコリン系	アコファイド	

慢性胃炎の日常生活と食事療法のポイント

　慢性胃炎は慢性的に胃の粘膜がざらついていたり、ただれている状態で、表層性胃炎（炎症が胃粘膜の表面に起こる），萎縮性胃炎（胃粘膜が縮んで，薄くなる），肥厚性胃炎（萎縮した胃粘膜の一部が厚くなる）の3種類に分けられ，日本人の慢性胃炎の6～8割は萎縮性胃炎といわれています。また症状により4つのタイプに分けられます。

1．運動不全型
　　胃の運動機能が低下し食べ物が長時間胃の中にあるため，早期満腹感，腹部膨満感，食欲不振，むかつき，吐き気などの症状が起きます。
2．胃食道逆流型
　　胃酸が食道に逆流したり胃酸が過剰に分泌されて，胸やけや呑酸（酸っぱいものがこみ上げてくる感じ）などの症状が起こります。
3．潰瘍症状型
　　夜間や空腹時，または周期的におへその上の辺りがきりきり痛み，胃潰瘍や十二指腸潰瘍に症状が似ているので，潰瘍症状型と分類されており，内臓の知覚過敏により起こると考えられています。
4．非特異型
　　「空気を飲み込みやすくげっぷが多い」「腸管ガスが多く腹が張って苦しい」「軽度のうつ病がある」などの症状があり，ストレスなどの精神的要因によって起こると考えられています。

　慢性胃炎の治療は症状を抑えるための薬物療法が中心ですが，日常の生活や食事を見直すことで症状を軽減したり，起こしにくくすることができます。

【日常生活】
1．ストレスは胃の状態に大きく影響するので趣味の時間を持ったり休日に旅行にいく等自分に合ったストレス解消法を身につけましょう。
2．ストレスをためないため睡眠や休息を十分にとりましょう。

【食事療法】
1．お菓子など甘いものや，揚げ物など脂っこいものは胃の中にとどまりやすいので食べ過ぎには注意しましょう。
2．コーヒーや香辛料等の刺激物は胃酸を過剰に分泌させるためとりすぎは注意しましょう。
3．食後は胃酸が分泌されているのですぐに横になると胃酸が食道に逆流するので寝る直前には食べないようにしましょう。
4．アルコールは飲み過ぎると胃の運動機能を低下させたり胃酸の分泌を増やし，胃の粘膜に直接作用して粘膜に障害を起こしますので，空腹時を避け適量を守りましょう。
5．タバコは食道や胃の運動機能を低下させ，胃酸の逆流を招くので控えましょう。

37 その他の消化管用薬　②制吐薬

■対象薬剤

- 5-HT$_3$受容体拮抗薬：オンダンセトロン（オンダンセトロン），グラニセトロン塩酸塩（カイトリル），ラモセトロン塩酸塩（ナゼア）
- ニューロキニン1（NK$_1$）受容体拮抗薬：アプレピタント（イメンド）
- 多元受容体拮抗作用（MARTA）：オランザピン（ジプレキサ）

＊ジプレキサはNo.7 抗精神病薬⑤（p.110）参照

■指導のポイント

	患者向け	薬剤師向け
薬効	この薬は抗がん薬によって起こる強い吐き気や嘔吐を抑える薬です	・5-HT$_3$受容体拮抗作用 　CTZ，回腸部位（オンダンセトロン） 　主に回腸部位（カイトリル，ナゼア） ・ニューロキニン1（NK$_1$）受容体拮抗作用（イメンド） ・多元受容体拮抗作用（MARTA）（ジプレキサ）
	☆この薬は興奮や幻覚・妄想を抑え，意欲の低下などの症状を改善し，気分を安定させる薬です（ジプレキサ）（参）No.7 抗精神病薬⑤ ☆この薬は抑えることのできない感情の高まりや行動（躁状態）と，気分が落ち込み憂うつな気分（うつ状態）をくり返す双極性障害のそれぞれの症状を改善する薬です（ジプレキサ）（参）No.8 精神神経用薬② ◆この薬は放射線照射に伴う消化器症状（悪心・嘔吐）を改善する薬です（適応外）（オンダンセトロン）	
詳しい薬効	・この薬は抗がん薬の投与により，小腸粘膜から放出される物質（セロトニン）が特定の部位（セロトニン受容体）に結びつくのを阻害して，薬の副作用によって起こる強い吐き気や嘔吐を抑える薬です（イメンド以外） ・この薬は抗がん薬の投与により，分泌が亢進した神経伝達物質（サブスタンスP（SP））が，中枢性経路の特定の部位（ニューロキニン1（NK$_1$））に結びつくのを阻害して，薬の副作用によって起こる強い吐き気や嘔吐を抑える薬です（イメンド）	
禁忌	・本剤過敏症既往 ・〔イメンド〕ホスアプレピタントメグルミン過敏症既往	

■ 主な副作用と対策

主な副作用	患者に確認すべき症状	対策
消化器症状	便秘，下痢，食欲不振，悪心	減量もしくは中止
精神神経系	発熱，頭痛，頭が重い	〃

■ 重大な副作用と妊婦・授乳婦への危険度

薬剤名	重大な副作用	妊婦[授乳婦]
オンダンセトロン	ショック，アナフィラキシー様症状，てんかん様発作	－
カイトリル	ショック，アナフィラキシー	B1
ナゼア	ショック，アナフィラキシー，てんかん様発作	－
イメンド	皮膚粘膜眼症候群，穿孔性十二指腸潰瘍，ショック，アナフィラキシー	－

■ その他の指導ポイント

	患者向け	薬剤師向け
使用上の注意	・〔オンダンセトロン，カイトリル〕この薬の服用中にお腹が張ったり，便秘をするようなときは，ご相談ください	消化管運動の低下が現れることがある
	・〔ナゼア OD〕この薬は舌の上にのせ湿らせ，舌で軽くつぶし，唾液または水で飲み込んでください	口腔粘膜から吸収されることがないため，唾液または水で飲み込む
	・〔オンダンセトロン〕この薬はアルミ包装から取り出した後，直ちに服用してください。また，濡れた手で取り出さないでください。舌の上にのせて湿らせると崩壊するため，水なしでも服用できます。水で服用もできますが，寝た状態では服用しないでください	吸湿性があり，崩壊しやすいため
	・〔ナゼア OD〕この薬は爪をたてずに指の腹で押して，包装シートから取り出してください。割れたり欠けていたりすることがありますが，効果は変わりませんので，破片も含めてすべて服用してください	崩壊しやすいため
	・〔イメンド〕指示された服用方法にしたがってください	1日目は125 mg，2日目以降は80 mg服用のため
	・〔イメンド〕避妊でホルモン剤をお飲みの方はご相談ください	これらの薬剤の効果が減弱されるおそれがあるので，本剤の投与期間中および最終投与から1カ月間は，代わりの避妊法または補助的避妊法を用いる必要がある

使用上の注意	・強い悪心・嘔吐が生じる抗悪性腫瘍薬（シスプラチン等）の投与と放射線照射（カイトリルのみ）の場合に限り使用する ・抗がん薬に投与する場合の投与時間 　〔オンダンセトロン〕1～2時間前 　〔カイトリル〕1時間前 　〔イメンド〕1～1時間30分前，2日目以降午前中 ・放射線照射（全身照射や上腹部照射等）に伴う消化器症状に投与する場合の投与時間 　〔カイトリル〕1時間前 ・投与期間はがん化学療法の各クールにおいて以下の日数を目安とする 　〔オンダンセトロン〕3～5日間 　〔イメンド〕3日間（原則としてコルチコステロイドおよび$5-HT_3$受容体拮抗型制吐薬と併用） 　〔カイトリル〕6日間 　〔ナゼア〕5日間以内
服用を忘れたとき	〔ナゼア，イメンド〕思い出したときすぐに服用する（2回分を一度に服用しないこと）

■ その他備考

- 〔カイトリル細粒，ナゼア〕アスパルテームを含有しているので，フェニルケトン尿症の患者へ使用するときは注意する
- 〔カイトリル，ナゼア〕**抗悪性腫瘍薬投与後**，効果が不十分で悪心，嘔吐が発現した場合には，他の制吐療法（注射剤の投与等）を考慮する
- 〔オンダンセトロン〕効果不十分な場合には，同用量の注射液を投与できる

37 その他の消化管用薬 ③胃粘膜局所麻酔薬

■ 対象薬剤
オキセサゼイン（ストロカイン）

■ 指導のポイント

	患 者 向 け	薬 剤 師 向 け
薬効	この薬は胃の痛み，吐き気，嘔吐，胃部不快感，下痢等の症状を改善する薬です →	局所麻酔作用 ガストリン遊離抑制作用 （胃酸分泌抑制作用） （胃腸管運動抑制作用）
詳しい薬効	この薬は消化管粘膜の局所の麻酔作用をもち，消化管の働きを高めるホルモン（ガストリン）の放出を抑えて胃酸の分泌や胃腸の過剰な運動を抑え，胃の痛み，吐き気，嘔吐，胃部不快感，下痢等の症状を改善する薬です	
禁忌	本剤過敏症既往	

■ 主な副作用と対策

主な副作用	患者に確認すべき症状	対策
精神神経系	頭痛，眠気	減量もしくは中止
消化器症状	便秘，食欲不振，口・のどの渇き	症状の継続または増強がみられた場合，減量もしくは中止

■ その他の指導ポイント

	患 者 向 け	薬 剤 師 向 け
使用上の注意	この薬は，口の中がしびれるので，速やかに飲みこんでください →	局所麻酔作用を有するため錠剤はかみ砕いたりせず，また顆粒は速やかに服用させる
服用を忘れたとき	思い出したときすぐに服用する。ただし次の服用時間が近いときは忘れた分は服用しない（2回分を一度に服用しないこと）	

■ その他備考

- 中枢性の副作用（頭痛，眠気，眩暈，脱力感）が強く現れることがあるため長期連続投与は避ける

37 その他の消化管用薬　④炎症性腸疾患治療薬

■ 対象薬剤

サラゾスルファピリジン（サラゾピリン），メサラジン（ペンタサ，ペンタサ注腸，ペンタサ坐剤，アサコール，リアルダ），ベタメタゾンリン酸エステルナトリウム（ステロネマ注腸），プレドニゾロンリン酸エステルナトリウム（プレドネマ注腸），ブデソニド（ゼンタコート），トファシチニブクエン酸塩（ゼルヤンツ）
＊ゼルヤンツは No.17 抗リウマチ薬①（p.257）参照

■ 指導のポイント

	患　者　向　け	薬　剤　師　向　け
薬効	この薬は大腸の炎症を抑え，下痢，血便，腹痛などの症状を改善する薬です　→ ◆この薬はベーチェット病の腸管病変の症状を改善する薬です（適応外）（サラゾピリン） ◆この薬は強直性脊椎炎の治療に用いる薬です。（適応外）（サラゾピリン）　→ ◆この薬は若年性突発性関節炎の治療に用いる薬です（適応外）（サラゾピリン） ◆この薬は放射線照射性大腸炎の治療に用いる薬です（適応外）（ステロネマ注腸） ☆この薬は免疫機能に関わる酵素を阻害して，関節などの炎症や腫れをやわらげる薬です（ゼルヤンツ）（参）No.17 抗リウマチ薬①　→	抗炎症作用 免疫調節作用，抗リウマチ作用 JAK 阻害作用
詳しい薬効	・この薬は大腸内で 5-アミノサリチル酸（メサラジン）とスルファピリジン（サルファ剤）に腸内細菌により分解され，このうち 5-アミノサリチル酸が大腸の炎症部位（潰瘍）に直接作用して炎症を抑え，下痢，血便，腹痛などの症状を改善する薬です（サラゾピリン） ・この薬は大腸および小腸（ペンタサ注腸，アサコール，リアルダは大腸のみ，ペンタサ坐剤は直腸のみ）の炎症細胞から放出される活性酸素を除去し，ロイコトリエンの生合成を抑制することにより大腸の炎症を抑え，下痢，血便，腹痛などの症状を改善する薬です（ペンタサ，ペンタサ注腸，ペンタサ坐剤，アサコール，リアルダ） ・この薬は炎症を抑える強い作用があるステロイド（副腎皮質ホルモン）を肛門から注入し，大腸の炎症部位（潰瘍）に直接作用して炎症を抑え，一部は体内に吸収されて間接的に作用し，下痢，血便，腹痛などの症状を改善する薬です（ステロネマ，プレドネマ） ・この薬は炎症を抑える強い作用があるステロイドの腸溶性徐放剤で，小腸から大腸の炎症部位に直接作用して炎症を抑え活動期のクローン病の下痢，血便，腹痛などの症状を改善する薬です（ゼンタコート）	

禁忌・併用禁忌	禁忌 ・〔サラゾピリン〕サルファ剤・サリチル酸製剤過敏症既往，新生児・低出生体重児 ・〔ペンタサ，アサコール，リアルダ〕重篤な腎・肝障害，サリチル酸塩類過敏症既往 ・〔ペンタサ〕サリチル酸エステル類過敏症既往 ・〔サラゾピリン以外〕本剤過敏症既往 ・〔ゼンタコート〕有効な抗菌剤の存在しない感染症，深在性真菌症 併用禁忌 〔ステロネマ，プレドネマ〕⇔デスモプレシンにて低Na血症発現

■主な副作用と対策，フィジカルアセスメントのチェックポイント

主な副作用	患者に確認すべき症状	対策とPAのチェックポイント
消化器症状	腹痛，下痢，食欲不振	減量もしくは中止 PA 皮膚（かゆみ，発赤，発疹），体温（↑）
過敏症状	発疹，かゆみ	中止
消化器症状（悪心） （サラゾピリン）	吐き気	軽度の悪心であれば半量に減量，高度の悪心であれば2～3日投薬を中止後，しだいに増量して元の量に戻す
血液障害（サラゾピリン）	発熱，のどの痛み，だるい，皮下出血，歯肉出血	中止 PA 顔色（蒼白），眼瞼結膜（蒼白），体幹・四肢・歯肉（出血斑），体温（↑）

〔ステロネマ・プレドネマ注腸，ゼンタコート〕

主な副作用	患者に確認すべき症状	対策とPAのチェックポイント
誘発感染症，感染症の増悪	かぜのような症状，からだがだるい，発熱，嘔吐	中止，抗生物質・ガンマグロブリンの併用 PA 体温（↑），尿量（↓），脈拍（↑）
続発性副腎皮質機能不全	からだがだるい，吐き気，嘔吐，力が入らない，食欲不振，低血圧	中止，減量または投与法の変更 PA 体重（↓），血圧（↓），体温（↑），歯肉・関節・手（色素沈着）
糖尿病	のどが渇く，疲れやすい，尿量が多い，体重減少	中止，カロリー・糖質の制限，インスリン・SU剤投与 PA 口渇（↑），尿量（↑・夜間尿），体重（↓），皮膚・口腔粘膜（乾燥・脱水），血圧（↓），脈拍（↑）
骨粗鬆症	腰・背中・手足の痛み，肋骨の痛み，骨折	ビスホスホネート製剤，活性型ビタミンD_3・ビタミンK_2の投与 PA 身長（2cm以上短縮：椎体骨折の指標）
消化性潰瘍	胃のもたれ，胸やけ，吐き気，空腹時にみぞおちが痛い，吐血，便が黒くなる	中止 PA 上腹部（持続的疼痛），便（黒色） ・出血合併時：顔色（蒼白），眼瞼結膜（蒼白），脈拍（頻脈），血圧（↓）

■ 重大な副作用と妊婦・授乳婦への危険度

薬剤名	重大な副作用	妊婦[授乳婦]
サラゾピリン	再生不良性貧血，汎血球減少症，無顆粒球症，血小板減少，貧血，播種性血管内凝固症候群，皮膚粘膜眼症候群，中毒性表皮壊死融解症，紅皮症型薬疹，過敏症症候群，伝染性単核球症様症状，間質性肺炎，薬剤性肺炎，PIE症候群，線維性肺胞炎，急性腎障害，ネフローゼ症候群，間質性腎炎，消化性潰瘍，S状結腸穿孔，脳炎，無菌性髄膜（脳）炎，心膜炎，胸膜炎，SLE様症状，劇症肝炎，肝炎，肝機能障害，黄疸，ショック，アナフィラキシー	[⊗○]
ペンタサ，リアルダ	間質性肺疾患，心筋炎，心膜炎，胸膜炎，間質性腎炎，ネフローゼ症候群，再生不良性貧血，汎血球減少，無顆粒球症，血小板減少症，肝炎，黄疸，膵炎，肝機能障害 （ペンタサ）腎機能低下，急性腎障害 （リアルダ）腎不全，白血球減少症，好中球減少症	C [⊗○]
アサコール	再生不良性貧血，汎血球減少症，無顆粒球症，白血球減少症，好中球減少症，血小板減少症，心筋炎，心膜炎，胸膜炎，間質性肺疾患，膵炎，間質性腎炎，ネフローゼ症候群，腎不全，肝炎，肝機能障害，黄疸	[⊗○]
ステロネマ	アナフィラキシー，誘発感染症，感染症の増悪，続発性副腎皮質機能不全，糖尿病，消化管潰瘍，消化管穿孔，膵炎，精神変調，うつ状態，けいれん，骨粗鬆症，大腿骨および上腕骨等の骨頭無菌性壊死，ミオパチー，緑内障，後嚢白内障，血栓症，喘息発作の増悪	−
プレドネマ	誘発感染症，感染症の増悪，続発性副腎皮質機能不全，糖尿病，消化管潰瘍，消化管穿孔，消化管出血，膵炎，精神変調，うつ状態，けいれん，骨粗鬆症，大腿骨および上腕骨等の骨頭無菌性壊死，ミオパチー，緑内障，後嚢白内障，中心性漿液性網脈絡膜症，多発性後極部網膜色素上皮症，血栓症，心筋梗塞，脳梗塞，動脈瘤，ショック，アナフィラキシー，喘息発作	−
ゼンタコート	−	B3

■ その他の指導ポイント

	患者向け	薬剤師向け
使用上の注意	・[サラゾピリン]コップ1杯の水とともにかまずに服用してください ・[サラゾピリン，ペンタサ]この薬の服用中はなるべく日に当たりすぎないようにしてください ・[サラゾピリン]皮膚，爪および尿・汗等の体液が黄色〜黄赤色に着色することがあります。また，ソフトコンタクトレンズが着色することがありますのでレンズ	腎障害を軽減するためのサルファ剤一般の注意であるが，本剤は他のサルファ剤に比し腎障害は少ないといわれている（水分が少ないと結晶尿となり，尿閉をきたすことがある） 日光に対し強い過敏症を示すことがある 尿がアルカリ性の場合に尿が着色しやすい。また本剤成分の付着による

使用上の注意	の着用は避けてください	
	・〔ペンタサ〕2つに割って服用できますが，かまずに服用してください →	2分割にて服用可能であるが，放出調節製剤なのでかまずに服用する。乳鉢による混合粉砕は避ける
	・〔アサコール，リアルダ〕かまずに服用してください →	放出調整製剤のため。乳鉢による粉砕は避ける
	・〔ペンタサ〕保存中わずかに着色することがありますが効果は変わりませんので安心して服用してください →	メサラジンは温度，湿気，光に対し色調変化を受けやすい
	・〔ペンタサ，アサコール，リアルダ〕この薬の服用中に便の中に白いもの（ペンタサ），茶色い錠剤の破片（アサコール，リアルダ）がみられることがありますが，心配いりません →	・〔ペンタサ〕コーティング剤のエチルセルロースが水に不溶であるため ・〔アサコール，リアルダ〕pH 7 以上でメサラジンを放出する pH 依存型放出製剤で，回腸末端〜大腸が pH 7 以上にならない場合，フィルムコーティングが完全に溶けきらず，錠剤の破片が便中にみられることがある
	・〔アサコール〕服用直前にシートから錠剤を取り出してください。分包してある場合は湿気を避けて保存してください →	吸湿により溶出性に影響を及ぼすことがある
	・〔リアルダ〕服用直前にシートから取り出してください。また，直射日光を避け，冷所で保存してください →	吸湿により溶出性に影響を及ぼすことがある
	・〔ペンタサ〕開封後はすぐに使用してください（ペンタサ坐剤，ペンタサ注腸）。上澄み液が白色から微黄色の範囲を超えて着色したものは使用しないでください（ペンタサ注腸） →	メサラジンは光および酸素の影響で分解されやすいため，窒素充填したアルミの袋に入っているので開封したものは保存できない。本品は白色〜微黄色の懸濁液であるがメサラジンは酸化により分解されやすく有色の分解物を生成するため着色したものは使用しない
	・〔プレドネマ，ステロネマ，ゼンタコート〕投与中は水痘や麻疹に感染しないように注意してください。感染が疑われる場合や感染した場合は直ちにご相談ください →	致命的な経過をたどることがある （既往や予防接種を受けたことがある患者でも発症する可能性がある）
	・〔プレドネマ，ステロネマ，ゼンタコート〕投与を急にやめないでください →	投与を急に中止すると，発熱，頭痛，食欲不振，脱力感，筋肉痛，関節痛，ショック等の離脱症状が現れるときがある
	・〔プレドネマ，ステロネマ〕投与中または投与中止6カ月以内には生ワクチンの接種をしないでください →	免疫機能低下により，ワクチン由来の感染を増強または持続させるおそれがある
	・〔プレドネマ〕開封後は速やかに使用してください →	光に不安定なため
	・〔ペンタサ注腸，プレドネマ，ステロネマ〕直腸粘膜を傷つけることがありますので，慎重に挿入してください	
	・食〔ゼンタコート〕この薬の服用中にグレープフルーツやグレープフルーツ →	本剤の代謝が阻害され血中濃度上昇の可能性のため併用注意

服用を忘れたとき	ジュースは飲食しないでください
	〔サラゾピリン，ペンタサ，アサコール，リアルダ，ゼンタコート〕思い出したときすぐに服用する。ただし次の服用時間が近いときは忘れた分は服用しない（2回分を一度に服用しないこと）

■ その他備考

- **潰瘍性大腸炎やクローン病**は大腸や小腸の末端（回盲部）に慢性の炎症を起こし潰瘍をつくり，下痢，血便，腹痛，発熱などの症状が続く，原因不明の炎症性腸疾患である。
- サラゾスルファピリジンとして，腸溶錠のアザルフィジン EN 錠が関節リウマチに保険適応がある。
- その他ステロイド依存性・難治性炎症性腸疾患の治療薬として免疫抑制薬のアザチオプリン（イムラン，アザニン），タクロリムス水和物カプセル（プログラフ）に保険適応がある。

注腸製剤の使用方法

①アルミ袋のままお湯につけ，体温程度に温める。(腸への刺激を軽減させるため)
②挿入する部分に潤滑剤（オリーブ油，ワセリン，グリセリン等または水）を塗る。(滑らかに挿入できるように)
③左腰を下にした体位で挿入する。(直腸粘膜を傷つけるおそれがあるので，挿入は慎重に行う)
④体位変換を行う。(注腸液を直腸，S状結腸に十分到達させるため)
⑤十分な効果を得るために，注腸液をできるだけ長い時間大腸に保持する。
⑥注腸液を全量入れるとすぐに排出してしまう場合は，無理せず注入できる液量から開始する。

①腸を刺激しないために

※必要に応じて行ってください。

● アルミ袋のままお湯につけ，体温程度に温めます。

②スムーズに挿入するために

※必要に応じて行ってください。

1 使用直前にアルミ袋から容器を取り出します。
2 ノズル上部にオリーブ油，ワセリン等または，水を塗ります。

③挿入時の体位

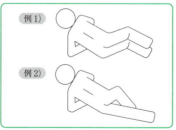

例1)
例2)

● 左腰を下にした体位が基本となります。

④挿入と薬液の注入

1 ノズルの半分までを目安に肛門からゆっくりと無理せず慎重に挿入します。
2 注腸液をゆっくり注入した後，ゆっくりノズルを引き抜きます。
※残液は廃棄し，再利用はしないでください。

⑤体位変換

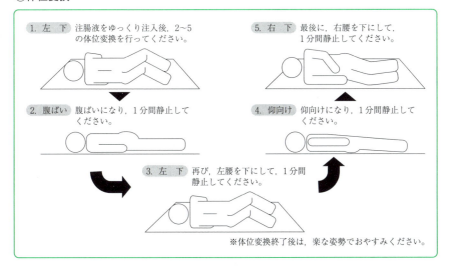

37 その他の消化管用薬　⑤過敏性腸症候群治療薬

■対象薬剤

メペンゾラート臭化物（トランコロン），トリメブチンマレイン酸塩（セレキノン），ポリカルボフィルカルシウム（コロネル，ポリフル），ラモセトロン塩酸塩（イリボー），リナクロチド（リンゼス）

＊リンゼスはNo.34下剤①（p.502）参照
　セレキノンはNo.37その他の消化管用薬①（p.523）参照

■指導のポイント

	患者向け	薬剤師向け
薬効	・この薬は，くり返し起こる腹痛を伴う下痢や便秘（過敏性腸症候群）を改善する薬です（イリボー，リンゼス以外）	・抗コリン作用による鎮痙作用，消化管運動亢進抑制作用（トランコロン） ・胃・腸運動調律作用，消化管平滑筋直接作用（セレキノン） ・消化管内水分保持作用，消化管内容物輸送調節作用（コロネル，ポリフル） 5-HT$_3$受容体拮抗作用
	・この薬は，くり返し起こる腹痛を伴う下痢（下痢型過敏性腸症候群）を改善する薬です（イリボー）	

薬効	・この薬は，くり返し起こる腹痛を伴う便秘（便秘型過敏性腸症候群）を改善する薬です（リンゼス）	→	グアニル酸シクラーゼC受容体刺激作用，腸管分泌・腸管輸送能促進，大腸痛覚過敏改善
	☆この薬は慢性便秘症を改善する薬です（リンゼス）（参）No.34下剤	→	〃
	☆この薬は消化管の運動を整え，吐き気，嘔吐，腹痛，食欲不振，腹部膨満感，胸やけ等の症状を改善する薬です（セレキノン）（参）その他の消化管用薬①	→	胃・腸運動調律作用
詳しい薬効	・この薬は，消化管の働きを促進する物質（アセチルコリン）の働きを抑えることにより，消化管の運動を抑え，くり返し起こる腹痛を伴う下痢や便秘を改善する薬です（トランコロン）		
	・この薬は，胃内でカルシウムを遊離してポリカルボフィルとなり，下痢で腸内の水分が多いとき水分を吸って下痢を減らし，便秘のとき便をやわらかくし，容量を増加させることにより排便を促し，くり返し起こる腹痛を伴う下痢や便秘（過敏性腸症候群）を改善する薬です（コロネル，ポリフル）		
	・この薬は，セロトニンが腸管にある特定の部位（5-HT$_3$受容体）に結びつくのを阻害して，くり返し起こる腹痛を伴う下痢を改善する薬です（イリボー）		
禁忌	・本剤過敏症既往		
	・〔トランコロン〕閉塞隅角緑内障，前立腺肥大による排尿障害，重篤な心疾患，麻痺性イレウス		
	・〔コロネル，ポリフル〕急性腹部疾患（虫垂炎，腸出血，潰瘍性結腸炎），術後イレウス，高Ca血症，腎結石，腎不全（軽度および透析中を除く）		

■ 主な副作用と対策，フィジカルアセスメントのチェックポイント

主な副作用	患者に確認すべき症状	対策とPAのチェックポイント
消化器症状	吐き気，吐く，下痢，便秘	減量もしくは中止
抗コリン作用（視調節障害，口渇，排尿障害）（トランコロン）	目がかすむ，光がまぶしい，口が渇く，唇があれる，尿が出にくい，尿量が少ない，尿が残っている気がする	減量もしくは中止 PA 口腔粘膜（乾燥），残尿（↑），尿量（↓），排尿症状（尿勢低下，尿線分割・途絶，排尿遅延，腹圧排尿，終末滴下）
重篤な便秘（イリボー）	便が出ない，ころころの便になる	休薬もしくは3日以上連続して排便のない場合中止 PA 腸音（↓，消失）

■ 重大な副作用と妊婦・授乳婦への危険度

薬剤名	重大な副作用	妊婦[授乳婦]
トランコロン	−	[⊗○]
コロネル，ポリフル	−	[⊗◎]
イリボー	ショック，アナフィラキシー，虚血性大腸炎，重篤な便秘	[⊗△]

■ その他の指導ポイント

	患 者 向 け	薬 剤 師 向 け
使用上の注意	・〔トランコロン〕この薬の服用中は車の運転等，危険を伴う機械の操作は行わないでください	抗コリン作用により視調節障害を起こすことがあるため
	・〔コロネル，ポリフル〕この薬は十分量（コップ1杯程度）の水とともに服用してください。絶対に2回分を一度に服用しないでください	服用後に途中でつかえた場合は，膨張して喉や食道を閉塞する可能性があるため。また2回分服用により，腸閉塞等の可能性が考えられるため
	・〔イリボーOD〕この薬は口の中で溶けますが，溶けた後，唾液または水で飲み込んでください。寝たままの状態で水なしでは服用しないでください	口腔粘膜から吸収されることはないため，唾液または水で飲み込む
	・〔イリボー〕腹痛の悪化，便に血液が混じる，便が硬くて小石のような便が出るなどの症状が現れたらご相談ください	類薬（海外）で虚血性大腸炎や重篤な便秘の発現が報告
	食 〔コロネル，ポリフル〕この薬の服用中にカルシウムや活性型ビタミンD製剤を含む健康食品はとらないでください	活性型VD製剤は腸管でのCa吸収を促進させ，高Ca血症が現れるおそれがあり併用注意 本剤はCaを含有するためCaの併用で高Ca血症が現れるおそれがあり併用注意 本剤はCa脱離で薬効を発揮するためCaの共存下では薬効減弱のおそれがあり併用注意
	・〔コロネル，ポリフル〕下痢状態では1日1.5gから投与を開始する	
	・〔コロネル，ポリフル，イリボー〕症状の改善が認められない場合，長期にわたって漫然と使用しない（コロネル，ポリフル：通常2週間，イリボー：3カ月）	
服用を忘れたとき	思い出したときすぐに服用（コップ1杯程度の水で：コロネル，ポリフル）する。ただし次の服用時間が近いときは忘れた分は服用しない（2回分を一度に服用しないこと）	

■ その他備考

■ 過敏性腸症候群（IBS）とは

腸に明らかな器質的異常がないのに，腹痛や腹部の不快感，腹部膨満感を伴う便通異常を呈する慢性・再発性疾患である。

■ 過敏性腸症候群（IBS）の診断基準

過去3カ月間，1週間に1回以上腹痛や腹部不快感がくり返し起こり，次の項目の2つ以上がある

1．排便によって症状が軽減する
2．発症時に排便頻度の変化がある
3．発症時に便形状（外観）の変化がある

6カ月以上前から症状があり,最近3カ月間は上記の基準を満たしていること
(日本消化器病学会・編:機能性消化管疾患診療ガイドライン2020 −過敏性腸症候群(IBS),南江堂,2020を参考に作成)

38 膵臓疾患用薬

■ 対象薬剤
カモスタットメシル酸塩（フオイパン），パンクレリパーゼ（リパクレオン）

■ 指導のポイント

	患者向け	薬剤師向け
薬効	・この薬は膵液の過剰な働きを抑え，膵臓の組織がこわれるのを防ぎ，炎症と痛みをやわらげる薬です（フオイパン）	非ペプチド蛋白分解酵素阻害作用
	・この薬は膵酵素を補充し脂肪や蛋白質の消化吸収を助ける薬です（リパクレオン）	膵消化酵素補充による消化吸収改善作用
	☆この薬は胃を手術した後の胸やけや逆流感，胸の痛みなどの症状（十二指腸液の逆流症状）を改善する薬です（フオイパン）	非ペプチド蛋白分解酵素阻害作用
詳しい薬効	・この薬は，膵液中に含まれている蛋白を分解する酵素（トリプシン）が膵臓内で異常に活発になっているのを抑えて，膵臓の組織がこわれるのを防ぎ，膵臓の炎症や痛みをやわらげ，血中・尿中のアミラーゼ値を下げる薬です（フオイパン）	
	・この薬は，ブタの膵臓から精製した膵酵素（パンクレリパーゼ）で脂肪や蛋白質の消化吸収を改善し，膵臓に問題が生じ，消化酵素が著しく不足する膵外分泌機能不全（慢性膵炎，膵切除等）に対する消化酵素の補充を行う薬です（リパクレオン）	
	☆この薬は，胃を手術後食道内に逆流する十二指腸液中の蛋白を分解する酵素（トリプシン）の働きを抑えて，胸やけや逆流感，胸の痛みなどの症状を改善する薬です（フオイパン）	
禁忌	・本剤過敏症既往 ・〔リパクレオン〕ブタ蛋白質過敏症既往	

■ 主な副作用と対策

主な副作用	患者に確認すべき症状	対策
過敏症状	発疹，皮膚のかゆみ	中止
消化器症状	吐き気，腹部の不快感，下痢	減量もしくは中止

■ 重大な副作用と妊婦・授乳婦への危険度

薬剤名	重大な副作用	妊婦[授乳婦]
フオイパン	ショック，アナフィラキシー，血小板減少，肝機能障害，黄疸，高K血症	－
リパクレオン	－	[⊗○]

■ その他の指導ポイント

	患者向け	薬剤師向け
使用上の注意	・〔リパクレオン〕この薬は砕いたり，かんだりしない。また口内に残らないよう注意してください ・〔リパクレオン〕この薬は食直後に服用してください ・〔リパクレオン〕この薬は服用直前までシートから取り出さないでください	腸溶コーティングの保護が破壊され，口腔粘膜を刺激したり，酵素活性が失われたりするため 空腹時に服用すると十分な効果が得られないおそれがあるため 酵素活性が低下するため
服用を忘れたとき	・〔フオイパン〕思い出したときすぐに服用する。ただし次の服用時間が近いときは忘れた分は服用しない（2回分を一度に服用しないこと） ・〔リパクレオン〕飲み忘れに気づいても服用しない。次の服用時に決められた用量を服用する（2回分を一度に服用しないこと）	

■ その他備考

- 慢性膵炎のその他の補助治療として，消化酵素薬の大量投与（常用量の2～3倍）や制酸薬，H_2受容体拮抗薬がよく使われる。

  理由 ①消化酵素薬→膵の線維化で消化酵素の分泌能が低下することにより，摂食栄養素の消化吸収が障害されやすい（特に脂肪が障害されやすく脂肪便となる）ので，膵酵素の不足を補う。
  ②制酸薬，H_2受容体拮抗薬→消化酵素薬が胃酸により失活するので，制酸薬等の同時投与により，胃酸の中和や分泌抑制をはかる。

- 術後逆流性食道炎のその他の補助療法としては，H_2受容体拮抗薬やPPI（プロトンポンプインヒビター），粘膜保護薬などがよく使われる。

  理由 ①H_2受容体拮抗薬，PPI→十二指腸液だけでなく，胃酸で食道の粘膜が障害を受けている場合に胃酸分泌を抑えるために使われる。
  ②粘膜保護薬→胃酸や十二指腸液から食道の粘膜を保護するために使われる。

39 胆嚢疾患用薬

■ 対象薬剤

（A）催胆薬：ウルソデオキシコール酸（ウルソ）
（B）排胆薬：トレピブトン（スパカール），フロプロピオン（コスパノン）

■ 指導のポイント

	患者向け	薬剤師向け
薬効	・この薬は胆汁の流れをよくしたり，胆石を溶かしたりする薬です（ウルソ）	利胆作用，コレステロール系胆石の溶解促進作用
	・この薬は胆汁などの流れをよくして，お腹（上腹部）の痛みを抑える薬です（スパカール）	利胆作用，オッジ括約筋弛緩作用
	・この薬は胆道や膵臓のけいれん性の痛みを抑える薬です（コスパノン）	COMT阻害作用による鎮痙作用，膵胆道系（オッジ筋）の機能異常改善作用
	☆この薬は尿路結石による痛みを抑える薬です（コスパノン）	尿路系平滑筋弛緩作用
	☆この薬は消化不良を改善する薬です（ウルソ）	脂肪の消化吸収促進作用
	☆この薬は肝臓の機能を改善する薬です（ウルソ）	肝細胞保護作用
	☆この薬は膵炎による痛みや，胃腸症状を改善する薬です（スパカール）	膵液分泌促進作用
詳しい薬効	・この薬は，胆汁の量を増やし流れをよくする働きがあり，腸管からのコレステロールの吸収を抑え，肝胆汁中のコレステロール排泄の抑制により，コレステロール胆石ができるのを抑えたり，溶かしたりする薬です（ウルソ）	
	・この薬は胆汁などの分泌と排出を促進して，同時に消化管の平滑筋（特にオッジ括約筋）のけいれんを抑え，胆道疾患による上腹部の痛み（背部痛，季肋部痛，心窩部痛など）などを改善する薬です（スパカール）	
	・この薬は消化管の働きを抑える物質（カテコールアミン）を分解する酵素（COMT）の働きを抑えることにより，カテコールアミンを増加させ，膵・胆管や尿路の収縮による痛みを抑え，胆汁などの十二指腸への排出を促進する薬です（コスパノン）	
	☆この薬は胆汁の分泌を促進して胆汁のうっ滞を改善し，肝臓の炎症を抑え肝臓の機能を改善する薬です。また膵液の分泌を促進して消化吸収を良くし，消化不良を改善する薬です（ウルソ）	
禁忌	・〔ウルソ〕完全胆道閉塞，劇症肝炎	
	・〔スパカール〕本剤過敏症既往	

■ 主な副作用と対策，フィジカルアセスメントのチェックポイント

主な副作用	患者に確認すべき症状	対策と PA のチェックポイント
過敏症状	かゆみ，じんま疹，発疹	中止 PA 皮膚（かゆみ，発赤，発疹），体温（↑），呼吸（喘鳴）
消化器症状	下痢，便秘，吐き気，嘔吐，お腹が張る，食欲がない，腹痛，胃部不快感，胸やけ	減量もしくは中止 PA 腸音（↓：便秘，↑：下痢），心窩部・上腹部（圧痛），便（黒色），貧血：顔色（蒼白），眼瞼結膜（白色），脈拍（↑）

■ 重大な副作用と妊婦・授乳婦への危険度

薬剤名	重大な副作用	妊婦［授乳婦］
ウルソ	間質性肺炎	B3 ［🚫◎］

■ その他の指導ポイント

	患者向け	薬剤師向け
使用上の注意	・〔ウルソ〕飲んでもすぐに効きめが現れる薬ではありませんから，気長に決められた量を医師の指導のもとに服用してください ・〔ウルソ〕夕方または寝る前は特に飲み忘れないでください	胆石溶解は長期間を要し，いかに副作用を抑え毎日服用を続けるかが溶解を左右する。また，溶解後半年から1年して再発する例もあり，溶解後も服用を続ける必要があることを十分に説明する 夜間には胆嚢はスポイトのように拡張を始める。肝臓から吸収された薬剤は夜間胆嚢の中で胆石と混ざり溶解が促進されるため
服用を忘れたとき	思い出したときすぐに服用する。ただし次の服用時間が近いときは忘れた分は服用しない（2回分を一度に服用しないこと） [理由]・〔ウルソ〕体内に入ったウルソは腸肝循環を行っており，昼間1回程度の飲み忘れによって病態を大きく変化させることはない ・〔スパカール，コスパノン〕対症療法であり，飲み忘れてもその疾患に影響を与えないため	

■ その他備考

- 〔ウルソ〕**原発性胆汁性肝硬変**における肝機能の改善：硬変期で高度の黄疸のある患者に投与する場合は，症状が悪化するおそれがあるので慎重に投与すること。血清ビリルビン値の上昇等がみられた場合には，投与を中止するなど適切な処置を行う
- 胆嚢疾患のその他の補助療法として，ベリチーム等の消化酵素薬がよく使われる。
  [理由] 消化酵素薬→胆汁酸の分泌低下により，脂肪の吸収が低下しているため使用する。

■胆石溶解作用

〔ウルソ〕ヒト胆汁中では，微量成分だが，胆汁中コレステロールを不飽和化し，また胆嚢中ではまず混合ミセルで可溶化し，その後ほとんどは液晶形成にてコレステロールを溶解するといわれている。さらに，ウルソデオキシコール酸を投与することで胆汁中でウルソデオキシコール酸が増加する

利胆薬の種類

A）催胆薬	肝細胞からの胆汁分泌を促進し胆汁量を増加	・胆汁酸利胆薬：胆汁酸，胆汁色素などの胆汁成分を増加 　ウルソデオキシコール酸（UDCA，ウルソ） 　ケノデオキシコール酸（CDCA，チノ）
		・水利胆薬：胆汁成分を増加させない 　デヒドロコール酸
B）排胆薬	オッジ括約筋を弛緩し，胆汁排泄を促進	フロプロピオン（コスパノン） トレピブトン（スパカール） パパベリン塩酸塩

胆石の組成による分類

種類	コレステロール結石			色素結石	
	純コレステロール石	混成石	混合石	ビリルビンカルシウム石	黒色石
頻度	約10%	約10%	約40%	約20%	約20%
形状	白色放射状	放射状構造（内層）層状構造（外層）	放射・層状構造	層状構造，黒褐色	不整形，光沢ある黒色
成分	純コレステロール	純コレステロールをビリルビンカルシウムが囲む	コレステロールとビリルビンが混じる	ビリルビンとカルシウム	
主な生成機序	・胆汁中のコレステロールの過飽和 ・コレステロールの結晶化・成長 ・胆嚢収縮機能の低下			腸内細菌の上行性感染	肝でのグルクロン酸抱合能力を超えたビリルビン上昇
主な存在部位	胆嚢			胆管（肝内，肝外）	胆嚢

（医療情報科学研究所・編：病気がみえる〈vol.1〉消化器　第6版，メディックメディア，2020を参考に作成）

40 肝疾患治療薬

■C型肝炎—薬物治療の確認と指導のポイント

項目	確認のポイント
C型肝炎の診断時の病歴等の確認	1. 診断の流れ：肝機能異常→HCV抗体検査→陽性の場合→HCV RNA（ウイルス感染の持続確認）→陽性→ウイルス量と，血清型（serotype）検査→肝線維化の進展度の判定→前治療歴聴取が重要。HCV RNA陽性でALT値の上昇（30 U/L以上）が6カ月以上持続すればC型慢性肝炎と診断 2. 治療目標：ウイルスの排除と肝硬変・肝細胞癌への進展阻止（慢性肝炎からの肝発がんは10年間で12.4％，肝硬変から肝発がんは平均観察期間9.2年で53.9％と報告） 3. 病歴の確認：輸血歴，手術歴，刺青・ピアスの穴開け既往，家族内感染，母子垂直感染 4. 自覚症状の確認：黄疸，腹部膨満感，肝性脳症の症状（意識障害，手足の震え，ふらつき）
抗ウイルス療法の確認	1. 抗ウイルス療法の治療適応 　予後不良を除くすべてのC型肝炎が対象。ALT上昇（30 U/L超）あるいは血小板数低下（15万/μL未満）症例が治療に適している。治療の中心はインターフェロンから経口抗ウイルス薬（DAA製剤）へと移行した 【初回DAA選択治療】 　・ゲノタイプI型：マヴィレット配合，ハーボニー配合 　・ゲノタイプII型：マヴィレット配合，ハーボニー配合，ソバルディ＋レベトール併用 　・ゲノタイプI型とII型混合感染：マヴィレット配合 2. 効果判定：治療終了後24週時点でのウイルスの陰性化 3. 肝庇護療法：ウルソの内服（600～900 mg），強力ネオミノファーゲンシー（20～60 mL：100 mLまで増量可能）を週2～3回静脈内投与
副作用発現の確認	抗ウイルス薬：汎血球減少，インフルエンザ様症状（発熱，悪寒，頭痛，倦怠感），肝炎の増悪（耐性株の出現，服用中止後の増悪）
併用薬の確認	抗ウイルス薬はスタチン，糖尿病治療薬，ARB，Ca拮抗薬，抗不整脈薬，抗てんかん薬，睡眠薬，抗アレルギー薬，セイヨウオトギリソウなど，併用禁忌，併用注意が多くあるので確認する

■B型肝炎—薬物治療の確認と指導のポイント

項目	確認のポイント
B型肝炎診断の確認	HBs抗原が持続陽性6カ月以上（慢性肝炎が明らかな場合は1回のHBs抗原測定で可） HBVの活動評価活動 　・HBe抗原，HBe抗体測定（HBe抗原からHBe抗体へのセロコンバージョンを把握） 　・HBV-DNA量測定（病態の把握や予後の予測） 　　高ウイルス量：6.3 LogIU/mL以上，中ウイルス量：3.3～6.3，低ウイルス量：3.3未満

項目	確認のポイント
B型肝炎の抗ウイルス療法の薬物治療の確認	**治療目標** 肝炎の活動性と肝線維化進展の抑制による慢性肝不全の回避ならびに肝細胞がん発生の抑制，それらによる生命予後・QOL改善→HBs抗原消失 ・抗ウイルス療法の短期目標は，① ALT 持続正常化（30 U/L 以下），② HBe 抗原陰性かつ HBe 抗体陽性，③ HBV-DNA 増殖抑制の 3 項目 ・ペグインターフェロン単独療法をまず考慮 ・核酸アナログ製剤はペグインターフェロン不適応例，線維化進行例，肝炎の持続や増悪で急速な肝機能低下が危惧される例で考慮する．薬剤耐性獲得リスクの少ないバラクルード，テノゼット，ベムリディが第一選択 ・高ウイルス量かつ ALT 値が正常例では核酸アナログ製剤の投与は避ける
薬物療法の注意点	**ペグインターフェロンの注意点**：副作用としてインフルエンザ様症状（発熱，筋肉痛，倦怠感）が高頻度で起こる．血小板減少，好中球減少は必発→ 4 週に 1 回は末梢血検査を実施．その他の副作用としてうつ症状，間質性肺炎，脳血管障害，網膜症，甲状腺機能障害あり **核酸アナログ製剤の注意点**：長期服用により耐性株が出現する可能性があるため，HBV-DNA 量の低下が悪い例，コンプライアンスが悪い例などでは耐性株の出現に注意．投与中止によりウイルス増殖が再活性化し肝炎が再燃することが多いので経過観察が必要

■各抗ウイルス薬の特徴

		長所	短所
IFN		・免疫賦活作用を持つ ・投与期間が限定され，中止が容易である ・有効例では治療中止後も効果が持続する ・耐性株を誘導しない	・非経口投与である ・発熱などの副作用が必発である ・genotype により有効性が違う
核酸アナログ製剤		・経口投与である ・副作用がほとんどない ・強力なウイルス増殖抑制 ・genotype による有効性の差はない	・原則的に長期投与である ・投与中止が困難なことが多い ・治療中止後の再燃が高頻度である ・耐性ウイルスが出現する ・投与中断や耐性株の出現により，ときに致死的な増悪をきたす
	ラミブジン	・最初に登場した核酸アナログ製剤である	・耐性株出現が高頻度であり，第一選択ではなくなった
	アデホビル	・ラミブジン耐性ウイルス，エンテカビル耐性ウイルスに有効	・ときに腎障害，低リン血症 ・抗ウイルス効果はやや弱い
	エンテカビル	・抗ウイルス効果が強く，耐性誘導が少ない ・未治療例では第一選択薬である	・ラミブジン耐性ウイルスに使用した場合，10％/2 年に耐性株が出現する
	テノホビルジソプロキシルフマル酸塩	・エンテカビルと同様，抗ウイルス効果が強く，耐性誘導が少ない ・未治療例では第一選択薬である ・多剤耐性ウイルスにも効果がある	・ときに腎障害，低リン血症 ・まれにウイルス再上昇例がある
	テノホビルアラフェナミド	・エンテカビルと同様，抗ウイルス効果が強く，耐性誘導が少ない ・未治療例では第一選択薬である ・多剤耐性ウイルスにも効果がある ・腎機能や骨密度への影響が少ない	・長期投与の有効性は不明

（日本肝臓学会　編：「慢性肝炎・肝硬変の診療ガイド 2019」2019 年，P 14，文光堂）

40　肝疾患治療薬　①肝機能改善薬

■ 対象薬剤

チオプロニン（チオラ），タウリン（タウリン），ジクロロ酢酸ジイソプロピルアミン（リバオール）
配合剤（グリチロン配合），漢方製剤（小柴胡湯）

■ 指導のポイント

	患者向け		薬剤師向け
薬効	この薬は肝臓の働きを改善する薬です	→	・蛋白合成能促進作用（チオラ） ・肝障害抑制作用（グリチロン，小柴胡湯，チオラ） ・免疫調節作用（グリチロン，小柴胡湯） ・肝細胞増殖促進作用（グリチロン） ・胆汁酸排泄促進作用（タウリン） ・肝再生促進作用，抗脂肪肝作用（リバオール）
	☆この薬はアレルギー反応を抑える薬です（グリチロン）	→	抗アレルギー，抗炎症作用
	☆この薬は水晶体が濁るのを抑え，初期老人性白内障を治療したり，水銀中毒時に水銀の排泄を促進したり，尿中のシスチンを溶けやすくしシスチン濃度を下げる薬です（チオラ）	→	水晶体混濁防止作用，重金属排泄作用，シスチン濃度低下作用
	☆この薬は心臓の機能を高め，息切れや息苦しさなどの症状を改善する薬です（タウリン）	→	心筋代謝改善作用，心筋保護作用
詳しい薬効	・この薬は，代謝に関する酵素（SH酵素）の活性を高めて，エネルギー代謝や蛋白の合成を高め，肝臓の働きを改善する薬です（チオラ） ・この薬は，胆汁酸濃度および胆汁酸排泄を増加させ，肝細胞の機能を維持し，肝臓の働きを改善する薬です（タウリン） ・この薬は，肝臓の蛋白質の合成を高めて，脂肪肝の生成を抑え，肝臓の働きを改善する薬です（リバオール） ・この薬は，生薬の甘草に含まれるグリチルリチンを主成分とし，炎症を抑え，免疫を調節することにより，ウイルスが増えるのを抑えて肝臓の働きを改善したり，アレルギー症状を引き起こす物質（ヒスタミンなど）が出るのを抑え，湿疹やかゆみなどを抑える薬です（グリチロン） ・この薬は，漢方薬で肝臓の細胞の再生や免疫力を高め，炎症やアレルギーを抑え，肝臓の働きを改善する薬です（小柴胡湯）		

No.40 肝疾患治療薬

	患者向け	薬剤師向け
警告	〔小柴胡湯〕発熱,咳,息が苦しいなどの症状が現れた場合は,服用を中止して直ちにご相談ください	間質性肺炎で死亡等の重篤な転帰。発熱,咳嗽・呼吸困難,肺音の異常,胸部X線異常等が発現した場合,使用を中止
禁忌・併用禁忌	禁忌 ・〔チオラ〕本剤過敏症既往 ・〔グリチロン〕アルドステロン症,ミオパシー,低K血症,血清アンモニア値の上昇傾向にある末期肝硬変 ・〔小柴胡湯〕肝硬変・肝がん,慢性肝炎で血小板が10万mm³以下 併用禁忌 〔小柴胡湯〕⇔インターフェロン製剤にて間質性肺炎の可能性	

■ 主な副作用と対策,フィジカルアセスメントのチェックポイント

主な副作用	患者に確認すべき症状	対策とPAのチェックポイント
肝機能障害[†] (チオラ)	熱がある,体がだるい,疲れる,白目や皮膚が黄色くなる,食欲不振,悪心	中止 PA 眼球(黄色),皮膚(皮疹,瘙痒感,黄色),尿(褐色),体温(↑),腹部(肝肥大,心窩部・右季肋部圧痛,腹水貯留等)
偽アルドステロン症[†] (グリチロン・小柴胡湯)	手足のだるさ,しびれ,こわばり,力が抜ける感じ,筋肉痛,血圧が上がる,こむら返り,むくみ	中止 PA 血圧(↑),体重(↑),浮腫(上眼瞼,下腿脛骨),脈拍(不整脈:低K血症),筋力(↓)
間質性肺炎[†] (小柴胡湯)	発熱,から咳,息切れ,呼吸困難	中止 PA 呼吸数(↑),呼吸音(捻髪音:ファインクラックル),体温(↑),指先・唇(チアノーゼ)

[†]:厚生労働省の「重篤副作用疾患別対応マニュアル」参照

■ 重大な副作用と妊婦・授乳婦への危険度

薬剤名	重大な副作用	妊婦[授乳婦]
チオラ	中毒性表皮壊死融解症,天疱瘡様症状,黄疸,無顆粒球症,間質性肺炎,ネフローゼ症候群 (外国)重症筋無力症,多発性筋炎	[⊗×]
グリチロン	偽アルドステロン症	−
小柴胡湯	間質性肺炎,偽アルドステロン症,ミオパシー,肝機能障害,黄疸	−

■ その他の指導ポイント

	患者向け	薬剤師向け
使用上の注意	・〔グリチロン,小柴胡湯〕血圧が上がる,顔や手足がむくむ,体重増加などの症状が現れた場合はご相談ください ・〔グリチロン〕力が入らない,筋肉痛,手→	偽アルドステロン症の血清K値,血圧値に十分留意する,また甘草を含有する製剤との併用はグリチルリチン酸が重複し偽アルドステロン症が現れやすくなるので注意する 横紋筋融解症の症状が現れることがある

使用上の注意	・足がけいれんしたり、痺れるような症状が現れた場合はご相談ください ・〔チオラ〕湿疹、皮膚がかゆい、食欲がない、気分が悪い、熱がある、体がだるい、疲れる、皮膚や目が黄色くなる等の症状が現れた場合はご相談ください	黄疸等重篤な副作用が現れることがあるので、肝機能検査を定期的に行う（特に投与後2、4、6週の検査）
	・この薬をシスチン尿症で服用中、1日の尿量が2.5L以上になるよう水（4L以上）を飲んでください。特に寝る前に飲むことが大切です。また小児も尿量が多くなるよう水を飲ませてください	尿中シスチン濃度の飽和溶解度を一般に250 mg/L未満に保つため（1日尿量2.5Lの場合、1日尿中シスチン排泄量の目安は600 mg）
服用を忘れたとき	・〔チオラ〕思い出したとき（30分以内）すぐに服用する。30分以上過ぎていれば次の服用時に決められた用量を服用する。（2回分を一度に服用しないこと） ・〔チオラ以外〕思い出したときすぐに服用する。ただし次の服用時間が近いとき（小柴胡湯：2時間以内）は忘れた分は服用しない。（2回分を一度に服用しないこと）	

■ その他備考
- 配合剤成分：グリチロン（グリチルリチン酸一アンモニウム、グリシン、DL-メチオニン）
  小柴胡湯（サイコ、ハンゲ、オウゴン、タイソウ、ニンジン、カンゾウ、ショウキョウ）
- シスチン尿症：尿細管からのシスチン再吸収障害により20〜30歳代に腎結石を発症する。尿沈渣で六角形のシスチン結晶を認める

40 肝疾患治療薬　②抗C型肝炎ウイルス薬

■ 対象薬剤

リバビリン；RBV（レベトール）（RNAポリメラーゼ阻害薬）
ソホスブビル；SOF（ソバルディ）（NS5Bポリメラーゼ阻害薬）
配合剤：ハーボニー配合（NS5A複製複合体阻害薬（レジパスビル；LDV）/NS5Bポリメラーゼ阻害薬（ソホスブビル；SOF））
　　　　マヴィレット配合（NS3/4Aプロテアーゼ阻害薬（グレカプレビル；GLE）/NS5A複製複合体阻害薬（ピブレンタスビル；PIB））
　　　　エプクルーサ配合（NS5A複製複合体阻害薬（ベルパタスビル；VEL）/NS5Bポリメラーゼ阻害薬（ソホスブビル；SOF））

■ 指導のポイント

	患 者 向 け	薬 剤 師 向 け
薬効	・この薬はインターフェロンおよび他の抗ウイルス薬との併用により，C型肝炎ウイルスの増殖を抑え，肝機能を改善する薬です（レベトール）	抗HCVウイルス作用 PEG-IFNα-2b，IFNβ，ソホスブビル，ソホスブビル・ベルパタスビル配合剤との併用により抗ウイルス作用が増強
	・この薬はリバビリンとの併用により，C型肝炎ウイルス薬の増殖を抑え，また体がウイルスを排除するのを助け，肝機能を改善する薬です（ソバルディ）	リバビリンとの併用により抗ウイルス作用が増強
	・この薬は2種類の抗ウイルス薬を一つの錠剤にすることにより，C型肝炎ウイルス薬の増殖を抑え，また体がウイルスを排除するのを助け，肝機能を改善する薬です（ハーボニー配合，マヴィレット配合，エプクルーサ配合：C型非代償性肝硬変）	2剤合剤により抗ウイルス作用が増強
	・この薬は2種類の抗ウイルス薬を一つの錠剤にした薬剤と，他の抗ウイルス薬との併用によりC型肝炎ウイルス薬の増殖を抑え，また体がウイルスを排除するのを助け，肝機能を改善する薬です（エプクルーサ配合：前治療を有するC型慢性肝炎またはC型代償性肝硬変）	2剤合剤とリバビリンとの併用により抗ウイルス作用が増強
詳しい薬効	・この薬はC型肝炎ウイルスの遺伝子（RNA）が複製されるのを阻害し，インターフェロン（PEG-IFNα-2b，IFNβ）ソホスブビル，ソホスブビル・ベルパタスビル配合剤（前治療を有するC型慢性肝炎またはC型代償性肝硬変）との併用により抗ウイルス作用が高まりC型肝炎ウイルス薬の増殖を抑え，また体がウイルスを排除するのを助け，肝機能を改善する薬です（レベトール） ・この薬はNS5Bの活性化中心に取り込まれRNA鎖の伸長を阻害し，リバビリンとの併用により抗ウイルス作用が強まりC型肝炎ウイルス薬の増殖を抑え，また体がウイルスを排除するのを助け，肝機能を改善する薬です（ソバルディ） ・この薬はHCV増殖の際の複製複合体の形成に重要な2量体形成を阻害し，NS5Bの活性化中心に取り込まれ，RNA鎖の伸長を阻害してC型肝炎ウイルス薬の増殖を抑え，また体がウイルスを排除するのを助け，肝機能を改善する薬です（ハーボニー配合，エプクルーサ配合：C型非代償性肝硬変） ・この薬はHCVの複製に必須の酵素（NS3/4プロテアーゼ）の作用を選択的に阻害し，複製複合体の形成に重要な2量体形成を阻害してC型肝炎ウイルス薬の増殖を抑え，また体がウイルスを排除するのを助け，肝機能を改善する薬です（マヴィレット配合） ・この薬はHCV増殖の際の複製複合体の形成に重要な2量体形成を阻害し，NS5Bの活性化中心に取り込まれRNA鎖の伸長を阻害し，リバビリンとの併用により抗ウイルス作用が強まりC型肝炎ウイルス薬の増殖を抑え，また体がウイルスを排除するのを助け，肝機能を改善する薬です（エプクルーサ配合：前治療を有するC型慢性肝炎またはC型代償性肝硬変）	

	患者向け	薬剤師向け
警告	〔レベトール〕 ・妊婦または妊娠の可能性のある方は必ずご相談ください → ・妊娠する可能性のある女性の方およびパートナーが妊娠する可能性のある男性の方は必ずご相談ください → ・パートナーが妊婦の方は服用中および服用終了後6カ月間はコンドームを使用してください →	催奇形性の報告 妊娠していないことを確認するために，妊娠検査を毎月1回実施する 催奇形性および精巣・精子の形態変化等の報告 精液中への本剤の移行が否定できないため
	〔レベトール以外〕ウイルス性肝疾患の治療に十分な知識・経験を持つ医師のもと投与	
禁忌・併用禁忌	禁忌 ・〔レベトール〕妊婦・授乳婦，本剤または他のヌクレオシドアナログ（アシクロビル，ガンシクロビル，ビダラビン等）に過敏症既往，コントロール困難な心疾患（心筋梗塞，心不全，不整脈等），異常ヘモグロビン症（サラセミア，鎌状赤血球性貧血等），慢性腎不全またはクレアチニンクリアランスが50mL/分以下の腎機能障害，重度のうつ病，自殺念慮または自殺企図等の重度の精神病状態またはその既往，重篤な肝機能障害，自己免疫性肝炎 ・〔ソバルディ，ハーボニー配合，エプクルーサ配合〕本剤過敏症既往，重度の肝機能障害または透析を必要とする腎不全 ・〔マヴィレット配合〕本剤過敏症既往，重度の肝機能障害 併用禁忌 ・〔ソバルディ，ハーボニー配合，エプクルーサ配合〕⇔リファンピシン，カルバマゼピン，フェニトイン，セイヨウオトギリソウ含有食品にて血中濃度が低下し効果減弱 ・〔マヴィレット配合〕⇔アタザナビルにてグレカプレビルの血中濃度が上昇しALT（GPT）上昇のリスクが増加，アトルバスタチンにてアトルバスタチンの血中濃度が上昇してアトルバスタチンによる副作用発現のリスクが高くなる，リファンピシンにてグレカプレビルおよびピブレンタスビルの血中濃度が低下し，効果減弱	

■ 主な副作用と対策，フィジカルアセスメントのチェックポイント

主な副作用	患者に確認すべき症状	対策とPAのチェックポイント
全身症状（発熱，倦怠感，頭痛，悪寒，インフルエンザ様症状）	熱が出る，体がだるい，頭が痛い，寒気がする	解熱薬等の投与を行う PA 体温（↑）
消化器症状	食欲がない，吐き気，吐く，お腹が痛い，下痢・軟便	減量もしくは中止
皮膚症状（瘙痒症，脱毛症，発疹，湿疹）	かゆい，毛が抜ける，湿疹がでる，全身性の発疹	中止 PA 皮膚（発赤，発疹），眼（充血），粘膜・口唇（びらん）
精神神経症状	めまい，眠れない	減量もしくは中止

主な副作用	患者に確認すべき症状	対策とPAのチェックポイント
血液障害（貧血，再生不良性貧血，汎血球減少，無顆粒球症，白血球減少，血小板減少等）	動悸，息切れ，頭痛，耳鳴り，めまい，からだがだるい，鼻血，青あざができる，歯ぐきの出血，皮下出血，出血が止まりにくい，出血しやすい，発熱，のどの痛み	減量もしくは中止 PA 顔色（蒼白），眼瞼結膜（蒼白），体幹・四肢・歯肉（出血斑），体温（↑），咽頭扁桃（壊死性潰瘍）
肝炎の増悪，肝機能障害	吐き気，嘔吐，食欲不振，白目や皮膚が黄色くなる，尿が黄色い，かゆみ，からだがだるい	中止 PA 肝疾患治療薬① p.549参照

■ 重大な副作用と妊婦・授乳婦への危険度

薬剤名	重大な副作用	妊婦[授乳婦]
レベトール	Peg-IFNα-2b（遺伝子組換え）との併用の場合 貧血，無顆粒球症，白血球減少，顆粒球減少，血小板減少，再生不良性貧血，汎血球減少，抑うつ・うつ病，自殺企図，躁状態，攻撃的行動，昏迷，難聴，意識障害，けいれん，見当識障害，せん妄，幻覚，失神，妄想，錯乱，統合失調症様症状，認知症様症状（特に高齢者），興奮，重篤な肝機能障害，ショック，消化管出血，消化性潰瘍，小腸潰瘍，虚血性大腸炎，呼吸困難，喀痰増加，脳出血，脳梗塞，間質性肺炎，肺線維症，肺水腫，糖尿病，急性腎不全等の重篤な腎障害，心筋症，心不全，心筋梗塞，狭心症，不整脈，敗血症，網膜症，自己免疫現象，溶血性尿毒症症候群，血栓性血小板減少性紫斑病，皮膚粘膜眼症候群，中毒性表皮壊死融解症，横紋筋融解症 IFNβとの併用の場合 貧血，白血球減少，顆粒球減少，血小板減少，重篤な肝障害，自己免疫現象によると思われる症状・徴候（甲状腺機能異常（5％以上）等），脳梗塞，重篤なうつ状態，自殺企図，躁状態，攻撃的行動，せん妄，幻覚，間質性肺炎，心不全，溶血性尿毒症症候群，ネフローゼ症候群，糖尿病，肺血症，網膜症 ソホスブビル，ソホスブビル・ベルパタスビル配合剤との併用の場合 貧血，高血圧，脳血管障害	禁忌/X [授×]
ソバルディ	貧血，高血圧，脳血管障害	B1 [授△]
ハーボニー配合	高血圧，脳血管障害	B1
マヴィレット配合	肝機能障害，黄疸	―
エプクルーサ配合	高血圧，脳血管障害 （リバビリン併用の場合）貧血	B1

■ その他の指導ポイント

患者向け	薬剤師向け
使用上の注意・〔レベトール：PEG-IFNαまたはINFβ→との併用の場合〕この薬の服用中に眠れない，気分が落ち込む，憂うつな気持ちになる，興奮しやすい，攻撃的になる，	抑うつ，自殺企図が現れることがある。また，躁状態，攻撃的行動が現れ，他害行為に至ることがある。精神神経症状発現の可能性について患者およびその家族に十分理解させ，抑

使用上の注意	・ちょっとした刺激で気持ちや体の変調をきたすような場合はご相談ください	うつ, 躁状態, 不眠, 不安, 焦燥, 興奮, 攻撃性, 易刺激性等が現れた場合には直ちに連絡するよう指導する
	・〔レベトール：PEG-IFNαまたはINFβとの併用の場合〕この薬の服用中に咳が出る, 呼吸が苦しいなどの症状が現れた場合はすぐに申し出てください →	発熱, 咳嗽, 呼吸困難等の呼吸器症状, 胸部X線異常等の間質性肺炎, 肺線維症, 肺水腫を起こすことがあるため, このような症状が現れた場合には直ちに連絡するよう指導する
	・〔レベトール：PEG-IFNαまたはINFβとの併用の場合〕この薬の服用中に眼が見えにくい, 眼に黒い点が見えるときは申し出てください →	網膜症が現れることがあるので, 網膜出血や糖尿病網膜症の増悪に注意し, 定期的に眼底検査を行う。視力低下, 視野中の暗点が出現した場合は速やかに医師の診察を受けるよう指導する
	・〔レベトール〕妊娠中または妊娠している可能性のある方は必ずご相談ください →	動物実験で催奇形性作用および胚・胎児致死作用が認められているため投与禁忌
	・〔レベトール〕授乳中の方は必ずご相談ください →	動物実験で乳汁中への移行が認められているため投与禁忌
服用を忘れたとき	・〔マヴィレット配合〕思い出したときすぐに服用する。ただし服用時間が18時間以上経過している場合は忘れた分は服用しない	
	・〔ソバルディ, ハーボニー配合, エプクルーサ配合〕思い出したときすぐに服用する。ただし次の服用時間が近いときは忘れた分は服用しない	

■ その他備考

■ 直接作用型抗ウイルス薬（DAAs）

・作用点：HCVの増殖に関与する非構造蛋白（NS3/4, NS5A, NS5B）の働きを直接阻害することで抗ウイルス作用を示す。

・相互作用：DAAsはP糖蛋白（P-gp）や有機アニオントランスポーター（OATP），乳癌耐性蛋白（BCRP），CYP3Aなどの基質，あるいは阻害剤・誘導剤となることがある。そのため，これらに影響を及ぼす多くの薬剤が併用禁忌・併用注意となる。

・HCVは変異しやすいRNAウイルスでありDAAsの単独使用では耐性ウイルスが出現することが懸念されることから治療標的の異なるDAAsを組み合わせて治療を行う。

No.40　肝疾患治療薬

■DAA の分類と作用機序

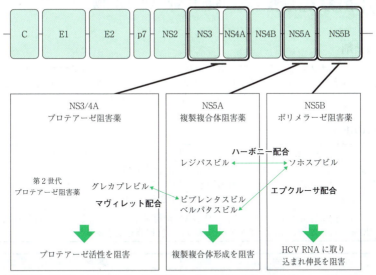

（日本肝臓学会 肝炎診療ガイドライン作成委員会・編：C 型肝炎治療ガイドライン（第 8 版），p 19, 日本肝臓学会，2020（https://www.jsh.or.jp/lib/files/medical/guidelines/jsh_guidlines/C_v8_20201005.pdf 参照年月 2021 年 9 月）をもとに作成）

■配合剤成分
：ハーボニー配合錠（レジパスビルアセトン付加物：LDV，ソホスブビル：SOF）

　マヴィレット配合錠（グレカプレビル水和物：GLE，ピブレンタスビル：PIB）

　エプクルーサ配合錠（ソホスブビル：SOF，ベルパタスビル：VEL）

■C 型肝炎における瀉血とは

　肝臓に過剰に蓄積された鉄分により活性酸素が発生し，ウイルスに対する反応に加えさらに肝細胞が破壊されやすくなる。血液中の酸素の運搬に使われるヘモグロビン（色素）には鉄が含まれているが，血液を抜くことでヘモグロビンの形で多量の鉄を内部にもつ赤血球を体外に排出させヘモグロビンを少なくすると，新たな赤血球を作るために肝臓に溜まっていた鉄が使われ，蓄積していた鉄が減少する。この操作を繰り返し肝炎の進行を抑える。また，鉄を過剰にとらないようにする鉄摂取制限療法（食事療法）も重要である。

40 肝疾患治療薬　③抗B型肝炎ウイルス薬

■ 対象薬剤

ラミブジン（ゼフィックス），アデホビルピボキシル；ADV（ヘプセラ），エンテカビル水和物（バラクルード），テノホビルジソプロキシルフマル酸塩；TDF（テノゼット），テノホビルアラフェナミドフマル酸塩；TAF（ベムリディ）

■ 指導のポイント

	患者向け	薬剤師向け
薬効	この薬はB型肝炎ウイルスの増殖を抑えることで，ウイルス量を減らし，肝機能を改善する薬です	抗B型肝炎ウイルス作用 HBV-DNA 産生阻害作用 HBV-DNA 複製阻害作用
詳しい薬効	この薬は，B型肝炎ウイルスの遺伝子（DNA）が複製されるのを阻害して，B型肝炎ウイルスの増殖を抑えることで，ウイルス量を減らし，肝機能を改善する薬です	

	患者向け	薬剤師向け
警告	〔ゼフィックス，ヘプセラ〕→ [検] この薬の服用を終了して4カ月間は2週間に1回臨床検査（HBV-DNA, ALT, 総ビリルビン）を受けるために受診してください	投与終了後ウイルス再増殖に伴い，肝機能の悪化，肝炎重症化が認められることがある。投与終了後4カ月間は原則として2週間ごとに臨床症状と臨床検査値（HBV-DNA, ALT, 総ビリルビン）を観察。特に免疫応答の強い患者，非代償性肝疾患は投与終了後に肝炎が重症化することがある
	〔バラクルード，テノゼット，ベムリディ〕→ [検] この薬の服用を終了して数カ月は臨床検査を受けるために受診してください	投与終了後，肝炎の重度の急性憎悪の報告があり，投与終了後数カ月間は臨床症状と臨床検査値を観察
禁忌・併用禁忌	[禁忌] 本剤過敏症既往 [併用禁忌] 〔ベムリディ〕⇔リファンピシン，セイヨウオトギリソウ含有食品にて血漿中濃度が低下し効果減弱	

■ 主な副作用と対策，フィジカルアセスメントのチェックポイント

主な副作用	患者に確認すべき症状	対策とPAのチェックポイント
肝機能障害・肝機能悪化	吐き気，嘔吐，食欲不振，白目や皮膚が黄色くなる，尿が黄色い，かゆみ，体がだるい	中止 [PA] 肝疾患治療薬① p.549 参照
消化器症状	下痢，腹痛，悪心	減量もしくは中止
精神神経症状	頭痛	鎮痛薬投与
乳酸アシドーシス	意識の低下，羽ばたくような手のふるえ，考えがまとまらない，判断力の低下，深く大きい呼吸，吐き気，嘔吐	中止 [PA] 呼吸（過呼吸），消化器（下痢，嘔吐）

No.40 肝疾患治療薬

■ 重大な副作用と妊婦・授乳婦への危険度

薬剤名	重大な副作用	妊婦[授乳婦]
ゼフィックス	血小板減少，赤芽球癆，汎血球減少，白血球減少，好中球減少，貧血，横紋筋融解症，膵炎，乳酸アシドーシスおよび脂肪沈着による重度の肝腫大（脂肪肝）ニューロパシー，錯乱，けいれん，心不全	B3 [❀○]
ヘプセラ	腎不全，ファンコニー症候群等の重度の腎機能障害，骨軟化症，骨折，乳酸アシドーシスおよび脂肪沈着による重度の肝腫大（脂肪肝）	B3 [❀△]
バラクルード	肝機能障害，投与終了後の肝炎の悪化，アナフィラキシー様症状，乳酸アシドーシス 類薬 脂肪沈着による重度の肝腫大（脂肪肝）	[❀△]
テノゼット	腎不全等の重度の腎機能障害，乳酸アシドーシスおよび脂肪沈着による重度の肝腫大（脂肪肝），膵炎	B3 [❀○]
ベムリディ	腎不全等の重度の腎機能障害，乳酸アシドーシスおよび脂肪沈着による重度の肝腫大（脂肪肝）	B3

■ その他の指導ポイント

	患者向け	薬剤師向け
使用上の注意	・長期間服用する必要のある薬のため，自分の判断で服用を中止しないようにしてください ・〔ヘプセラ〕乾燥剤を同封した気密容器に保管してください ・〔バラクルード〕この薬は空腹時（食後2時間以降かつ次の食事の2時間以上前）に服用してください 食 〔ベムリディ〕この薬の服用中にセイヨウオトギリソウ（セントジョーンズワート）を含む食品はとらないでください	投与終了までに長期間を要する薬剤であり，投与中止により肝機能の悪化もしくは肝炎の重症化を起こすことがあるため，自分の判断で投与を中止しないように指導する 吸湿性があるため。また分包調剤する場合は2週間分を目処にする 食事とともに投与すると吸収率が低下するため（外国人データ） 本剤の血漿中濃度が低下し効果減弱のため併用禁忌
服用を忘れたとき	思い出したときすぐに服用する。ただし次の服用時間が近いときは忘れた分は服用しない（2回分を一度に服用しないこと）	

肝疾患治療薬

40 肝疾患治療薬　④肝免疫賦活薬

■ 対象薬剤
プロパゲルマニウム（セロシオン）

■ 指導のポイント

	患者向け	薬剤師向け
薬効	この薬は免疫を活性化してB型肝炎ウイルスの増殖を抑え，排除を促す薬です →	免疫賦活作用，ウイルス感染防御作用
詳しい薬効	この薬は，有機ゲルマニウムで，免疫を活性化し，ウイルスに感染した細胞を破壊し，インターフェロンの産生を高めてB型肝炎ウイルスの増殖を抑え，排除を促す薬です	

	患者向け	薬剤師向け
警告	皮膚や目が黄色くなる，尿が褐色になる，湿疹，かゆみ，からだがだるい，吐き気などの症状が現れた場合はすぐにご相談ください →	慢性肝炎の急性増悪（死亡報告） 定期的に（特に投与開始直後は2，4，6週）肝機能検査を行う
禁忌	黄疸，肝硬変あるいは肝硬変の疑い，本剤過敏症既往	

■ 主な副作用と対策，フィジカルアセスメントのチェックポイント

主な副作用	患者に確認すべき症状	対策とPAのチェックポイント
消化器症状	食欲不振，お腹が張る，吐き気，嘔吐，腹痛	減量もしくは中止
肝機能障害（黄疸）	吐き気，嘔吐，食欲不振，白目や皮膚が黄色くなる，尿が黄色い，かゆみ，からだがだるい	中止 PA 肝疾患治療薬① p.549参照

■ 重大な副作用と妊婦・授乳婦への危険度

薬剤名	重大な副作用	妊婦[授乳婦]
セロシオン	B型慢性肝炎の急性増悪	−

■ その他の指導ポイント

服用を忘れたとき	思い出したときすぐに服用する。ただし次に服用する時間は4時間以上あける（2回分を一度に服用しないこと）

■ その他備考

- 投与開始16週目に，ウイルスマーカー（HBe抗原等）を含めた臨床検査を実施し，ウイルスマーカーの改善がみられなかった場合には，他の治療を考慮する。
- B型慢性肝炎の急性増悪が現れることがあるので，下記の点に注意する。
  - ①投与開始時：HBV-DNA（あるいはDNA-P）に著しい増加がない。
  - ②投　与　中：a）HBV-DNA（あるいはDNA-P）に著しい増加がみられた場合は投与を中止し，他の治療を考慮する。
  - 　　　　　　　b）肝機能検査を定期的に行う。（特に投与開始直後は2，4，6週）
  - 　　　　　　　c）肝機能障害の増悪，黄疸が現れた場合は投与を中止する。
- 本剤使用にあたってHBe抗原が陽性，肝硬変を伴わない慢性肝炎であることを確認する。4週ごとに臨床検査を実施し，HBe抗原の陰性化がみられた場合は投与を中止する。

40 肝疾患治療薬　⑤肝不全治療薬

■ 対象薬剤

ラクツロース（モニラック，ラクツロース），リファキシミン（リフキシマ）
配合剤（リーバクト配合）
＊リーバクトはNo.50蛋白アミノ酸製剤②（p.741）参照

■ 指導のポイント

	患者向け	薬剤師向け
薬効	・この薬は，肝臓に障害がある場合に不足→する分岐鎖アミノ酸を補給して，栄養状態を改善する薬です（リーバクト） （参）No.50蛋白アミノ酸製剤② ・この薬は，血中のアンモニアを下げ，意→識障害等（ぼうっとする，もうろうとする）を改善する薬です（モニラック，ラクツロース，リフキシマ）	肝硬変用分岐鎖アミノ酸補給 腸管内pHの酸性化作用（モニラック，ラクツロース） アンモニア産生菌の発育抑制作用（モニラック，ラクツロース） 腸管内アンモニアの吸収抑制作用（モニラック，ラクツロース） RNA合成阻害作用（リフキシマ）
詳しい薬効	・この薬は，肝硬変などで肝臓の働きが低下することにより，肝臓で合成されるアルブミンが不足し栄養状態が悪くなり，血液中のアミノ酸のバランスがくずれ，芳香族アミノ酸が増加し，筋肉で代謝される分岐鎖アミノ酸が減少するため，ロイシン，イソロイシン，バリ	

詳しい薬効	・ンの3種類の分岐鎖アミノ酸を補給することで栄養状態を改善する薬です（リーバクト） ・この薬は，腸内で吸収されずに，ビフィズス菌，乳酸菌などによって乳酸と酢酸に分解され，腸内のpHを酸性にして，腸内からのアンモニアの吸収を抑え，かつその酸性環境がアンモニア酸性菌の発育を抑え，血中のアンモニアを下げ意識障害等（ぼうっとする，もうろうとする）を改善する薬です（モニラック，ラクツロース） ・この薬は，広範な抗菌スペクトラムをもつ難吸収性リファマイシン系の抗菌薬で，腸管内のアンモニア産生菌のDNAの合成を阻害し，アンモニアの産生量を減少させることにより，血中アンモニア濃度を低下させ肝性脳症における高アンモニア血症を改善する薬です（リフキシマ）
禁忌	・〔モニラック，ラクツロース〕ガラクトース血症 ・〔リフキシマ〕本剤過敏症既往

■ 主な副作用と対策，フィジカルアセスメントのチェックポイント

主な副作用	患者に確認すべき症状	対策とPAのチェックポイント
消化器症状（モニラック，ラクツロース）	下痢，腹鳴，鼓腸，腹痛，食欲不振，嘔気	減量もしくは休薬 PA 腸音（↑）
消化器症状（リフキシマ）	腹痛，頻回な下痢，便秘，吐き気	中止 PA 腸音（↑：下痢，↓：便秘）

■ 重大な副作用と妊婦・授乳婦への危険度

薬剤名	重大な副作用	妊婦［授乳婦］
リフキシマ	偽膜性大腸炎	－

■ その他の指導ポイント

	患者向け	薬剤師向け
使用上の注意	・〔リーバクト〕本剤使用時は医師の指示に従い，必要蛋白量（アミノ酸量）および熱量を食事などから摂るようにしてください ・〔リフキシマ〕尿が橙赤色になることがありますが，心配ありません	分岐鎖アミノ酸のみからなる製剤のため，本剤のみでは必要アミノ酸のすべてを満たすことはできない。1日蛋白量40g以上，1日熱量1,000kcal以上の摂取を目標とする リファマイシン系の薬剤で橙赤尿が海外で報告されたため
服を忘れたとき	思い出したときすぐに服用する。ただし次の服用時間が近いときは忘れた分は服用しない（2回分を一度に服用しないこと）	

■ その他備考

- **配合剤成分**：リーバクト配合顆粒（L-イソロイシン，L-ロイシン，L-バリン）
- **〔リーバクト〕適応対象となる患者**
  血清アルブミン値が 3.5 g/dL 以下の低アルブミン血症を呈し，腹水・浮腫，肝性脳症を現有するか既往のある非代償性肝硬変患者で，食事摂取量が十分にもかかわらず低アルブミン血症であるか，総熱量や蛋白制限のある患者
- **〔リーバクト〕効果が期待できない患者**
  ① 肝性脳症で昏睡度がⅢ度以上
  ② 総ビリルビン値が 3 mg/dL 以上
  ③ 肝臓の蛋白合成能が著しく低下
- **肝性脳症**
  急性・慢性肝不全による高度の肝機能障害や門脈-体循環シャントにより体内で発生したもしくは腸管から吸収された中毒性物質が肝臓で解毒されることなく中枢神経に到達し，意識障害，異常行動，羽ばたき振戦などを主体とする多彩な精神・神経症状をきたす症候群。さまざまな物質の関与が考えられているが，中でもアンモニア（NH_3）が最も重要である

肝疾患の日常生活と食事療法のポイント

　肝臓は吸収された糖，アミノ酸，脂肪，ビタミンなどの栄養素の代謝や貯蔵をはじめ，胆汁の生成・分泌，有害物質の解毒，全身を流れる血液量の調節，血液の凝固調節物質の生成，血液中に侵入した細菌からの身体防御など，数多くの重要な働きを行う臓器です。

　肝細胞は，活発な自己再生能力を持っていますが，ウイルス感染，薬物，アルコール，免疫機構による誤った自己の肝細胞破壊などが原因で大きな障害が生じ，この能力が十分に発揮できないと，肝細胞破壊や胆汁が十分に排泄されないで起こる胆汁うっ滞などによる肝炎になったり，広範囲に及ぶ組織的な線維化に発展して肝硬変になったりします。また，脂肪やコレステロールが利用されないで，肝臓に沈着すると脂肪肝となり，そのまま放置しておくことでも肝硬変に発展します。さらに肝細胞機能低下によって，精神神経障害などを示す脳症，血液凝固障害，黄疸などが起こり，倦怠感や食欲不振などの自覚症状が生じることもあります。肝疾患の場合は安静と食事療法が重要ですのであせらずに治療することが大切です。

【日常生活】
1. 肝疾患の場合特に安静が必要です。安静といっても座ってテレビを見たり，部屋の中でブラブラしているのではなく寝ていることが大事です。なぜなら肝臓を流れる血液量は寝ているときが100％とすると立ち上がっただけで60％に減少します。肝臓の細胞の再生を行うためには栄養と酸素に富んだ血液が肝臓に十分流れこむことが大事ですから，安静にして肝臓を流れる血液を増やすことが，再生修復にがんばっている肝臓の最大の助けになります。

2. 食後1時間ぐらいは体を横たえて休憩をとりましょう。
   （食事の後は栄養物の処理のため肝臓が最も活発に働きエネルギーを消費する時期ですから横になって十分に血液を送り肝臓の再生修復を助けましょう。）
3. 規則正しい生活を行い睡眠を十分にとり疲労しないようにしましょう。ただし重労働や過激なスポーツは肝臓に負担がかかるので急性期では禁物です。
4. アルコールの入った飲料は絶対禁止が原則です。
5. 定期的に通院して医師に指導を受けましょう。
   （肝機能検査等を受けて症状を自分でもよく理解しましょう。）

【食事療法】

1. 肝疾患の場合、高蛋白・高カロリー食が基本です。生き残った肝細胞を再生させ壊れた部分を修復させるため、細胞の最も大切な構成成分である蛋白質（魚などの良質の蛋白質）を十分補給することが大切です。しかし病気の時期によっては蛋白質のとりすぎにより血液中のアンモニアが上昇するので制限することがあります。
   ・急性肝炎の回復期や慢性肝炎時：栄養たっぷりの食事（良質の蛋白質を含む食品）をとる。
   ・肝性脳症を起こしやすい時期：蛋白質を制限。
   ・黄疸のあるとき：脂肪を制限。
   ・腹水・浮腫のあるとき：塩分を制限。
2. 脂肪肝では、低エネルギー、低糖質食とし食物繊維の多い食品をとりますが、それ以外の肝疾患では、エネルギー補給の目的で主食の穀類、いも類、油脂類、砂糖、菓子類などをやや多めにとります。
3. 野菜、果物類はしっかり摂取しましょう。（繊維質に富むので、便秘予防になりますし、ビタミン、ミネラルも多く含んでいます。便秘によって脳症が誘発されることがあります。また満腹感の得られないときの1品に加えてください。）
4. 急性肝炎の初期に食欲が低下して十分に食事がとれないとき、間食（場合によっては、夜食も考慮）を入れ食事回数を増やすなどの工夫しましょう。その際、食事で食欲が低下しない程度に量が少なく胃にもたれないものをとります。
5. 合成保存料、発色剤、着色剤などの食品添加物が多く含まれている調理済み食品（ハムやウインナー、かまぼこ、さつま揚げなどの加工品、ギョーザやしゅうまいなど）は、食品添加物も肝臓で解毒されますからとりすぎはよくありません。また良質の蛋白質が期待できないうえ、必ず食塩が含まれていますので、蛋白質、塩分制限を指示されている人はできるだけ控えましょう。
6. Ｃ型慢性肝炎では、鉄分の多い食事は避けましょう。1日6mg以下の鉄分量が目標値です。鉄分は牛肉などの肉類をはじめ、動物の内臓（レバーなど）に多く含まれています。小魚や貝類（シジミ、アサリ等）は内臓ごと食べる場合が多いので避けた方がよいでしょう。また大豆などの豆類にも多く含まれています。

41 副腎皮質ホルモン薬

■ 対象薬剤

ヒドロコルチゾン（コートリル），プレドニゾロン（プレドニン），デキサメタゾン（デカドロン），ベタメタゾン（リンデロン），トリアムシノロン（レダコート），メチルプレドニゾロン（メドロール）
配合剤（セレスタミン配合）
＊セレスタミンは No.16 抗アレルギー薬①（p.232）参照

■ 指導のポイント

	患者向け	薬剤師向け	
薬効	・この薬は炎症を抑える薬です → ・この薬はアレルギーを抑える薬です → ・この薬は体内に不足している副腎皮質ホルモンを補う薬です（セレスタミンを除く） ・この薬は悪心・嘔吐を改善する薬です（デ→カドロン）	抗炎症作用 抗アレルギー作用 ホルモン補充 抗悪性腫瘍薬投与に伴う消化器症状の改善	別表－1参照 別表－1参照 別表－1参照
詳しい薬効	・抗悪性腫瘍薬との併用による化学療法の一環や多発性硬化症，強皮症，顔面神経麻痺など（別表－1その他に記載の疾患）に使用する場合は上記薬理作用のみでは患者向けの指導は困難なので，各施設で医師との話し合いのうえ指導内容を統一する ・その他の各疾患の説明に関しては，添付の薬理作用をふまえたうえ，指導する （別表－1，別表－2参照）		
警告	〔プレドニン〕緊急時に十分対応できる医療施設において，がん化学療法に十分な知識・経験をもつ医師のもとで，本療法が適切と判断される患者についてのみ実施。患者またはその家族に有効性および危険性を十分説明し，同意を得てから投与		
禁忌・併用禁忌	禁忌 本剤過敏症既往 併用禁忌 ・デスモプレシン酢酸塩水和物（男性における夜間多尿における夜間頻尿）にて低ナトリウム血症が発現 ・〔コートリル，メドロール〕⇔生ワクチンまたは弱毒性ワクチンにてワクチン株の異常増殖または毒性の復帰（免疫抑制が生じる量を投与中） ・〔デカドロン〕⇔リルピビリン，オデフシィ配合，ジャルカ配合にて血中濃度低下，作用減弱		

別表-1　作用と対象疾患

作用	対象疾患
抗炎症作用	ネフローゼおよびネフローゼ症候群，エリテマトーデス，全身性血管炎，多発性筋炎，関節リウマチ，若年性関節リウマチ，リウマチ熱，リウマチ性多発筋痛，重症感染症，限局性腸炎，潰瘍性大腸炎，劇症肝炎，胆汁うっ滞型急性肝炎，慢性肝炎，肝硬変，びまん性間質性肺炎，肺結核，結核性髄膜炎，結核性胸膜炎，結核性腹膜炎，結核性心のう炎，脳脊髄炎，末梢神経炎，脊髄蜘網膜炎，原因不明の発熱，強直性脊椎炎，湿疹・皮膚炎群，痒疹群，内眼・視神経・眼窩・眼筋の炎症性疾患の対症療法，外眼部および前眼部の炎症性疾患の対症療法で，点眼が不適当または不十分な場合，急性・慢性中耳炎，滲出性中耳炎，血管運動性鼻炎，副鼻腔炎・鼻茸，進行性壊疽性鼻炎，喉頭炎・喉頭浮腫，喉頭ポリープ・結節，食道の炎症および食道拡張術後，耳鼻咽喉科領域の手術後の後療法，難治性口内炎および舌炎，嗅覚障害，急性・慢性唾液腺炎等
抗アレルギー作用	気管支喘息，喘息性気管支炎，薬剤その他の化学物質によるアレルギー・中毒，血清病，アレルギー性鼻炎，花粉症，蛇毒・昆虫毒による中毒等 アレルギー性血管炎およびその類症
ホルモン補充	慢性副腎皮質機能不全，急性副腎皮質機能不全，副腎性器症候群，亜急性甲状腺炎，甲状腺中毒症，甲状腺疾患に伴う悪性眼球突出症，ACTH単独欠損症，（下垂体抑制試験），副腎摘除，侵襲後肺水腫，副腎皮質機能不全患者に対する外科的侵襲，副腎皮質機能障害による排卵障害等
抗悪性腫瘍薬を併用する化学療法の一環として	白血病，サルコイドーシス，悪性リンパ腫および類似疾患，好酸性肉芽腫，乳がんの再発転移，前立腺がん等 抗悪性腫瘍薬投与に伴う消化器症状
その他	強皮症，再生不良性貧血，凝固因子の障害による出血性素因，うっ血性心不全，重症消耗性疾患の全身状態の改善，重症筋無力症，筋強直症，多発性硬化症，小舞踏病，顔面神経麻痺，特発性低血糖，卵管整形術後の癒着防止，陰茎硬結，乾癬および類症，掌蹠膿疱症，毛孔性紅色粃糠疹，扁平苔癬，円形脱毛症，紅皮症，耳管狭窄症　メニエル病およびメニエル症候群，急性感音性難聴，顆粒球減少症，臓器・組織移植等，成年性浮腫性硬化症，紅斑症，ウェーバークリスチャン病，粘膜皮膚症候群，天疱瘡群，デューリング疱疹状皮膚炎，顔面播種状粟粒狼瘡，溶血性貧血，紫斑病

（注）・皮膚科領域のものには外用剤を用いても効果が不十分な場合に用いること。
　　　・上記の対象疾患はコートリル，プレドニン，デカドロン，リンデロン，レダコートの主な疾患を列記しており共通の疾患ではない。

別表-2　薬理作用

薬　理　作　用		臨　床　所　見
電解質代謝作用	・尿細管における Na 再吸収促進（水分の組織内貯留）K の排泄増加	循環血流量の増加, 血圧上昇, 浮腫, 筋無力, 心不全
糖質代謝作用	・蛋白質・糖質→糖新生	尿糖, 血糖上昇
蛋白同化作用 蛋白同化抑制作用	・蛋白質分解促進→アミノ酸 ・アミノ酸→蛋白合成阻止 ・アミノ酸―脱アミノ→糖質合成促進	骨粗鬆症, 小児発育抑制, 皮膚線条, 創傷治癒障害, 筋力減退, 筋萎縮 NPN 増加, N 平衡負化
脂質代謝作用	・体脂質の分布変化（脂質は顔面・胴・顎に蓄積し, 四肢で減少する） ・コレステロール上昇	満月様顔貌（moon face）, 野牛肩, 体重増加 高コレステロール血症
男性ホルモン様作用	・発毛（体毛, ヒゲ）, 脂質分泌亢進	多毛, ざ瘡, 声変わり, 月経異常
抗炎症作用 抗アレルギー作用 免疫抑制作用	・血液透過性亢進と滲出とを抑制 ・ヒスタミン・ヒスタミン様物質の生成を抑制 ・細胞性免疫に関与する T リンパ球の増殖および液性免疫に関する抗体産生を抑制	抗炎症, 抗アレルギー, 創傷治癒障害, 感染症増悪, IL-1・IL-2 の分泌抑制, γ-グロブリンの抑制
中枢神経作用	・電解質異常, 特に細胞外の Na 増加および脳酸素消費減少	不眠, 多幸症, 興奮, 抑うつ, 精神病増悪
許容作用	・カテコールアミンの down regulation の回復	
血液凝固促進作用	・プロトロンビン時間を短縮 ・プロトロンビン単位を増加	血栓
胃液活性促進作用	・胃酸増加, 粘膜刺激	胃酸過多, 食欲亢進, 消化性潰瘍増悪
下垂体抑制作用	・Feedback による。主として ACTH 分泌抑制	副腎皮質機能低下
抗ショック作用 生命維持作用	・機序ははっきりしないが, おそらく上記の各作用が総合されて, 侵襲への防衛その他生命維持に直結する重要な働きをするものと思われる	抗ショック, 生命維持

■ 主な副作用と対策，フィジカルアセスメントのチェックポイント

〈高頻度かつ重症化しやすいもの〉

主な副作用	患者に確認すべき症状	対策とPAのチェックポイント
感染症の誘発・増悪	かぜのような症状，体がだるい，発熱，嘔吐	減量もしくは抗生物質，γ-グロブリンの併用。外出時にはマスクを着用 PA 体温（↑），尿量（↓），脈拍（↑）
糖尿病の誘発・増悪	体がだるい，体重が減る，のどの渇き，水を多く飲む，尿の量が増える	減量もしくはカロリー・糖質の制限，インスリン，SU剤投与 PA 口渇（↑），尿量（↑・夜間尿），体重（↓），皮膚・口腔粘膜（乾燥・脱水）
消化管障害（食道・胃・腸管からの出血，潰瘍，穿孔，閉塞）	吐き気，嘔吐，胃の痛み，腹痛，血が混ざった便，黒色便，血を吐く	減量もしくは制酸薬，粘膜保護薬，H₂受容体拮抗薬，PPI等の投与 PA ・上腹部（持続的疼痛），便（黒色） ・出血合併時：顔色（蒼白），眼瞼結膜（蒼白），脈拍（↑），血圧（↓）
骨粗鬆症・骨折，幼児・小児の発育抑制，骨頭無菌性壊死	骨折しやすくなる，腰・背中・関節・手足の痛み，歩行障害	減量もしくはビスホスホネート製剤，活性型ビタミンD₃，ビタミンK₂の投与，整形外科的処置 PA ・身長（2cm以上短縮：椎体骨折の指標） ・小児での長期使用：身長（低身長）
高脂血症，動脈硬化病変（心筋梗塞，脳梗塞，動脈瘤，血栓症）	冷や汗，胸の痛み，急激に胸を強く押さえつけられた感じ，息苦しい，手足・知覚のまひ，しびれ，意識の低下，考えがまとまらない，頭痛，しゃべりにくい，吐き気，嘔吐，激しい腹痛，お腹が張る，足の激しい痛み，出血	減量もしくは食事療法。コレステロール等がコントロールできなければ脂質異常症治療薬の投与。動脈硬化病変には抗凝固薬，抗血小板療法 PA ・深部静脈血栓：片側下肢・上肢（腫脹・発赤・熱感） ・脳梗塞：四肢（まひ・脱力），構語（障害：ろれつが回らない） ・心筋梗塞：脈拍（↑・↓，不整脈），狭心痛（前胸部），放散痛（頸部・左肩へ），浮腫（上眼瞼，下腿脛骨），呼吸音（水泡音） ・肺塞栓：胸痛（↑），呼吸（困難）
精神障害（精神変調，うつ状態，けいれん）	体がだるい，ぼんやりする，考えがまとまらない，食欲不振，やる気がおきない，気分が落ち込む，上機嫌，情緒不安，眠りが浅い，夜中に目がさめる，不眠	減量もしくは向精神薬の投与。不眠がある場合，夜に服用するステロイド薬を少なくし，朝・昼に多く投与

〈高頻度の軽症副作用〉

主な副作用	患者に確認すべき症状	対策とPAのチェックポイント
異常脂肪沈着（満月様顔貌，中心性肥満，野牛肩，眼球突出）	顔が丸くなる，首や肩が太る，お腹がでる，眼が飛び出しているように見える	ステロイド薬の量が減少すれば必ず改善。肥満が起きやすいのでカロリー制限 PA 体重（↑），肥満（中心性：顔・体が太って手足がやせる），顔（満月様顔貌）
皮膚線条，皮膚萎縮，ざ瘡，多毛，皮下出血，発汗異常	皮膚にすじがつく，血管が浮き出て見える，にきび，ふきでもの，毛深くなる，弱い力で簡単に出血する，あざができる，汗をかきすぎる	皮膚線条は急速に肥満が進行する場合にみられやすいのでカロリー制限 PA 皮膚（薄くなる，しわ，すじ，にきび）
月経異常(周期異常，無月経，過多・過小月経)	周期が長い・短い，3カ月以上月経がない，月経血量が多い・少ない	―

■ 重大な副作用と妊婦・授乳婦への危険度

薬剤名	重大な副作用	妊婦[授乳婦]
コートリル	感染症，続発性副腎皮質機能不全，糖尿病，消化性潰瘍，骨粗鬆症，大腿骨および上腕骨等の骨頭無菌性壊死，ミオパチー，緑内障，後嚢白内障，血栓症	[☒◎]
プレドニン	誘発感染症，感染症の増悪，続発性副腎皮質機能不全，糖尿病，消化管潰瘍，消化管穿孔，消化管出血，膵炎，精神変調，うつ状態，けいれん，骨粗鬆症，大腿骨および上腕骨等の骨頭無菌性壊死，ミオパチー，緑内障，後嚢白内障，中心性漿液性網脈絡膜症，多発性後極部網膜色素上皮症，血栓症，心筋梗塞，脳梗塞，動脈瘤，硬膜外脂肪腫，腱断裂	[☒◎]
デカドロン	誘発感染症，感染症の増悪，続発性副腎皮質機能不全，糖尿病，消化性潰瘍，消化管穿孔，膵炎，精神変調，うつ状態，けいれん，骨粗鬆症，大腿骨および上腕骨等の骨頭無菌性壊死，ミオパシー，脊椎圧迫骨折，長骨の病的骨折，緑内障，後嚢白内障，血栓塞栓症	A [☒○]
リンデロン	誘発感染症，感染症の増悪，続発性副腎皮質機能不全，糖尿病，消化性潰瘍，消化管穿孔，膵炎，精神変調，うつ状態，けいれん，骨粗鬆症，大腿骨および上腕骨等の骨頭無菌性壊死，ミオパチー，緑内障，後嚢白内障，血栓症	[☒○]
レダコート	誘発感染症，感染症の増悪，続発性副腎皮質機能不全，糖尿病，消化性潰瘍，膵炎，精神変調，うつ状態，けいれん，骨粗鬆症，大腿骨および上腕骨等の骨頭無菌性壊死，ミオパチー，緑内障，後嚢白内障，血栓症	― [☒○]
メドロール	感染症，続発性副腎皮質機能不全，骨粗鬆症，骨頭無菌性壊死，胃腸穿孔，消化管出血，消化性潰瘍，ミオパチー，血栓症，心筋梗塞，脳梗塞，動脈瘤，頭蓋内圧亢進，けいれん，精神変調，うつ状態，糖尿病，緑内障，後嚢白内障，中心性漿液性脈絡網膜症，多発性後極部網膜色素上皮症，心破裂，うっ血性心不全，食道炎，カポジ肉腫，腱断裂，アナフィラキシー	[☒◎]

■ その他の指導ポイント

	患者向け	薬剤師向け
使用上の注意	・医師の指示どおりに服用してください。→ 勝手に服用を中止しないでください	連用後の急な投与の中止により，離脱症状（発熱，頭痛，食欲不振，脱力感，筋肉痛，ショック等）が現れることがあるので，投与中止に際しては漸減するなど慎重に行う。離脱症状が発現した場合には，直ちに再投与または増量する
	・胃腸障害などがあれば必ずご相談ください →	消化性潰瘍が発症することがあるが，通常の場合と異なり，痛みなどの症状がなく突然の胃・十二指腸穿孔や吐血，下血で発症することがあるため
	・この薬を服用中は，水痘または麻疹の感染を避け，感染したときは必ず相談してください →	水痘または麻疹に感染すると，致死的な経過をたどることがある
	・他の医師に診てもらうときは，この薬を飲んでいることを申し出てください	
	・生ワクチンまたは弱毒性ワクチンを接種するときは必ずご相談ください →	〔コートリル，メドロール〕併禁参照 〔プレドニン，デカドロン，リンデロン，レダコート〕長期あるいは大量投与中，または投与中止後6カ月以内では免疫機能が低下していることがあり，生ワクチンの接種により，ワクチン由来の感染を増強または持続させるおそれのため
	食〔プレドニン〕この薬の服用中にグレープフルーツジュースは一緒に飲まないでください →	グレープフルーツジュース中のフラノクマリン類により小腸上皮細胞に存在するCYP3A4が阻害され，血中プレドニゾロン濃度上昇にて副作用の出現
	食〔プレドニン〕この薬の服用中にアルファルファ，エキナセア，カンゾウは一緒にとらないでください →	・アルファルファ，エキナセアは免疫賦活作用があるため，本剤の効果（免疫抑制作用）減弱 ・カンゾウは免疫賦活作用があり，一方血中コルチコステロイド濃度上昇で本剤の効果減弱または増強
服用を忘れたとき	思い出したときすぐに服用する。ただし次の服用時間が近いときは忘れた分は服用しない（2回分を一度に服用しないこと）	

■ その他備考

■配合剤成分：セレスタミン（ベタメタゾン，d-クロルフェニラミンマレイン酸塩）

副腎皮質ホルモン薬比較表

薬 剤 名	商 品 名	抗炎症力価	電解質代謝作用	対応量(mg)	1錠中含有量(mg)	生物学的半減期(h)
ヒドロコルチゾン Hydrocortisone	コートリル	1	1	20	10	8～12
プレドニゾロン Prednisolone	プレドニン，プレドニゾロン	4	0.8	5	5，1	12～36
メチルプレドニゾロン Methylprednisolone	メドロール	5	0.5	4	4，2	12～36
トリアムシノロン Triamcinolone	レダコート	5	0	4	4	12～36
デキサメタゾン Dexamethasone	デカドロン	25	0	0.75	0.5	36～72
ベタメタゾン Betamethasone	リンデロン	25	0	0.75	0.5	36～72
フルドロコルチゾン Fludrocortisone	フロリネフ	10	125	－	0.1	8～12

（注）抗炎症作用はヒドロコルチゾンを1としたときの作用の強さを示す。上記の表はプレドニゾロン5 mgに対する各種副腎皮質ホルモン剤の力価比較から，対応量（mg相当量）を求めたもの。また，電解質代謝作用はNa貯留作用を示す。

（参考：Goodman and Gilman's The Pharmacological Basis of Therapeutics, 12th Ed.）

42 ホルモン製剤

■ 甲状腺機能低下症—薬物治療の確認と指導のポイント

項目	確認のポイント
甲状腺機能低下症状態の確認	・甲状腺ホルモンの作用不足による疾患（橋本病，クレチン病等）の総称 症状：基礎代謝低下による冷え症で，疲れやすく，皮膚が乾燥し，頭髪や眉毛の脱毛，認知機能低下，便秘，貧血，粘液水腫症状により全身に圧痕を残さない浮腫，嗄声，低声化 等 検査 血中 FT_3・FT_4↓，TSH↑
治療法とコントロール状態の確認	・甲状腺から T_4 が分泌され，血中ではほとんど蛋白結合型 T_4 として存在。末梢組織で T_3 と rT_3 に代謝され，遊離型 T_3 が核内受容体と結合し作用 治療法 ・甲状腺腫のみがあり機能正常の場合は，様子を観察 ・補充療法には T_4 製剤（レボチロキシン）を用いる。補充療法は少量から開始，1.6〜1.7 μg/kg/日までは2週間ごとに漸増。ただし急激な代謝亢進は心負荷が増加し狭心症の危険があるので注意。維持量の目安は TSH を保つ量 ・T_3 製剤（リオチロニン）は主に粘液水腫の昏睡時に使用
副作用の確認	・主な副作用は狭心症，肝障害，黄疸 ・代謝亢進により心負荷が増加し，狭心症が現れることがあるので，特に高齢者においては注意する
アドヒアランスの確認	胸の痛み，胸の締め付け感などの狭心症の症状について理解してもらい，体調に変化があれば相談するように指導する

＊甲状腺ホルモンについてはその他備考参照

■甲状腺ホルモン製剤の種類と比較

商品名		T_4 チラーヂンS	T_3 チロナミン
力価比		1	4
効果の発現と消失		おそい	はやい
血中半減期（正常者）		約6日	約1日
（粘液水腫）		約8日	約2日
1日の投与回数		1回	3回
効能・効果	粘液水腫，クレチン病，甲状腺機能低下症，甲状腺腫	○	○
	慢性甲状腺炎	−	○
	甲状腺機能障害による習慣性流産および不妊症	−	−

■ 甲状腺機能亢進症―薬物治療の確認と指導のポイント

項目	確認のポイント
甲状腺機能亢進症（甲状腺中毒症）状態の確認	・甲状腺機能亢進症と甲状腺の破壊によるホルモンの濾胞からの漏出，体外からの摂取過剰等により，甲状腺ホルモンが高値を示す ・バセドウ病と亜急性甲状腺炎が代表疾患で，甲状腺中毒症状（動悸，多汗，体重減少，手指振戦，下痢等）を示す 　検査　血中 $T_4 \cdot T_3 \uparrow$，$FT_3 \cdot FT_4 \uparrow$，血中 TSH $\downarrow$，抗TSH受容体抗体陽性，血糖値↑，血中コレステロール値↓，血中 ALP ↑
治療法とコントロール状態の確認	・抗甲状腺薬（チアマゾール：MMI，プロピルチオウラシル：PTU）の投与：第一選択薬は MMI（催奇形性あり），妊娠初期は PTU が推奨される ・副作用等で使用できない場合は甲状腺全摘出，放射線治療 ・頻脈の対症療法として，β遮断薬（プロプラノロール） ・治療開始後2カ月間は2週に1回定期的な血液検査を行い，顆粒球の減少傾向に注意
副作用の確認	特に MMI では，無顆粒球症（白血球および顆粒球数が $500/\mu L$ 以下）に注意。患者には初期症状（咽頭痛，発熱，全身倦怠感等）が現れたら連絡するよう指導
アドヒアランスの確認	・治療開始後2カ月間は2週に1回血液検査が必要なことを理解してもらう ・その後も，のどの痛み，発熱，全身のだるさなどに注意し，体調に変化があれば相談するよう指導する

■ 抗甲状腺ホルモン製剤の種類と比較

商品名	チアマゾール（MMI） メルカゾール	プロピルチオウラシル（PTU） チウラジール，プロパジール
相対的力価	10～50	1
作用持続時間	24時間以上（1回/1日）	6～8時間（3回/1日）
血漿蛋白結合率	0 %	76～80%
血中半減期	4～6時間	1～2時間
分布容積	40 L	20 L
排泄経路	腎	腎
胎盤通過率	高	低
乳汁移行率（乳汁/血清濃度比）	高（1）	低（0.1）
末梢での T_4 から T_3 への変換抑制	なし	あり
特徴	・第一選択薬 ・1日1回投与が可能である ・無顆粒球症や SLE 様症状の発現頻度がやや低い	・第二選択薬 ・皮膚過敏症の発現頻度がやや少ない

42　ホルモン製剤　①下垂体後葉ホルモン

■ 対象薬剤
デスモプレシン酢酸塩水和物（ミニリンメルト，デスモプレシン）

■ 指導のポイント

	患者向け	薬剤師向け
薬効	・この薬は脳下垂体から出る抗利尿ホルモン（バソプレシン）が不足して，うすい尿が大量に出てしまう（中枢性尿崩症）のを抑える薬です（ミニリンメルト 60・120・240，デスモプレシン点鼻液・スプレー 2.5） ・この薬は夜間のホルモン分泌能力が未発達で，夜間に尿が濃くならず，夜間にうすい尿が溜まってしまう夜尿病を改善する薬です（ミニリンメルト 120・240，デスモプレシンスプレー 10・点鼻スプレー） ・この薬は夜間の尿量を減らすことにより夜間多尿による夜間頻尿を改善する薬です（ミニリンメルト 25・50）	腎集尿細管における水の再吸収促進作用 〃 〃
詳しい薬効	この薬は脳下垂体から分泌される体内で尿量を調節しているホルモン（バソプレシン）の誘導体で腎臓の尿細管で尿中の水分が再吸収されるのを促進し，うすい多量の尿ができるのを抑えたり，夜間のバソプレシン分泌不足が関係して起きるおねしょを防ぐ薬です	

	患者向け	薬剤師向け
警告	〔ミニリンメルト，デスモプレシンスプレー 10・点鼻スプレー 0.01〕この薬の服用中に，水中毒を疑わせる症状（体がだるい，頭痛，吐き気，嘔吐，けいれん，意識低下など）が現れた場合には直ちに使用を中止し，必ずご相談ください	夜尿症に使用した患者に重篤な低 Na 血症によるけいれんの報告があるため，患者や家族に水中毒の発現と水分摂取管理の重要性について十分説明・指導すること
禁忌・併用禁忌	禁忌　・〔ミニリンメルト，デスモプレシンスプレー 10・点鼻スプレー 0.01〕低 Na 血症 ・〔ミニリンメルト〕習慣性・心因性多飲症，抗利尿ホルモン不適合分泌症候群，中等度以上の腎機能障害，本剤過敏症既往 ・〔ミニリンメルト 60・120・240〕心不全既往または疑いで利尿薬投与中 ・〔ミニリンメルト 25・50〕心不全既往または疑い，利尿薬による治療を要する体液貯留またはその既往	

| 併用禁忌 | 〔ミニリンメルト25・50〕⇔チアジド系薬剤，チアジド系類似剤，ループ利尿剤投与中，副腎皮質ステロイド剤にて低Na血症発現のおそれ |

■ 主な副作用と対策，フィジカルアセスメントのチェックポイント

主な副作用	患者に確認すべき症状	対策とPAのチェックポイント
水中毒	体がだるい，頭痛，吐き気，嘔吐，意識がうすれる，考えがまとまらない，判断力の低下，けいれん	投与中止し水分を制限する。症状がある場合は等張もしくは高張食塩水の注入，フロセミドの投与等の処置を行う PA 水摂取量（↑），尿量（↑），浮腫（↑），意識レベル（↓）

■ 重大な副作用と妊婦・授乳婦への危険度

薬剤名	重大な副作用	妊婦〔授乳婦〕
デスモプレシン，ミニリンメルト	脳浮腫，昏睡，けいれん等を伴う重篤な水中毒	B（ミニリンメルト） 〔㊗◎（デスモプレシン）〕

■ その他の指導ポイント

	患者向け	薬剤師向け
使用上の注意	・指示された用法・用量を守り投与中は過量の水を飲まないように気をつけてください。投与中に体がだるい，頭が痛い，吐き気・吐くなどの症状が現れた場合は投与を中止してすぐにご相談ください	投与中に過量の水を飲むと水中毒（倦怠感，頭痛，悪心，嘔吐等）をきたすことがあるので，水中毒発現予防のため十分説明・指導する
	・過度に飲水してしまった場合は使用しないでください	水中毒発現を予防するため
	・〔デスモプレシン点鼻液，スプレー2.5・10〕投与前には，鼻をかむようにしてください	吸収を安定させるため ・投与法については実物と説明書を使用し患者が納得するまで説明する
	・〔デスモプレシン点鼻液，スプレー2.5・10〕携帯するときは，バッグなどに立てた状態で入れて携帯してください。また旅行中は，高温の場所は避け，温度差の少ない場所に保管してください	ポケット等，体温が直接伝わるところに入れると薬液がもれることがあるため
	・〔デスモプレシン点鼻液，スプレー2.5・10〕瓶を立てた状態で高温を避けて保管してください	
	・〔ミニリンメルト〕口の中（舌下）に入れると速やかに溶けます。水分の摂取を少なくするために，水なしで飲んでください	デスモプレシンはペプチドホルモンであり，消化管で分解されるため舌下投与
	・〔ミニリンメルト60・120・240〕薬の服用	食後から食前投与に変更することで血漿中デ

使用上の注意	時間は食直後を避けて，自己判断で変更しないでください ・〔ミニリンメルト〕服用直前にブリスター→シートから取り出してください ・〔ミニリンメルト〕ブリスターシートから取り出すときは，裏面のシールをはがして，ゆっくりと指の腹で押し出してください。欠けたり割れたりしてもその分はすべて飲んでください 検 〔ミニリンメルト 25・50〕夜間頻尿の原因が夜間多尿のみであることを確認する必要があるので，種々の検査（血液検査，心電図，血液・尿検査等）を受けてください	スモプレシン濃度が高くなり有害事象のリスクが上昇する可能性があるため。また食直後投与では目的とする有効性が得られない可能性があるため避けることが望ましい 水分と光に不安定なため 夜間頻尿の原因は，夜間多尿の他に前立腺肥大症，過活動膀胱等の膀胱蓄尿障害等があるので，夜間頻尿の原因が夜間多尿のみによることを確認すること。精査および治療等を行ったうえで，飲水制限等の生活指導および行動療法を行い，それでも夜間多尿指数＊が33％以上，かつ夜間排尿回数が2回以上の場合にのみ考慮する 　＊夜間多尿指数：24時間の尿排出量に対する夜間尿排出量
服用（使用）を忘れたとき	〔中枢性尿崩症〕 ・〔ミニリンメルト 60・120・240，デスモプレシンスプレー 2.5・点鼻液 0.01〕思い出したときすぐに服用（使用）する。ただし次の服用（使用）時間が近いとき（1日2回使用の場合は6時間程度）は忘れた分は服用（使用）しない。次の決められた時間に1回分を服用（使用）する（2回分を一度に使用しないこと） 〔夜尿症，夜間頻尿〕 ・〔ミニリンメルト 25・50・120・240，デスモプレシンスプレー 10・点鼻スプレー 0.01〕思い出しても服用（使用）しない。翌日の寝る前に服用（使用）する（2回分を一度に使用しないこと）	

42 ホルモン製剤　②甲状腺ホルモン製剤

■ 対象薬剤

レボチロキシンナトリウム水和物（T_4）（チラーヂンS），リオチロニンナトリウム（T_3）（チロナミン）

■ 指導のポイント

	患者向け	薬剤師向け
薬効	この薬は甲状腺ホルモンで，不足している甲状腺ホルモンを補い新陳代謝を高める薬です	甲状腺ホルモン補充作用（基礎代謝上昇作用） （チラーヂンS：T_4 　チロナミン　：T_3）
禁忌	新鮮な心筋梗塞	

■ 主な副作用と対策，フィジカルアセスメントのチェックポイント

主な副作用	患者に確認すべき症状	対策とPAのチェックポイント
脈拍増加，不整脈	脈が増える，どきどきする	減量もしくは休薬（過剰投与のおそれ） PA 脈拍（↑，不整脈）
不眠，頭痛	眠れない，頭が痛い	減量もしくは休薬（過剰投与のおそれ）

■ 重大な副作用と妊婦・授乳婦への危険度

薬剤名	重大な副作用	妊婦[授乳婦]
チラーヂンS	狭心症，肝機能障害，黄疸，副腎クリーゼ，晩期循環不全，ショック，うっ血性心不全	[✕◎]
チロナミン	ショック，狭心症，うっ血性心不全，肝機能障害，黄疸，副腎クリーゼ	[✕◎]

■ その他の指導ポイント

	患者向け	薬剤師向け
使用上の注意	・薬の効きめは遅いが長く続くので，早く効かせたいと自分勝手に薬の量を増やすと危険です ・ホルモン不足を補う薬なので，医師の指示どおり長期に根気よく服用しましょう ・胃薬（アルミニウム含有制酸剤）や鉄剤，Ca含有製剤と同時に服用すると効きめが弱くなるので，できるだけ避けてくだ	少量から開始し漸次増量して維持量とすることが望ましい 消化管内で結合し，本剤の吸収が遅延または減少することがあるため併用注意。併用する場合は投与間隔をできるだけあける

No.42 ホルモン製剤

使用上の注意	食 〔チラーヂンS〕この薬の服用中にヨードを含む健康食品や海藻を過剰にとらないでください	→	海藻中ヨウ素により甲状腺機能の亢進作用
	食 〔チラーヂンS〕この薬とグレープフルーツジュースは一緒に飲まないでください	→	グレープフルーツジュースの1日間併用によりレボチロキシンの吸収が遅延
服用を忘れたとき	思い出したときすぐに服用する。ただし次の服用時間が近いときは忘れた分は服用しない（2回分を一度に服用しないこと）		

42 ホルモン製剤 ③抗甲状腺薬

■ 対象薬剤

チアマゾール（メルカゾール），プロピルチオウラシル（チウラジール，プロパジール）

■ 指導のポイント

	患者向け	薬剤師向け
薬効	この薬は甲状腺ホルモンの過剰な合成を抑え甲状腺ホルモンによる過剰な新陳代謝を抑える薬です →	甲状腺ホルモン生合成阻害作用

	患者向け	薬剤師向け
警告	〔メルカゾール〕この薬の服用中に発熱，全身倦怠感，のどの痛み等の症状が現れた場合は，服用を中止し必ずご相談ください → 検 投与開始後2カ月間は原則として2週に1回，定期的な血液検査を行う必要があるので，通院してください	重篤な無顆粒球症が投与開始後2カ月以内に発現，死亡報告。投与開始後2カ月間は原則2週に1回，それ以降も定期的に血液検査実施。異常の場合，直ちに投与中止し適切な処置。投与再開時も注意。無顆粒球症等の副作用発現の可能性，検査の必要性を患者に説明
禁忌	・本剤過敏症既往 ・〔チウラジール，プロパジール〕本剤使用後の肝障害悪化既往	

■ 主な副作用と対策，フィジカルアセスメントのチェックポイント

主な副作用	患者に確認すべき症状	対策とPAのチェックポイント
発疹，じんま疹	かゆみ，皮疹	飲み出して2～3週間以内に起こる。症状が軽いときは抗ヒスタミン薬併用。重症の場合は他剤に変更するか中止 PA 皮膚（かゆみ，発赤，発疹）
無顆粒球症	発熱，のどの痛み，体がだるい	中止 PA 体温（↑），咽頭扁桃（壊死性潰瘍）
肝機能障害	皮膚や白目が黄色くなる，尿が黄色い，嘔気，吐き気，食欲不振，かゆみ，体がだるい	飲み始めて2週間から3カ月以内に起こる。投与中止 PA 体温（↑），眼球（黄色），皮膚（皮疹，瘙痒感，黄色），尿（褐色），腹部（肝肥大，心窩部・右季肋部圧痛，腹水貯留）
抗好中球細胞質抗体（ANCA）関連血管炎症候群	血尿，鼻みず，鼻づまり，咳，のどの痛み，発熱，青あざができる，皮下出血によるあざ，皮膚の潰瘍	中止 PA 体温（↑），体重（↓），皮膚（紫斑，皮下出血），感覚（知覚過敏，知覚鈍麻），尿（血尿，蛋白尿），咳・血痰，呼吸音（水泡音：肺胞出血，捻髪音：間質性肺炎）

No.42　ホルモン製剤

■ 重大な副作用と妊婦・授乳婦への危険度

薬剤名	重大な副作用	妊婦[授乳婦]
メルカゾール	汎血球減少，再生不良性貧血，無顆粒球症，白血球減少，低プロトロンビン症，第Ⅶ因子欠乏症，血小板減少，血小板減少性紫斑病，肝機能障害，黄疸，多発性関節炎，SLE様症状，インスリン自己免疫症候群，間質性肺炎，抗好中球細胞質抗体（ANCA）関連血管炎症候群，横紋筋融解症	[禁○]
チウラジール，プロパジール	無顆粒球症，白血球減少，再生不良性貧血，低プロトロンビン症，第Ⅶ因子欠乏症，血小板減少，血小板減少性紫斑病，劇症肝炎，黄疸，SLE様症状，間質性肺炎，抗好中球細胞質抗体（ANCA）関連血管炎症候群，アナフィラキシー，薬剤性過敏症症候群	C [禁○]

■ その他の指導ポイント

	患者向け	薬剤師向け
使用上の注意	・根気強く指示どおり正しく服用しましょう ・発熱，全身倦怠，のどの痛み等があれば服用を中止して必ずご相談ください	血中甲状腺ホルモン濃度は，すぐには低下せず，1カ月ほどしてから効果が実感できるようになるが，急に服薬を中止すると必ず再発するため少量の薬剤を3年くらいの長期間服用する必要がある
服用を忘れたとき	思い出したときすぐに服用する。ただし次の服用時間が近いときは忘れた分は服用しない（2回分を一度に服用しないこと） 理由　血中濃度の一時的な変化は効果に影響を与えないため	

■ その他備考

■抗甲状腺薬とL-サイロキシン併用療法の適応

　　抗甲状腺薬の投与量の増減により目標とする甲状腺機能を安定して維持することが困難な場合，あるいは^{131}I内用療法実施後の甲状腺機能低下症の予防目的で，L-サイロキシン（LT$_4$）併用療法を行うことがある

(参考：日本甲状腺学会・編：バセドウ病治療ガイドライン2019，南江堂，2019)

42 ホルモン製剤　④卵胞ホルモン

■ 対象薬剤
（A）内服剤：エストリオール（**エストリール**），エストラジオール（**ジュリナ**），結合型エストロゲン（**プレマリン**），クロミフェンクエン酸塩（**クロミッド**）
（B）貼付剤：エストラジオール（**エストラーナテープ**）

■ 指導のポイント

	患者向け	薬剤師向け
薬効	・この薬は女性ホルモンで，女性ホルモンの低下やホルモンバランスがくずれて起きる更年期症状（顔のほてり，のぼせ，異常な汗）や膣部の炎症や乾燥を改善する薬です（クロミッド以外） ・この薬は排卵を誘発する薬です（クロミッド） ☆この薬は骨の量が減少するのを改善して，骨がもろくなるのを防ぐ薬です（エストリール，ジュリナ，エストラーナテープ）（参）No.48骨粗鬆症治療薬 ◆この薬は，尿失禁（いきんだり，笑ったり，お腹に力を入れると尿がもれる症状）を改善する薬です（適応外）（エストリール）	→卵胞ホルモン作用 →排卵誘発作用 骨吸収抑制作用，骨塩量増加作用
詳しい薬効	・女性ホルモンはエストロゲン（卵胞ホルモン）とプロゲステロン（黄体ホルモン）があり，生理を区切りとして二つのホルモンが増えたり減ったりを繰り返して，生理のリズムがつくられています。卵胞ホルモンは，主に卵巣から分泌され，正常な月経周期や排卵を維持したり，女性の子宮や性器の発育，乳房のふくらみなどを促します。この薬は女性ホルモン（卵胞ホルモン）で，卵胞ホルモンの低下やホルモンバランスがくずれて起きる更年期症状（顔のほてり，のぼせ，異常な汗）や膣部の炎症や乾燥を改善する薬です（クロミッド以外） ・この薬は脳の下垂体に働いてホルモン（性腺刺激ホルモン）を分泌させ，卵巣を刺激して排卵を誘発させる薬です（クロミッド）	
禁忌	・エストロゲン依存性悪性腫瘍，妊婦 ・〔クロミッド以外〕乳がん既往，未治療の子宮内膜増殖症，血栓性静脈炎や肺塞栓症とその既往，動脈性血栓塞栓疾患とその既往，重篤な肝障害，診断の確定していない異常性器出血 ・〔ジュリナ，プレマリン，エストラーナテープ〕本剤過敏症既往 ・〔ジュリナ，エストラーナテープ〕授乳婦 ・〔クロミッド〕卵巣腫瘍および多嚢胞性卵巣症候群を原因としない卵巣の腫大，肝障害，肝疾患	

No.42 ホルモン製剤

■ 主な副作用と対策，フィジカルアセスメントのチェックポイント

主な副作用	患者に確認すべき症状	対策とPAのチェックポイント
胃腸障害	気分が悪い，食欲がない	消化器症状予防のため食後服用
性器出血，乳房痛（クロミッド以外）	生理以外の出血，乳房が腫れて痛くなる	減量もしくは中止
血栓症（クロミッド以外）	脚の痛み・むくみ，胸が痛む，息が切れる，急に呼吸が苦しくなる，めまい，頭痛，吐き気，ろれつが回らない，物が二重に見える	中止 PA ・深部静脈血栓症：片側下肢・上肢（腫脹，発赤，熱感） ・肺塞栓：胸痛，呼吸（困難） ・脳梗塞：四肢（まひ，脱力），構音（障害：ろれつが回らない） ・心筋梗塞：脈拍（↑・↓，不整脈），前胸部（狭心痛），頸部・左肩（放散痛），浮腫（上眼瞼，下腿脛骨），呼吸音（水泡音）
接触皮膚炎（エストラーナテープ）	皮膚が赤くなる，かゆくなる，かぶれたりする	毎回貼付部位を変える PA 接触部位（かゆみ，丘疹，紅斑）
視覚症状（クロミッド）	霧がかかって見える，視野が狭くなる，見えにくい	中止し眼科的検査

■ 重大な副作用と妊婦・授乳婦への危険度

薬剤名	重大な副作用	妊婦[授乳婦]
エストリール	血栓症	禁忌
ジュリナ	静脈血栓塞栓症，血栓性静脈炎 類薬 アナフィラキシー様症状	禁忌 [授禁忌/○]
プレマリン	血栓症あるいは血栓塞栓症	禁忌/D
クロミッド	卵巣過剰刺激症候群	禁忌/B3
エストラーナテープ	アナフィラキシー，静脈血栓塞栓症，血栓性静脈炎	禁忌 [授禁忌/○]

■ その他の指導ポイント

	患者向け	薬剤師向け
使用上の注意	・[A] 指示された量を毎日同じ時間に服用してください ・[クロミッド] この薬の服用中は，車の運転等，危険を伴う機械の操作は行わないでください ・[クロミッド] 投与前，治療期間中は毎日内診を受け異常がみられたら直ちに服用をやめてください ・[クロミッド以外] この薬の服用中に脚の痛み・むくみ，胸の痛み，息切れ，突然の呼吸困難，めまいなどの症状が現れ	霧視の視覚症状が現れることがあるため 卵巣過剰刺激による副作用を避ける 血栓症が現れることがあるので，症状を説明しておき左記の症状が現れた場合は投与中止する

使用上の注意	た場合，必ずご相談ください	
	・〔エストラーナテープ〕この薬を貼る際は毎回場所を変えて貼付部位の皮膚を拭い，水分を十分に取り除き，清潔にしてから貼付してください →	皮膚刺激を避けるため，毎回貼付部位を変えることが望ましい
	・〔エストラーナテープ〕この薬を貼る際は衣類との摩擦ではがれるおそれがあるため，ベルトラインを避けて下腹部，臀部のいずれかに貼ってください。また，胸部，創傷面または湿疹・皮膚炎等がみられる部位は避けて貼付してください →	胸部に貼付した場合，下腹部に比べてエストラジオールの血中濃度が高くなることがあり，乳房局所の細胞に高濃度で到達した場合，細胞増殖を刺激するおそれがある
	・〔エストラーナテープ〕ハサミ等で切って使用しないでください。開封後は速やかに貼付してください	
	・〔クロミッド〕投与前少なくとも1カ月間および治療期間中は基礎体温を必ず記録し，排卵誘発の有無を観察してください	
	・妊娠中または妊娠の可能性のある方は必ずご相談ください →	妊娠動物で児の生殖器系臓器に異常発生の報告のため投与禁忌
	・〔ジュリナ，エストラーナテープ〕授乳中の方は必ずご相談ください →	〔ジュリナ，エストラーナテープ〕ヒトで母乳中への移行が報告 〔エストラーナテープ〕マウスで児の成長後膣上皮のがん性変化を認めたとの報告のため投与禁忌
	・〔ジュリナ，エストラーナテープ〕この薬の服用中にたばこを吸うと薬の作用が弱くなるので控えてください	喫煙により薬物代謝が誘導され，血中エストラジオール濃度が低下
	食 〔ジュリナ，エストラーナテープ〕この薬を服用中にセント・ジョーンズ・ワートを含む食品はとらないでください	薬物代謝酵素CYP3A4を誘導することにより，本剤の代謝が促進され，血中濃度が低下し効果減弱のおそれがあるため併用注意
	食 〔ジュリナ，エストラーナテープ〕この薬の服用中にグレープフルーツジュースは飲まないでください	グレープフルーツジュース中フラノクマリン類によりCYP3A4が阻害され，血中エストラジオールおよびその代謝物エストロン濃度が上昇し，副作用（血栓症等）の出現の可能性
	食 〔プレマリン〕この薬の服用中はノコギリヤシ，アカツメグサをとるのを控えてください	・ノコギリヤシの作用機序は不明であるが副作用として静脈血栓塞栓症等が報告 ・アカツメグサによりGnRH，FSHおよびLHの産生が抑制され効果減弱
	食 〔プレマリン〕この薬の服用中は大豆をとるのを控えてください	大豆成分中にエストロゲン作用があるため静脈血栓塞栓症等の副作用出現の報告
	食 〔プレマリン〕この薬の服用中はビタミンCを多く含む飲食物を同時にとらないでください	VCにより代謝が阻害され，静脈血栓塞栓症等の副作用出現の報告

服用・使用を忘れたとき	・〔A〕思い出したときすぐに服用する。ただし次の服用時間が近いときは忘れた分は服用しない（2回分を一度に服用しないこと） ・〔エストラーナテープ〕気がついたときできるだけ早く貼付する。以後は通常どおりに使用する（2回分を一度に使用しないこと）

■ その他備考

■ ホルモン補充療法（HRT：hormone replacement therapy）の投与方法

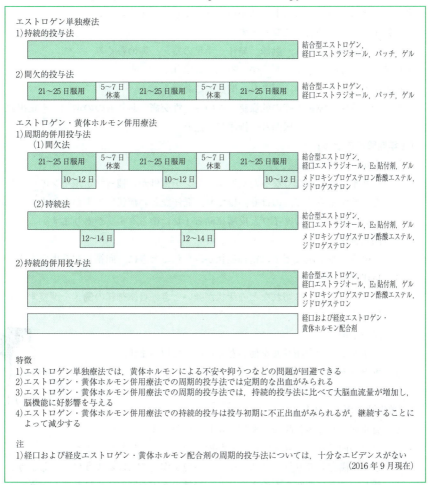

特徴
1) エストロゲン単独療法では，黄体ホルモンによる不安や抑うつなどの問題が回避できる
2) エストロゲン・黄体ホルモン併用療法での周期的投与法では定期的な出血がみられる
3) エストロゲン・黄体ホルモン併用療法での周期的投与法では，持続的投与法に比べて大脳血流量が増加し，脳機能に好影響を与える
4) エストロゲン・黄体ホルモン併用療法での持続的投与は投与初期に不正出血がみられるが，継続することによって減少する

注
1) 経口および経皮エストロゲン・黄体ホルモン配合剤の周期的投与法については，十分なエビデンスがない
(2016年9月現在)

(日本産科婦人科学会, 日本女性医学学会編・監：ホルモン補充療法ガイドライン2017年度版, 日本産科婦人科学会, p 83, 2017)

更年期障害と日常生活のポイント

更年期とは閉経を境に前後5年を合わせた約10年を指し,女性ホルモンの分泌がなくなり,老年期に移行する時期をいいます。一般に45〜55歳くらいに迎えることが多いようで,多くの女性は「発汗,ほてり,疲労感」などの症状が起こり,これを「更年期障害」といいます。更年期障害は,卵巣の機能が低下しホルモンの分泌が低下すると,卵巣を刺激しようとして視床下部や脳下垂体から大量のホルモンが分泌されて,ホルモンのバランスが崩れることと,精神的なストレスが絡み合って起こります。

症状を分類すると次のようになります
- 血管運動障害:ほてり,動悸,発汗,手足の冷え,脚のむくみ
- 精神神経系障害:不安,憂うつ,不眠,耳鳴り
- 運動系機能障害:腰痛,肩こり,関節のこわばり
- 泌尿器・生殖器障害:膣の乾燥感,かゆみ,性交痛,おりものの増加,不正出血,尿漏れ,排尿時の痛み

【更年期障害の治療】
1. ホルモン補充療法
   卵巣で作られなくなった女性ホルモンを体外から補ってホルモンのバランスを調整する方法で,のぼせ,ほてり,発汗などの症状に効果があります。ホルモンには内服するタイプと皮膚に貼るまたは塗るタイプがあります。
2. 向精神薬
   抑うつや不眠など主に精神症状がみられるときに,向精神薬を用います。
3. 自律神経調整薬
   発汗,動悸,息切れなどの症状が強いとき,自律神経の働きを調整する薬を用います。
4. 漢方治療
   ホルモンや向精神薬を使いたくない人に用います。
5. カウンセリング
   精神的な要因が強いときに有効です。

【日常生活のポイント】
1. 更年期に心と体に起こる変化を正しく理解しましょう。
2. 一日の内でゆっくりくつろげる時間をつくるようにしましょう。
3. 家族も協力してリラックスしやすい環境を作ってあげるようにしましょう。
4. 新しいことに興味をもつようにし,精神の充実を図るようにしましょう。
5. 食事,運動,休養,睡眠などの生活習慣をこの時期に見直し改善しましょう。

42 ホルモン製剤　⑤黄体ホルモン

■ 対象薬剤

クロルマジノン酢酸エステル（ルトラール），ジドロゲステロン（デュファストン），ノルエチステロン（ノアルテン），メドロキシプロゲステロン酢酸エステル（ヒスロン，プロベラ）
＊ヒスロン H200 は No.66 抗悪性腫瘍薬③（p.1002）参照

■ 指導のポイント

	患者向け	薬剤師向け
薬効	・この薬は女性ホルモンで，女性ホルモンの低下やホルモンバランスがくずれて起こる生理不順，無月経などのとき，生理のリズムを取り戻したり，月経以外の出血を抑えたり，ホルモン不足による不妊症などを改善する薬です ・この薬は女性ホルモンで，流産や早産を防ぐ薬です（デュファストン，ヒスロン・プロベラ） ・この薬は女性ホルモンの分泌を抑え，女性ホルモンの働きを抑えて乳がんや子宮体がんのがん細胞が増えるのを抑える薬です（ヒスロンＨ200）（参）No.66 抗悪性腫瘍薬③	
詳しい薬効	・黄体ホルモンは，卵巣の黄体から分泌され，子宮内膜を充実・維持させ，受精卵の着床を促し，妊娠中は妊娠を維持するホルモンで，子宮筋の緊張をゆるめる作用もあります。この薬は女性ホルモン（黄体ホルモン）で，子宮内膜を充実・維持させることで，生理不順，無月経などのとき，生理のリズムを取り戻したり，子宮内膜を維持しはがれにくくすることで月経以外の出血を抑えたり，黄体ホルモンの不足による不妊症などを改善する薬です ・この薬は女性ホルモン（黄体ホルモン）で子宮筋の緊張をゆるめ妊娠を維持する働きをして流産や早産を防ぐ薬です（デュファストン，ヒスロン・プロベラ）	
禁忌	・重篤な肝障害・肝疾患 ・〔ヒスロン，プロベラ〕脳梗塞，心筋梗塞，血栓性静脈炎等の血栓性疾患とその既往，診断未確定の性器出血，尿路出血，稽留流産，本剤過敏症既往 ・〔ノアルテン〕妊婦	

■ 主な副作用と対策，フィジカルアセスメントのチェックポイント

主な副作用	患者に確認すべき症状	対策と PA のチェックポイント
乳房緊満感	乳房が腫れて痛くなる	多くは一時的なもので体が慣れてくればたいてい軽快するが続くようであれば減量もしくは休薬
浮腫，体重増加	むくみ，体重が増える	減量もしくは休薬 PA 体重（↑），浮腫（上眼瞼，下腿脛骨），尿量（↓）
胃腸障害	気分が悪い，吐く，食欲がない	多くは一時的なもので体が慣れてくればたいてい軽快するが続くようであれば減量もしくは休薬

■ 重大な副作用と妊婦・授乳婦への危険度

薬剤名	重大な副作用	妊婦[授乳婦]
デュファストン	−	D
ヒスロン，プロベラ	血栓症，うっ血性心不全，ショック，乳頭水腫	D*
ルトラール	血栓症	−
ノアルテン	アナフィラキシー	禁忌

＊メドロキシプロゲステロン（経口，筋注　高用量）

■ その他の指導ポイント

	患者向け	薬剤師向け
使用上の注意	〔ノアルテン〕妊娠中または妊娠の可能性のある方は必ずご相談ください	妊娠初期・中期に投与した場合，まれに新生女児の外性器の男性化が起こることがあるため投与禁忌
服用を忘れたとき	思い出したときすぐに服用する。ただし次の服用時間が近いときは忘れた分は服用しない（2回分を一度に服用しないこと） 理由 血中濃度の一時的な変化は効果に影響を与えないため	

■ その他備考

- 〔ヒスロン，プロベラ，ノアルテン〕妊婦への投与で妊娠初期・中期にまれに女性胎児の外性器の男性化または男性胎児の女性化が起こることがある

42 ホルモン製剤　⑥卵胞ホルモン・黄体ホルモン配合剤

■ 対象薬剤

（A）貼付剤：配合剤（メノエイドコンビパッチ）
（B）内服薬：配合剤（プラノバール配合，ルナベル配合，ジェミーナ配合）
＊プラノバール配合，ルナベル配合，ジェミーナ配合は No.43 産婦人科用薬③（p.602）参照

■ 指導のポイント

	患者向け	薬剤師向け
薬効	・この薬は女性ホルモンの卵胞ホルモンと黄体ホルモンの配合剤で，女性ホルモンの低下やホルモンバランスがくずれて起こる生理不順，無月経などのとき，生理のリズムを取り戻したり，月経以外の出血を抑えたり，ホルモン不足による不妊症などを改善する薬です（プラノバール）（参）No.43 産婦人科用薬③	→ 卵胞，黄体ホルモン作用 ゴナドトロピン分泌抑制作用
	・この薬は卵胞ホルモンと黄体ホルモンの配合剤で，卵巣からの女性ホルモンの分泌を抑え，月経に伴う腰痛，下腹部痛など月経困難症の痛みを軽減する薬です（ルナベル，ジェミーナ）（参）No.43 産婦人科用薬③	→ ゴナドトロピン分泌抑制作用
	・この薬は女性ホルモンの卵胞ホルモンと黄体ホルモンの配合剤で，女性ホルモンの低下やホルモンバランスがくずれて起こる更年期症状（顔のほてり，のぼせ，異常な汗）を改善する薬です（メノエイド）	→ 卵胞，黄体ホルモン作用
禁忌	エストロゲン依存性悪性腫瘍，未治療の子宮内膜増殖症，乳がんの既往，血栓性静脈炎・肺塞栓症とその既往，動脈性の血栓塞栓疾患，本剤過敏症既往，妊婦，授乳婦，重篤な肝障害，ポルフィリン症既往	

■ 主な副作用と対策，フィジカルアセスメントのチェックポイント

主な副作用	患者に確認すべき症状	対策とPAのチェックポイント
乳房緊満感	乳房が腫れて痛くなる	多くは一時的なもので体が慣れてくればたいてい軽快するが続くようであれば減量もしくは休薬

主な副作用	患者に確認すべき症状	対策とPAのチェックポイント
浮腫，体重増加	むくみ，体重が増える	減量もしくは休薬 PA 体重（↑），浮腫（上眼瞼，下腿脛骨），尿量（↓）
胃腸障害	気分が悪い，食欲がない	多くは一時的なもので体が慣れてくればたいてい軽快するが続くようであれば減量もしくは休薬
性器出血	生理以外の出血	減量もしくは中止
血栓症	[長期に続けて服用したとき] 頭痛，吐き気，吐く，ろれつが回らない，物が二重に見える	中止 PA No.42 ホルモン製剤④ p.581 参照

■重大な副作用と妊婦・授乳婦への危険度

薬剤名	重大な副作用	妊婦[授乳婦]
メノエイド	アナフィラキシー，静脈血栓塞栓症，血栓性静脈炎	禁忌 [㊞禁忌]

■その他の指導ポイント

	患者向け	薬剤師向け
使用上の注意	・下肢の急激な疼痛，浮腫，激しい頭痛，胸痛，急性視力障害，突然の息切れ，四肢の脱力，麻痺，構語障害等の症状が現れた場合は直ちに本剤の投与を中止し，医療機関を受診してください ・この薬は毎日同じ時間に使用してください ・長期間使用する場合は，約6カ月ごとに婦人科的検査を受けてください ・長時間日光にあたるのを避けてください→ ・開封後は速やかに貼付してください ・はがれた場合，再貼付または必要に応じ新しい薬を使用してください ・この薬は切って使用しないでください ・この薬を貼る際は毎回場所を変えて貼付部位の皮膚を拭い，水分を十分に取り除き，清潔にしてから貼付してください ・この薬を貼る際は衣類との摩擦ではがれるおそれがあるため，ベルトラインを避けて下腹部の滑らかな部分に毎回場所を変えて貼ってください。また，胸部，創傷面または湿疹・皮膚炎等がみられる部位は避けて貼付してください	本剤服用により，血栓症が現れ致死的な経過をたどることがある 日光がときとして，しみをつくる原因となる 胸部に貼付した場合，下腹部に比べてエストラジオールの血中濃度が高くなることがあり，乳房局所の細胞に高濃度で到達した場合，細胞増殖を刺激するおそれがある

使用上の注意	・妊娠中または妊娠の可能性のある方は必ずご相談ください →	以下の理由のため投与禁忌 ・卵胞ホルモンを妊娠動物, 妊婦に投与時, 児の生殖器系臓器に異常発生等
	・授乳中の方は必ずご相談ください →	乳汁中に移行する可能性があり投与禁忌
	・この薬の服用中はたばこを控えてください →	海外では喫煙が類薬(経口避妊薬)による心血管系の重篤な副作用(血栓症等)の危険性を増大させ, また, この危険性は年齢および喫煙量(1日15本以上)により増大し, 35歳以上の女性に特に顕著であるとの報告がある。したがって, 本剤を投与する場合には, 禁煙させることが望ましい
	食 この薬を服用中にセイヨウオトギリソウ(セント・ジョーンズ・ワート)を含む食品はとらないでください →	薬物代謝酵素CYP3A4を誘導することにより本剤の代謝が促進され, 血中濃度低下し効果減弱のおそれがあるため併用注意
使用を忘れたとき	気がついたときできるだけ早く貼付する。以後は通常どおりに使用する(2回分を一度に使用しないこと)	

■ その他備考

- 配合剤成分:メノエイド(酢酸ノルエチステロン, エストラジオール)

42 ホルモン製剤　⑦蛋白同化ステロイド

■ 対象薬剤

メテノロン酢酸エステル(プリモボラン)

■ 指導のポイント

	患者向け	薬剤師向け
薬効	・この薬は慢性の腎臓病や, がん・けが・やけどによる著しい体力の消耗を改善する薬です	蛋白同化作用 Na貯留作用
	・この薬は赤血球を増加し, 貧血等を改善する薬です	造血作用
	・この薬はカルシウムの排泄を減らし, 骨がもろくなるのを防ぐ薬です	Ca貯留作用
	◆この薬は骨髄異形成症候群および骨髄線維症における貧血を改善する薬です(適応外)	

詳しい薬効	この薬は男性ホルモンの男性化作用を弱め，蛋白質の合成を促す作用を強めた薬で，筋肉を増やし慢性の腎臓病，がん・けが・やけどによる著しい体力の消耗を改善する薬です。また骨髄の機能を高めて赤血球を増やし貧血等を改善したり，カルシウムの排泄を減らし骨がもろくなるのを防いだりする薬です。
禁忌	アンドロゲン依存性悪性腫瘍，妊婦

■ 主な副作用と対策，フィジカルアセスメントのチェックポイント

主な副作用	患者に確認すべき症状	対策と PA のチェックポイント
〔男性〕陰茎肥大，持続性勃起，（長期大量投与）精巣機能抑制	ペニスが大きくなる，勃起が持続する （長期大量投与）睾丸の萎縮，精液・精子の減少	減量もしくは中止
〔女性〕男性化現象：嗄声，多毛，ざそう，色素沈着，月経異常，性欲の亢進	声が男性のようになる，体毛が濃くなる，にきび，生理が不順になる，性欲が強くなる	〃
肝機能障害	皮膚や目が黄色くなる，体がだるい，皮膚がかゆい	減量もしくは中止 PA No.42 ホルモン製剤③ p.578 参照
胃腸障害	気分が悪い，食欲がない	減量もしくは中止

■ 重大な副作用と妊婦・授乳婦への危険度

薬剤名	重大な副作用	妊婦［授乳婦］
プリモボラン	肝機能障害，黄疸	禁忌

■ その他の指導ポイント

	患者向け	薬剤師向け
使用上の注意	・この薬は食後または軽食とともに服用してください →	胃の調子を悪くすることがあるため
	・体力が消耗しているときに服用する場合には蛋白質の合成を高めるために高蛋白，高カロリー食をとりましょう	
	・女性がこの薬を服用した場合，声が変わることがあるので，そのときはご相談ください →	進行すると回復困難な場合があるため，通常，月経異常が先発する例が多いとの報告がある
	・妊娠中または妊娠の可能性のある方は必ずご相談ください →	女性胎児の男性化を起こすおそれがあるため投与禁忌
	食 この薬の服用中にアルコールを飲むと，副作用が強く出るので控えてください →	薬剤による肝障害の危険性が増大する可能性

服用を忘れたとき	思い出したときすぐに服用する。ただし次の服用時間が近いときは忘れた分は服用しない（2回分を一度に服用しないこと） 理由 血中濃度の一時的な変化は効果に影響を与えないため

42　ホルモン製剤　⑧合成鉱質コルチコイド製剤

■ 対象薬剤
フルドロコルチゾン酢酸エステル（フロリネフ）

■ 指導のポイント

	患者向け	薬剤師向け
薬効	この薬は体内の不足しているミネラルを調節しているホルモンを補う薬です ◆この薬は血圧を上げる薬です（適応外）→	Na貯蔵，K排泄増加作用 肝グリコーゲン蓄積作用 生命維持作用 Na貯蔵，K排泄増加作用
詳しい薬効	この薬は電解質（ナトリウム，カリウム等）の代謝に作用する副腎皮質ホルモンでこのホルモンが不足している人に用い，体内にナトリウムを貯めてカリウムを排泄する薬です	
禁忌	本剤過敏症既往	

■ 主な副作用と対策，フィジカルアセスメントのチェックポイント

主な副作用	患者に確認すべき症状	対策とPAのチェックポイント
高血圧	血圧が上がる	減量もしくは中止 PA 血圧（↑）
高Na血症	のどが渇く，取り乱す，けいれん，意識がなくなる	減量もしくは中止 PA 口渇（↑），飲水量（↑），体重（急激↓），意識レベル（↓），口腔粘膜（乾燥）
低K血症	体がだるい，力が抜ける	減量もしくは中止 PA 筋力（↓），脈拍（不整脈）
浮腫	手足や顔がむくむ	減量もしくは中止 PA 体重（↑），尿量（↓），浮腫（上眼瞼，下腿脛骨）
満月様顔貌	顔がふっくらする，肩やお腹が太る	減量もしくは中止

■ 重大な副作用と妊婦・授乳婦への危険度

薬剤名	重大な副作用	妊婦[授乳婦]
フロリネフ	誘発感染症，感染症の増悪，続発性副腎皮質機能不全，糖尿病，消化性潰瘍，膵炎，精神変調，うつ症状，けいれん，骨粗鬆症，大腿骨および上腕骨等の骨頭無菌性壊死，ミオパシー，緑内障，後嚢白内障，血栓症	－

■ その他の指導ポイント

	患者向け		薬剤師向け
使用上の注意	・この薬を飲んでいる人で予防接種をするようなときはご相談ください	→	副腎皮質ホルモン剤を投与中の患者にワクチンを接種して神経障害，抗体反応の欠如が起きたとの報告。特に，本剤投与中に水痘または麻疹に感染すると致命的な経過をたどることがあるので，本剤投与前に水痘または麻疹の既往や予防接種の有無を確認する
	・勝手に服用を中止しないでください	→	服薬を急に中止すると，症状が悪化することがあるため
	・食後に服用してください	→	胃粘膜障害を軽減するため
	食 この薬の服用中に甘草を含む健康食品をとるのを控えてください。なるべくカリウムを多く含む食品をとるようにしてください	→	低K血症を起こしやすくなる
服用を忘れたとき	思い出したときすぐに服用する。ただし次の服用時間が近いときは忘れた分は服用しない（2回分を一度に服用しないこと） 理由 血中濃度の一時的な変化は効果に影響を与えないため		

■ その他備考

- 副作用は糖質コルチコイドとの併用時や長期投与時に現れやすい

42 ホルモン製剤　⑨副腎皮質ホルモン合成阻害薬

■ 対象薬剤

トリロスタン（デソパン），ミトタン（オペプリム），オシロドロスタットリン酸塩（イスツリサ）

■ 指導のポイント

	患者向け	薬剤師向け
薬効	・この薬は体内の過剰なホルモンの分泌を抑える薬です ・この薬は副腎皮質の組織を萎縮・壊死させて副腎にできたがんを縮小させる薬です（オペプリム）	副腎皮質ホルモン生合成阻害作用 抗腫瘍作用（医師との話し合いのうえ指導内容を統一する）
詳しい薬効	この薬は副腎皮質ホルモン（アルドステロン，コルチゾール）が生成されるのを抑えてホルモン分泌の過剰によって引き起こされる症状（高血圧，低カリウム血症，頭痛，疲労感，皮膚症状）を改善する薬です	
警告	〔オペプリム〕ショック時や重篤な外傷を受けたときには，一時的に投与を中止すること	
禁忌・併用禁忌	禁忌 ・〔デソパン，イスツリサ〕妊婦 ・〔オペプリム〕重篤な外傷 ・〔イスツリサ〕本剤過敏症既往，副腎皮質機能不全既往 併用禁忌 〔オペプリム〕→スピロノラクトンにて作用が阻害されるおそれ，ペントバルビタールにて睡眠作用が減弱するおそれ，ドラビリンの血中濃度が低下し，作用が減弱するおそれ	

■ 主な副作用と対策，フィジカルアセスメントのチェックポイント

主な副作用	患者に確認すべき症状	対策とPAのチェックポイント
消化器症状	食欲がない，吐き気，吐く	減量もしくは中止
肝機能障害	皮膚や目が黄色くなる，体がだるい，皮膚がかゆい	中止 PA No.42 ホルモン製剤③ p.578 参照

■ 重大な副作用と妊婦・授乳婦への危険度

薬剤名	重大な副作用	妊婦[授乳婦]
イスツリサ	低コルチゾール血症，QT延長	禁忌
デソパン	−	禁忌
オペプリム	胃潰瘍，胃腸出血，紅皮症，認知症，妄想，副腎不全，低血糖，腎障害（尿細管障害），肝機能障害，黄疸	−

■ その他の指導ポイント

	患者向け	薬剤師向け
使用上の注意	・〔オペプリム〕認知症や妄想などの症状が現れたらご相談ください ・〔オペプリム以外〕妊娠中または妊娠の可能性のある方は必ずご相談ください ・〔イスツリサ〕動悸などの症状が現れたらご相談ください ・〔イスツリサ〕25℃以下に保存してください	・本剤投与により副腎不全が起こる可能性があるので，このような場合，副腎ステロイドの補充を行う 長期連続大量投与により脳の機能障害を起こすことがあるため ・〔デソパン〕動物実験で胎児毒性および母獣の妊娠維持能の低下が報告されているため投与禁忌 ・〔イスツリサ〕動物実験では胚・胎児毒性および催奇形性が認められているため投与禁忌 QT延長が現れることがあるので，投与前・投与後1週間以内・増量時など必要に応じて心電図検査を行う
服用を忘れたとき	・〔イスツリサ以外〕思い出したときすぐに服用する。ただし次の服用時間が近いときは忘れた分は服用しない（2回分を一度に服用しないこと） ・〔イスツリサ〕飲み忘れに気づいても服用しない。次の服用時に決められた用量を服用する（2回分を一度に服用しないこと）	

■ その他備考

■〔デソパン〕初回投与時に大量投与した場合，副作用発生の可能性が高いとの報告があるため，初期投与量を守る

42　ホルモン製剤　⑩GnRHアンタゴニスト

■ 対象薬剤
レルゴリクス（レルミナ）

■ 指導のポイント

	患者向け	薬剤師向け
薬効	この薬は女性ホルモンの分泌を抑え，子宮筋腫に伴う過多月経，下腹痛，腰痛，貧血を改善する薬です	GnRHアンタゴニスト作用
詳しい薬効	この薬は下垂体でGnRHの働きを抑えることで，黄体形成ホルモンおよび卵胞刺激ホルモン分泌を阻害し，卵巣からのエストラジオールやプロゲステロンなどの性ホルモン濃度を低下させて，子宮筋腫に伴う過多月経，下腹痛，腰痛，貧血を改善する薬です	
禁忌	妊婦，授乳婦，診断未確定の異常性器出血，本剤過敏症既往	

■ 主な副作用と対策

主な副作用	患者に確認すべき症状	対策
ほてり，多汗症	顔や体が熱くなる，汗が出やすくなる	脱ぎ着しやすい服や通気性の良い服を着る，汗拭きシートやタオルを携帯し対応する
不正子宮出血	生理以外の出血	生理用品を携帯するなどの準備をする。大量の出血の場合は速やかに受診する

■ 重大な副作用と妊婦・授乳婦への危険度

薬剤名	重大な副作用	妊婦[授乳婦]
レルミナ	うつ状態，肝機能障害	禁忌[❷禁忌]

■ その他の指導ポイント

	患者向け	薬剤師向け
使用上の注意	・妊娠中または妊娠の可能性のある方は必ずご相談ください	動物実験にて着床後胚死亡の増加等の報告があるため投与禁忌
	・授乳中の方は必ずご相談ください	動物実験で乳汁への移行の報告があるため投与禁忌
	・食事の影響を受けるため食前に服用してください	食後投与では絶食下投与と比較して，CmaxおよびAUC_{120}が45.43％および52.66％低下する
	・必ず月経周期1～5日目より服用を開始	

使用上の注意	してください ・本剤服用中はホルモン剤以外の方法で避妊をしてください →	ホルモン性の避妊薬により本剤の効果が減弱する可能性があるため
服用を忘れたとき	思い出したときすぐに服用する。ただし次の服用時間が近いときは忘れた分は服用しない（2回分を一度に服用しないこと）	

No.42 ホルモン製剤

ホルモン製剤一覧表

分類	成分名	商品名	適応	特徴
下垂体後葉ホルモン	デスモプレシン酢酸塩水和物（DDAVP）	デスモプレシン ミニリンメルト	中枢性尿崩症（ミニリンメルト 60・120・240、点鼻液、スプレー 2.5） 尿浸透圧あるいは尿比重の低下に伴う夜尿症（ミニリンメルト 120・240、スプレー 10） 男性における夜間多尿による夜間頻尿（ミニリンメルト 25・50）	作用持続性。昇圧作用が弱い
甲状腺ホルモン	レボチロキシン Na（T_4） リオチロニン Na（T_3）	チラーヂン S チロナミン	・粘液水腫、クレチン病、甲状腺機能低下症（原発性および下垂体性）、甲状腺腫 ・慢性甲状腺炎（チロナミン）	力価が安定しているため合成製剤（T_4, T_3）が繁用される。T_4 が第一選択薬である。T_3 は T_4 に比して活性は 4 倍強いが代謝回転が早く濃度調節が困難であるため、急速な補充を要する場合以外は T_4 投与が原則である。T_4 は体内で T_3 に変換される
抗甲状腺ホルモン	チアマゾール（MMI） プロピルチオウラシル（PTU）	メルカゾール プロパジール チウラジール	甲状腺機能亢進症	ヨウ素に対し強い競合阻害を示す
			甲状腺機能亢進症	ヨウ素化反応を阻害し、末梢での T_4 から T_3 への変換を抑制
卵胞ホルモン	エストリオール	エストリール	更年期障害、膣炎（老人、小児および非特異性）、子宮頸管炎ならびに子宮膣部びらん ・老人性骨粗鬆症（0.5、1mg 錠のみ）	子宮体内膜作用をほとんどもたず、排卵を抑制しない。子宮頸部、膣、外陰に強力に作用
	結合型エストロゲン	プレマリン	更年期障害、卵巣機能不全、卵巣欠落症状、膣炎（老人、小児）小児の性機能不全、機能性子宮出血	妊馬尿中の混合ホルモン。エストロゲン活性は estradiol の 1/5
	クロミフェンクエン酸塩	クロミッド	排卵障害に基づく不妊症および卵巣欠落症状に伴う排卵誘発	排卵誘発剤
	エストラジオール	エストラーナ（エ）ジュリナ（ジ）	・更年期障害および卵巣欠落症状（Hot flush おとび発汗）、泌尿生殖器の萎縮症状（エ）、膣萎縮症状（ジ） ・閉経後骨粗鬆症（エ） ・性腺機能低下、性腺摘出または原発性エストロゲン症 卵巣不全による低エストロゲン症	経皮吸収型エストラジオール製剤（エ） 経口エストラジオール製剤（ジ）

— 597 —

ホルモン製剤一覧表

分類	成分名	商品名	適応	特徴
黄体ホルモン	ジドロゲステロン	デュファストン(デ)	無月経，機能性子宮出血，黄体機能不全症により不妊症，月経周期異常，月経量異常(デを除く)，切迫流早産(デ，と)，習慣性流早産(デ，と)，子宮内膜症(デ)，卵巣機能不全症(ル，ノ)，月経周期の変更(ノ)	黄体ホルモン作用は，エチニルエストラジオールの100倍（経口），プロゲステロンの10倍（注射）。男性化作用。卵胞ホルモン作用なし
	メドロキシプロゲステロン酢酸エステル	プロベラ(プ) ヒスロン(ヒ)		
	クロルマジノン酢酸エステル	ルトラール(ル)		ジドロゲステロンの3〜6倍強力，グルココルチコイド作用あり
	アルエチステロン	ノアルテン(ノ)		蛋白同化作用．蛋白同化ホルモンなし
卵胞・黄体混合ホルモン	ノルゲストレル・エチニルエストラジオール	プラノバール(プ)	月経周期異常，月経異常(ア)，卵巣機能不全(ア)，子宮内膜症(ア)	黄体ホルモン作用の他にエストロゲン作用と弱いアンドロゲン作用．ゴナドトロピン抑制作用あり
	酢酸ノルエチステロン・エストラジオール	メノエイド(メ)	更年期障害および卵巣欠落症状に伴う血管運動神経系症状(Hot flushおよび発汗)(メ)	エストロゲンの添加で増強される 経口避妊薬としてはわが国では許可されていない
			閉経後骨粗鬆症	
		ルナベル LD, ULD	月経困難症	日本初の治療用低用量ピル 長期投与可 エチニルエストラジオールはLDよりULDが低用量
蛋白同化ホルモン	メスノロン酢酸エステル	プリモボラン	再生不良性貧血，骨粗鬆症，慢性腎疾患，悪性腫瘍，外傷，熱傷	男性化作用あり
鉱質副腎皮質ホルモン	フルドロコルチゾン酢酸エステル	フロリネフ	塩喪失型先天性副腎皮質過形成症，塩喪失型慢性副腎皮質機能不全症(アジソン病)	使用法は他の副腎皮質ステロイド剤と同じ
副腎皮質ホルモン合成阻害剤	オルソドロスタッドリロ酸塩	イスツリサ	クッシング症候群（外科的処置で効果が不十分または施行が困難な場合）	
	ミトタン	デソパン	特発性アルドステロン症，手術適応とならない原発性アルドステロン症およびクッシング症候群	
		オペプリム	副腎がん，手術適応とならないクッシング症候群	副腎の原発腫瘍巣およびその転移巣に選択的に作用
GnRHアンタゴニスト	レルゴリクス	レルミナ	子宮筋腫に基づく過多月経，下腹痛，腰痛，貧血	GnRHアゴニストの欠点である投与初期のゴナドトロピン分泌促進(flare up現象)がみられずに，速効的にGnRHの作用を阻害する

43 産婦人科用薬　①子宮収縮薬

■ 対象薬剤
メチルエルゴメトリンマレイン酸塩（パルタンM，メチルエルゴメトリン）

■ 指導のポイント

	患者向け	薬剤師向け
薬効	この薬は子宮の筋肉に作用して子宮を収縮→させたり，出血を止めたりする薬です	子宮収縮作用，止血作用
詳しい薬効	この薬は子宮平滑筋に働き，子宮を持続的に収縮させ，子宮血管を圧迫して出血を止める薬で，胎盤が娩出された後，流産，人工妊娠中絶後の子宮収縮の促進，子宮出血の予防や治療に用いる薬です	
禁忌・併用禁忌	禁忌 妊婦，児頭娩出前，本剤・麦角アルカロイド過敏症既往，重篤な虚血性心疾患または既往，敗血症 併用禁忌 スマトリプタン，ゾルミトリプタン，エレトリプタン，リザトリプタン，ナラトリプタン，クリアミン配合にて血圧上昇または血管れん縮作用増強（前後して投与する場合は24時間あける），リトナビル，アタザナビル，ホスアンプレナビル，ダルナビル，エファビレンツ，イトラコナゾール，ボリコナゾール，ポサコナゾール，レテルモビル，コビシスタット含有製剤にて本剤の血中濃度上昇で血管れん縮等の重篤な副作用発現	

■ 主な副作用と対策，フィジカルアセスメントのチェックポイント

主な副作用	患者に確認すべき症状	対策とPAのチェックポイント
消化器症状	むかむかする，吐いてしまう，腹痛，下痢	減量もしくは中止
精神神経系症状	頭が痛い，眠い，めまい	〃
循環器症状	胸の痛み，胸が押さえつけられる感じ	〃 PA 前胸部（狭心痛），頸部・左肩（放散痛），脈拍（↑・↓，不整脈）

■ 重大な副作用と妊婦・授乳婦への危険度

薬剤名	重大な副作用	妊婦[授乳婦]
パルタンM，メチルエルゴメトリン	アナフィラキシー，心筋梗塞，狭心症，冠動脈れん縮，房室ブロック	禁忌

■ その他の指導ポイント

	患者向け	薬剤師向け
使用上の注意	・胸が痛い，胸が苦しい，どきどきするなどの症状があれば申し出てください ・妊娠中または妊娠の可能性のある方は必ずご相談ください 🍴 この薬の服用中にグレープフルーツジュースは飲まないでください	冠動脈のれん縮により狭心症症状を悪化するおそれがある 子宮収縮作用により，子宮内胎児死亡，流産のおそれがあるため投与禁忌 CYP3A4 の競合阻害により本剤の血中濃度が上昇し，血管収縮等の副作用を起こすおそれのため併用注意
服用を忘れたとき	思い出したときすぐに服用する。ただし次の服用時間が近いときは忘れた分は服用しない（2回分を一度に服用しないこと）	

43 産婦人科用薬　②子宮収縮抑制薬

■ 対象薬剤

リトドリン塩酸塩（ウテメリン），イソクスプリン塩酸塩（ズファジラン），ピペリドレート塩酸塩（ダクチル）

■ 指導のポイント

	患者向け	薬剤師向け
薬効	・この薬は子宮の収縮を抑え，流・早産を予防する薬です	β受容体刺激作用，子宮筋弛緩作用（ウテメリン，ズファジラン），子宮運動抑制作用，子宮収縮抑制作用（ウテメリン） 抗コリン作用による子宮平滑筋収縮抑制作用（ダクチル）
	・この薬は月経困難症による痛みを改善する薬です（ズファジラン）	子宮筋弛緩作用
	☆この薬は末梢の血管を拡げて血液の流れをよくする薬です（ズファジラン）	血液レオロジー的性状（血液粘性，流動性，赤血球変形能）の改善作用，血管拡張作用
	☆この薬は消化管の過剰な運動を抑え腹痛などの症状を改善する薬です（ダクチル）	抗コリン作用による消化管平滑筋収縮抑制作用，胃運動亢進抑制作用
詳しい薬効	・この薬は子宮平滑筋にある交感神経β受容体を刺激して子宮の収縮を抑え，下腹部の張った感じや痛みなどを改善し，流・早産を予防する薬です（ウテメリン，ズファジラン） ・この薬は子宮や胃腸へのアセチルコリンの刺激を弱めて（抗コリン作用）内臓平滑筋の異常な収縮を抑えて，流・早産の予防や腹痛を改善する薬です（ダクチル）	

禁忌	・〔ウテメリン〕強度の子宮出血，子癇，前期破水例のうち子宮内感染を合併，常位胎盤早期剥離，子宮内胎児死亡，妊娠の継続が危険と判断，重篤な甲状腺機能亢進症，重篤な高血圧，重篤な心疾患，重篤な糖尿病，重篤な肺高血圧，妊娠16週未満，本剤過敏症既往 ・〔ダクチル〕閉塞隅角緑内障，前立腺肥大による排尿障害，重篤な心疾患，麻痺性イレウス，本剤過敏症既往

■ 主な副作用と対策，フィジカルアセスメントのチェックポイント

主な副作用	患者に確認すべき症状	対策とPAのチェックポイント
循環器症状（心悸亢進，動悸，頻脈）	脈が速くなる，どきどきする	減量もしくは中止 PA 脈拍（↑，不整脈）
過敏症（発疹）	かゆくなる，湿疹が出る	中止 PA 皮膚（かゆみ，発赤），呼吸（喘鳴）

■ 重大な副作用と妊婦・授乳婦への危険度

薬剤名	重大な副作用	妊婦[授乳婦]
ウテメリン	横紋筋融解症，汎血球減少，血清カリウム値の低下，高血糖，糖尿病性アシドーシス，新生児腸閉塞	禁忌(16週未満) [⊗○]
ズファジラン	－	C
ダクチル	肝機能障害，黄疸	－

■ その他の指導ポイント

	患者向け	薬剤師向け
使用上の注意	・〔ウテメリン〕薬を飲み始めてから，口が渇く・水をたくさん飲む・たくさんおしっこが出る・何度もお手洗いに行くなどの症状があるときはご相談ください ・〔ウテメリン〕胸がどきどきして，その程度がひどい場合はご相談ください ・〔ウテメリン〕妊娠16週未満の方は，必ずご相談ください ・〔ズファジラン〕妊娠12週未満の方はご相談ください ・〔ダクチル〕この薬の服用中は，車の運転等，危険を伴う機械の操作は注意してください	本剤投与中，血糖値の急激な上昇や糖尿病の悪化から糖尿病性ケトアシドーシスが現れることがある 過度の頻脈が現れたら減量する等，適切な処置。また，1日用量30mgを超えると副作用増大の可能性 妊娠16週未満の投与に関する安全性は確立していないため投与禁忌 妊娠12週未満の投与に関する安全性は確立していない 散瞳・めまいを起こすことがある
服用を忘れたとき	思い出したときすぐに服用する。ただし，次の服用時間が近いときは，忘れた分は服用しない（2回分を一度に服用しないこと）	

■ その他備考

- 妊娠 22 週 0 日から 36 週 6 日までの出産を早産という。
- 妊娠 22 週未満の出産を流産という。
- 稽留流産とは，胎芽あるいは胎児が子宮内で死亡後，出血や腹痛などの症状がなく子宮内に停滞している状態をいう。自覚症状がないため，医療機関の診察ではじめて確認される。
- 習慣流産とは，流産を 3 回繰り返した場合をいう。

43 産婦人科用薬　③子宮内膜症・月経困難症治療薬

■ 対象薬剤

（A）男性ホルモン誘導体：ダナゾール（ボンゾール）
（B）プロゲステロン受容体アゴニスト：ジエノゲスト（ディナゲスト）
（C）GnRH アゴニスト：ブセレリン酢酸塩（スプレキュア），ナファレリン酢酸塩（ナサニール）
（D）卵胞ホルモン・黄体ホルモン配合剤：プラノバール配合，ヤーズ配合，ルナベル配合，ジェミーナ配合
（E）子宮内黄体ホルモン放出システム：レボノルゲストレル（ミレーナ）

■ 指導のポイント

	患　者　向　け		薬剤師向け
薬効	・この薬は卵巣からの女性ホルモンの分泌を抑え，子宮内膜以外で発生した病巣での出血を止めることで，子宮内膜症を治療する薬です（A，B，C，ヤーズフレックス）	→	ゴナドトロピン分泌抑制作用（A，C，ヤーズフレックス） プロゲステロン受容体選択的アゴニスト作用（B）
	・この薬は卵胞ホルモンと黄体ホルモンの配合剤で，女性ホルモンの低下やホルモンバランスがくずれて起こる生理不順，無月経等のときに生理のリズムを取り戻したり，月経以外の出血を抑えたり，ホルモン不足による不妊症，子宮内膜症，月経困難症を治療する薬です（プラノバール）(参) No.42 ホルモン製剤⑥	→	卵胞，黄体ホルモン作用 ゴナドトロピン分泌抑制作用
	・この薬は卵胞ホルモンと黄体ホルモンの配合剤で，排卵を抑え子宮内膜が厚くならないようにすることで痛みの原因物質を抑え，痛みをやわらげて月経困難症を	→	ゴナドトロピン分泌抑制作用

薬効	治療する薬です（ルナベル，ヤーズ，ジェミーナ）（参）No.42 ホルモン製剤⑥	
	・この薬は医師により子宮内に装着された後，装置内から黄体ホルモンが子宮の中で少しずつ出ることにより子宮内膜の増殖を抑え，月経量を減少させて月経困難症の痛みを抑える薬です（ミレーナ）	子宮内プロゲステロン放出作用
	・この薬は卵巣からの女性ホルモンの分泌を抑え，子宮奥の筋層で増殖した病巣の増殖を抑え，子宮腺筋症に伴う痛みを改善する薬です（ディナゲスト1 mg）	プロゲステロン受容体選択的アゴニスト作用
	・この薬は卵巣からの女性ホルモンの分泌を抑え，子宮の内膜の増殖を抑えることにより，月経に伴う腰痛，下腹部痛など月経困難症の痛みを改善する薬です（ディナゲスト0.5 mg）	〃
	☆この薬は，卵巣からの女性ホルモン（エストロゲン）の分泌を抑え，ホルモンのバランスを改善することにより，乳腺症に伴う痛み，しこり，腫れなどを治療する薬です（ボンゾール100 mg）	ゴナドトロピン分泌抑制作用
	☆この薬は卵巣からの女性ホルモンの分泌を抑え，こぶ（子宮筋腫）を小さくしたり，それに伴う諸症状（過多月経，下腹部痛，腰痛，貧血）を改善する薬です（スプレキュア，ナサニール）	下垂体ゴナドトロピン分泌抑制作用
	☆この薬は思春期の体の発育が早すぎたときに用いる薬です（スプレキュア）	下垂体−性腺系機能抑制作用
	◆この薬は造血機能を高めて赤血球や血小板を増やし，再生不良性貧血や特発性血小板減少性紫斑病に用いる薬です（適応外）（ボンゾール）	
詳しい薬効	・この薬は男性ホルモン由来の薬で，男性ホルモンに似た働きをし，脳の下垂体に作用し，性腺刺激ホルモン（ゴナドトロピン：卵胞刺激ホルモン（FSH）と黄体形成ホルモン（LH））の分泌を強く抑えることにより，女性ホルモンの分泌を抑え，子宮内膜症で増殖した子宮内膜の過剰な増殖を抑え腰痛，下腹部痛などの症状を軽減する薬です（ボンゾール）	
	・この薬は排卵抑制作用をもつプロゲステロン（黄体ホルモン）の受容体に働いて，卵巣機能を抑制し，子宮内膜以外の場所で病巣組織が増殖するのを抑え子宮内膜症や子宮腺筋症で起きる腰痛，下腹部痛などの症状を軽減する薬です（ディナゲスト）	
	・この薬は性腺刺激ホルモン放出ホルモン（Gonadotropin releasing hormone：GnRH）というホルモンの働きを非常に強力にしたもので，投与すると大量のGnRHが存在している状態になり，その結果ゴナドトロピン（LHやFSH）の分泌が抑えられ，卵巣からの女性ホルモンの分泌も抑えられて，子宮内膜症で増殖した子宮内膜の過剰な増殖を抑え腰痛，下腹部痛などの症状を軽減する薬です（スプレキュア，ナサニール）	
	・この薬は少量の卵胞ホルモン薬と黄体ホルモン薬が配合されており，脳下垂体に働きかけ，性腺刺激ホルモン（ゴナドトロピン）の分泌を抑制し，卵胞の発育を抑え排卵を抑制して，	

詳しい薬効	・その結果卵巣からの女性ホルモンの分泌も抑えられ，子宮内膜症で増殖した子宮内膜の過剰な増殖を抑え，痛みの原因となるプロスタグランジンの産生を抑制し，月経に伴う腰痛，下腹部痛など月経困難症の痛みを軽減する薬です（D） ・この薬は医師により子宮内に装着された後，装置内に含まれる黄体ホルモンが子宮の中で少しずつ放出されて子宮内膜の増殖を抑え子宮内膜を薄くすることで月経量を減少させて，月経に伴う腰痛，下腹部痛などの月経困難症の痛みを軽減する薬です（ミレーナ）	
	患者向け	薬剤師向け
警告	〔ボンゾール，ヤーズ〕この薬の服用中に，下肢の急激な疼痛，浮腫，激しい頭痛，胸痛，急逝視力障害，突然の息切れ，四肢の脱力，麻痺，構語障害等の症状が現れた場合には，直ちに服用を中止し，医療機関を受診してください	本剤の服用により血栓症が現れ，致死的な経過をたどることがあるので，症状が現れたら直ちに服用を中止し，医療機関を受診するよう説明
禁忌	・診断のつかない異常性器出血，妊婦 ・〔ボンゾール〕血栓症既往，アンチトロンビンⅢ・プロテインC・プロテインS等の凝固抑制因子の欠損または減少，重篤な肝障害・肝疾患，重篤な心疾患・腎疾患，ポルフィリン症，アンドロゲン依存性腫瘍 ・〔ボンゾール，スプレキュア，ナサニール，ルナベル，ヤーズ，ジェミーナ〕授乳婦 ・〔ディナゲスト，ミレーナ〕本剤成分過敏症既往 ・〔ディナゲスト〕高度の子宮腫大または重度の貧血 ・〔スプレキュア，ナサニール〕本剤成分または他のGnRH誘導体過敏症既往 ・〔プラノバール，ルナベル，ヤーズ，ジェミーナ〕エストロゲン依存性悪性腫瘍およびその疑い，血栓性静脈炎，肺塞栓症またはその既往，重篤な肝障害，脂質代謝異常，妊娠中に悪化した耳硬化症，妊娠中に黄疸，持続性掻痒症または妊娠ヘルペスの既往 ・〔ルナベル，ヤーズ，ジェミーナ〕本剤成分過敏症素因，子宮頸がんおよびその疑い，脳血管障害，冠動脈疾患またはその既往歴，35歳以上で1日15本以上の喫煙者，前兆（閃輝暗点，星型閃光等）を伴う片頭痛，肺高血圧症または心房細動を合併する心臓弁膜症，亜急性細菌性心内膜炎の既往歴のある心臓弁膜症，血管病変を伴う糖尿病，血栓性素因，抗リン脂質抗体症候群，手術前4週以内，術後2週以内，産後4週以内および長期間安静状態，肝膿瘍，高血圧，耳硬化症，持続性掻痒症または妊娠ヘルペスの既往歴，骨成長未終了 ・〔プラノバール〕血栓性静脈炎，肺塞栓症またはその既往，エストロゲン依存性悪性腫瘍，重篤な肝障害，鎌状赤血球貧血，デュビン・ジョンソン症候群，ローター症候群 ・〔ヤーズ〕重篤な腎障害または急性腎不全 ・〔ミレーナ〕性器癌およびその疑い，黄体ホルモン依存性腫瘍および疑い，先天性・後天性の子宮形態異常または位置異常，性器感染症（カンジダ症除く），過去3カ月以内の性感染症既往，頸管炎または膣炎，再発性または現在PID，過去3カ月以内に分娩後子宮内膜炎または感染性流産既往，本剤または子宮内避妊用具装着時または頸管拡張時に失神・徐脈等の迷走神経反射既往，異所性妊娠既往	

■ 主な副作用と対策，フィジカルアセスメントのチェックポイント

主な副作用	患者に確認すべき症状	対策とPAのチェックポイント
不正出血	生理でないときに出血する	不正出血は，飲み忘れでもよく起こるのでコンプライアンスの確認。 ・出血量が多く持続時間が長い場合は血液検査を実施し，重度の貧血が認められた場合は鉄剤投与または本剤中止，輸血等実施 ・通常投与継続中に消失するが，長期間持続する場合は膣細胞診等で悪性疾患でないことを確認のうえ，投与する（ルナベル，ヤーズ）
頭痛	頭が痛い	使用初期の一過性の症状の可能性があるので継続投与。症状により鎮痛薬投与。症状が続くようであれば薬剤変更もしくは中止
皮膚症状（痤瘡，かゆみ，皮膚乾燥）	にきび，皮膚がかゆい，皮膚がかさかさする	薬剤変更もしくは中止 PA 皮膚（発赤，にきび，かゆみ，乾燥）
乳房痛，乳房不快感，乳房緊満，乳汁分泌	乳房が痛い，乳房がはる，乳房から液が出る	ホルモン環境が一時的に変化するためと考えられるので，それほど心配いらない。2〜3カ月続けて体が慣れてくると，しだいに軽快してくる
低エストロゲン症状：更年期様症状（ほてり，のぼせ，発汗，不眠，顔面紅潮，うつ症状，膣炎，性交痛）（ルナベル，ヤーズ，ジェミーナ以外）	のぼせる，どきどきする，汗が急に出る，眠れない，顔が赤くなる，気が沈む	閉経前の女性に投与する場合は低エストロゲンによる副作用を防ぐため，エストロゲン・プロゲスチンを併用することがある（アドバック療法）
筋肉痛，関節痛，肩こり（ルナベル，ヤーズ，ジェミーナ以外）	筋肉が痛い，関節が痛い，肩がこる	薬剤の変更もしくは中止
肝機能障害（ボンゾール）	体がだるい，眼が黄色くなる	投与を中止する等，適切な処置 PA No.42 ホルモン製剤③ p.578 参照
男性化現象（嗄声，多毛）（ボンゾール）	声が変わる，毛深くなる	用量依存性に症状が起こる可能性がある
体重増加（ボンゾール）	2〜5kg程度体重が増える	適正なカロリーの食事内容となるよう指導する PA 体重（↑）
血栓症[†]（下肢の急激な疼痛・浮腫，突然の息切れ，胸痛，激しい頭痛）（ボンゾール，ルナベル，ヤーズ，ジェミーナ）	足の痛み・むくみ，胸苦しい，息切れ，激しい頭痛，手足のまひやしびれ，しゃべりにくい，胸の痛み，呼吸困難，片方の足の急激な痛みや腫れ	投与を中止し適切な処置 PA No.42 ホルモン製剤④ p.581 参照
脱毛（スプレキュア）	髪が抜ける	投与を中止
悪心，嘔気（ルナベル，ヤーズ，ジェミーナ）	気分が悪い，吐き気	症状に応じてメトクロプラミド投与

主な副作用	患者に確認すべき症状	対策とPAのチェックポイント
月経異常（過長月経，月経周期異常，月経中間期出血，過多月経等）（ミレーナ）	出血が長く続く，下腹部や腰が異常に痛む	直ちに医師を受診する

†：厚生労働省の「重篤副作用疾患別対応マニュアル」参照

■ 重大な副作用と妊婦・授乳婦への危険度

薬剤名	重大な副作用	妊婦[授乳婦]
ボンゾール	血栓症，心筋梗塞，劇症肝炎，肝腫瘍，肝臓紫斑病（肝ペリオーシス），間質性肺炎	禁忌/D [🈲禁忌/×]
ディナゲスト	重篤な不正出血，重度の貧血，アナフィラキシー	禁忌 [🈲○]
スプレキュア	ショック，アナフィラキシー様症状，うつ症状，脱毛，狭心症，心筋梗塞，脳梗塞，血小板減少，白血球減少，不正出血，卵巣のう胞破裂，肝機能障害，黄疸，糖尿病の発症または増悪	禁忌 [🈲禁忌]
ナサニール	うつ状態，血小板減少，肝機能障害，黄疸，不正出血，卵巣のう胞破裂，アナフィラキシー	禁忌/D [🈲禁忌]
ルナベル	血栓症（四肢，肺，心，脳，網膜等），アナフィラキシー	禁忌 [🈲禁忌/○]
ヤーズ	血栓症（四肢，肺，心，脳，網膜等）	禁忌/B3 [🈲禁忌]
ジェミーナ	血栓症（四肢，肺，心，脳，網膜等）	禁忌 [🈲禁忌]
ミレーナ	骨盤内炎症性疾患，子宮外妊娠，穿孔，卵巣のう胞破裂	禁忌/B3
プラノバール	血栓症（四肢，肺，心，脳，網膜等）	禁忌

■ その他の指導ポイント

	患者向け	薬剤師向け
使用上の注意	・〔ボンゾール，ディナゲスト〕月経周期2～5日より服用を開始してください ・〔スプレキュア，ナサニール〕月経周期1～2日目より鼻腔内に噴霧してください ・〔ボンゾール，ルナベル，ヤーズ，ジェミーナ〕足の痛み，むくみ，激しい頭痛，気分が悪い，吐く，めまいなどの症状があればご相談ください ・〔スプレキュア，ナサニール〕牛乳などカルシウムを含む食品を多くとり適度な運動や日光浴を心がけてください．背中や腰のだるさ・痛みがあればご相談ください	血栓症を引き起こすおそれがあるので，症状に注意する 長期投与にてエストロゲン低下に基づく骨塩量低下の報告があるため6カ月以上の継続投与は行わないことが望ましい

使用上の注意	・〔スプレキュア, ナサニール, ディナゲスト〕寝つきが悪い, 気分が沈む, いらいらするなどの症状があればご相談ください	更年期障害様のうつ症状を起こすことがある
	・〔スプレキュア, ナサニール, ディナゲスト〕コンドームを使用するなど, ピル以外の方法で確実な避妊をしてください	
	・〔スプレキュア〕髪の毛が多く抜けるなどがあれば, ご相談ください	脱毛の報告があり, 症状がある場合は中止
	・〔ディナゲスト〕投与中に出血が長く続く, 一度に多く出血したときは必ずご相談ください	投与後に不正出血（月経でないときに起こる性器出血）が現れ, 重度の貧血に至ることがある
	・〔ディナゲスト〕痛みの種類, 痛みの強さの評価, 使った痛み止めの名前や使った回数, 月経時以外の症状や出血などを記録し, 診察時に持参しましょう	インターネット, スマートフォンにて記録用紙等を入手可能
	・妊娠中または妊娠の可能性のある方は必ずご相談ください	以下の理由のため投与禁忌 ・〔ボンゾール〕女性胎児の男性化の報告 ・〔ディナゲスト, プラノバール〕安全性が未確立 ・〔スプレキュア, ナサニール〕GnRH製剤で流産の報告のため投与禁忌。投与は妊娠していないことを確認し, 必ず月経周期第1～2日目より開始する。治療期間中は避妊させる ・〔ヤーズ, ルナベル〕児（マウス）の成長後, 膣上皮・子宮内膜の悪性変成示唆 ・〔ミレーナ〕原則として本剤を除去する。黄体ホルモンの局所的曝露による胎児への影響を考慮する
	・〔ミレーナ〕この薬を装着後, 出血パターンが不規則となります	装着後数カ月間は月経中間期出血が発現することが多い
	・〔ミレーナ〕前回の月経から6週間以内に月経が起こらない場合は受診してください	徐々に稀発月経が発現し約20％の女性に無月経がみられる。前回の月経から6週間以内に月経が起こらない場合は妊娠の可能性を考慮する
	・〔ミレーナ〕妊娠がわかったときは直ちに受診してください	ミレーナの除去が必要となるため直ちに受診する
	・〔ミレーナ〕本剤除去時に痛みと出血を伴うことがありますので, 迷走神経反射（失神, 徐脈など）を起こしたことのある方はお知らせください	迷走神経反射（失神, 徐脈など）, てんかん患者は発作を起こす可能性がある
	・〔ミレーナ〕装着後数日間は出血・下腹部痛・腰痛・おりものなどが現れることがあります。症状が長く続くときやひどい場合は受診してください	

使用上の注意	・〔ミレーナ〕装着後,異常な痛みや出血があった場合は直ちに受診してください	
	・〔ミレーナ〕装着後,本剤の位置や出血の状況を確認する定期検診は重要ですので,3カ月以内,1年度,1年以上装着するときは必ず年に一度は検診を受けてください	
	・〔ミレーナ〕月経の出血の日数や量の変化,月経の痛みの程度を記録として記載し,診察時に持参しましょう →	インターネットで記録用紙は入手可能
	・〔プラノバール,ディナゲスト,ミレーナ以外〕授乳中の方は必ずご相談ください	・母乳中に移行するため投与禁忌 ・〔ルナベル,ヤーズ,ジェミーナ〕母乳の量的質的低下が起こるため投与禁忌
	・〔スプレキュア,ナサニール〕使用前に吸収を安定にするため鼻をかんでください(患者向けパンフレット参照)	
	・〔ディナゲスト〕服用中は通常の月経周期よりも子宮内膜が薄くてはがれやすい状態になっているので,予期しないときに不正出血が起こりやすくなります。服用期間が長くなるにしたがい不正出血は減ってきます	
	・〔D〕この薬の服用中はたばこは控えてください。35歳以上でこの薬を服用するときは,喫煙は避けてください →	〔ルナベル,ヤーズ,ジェミーナ〕35歳以上で1日15本以上の喫煙者にはこの薬は投与しない。心筋梗塞,心血管系障害が発生しやすくなるため投与禁忌
	・〔ディナゲスト OD〕この薬は舌の上にのせ湿らせ,舌で軽くつぶし,唾液または水で飲みこんでください。また寝たままの状態では,水なしで服用しないでください	口腔粘膜から吸収されることがないため,唾液または水で飲みこむ
	・〔ルナベル,ヤーズ,ジェミーナ〕長期間にわたり出血が続く,出血量が多いときはすぐにご相談ください	
	・〔ルナベル,ヤーズ,ジェミーナ〕激しい下痢や嘔吐が続くときは薬の成分が吸収されにくくなり,妊娠する可能性が高くなるので注意してください	
	・〔ミレーナ〕先天性の心疾患または心臓弁膜症がある人は挿入前に医師に伝えてください →	本剤を装着,または除去するときに感染性心内膜炎の危険性があるため抗生物質を予防投与することが望ましい
	・〔ミレーナ〕糖尿病のある人は挿入前に医師に伝えてください →	耐糖能が低下することがある

	食 〔プラノバール，ルナベル，ヤーズ，ジェミーナ〕この薬を服用中にセイヨウオトリギリソウ（セント・ジョーンズ・ワート）を含む食品をとらないでください	セイヨウオトリギリソウにより本剤の代謝が促進され，効果の減弱化および不正性器出血の発現率増大のおそれがあるため併用注意
服用（使用）を忘れたとき	・〔ボンゾール，スプレキュア（使用開始から1カ月くらいまで），ディナゲスト，プラノバール〕思い出したときすぐに服用（使用）する。ただし次の服用（使用時間）が近いときは忘れた分は服用（使用）しない ・〔スプレキュア〕2〜3日以内の使い忘れならば，その時間から使用し，以後そのまま使用する（2回分は使用しない。4日以上忘れたら相談する） ・〔ナサニール〕使用忘れに気づいても使用しない。次の使用時に決められた用量を使用する ・〔ルナベル，ヤーズ，ジェミーナ〕思い出したときすぐに服用し，当日の錠剤も通常の時刻に飲む（その日は2錠服用）。その後ははじめの服薬スケジュール通りに服用する。2日以上飲み忘れたときは，気づいたときに前日分の1錠を飲み，当日分もいつも通り1錠飲む。その後ははじめの服薬スケジュール通りに服用する	

■ 継続的な服薬指導・確認のポイント

項目	確認のポイント
〔ルナベル，ヤーズ，ジェミーナ〕血栓症状の有無の確認	急な足の痛みやむくみ，突然の息切れ，胸の痛み，激しい頭痛，手足に力が入らない，手足がしびれる，しゃべりにくい，目がみえにくい等の症状が出現していないか確認する
薬を服用後の痛みの症状の変化	服用後の痛みの回数，痛み止めを飲んだ回数と薬の名前を確認する
〔スプレキュア，ナサニール，ディナゲスト〕うつ症状出現の有無	寝つきが悪い，眠れない，気分が沈む，いらいらするなど聞き取りを行う
〔ルナベル，ヤーズ，ジェミーナ〕摂取サプリメントの確認	セイヨウオトリギリソウ（セント・ジョーンズ・ワート）を摂取していないか確認する

■ その他備考

- 乳腺症の適応があるのはボンゾール100 mgのみ
- 配合剤成分：プラノバール配合（ノルゲストレル，エチニルエストラジオール）
  　　　　　　ルナベル配合LD・ULD（ノルエチステロン・エチニルエストラジオール）
  　　　　　　ヤーズ配合，ヤーズフレックス配合（ドロスピレノン・エチニルエストラジオール）
  　　　　　　ジェミーナ配合（レボノルゲストレル・エチニルエストラジオール）
- 〔プラノバール，ヤーズ，ルナベル，ジェミーナ〕
  本剤服用患者には投与開始時および継続時に以下について説明する。
  ・血栓症は生命に関わる経過をたどることがあること
  ・血栓症が疑われる症状やリスクが高まる状態になったときは軽度でも服用を中止し医師等に相談すること

・血栓症を疑って他医を受診するときは，本剤服用による血栓症を念頭においた診察を受けられるようにすること

■子宮内膜症とは

子宮内膜またはそれに似た組織が子宮外の骨盤内で発育・増殖する疾患である。本来は子宮内腔に存在するはずの内膜組織が，子宮外の骨盤腔などで増殖・浸潤し，周囲組織と強固な癒着を形成する

■月経困難症とは

月経に随伴して起こる病的症状で，月経時あるいは月経直前より始まる強い下腹部痛や腰痛を主症状として，下腹部痛，腰痛，腹部膨満感，嘔気，頭痛，疲労・脱力感，食欲不振，イライラ，下痢，および憂うつの順に多くみられる

■子宮腺筋症とは

子宮内膜類似の腺上皮および間質組織が子宮筋層内に発生する疾患と定義され，病変部位および周囲の子宮組織が肥厚する

子宮内膜症の日常生活のポイント

　子宮内膜症とは，子宮の内側にあるべき「子宮内膜組織」や「それに似た組織」が子宮以外の場所（卵巣やそのまわりの組織など）に発生し，女性ホルモンの影響を受けて，月経周期にあわせて増え，出血を繰り返す病気です。子宮内膜は生理時に体の外に出血として体の外に出ますが，子宮内以外の場所では血液が排出されないため，少しずつその場所にたまり炎症を起こしたり他の臓器とくっついたり（癒着）します。症状は，激しい生理痛であり，日常生活に支障が出る場合も少なくありません。下腹が痛い，腰が痛い，排便痛，性交痛などがみられ，放っておくと症状は悪化します。癒着や炎症がひどくなると不妊症の原因になるといわれています。

　子宮内膜症にかかる人が増えている最大の原因は，女性のライフスタイルの変化による月経回数の増加があげられます。初経年齢が早くなっていますが，閉経年齢は変わらないため月経のある期間は長くなります。晩婚・晩産傾向が進んできており，妊娠によって月経が中断されることなく繰り返されます。子宮内膜症は月経が繰り返されるたびに進行する病気です。

図　子宮内膜症のできやすい場所

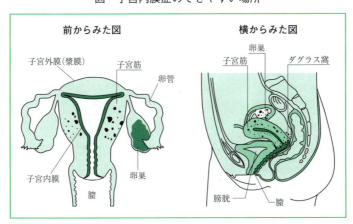

（日常生活のポイント）
1．体調のよいときは運動やストレッチ・ヨガなどでリラックスするようにしましょう。運動が苦手な方はウォーキングを取り入れても良いでしょう。
2．お腹を冷やさないように，また，きついジーンズやガードルで締め付けず（骨盤内がうっ血し症状がひどくなるため），下腹部にゆとりのある服装を心がけましょう。
3．ストレスがかかると，より痛みを感じやすくなるので精神的なストレスは，ためこ

まないで，うまく処理する方法を身につけましょう．

（食事生活のポイント）
1．いろいろな食材をバランスよく食べ，規則正しく楽しみながら食べましょう．
2．内分泌療法で治療中に骨量低下が起こる可能性がありますので，小魚，牛乳，小松菜などカルシウムを豊富に含んだ食品を積極的にとるようにしましょう．

（痛みの経過記録票）
　子宮内膜症に伴う痛みや出血などの症状，お薬の服用状況を記録しましょう．痛みのレベルの推移や日常の経過を意識できます．診察時に持参することで，医師に症状を伝えやすくなります．インターネット・スマートフォンなどで「痛みの経過票」を入手できますので，これらを利用することもできます．

43 産婦人科用薬　④産婦人科用外用薬

■ 対象薬剤

- （A）抗真菌剤：クロトリマゾール（**エンペシド膣錠**），イソコナゾール硝酸塩（**アデスタン膣錠**），ミコナゾール硝酸塩（**フロリード膣坐剤**），オキシコナゾール硝酸塩（**オキナゾール膣錠**）
- （B）抗生物質製剤：クロラムフェニコール（**クロマイ膣錠**）
- （C）抗トリコモナス剤：メトロニダゾール（**フラジール膣錠**），チニダゾール（**チニダゾール膣錠**）
- （D）女性ホルモン剤（卵胞ホルモン）：エストリオール（**エストリール膣錠**）
- （E）女性ホルモン剤（黄体ホルモン）：プロゲステロン（**ウトロゲスタン膣用カプセル，ルティナス膣錠，ルテウム膣用坐剤，ワンクリノン膣用ゲル**）
- （F）その他：ソルコセリル（**ソルコセリル膣坐薬**）

■ 指導のポイント

	患者向け	薬剤師向け
薬効	・この薬は膣内のカンジダによる感染を治療する薬です（A） ・この薬は膣内のトリコモナスによる感染を治療する薬です（フラジール，チニダゾール） ・この薬は膣内の細菌による感染を治療する薬です（クロマイ，フラジール） ・この薬は膣の炎症やびらんを治療する薬です（エストリール，ソルコセリル） ・この薬は子宮内膜に働いて受精卵が着床しやすくして妊娠を維持する薬です（E）	別表参照 〃 〃 〃 〃
詳しい薬効	・この薬は膣内のカンジダ菌の細胞膜の合成を阻害して増殖を抑えることにより外陰部のかゆみや，おりものの増加などを抑える薬です（A） ・この薬は膣内の悪い細菌の増殖を抑えることにより外陰部のかゆみや，おりものの増加などを抑える薬です（クロマイ） ・この薬は膣内のトリコモナス原虫のDNA合成を阻害して増殖を抑えることにより外陰部のかゆみや，おりものの増加などを抑える薬です（C） ・この薬は女性ホルモンの卵胞ホルモンで，膣の自浄作用を回復させ，炎症に対する抵抗力を高める薬です（D） ・この薬は女性ホルモンの黄体ホルモンで，子宮内膜における受精卵の着床環境を整え，着床後は妊娠を維持します。通常生殖補助医療における黄体ホルモン補充療法に用いられます（E） ・この薬は傷の組織修復・治癒を早め，帯下・出血などを伴う子宮膣部のびらんを改善する薬です（ソルコセリル）	

禁忌	・本剤過敏症既往 ・〔オキナゾール〕他のオキシコナゾール硝酸塩製剤過敏症既往 ・〔エストリール〕エストロゲン依存性腫瘍（乳がん，子宮内膜がん）およびその疑い，妊婦 ・〔ソルコセリル〕牛血液原料製剤過敏症既往 ・〔ウトロゲスタン，ルティナス，ルテウム，ワンクリノン〕診断未確定の性器出血，稽留流産または子宮外妊娠，重度の肝機能障害，乳がんまたは生殖器がんの既往または疑い，動脈または静脈血栓塞栓症，重度の血栓性静脈炎または既往，ポルフィリン症

別表　〔薬理作用〕

		抗真菌作用	抗菌作用	抗原虫作用	卵胞ホルモン作用	組織修復促進作用	黄体ホルモン作用
		カンジダ		トリコモナス			
A	エンペシド	○					
A	アデスタン	○					
A	フロリード	○					
A	オキナゾール	○					
B	クロマイ		○				
C	フラジール		○	○			
C	チニダゾール			○			
D	エストリール				○		
E	プロゲステロン						○
F	ソルコセリル					○	

■ 主な副作用と対策，フィジカルアセスメントのチェックポイント

主な副作用	患者に確認すべき症状	対策とPAのチェックポイント
局所の瘙痒感・刺激・発赤（エンペシド，アデスタン，フロリード，オキナゾール，クロマイ，フラジール，ウトロゲスタン，ルテウム）	投与部位が熱い，刺激がある	中止 PA 投与部位（発赤，かゆみ，刺激感）
発疹（エストリール，ウトロゲスタン，ルテウム）	かゆみ，皮膚が赤くなる	中止 PA 皮膚（発赤，かゆみ）
局所の疼痛・腫脹感（アデスタン）	投与部位が痛む，腫れた感じがする	中止 PA 投与部位（痛み，腫れた感じ）
卵巣過剰刺激症候群[†]（ウトロゲスタン）	下腹部の張り，急激な体重増加，吐き気，のどの渇き，尿が少なくなった	中止 PA 体重（↑），腹囲（↑），尿量（↓）
頭痛，傾眠（ルティナス）	頭が痛い，いつのまにか眠ってしまう	中止 PA 頭痛（強度：↑，回数：↑）
不正子宮出血（ルテウム）	生理（月経）以外に膣や子宮，外陰部などから出血	休薬

[†]：厚生労働省の「重篤副作用疾患別対応マニュアル」参照

■ 重大な副作用と妊婦・授乳婦への危険度

薬剤名	重大な副作用	妊婦[授乳婦]
エンペシド	−	A [⊗◎]
アデスタン	−	B2
フラジール	−	[⊗○]
エストリール膣錠	ショック，アナフィラキシー，血栓症	禁忌
クロマイ	ショック，アナフィラキシー	A
ウトロゲスタン，ルテウム，ルティナス	血栓症	−
ワンクリノン	血栓性障害，アナフィラキシーショック	A

■ その他の指導ポイント

	患者向け	薬剤師向け
使用上の注意	・〔フロリード，ソルコセリル〕避妊用ラテックスゴム製品（コンドーム等）との接触は避けてください ・膣錠，膣坐剤は，膣のみに使用し，内服しないでください（その他備考膣錠の使い方参照） ・〔クロマイ〕ぬれた手やピンセットなどで取扱わないでください ・〔クロマイ〕長期にわたって使用しないでください ・〔E〕この薬の服用中は，車の運転等，危険を伴う機械の操作は行わないでください ・〔E〕この薬を中止した後に，不安や気分の変化などを引き起こすことがありますので，注意してください ・〔ウトロゲスタン，ルティナス，ルテウム〕ふくらはぎの痛み，手足のしびれ，鋭い胸の痛みがあるときは，受診してください ・〔ルティナス〕専用アプリケータを用いて膣内に挿入してください	→本剤の基剤として用いられている油脂性成分は，コンドーム等の避妊用ラテックスゴム製品の品質を劣化・破損する可能性があるため，接触を避ける →水にあうと吸湿し，崩壊するため →感作されるおそれがあるので，観察を十分に行い，感作されたことを示す徴候（瘙痒，発赤，腫脹，丘疹，小水疱等）が現れた場合は使用を中止する。全身投与と同じ症状が現れることがあるので，長期連用はしない。耐性菌の発現を防ぐため，原則として感受性の確認をし，必要最小限の期間の投与にとどめる →傾眠・浮動性めまいを起こすことがある →投与中止の際にはこのような症状に注意するよう患者に十分説明すること →血栓症のおそれ

使用上の注意	・〔ルティナス〕使用直後に横になるなど安静は必要ありません。家事や仕事をしてかまいませんが，テニスなどの運動や肉体労働は避けてください	
	・〔ルティナス〕使用して2時間程度は入浴（お風呂）は避け，シャワーをご利用ください →	膣内にお湯が入り，薬が流れ出る可能性があるため
	・〔ワンクリノン〕1日1回使用します	
	・〔ワンクリノン〕膣の壁がジェルで覆われることにより，プロゲステロンが長時間にわたって放出されます。使用から数日間，ジェルの蓄積による白い小さな塊状のおりものがみられる場合がありますが心配ありません →	経膣投与用アプリケータ入りの徐放性ゲル剤のため
	・〔ルテウム〕この薬は室内でも温度が高くなると溶けることがありますので，必ず涼しい場所（25℃以下）で保管してください。パッケージ内で一度溶けた薬は品質が悪くなる場合がありますので使用しないでください	
	・〔ルテウム〕挿入後20～30分は歩行や入浴，激しい運動を避けてなるべく安静にしてください。挿入後すぐに歩いたり，トイレに行ってしまうとお薬が膣から出てきてしまうことがあります →	器具を使わずに挿入できるハードファットのみを基剤とした紡錘型の膣用坐剤である
	・〔ソルコセリル〕膣坐薬を入れて20～30分は，薬が膣から出ることがありますので，激しい運動は避けてください	
	・〔ウトロゲスタン〕大豆アレルギーの方は申し出てください →	添加物として大豆レシチンを含有しているため
	・〔ウトロゲスタン〕光と湿気を避けて室温（1～30℃）で保管してください	
	・〔ルティナス〕おりものと反応し微炭酸が発生して錠剤が壊れやすくなり薬が溶け出る仕組みです →	膣内で水分と接触し崩壊が開始され，添加物の炭酸水素ナトリウムとアジピン酸が反応し錠剤の崩壊が促進され，速やかに崩壊してプロゲステロンが膣粘膜へ放出される
	・〔ルティナス〕使用する直前までシートから薬を取り出さないでください →	シートから出したまま放置すると空気中の湿気と反応し錠剤が崩壊する
	・〔フラジール〕湿気を避けて保存してください →	発泡錠のため湿気を避けて保存する
	・〔エストリール〕妊婦または妊娠の可能性のある方は必ずご相談ください →	動物実験で着床障害が認められているため投与禁忌
	・〔フロリード，ソルコセリル〕冷所に保存してください	

使用を忘れたとき	思い出したときすぐに使用する。ただし次の使用時間が近いときは忘れた分は使用しない（2回分を一度に使用しないこと）

■ その他備考

■オキナゾールには通常の6日間継続投与する「1日1回100 mg 6日療法」の他に1週1回投与する「1週1回600 mg 1日療法」がある。「1日療法」は，治療期間を短縮するために開発された治療法で，1週間に1回の薬剤投与によりカンジダによる膣炎を治療しようとする療法である。ただし，「6日療法」の真菌学的効果が「1日療法」よりやや優れる成績を示しているので，投与法の選択には注意する。

―― 膣錠の使い方 ――

■用法・用量
1日1回，1個を膣内に挿入します。
（この膣錠は膣内に挿入するもので，内服するものではありません。）

■使用時の注意
● 手指をきれいに洗い，下図左いずれか一方の姿勢をとりできる限り奥の方に挿入してください。
● 生理のときは中止し，終わってからまたはじめてください。

〔正しい挿入図解〕

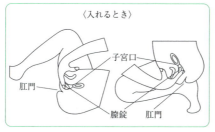
〈入れるとき〉

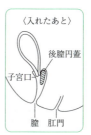
〈入れたあと〉

■保管上の注意
● 薬の品質を保つため，直射日光のあたらない，涼しい所（冷蔵庫など）に保管してください。
● 小児の手のとどかない所に保管してください。

（持田製薬株式会社：エストリール膣錠0.5 mgの使い方）

43 産婦人科用薬　⑤その他

■ 対象薬剤

ブロモクリプチンメシル酸塩（パーロデル），カベルゴリン（カバサール）
＊カバサールはNo.10抗パーキンソン病薬（p.155）参照

■ 指導のポイント

<table>
<tr><th colspan="2">患者向け</th><th>薬剤師向け</th></tr>
<tr><td rowspan="3">薬効</td><td>この薬は乳汁の分泌を抑えたり，不妊の原因を取り除いたりする薬です →</td><td>プロラクチン分泌抑制作用，乳汁分泌抑制作用</td></tr>
<tr><td>☆この薬は手足のふるえ，筋肉のこわばりや動作がおそくなったり姿勢のバランスがとれなくなるのを改善する薬です（パーロデル，カバサール）（参）No.10抗パーキンソン病薬 →</td><td>線条体ドパミン受容体刺激作用</td></tr>
<tr><td>☆この薬は成長ホルモンの過剰な分泌を抑えて手足の先が肥大したり，全身が発育しすぎるのを抑える薬です（パーロデル） →</td><td>成長ホルモン分泌抑制作用</td></tr>
<tr><td>詳しい薬効</td><td colspan="2">この薬は，下垂体のドパミン受容体を刺激して乳汁や排卵を調節するホルモン（プロラクチン）の分泌を抑えることにより，乳汁の分泌を抑えたり，排卵を回復させて不妊を治療したりする薬です</td></tr>
<tr><td>禁忌</td><td colspan="2">本剤および麦角アルカロイド過敏症既往，妊娠高血圧症候群，産褥期高血圧，心臓弁尖肥厚，心臓弁稼働制限およびこれらに伴う狭窄等の心臓弁膜の病変確認およびその既往</td></tr>
</table>

■ 主な副作用と対策，フィジカルアセスメントのチェックポイント

主な副作用	患者に確認すべき症状	対策とPAのチェックポイント
消化器症状（悪心，嘔気，嘔吐，便秘）	むかむかする，吐く，便秘	吐き気は投与初期に最も頻繁にみられる副作用。食事中から食直後の服用を検討。服薬継続により症状が軽くなる傾向がある。症状改善しなければ薬剤の変更や減量，ドンペリドンの併用等を検討する PA 腸音（便秘：↓）
精神神経症状	めまいがする，ふらふらする，頭が痛い，眠い	休薬・減量もしくは中止

■ 重大な副作用と妊婦・授乳婦への危険度

薬剤名	重大な副作用	妊婦[授乳婦]
パーロデル	ショック，急激な血圧低下，起立性低血圧，悪性症候群，胸膜炎，心膜炎，胸膜線維症，肺線維症，心臓弁膜症，後腹膜線維症，幻覚・妄想，せん妄，錯乱，胃腸出血，胃・十二指腸潰瘍，けいれん，脳血管障害，心臓発作，高血圧，突発性睡眠	[禁☆]

■ その他の指導ポイント

	患者向け	薬剤師向け
使用上の注意	・この薬の服用中は，車の運転等，危険を伴う機械の操作は行わないでください ・長期連用する場合は，定期的に婦人科検査を受けてください → ・空腹時に服用せず，食事の直後に服用してください ・急に立ち上がるとめまいを感じたり気を失ったりすることがあるので，特に朝など，ゆっくりと起き上がってください ・授乳中の方は必ずご相談ください → ・食 この薬を服用中にアルコールを飲むと → 薬の作用が強く出るので控えてください	著しい血圧下降，前兆のない突発的睡眠，傾眠を起こすことがあるため プロラクチンの分泌が抑制されるため婦人科的異変が起こる可能性がある 空腹時に服用すると胃を直接刺激して吐き気や嘔吐を起こす 乳汁分泌を抑制するので投与しない 相互に作用が増強されるため併用注意
服用を忘れたとき	思い出したときすぐに服用する（空腹時には服用しないこと）。ただし次の服用時間が近いときは忘れた分は服用しない（2回分を一度に服用しないこと）	

■ その他備考

- 産褥性乳汁分泌抑制に対して投与する際には，場合により氷罨法等の補助的方法を併用する

43 産婦人科用薬　⑥緊急避妊薬

■ 対象薬剤
レボノルゲストレル（ノルレボ）

■ 指導のポイント

	患者向け	薬剤師向け
薬効	この薬は性交後に緊急に妊娠を防ぐために用いる薬です	排卵抑制作用，受精阻害作用，受精卵着床阻害作用
詳しい薬効	この薬は黄体ホルモンを含有し，一時的に黄体ホルモンの体内濃度を上昇させることにより排卵を抑制し，また子宮内膜の増殖を抑えることで受精卵の着床を防いだり，子宮内に精子を入りにくくすることにより，性交後に緊急に妊娠を防ぐために用いる薬です	
禁忌	本剤過敏症既往，重篤な肝障害，妊婦	

■ 主な副作用と対策，フィジカルアセスメントのチェックポイント

主な副作用	患者に確認すべき症状	対策とPAのチェックポイント
消退出血，不正子宮出血	生理でないときに出血する	服用後，消退出血は出現するため月経周期を考慮し適切な時期に再受診 PA 出血開始日の確認，出血量の確認
頭痛，傾眠，めまい	頭が痛い，眠い，めまい	通常1回のみの服用であり，頭痛症状が出現すれば，鎮痛薬の併用を検討する
消化器症状	吐き気，腹痛，下痢	制吐薬と併用する

■ 重大な副作用と妊婦・授乳婦への危険度

薬剤名	重大な副作用	妊婦［授乳婦］
ノルレボ	－	禁忌/B3 ［㊙○］

■ その他の指導ポイント

	患者向け	薬剤師向け
使用上の注意	・この薬を受け取ったら，直ちに指示された量を服用してください ・この薬は，性交後の妊娠を避ける薬であり，飲むことによって，完全に妊娠を回避できるものではありません．計画的に	性交後72時間以内に服用する必要があるため 国内臨床試験の妊娠阻止率は81.0%，海外臨床試験の妊娠阻止率は84%であった．経口避妊薬の妊娠率は理想的な使用の場合は

使用上の注意	・避妊する場合は経口避妊薬など避妊効果の高い方法で避妊してください ・薬を飲んだ後の不正子宮出血や妊娠初期の出血は通常の月経と区別がつかないことがありますので，適切な時期に受診してください ・この薬を飲んだ後24時間は授乳を避けてください 食 この薬を服用中にセイヨウオトギリソウ（セント・ジョーンズ・ワート）を含む食品はとらないでください	0.3%，一般的な使用の場合は9%である セイヨウオトギリソウにより本剤の代謝が促進され，効果の減弱化のおそれがあるため併用注意
服用を忘れたとき	思い出した時すぐに服用する（性交後72時間を越えて服用した場合には，妊娠阻止率は63%に減弱すると報告されている）	

44 泌尿器科用薬　①排尿障害治療薬

■ 対象薬剤

（A）$α_1$ 受容体遮断薬：プラゾシン塩酸塩（ミニプレス），タムスロシン塩酸塩（ハルナールD），テラゾシン塩酸塩水和物（バソメット），ナフトピジル（フリバス），ウラピジル（エブランチル），シロドシン（ユリーフ）

（B）副交感神経刺激薬　┌直接型：ベタネコール塩化物（ベサコリン）
　　　　　　　　　　　└間接型：ジスチグミン臭化物（ウブレチド）

＊ウブレチドは No.13 自律神経作用薬①（p.183）参照
　ミニプレス，バソメット，エブランチルは No.19 降圧薬⑦（p.313）参照

■ 指導のポイント

<table>
<tr><th></th><th>患者向け</th><th>薬剤師向け</th></tr>
<tr><td rowspan="6">薬効</td><td>・この薬は尿路平滑筋をゆるめて尿を出しやすくする薬です（A）</td><td>$α_1$ 遮断作用，前立腺および下部尿路平滑筋弛緩作用</td></tr>
<tr><td rowspan="2">・この薬は排尿筋の収縮力を高めて尿を出しやすくする薬です（B）</td><td>Ach 受容体刺激作用，排尿筋収縮力増強作用（ベサコリン）</td></tr>
<tr><td>ChE 阻害作用，排尿筋収縮力増強作用（ウブレチド）</td></tr>
<tr><td>☆この薬は筋肉の神経の働きを強め弱った筋肉の収縮を高めて，脱力と疲れやすさを改善する薬です（ウブレチド）（参）No.13 自律神経作用薬①</td><td>ChE 阻害作用</td></tr>
<tr><td>☆この薬は血管を拡げて血圧を下げる薬です（ミニプレス，バソメット，エブランチル）（参）No.19 降圧薬⑦</td><td>末梢血管拡張作用</td></tr>
<tr><td>☆この薬は胃腸運動，胃液の分泌を促進する薬です（ベサコリン）
◆この薬は尿管結石を排出しやすくする薬です（適応外）（ハルナールD）</td><td>消化管運動亢進作用</td></tr>
<tr><td>詳しい薬効</td><td colspan="2">・この薬は尿道を狭くする物質（アドレナリン）の受容体（$α_1$ 受容体）に結合して，尿道が圧迫されるのを防ぎ，尿道をとりまく筋肉（尿道平滑筋）および前立腺の緊張をゆるめ，尿を出しやすくする薬です（A）
・この薬は筋肉の収縮運動を引き起こす物質（アセチルコリン）と同様の作用を示し，膀胱の筋肉に働く（ベサコリン），あるいはその物質（アセチルコリン）の分解を行う酵素（アセチルコリンエステラーゼ）の働きを抑える（ウブレチド）ことによって膀胱の収縮する筋力を高め尿を出しやすくする薬です（B）</td></tr>
<tr><td>禁忌</td><td colspan="2">・〔ベサコリン以外〕本剤過敏症既往
・〔ベサコリン〕甲状腺機能亢進症，気管支喘息，消化管および膀胱頸部に閉塞，消化性潰瘍，冠動脈閉塞，強度の徐脈，てんかん，パーキンソニズム，妊婦または妊娠している可能性</td></tr>
</table>

■ 主な副作用と対策，フィジカルアセスメントのチェックポイント

〔ハルナールD，フリバス，ユリーフ〕

主な副作用	患者に確認すべき症状	対策とPAのチェックポイント
めまい，ふらつき，立ちくらみ（起立性低血圧含む）	目がまわる，ふらつく，急に立ち上がるとくらくらする	仰臥位をとらせる。また必要に応じて対症療法を行う。減量もしくは中止 PA 血圧（↓）
射精障害（ユリーフ）	正常ならば射精時は閉じているはずの膀胱の一部（膀胱頸部）が開いたままで，精液が膀胱に逆流する	

〔ベサコリン〕

主な副作用	患者に確認すべき症状	対策とPAのチェックポイント
ムスカリン様作用	下痢，腹痛，吐き気，嘔吐，異常に汗が出る，顔が赤くなる，気道分泌過多，徐脈	直ちに中止し治療をすすめる。拮抗剤としてのアトロピン0.5〜1mgを経口，皮下あるいは静注を実施する。縮瞳，痙攣，意識障害，呼吸不全などの症状があれば中等症，重症として呼吸，循環管理が必要 PA 脈拍（徐脈：60回/min），呼吸音（いびき音：ロンカイ），腸音（↑），腹鳴（空気と腸内容物が移動する際に自然に発するゴロゴロという音），発汗（↑），瞳孔（縮瞳）

■ 重大な副作用と妊婦・授乳婦への危険度

薬剤名	重大な副作用	妊婦[授乳婦]
ハルナールD	失神，意識喪失，肝機能障害，黄疸	B2
フリバス	肝機能障害，黄疸，失神，意識喪失	−
ユリーフ	失神，意識喪失，肝機能障害，黄疸	−
ベサコリン	コリン作動性クリーゼ	禁忌 [✕○]

■ その他の指導ポイント

	患者向け	薬剤師向け
使用上の注意	・〔A〕この薬の服用中は，車の運転等，危険を伴う機械の操作は行わないでください ・〔フリバスOD，ユリーフOD〕この薬は舌の上にのせ湿らせ，舌で軽くつぶし，唾液または水で飲み込んでください。寝たままの状態では，水なしで服用しないでください	起立性低血圧に基づくめまい等が現れることがある。特に投与初期または用量の急増時は注意する。また，投与開始時に降圧剤が投与されている場合，特に，血圧変化に注意する 口腔粘膜から吸収されることがないため，唾液または水で飲み込む

使用上の注意	・〔ハルナールD〕この薬はかみ砕かないように服用してください →	徐放性粒を含有しているため，かみ砕いた際に徐放性が壊れ，薬物動態が変わる可能性があるため
	・〔エブランチル〕この薬の服用時にカプセル中の顆粒をかみ砕かないようにしてください →	血漿中濃度の急激な立ち上がりを抑制するために徐放化されており，破壊されると血中濃度が上昇し，血圧低下等の副作用を引き起こすおそれがあるため
	・〔ベサコリン〕この薬の服用中，吐き気・吐く，お腹が痛い，唾液が過剰に出る，発汗，脈が遅くなる，血圧が下がる等の症状が現れた場合服用を中止し，速やかに医師にご相談ください →	コリン作動性クリーゼが現れることがあるので左記の症状が現れたら投与を中止し，アトロピン硫酸塩水和物 0.5〜1 mg（患者の症状に合わせて適宜増減）を投与する。また，呼吸不全に至ることもあるので，その場合は気道を確保し，人工換気を考慮する
	・〔ベサコリン〕妊娠中または妊娠の可能性のある方は，必ずご相談ください →	妊娠中の投与に関する安全性は確立していないので投与禁忌
服用を忘れたとき	・〔ハルナールD, フリバス, ユリーフ〕飲み忘れに気づいても服用しない。次の服用時に決められた用量を服用する（2回分を一度に服用しないこと）	
	・〔ベサコリン〕思い出したときすぐに服用する。ただし次の服用時間が近いときは忘れた分は服用しない（2回分を一度に服用しないこと）	

下部尿路症状を起こす可能性のある薬剤

排尿症状を起こす可能性のある薬剤	蓄尿症状を起こす可能性のある薬剤
・オピオイド	・抗不安薬
・筋弛緩薬	・中枢性筋弛緩薬
・ビンカアルカロイド系薬剤	・抗癌剤
・頻尿・尿失禁，過活動膀胱治療薬	・アルツハイマー型認知症治療薬
・鎮痙薬	・抗アレルギー薬
・消化性潰瘍治療薬	・交感神経α受容体遮断薬
・抗不整脈薬	・勃起障害治療薬
・抗アレルギー薬	・狭心症治療薬
・抗精神病薬	・コリン作動薬
・抗不安薬	・抗男性ホルモン薬
・三環系抗うつ薬	
・抗パーキンソン病薬	
・抗めまい・メニエール病薬	
・中枢性筋弛緩薬	
・気管支拡張薬	
・総合感冒薬	
・低血圧治療薬	
・抗肥満薬	

（日本泌尿器科学会・編：男性下部尿路症状・前立腺肥大症診療ガイドライン，p7, リッチヒルメディカル，2017 より改変）

44 泌尿器科用薬　②前立腺肥大症治療薬

■ 前立腺肥大症―薬物治療の確認と指導のポイント

項目	確認のポイント
前立腺肥大に伴う症状，検査の確認	前立腺の肥大により下部尿路閉塞が生じた状態 機能的閉塞：a_1 受容体機能が亢進して前立腺・尿道の平滑筋緊張が増し尿路が狭くなる→a_1 受容体遮断薬または PDE5 阻害薬使用 機械的閉塞：前立腺が肥大し，腫大した前立腺が尿道を圧迫して，尿路が狭くなる→5a 還元酵素阻害薬使用 症状：排尿症状（排尿困難，腹圧排尿，尿線途絶，残尿感） 　　　蓄尿症状（頻尿・夜間頻尿，尿意切迫感，切迫性尿失禁） 検査：直腸診，前立腺の超音波検査，血液検査：PSA（前立腺特異抗原）基準内＜4.0 ng/mL
行動療法の指導	下部尿路症状の軽減による QOL の改善のため，積極的に行動療法の指導を行う：体重減少，運動，禁煙，過度の水分，コーヒー，アルコール摂取の制限，骨盤底筋訓練，膀胱訓練
薬物療法の確認と効果の確認	・選択的 a_1 受容体遮断薬（タムスロシン，シロドシン，ナフトピジル，テラゾシン，ウラピジル等）または PDE5 阻害薬（タダラフィル）を基本とし症状に応じて 5a 還元酵素阻害薬（デュタステリド）併用。5a 還元酵素阻害薬と同様の作用を示す抗アンドロゲン薬があるが，現在はほとんど使用されていない ・薬物療法の効果が不十分な場合，尿閉，血尿，膀胱結石等の合併症がある場合，手術を希望する場合は手術適応に関する評価を行う ・治療効果は排尿状態（間隔，尿流量，残尿感などの自覚症状）で評価するので症状等の聞き取りを行う
下部尿路障害を起こす可能性のある薬剤の確認	下部尿路障害を起こす可能性のある薬剤（p.624）参照
副作用発現と併用薬の確認	・a_1 受容体遮断薬：起立性低血圧，血圧低下，射精障害 ・PDE5 阻害薬：頭痛，ほてり，硝酸薬・NO 供与薬との併用で過度の血圧降下にて併用禁忌 ・5a 還元酵素阻害薬：性欲減退，女性化乳房等

■ 男性下部尿路症状に対する治療法—薬物療法

薬剤	推奨グレード
前立腺肥大症	
α_1アドレナリン受容体遮断薬（α_1遮断薬）	
タムスロシン（ハルナール）	A
ナフトピジル（フリバス）	A
シロドシン（ユリーフ）	A
テラゾシン（バソメット）	A
ウラピジル（エブランチル）	A
プラゾシン（ミニプレス）	C1
ホスホジエステラーゼ5阻害薬	
タダラフィル（ザルティア）	A
シルデナフィル（バイアグラ）	保留（適用外）
バルデナフィル（レビトラ）	保留（適用外）
5α還元酵素阻害薬	
デュタステリド（アボルブ）	A
フィナステリド（プロペシア）	保留（適用外）
抗アンドロゲン薬	
クロルマジノン（ルトラール・プロスタール）	C1
アリルエストレノール（パーセリン・ペリアス）	C1
その他の薬剤	
エビプロスタット	C1
セルニルトン	C1
パラプロスト	C1
漢方薬（八味地黄丸，牛車腎気丸）	C1

■ 推奨のグレード

グレード	内容
A	行うよう強く勧められる
B	行うよう勧められる
C	行うよう勧めるだけの根拠が明確でない
C1	行ってもよい
C2	行うよう勧められない
D	行わないよう勧められる
保留	推奨のグレードを決められない

■ 対象薬剤

（A）α₁受容体遮断薬（No.44 泌尿器科用薬①（p.622）参照）
（B）PDE5阻害薬：タダラフィル（ザルティア）
（C）5α還元酵素阻害薬：デュタステリド（アボルブ）
（D）抗アンドロゲン薬：クロルマジノン酢酸エステル（プロスタール，プロスタールL）
（E）セルニチンポーレンエキス（セルニルトン）
（F）配合剤（エビプロスタット配合，パラプロスト配合）

■ 指導のポイント

	患者向け	薬剤師向け
薬効	・この薬は肥大した前立腺や尿道への血流を増加させ，弱った機能を改善させて，尿の排泄を促したり頻尿，残尿感等の症状を改善したりする薬です（ザルティア）	ホスホジエステラーゼ5（PDE5）阻害作用 尿道・前立腺・膀胱頸部平滑筋・血管平滑筋弛緩作用
	・この薬は男性ホルモンの働きを抑えて，肥大した前立腺を小さくし，尿の排泄を促したり，頻尿，残尿感等の症状を改善したりする薬です（アボルブ，プロスタール，プロスタールL）	抗アンドロゲン作用（プロスタール，プロスタールL） 5α還元酵素阻害作用（アボルブ）
	・この薬は肥大した前立腺に直接作用し，肥大や炎症を抑えて，尿の排泄を促したり，頻尿，残尿感等の症状を改善したりする薬です（セルニルトン，エビプロスタット，パラプロスト）	抗前立腺肥大作用，抗炎症作用（セルニルトン，エビプロスタット） 排尿促進作用（セルニルトン，エビプロスタット，パラプロスト） 抗浮腫作用（パラプロスト）
	☆この薬は男性ホルモンの働きを抑えて，前立腺がんのがん細胞が増えるのを抑える薬です（プロスタール錠25）	抗アンドロゲン作用
詳しい薬効	・この薬は前立腺など下部尿路血管に存在する血管の収縮にかかわる酵素PDE5（ホスホジエステラーゼ5）の働きを抑えることにより，平滑筋を弛緩させ肥大した前立腺や尿道への血流を増加させ，弱った機能を改善させて尿の排泄を促したり頻尿・残尿感等の症状を改善したりする薬です（ザルティア）	
	・この薬はテストステロンからDHT（※）に変換する酵素（5α還元酵素）の働きを抑えて，血中や前立腺組織中のDHTの濃度を低下することにより，肥大した前立腺を小さくし尿の排泄を促したり，頻尿，残尿感等の症状を改善したりする薬です。なお血中のテストステロンを低下させないため性機能障害の副作用が少ないといわれています（アボルブ） （※）DHT（ジヒドロテストステロン）：前立腺肥大に関与する活性型アンドロゲン	
	・この薬は黄体ホルモン（女性ホルモン）の一種で血中のテストステロン（男性ホルモン）が前立腺組織に取り込まれるのを抑えたり，テストステロンからDHTに変換する酵素（5α還元酵素）の働きを抑えたり，DHTと細胞内にある受容体と複合体を作るのを抑えたりして，男性ホルモンの働きを抑えて，肥大した前立腺を小さくし尿の排泄を促したり，頻尿，残尿感等の症状を改善したりする薬です（プロスタール，プロスタールL）	
	・この薬は植物エキス製剤で抗炎症作用などにより前立腺の炎症状態を緩和し，尿の排泄を促したり，頻尿，残尿感等の症状を改善したりする薬です（セルニルトン，エビプロスタット）	

	・この薬はアミノ酸製剤で抗浮腫作用，抗炎症作用などにより，尿の排泄を促したり，頻尿，残尿感等の症状を改善したりする薬です（パラプロスト）
警告	〔ザルティア〕硝酸剤または NO 供与剤との併用にて降圧作用を増強。過度の血圧下降の可能性にて本剤投与前に投与されていないことを確認し，投与中・投与後にも投与されないよう注意。死亡例を含む重篤な心血管系等の有害事象報告のため投与前に心血管系障害の有無等確認
禁忌・併用禁忌	禁忌 ・〔プロスタール，プロスタールL〕重篤な肝障害・肝疾患 ・〔アボルブ〕本剤・他の5α還元酵素阻害薬過敏症既往，女性，小児等，重度の肝機能障害 ・〔ザルティア〕本剤過敏症既往，心血管系障害（不安定狭心症，心不全（NYHA 分類Ⅲ度以上），コントロール不良の不整脈，低血圧（血圧＜90/50 mmHg）またはコントロール不良の高血圧（安静時血圧＞170/100 mmHg），心筋梗塞既往歴最近3カ月以内，脳梗塞・脳出血既往歴最近6カ月以内），重度の腎障害・肝障害 併用禁忌 〔ザルティア〕⇔ニトログリセリン，亜硝酸アミル，硝酸イソソルビドにて降圧作用増強，リオシグアトにて血圧低下のおそれ

■ 主な副作用と対策，フィジカルアセスメントのチェックポイント

〔ザルティア〕

主な副作用	患者に確認すべき症状	対策とPAのチェックポイント
頭痛，ほてり	ズキズキする拍動性の頭痛，顔が熱くなる	減量もしくは中止
消化器症状	食欲不振，胃が痛む	減量もしくは中止 胃腸薬併用
CK 上昇，筋肉痛	筋肉が痛む，背中が痛い，全身がだるい	減量もしくは中止 PA 筋力（↓），筋肉（圧痛），尿（赤褐色尿：ミオグロビン尿）

〔アボルブ，プロスタール，プロスタールL〕

主な副作用	患者に確認すべき症状	対策とPAのチェックポイント
性機能低下（性欲減退，インポテンス等）	性欲がない，勃起不全	減量もしくは中止
乳房障害（女性化乳房，乳頭痛，乳房痛，乳房不快感）	乳房が隆起する，乳房が痛い，乳首が痛い	〃
貧血 （プロスタール，プロスタールL）	顔色が悪い，疲れやすい，だるい，動悸，息切れ，めまい	減量もしくは中止。鉄剤と併用 PA 顔色（蒼白），眼瞼結膜（蒼白）
肝機能障害 （アボルブ以外）	体がだるい，疲れる，熱がある，皮膚や白目が黄色くなる	中止 PA No.42 ホルモン製剤③ p.578 参照

〔セルニルトン,エビプロスタット,パラプロスト〕

主な副作用	患者に確認すべき症状	対策
消化器症状	食欲不振,胃部不快感,吐き気,腹痛	減量もしくは中止。胃腸薬と併用

■ 重大な副作用と妊婦・授乳婦への危険度

薬剤名	重大な副作用	妊婦[授乳婦]
ザルティア	過敏症（発疹、じんま疹、顔面浮腫、剥脱性皮膚炎、Stevens-Johnson 症候群）	－
アボルブ	肝機能障害、黄疸	禁忌(女性)/X
プロスタール,プロスタールL	うっ血性心不全、血栓症、劇症肝炎、肝機能障害、黄疸、糖尿病、糖尿病の悪化、高血糖	－

■ その他の指導ポイント

	患者向け	薬剤師向け
使用上の注意	・〔アボルブ,プロスタール,プロスタールL〕十分な効果を得るためには一定期間以上の服用が必要です。症状がよくなっても,勝手に服用を中止しないでください	・〔アボルブ以外〕根治療法ではないことに留意。また投薬期間は16週間を基準とする ・〔アボルブ〕治療効果を評価するためには通常6カ月間の治療が必要
	・〔アボルブ〕この薬はカプセルをかんだり,開けたりせずに飲んでください	カプセルの内容物が口腔咽頭粘膜を刺激する場合があるため
	・〔アボルブ〕女性や小児はカプセルからもれた薬剤に触れないでください。もし,もれた薬剤に触れた場合は,直ちに石けんと水で洗い流してください	本剤は経皮吸収されるため
	・〔ザルティア〕この薬の服用中は,車の運転等,危険を伴う機械の操作は行わないでください	めまいや視覚障害が認められているため
	・〔ザルティア〕この薬の服用中に,聴力低下,突発性難聴,視力低下などの症状が現れたらご相談ください	因果関係は明らかでないが,外国で報告あり
	・〔ザルティア〕勃起が4時間以上続く可能性があり,6時間以上勃起が続いた場合,処置が遅れると勃起機能が失われることがあります。勃起が4時間以上続いたら受診してください	外国でごく稀に報告されている。持続勃起に対する処置を速やかに行わないと陰茎組織の損傷または勃起機能を永続的に失うことがある
	食 〔ザルティア〕この薬の服用中にグレープフルーツジュースは飲まないでください	CYP3A4阻害によるクリアランスの減少で血中濃度上昇のおそれ

服用を忘れたとき	思い出したときすぐに服用する。ただし次の服用時間が近いときは忘れた分は服用しない（2回分を一度に服用しないこと）

■ その他備考

- 配合剤成分：エビプロスタット（オオウメガサソウエキス，ハコヤナギエキス，セイヨウオキナグサエキス，スギナエキス，精製小麦胚芽油）
  パラプロスト（L-グルタミン酸，L-アラニン，グリシン）

前立腺肥大症の日常生活と食事療法のポイント

　前立腺は男性だけにある臓器で，膀胱の下にあり，精液の一部である前立腺液を分泌しており尿道をとりまくクルミのような大きさ（約20g）と形をした臓器です。年をとるにつれ，前立腺はだんだん肥大して尿道を圧迫するようになり，尿が出にくくなります。これが前立腺肥大症です。主な初期症状としては，①トイレが近い（特に夜間2〜3回），②いきんでもすぐに尿が出ない，③尿が始めてから出終わるまでに時間がかかる，④尿の勢いが悪くなる，⑤残尿感があるなどの症状が現れます。さらに前立腺の肥大が進むと尿が1滴も出なくなります。この時期になると尿路感染症や尿毒症などを引き起こすこともあります。ですからできるだけ早いうちに尿がよく出るように治療することが大切です。

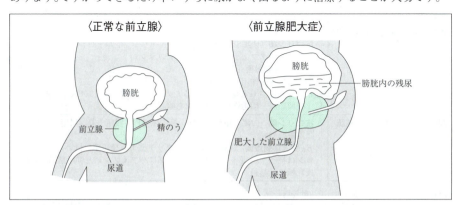

【日常生活】
1. トイレが近いことを恐れて水分を控えすぎると脱水を招くのでよくありませんが，一時に多量の水分を摂取しないようにしましょう。また，夜間頻尿がある場合は夕方からの水分は控えましょう。
2. 尿意があれば我慢せず，すぐトイレに行くようにしましょう。
3. 散歩や軽い体操など適度の運動と規則正しい生活を心がけましょう。
4. 長時間の座位はできるだけ避けましょう。
5. 入浴などで血行を良くし下肢の冷えを防ぎましょう。
6. かぜ薬や胃腸薬の中には，一時的に尿の出方を悪くする成分（抗コリン作用や抗ヒスタミン作用をもつ薬）を含むものがありますから，このような薬を飲むときは注意しましょう。

【食事療法】
1. 刺激の強い食品，コーヒーはできるだけ避けましょう。
2. お酒は利尿作用があるうえに，前立腺を膨張させる作用があるのでできるだけ控えめにしましょう。
3. 便秘はよくありませんからできるだけ野菜など多く食べましょう。

44 泌尿器科用薬　③過活動膀胱（OAB）治療薬

■ 過活動膀胱（OAB）—薬物治療の確認と指導のポイント

項目	確認のポイント
過活動膀胱に伴う症状，検査の確認	過活動膀胱は尿意切迫感を必須症状とし，頻尿を伴う症候群で切迫性尿失禁を伴うこともある 原因：神経因性（脳血管障害，パーキンソン病等），非神経因性（前立腺肥大等による下部尿路閉塞，加齢，骨盤底筋群の脆弱化，肥満 症状：尿意切迫感（診断に必須），頻尿・夜間頻尿，切迫性尿失禁 検査：過活動膀胱症状質問票が診断，症状の把握に有用
行動療法の指導	生活指導（飲水制限，排尿習慣改善），膀胱訓練*1，骨盤底筋訓練*2
薬物療法の確認と効果の確認	蓄尿期における膀胱平滑筋の不随意な収縮を抑制する薬を使用 ・抗コリン薬（オキシブチニン，プロピベリン，トルテロジン，ソリフェナシン，イミダフェナシン，フェソテロジン） ・$β_3$受容体刺激薬（ミラベグロン，ビベグロン）：抗コリン薬と同等の効果が期待でき副作用が少ない 症状から診断される症候群であるため，薬の効果確認には尿意切迫感，頻尿・夜間頻尿，切迫性尿失禁症状を確認する
副作用発現と併用薬の確認	・抗コリン薬：口渇，便秘，腹痛，緑内障発作，眼圧上昇，尿閉。閉塞隅角緑内障は禁忌 ・$β_3$受容体刺激薬：便秘，口渇（抗コリン薬より発現率は低い）。ミラベグロンは抗不整脈薬（フレカイニド，プロパフェノン）と併用禁忌，妊婦・授乳婦には禁忌

OAB（over active bladder）：過活動膀胱
*1：過活動膀胱により尿意切迫感や頻尿症状がある場合に行うトレーニングで，膀胱にためる尿量を徐々に増やすトレーニングの一つ。トイレに行くのを1回だけ我慢をする。最初は5分くらい我慢し1週間続ける。尿意を感じるたびでなく時間や回数を決めて少しずつ始め，10分，15分と我慢する時間を延ばす。最終的に2～3時間我慢できれば目標達成になる

*2：骨盤底筋訓練（体操）の例

1 あお向けになり，軽くひざを立てて足を開きます。

2 肛門・腟・尿道を10数秒間ぎゅーっと締め，その後10数秒間リラックスします。これを10回繰り返します。

3 肛門・腟・尿道を意識的に「すばやく締め，すばやく緩める」。これを10回繰り返します。

4 2と3を1セットとして，1日数回に分けて5セット程度行います。

どの姿勢で行う場合であっても，左の2～4を行います。

机に両手をつき，肩幅程度に足を開いて行う。

床に両ひじ，両ひざをついて行う。

背筋を伸ばして浅めにイスに座り，肩幅程度に足を開いて行う。

家事や仕事の合間，電車の中やテレビを観ている時など，生活に取り入れて行いましょう。

（久光製薬株式会社：「ご存知ですか？骨盤底筋体操」パンフレットより抜粋）

■過活動膀胱(頻尿・尿失禁)の治療薬

薬剤	推奨グレード	
	女性	男性
抗コリン薬		
オキシブチニン(ポラキス)	A	前立腺肥大症を伴わない
オキシブチニン経皮吸収型製剤(ネオキシテープ)	B	過活動膀胱:B
プロピベリン(バップフォー)	A	
トルテロジン(デトルシトール)	A	
フェソテロジン(トビエース)	A	前立腺肥大症を伴う
ソリフェナシン(ベシケア)	A	過活動膀胱:C1
イミダフェナシン(ウリトス・ステーブラ)	A	
$β_3$アドレナリン受容体作動薬		
ミラベグロン(ベタニス)	A	C1
フラボキサート(ブラダロン)	C1	C1
三環系抗うつ薬(イミプラミン・トリプタノール・アナフラニール)	C1	C1

■推奨のグレード

グレード	内容
A	行うよう強く勧められる
B	行うよう勧められる
C	行うよう勧めるだけの根拠が明確でない
C1	行ってもよい
C2	行うよう勧められない
D	行わないよう勧められる
保留	推奨のグレードを決められない

(日本排尿機能学会　女性下部尿路症状診療ガイドライン作成委員会・編:女性下部尿路症状診療ガイドライン,リッチヒルメディカル,v,p102,2013／日本泌尿器科学会・編:男性下部尿路症状・前立腺肥大症診療ガイドライン,リッチヒルメディカル,v,p104,2017より作成)

■ 対象薬剤

(A) 抗コリン薬：オキシブチニン塩酸塩（ポラキス，ネオキシテープ），プロピベリン塩酸塩（バップフォー），トルテロジン酒石酸塩（デトルシトール），コハク酸ソリフェナシン（ベシケア），イミダフェナシン（ウリトス，ステーブラ），フェソテロジンフマル酸塩（トビエース）
(B) β_3 受容体刺激薬：ミラベグロン（ベタニス），ビベグロン（ベオーバ）
(C) その他：フラボキサート塩酸塩（ブラダロン）

■ 指導のポイント

	患者向け	薬剤師向け
薬効	この薬は尿の回数が増えたり，尿意を強く感じたり，無意識に尿が出たりする症状を改善する薬です	膀胱平滑筋弛緩作用 ・排尿刺激抑制作用（ブラダロン） ・抗ムスカリン作用（ブラダロン，ベタニス以外） ・β_3 受容体刺激作用（ベタニス，ベオーバ）
詳しい薬効	・この薬は直接的に膀胱を収縮する筋肉に作用し，その緊張をゆるめて膀胱容量を増やすことで尿の回数が増えたり，尿意を強く感じたり，また無意識に尿が出たりする症状を改善する薬です（ブラダロン） ・この薬は直接的に膀胱を収縮する筋肉（排尿筋）に作用し，その緊張をゆるめるとともに膀胱を収縮させる物質（アセチルコリン）の作用を抑え，膀胱の容量を増やすことで尿の回数が増えたり，尿意を強く感じたり，また無意識に尿が出たりする症状を改善する薬です（ブラダロン，ベタニス以外） ・この薬は膀胱の筋肉に存在する β_3 受容体を刺激することにより，膀胱を広げて膀胱の容量を増やすことで，尿の回数が増えたり，尿意を強く感じたり，また，無意識に尿が出たりする症状を改善する薬です（ベタニス，ベオーバ）	
警告	〔ベタニス〕生殖可能な年齢の患者への投与はできる限り避ける	
禁忌・併用禁忌	禁忌 ・〔ブラダロン，バップフォー以外〕本剤過敏症既往 ・〔ブラダロン，ベタニス，ベオーバ以外〕重症筋無力症，尿閉，閉塞隅角緑内障 ・〔ブラダロン，ベオーバ以外〕重篤な心疾患 ・〔ブラダロン，バップフォー，ベタニス，ベオーバ以外〕麻痺性イレウス ・〔ポラキス，デトルシトール，ベタニス，ベオーバ以外〕幽門，十二指腸および腸管閉塞 ・〔ネオキシテープ，バップフォー，デトルシトール，ベシケア，トビエース〕胃アトニー，腸アトニー ・〔ポラキス〕衰弱患者または高齢者の腸アトニー ・〔ウリトス，ステーブラ〕消化管運動・緊張低下 ・〔ブラダロン〕下部尿路に高度の通過障害 ・〔ベシケア，トビエース，ベタニス〕重度の肝障害 ・〔ベタニス〕妊婦 ・〔ネオキシテープ，ポラキス，ベタニス〕授乳婦 併用禁忌 〔ベタニス〕⇔フレカイニド，プロパフェノンにて QT 延長，心室性不整脈等を起こすおそれ	

■ 主な副作用と対策，フィジカルアセスメントのチェックポイント

主な副作用	患者に確認すべき症状	対策とPAのチェックポイント
口渇・口内乾燥	のどや口内が乾く	減量もしくは中止
消化器症状・便秘	食欲不振，胃部不快感，吐き気，下痢，腹部膨満感，腹部不快感	減量もしくは中止。胃腸薬と併用
排尿困難，尿閉	尿が出にくい，尿が出ない，下腹部が張る	減量もしくは中止 PA 尿量（↓），残尿（↑），排尿症状（尿勢低下，尿線分割・途絶，排尿遅延，腹圧排尿）
めまい，眠気，頭痛	目が回る，日中の眠気，頭痛	減量もしくは中止
眼症状	目がかすむ，目が見えにくい	〃
皮膚炎，紅斑，瘙痒感（ネオキシテープ）	腫れの有無，かゆみ	毎日貼る場所を変える（下腹部，腰部，大腿部を順番に） PA 貼付部位（かゆみ，発赤，腫張）

■ 重大な副作用と妊婦・授乳婦への危険度

薬剤名	重大な副作用	妊婦[授乳婦]
ポラキス ネオキシテープ	血小板減少，麻痺性イレウス，尿閉	B1(ネオキシテープ) [⊗禁忌／○(ネオキシテープ)]
バップフォー	急性緑内障発作，尿閉，麻痺性イレウス，幻覚，せん妄，腎機能障害，横紋筋融解症，血小板減少，皮膚粘膜眼症候群，QT延長，心室性頻拍，肝機能障害，黄疸	－
デトルシトール	アナフィラキシー様症状，尿閉	B3 [⊗○]
ベシケア	ショック，アナフィラキシー，肝機能障害，尿閉，QT延長，心室性頻拍，房室ブロック，洞不全症候群，高度除脈，麻痺性イレウス，幻覚，せん妄 類薬 急性緑内障発作	B2 [⊗△]
ウリトス，ステーブラ	急性緑内障，尿閉，肝機能障害 類薬 麻痺性イレウス，幻覚，せん妄，QT延長，心室性頻拍	－
トビエース	尿閉，血管浮腫 類薬 QT延長，心室性頻拍，房室ブロック，徐脈	－
ベタニス	尿閉，高血圧	禁忌／B3 [⊗禁忌]
ベオーバ	尿閉	－
ブラダロン	ショック，アナフィラキシー様症状，肝機能障害，黄疸	[⊗○]

■ その他の指導ポイント

	患者向け	薬剤師向け
使用上の注意	・〔ブラダロン，ベタニス，ベオーバ以外〕→この薬の服用中は，自動車の運転等，危険を伴う機械の操作はしないでください ・〔ベシケア OD，ウリトス OD〕この薬は舌の上にのせて湿らせ，舌で軽くつぶし，唾液または水で飲み込んでください。寝たままの状態で水なしで飲まないでください ・〔ベシケア，トビエース〕この薬はかみ砕→かないように服用してください ・〔ポラキス，ネオキシ，ベタニス〕授乳中→の方は必ずご相談ください ・〔ベタニス〕妊娠中または妊娠の可能性→のある方は必ずご相談ください ・〔ブラダロン，抗コリン薬〕緑内障（ブラダロン），閉塞隅角緑内障を合併されている方はご相談ください ・〔抗コリン薬〕認知症，認知機能障害，パー→キンソン症状または脳血管症状，甲状腺機能亢進症，潰瘍性大腸炎，不整脈・狭心症などの虚血性心疾患のある方はご相談ください	眼調節障害，眠気，めまいが現れることがあるため 口腔粘膜から吸収されることがないため，唾液または水で飲み込む ・〔ベシケア〕有効成分に刺激性があるため ・〔トビエース〕徐放性製剤のため 動物実験で乳汁への移行が報告されているため投与禁忌 動物で胎児において着床後死亡率の増加等が認められるため投与禁忌 抗コリン作用により症状を悪化させるおそれがある 〃
服用（使用）を忘れたとき	・〔ブラダロン，ポラキス，バップフォー〕思い出したときすぐに服用する。ただし次の服用時間が近いとき（バップフォー：8時間以内）は忘れた分は服用しない（2回分を一度に服用しないこと） ・〔ベシケア，ウリトス，ステーブラ，ベタニス〕飲み忘れに気づいても服用しない。次の服用時に決められた用量を服用する（2回分を一度に服用しないこと） ・〔デトルシトール，トビエース，ネオキシテープ*〕思い出したときすぐに服用（使用）する。次の服用時に決められた用量を服用（使用）する（2回分を一度に服用しないこと） ＊途中ではがれたときは，すみやかに新しい薬を貼り，次はいつもと同じ時間に貼る	

頻尿治療薬比較表

一般名	フェソテロジンフマル酸塩	ミラベグロン	イミダフェナシン	コハク酸ソリフェナシン	酒石酸トルテロジン	プロピベリン塩酸塩	オキシブチニン塩酸塩	ネオキシノンテープ	フラボキサート塩酸塩	ビベグロン
商品名	トビエース錠	ベタニス錠	ウリトス・ステーブラ錠	ベシケア錠	デトルシトールカプセル	バップフォー錠・細粒	ポラキス錠	ネオキシノンテープ	ブラダロン錠	ベオーバ錠
規格	4mg・8mg	25mg・50mg	0.1mg	2.5mg・5mg	2mg・4mg	錠:10mg・20mg 細粒:2%	1mg・2mg・3mg	73.5mg	200mg	50mg
販売年月	2013.3	2011.9	2007.6	2006.6	2006.6	1993.5 / 2006.7	1988.5	2013.6	1984.7	2018.11
投与量(mg)	4mgを1日1回経口投与。症状に応じて8mgまで増量可	50mgを1日1回食後に経口投与	0.1mgを1日2回経口投与	5mgを1日1回経口投与。1日最高投与量は10mg	4mgを1日1回経口投与。患者の忍容性に応じて減量	20mgを1日1回食後経口投与。1日最高投与量は40mg	1回2〜3mgを1日3回経口投与	1日1回1枚。24時間ごとに貼りかえる。下腹部、腰部、大腿部のいずれか	1回1錠、1日3回経口投与	50mgを1日1回食後に経口投与
適応症：頻尿						○			○	
尿失禁						○				
残尿感									○	
尿意切迫感	○	○	○	○	○			○		○
切迫性尿失禁	○	○	○	○	○			○		○
神経性頻尿						○			○	
慢性膀胱炎						○			○	
神経因性膀胱						○	○			
不安定膀胱						○				
過活動膀胱	○	○	○	○	○			○		○

— 637 —

44 泌尿器科用薬　④尿路結石治療薬

■ 対象薬剤
ウラジロガシエキス（ウロカルン）

■ 指導のポイント

	患　者　向　け	薬　剤　師　向　け
薬効	この薬は腎臓や膀胱にできた石の発育を抑→えたり，尿を出しやすくする作用によって石を排出させる薬です	結石の発育抑制作用ならびに溶解作用 抗炎症作用 利尿作用

■ 主な副作用と対策，フィジカルアセスメントのチェックポイント

主な副作用	患者に確認すべき症状	対策とPAのチェックポイント
消化器症状	胃部不快感，下痢	減量もしくは中止。胃腸薬と併用
過敏症	発疹，かゆみ	中止 PA 皮膚（かゆみ，発赤，発疹）

■ その他の指導ポイント

服用を忘れたとき	思い出したときすぐに服用する。ただし次の服用時間が近いときは忘れた分は服用しない（2回分を一度に服用しないこと）

尿路結石症の日常生活と食事療法のポイント

　結石は成分の一部が溶けにくくなり，石のように固まったもので，おもに腎臓と尿管に存在します。症状としては，小さい結石の場合，結石がよく動くためひどい痛みと同時に冷汗をかいたり，吐き気がしたりします。また大きくて動かない結石（大きな腎結石）の場合には，にぶい痛みや痛みのないときもあります。

【日常生活】
　①適度の運動をしましょう
　　・適度な運動は腎臓の働きをよくし，尿の排泄をスムーズにして結石ができても小さいうちに流出することができます。
　　・1日1～2回のラジオ体操や散歩，階段の昇降やなわ跳び，ランニング等も良い方法です。
　②忘れず定期的に診察を受けましょう
　　・早期発見や再発防止のため指示された日には必ず受診して，快適な生活を送ってください。
　　・コップに排尿して，石の有無を確かめてください。

【食事療法】
　①水分摂取量を多くしましょう
　　・1日の尿量は1,500～2,000 cc を目標にしてください。
　　・ただし，ジュース類，牛乳，コーヒー，紅茶の飲みすぎは控えてください。
　②バランスのとれた食生活を心がけてください
　　・朝，昼，夕食の摂取量を考えましょう。
　　・肉食中心の偏った食生活は改め，野菜を多く摂取するよう心がけてください（シュウ酸の多いキャベツ，ホウレン草，夏野菜等はとりすぎない）。

45 肛門用薬　①経口痔疾薬

■ 対象薬剤
トリベノシド（ヘモクロン）
配合剤（ヘモナーゼ配合）

■ 指導のポイント

	患者向け	薬剤師向け
薬効	この薬は肛門部の循環を改善し炎症を鎮めることにより出血，痛み，腫れ，かゆみなどの症状をやわらげる薬です →	別表参照
禁忌	〔ヘモクロン〕本剤過敏症既往	

別表　〔薬理作用〕

項目＼商品名	抗炎症作用	抗浮腫作用	末梢循環改善作用	循環障害改善作用	創傷治癒促進作用	血栓溶解作用
ヘモクロン			○	○	○	
ヘモナーゼ	○	○	○		○	○

■ 主な副作用と対策，フィジカルアセスメントのチェックポイント

主な副作用	患者に確認すべき症状	対策とPAのチェックポイント
過敏症	発疹，発赤，かゆみ	中止 PA 皮膚（かゆみ，発赤，発疹），呼吸（喘鳴）
消化器症状	下痢，便秘，悪心，嘔吐，食欲不振，胃部不快感等	減量もしくは中止

■ 重大な副作用と妊婦・授乳婦への危険度

薬剤名	重大な副作用	妊婦[授乳婦]
ヘモクロン	多形（滲出性）紅斑	−

■ その他の指導ポイント

服用を忘れたとき	・〔ヘモクロン〕飲み忘れに気づいても服用しない。次の服用時に決められた用量を服用する（2回分を一度に服用しないこと） ・〔ヘモナーゼ〕思い出したときすぐに服用する。ただし次の服用時間が近いときは忘れた分は服用しない（2回分を一度に服用しないこと）

■ その他備考

- ■配合剤成分：ヘモナーゼ（ブロメライン，トコフェロール酢酸エステル）

45 肛門用薬　②外用痔疾薬

■ 対象薬剤

配合剤（強力ポステリザン軟，プロクトセディル坐軟，ボラザG坐軟，ネリプロクト坐軟）

[軟軟膏，坐坐薬]

■ 指導のポイント

	患者向け	薬剤師向け
薬効	この薬は肛門部の出血，痛み，腫れ，かゆみなどの症状をやわらげる坐薬（塗り薬）です	別表参照
禁忌・併用禁忌	禁忌 ・本剤過敏症既往 ・〔強力ポステリザン，プロクトセディル，ネリプロクト〕局所に結核性感染症・ウイルス性疾患・真菌症 ・〔強力ポステリザン，ネリプロクト〕局所に化膿性感染症 ・〔ネリプロクト〕局所に梅毒性感染症，ジフルコルトロン吉草酸エステル・リドカイン過敏症既往 ・〔プロクトセディル〕アミノグリコシド系抗生物質・バシトラシン・ジブカイン塩酸塩・エスクロシド過敏症既往 ・〔強力ポステリザン，プロクトセディル〕ヒドロコルチゾン過敏症既往 ・〔ボラザG〕トリベノシド・アニリド系局所麻酔剤過敏症既往 併用禁忌 〔プロクトセディル〕⇔デスモプレシン（ミニリンメルト）にて低Na血症発現のおそれ	

別表 ［薬理作用］

商品名 ＼ 項目	抗炎症作用	抗浮腫作用	局所(表面)麻酔(鎮痛作用)	抗菌作用	局所感染防御作用	創傷治癒促進作用(肉芽形成促進作用)	止血作用	循環障害改善作用
強力ポステリザン	○				○	○		
プロクトセディル	○		○	○			○	
ボラザG		○	○			○		○
ネリプロクト	○			○				

■ 主な副作用と対策，フィジカルアセスメントのチェックポイント

主な副作用	患者に確認すべき症状	対策とPAのチェックポイント
過敏症	局所の発疹，かゆみ，刺激感	中止 PA 皮膚（かゆみ，発赤，発疹）
消化器症状	下痢，便意，お腹が張る，おならが出る	減量もしくは中止
感染症	皮膚および陰部の真菌性（カンジダ症，白癬等）感染症，ウイルス性および細菌性感染症	中止 PA 皮膚（かゆみ，境界明瞭なリング状発赤）

■ 重大な副作用と妊婦・授乳婦への危険度

薬剤名	重大な副作用	妊婦［授乳婦］
強力ポステリザン	連用により緑内障，後嚢白内障	［㊗○］
プロクトセディル	大量または長期使用により下垂体・副腎皮質系機能抑制	－
ボラザG	アナフィラキシー様症状	－

■ その他の指導ポイント

	患者向け	薬剤師向け
使用上の注意	・薬を使用する前に，必ず患部を清潔にしましょう ・薬は排便後に使用しましょう ・〔軟膏剤〕肛門の内側に注入するのか，外側に塗布するのかを必ず医師に確認してください ・〔軟膏剤〕眼科用として使用しないでください	肛門の周囲の腫れや痛み，出血には軟膏を外側に塗布する。肛門より内部の直腸粘膜の腫れ，痛み，それに伴う出血には軟膏を内側に注入する

使用上の注意	・〔プロクトセディル〕かゆみ，発赤，腫れ，→ 湿疹，水膨れなどの症状があれば必ずご 相談ください	感作の徴候が現れた場合には中止する
服用を忘れたとき	・〔ボラザG以外〕思い出したときすぐに使用する。ただし次の使用時間が近いときは忘れた分は使用しない ・〔ボラザG〕使用忘れに気づいても使用しない。次の使用時に1回分を使用する（2回分を一度に使用しないこと）	

■ その他備考

- 〔強力ポステリザン，ネリプロクト〕局所に感染症または，真菌症がある場合には，使用しないことを原則とするが，やむを得ず使用する必要がある場合には，あらかじめ適切な抗菌剤，抗真菌剤による治療を行うかまたはこれらとの併用を考慮する
- 配合剤成分：強力ポステリザン軟膏（大腸菌死菌浮遊液，ヒドロコルチゾン）
  プロクトセディル坐薬・軟膏（ヒドロコルチゾン，フラジオマイシン硫酸塩，ジブカイン塩酸塩，エスクロシド）
  ボラザG坐剤・軟膏（トリベノシド，リドカイン）
  ネリプロクト坐剤・軟膏（ジフルコルトロン吉草酸エステル，リドカイン）
- 痔の種類：痔核（いぼ痔）…肛門周囲の静脈にうっ血が起こり，それが炎症を繰り返して，こぶ状の静脈瘤ができている状態。痔核が肛門出口や周囲にできたものを外痔核，肛門の歯状線の内側にできたものを内痔核という。
  裂肛（切れ痔）…肛門が切れて傷ができたもの。
  肛門膿瘍，痔瘻（穴痔）…肛門の周囲に炎症が起こり，その炎症が進行して化膿すると，膿瘍ができる。このとき排膿するために開いた口が残り，そこに感染が繰り返し起こるもの。

肛門と痔の発生部位

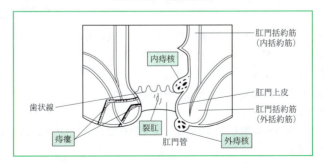

肛門病の日常生活と食事療法のポイント

日本人の3人に1人は痔があるといわれるほど、肛門疾患は多い病気です。肛門疾患には、肛門の近くの血行が悪くなり、うっ血して血管がこぶのようになったもの（イボ痔、痔核①）、肛門が切れて傷ができたもの（切れ痔、裂肛②）、肛門に細菌が入って化膿しトンネル様の管ができたもの（あな痔、痔瘻③）等があります。

治療には、薬をきちんと使用する他、肛門を清潔に保ち、便秘・下痢を避け便通を整える等、日常生活での肛門へのいたわりが大切となります。

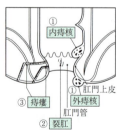
〈肛門病のできるところ〉

【日常生活】
1. 血行を良くし、肛門を清潔にするため毎日おふろに入りましょう。最もよい予防・治療法です。また腰を冷やすと肛門の血行が悪くなるので冷やさないようにしましょう。
2. 便秘・下痢はよくないので毎日規則正しく排便しましょう。
3. 排便のとき、力むと肛門に充血、出血をきたしますのでゆっくりと力まないようにしましょう。排便後は、できるだけ肛門周囲を洗って清潔にしましょう。
4. 重いものを持ち上げたりゴルフ等は、急激に肛門に負担がかかりますので、なるべく控えましょう。
5. 長時間の立ち仕事や座りっぱなし（特に長時間のドライブ等）でいると肛門の充血をきたし、ただれたりしますのでときどき体位をかえ、体操等を行いましょう。

【食事療法】
1. 便秘をしないように穀類、芋類、海草を上手に取り入れ蛋白質はやや少なめに、油類は多めに、食事のバランスがとれるようにしましょう。
2. 生野菜、果物、ジュース類をたくさんとりましょう。
3. 刺激物は肛門を刺激して充血を起こさせますので、コショウ、からしのような刺激物は避けましょう。
4. 酒などのアルコール類も肛門を刺激して充血を起こしますので、飲みすぎないように注意しましょう。

46 皮膚科用薬　①副腎皮質ホルモン含有製剤

■ 対象薬剤

（A）strongest　クロベタゾールプロピオン酸エステル（デルモベート㊟㉗スカルプ），ジフロラゾン酢酸エステル（ダイアコート㊟㉗）
　　　very strong　モメタゾンフランカルボン酸エステル（フルメタ㊟㉗㊤），ベタメタゾン酪酸エステルプロピオン酸エステル（アンテベート㊟㉗㊤），フルオシノニド（トプシム㊟㉗㊤㊥），ベタメタゾンジプロピオン酸エステル（リンデロン-DP㊟㉗㊦），ジフルプレドナート（マイザー㊟㉗），アムシノニド（ビスダーム㊟㉗），ジフルコルトロン吉草酸エステル（ネリゾナ㊟㉗㊤㊦，テクスメテン㊟㊤），酪酸プロピオン酸ヒドロコルチゾン（パンデル㊟㉗㊤）
　　　strong　デプロドンプロピオン酸エステル（エクラー㊟㉗㊤㉗），デキサメタゾンプロピオン酸エステル（メサデルム㊟㉗㊤），デキサメタゾン吉草酸エステル（ボアラ㊟㉗），ベタメタゾン吉草酸エステル（リンデロン-V㊟㉗㊤），フルオシノロンアセトニド（フルコート㊟㉗㊥㊙）
　　　medium　プレドニゾロン吉草酸エステル酢酸エステル（リドメックス㊟㉗㊤），トリアムシノロンアセトニド（レダコート㊟㉗），アルクロメタゾンプロピオン酸エステル（アルメタ㊟），クロベタゾン酪酸エステル（キンダベート㊟），ヒドロコルチゾン酪酸エステル（ロコイド㊟㉗）
　　　weak　フルドロキシコルチド（ドレニゾン㊙）
（B）配合剤　リンデロン-VG㊟㉗㊤，フルコートF㊟，テラ・コートリル㊟，クロマイ-P㊟，強力レスタミンコーチゾン㊟
（C）配合剤　エキザルベ㊟

　　　［㊟軟膏，㉗クリーム，㊤ローション，㊥スプレー，㊦ゾル，㉗ソリューション，㊤ユニバーサルクリーム，㊙テープ，㉗プラスター，㊙外用液］

■ 指導のポイント

	患者向け	薬剤師向け
薬効	・この薬は皮膚の発赤，腫れ，かゆみなどの炎症を抑える塗り（貼り）薬です（A） ・この薬は皮膚の化膿や発赤，腫れ，かゆみなどの炎症を抑える塗り薬です（B）（C） ・この薬は口内炎や皮膚，歯茎の化膿，発赤，腫れなどの炎症を抑える塗り薬です（テラ・コートリル）	抗炎症作用 抗炎症・抗菌作用（B） 抗炎症・感染防御・肉芽形成促進作用（C） 抗炎症・抗菌作用
詳しい薬効	・この薬は副腎皮質ホルモンの外用薬で，炎症や免疫やアレルギーを抑えて，かぶれ，湿疹，アトピー性皮膚炎などの皮膚の腫れや赤み，かゆみをやわらげる塗り（貼り）薬です（A） ・この薬は副腎皮質ホルモンと抗生物質が配合された外用薬で，副腎皮質ホルモンで炎症や免疫やアレルギーを抑え，抗生物質で細菌感染を防ぎ，細菌感染のおそれのある湿疹や皮膚炎のときの皮膚の腫れや赤み，かゆみをやわらげる塗り薬です（リンデロン-VG，フル	

詳しい薬効	コートF，テラ・コートリル，クロマイ-P） ・この薬は副腎皮質ホルモンと抗生物質と抗ヒスタミン薬が配合された外用薬で，副腎皮質ホルモンで炎症や免疫やアレルギーを抑え，抗ヒスタミン薬でかゆみを抑え，抗生物質で細菌感染を防ぎ，細菌感染のおそれのある湿疹や皮膚炎のときの皮膚の腫れや赤み，かゆみをやわらげる塗り薬です（強力レスタミンコーチゾン） ・この薬は副腎皮質ホルモンと混合死菌浮遊液が配合された外用薬で，副腎皮質ホルモンで炎症や免疫やアレルギーを抑え，混合死菌浮遊液で肉芽形成の促進や細菌に対する抵抗力を高め，細菌感染のおそれのある湿疹や皮膚炎のときの皮膚の腫れや赤み，かゆみをやわらげる塗り薬です（エキザルベ）
禁忌	・本剤過敏症既往 ・第2度深在性以上の熱傷・凍傷 ・〔マイザー，ボアラ〕細菌・真菌・ウイルス皮膚感染症 ・〔メサデルム〕細菌・真菌・スピロヘータ・ウイルス皮膚感染症 ・〔リンデロンVG〕真菌・スピロヘータ・ウイルス皮膚感染症および動物性皮膚疾患（疥癬，けじらみ等） ・〔デルモベート，フルメタ，アンテベート，トプシム，リンデロン-DP，エクラー，リンデロン-V，フルコート，リドメックス，アルメタ，ロコイド，ドレニゾン，フルコートF〕細菌・真菌・スピロヘータ・ウイルス皮膚感染症および動物性皮膚疾患（疥癬，けじらみ等） ・〔テラ・コートリル〕真菌症（白癬，カンジダ症等），皮膚結核，単純疱疹，水痘，種痘疹，テトラサイクリン系抗生物質過敏症既往 ・〔クロマイ-P，強力レスタミンコーチゾン，エキザルベ〕真菌症（白癬，カンジダ症等） ・〔ネリゾナ，テクスメテン〕皮膚結核，梅毒性皮膚疾患，単純疱疹，水痘，帯状疱疹，種痘疹 ・〔ビスダーム，レダコート，クロマイ-P，強力レスタミンコーチゾン，エキザルベ〕皮膚結核，単純疱疹，水痘，帯状疱疹，種痘疹 ・〔ビスダーム以外〕潰瘍（ベーチェット病は除く） ・〔ビスダーム〕潰瘍 ・〔テラ・コートリル，エキザルベ以外〕鼓膜に穿孔のある湿疹性外耳道炎 ・〔エクラー・プラスター〕血液の浸出している病巣および特に発汗の多い部位 ・〔B〕成分抗生物質耐性菌または非感染菌による感染 ・〔リンデロン-VG，フルコートF，強力レスタミンコーチゾン〕アミノグリコシド系抗生物質またはバシトラシン過敏症既往 ・〔クロマイ-P〕アミノグリコシド系抗生物質またはバシトラシン，クロラムフェニコール過敏症既往

■ 主な副作用と対策，フィジカルアセスメントのチェックポイント

主な副作用	患者に確認すべき症状	対策とPAのチェックポイント
過敏症状	刺激感，発疹，発赤，かゆみ	中止 PA 皮膚（かゆみ，発赤，発疹）
ステロイド皮膚 （長期連用にて）	にきび，肌荒れ，皮膚が赤くなる，茶色くなる，皮膚が萎縮し薄くなる，毛細血管が浮き出る，さざ波状のしわ，かえって過敏になる	徐々に使用回数を減らし副腎皮質ホルモンを含有しない薬剤に切り替える PA 皮膚（薄くなる，しわ，すじ，にきび）

主な副作用	患者に確認すべき症状	対策とPAのチェックポイント
皮膚の感染症	水虫，とびひ，おでき，かぶれ	適切な抗菌薬，抗真菌薬を使用し，改善しなければ中止
緑内障・白内障（眼瞼皮膚への使用，大量・長期の広範囲使用・密封法にて）	眼が痛くなる，かすんで見える，ぼやけたりして見える	中止 PA 視力（↓），結膜（充血），眼痛（↑）
下垂体・副腎皮質系機能抑制（大量・長期の広範囲使用・密封法にて）	全身がだるい，手足に力が入らない，体重減少，食欲不振，不安状態，吐気，嘔気，低血圧	長期にわたる使用を避ける 投与を中止する際には徐々に減量する PA 体重（↓），筋力（↓），血圧（↓），血糖（↓），体温（↑）

■ 重大な副作用と妊婦・授乳婦への危険度

薬剤名	重大な副作用	妊婦[授乳婦]
デルモベート，フルメタ，アンテベート，トプシム，リンデロン-DP，マイザー，ネリゾナ，テクスメテン，ボアラ，リンデロン-V，フルコート，リドメックス，アルメタ，キンダベート，ロコイド，ドレニゾン，リンデロン-VG，フルコートF，強力レスタミンコーチゾン，ビスダーム，パンデル，エクラー，メサデルム，レダコート	・眼圧亢進，緑内障（眼瞼皮膚への使用） ・緑内障，後嚢白内障（大量または長期にわたる広範囲の使用，密封法）	※1 [㊜◎（デルモベート，リンデロンV，ロコイド）]
ダイアコート	皮膚の細菌・真菌感染症，下垂体・副腎皮質系機能抑制，後嚢白内障，緑内障	−

※1　フルメタ：B3，リンデロン-DP：A，フルコート：A，リドメックス：（プレドニゾロンとして）A，強力レスタミンコーチゾン：（ヒドロコルチゾンとして）A，（フラジオマイシンとして）D，（ジフェンヒドラミンとして）A

■ その他の指導ポイント

	患者向け	薬剤師向け
使用上の注意	[用法・用量] ・医師の指示に従わず勝手に連用することは避けてください ・[トプシム，ネリゾナ，テクスメテン] 1日1～3回塗ってください ・[レダコート] 1日2～3回塗ってください ・[エクラー・プラスター，ドレニゾンテープ] 患部を軽く洗い乾いた後，適当な大きさに切って貼ってください。12～24時間ごとに貼り替え，必要な場合は夜間	大量または長期にわたる広範囲の使用，密封法により副腎皮質ホルモン薬を全身に投与したときと同様の症状が現れたり，下垂体・副腎皮質系機能の抑制をきたすことがある。また局所的に皮膚萎縮，ステロイド潮紅等の副作用が現れることがある

使用上の注意	のみ貼ってください	
	・〔フルコートF，テラ・コートリル，クロマイ-P，強力レスタミンコーチゾン，エキザルベ〕1日1～数回塗るか，清潔なガーゼにのばして貼ってください	
	・〔トプシムスプレー，フルコートスプレー〕患部から約10cm離して，1日1～数回（トプシムスプレーは1～3回）噴霧してください．同一場所に3秒以上噴霧しないでください．また眼や鼻等に入らないように注意してください	
	・〔テラ・コートリル〕口腔内に使用する場合は，毎日または1日おきに口の中の患部に少量注入するか，塗ってください	
	・〔上記以外の薬剤〕1日1～数回塗ってください	
	・〔フルメタ，アンテベート以外〕ローション剤はよく振ってください	懸濁性のため
	[使用部位]	
	・瞼へ使用するときは，大量に塗ったり長期に使用するのは避けてください	眼瞼皮膚への使用で眼圧亢進，緑内障を起こすことがある
	・眼科用として使用しないでください	
	・顔や眼の近くに使用するときは眼に入らないよう，また使用後の手で眼をこすらないようにしてください	
	・〔ビスダーム，エクラー，ドレニゾン，テラ・コートリル，クロマイ-P，強力レスタミンコーチゾン，エキザルベ以外〕おむつにあたる部分に使うときは，ぴったりしたおむつやビニール製のパンツの使用は避けてください	おむつは密封法と同様の作用があり，薬剤が過剰に吸収されるため
	・〔トプシムスプレー，フルコートスプレー，フルコート外用液〕ひびわれ，ただれているところには使用しないでください	刺激感が強いため
	・〔ビスダーム，エクラープラスター，ボアラ，テラ・コートリル，強力レスタミンコーチゾン，エキザルベ以外〕化粧下，ひげそり後などには使用しないでください	ステロイド潮紅，毛細血管拡張，酒渣様皮膚炎等のステロイド皮膚炎の副作用を起こしやすくなる
	[保管]	
	・〔トプシムスプレー，フルコートスプレー〕直射日光の当たる所や火気等の近くなど温度が40℃以上となる所に置かないでください	高圧ガスを使用した製品で，高温にすると破裂の危険があるため

使用上の注意	[その他] ・[リンデロン-DP ゾル，フルメタローション] 火気に近づけないでください	添加物にアルコールを含むため
	・[デルモベートスカルプ，トプシムスプレー，ネリゾナソリューション，フルコートスプレー] 炎や火気の近くで使用しないでください	〃
	・[キンダベート，フルコートF] この薬を塗ってからコンドーム等の避妊用具の装着は避けてください	基剤に使用されている油脂性成分は，コンドーム等の避妊用ラテックスゴム製品の品質を劣化・破損する可能性があるため

■ 副腎皮質ホルモン含有製剤の継続的な服薬指導・確認のポイント

項目	留意点
1．効果の強さ[*1]・使用部位[*2]の選択と塗り方の確認	・顔面への使用はなるべく避け，もし使用する場合は顔面の高い吸収率を考慮して，原則ミディアムクラス以下の薬剤を使用する（症状に応じて高いクラスの薬剤を使用する場合もあり） ・使用部位[*2]，患部により使い分ける[*3]（その他備考参照）
2．使用回数の確認	・使用回数は少なければ副作用が少ないことを考慮すること。急性増悪の場合は1日2回（朝・夕：入浴後），軽快したら1日1回にする ・ステロイドのランクを下げる，あるいはステロイドを含まない外用薬に切り替える際には，使用回数を1日1回にする，隔日使用にするなどを行い，再燃がないことを確認する ・ただし，ストロングクラス以上のステロイド外用薬では，1日2回と1回の間に有意差はない
3．使用量の目安 大人の両手のひら分の面積に塗る量の目安 大人の人差し指の 第一関節分の量（約0.5g）	・第二指（人差し指）の先端から第一関節までチューブから押し出した量（1FTU*：約0.5g）が，成人の手掌（てのひら）2枚分の面積に塗ることができ，成人の体表面積のおよそ2％にあたる。 　　　　　　　　　　　　　　　*FTU：フィンガーチップユニット ・乳幼児，小児においては，より少量の初期用量で開始されるが，体重をもとに1日使用量を成人での使用量から換算し目安とする
4．副作用の確認 （詳細は[*4]参照）	・皮膚の症状：刺激感，発疹，かゆみなどの皮膚の異常 ・感染症：水虫，とびひ，おでき，かぶれなどの新しい皮膚症状 ・長期連用：にきびや口の周りの吹き出物などの新しい皮膚病変，皮膚が薄くなったり赤みを帯びたり，毛深くなったり，肌が白くなったりする ・全身症状：下垂体・副腎皮質系機能の抑制により全身倦怠感，筋力低下，体重減少，食欲不振，不安状態など ・その他：眼が痛くなったり，眼がかすんだり，ぼやけたりして見えにくくなる

項目	留意点
5．アドヒアランスの確認	・ステロイドに対する誤解から，恐怖感，忌諱が生じ治療の中断につながることもあり，その誤解を解くためには指導することが必要である（例えば，ステロイド外用薬を使用すると色が黒くなることがあるが，ステロイドの影響ではなく炎症が治まった後の色素沈着であり，時間がたてば薄くなることを説明するなど） ・また，急激に中止することなく，症状を見ながら漸減あるいは間欠投与を行い徐々に中止する。ただし外用薬による副作用が明らかな場合はこの限りではない

■ その他備考

■配合剤成分：リンデロン-VG（ベタメタゾン吉草酸エステル，ゲンタマイシン硫酸塩）
　　　　　　　フルコートF（フルオシノロンアセトニド，フラジオマイシン硫酸塩）
　　　　　　　テラ・コートリル（ヒドロコルチゾン，オキシテトラサイクリン塩酸塩）
　　　　　　　クロマイ-P（クロラムフェニコール，フラジオマイシン硫酸塩，プレドニゾロン）
　　　　　　　強力レスタミンコーチゾン（ヒドロコルチゾン酢酸エステル，フラジオマイシン硫酸塩，ジフェンヒドラミン塩酸塩）
　　　　　　　エキザルベ（ヒドロコルチゾン，混合死菌浮遊液）

■*1　ステロイド外用薬の薬効による強弱の分類

薬効	一般名	代表的な製品名
Ⅰ群 ストロンゲスト （最強）	クロベタゾールプロピオン酸エステル	デルモベート
	ジフロラゾン酢酸エステル	ダイアコート
Ⅱ群 ベリーストロング （かなり強力）	モメタゾンフランカルボン酸エステル	フルメタ
	ベタメタゾン酪酸エステルプロピオン酸エステル	アンテベート
	フルオシノニド	トプシム
	ベタメタゾンジプロピオン酸エステル	リンデロン-DP
	ジフルプレドナート	マイザー
	アムシノニド	ビスダーム
	ジフルコルトロン吉草酸エステル	テクスメテン，ネリゾナ
	酪酸プロピオン酸ヒドロコルチゾン	パンデル
Ⅲ群 ストロング （強力）	デプロドンプロピオン酸エステル	エクラー
	デキサメタゾンプロピオン酸エステル	メサデルム
	デキサメタゾン吉草酸エステル	ボアラ
	ベタメタゾン吉草酸エステル	ベトネベート，リンデロン-V
	フルオシノロンアセトニド	フルコート

Ⅳ群 ミディアム (中等度)	プレドニゾロン吉草酸エステル酢酸エステル	リドメックス
	トリアムシノロンアセトニド	レダコート
	アルクロメタゾンプロピオン酸エステル	アルメタ
	クロベタゾン酪酸エステル	キンダベート
	ヒドロコルチゾン酪酸エステル	ロコイド
	デキサメタゾン	グリメザゾン
Ⅴ群 ウィーク (弱い)	プレドニゾロン	各種プレドニゾロン軟膏, クリームなど

(日本皮膚科学会,日本アレルギー学会 アトピー性皮膚炎診療ガイドライン作成委員会:
アトピー性皮膚炎診療ガイドライン2021,一部改変)

■*2 ステロイド外用剤の主な基剤と使用部位による分類

	長　所	短　所
軟膏	乾燥性の病巣,湿潤性の病巣のいずれにも使え,びらん,潰瘍など,どのような状態の皮疹にも使用できる	べたついて,使用感が悪いことがある
クリーム	ステロイドの経皮吸収が軟膏よりもよく,洗い落としやすい。発赤腫脹,紅斑,丘疹に最良	びらんなどの湿潤性の病変に使用した場合,しみて痛いことがある
液剤 ソリューション ローション	べたつかないため,有髪部の皮疹に使われることが多い	湿潤性病変に塗ると,しみて痛いことが多い。また,伸びが悪いため,使用量が多くなる傾向がある。有髪部に使用する場合は,毛髪をかき分けて皮膚に直接塗るよう使用方法に注意を要する
スプレー	日光皮膚炎(日焼け)などで軟膏,クリームが痛くて塗れないようなときには便利。広い範囲にも簡単に塗布できる	湿潤性病変に使用すると刺激を生じることがある。基剤による保護作用がない
テープ	密封療法(ODT)の簡便法として開発され,配合剤の皮膚への浸透性が高い	湿潤性病変には不適。密封による毛のう炎や悪臭を生じやすく,粘着剤による刺激や接触皮膚炎を起こしうる

(原田敬之・編:皮膚外用剤 その適応と使い方,南山堂,2002より作成)

■*3 外用剤の塗り方

1. 撒布(散布)
    粉末剤は直接患部に散布するか,パフ,ガーゼを丸めたものなどではたくように散布する。スプレーは直接患部へ吹き付ける
2. 塗布
    刷毛,綿球,綿棒,指先,手掌などに外用剤を少量とり薄くのばして患部に塗る
3. 塗擦
    小さい病変では指先,大きい病変では手掌に外用剤をとり患部に軽く擦り込む。

塗擦した後，クリーム剤では白色の色がなくなる程度，また油脂性軟膏では外用剤が多く残らない程度の厚さ（薄く）に塗る

4．貼付

外用剤をガーゼ，リント布等にのばし患部に貼付する．貼付しただけでは体動ではがれることがあるので，貼付した上から雑ガーゼを2〜3枚当てて絆創膏でとめる．さらにその上から軽く包帯する場合もある．硬膏，テープ剤ではすでに粘着剤が含有されているので皮膚への密着性は良好である

5．重層法

ステロイド外用剤などを患部に塗布した上からリント布にのばした亜鉛華軟膏を貼付する．この方法はステロイド剤の経皮吸収が高まり，さらに亜鉛華軟膏貼付の効果で鱗屑・痂皮が軟化しきれいに取れ，保護作用にて上皮化が促進され病変が乾燥化する

6．密封療法（ODT療法）

皮膚の慢性炎症に続発した角質増殖性皮疹や，掌蹠のように角層が厚い炎症性病変に対しては，ステロイド外用剤を塗布した後，ポリエチレンフィルム（サランラップ等）で患部を覆い，周囲を絆創膏等で密封する．基剤中の水分や乳化剤により皮脂膜を除去，角質を水和することにより，吸収を高め，効率的かつ速効性が期待できる

■*4　ステロイド外用剤の局所的副作用

Ⅰ．細胞ないし線維増生抑制作用によるもの 　1．皮膚萎縮 　2．皮膚萎縮線条 　3．乾皮症ないし魚鱗癬様変化 　4．創傷修復遅延 　5．星状偽瘢痕 　6．ステロイド紫斑 　7．ステロイド潮紅 　8．毛細血管拡張 　9．酒渣様皮膚炎	Ⅱ．ホルモン作用によるもの 　1．ステロイドざ瘡 　2．多毛 Ⅲ．免疫抑制作用によるもの 　1．感染症の誘発ないし増悪 Ⅳ．その他 　1．ステロイド白内障 　2．ステロイド緑内障 　3．ステロイド外用剤による接触皮膚炎

（幸田らの分類を改変）

46 皮膚科用薬　②化膿性疾患用薬

■ 対象薬剤

アミノグリコシド系：ゲンタマイシン硫酸塩（**ゲンタシン**軟⑦）
テトラサイクリン系：テトラサイクリン塩酸塩（**アクロマイシン**軟）
　　　　　　　　　配合剤（**テラマイシン**軟）
クロラムフェニコール系：クロラムフェニコール（**クロロマイセチン**軟）
キノロン，ニューキノロン系：オゼノキサシン（**ゼビアックス**⑦回）
　　　　　　　　　　　　　　ナジフロキサシン（**アクアチム**軟⑦）
ペプチド系：配合剤（**バラマイシン**軟）
その他：フシジン酸ナトリウム（**フシジンレオ**軟）

［軟軟膏，⑦クリーム，回ローション］

■ 指導のポイント

	患者向け	薬剤師向け
薬効	この薬は菌を殺し，感染を治療する塗り薬→（パウダー）です	抗菌作用
	☆この薬はにきびを治療する塗り薬です→（アクアチムクリーム，ゼビアックス）（参）No.46 皮膚科用薬③	抗菌作用
詳しい薬効	この薬は抗菌薬で，菌を殺し腫れ物や化膿性のとびひなど皮膚の感染治療や，けが・やけど・手術の後の細菌感染の予防や治療にも用いる薬です	
禁忌	・〔アクロマイシン，アクアチム，テラマイシンを除く〕本剤過敏症既往 ・〔ゲンタシン，バラマイシン〕アミノグリコシド系抗生物質，バシトラシン過敏症既往 ・〔アクロマイシン，テラマイシン〕テトラサイクリン系抗生物質過敏症既往 ・〔テラマイシン〕ポリミキシンBまたはコリスチン過敏症既往	

■ 主な副作用と対策，フィジカルアセスメントのチェックポイント

主な副作用	患者に確認すべき症状	対策とPAのチェックポイント
接触性皮膚炎	かゆみ，痛み，赤く腫れる，湿疹，皮膚の乾燥	中止 PA 接触部位（発赤，かゆみ，発疹）
過敏症	発疹，かゆみ	〃
腎障害，難聴（長期連用にて）（ゲンタシン，バラマイシン）	尿が少ない，むくみ，耳（音）が聞こえにくくなる	長期連用を避ける PA 尿量（↓），体重（↑），浮腫（上眼瞼，下腿脛骨）

■ 重大な副作用と妊婦・授乳婦への危険度

薬剤名	重大な副作用	妊婦[授乳婦]
ゲンタシン	－	[🚫◎]
クロロマイセチン	－	A
バラマイシン	長期連用による腎障害・難聴，ショック，アナフィラキシー様症状	－
フシジンレオ	－	C

■ その他の指導ポイント

<table>
<tr><th colspan="2">患者向け</th><th>薬剤師向け</th></tr>
<tr><td rowspan="2">使用上の注意</td><td>
[用法・用量]
・〔ゼビアックス，アクアチム以外〕1日1～数回，患部に塗るか，清潔なガーゼにのばして貼ってください
・〔ゼビアックス〕1日1回塗ってください。また，にきびに使用する場合は，洗顔後に塗ってください
・〔アクアチム軟膏・クリーム〕1日2回塗ってください
・〔アクアチムクリーム〕にきびに使用する場合は1日2回，洗顔後に塗ってください
・〔アクアチム，ゼビアックス〕しばらく使用して効果が認められない場合はご相談ください
</td><td>皮膚感染症に使用する場合は1週間，ざ瘡は4週間で効果が認められない場合には使用を中止する</td></tr>
<tr><td>[使用部位]
・眼科用に使用しないでください</td><td></td></tr>
</table>

■ その他備考

■配合剤成分：テラマイシン（オキシテトラサイクリン塩酸塩，ポリミキシンB硫酸塩）
　　　　　　　バラマイシン（バシトラシン，フラジオマイシン硫酸塩）

46 皮膚科用薬　③ざ瘡（にきび）治療薬

■ 対象薬剤

- 抗菌薬：リンコマイシン系；クリンダマイシンリン酸エステル（ダラシンT㋖㋺）
  配合剤（デュアック配合㋙）
  キノロン，ニューキノロン系：オゼノキサシン（ゼビアックス㋺），ナジフロキサシン（アクアチム㋗㋺）
- アダパレン（ディフェリン㋙）
- 過酸化ベンゾイル（ベピオ㋙）
- アダパレン・過酸化ベンゾイル配合（エピデュオ㋙）
- ＊アクアチム，ゼビアックスはNo.46皮膚科用薬②（p.653）参照

〔㋗クリーム，㋺ローション，㋙ゲル〕

■ 指導のポイント

	患者向け	薬剤師向け
薬効	この薬はにきびを治療する塗り薬です →	・抗菌作用（ディフェリン以外） ・表皮の角化細胞分化抑制作用（ディフェリン，エピデュオ） ・角質溶解作用，角質剥離作用（ベピオ，デュアック，エピデュオ）
	☆この薬は菌を殺し，感染を治療する塗り薬です（アクアチムクリーム，ゼビアックス）（参）No.46皮膚科用薬② →	抗菌作用
詳しい薬効	・にきびは皮脂の過剰分泌により毛穴がつまって，その皮脂を栄養分に，細菌が増えてくると，赤みや腫れがひどくなります．にきびはざ瘡（ざそう）と呼びます ・この薬は抗菌薬で，にきびを悪化させるニキビ菌（アクネ桿菌）やブドウ球菌などの細菌を殺し，にきびの赤みや腫れを改善する塗り薬です（ダラシンT，アクアチム，ゼビアックス） ・この薬は表皮の角化細胞の分化を抑えて，毛穴のつまりを取り除き新しいにきびができるのを防ぎ，炎症を起こしたにきびを減少させる塗り薬です（ディフェリン，エピデュオ） ・この薬は炎症を引き起こす細菌類を殺すことで，赤みや腫れを改善します．さらに，第二の作用として角化した皮膚をやわらかくし，各層の剥離を助ける塗り薬です（ベピオ，デュアック，エピデュオ）	
禁忌	・本剤過敏症既往 ・〔ダラシンT，デュアック配合〕リンコマイシン系抗生物質過敏症既往 ・〔ディフェリン，エピデュオ配合〕妊婦	

■ 主な副作用と対策，フィジカルアセスメントのチェックポイント

主な副作用	患者に確認すべき症状	対策とPAのチェックポイント
瘙痒，刺激感，皮膚乾燥，発赤，紅斑，皮膚剥脱	かゆくなる，ひりひり感，皮膚の乾燥，赤くなる，皮膚が細かくはがれる	中止 PA 皮膚（かゆみ，発赤，乾燥）

■ 重大な副作用と妊婦・授乳婦への危険度

薬剤名	重大な副作用	妊婦[授乳婦]
ダラシンT	偽膜性大腸炎等の血便を伴う重篤な大腸炎	[✕◯]
ディフェリン	−	禁忌/D [✕◯]
ベピオ	−	[✕◯]
デュアック	大腸炎	C
エピデュオ	−	禁忌/D （アダパレン）

■ その他の指導ポイント

	患者向け	薬剤師向け
使用上の注意	・〔ダラシンT, アクアチム〕1日2回, 洗顔後に塗ってください ・〔ディフェリン〕1日1回, 寝る前の洗顔後ににきびとその周辺に塗ってください ・〔ゼビアックス, ベピオ, デュアック配合〕1日1回, 洗顔後に塗ってください ・〔エピデュオ配合〕1日1回, 夕方から寝る前の洗顔後に水分をよく拭き取ってから塗ってください ・にきびにしばらく使用して効果が認められない場合はご相談ください ・〔ディフェリン, エピデュオ配合〕切り傷, すり傷, 湿疹のある皮膚や, 眼, 唇, 小鼻や粘膜を避けて, 患部に塗ってください。眼に入らないように注意し, 万一眼に入った場合はすぐに水で洗い流してください ・〔ディフェリン, エピデュオ配合〕この薬を使用中は日光や日焼けランプ等による過度の紫外線にあたらないように日傘や帽子を使用してください ・〔ディフェリン, エピデュオ配合〕この薬は使い始めて2週間以内に皮膚の乾燥やヒリヒリ感, 皮膚が細かくはがれたり, 赤くなったり, かゆくなることがありますが, 通常症状は軽度で一時的なものです。しかし症状が悪化したり治らない場合はご相談ください	・〔ダラシンT, アクアチム, ゼビアックス〕4週間で効果が認められない場合には使用を中止する ・〔ディフェリン〕3カ月以内に症状の改善が認められない場合は使用を中止する 皮膚刺激感が起こることがあるため 皮膚刺激感が起こることがあるため 本剤の使用中に皮膚乾燥, 皮膚不快感, 皮膚剥脱, 紅斑, 瘙痒症が現れることがある。これらは治療開始2週間以内に発生することが多く, 通常は軽度で一過性のものであることについて患者に説明すること。なお, 本剤の継続使用中に消失または軽減が認められない場合は, 必要に応じて休薬等の適切な処置を

使用上の注意	・〔ディフェリン, エピデュオ配合〕この薬を使用中は皮膚に刺激のある化粧品や石けんなどは使用しないでください	行う 他の刺激性のある外用剤（イオウ, レゾルシン, サリチル酸を含む薬剤, 薬用または研磨剤を含有する石けんや洗剤, 乾燥作用が強い石けんや化粧品, ピーリング剤および香料やアルコールを含有する薬剤および収れん薬）との併用は, 皮膚刺激感が増すおそれがあるため注意する
	・〔ディフェリン, ベピオ, デュアック配合, エピデュオ配合〕ヘパリン類似物質などの保湿剤を使うことで副作用の予防や症状軽減が可能です	
	・〔ベピオ, デュアック配合, エピデュオ配合〕髪や衣類に付着させないでください	漂白作用があるため
	・〔ディフェリン, エピデュオ配合〕妊娠中または妊娠の可能性のある方は必ずご相談ください	妊娠中の使用に関する安全性は確立していない。経口投与（ラット, ウサギ）で催奇形作用が報告されている
	・〔デュアック配合〕冷所に保存してください	

■ その他備考

- 配合剤成分：エピデュオ（アダパレン, 過酸化ベンゾイル）
  デュアック（クリンダマイシンリン酸エステル水和物, 過酸化ベンゾイル）
- 尋常性痤瘡重症度の目安

  重症度は炎症性皮疹を主体とするものを対象とし, 皮疹数による判定基準を下に示す

軽　症	片顔に炎症皮疹が5個以下
中等症	片顔に炎症皮疹が5個以上, 20個以下
重　症	片顔に炎症皮疹が21個以上, 50個以下
最重症	片顔に炎症皮疹が51個以上

46 皮膚科用薬　④消炎・鎮痛薬

■ 対象薬剤

(A) インドメタシン（インテバン軟ク外，インサイド𝗉，イドメシンケゾク𝗉），カトレップ𝗉テ，ハップスター ID𝗉），ケトプロフェン（モーラス𝗉テ，ミルタックス𝗉），フルルビプロフェン（アドフィード𝗉，ヤクバンテ，ゼポラス𝗉テ），フェルビナク（ナパゲルン軟ク𝔏，セルタッチ𝗉テ），ジクロフェナクナトリウム（ナボールケテ𝗉，ボルタレンケテ𝔏），ピロキシカム（バキソ軟，フェルデン軟），ロキソプロフェンナトリウム水和物（ロキソニンケテ𝗉），エスフルルビプロフェン（ロコアテ）
(B) ベンダザック（ジルダザック軟），イブプロフェンピコノール（スタデルム軟ク）
(C) ヘパリン類似物質（ヒルドイドケ）
(D) 配合剤（MS冷シップ𝗉，MS温シップ𝗉）

［軟軟膏，ククリーム，外外用液，𝔏ローション，ゾゾル，ケゲル，テテープ，𝗉パップ］

■ 指導のポイント

	患者向け	薬剤師向け
薬効	・この薬は痛みと炎症を抑える塗り(貼り)薬です（A, D）	鎮痛・抗炎症作用
	・この薬は炎症や痛みをやわらげ湿疹や皮膚炎を治療する塗り薬です（B）	抗炎症・鎮痛作用（スタデルム） 抗炎症・抗浮腫・抗壊死作用，表皮形成促進作用（ジルダザック）
	・この薬は血行をよくし，痛みや腫れを抑える塗り薬です（ヒルドイド）	抗炎症・鎮痛作用，血流量増加作用，血液凝固抑制作用
	・この薬は炎症を抑えることにより，リウマチの腫れや痛みをやわらげる塗り薬です（モーラステープ）	抗炎症作用
詳しい薬効	・この薬は非ステロイド系の鎮痛消炎薬で，炎症の原因となるプロスタグランジンの合成を阻害して，炎症や痛みを抑え，肩や腰，関節などの痛みや筋肉痛，外傷後の腫れや痛みを改善する塗り(貼り)薬です（A）	
	・この薬は非ステロイド系の鎮痛消炎薬で，炎症の原因となるプロスタグランジンの合成を阻害して，炎症や痛みを抑え，アトピー性皮膚炎などを含む湿疹，皮膚炎，にきび（スタデルムクリーム），床ずれや皮膚の潰瘍（ジルダザック）を改善する塗り薬です（B）	
	・この薬は血液が固まるのを防ぎ，血行をよくし，炎症や痛みや腫れを抑え，打ち身やねんざ，筋肉痛，関節炎などの痛みや腫れを改善する塗り薬です（ヒルドイド）	
	・この薬は消炎・鎮痛作用のあるサリチル酸メチル，カンフル，メントールが含まれており，打ち身やねんざ，筋肉痛のとき患部を冷やして痛みや腫れを改善する貼り薬です（MS冷シップ）	
	・この薬は消炎・鎮痛作用のあるサリチル酸メチル，カンフルや皮膚を刺激して血流を促すトウガラシエキスが含まれており，打ち身やねんざ，筋肉痛でいつまでも治りが悪く冷えて痛むときの痛みや腫れを改善する貼り薬です（MS温シップ）	

禁忌・併用禁忌

禁忌
- 〔A（配合剤を除く）〕アスピリン喘息（非ステロイド性消炎鎮痛薬等による喘息発作の誘発），またはその既往
- 〔ジルダザック，ヒルドイドを除く〕本剤過敏症既往
- 〔インテバン，インサイド，カトレップ，イドメシン，ハップスターID〕インドメタシン製剤過敏症既往
- 〔アドフィード，ゼポラス，ヤクバン，ロコア〕フルルビプロフェン製剤過敏症既往
- 〔セルタッチ〕フェルビナク製剤過敏症既往
- 〔モーラス，ミルタックス〕チアプロフェン酸，スプロフェン，フェノフィブラートおよびオキシベンゾン過敏症既往
- 〔ヒルドイド〕出血性血液疾患（血友病，血小板減少症，紫斑病等），わずかな出血でも重大な結果をきたすことが予想
- 〔モーラス，ミルタックス〕光線過敏症既往，妊娠後期
- 〔ロコア〕消化性潰瘍，重篤血液異常・肝障害・腎障害・心機能不全・高血圧症，妊娠後期

併用禁忌 〔ロコア〕⇔エノキサシン，ロメフロキサシン，ノルフロキサシン，プルリフロキサシンにてけいれん発現のおそれ

■ 主な副作用と対策，フィジカルアセスメントのチェックポイント

主な副作用	患者に確認すべき症状	対策とPAのチェックポイント
発赤，発疹，瘙痒，刺激感	赤くなる，ぶつぶつができる，かゆい，ピリピリする	直ちにはがし，水またはぬるま湯で患部をよく洗い流す
光線過敏症（モーラス，ミルタックス）	日光のあたる部位にかゆみ，赤くなる，腫れる，水ぶくれができる	中止し，患部を遮光する。使用後数日から数カ月経過してから発現することもある PA 貼付部位（日焼け様皮疹）

■ 重大な副作用と妊婦・授乳婦への危険度

薬剤名	重大な副作用	妊婦[授乳婦]
モーラス，ミルタックス	ショック，アナフィラキシー，喘息発作の誘発，接触性皮膚炎，光線過敏症	禁忌（後期）[⊗◯]
アドフィード，ヤクバン，ゼポラス	ショック，アナフィラキシー，喘息発作の誘発	−
ナボール，ボルタレン	ショック，アナフィラキシー，接触性皮膚炎	−
ナパゲルン，セルタッチ	ショック，アナフィラキシー	−
ロコア	ショック，アナフィラキシー，急性腎不全，ネフローゼ症候群，胃腸出血，再生不良性貧血，喘息発作の誘発，中毒性表皮壊死融解症，皮膚粘膜眼症候群，剥脱性皮膚炎，意識障害，意識喪失を伴うけいれん	禁忌（後期）

■ その他の指導ポイント

	患者向け	薬剤師向け
使用上の注意	[用法・用量] ・〔インテバン軟膏・外用液, イドメシンゲル・ゾル, ナパゲルン軟膏・ローション, ナボールゲル, ボルタレンゲル・ローション, バキソ, フェルデン・ロキソニンゲル〕薬を塗った後サランラップ等で包まないでください ・〔MS温シップ〕入浴の30分以上前にははがし, 入浴後すぐに使用しないでください ・〔MS冷・温シップ〕シップにさわった手で眼, 鼻, 唇などにさわらないでください ・〔モーラス, ミルタックス, ロコア〕妊娠後期の方は必ずご相談ください [使用部位] ・〔インテバン軟膏・外用液, イドメシンゲル・ゾル, ナパゲルン軟膏・ローション, ナボールゲル, ボルタレンゲル・ローション, バキソ, フェルデン〕傷口に入らないよう注意してください ・〔ヒルドイド〕ただれやびらんのあるところには塗らないでください ・〔貼付剤〕傷のある部位や粘膜, 湿疹・発疹のある部位には使用しないでください [その他] ・〔ナボールゲル, ボルタレンゲル・ローション〕火気に近づけないでください ・〔インテバン外用液〕薬液を衣類や家具等に付着させないよう注意してください ・〔モーラス, ミルタックス〕使用中は戸外の行動をなるべく避けてください。日常の外出時も貼付部を色物の衣服やサポーター等で覆ってください	密封包帯法で使用しない。薬剤が過剰に吸収されるため トウガラシエキスを含んでおり, ヒリヒリ感を生じるため ・〔ロコア以外〕胎児動脈管収縮発現の可能性のため投与禁忌 ・〔ロコア〕母動物の死亡, 分娩遅延, 出生率の低下等のため投与禁忌 表皮が欠損している場合に使用すると一時的にしみる, ヒリヒリ感を起こすことがある 添加物にアルコールを含むため 黄色の薬液が衣類, 皮革, 装身具, 家具等に付着すると, 変色・変質することがある 成分のケトプロフェンにより光線過敏症を発現することがある。使用中は天候にかかわらず戸外の活動を避け, 日常の外出時も貼付部を衣類, サポーター等で遮光する。なお白い生地や薄手の服は紫外線を透過するおそれがあるので, 紫外線を透過させにくい色物の衣服などをを着用。使用後数日から数カ月を経過して発現することもあるので, 当分の間同様に注意する

その他備考

- 配合剤成分：MS冷シップ（サリチル酸メチル，*dl*-カンフル，*l*-メントール）
  MS温シップ（サリチル酸メチル，*dl*-カンフル，トウガラシエキス）
- パップ剤の貼り方

関節部位などは，パップ剤に切れ目を入れると貼りやすくなる。

肩				
	①パップ剤をずらして2つ折りにし，中央に切り目を入れる。②フィルムをはがし，切れ目を中心にして左右に少し伸ばす。③次に首の方に十分に伸ばしながら貼る。			
首・肩				
	①パップ剤を2つ折りにし，中央からずらして切れ目を入れる。②フィルムをはがし，まず幅の広い方を十分に伸ばしながら首筋にそって貼る。③次に幅の狭い方を左右に十分伸ばしながら貼る。			
膝				
	①パップ剤をずらして2つ折りにし，中央に切り目を入れる。②フィルムをはがし，切れ目を中心にして左右に少し伸ばす。③次に上の方に十分に伸ばしながら貼る。			
足首				
	①パップ剤を2つ折りにし，中央に切れ目を入れる。②フィルムをはがし，はじめに上部を伸ばしながら足首を巻き込むように貼る。③次に下部を伸ばしながら，甲を巻き込むように貼る。			

アキレス腱

①パップ剤をずらして2つ折りにし、中央に切り目を入れる。②フィルムをはがし、長い方を上にして穴から踵を出し、上に十分伸ばして貼る。③次に土踏まずを包むように短い方を左右に伸ばしながら貼る。

46 皮膚科用薬　⑤鎮痒・収れん薬

■ 対象薬剤

鎮痒剤：ジフェンヒドラミン（レスタミン⑦），クロタミトン（オイラックス⑦）
　　　　配合剤（オイラックスH⑦）
収れん剤：フェノール・亜鉛華リニメント

[⑦クリーム]

■ 指導のポイント

	患者向け	薬剤師向け
薬効	・この薬はかゆみを抑える塗り薬です（レスタミン，オイラックス） →	抗ヒスタミン作用（レスタミン）鎮痒作用（オイラックス）
	・この薬はかゆみや，皮膚の発赤，腫れなどの炎症を抑える塗り薬です（オイラックスH） →	抗炎症・鎮痒作用
	・この薬は軽度の炎症やかゆみを抑える塗り薬です（フェノール・亜鉛華リニメント） →	防腐・消毒・鎮痒・収れん作用
	◆この薬は疥癬を治療する塗り薬です（適応外）（オイラックス）	
詳しい薬効	・この薬はアレルギー反応に関与する物質（ヒスタミン）がヒスタミン受容体に結びついてアレルギー反応を起こすのを抑えて，湿疹やじんま疹などの皮膚のかゆみを抑える塗り薬です（レスタミン） ・この薬は皮膚に軽い灼熱感を起こすことでかゆみを消し，湿疹やじんま疹などの皮膚のかゆみを抑える塗り薬です（オイラックス） ・この薬は副腎皮質ホルモンとかゆみを抑える「クロタミトン」が配合されており，かゆみを伴う湿疹やじんま疹を抑える塗り薬です（オイラックスH） ・この薬は防腐，消毒作用のある「フェノール」と，炎症をやわらげる「酸化亜鉛」などが含まれており，軽度の炎症やかゆみ，あせも，虫さされを抑える塗り薬です（フェノール・亜鉛華リニメント）	

◆この薬は疥癬（かいせん：ヒゼンダニが皮膚の表面に寄生しておきる皮膚疾患）を起こすダニを殺して疥癬を治療する塗り薬です（適応外）（オイラックス）

禁忌	・〔オイラックス，オイラックス H〕本剤過敏症既往 ・〔オイラックス H〕細菌・真菌・スピロヘータ・ウイルス皮膚感染症，潰瘍（ベーチェット病は除く），第2度深在性以上の熱傷・凍傷 ・〔フェノール・亜鉛華リニメント〕びらん，潰瘍，結痂，損傷皮膚および粘膜

■ 主な副作用と対策，フィジカルアセスメントのチェックポイント

主な副作用	患者に確認すべき症状	対策と PA のチェックポイント
発赤，発疹，瘙痒，刺激感	赤くなる，ぶつぶつができる，かゆい，ピリピリする	水またはぬるま湯で患部をよく洗い流す PA 皮膚（かゆみ，発赤，発疹）
ステロイド皮膚 （長期連用にて） （オイラックス H）	皮膚が赤くなる，茶色くなる，皮膚が萎縮し薄くなる，毛細血管が浮き出る，さざ波状のしわ，かえって過敏になる	徐々に使用を差し控え副腎皮質ホルモン薬を含有しない薬剤に切り替える PA 皮膚（薄くなる，しわ，すじ，にきび，色素沈着）

■ 重大な副作用と妊婦・授乳婦への危険度

薬剤名	重大な副作用	妊婦[授乳婦]
レスタミン	−	A

■ その他の指導ポイント

	患者向け	薬剤師向け
使用上の注意	[用法・用量] ・〔レスタミン，オイラックス〕1日数回塗るかすり込んでください ・〔オイラックス H〕1日数回塗るかすり込む，または清潔なガーゼにのばして貼ってください ・〔フェノール・亜鉛華リニメント〕1日1～数回塗ってください [使用部位] ・〔レスタミン〕眼のまわりに使用しないでください ・〔オイラックス，オイラックス H〕眼や眼のまわり，唇などの粘膜には使用しないでください ・〔フェノール・亜鉛華リニメント〕眼には使用しないでください ・〔オイラックス H〕おむつにあたる部分→に使うときは，ぴったりしたおむつやビニール製のパンツの使用は避けてくださ	おむつは密封法と同様の作用があり，薬剤が過剰に吸収されるため

使用上の注意	・〔オイラックスH〕化粧下, ひげそり後などには使用しないでください	ステロイド潮紅, 毛細血管拡張, 酒渣様皮膚炎等のステロイド皮膚炎の副作用を起こしやすくなる
	・〔フェノール・亜鉛華リニメント〕ただれていたり, かさぶたになっていたり, 傷のあるような皮膚には使用しないでください	損傷皮膚よりフェノールが吸収されて中毒が起こる可能性がある. また, 添加物の酸化亜鉛が損傷皮膚に付着すると皮膚粘膜の修復が遅れるため投与禁忌
	[保管]	
	・〔オイラックス〕他の容器に移し替えた場合は早めに使いきってください	プラスチック容器に小分けして長期間保存した場合, 変色等がみられることがある
	[その他]	
	・〔オイラックス, オイラックスH〕薬を塗った直後, 一時的に皮膚が熱く感じられることがありますが, 短時間で症状は消えるので心配ありません	

■ その他備考

■配合剤成分：オイラックスH（クロタミトン，ヒドロコルチゾン）

■〔オイラックス，オイラックスH〕金属との接触で変質のおそれがあるため，金属ベラ，金属容器の使用はできるだけ避けること．なおステンレス軟膏ベラで小分けをすることは差し支えない

46 皮膚科用薬　⑥抗真菌薬

■ 対象薬剤

イミダゾール系：クロトリマゾール（エンペシド㋐㋕），イソコナゾール硝酸塩（アデスタン㋐），オキシコナゾール硝酸塩（オキナゾール㋐㋕），スルコナゾール硝酸塩（エクセルダーム㋐㋕），ミコナゾール硝酸塩（フロリードＤ㋐），ネチコナゾール塩酸塩（アトラント㌂㋐），ケトコナゾール（ニゾラール㋐㋺），ビホナゾール（マイコスポール㋐㋕），ラノコナゾール（アスタット㌂㋐㋕），ルリコナゾール（ルリコン㌂㋐㋩，ルコナック爪㋕）

モルホリン系：アモロルフィン塩酸塩（ペキロン㋐）

アリルアミン系：テルビナフィン塩酸塩（ラミシール㋐㋕㋛）

ベンジルアミン系：ブテナフィン塩酸塩（ボレー㋐㋕㋛，メンタックス㋐㋕㋛）

チオカルバミン酸系：トルナフタート（ハイアラージン㌂㋕），リラナフタート（ゼフナート㋐㋕）

トリアゾール系：エフィナコナゾール（クレナフィン爪㊚）

［㊛軟膏，㋗クリーム，㊚外用液，㊟液，㋺ローション，㋜スプレー］

■ 指導のポイント

	患者向け	薬剤師向け
薬効	この薬は，皮膚のカビ（真菌）を殺し水虫→（手足），タムシ（体部），シラクモ（頭部），爪白癬のみ（クレナフィン，ルコナック）等を治療する塗り薬（スプレー）です	抗真菌作用
詳しい薬効	この薬は皮膚に寄生したカビ（真菌）の細胞膜をこわして殺菌的に働き，白癬（水虫：足白癬，ぜにたむし：体部白癬，いんきんたむし：陰股部白癬，爪白癬のみ（クレナフィン，ルコナック）），カンジダ，癜風（でんぷう）などの皮膚真菌症を治療する塗り薬です。	
禁忌	・本剤過敏症既往 ・〔ゼフナート〕他の外用抗真菌薬過敏症既往，皮膚カンジダ症あるいは汗疱，掌蹠膿疱症，膿皮症，他の皮膚炎等との鑑別が困難な患者	

■ 主な副作用と対策

主な副作用	患者に確認すべき症状	対策
刺激感，瘙痒，発赤	ほてりやひりひり感，かゆい，赤くなる	中止

■ 重大な副作用と妊婦・授乳婦への危険度

薬剤名	重大な副作用	妊婦[授乳婦]
ニゾラール，ラミシール，ボレー，メンタックス	−	[㊖◎]
エンペシド，フロリードD	−	A1
アデスタン	−	B2
マイコスポール	−	B3

■ その他の指導ポイント

	患者向け	薬剤師向け
使用上の注意	[用法・用量] ・〔アトラント，ニゾラール，マイコスポール，アスタット，ペキロン，ラミシール，ボレー，メンタックス，ゼフナート，ルリコン，クレナフィン，ルコナック〕1日1回患部に塗って（噴霧して）くださ	

皮膚科用薬

使用上の注意	・〔上記以外〕1日2〜3回塗ってください	
	・〔ニゾラール〕脂漏性皮膚炎に対して使用する場合は，1日2回塗ってください	
	・〔ニゾラールローション〕よく振って使用してください →	懸濁性ローションのため
	[使用部位]	
	・眼科用として角膜，結膜には使用しないでください。また顔面に使用する場合は眼に入らないように注意してください	
	・〔ラミシールスプレー，ボレースプレー，メンタックススプレー〕顔面，頭部等，吸入する可能性のある部位には注意して使用してください	
	・〔ラミシールスプレー，ボレースプレー，メンタックススプレー〕点鼻用として鼻腔内に使用しないでください	
	・〔アトラント，エンペシドクリーム，ニゾラール，アデスタン，オキナゾール，エクセルダーム，マイコスポール，アスタット，ボレー・メンタックス，ゼフナート，ルリコン〕著しいびらん面には使用しないでください	
	・〔アトラント外用液，オキナゾール液，エクセルダーム外用液，マイコスポール液，アスタット液，ラミシール液，ボレー・メンタックス（クリーム以外），ルリコン液，ゼフナート外用液〕亀裂，びらん面には注意して使用してください →	添加物にアルコールを含むため，刺激を生じることがある
	・〔クレナフィン，ルコナック〕爪と皮膚との境目も含めて，爪全体に塗ってください。周りの皮膚についた薬はすぐに拭きとってください →	白癬菌は爪甲およびその下の皮膚に存在するため，この部位に薬剤が行き渡るようにするため
	・〔ルコナック，クレナフィン〕治療中の爪には化粧品を使用しないでください	
	[保管]	
	・〔マイコスポール液〕低温で保管しないでください →	約3℃以下で凝固する
	・〔クレナフィン〕火気を避けてください。また開封したら12週間以内に使用してください →	可燃性であるため
	[その他]	
	・〔アデスタンクリーム，オキナゾールクリーム，フロリードDクリーム〕この薬を塗ってからコンドーム等の避妊用具の →	基剤に使用されている油脂性成分は，コンドーム等の避妊用ラテックスゴム製品の品質を劣化・破損する可能性があるため

			添加物にアルコールを含むため
使用上の注意	・〔マイコスポール液, アスタット液, ゼフナート外用液, ルリコン液, ルコナック〕合成樹脂を軟化したり, 塗料を溶かすことがあるので注意してください		
	・〔アトラント外用液〕プラスチックや塗料を溶かすことがあるので注意してください		〃

抗真菌薬分類表

	一般名	主な商品名	適応			用法・用量
			白癬	カンジダ症	癜風	塗布回数/日
イミダゾール系	クロトリマゾール	エンペシド (クリーム・外用液)	○	○	○	2～3
	イソコナゾール硝酸塩	アデスタン (クリーム)	○	○	○	2～3
	オキシコナゾール硝酸塩	オキナゾール (クリーム・外用液)	○	○	○	2～3
	スルコナゾール硝酸塩	エクセルダーム (クリーム・外用液)	○	○	○	2～3
	ミコナゾール硝酸塩	フロリードD (クリーム)	○	○	○	2～3
	ネチコナゾール塩酸塩	アトラント (軟膏・クリーム・外用液)	○	○	○	1
	ケトコナゾール	ニゾラール* (クリーム・ローション)	○	○	○	1
	ビホナゾール	マイコスポール (クリーム・外用液)	○	○	○	1
	ラノコナゾール	アスタット (軟膏・クリーム・外用液)	○	○	○	1
	ルリコナゾール	ルリコン (軟膏・クリーム・液)	○	○	○	1
	〃	ルコナック爪 (外用液)	○(注)			1
モルホリン系	アモロルフィン塩酸塩	ペキロンクリーム	○	○	○	1
アリルアミン系	テルビナフィン塩酸塩	ラミシール (クリーム・外用液・スプレー)	○	○	○	1
ベンジルアミン系	ブテナフィン塩酸塩	ボレー (クリーム・外用液・スプレー)	○			1
		メンタックス (クリーム・外用液・スプレー)				
チオカルバミン酸系	トルナフタート	ハイアラージン (軟膏・外用液)	○		○	2～3
	リラナフタート	ゼフナート (クリーム・外用液)	○			1
トリアゾール系	エフィナコナゾール	クレナフィン (外用液)	○(注)			1

＊ニゾラール：脂漏性皮膚炎　1日2回
注）爪白癬のみ

■ その他備考

■ 皮膚真菌症の診断と治療

診断

皮膚真菌症には，皮膚糸状菌症（白癬），皮膚・粘膜カンジダ症，癜風，スポロトリコーシスなどがある。白癬，カンジダ症の診断には，KOH真菌鏡検によって菌糸や胞子を確認する。白癬には足白癬，体部白癬，手白癬，頭部白癬，爪白癬などがあり，足白癬が最も多い。足白癬には趾間型，小水疱型，角質増殖型があり，角質増殖型以外ではしばしばかゆみを生じる。

治療

- 表在性白癬には足白癬（角化型を除く），趾間部白癬，手白癬，体部白癬，股部白癬などがあり，抗真菌薬外用が有効である。
- 爪白癬，角質増殖型白癬では，抗真菌薬内服が第1選択である。内服薬にはテルビナフィン塩酸塩，イトラコナゾールがある。頭部白癬や足白癬（角化型）などの浅在性白癬でも難治性，再発性の場合は内服療法の適応である。
- 足白癬の趾間型で湿潤している場合，亜鉛華軟膏を抗真菌薬に併用すると病変部位が乾燥し有用である。
- 癜風の治療は，主に抗真菌薬外用である。

（参考：泉　孝英編集主幹：ガイドライン外来診療2015，日経メディカル開発，2015）

水虫の日常生活のポイント

　水虫は真菌（カビ）の一種である皮膚糸状菌（その多くが白癬菌）が皮膚に感染して生じる疾患です。皮膚糸状菌はケラチンという物質を溶かして栄養源とするので，ケラチンを多く含んでいる角層（表皮の中でも空気に触れている最も外側の層），爪，毛に寄生しやすいのです。足，陰股部は白癬菌の好む代表的な場所ですが，部位により病名も異なります。足白癬は水虫，手白癬は手水虫，股部白癬はインキンタムシ，体部白癬はゼニタムシ，頭部白癬はシラクモと呼びます。
　水虫である足白癬には大きくは次の3つのタイプがあります。①趾間びらん型：この型は水虫の中では最も多いもので足の指の間が白くふやけて，皮がはがれてくる。②小水疱・鱗屑型：土踏まず，足の側縁に軽い赤味を伴った小さな水疱が多発して，1週間ぐらいで乾燥して皮がはがれるが他の部位に新しい水疱ができて広がる。③角質増殖型（角化型）：足の裏，特に踵の部分の角質が厚くなり，表面がザラザラとなり皮がはがれる。
　汗がたまり，蒸れやすい部分が最も白癬菌が発育しやすいので次の点に注意しましょう。

【日常生活】
1．患部—いつも清潔にしましょう。
　　毎日，石けんで指の間をよく洗いましょう（白癬菌は角質に寄生しており，角層を構成する角質は，ほこり，汗，皮脂と一緒になり垢となり毎日はがれ落ちるので，よく洗い垢を落とすとある程度の白癬菌も洗い落とすことができる）。かゆいときも，ごしごし洗うのではなく，柔らかいタオルでていねいに洗うようにしましょう。細かい傷から感染・再感染するため，軽石でこすることは避けましょう。洗った後は，足をよく拭いて乾かしましょう。足には専用のタオルを使いましょう。また他人と共用しないように心がけましょう。足拭きマットは毎日洗って天日でよく乾燥させてから使用しましょう。
2．通気性をよくし，さわやかにしましょう。
　　靴下は通気性・吸湿性の良い綿製品がよいでしょう。
3．薬は必ず毎日塗りましょう。
　　薬は医師に指示された回数をきっちりと守り，毎日必ず塗りましょう。風呂上がりや足を洗った後で塗れば，皮膚がふやけており，薬が水虫菌の隠れている所までしみこみやすく，効果的です。塗り方のポイントは，①患部より広めに塗る，②指の間の塗りにくい所もきちんと塗る，③クリームは薄くつけるようにしてのばす，の3点です。
4．治療は根気よく続けましょう。
　　水虫は高温多湿な夏になると悪くなり，冬になると良くなります。薬を1〜2カ月塗り続けるとかゆみなどの症状はなくなりますが，治ったと思って薬を塗るのをやめると再発します。水虫の薬によって白癬菌はいったん皮膚の奥に逃げ込んだものの決して死んではいないからで，条件さえ整えばまた復活してくるからです。医師の指示のもとに最低でも3カ月，できれば1年間は適切な薬を塗り続け，患部を清潔に乾燥させておきましょう。根気よく治療を続けましょう。
　　爪の水虫はカビが爪の奥にいるので，塗り薬だけではなかなか良くならない場合もあります。そのような場合は皮膚科から飲み薬が処方される場合もあります。
5．かぶれたり，化膿したりしたときは皮膚科へ行きましょう。
　　薬にかぶれると細菌が入って化膿しやすくなります。かぶれたかな？と思ったら薬を塗るのをやめて皮膚科へ行きましょう。

46 皮膚科用薬　⑦乾皮症・角化症治療薬

■対象薬剤

尿素（ウレパール⑦回，ケラチナミン⑦），ヘパリン類似物質（ヒルドイド⑦回 ソフト軟 ），
ビタミンA（ザーネ軟）
配合剤（ユベラ軟）

［軟軟膏，⑦クリーム，回ローション］

■指導のポイント

	患者向け	薬剤師向け
薬効	・この薬は皮膚の乾燥を防ぎ，角質をやわらかくする塗り薬です（ウレパール，ケラチナミン，ザーネ）	角質水分保持増強作用（ウレパール，ケラチナミン） 角質溶解剥離作用（ケラチナミン）， 表皮新陳代謝亢進，ケラチン形成抑制作用（ザーネ）
	・この薬は皮膚の血行をよくしたり，乾燥を防ぐ塗り薬です（ヒルドイド）	角質水分保持増強作用，血流量増加作用，血液凝固抑制作用
	・この薬は皮膚の血行をよくし，角質をやわらかくする塗り薬です（ユベラ）	皮膚の血行促進，表皮新陳代謝亢進，ケラチン形成抑制作用
	◆この薬は汗疱を治療する塗り薬です（適応外）（ウレパール，ケラチナミン以外）	
詳しい薬効	・この薬は尿素が含まれており，皮膚の角質層の水分を保持し乾燥を防ぎ，角質をやわらかくする塗り薬です。乾燥肌や主婦湿疹，老人性乾皮症，アトピー性皮膚炎のスキンケアなどに用います（ウレパール，ケラチナミン） ・この薬はビタミンAが含まれており，皮膚の新陳代謝を高め，乾燥を防ぎ，角質をやわらかくする塗り薬です（ザーネ軟膏） ・この薬は保湿作用により皮膚のかさつき，しもやけ，角皮症など乾燥性の症状を改善し，また皮膚の血行をよくし，血行障害による痛みや腫れを改善する塗り薬です（ヒルドイド） ・この薬はビタミンAとビタミンEが含まれており，ビタミンAは皮膚の新陳代謝を高め乾燥を防ぎ，ビタミンEは皮膚の血行をよくし皮膚のかさつき，しもやけ，角皮症など乾燥性の症状を改善する塗り薬です（ユベラ） ◆この薬は汗疱（足底にかゆみを伴う小水疱が出現する湿疹性の皮膚疾患）を治療する塗り薬です（適応外）（ウレパール，ケラチナミン以外）	
禁忌	・〔ケラチナミン〕眼粘膜等の粘膜 ・〔ヒルドイド〕出血性血液疾患（血友病，血小板減少症，紫斑病等），わずかな出血でも重大な結果をきたすことが予想される	

■ 主な副作用と対策，フィジカルアセスメントのチェックポイント

主な副作用	患者に確認すべき症状	対策と PA のチェックポイント
紅斑，瘙痒	赤くなる，かゆい	中止
刺激感，ひりひり感（ウレパール，ケラチナミン，ヒルドイド）	しみる，ひりひりする，熱感	減量もしくは休薬 PA 皮膚（発赤，刺激感）

■ その他の指導ポイント

	患者向け	薬剤師向け
使用上の注意	[使用部位] ・皮膚以外の部位（眼，粘膜等）には使用しないでください ・〔ウレパールローション〕間違えて点眼しないでください。もし誤って眼に入ったときは水で洗い流してください ・〔ヒルドイド，ヒルドイドソフト，ウレパール，ケラチナミン〕潰瘍，びらん面には塗らないでください ・〔ウレパール，ケラチナミン〕傷面には塗らないでください [保管] ・〔ユベラ〕15℃以下の冷所に保存してください [その他] ・〔ケラチナミン〕薬を手につけたまま眼→に触れないでください ・〔ザーネ〕空気または光により表面が徐々に黄色になることがありますが，表示期限内において薬効上問題はありません	尿素により粘膜機能を障害するため投与禁忌

■ その他備考

- 配合剤成分：ユベラ（トコフェロール，ビタミン A 油）
- 〔ウレパール〕ステンレスヘラが長時間の接触で錆びることがある
- 乾皮症・角化症・乾癬について

  乾皮症：皮脂および汗の分泌が減少し，皮膚が乾燥して光沢を失い，表面に細かい鱗屑が付着した状態で，皮脂欠乏症ともいう。幼児・老人（老人性乾皮症）によくみられ，空気が乾燥する晩秋から始まり，冬季に悪化，暖かくなった早春には軽快する

  角化症：角化の異常による疾患。角質が増殖あるいは蓄積をきたし，角質肥厚や鱗

屑をみる
乾　癬：慢性再発性・難治性の炎症性皮膚疾患。表皮ケラチノサイトの増殖の亢進と分化異常，真皮乳頭部の毛細血管の拡張を伴ったリンパ球の湿潤による慢性炎症

46　皮膚科用薬　⑧乾癬治療薬

■ 対象薬剤

(A) 外用：・ステロイド外用薬（No.46 皮膚科用薬①副腎皮質ホルモン含有製剤（p.645）参照）
　　　　　・活性型ビタミンD_3外用薬：タカルシトール水和物（ボンアルファ軟⑦，ボンアルファハイ軟ℓ），カルシポトリオール（ドボネックス軟），マキサカルシトール（オキサロール軟ℓ）
　　　　　・配合剤（ドボベット軟ℊ⑦，マーデュオックス軟）
(B) 内服：・レチノイド（ビタミンA誘導体）：エトレチナート（チガソン）
　　　　　・PDE4阻害：アプレミラスト（オテズラ）
　　　　　・カルシニューリン阻害：シクロスポリン（ネオーラル，サンディミュン）
　　　　　・葉酸代謝拮抗：メトトレキサート（リウマトレックス）

＊ネオーラル，サンディミュンはNo.67 免疫抑制薬（p.1031）参照
＊リウマトレックスはNo.17 抗リウマチ薬①（p.257）参照

(C) 注射（生物学的製剤：在宅自己注射）：セクキヌマブ（コセンティクス），イキセキズマブ（トルツ），ブロダルマブ（ルミセフ），アダリムマブ（ヒュミラ），セルトリズマブペゴル（シムジア）

＊ヒュミラ，シムジアはNo.17 抗リウマチ薬②（p.265）参照

［軟軟膏，ℊクリーム，ℓローション，ℊゲル，⑦フォーム］

■ 指導のポイント

	患者向け	薬剤師向け
薬効	【外用】	
	・この薬は皮膚の発赤，腫れ，かゆみなどの炎症を抑える塗り薬です（ステロイド外用薬）→	抗炎症作用
	・この薬は乾癬の皮膚症状*¹（赤い斑点を伴って，多量のフケや銀白色のかさぶたを生じる，皮膚が赤くなるなど）を改善する薬です→	表皮細胞増殖抑制作用　表皮細胞分化誘導作用　抗炎症作用（ボンアルファハイ，配合剤）
	【内服】	
	・この薬は皮膚や口腔粘膜の異常に硬くなった部分（角化）をはがしやすくし，→	上皮再生形成作用（チガソン）

薬効	正常な表皮や粘膜を再形成し，難治性乾癬の諸症状（皮膚症状*1，関節症，口内炎等）を改善する薬です（チガソン） ・この薬は異常な炎症反応を抑えて難治性乾癬の諸症状（塗り薬で効果不十分な広範囲の皮疹*2，難治性の皮疹，関節症）を改善する薬です（オテズラ） ・この薬は異常な免疫機能を抑えて難治性乾癬の諸症状（広範囲の皮疹*3，膿疱，関節症：サンディミュン，ネオーラル，塗り薬で効果不十分な広範囲の皮疹*3，難治性の皮疹，膿疱，関節症：リウマトレックス）を改善する薬です（リウマトレックス，サンディミュン，ネオーラル） 【注射】 ・この薬は異常な炎症反応を抑えて，難治性乾癬の諸症状（光線療法等で効果不十分な広範囲の皮疹*3，膿疱，感染症状）を改善する薬です（ヒュミラ，シムジア，コセンティクス，トルツ，リミセフ）	→ PDE4阻害作用による炎症サイトカインの発現抑制（オテズラ） → 免疫抑制作用（リウマトレックス，サンディミュン，ネオーラル） ＊1　赤い斑点を伴って，多量のフケや銀白色のかさぶたを生じる，皮膚が赤くなるなど ＊2　体表面積10％以上 ＊3　全体の30％以上 → 炎症性サイトカイン（TNFα：Tumor Necrosis Factor-α：腫瘍壊死因子α）阻害作用（ヒュミラ，シムジア） 抗インターロイキン（IL）-17A作用（コセンティクス，トルツ，ルミセフ）
詳しい薬効	【外用】 ・この薬はビタミンDの一種で，表皮の角化細胞にあるビタミンD受容体と結合して，角質の増殖を抑え，皮膚の新陳代謝を正常にして，乾癬や掌蹠角化症など皮膚の角質が厚くなる症状を改善する塗り薬です（ボンアルファ，オキサロール） ・この薬はビタミンDの一種で，表皮の角化細胞にあるビタミンD受容体と結合して，角質の増殖を抑え皮膚の新陳代謝を正常にして，乾癬の皮膚症状*1を改善する塗り薬です（ボンアルファハイ，ドボネックス） ・この薬は活性型ビタミンD_3とステロイドが配合されており，ビタミンD_3は皮膚の細胞の増殖を抑え，ステロイドは皮膚の炎症を抑えて，皮膚の新陳代謝を正常にして，乾癬の皮膚症状*1を改善する塗り薬です（ドボベット，マーデュオックス） 【内服】 ・この薬はビタミンA誘導体で，皮膚や口腔粘膜の異常に硬くなった部分（角化）をはがしやすくしたり，正常な表皮や粘膜を再形成したりして，乾癬群の皮膚症状*1や関節に炎症を伴う症状（手足の関節や首，背骨，アキレス腱などの痛み，腫れ，こわばり：関節症性乾癬），皮膚表面が硬くなりボロボロとウロコのようにはがれ落ちたり（魚鱗癬群），手のひらや足の裏にできるうみをもった皮疹（掌蹠膿疱症），手のひらと足の裏の過角化（掌蹠角化症）を治療する薬です（チガソン） ・この薬は炎症を引き起こす物質の産生にかかわっているPDE4（ホスホジエステラーゼ4）の働きを抑え，炎症反応を抑制し，乾癬の皮膚症状*1（塗り薬で効果不十分な体表面積10％以上の皮疹，難治性の皮疹）や関節に炎症を伴う症状，ベーチェット病の口腔潰瘍を治療する薬です（オテズラ） ・この薬はリンパ球に働いて免疫機能を抑えたり，炎症に関係している細胞の働きを抑えたりして，異常な状態となっている免疫反応を抑えます。塗り薬など（局所療法）で効果不十分な体表面積10％以上の皮疹*1や難治性の皮疹，関節症状または膿疱をもつ乾癬の症状を改善する薬です（リウマトレックス）	

詳しい薬効	・この薬はリンパ球に特異的・可逆的な免疫抑制作用を示し，主にヘルパー T 細胞の活性化を抑え，異常な免疫反応を抑え，難治性乾癬の諸症状（全身の 30％以上の皮疹[*1]，関節症や膿疱）を改善する薬です（サンディミュン，ネオーラル） 【注射】 ・この薬は炎症を引き起こす炎症性サイトカイン（TNF：ヒュミラ，シムジア，IL-17A：コセンティクス，トルツ，ルミセフ）を阻害して，異常な炎症反応を抑え，光線療法を含む依存の全身療法で効果不十分な皮疹（体表面積 10％以上）や難治性の皮疹，関節症状または膿疱をもつ乾癬の症状，強直性脊椎炎，X 線基準を満たさない体軸性脊椎関節炎の症状を改善する薬です（C）
警告	・〔チガソン〕催奇形性があるので妊婦または妊娠の可能性のある婦人には投与しない。やむを得ず投与するときは使用上の注意を厳守 ・〔生物学的製剤〕結核等の感染症を含む緊急時に十分対応できる医療施設で当該疾患治療に十分な知識・経験をもつ医師のもと，有益性が危険性を上回る症例のみ使用。感染のリスク増大・結核活動化の可能性あり。本剤が疾病を完治させる薬剤でないことも含め有効性および危険性を患者に十分説明，治療を開始。感染症発症に注意し，症状発現時，直ちに連絡するよう患者指導。既存の全身療法（生物製剤除く）を優先
禁忌・併用禁忌	禁忌 【外用】・本剤過敏症既往 ・〔ドボベット，マーデュオックス〕細菌・真菌・スピロヘータ・ウイルス皮膚感染症および動物性皮膚疾患（疥癬，けじらみ等），潰瘍（ベーチェット病は除く），第 2 度深在性以上の熱傷・凍傷（内服）・本剤過敏症既往，妊婦 ・〔チガソン〕肝障害，腎障害，ビタミン A 過剰症 【生物学的製剤】本剤過敏症既往，重篤な感染症，活動性結核患者 併用禁忌 〔チガソン〕⇔ビタミン A にてビタミン A 過剰症類似症状

■ 主な副作用と対策，フィジカルアセスメントのチェックポイント

主な副作用	患者に確認すべき症状	対策と PA のチェックポイント
紅斑，瘙痒	赤くなる，かゆい	中止
血清 Ca 上昇（A）	だるい，いらいら感，かゆみ，食欲不振，吐き気，お腹が張る，腹痛，頭痛，めまい，脱力，筋肉痛，筋力低下	血中 Ca 値および腎機能の検査を定期的に実施。正常域を超えた場合は減量もしくは中止 PA 筋力（↓），口渇（↑），尿量（↑）
急性腎障害（ドボネックス，オキサロール，ドボベット，マーデュオックス）	足首，顔，手のむくみ，集中力の低下，食欲不振，吐き気，全身のかゆみ，疲れやすい	血清クレアチニン上昇，BUN 上昇等の異常が認められた場合は中止 PA 浮腫，倦怠感，尿量（↓）
ビタミン A 過剰症（チガソン）	脱毛，発疹が多い，脳圧亢進，皮膚の乾燥，筋肉痛，疲労，骨障害	中止 PA 頭痛，嘔吐，皮膚粘膜の剝脱
感染症状（上気道感染）（チガソンを除く B，C）	鼻水，くしゃみ，鼻づまり，喉の痛み，せき，かぜのような症状，発熱，体がだるい	感染の徴候または症状が発現時，担当医に連絡するよう患者指導を実施。感染症が発現した場合適切な処置 PA 体温（↑），咽頭（充血，腫脹）
消化器症状（チガソンを除く B，C）	下痢，便がやわらかくなる，お腹が痛い，吐き気，嘔吐	休薬または中止 PA 腸音（下痢：↑）

主な副作用	患者に確認すべき症状	対策とPAのチェックポイント
頭痛（トルツを除くB，C）	頭が痛い，めまい	休薬または中止
注射部位の症状（C）	注射部位が赤くなる・腫れる・痛む・かゆくなる・硬くなる	同一箇所への繰り返しの注射は避け，前回の注射部位から少なくとも3cm離れた部位に注射部位を変える

■ 重大な副作用と妊婦・授乳婦への危険度

薬剤名	重大な副作用	妊婦[授乳婦]
ボンアルファ	－	[授○]
ボンアルファハイ	高カルシウム血症	－
オキサロール，マーデュオックス	高カルシウム血症，急性腎症	－
ドボネックス	高カルシウム血症，急性腎症	[授○]
ドボベット	高カルシウム血症，急性腎症	B1
チガソン	中毒性表皮壊死症，多形紅斑，血管炎	禁忌[授×]
オテズラ	重篤な感染症，重篤な過敏症，重度の下痢	禁忌/B3
コセンティクス	重篤な感染症，過敏症状，好中球数減少，炎症性腸疾患，紅皮症	C
トルツ	重篤な感染症，重篤な過敏反応，好中球数減少，炎症性腸疾患，間質性肺疾患	C
ルミセフ	重篤な感染症，好中球減少，重篤な過敏症	－

■ その他の指導ポイント

	患者向け	薬剤師向け
使用上の注意	【外用】 ［用法・用量］ ・［ボンアルファハイ］1日1回塗ってください。ただし1回に塗る量は10g（チューブ1本）までにしてください ・［ボンアルファ軟膏・クリーム・ローション］1日2回塗ってください ・［ドボネックス］1日2回塗ってください。ただし1週間に塗る量は90gまでにしてください ・［オキサロール］1日2回擦り込んでください。ただし1日に塗る量は10g（チューブ1本，ローション1本）までに	他のタカルシトール外用剤と併用する場合には，1日の投与量は，タカルシトールとして200μgまでとする。タカルシトールとして200μg/日を超えて塗布することにより高Ca血症が現れる可能性がある 過量投与により高Ca血症が現れる可能性がある 〃

使用上の注意	してください	
	・〔ドボベット〕1日1回塗ってください。ただし1週間に塗る量は90gまでにしてください	→ 過量投与により高Ca血症が現れる可能性がある
	・〔ボンアルファハイ，ドボネックス，オキサロール〕指示どおり使用し，6週間（ドボネックスは4〜6週間）塗り続けても症状が改善しない場合は医師にご相談ください	→ 通常，投与後6週間（ドボネックスは4〜6週間）までに効果が認められているため
	[使用部位]	
	・〔ドボネックス，ドボベット〕顔や症状のない所には塗らないでください，また薬を塗った手で顔面には触れないようにしてください	→ 顔面に使用したとき，口の周囲に灼熱感に伴う紅斑が出現との報告（海外）のため
	[保管]	
	・〔オキサロール，ドボネックス，ドボベット，マーデュオックス〕小児の手の届かない所に保存してください	→ 誤って内服した場合，高Ca血症等の全身性の副作用が現れることがある
	[その他]	
	・〔ボンアルファハイ，オキサロール，ドボネックス，ドボベット，マーデュオックス〕薬を塗った手で傷口等には触れないようにしてください	→ 損傷皮膚は正常皮膚に比べ吸収率が高く全身への移行が早いため，高Ca血症等の副作用が現れる可能性がある
	【内服】	
	・〔チガソン〕この薬は催奇形性（胎児に奇形が生じる可能性）があるので，副作用について十分に理解してください。内容と注意事項に同意できる場合，同意書に署名してください	→ 本剤には催奇形性があり，副作用の発現頻度が高いので，諸治療が無効な重症の場合にのみ使用。患者に副作用についてよく説明し，理解させた後，同意を書面で得てから使用。①妊娠する可能性のある婦人は，次の生理周期の2日または3日目まで投与を開始しないこと。②本剤の投与開始前2週間以内の妊娠検査を行い妊娠していないことを確認すること③投与中および投与中止後少なくとも2年間は避妊させること
	・〔チガソン〕妊娠する可能性のある人は，服用開始時期や妊娠検査の頻度や時期，避妊についても注事項があるのでしっかり守ってください	
	・〔チガソン〕この薬を服用する男性の方は，この薬を使用している間および使用を中止してから少なくとも6カ月間は必ず避妊してください	→ 動物実験にて精子形成能異常の報告。男性に投与する場合も投与中および投与中止後少なくとも6カ月間は避妊させる
	・〔チガソン〕この薬を使用している間および使用を中止してから少なくとも2年間は献血しないでください	→ 本剤には催奇形性があり，また副作用の発現頻度が高いので，投与中および投与中止後少なくとも2年間は献血を行わないよう指導
	・〔チガソン〕この薬の服用中に関節の痛	→ 本剤の長期投与を受けた患者で過骨症および

使用上の注意		
	・みや骨の痛みが現れたら，すぐに医師に連絡してください	骨端の早期閉鎖のおそれ。したがって投与中に関節痛・骨痛等の症状が現れた場合には主治医に連絡するよう指示
	・〔チガソン〕 検 この薬を長期間使用する場合には，X線検査等が行われることがあります。また，この薬により肝障害が起こることがありますので，受診日を守り，定期的に検査を受けてください →	本剤の長期投与に際しては，定期的な問診（骨・筋等の痛みや運動障害），X線検査，Al-P, Ca, P, Mg 等の臨床生化学的検査を行うことが望ましい。25歳以下の患者には，治療上の有益性が上回る場合のみ投与。肝機能検査は投与前，投与開始1ヵ月後および投与中は3ヵ月ごとに行う。肝障害が疑われるときは直ちに中止
	・〔チガソン〕この薬は，多量の牛乳や脂肪分の多い食事と一緒に服用しないでください →	高中性脂肪血症の患者は，脂質代謝障害を起こしやすい。この素因のある患者には血中トリグリセライドの検査を行うこと
	・〔オテズラ〕この薬を服用するとき，錠剤をかみ砕いたり，割ったりしないでください →	フィルムコーティング錠で粉砕後や分割後の薬物動態等への影響が検討されていないため
	・妊娠中または妊娠の可能性のある方は必ずご相談ください →	胚胎児毒性のリスクを有する可能性があるため投与禁忌
	【生物学的製剤】	
	・この薬を使用している間は生ワクチンの接種は避けてください →	生ワクチン接種による感染症発現のリスクを否定できないため
	・発熱，体がだるい，かぜのような感染の症状が現れた場合は必ずご相談ください	警告参照 ウイルス，細菌，真菌等による重篤な感染症が報告されているため
	・注射する部位は太もも（大腿部），お腹（腹部）または二の腕（上腕部）の外側です。注射部位は毎回変えて（前回の注射部位から少なくとも3cm離れた部位に）注射してください。皮下注射をした場所はもまないようにしてください	投与部位の反応報告があるため，同一箇所に繰り返し注射することを避ける
	・皮膚が敏感な部位，皮膚に異常がある部位（痛み，傷，赤み，かさつき），乾癬の部位には注射しないでください	投与部位の反応報告があるため
		・本剤の治療反応は投与開始から一定期間内（オテズラ：24週，コセンティクス：16週，トルツ：20週，ルミセフ12週）に得られるが，得られない場合は治療計画を再考する
	・室温に戻してから使用してください	
	・子供の手が届かないところに保管してください。注射器の入った箱のまま，凍結を避けて冷蔵庫（2～8℃）で保管してください。光を避けてください	

服用（使用）を忘れたとき	・〔チガソン，オテズラ〕思い出したときすぐに服用する。ただし次の服用時間が近いときは忘れた分は服用しない（2回分を一度に服用しないこと） ・〔ルミセフ〕注射するのを忘れたり予定日に注射できなかったりした場合は，医師に相談する。絶対に2回分を一度に使用しない ・〔トルツ〕使用し忘れた場合は，気がついた時に，1回分を注射する。その次の注射は，スケジュール通りの投与となるよう行う。注射予定日を大きく過ぎてしまった場合は，医師または薬剤師に連絡し，指示を受けること。2回分を一度に使用しない ・〔コセンティクス〕注射し忘れた場合は，注射予定日から5日以内の場合は，気がついた時点で注射する。6日間以上過ぎている場合は，医師に連絡し指示に従うこと。2回分を一度に使用しない

■ その他備考
■ 乾癬の治療

　乾癬は，皮膚に炎症（赤み・腫れなど）が生じ，良くなったり悪くなったりを繰り返す，慢性で全身性の病気である。乾癬の皮膚症状は，頭皮，ひじ，ひざやひざ下，おしり，爪など，外部からの刺激を受けやすい部位に多くみられ，関節症状（痛み・腫れ・変形など）が出ることもある。

　乾癬の治療は，対症療法（症状を軽減するための治療）が中心となる。

　治療法には大きく分けて，①塗り薬，②飲み薬，③光線療法，④注射剤（生物学的製剤）があり，それぞれの症状や重症度，治療効果，治療目標，ライフスタイルなどを考慮して，単独あるいは組み合わせて治療を行う。

　乾癬は，他の人にうつることはない。症状は良くなったり悪くなったりを繰り返すため，長期的な治療とケアが大切となる。

乾癬の日常生活と食事療法のポイント

　乾癬の改善のためには，適切な治療だけでなく，健康的な生活を送ることが大切です。栄養バランスの良い食事や，適度な運動，十分な睡眠など，規則正しい生活習慣を心がけながら，次のことにも気をつけてください。

食事
- 毎日3食，栄養バランスのとれた食生活を心がけ，脂肪分の多い食事は，乾癬を悪化させる原因になるので控えましょう。
- 辛いものや熱いものなどは，体をあたため，かゆみが増すことがあるので控えましょう。またお酒も血行が良くなり，かゆみが増すことがあるので注意しましょう。

衣服
- 肌がこすれにくいような，ゆったりとした衣服を選び，素材は肌にやさしい綿製品がおすすめです。化学繊維やウール繊維は，肌に刺激を与えやすいので，できるだけ避けましょう。

入浴
- 毎日の入浴は，肌を清潔に保つだけでなく，保湿や精神的なリラックス効果も期待できますが熱いお湯や長時間のお風呂は，かゆみを増し，乾癬を悪化させます。シャワーやお湯の温度設定はぬるめにして，長湯にならないようにしましょう。またナイロンタオルなどで強くこすることは控えましょう。

その他
- 冬は肌が乾燥し，乾癬が悪化しやすくなります。保湿クリームの外用や加湿器などを使って乾燥を防ぎましょう。
- 喫煙は乾癬を悪化させる原因となるので避けましょう。

46 皮膚科用薬　⑨褥瘡・皮膚潰瘍治療薬

■ 対象薬剤

カデキソマー・ヨウ素（カデックス🈂🈴），スルファジアジン銀（ゲーベン🈯），トレチノイントコフェリル（オルセノン🈂），ブクラデシンナトリウム（アクトシン🈂），ソルコセリル（ソルコセリル🈂），アルプロスタジルアルファデクス（プロスタンディン🈂），トラフェルミン（フィブラスト🈂），ブロメライン（ブロメライン🈂），ジメチルイソプロピルアズレン（アズノール🈂）
配合剤（ソアナース🈂）

[🈂軟膏，🈯クリーム，🈴外用散，🈯ゲル，🈂スプレー]

■ 指導のポイント

	患者向け	薬剤師向け
薬効	この薬は，（*1〜*7）床ずれや皮膚の潰瘍を治療する薬です	
	（*1）潰瘍部の菌を殺し，感染を防ぎ→（ゲーベン）	殺菌作用
	（*2）潰瘍部の菌を殺したり，滲出液を吸収し，創面を清浄化して（カデックス，ソアナース）	殺菌作用，滲出液等の吸収作用
	（*3）潰瘍部の肉芽を盛り上げ，表皮の形成を早めて（オルセノン，アクトシン，ソルコセリル，ソアナース）	創傷治癒促進作用 肉芽形成促進・血管新生促進作用（オルセノン，アクトシン） 組織機能賦活作用，肉芽形成促進作用（ソルコセリル） 表皮形成促進作用（アクトシン）
	（*4）潰瘍部の血流を改善して，肉芽を盛り上げ，表皮の形成を早めて（プロスタンディン）	皮膚血流増加作用，血管新生・肉芽形成促進作用，表皮形成促進作用，創傷治癒促進作用
	（*5）潰瘍部の肉芽を強力に盛り上げ（フィブラスト）	創傷治癒促進作用，血管新生・肉芽形成促進作用
	（*6）潰瘍面を覆っているかさぶた（痂皮）や死んでしまった組織（壊死組織）を取り除いて（ブロメライン）	痂皮除去作用，壊死組織除去作用
	（*7）炎症をやわらげ，皮膚のアレルギーを抑えて（アズノール）	抗炎症・ヒスタミン遊離抑制・創傷治癒促進・抗アレルギー作用
詳しい薬効	・この薬はヨウ素を含んだ特殊な基剤（カデキソマーなど）で，ヨウ素を徐々に放出し潰瘍部の菌を殺し，浸出液や膿を吸収し創面を清浄化して，床ずれや皮膚の潰瘍を治療する薬です（カデックス） ・この薬はスルファジアジン銀というサルファ剤の一種で，細菌を殺して感染を防ぎ，床ずれや皮膚の潰瘍を治療する薬です（ゲーベン）	

詳しい薬効	・この薬は血管の新生を促進させ、潰瘍部の肉芽を盛り上げ表皮の形成を早め床ずれや皮膚の潰瘍を治療する薬です（オルセノン，アクトシン） ・この薬は幼牛の血液から抽出したもので、細胞の新陳代謝を高めて潰瘍部の肉芽を盛り上げ表皮の形成を早め床ずれや皮膚の潰瘍を治療する薬です（ソルコセリル） ・この薬は潰瘍ができている部分の血流を改善し、潰瘍部の肉芽を盛り上げ表皮の形成を早め床ずれや皮膚の潰瘍を治療する薬です（プロスタンディン） ・この薬は傷が治る過程で重要な働きをしている線維芽細胞増殖因子（FGP）受容体に結合して、血管の新生を促進させ、潰瘍部の肉芽を盛り上げ床ずれや皮膚の潰瘍を治療する薬です（フィブラスト） ・この薬はパイナップルからつくられた蛋白分解酵素で、蛋白質を分解し潰瘍部のかさぶたや死んでしまった組織（壊死）を取り除き、清浄化し床ずれや皮膚の潰瘍を治療する薬です（ブロメライン） ・この薬は植物に由来し炎症をやわらげ、皮膚のアレルギーを抑え、傷の治りをよくして湿疹や皮膚のただれや潰瘍を治療する薬です（アズノール） ・この薬はヨウ素と白糖が配合されており、ヨウ素による殺菌作用と白糖による細胞活性化により、潰瘍部の菌を殺し浸出液や膿を吸収し創面を清浄化して潰瘍部の肉芽を盛り上げ表皮の形成を促進させて床ずれや皮膚の潰瘍を治療する薬です（ソアナース）
禁忌	・〔カデックス以外〕本剤過敏症既往 ・〔カデックス，ソアナース〕ヨウ素過敏症既往 ・〔ソルコセリル〕牛血液製剤過敏症既往 ・〔ゲーベン〕サルファ剤過敏症既往，新生児，低出生体重児，軽症熱傷 ・〔プロスタンディン〕重篤な心不全，出血疾患，妊婦 ・〔フィブラスト〕投与部位に悪性腫瘍，その既往

■ 主な副作用と対策

主な副作用	患者に確認すべき症状	対策
疼痛，刺激感，発赤，瘙痒感	痛み，ひりひりする，赤く腫れる，かゆみ	中止
出血（ブロメライン，プロスタンディン）	創部の出血	減量もしくは休薬

■ 重大な副作用と妊婦・授乳婦への危険度

薬剤名	重大な副作用	妊婦[授乳婦]
ゲーベン	汎血球減少，皮膚壊死，間質性腎炎	－
プロスタンディン	－	禁忌[㊎○]
ブロメライン	アナフィラキシーショック	－
ソアナース	ショック，アナフィラキシー様症状	－

■ その他の指導ポイント

	患者向け	薬剤師向け
使用上の注意	[用法・用量] ・〔カデックス〕通常1日1回（滲出液が多い場合1日2回），約3mmの厚さに散布（塗布）してください（創部の直径4cmあたり3gを目安にする） ・〔ゲーベン〕1日1回，滅菌手袋などを用いて，患部に約2～3cmの厚さに塗るか，ガーゼ等に同様の厚さにのばして貼ってください。前日に塗った薬剤は清拭または温水浴等で洗い落としてから使用してください ・〔ソルコセリル，アズノール〕1日1～2回（数回）塗ってください ・〔オルセノン，アクトシン，ソアナース〕1日1～2回（数回）ガーゼ等にのばして貼るか，直接塗ってガーゼで覆ってください ・〔プロスタンディン〕1日2回ガーゼ等にのばして貼るか，直接塗ってガーゼ等で覆ってください。また，医師の指示に従わず大量に塗ったり，勝手に連用しないでください ・〔ブロメライン〕1日1回潰瘍面よりやや小さめのガーゼ等にのばして，潰瘍辺縁になるべく触れないように貼ってください ・〔フィブラスト〕添付溶解液で用時溶解し（100μg/mL），専用の噴霧器を用い，1日1回，潰瘍の最大径が6cm以内の場合は，潰瘍面から約5cm離して5噴霧，6cmを超える場合は，薬剤が同一面に5噴霧されるよう，前に噴霧した部位にできるだけ重ならないように同様の操作を繰り返してください。また，噴霧する距離は潰瘍面から約5cmを保ってください。なお周辺の正常皮膚に付着した薬剤は脱脂綿等で拭き取ってください ・〔フィブラスト〕医師の指示に従わず大量に噴霧したり，勝手に連用しないでください [使用部位] ・眼科用として眼には使用しないでくださ	 原則として大量投与（1日塗布量として10gを超える）を避け，約8週間以上使用しても症状の改善が認められない場合には，外科的療法等を考慮する 周囲皮膚の刺激感や発赤を生じることがある 専用の噴霧器は，噴霧口の先端を潰瘍面より約5cmの距離から噴霧するとき，直径約6cmの円形状に薬剤が噴霧されるように設計されている。 潰瘍面から約5cm離して5噴霧した場合，投与量はトラフェルミン（遺伝子組換え）として30μgである 1日の投与量はトラフェルミン（遺伝子組換え）として1,000μgを超えない。 約4週間投与しても改善傾向が認められない場合は外科的療法等を考慮する

| 使用上の注意 | い
[保管]
・〔アクトシン〕10℃以下で保存してください。使用する際は室温で放置しやわらかくなってから使用してください
・〔フィブラスト〕冷所に保存してください。溶解後は 10℃以下の冷暗所に保存し，2週間以内に使いきってください
[その他]
・〔カデックス〕使用の際，容器の先が傷に触れないようにしてください
・〔ゲーベン〕他の薬と混ぜないでください
・〔ゲーベン〕軟膏ベラはきれいに拭いて使用してください
・〔カデックス〕ガーゼを交換するときは，傷のところに残っている薬を生理食塩水，水道水等でよく洗ってください
・〔プロスタンディン〕妊娠中または妊娠の可能性のある方は必ずご相談ください
・〔フィブラスト〕盛り上がった肉芽は，刺激により新生血管が損傷し出血するおそれがあるので，ガーゼの交換等は注意してください | → 汚染を防ぐため

→ 塩化物を含む消毒薬（ベンザルコニウム塩化物等）が本剤に混入し，その後曝光すると変色するおそれがある
→ 本剤成分のアルプロスタジルには子宮収縮作用が認められているため投与禁忌 |

■ その他備考

- ■配合剤成分：ソアナースパスタ（精製白糖，ポビドンヨード）
- ■外用剤使用以外の保存的治療：被覆材（ドレッシング材）使用

■ 主な外用薬

分類	薬品	特　　徴	使用方法・注意事項
主に滲出液（E），感染（I），壊死組織（N）の制御を目的とする	カデックス	・滲出液や細菌などの吸収作用（軟膏は散剤の1/2）による創面の清浄化効果により，壊死組織を除去する ・散剤と軟膏とでは吸収性が異なる（軟膏は散剤の1/2） ・徐々に放出されるヨウ素の抗菌作用により，持続的な感染抑制作用を発揮する	・交換時，十分な洗浄により薬剤を残さないようにする。またポケットには用いない ・滲出液が減少すれば他の薬剤に変更する ・ヨードアレルギーに注意
	ゲーベン	・銀は感染制御作用のみならず，MRSAを含めた黄色ブドウ球菌のバイオフィルム形成を抑制する ・基剤の浸透特性により壊死組織の軟化・融解が生じることで，創面の洗浄化作用を発揮する	・滲出液が多いときは，創面の浮腫をきたす恐れがある ・ポビドンヨードと併用すると効果が低下する ・多剤と混合しない

分類	薬品	特徴	使用方法・注意事項
主に滲出液（E）、壊死組織（N）の制御、感染（I）の制御を目的とする	ブロメライン	・線維性滲出物の溶解や滲出液の粘稠度を下げることにより、また基剤による痂皮除去効果により、壊死組織を除去する ・滲出液の減少や創面の水分量の低下時には、壊死組織除去作用が減弱する	・ゲーベンと併用すると効果が低下する ・強い局所刺激作用があるため、健常皮膚へ触れないように注意する
	ソアナース	・ヨウ素の感染制御作用を発揮する ・白糖の感染制御作用のみならず、MRSAを含めた黄色ブドウ球菌のバイオフィルム形成を抑制する ・白糖は滲出液を吸収して創面の浮腫を軽減するとともに、線維芽細胞のコラーゲン合成を促進して、良好な肉芽形成効果を発揮する	・ポケット内へつめるときは圧迫しないようにする
主に肉芽の形成（G）、創の縮小（S）の制御を目的とする	フィブラスト	・スプレータイプのため単独では創部の湿潤環境を維持しにくい	・深い創やポケットを有する褥瘡では、死腔を埋め湿潤を保持する為に他の外用薬やドレッシング材などを併用 ・効果を減弱させないために、噴霧時には必ず消毒薬を洗浄・除去
	オルセノン	・乾いている創に使用する場合は肉芽形成促進作用が期待できるが、滲出液や創面水分量が多い場合は創面に浮腫などを起こしやすい	・外用薬が黄色調のため感染とまぎらわしい
	アクトシン	・滲出液などの減少により、創面が乾燥しやすい	・使用に際してその特異臭が気になることがある
	プロスタンディン	・創面の保護作用を併せもつ	・血流改善作用が強い反面、局所の刺激作用がある ・1日10gを超えて使用しない
その他	アズノール	・創面保護作用により、創傷治癒を促進する	・滲出液が多いときは使用を避ける
	ヨードホルム	・ヨウ素の抗菌作用により、感染抑制作用を発揮する	（主な創傷被覆剤参照）

（日本褥瘡学会：褥瘡予防・管理ガイドライン第4版、2015、診療報酬改定 褥瘡関連項目に関する方針、照林社、2006、SAFE-DI、大谷道輝：皮膚外用剤Q&A、南山堂、2009を参考に作成）

■褥瘡の診断

褥瘡の局所治療を行うために、褥瘡の創面の評価が、褥瘡状態判定スケール「DESIGN-R（重症度分類用）」を用いて行われる。DESIGN-Rは、褥瘡の重症度を分類するとともに、治療過程を数量化することができるが、局所病態が不安定である急性期には使用しないことを原則としている。基本的には週1回、あるいは変化のあったときに評価する。DESIGNでは、褥瘡の病態を「深さ（D）、滲出液（E）、大きさ（S）、炎症／感染（I）、肉芽組織（G）、壊死組織（N）、ポケット（P）」の7項目で判断している。

■主な創傷被覆材（ドレッシング材）とは

　傷を覆う医療用材料で，傷を覆うことで，外部からの刺激や細菌の汚染などを防ぐ。ドレッシング材は，滲出液を吸うことのできる量，性質が異なるので，傷の深さや滲出液の量によってさまざまなものを使い分ける。滲出液が少ないびらんや浅い潰瘍では，ハイドロコロイドを使う。滲出液が多い場合は，過剰な滲出液を吸収するポリウレタンフォームが推奨される。他にも皮下組織に至る創傷用と筋・骨に至る創傷用ドレッシング材のアルギン酸/CMC，ポリウレタンフォーム/ソフトシリコン，アルギン酸塩，アルギン酸フォーム，キチン，ハイドロファイバー，ハイドロファイアバー/ハイドロコロイド，ハイドロポリマーを用いてもよい。炎症や感染のある傷には，塗り薬を用いた治療が基本となるが，軽度の感染創には，銀イオンの含まれた製品（銀含有ハイドロファイバー，アルギン酸 Ag など）を用いて治療を行うこともある。

■役割に応じたドレッシング材の種類

機　能	種　類	主な商品名
創面保護	ポリウレタンフィルム	オプサイトウンド，3M テガダーム トランスペアレント ドレッシング，パーミエイド S
創面閉鎖と湿潤環境	ハイドロコロイド	デュオアクティブ，コムフィール，アブソキュア-ウンド
乾燥した創の湿潤	ハイドロジェル	ビューゲル，グラニュゲル，イントラサイト ジェル システム
滲出液吸収性	ポリウレタンフォーム	ハイドロサイト プラス
	アルギン酸/CMC	アスキナ ソーブ
	ポリウレタンフォーム/ソフトシリコン	メピレックス ボーダー
	アルギン酸塩	カルトスタット，ソーブサン
	アルギン酸フォーム	クラビオ FG
	キチン	ベスキチン W-A
	ハイドロファイバー	アクアセル，アクアセル Ag
	ハイドロファイバー/ハイドロコロイド	バーシバ XC
	ハイドロポリマー	ティエール
感染抑制作用	銀含有ドレッシング材	アクアセル Ag アルジサイト Ag ハイドロサイト銀 メピレックス Ag
疼痛緩和	ハイドロコロイド	デュオアクティブ
	ポリウレタンフォーム/ソフトシリコン	ハイドロサイト AD ジェントル，メピレックス ボーダー
	ハイドロファイバー	アクアセル，アクアセル Ag
	ハイドロファイバー/ハイドロコロイド	バーシバ XC
	キチン	ベスキチン W-A
	ハイドロジェル	グラニュゲル

（日本褥瘡学会・編：褥瘡ガイドブック 第 2 版，p 36，照林社，2015）

褥瘡（床ずれ）の日常生活と食事療法のポイント

褥瘡とは褥（しとね）の瘡（きず），つまり寝床でできる瘡の意味で，一般的には"床ずれ"といわれます。褥瘡は脳卒中，心疾患，骨折など長期間寝たきりになり，しかも寝返りが自由にできない場合に起こりやすくなります。褥瘡は，同一部位が長時間圧迫され血液循環が滞ることにより，組織に酸素や栄養の補給が絶たれ，皮膚が赤くなり（発赤），組織が死滅して皮膚が黒ずみ（壊死），表皮が剥離し，ただれ（びらん，潰瘍）を生じます。さらに皮膚の不潔・湿潤・摩擦，栄養状態の不良，意識障害などの要因が重なると，一層発生しやすくなります。

褥瘡のできやすい場所は，下図のように寝ていて体重などの圧迫を受けやすい部分です。特に不潔になりやすい臀部や，血液循環の悪い踵などは，特にできやすい場所となります。

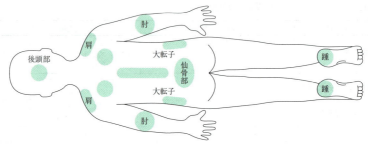

【日常生活】
1. 皮膚をこまめに観察しましょう。

    患者さんが普段どのような体位（体の向きや姿勢）をとるか，そのときに骨の出っ張りがどこになるのかを観察しましょう。骨の出っ張ったところに褥瘡ができやすくなります。

    患者さんの体の向きを変えるときに，今まで圧迫されていた部位に赤みがないかを見ましょう。もし赤みがあるようだったら，褥瘡が発生する危険信号です。

2. 圧迫を少なくしましょう。

    ①ベッド上で横たわった状態のとき

    　　骨の出っ張ったところに体圧がかからないように工夫しましょう。基本は30度側臥位（横向きに寝た状態）を取り入れ，2時間を目安に体の向きを変えましょう。また患者さんの枕元に1日の体位変換予定表を貼っておけば，予定どおりの体の向きになっているか確認しやすくなります。体の向きを変えるときは，今まで圧迫されていた部位に赤みがないかをチェックします。

    　　状態に応じてエアーマットなどの予防用具を利用してみましょう。仰向けに寝た状態のときは，ふくらはぎの下にクッションを入れ，かかとを浮かせるようにしましょう。

②座った状態のとき

90度ルールを守りましょう。股関節90度・関節90度・足関節90度で座ると圧力はおしりから太股の後ろに移ります。太股の後ろには骨の突出がなく、おしりより面積が広いので圧力が分散されます。

長い時間座り続けないようにしましょう。自力で体を動かすことができる患者さんは15分ごとに上半身を持ち上げおしりを浮かせましょう。自力で体を動かすことができない患者さんが座るときは、1時間以内とします。

座った状態で90度ルールを保てない患者さんについては、坐位姿勢保持用具（ブーメラン型クッションや坐位姿勢保持の備わった車椅子）や体圧分散クッション等を利用してみましょう。

3．皮膚を保護しましょう。

予防のポイントは、皮膚を湿った状態にしないことと、摩擦やずれを起こさせないことの2つです。

①皮膚を湿った状態にしないために

皮膚が湿った状態となる原因は、排泄物（尿や便）と汗です。吸水性が良く、尿が逆戻りしない高吸水性ポリマー入りのオムツがよいでしょう。便を放置すると皮膚のただれが起こりやすくなります。便が皮膚に付着していれば、こすらず、清潔にします。汗などの水分を吸い取る吸収性の高いシーツ（木綿シーツ等）を選びます。失禁用シーツはおしりの部分だけ敷くようにしましょう。

②摩擦やずれを予防するために

一人で患者さんの体の向きを変えるときは、患者さんの下に手を入れて、背中・腰・足部の順に手前に引き寄せて横向き姿勢とします。また寝具や寝間着・シーツのしわは摩擦やずれの原因となりますので、体の向きを変えた後は注意が必要です。

【食事療法】

栄養状態の低下は、褥瘡をできやすく、しかも治りにくくします。蛋白質やビタミン、カロリー等を十分とるように心がけましょう。食べるときにむせてしまうようなときは、食品をどろっとさせるような補助食品を用いると食べやすくなります。食欲がないときには、好物をそろえるなどして食事がすすむ工夫をし、市販のカロリー食や蛋白補助食品を利用するのもよいでしょう。食事のときの姿勢が保ちにくいときは、体が安定するようにテーブルの位置や高さを整えましょう。箸やスプーン等が持ちにくいときは、バネのついた箸やグリップを太くしたスプーン等を利用してみましょう。

46 皮膚科用薬　⑩アトピー性皮膚炎治療薬

■ 対象薬剤

タクロリムス水和物（プロトピック®，プロトピック小児用®），デルゴシチニブ（コレクチム®）
＊上記以外のステロイド等のアトピー性皮膚炎治療薬は，それぞれの項参照

[®軟膏]

■ 指導のポイント

	患者向け	薬剤師向け
薬効	この薬は皮膚の免疫反応を抑え，かゆみ・湿疹・皮膚が赤くなるなどの症状を改善するアトピー性皮膚炎の塗り薬です	・アレルギー性皮膚炎症抑制作用，サイトカイン産生抑制作用 ・ヤヌスキナーゼ（JAK）阻害作用（コレクチム）
詳しい薬効	・この薬は臓器移植後の拒絶反応を抑えるために用いられる免疫抑制薬を含んでおり，皮膚の免疫の働きを抑え，かゆみ・湿疹・皮膚が赤くなるなどの症状を改善するアトピー性皮膚炎の塗り薬です（プロトピック） ・この薬はヤヌスキナーゼという酵素を阻害することにより，リンパ球の活動など皮膚の免疫にかかわる因子の伝達を抑え，かゆみ，湿疹，皮膚が赤くなるなどの症状を改善するアトピー性皮膚炎の塗り薬です（コレクチム）	
警告	〔プロトピック〕アトピー性皮膚炎（小児含む）の治療法に精通している医師のもとで使用。リンパ腫，皮膚がんの発現報告。患者に説明し理解を得る。潰瘍，びらんに使用する場合，血中濃度が高くなり腎障害等の副作用発現の可能性。あらかじめ処置後，改善を確認して本剤使用	
禁忌・併用禁忌	禁忌　・本剤過敏症既往 ・〔プロトピック〕潰瘍，明らかに局面を形成しているびらんへの使用，高度の腎障害，高度の高K血症，魚鱗癬様紅皮症を呈する疾患（Netherton症候群等），PUVA療法等の紫外線療法を実施中 ・〔プロトピック（小児用除く）〕小児 ・〔プロトピック小児用〕低出生体重児，新生児，乳児または2歳未満の幼児 併用禁忌　〔プロトピック〕⇔PUVA療法等の紫外線療法：動物実験において，紫外線照射と並行して本剤を塗布すると皮膚腫瘍の発生時期が早まるとの報告のため	

No.46 皮膚科用薬

■ 主な副作用と対策，フィジカルアセスメントのチェックポイント

主な副作用	患者に確認すべき症状	対策とPAのチェックポイント
皮膚刺激感	灼熱感，ほてり感，ひりひり感，しみる，かゆみ	通常一過性で，皮膚の改善とともに発現しなくなる。高度の刺激感が継続する場合，休薬もしくは中止する PA 皮膚（かゆみ，発赤，灼熱感）
皮膚感染症（毛のう炎，伝染性膿痂疹，単純疱疹，カポジ水痘様発疹症,白癬等）	できもの，ブツブツ，水ぶくれ，発赤，かゆみ，発熱	適切な抗菌薬，抗ウイルス薬，抗真菌薬等併用，改善しなければ中止 PA 皮膚（赤い丘疹，うみをもった疱疹，水ぶくれ，発疹）

■ 重大な副作用と妊婦・授乳婦への危険度

薬剤名	重大な副作用	妊婦[授乳婦]
プロトピック	−	C [⊗◎]

■ その他の指導ポイント

	患者向け	薬剤師向け
使用上の注意	[用法・用量] ・〔プロトピック〕1日1～2回塗ってください。ただし，1回に塗る量は5g（チューブ1本）までにしてください ・〔プロトピック小児用〕小児に使用するときは年齢，体重により1回に塗る量が違ってきますので，医師に指示された用量を守ってください ・〔プロトピック〕チューブから押し出した際に軟膏1gは5cm程度になりますので目安としてください ・〔プロトピック〕1日2回塗る場合は約12時間間隔で塗ってください ・〔プロトピック〕医師の指示どおり使用し，勝手に使用をやめないでください。ただし，2週間塗り続けても症状が改善しない場合や皮疹が悪化する場合はご相談ください ・〔コレクチム〕通常，成人には1日2回，適量を患部に塗ります。1回の塗る量は5g（チューブ1本）までです	過量投与にて血中濃度上昇による腎障害等の副作用の可能性 1回あたりの最大塗布量の目安 | 年齢（体重）区分 | 1回塗布量の上限 | |---|---| | 2歳～5歳（20kg未満） | 1g | | 6歳～12歳（20kg以上50kg未満） | 2g～4g | | 13歳以上（50kg以上） | 5g | 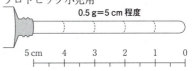 プロトピック小児用　0.5g=5cm程度 皮疹の増悪期には角質層のバリア機能が低下し，血中濃度が高くなる可能性があるので，2週間以内に皮疹の改善が認められない場合，または皮疹の悪化をみる場合には使用を中止する 1回あたりの塗布量は体表面積の30%＊までを目安とする ＊手のひら1枚分の塗布量が，おおむね体表

使用上の注意		面積の1%
	・〔コレクチム〕通常，小児には0.25％製剤を1日2回，適量を患部に塗ります。症状に応じて，0.5％製剤を1日2回，適量を患部に塗ります。なお，1回あたりの塗る量は5ｇまでですが，体格により考慮してください。いずれの場合も必ず指示された使用方法に従ってください	
	・〔コレクチム〕この薬を4週間使用しても症状が改善しない場合は医師に相談してください	
	[使用部位]	
	・〔プロトピック〕おできやにきび，傷のある皮膚，化膿した皮膚，口や鼻の中の粘膜，外陰部には塗らないでください	
	・〔プロトピック〕眼の周りに塗る場合には眼に入らないよう気をつけてください。もし誤って眼に入ったら水で洗い流し，それでも刺激感が続くときは医療機関を受診してください	
	・〔コレクチム〕皮膚感染部位，ただれた部位を避けて塗ってください →	感染部位に使用すると免疫機能に影響し，皮膚感染症が増悪するおそれがある。粘膜等では臨床試験で確認された曝露量よりも高くなることが推察されるため
	・〔コレクチム〕万一，眼に入った場合は，直ちに水で洗い流してください	
	[その他]	
	・〔プロトピック〕この薬を塗った直後しばらくの間，かゆみが出たり，ほてり感やヒリヒリ感等の刺激感が起こることがあります。また，刺激感は入浴時に増強することがあります。皮膚の状態がよくなるにつれて普通1週間くらいでおさまりますが，刺激感がひどい，またはなくならない場合や，塗った部分が腫れてきた場合はご相談ください	
	・〔プロトピック〕この薬を塗っている部位は，長時間日光にさらさないよう心がけてください →	動物実験において，皮膚腫瘍の発生および発生時期が早まるとの報告があるため
塗り忘れたとき	・〔プロトピック〕気がついたとき，できるだけ早く塗る。ただし，次の使用まで12時間以上間隔をあける	
	・〔コレクチム〕気がついたときにすぐに塗る（2回分を一度に塗らないこと）	

アトピー性皮膚炎の日常生活と食事療法のポイント

　アトピー性皮膚炎は，良くなったり悪くなったりを繰り返す，かゆみを伴う湿疹のことです。アトピー性皮膚炎の診断の目安は，①かゆいこと，②特徴的な皮疹と分布があること（皮疹は，急性あるいは慢性の湿疹のことです。あらゆる所に現れ，乳児・幼小児・成人で症状が違います），③慢性・反復性の経過を示すこと（乳児では2カ月以上，その他は6カ月以上を慢性とします）の3点です。症状は年齢により変化し，乳児期は，顔・口の周囲・ほおを中心に湿疹，体に赤い発疹が生じ，幼小児期は，顔は少なく背中や脇腹・ひじ・ひざの裏に湿疹が生じ，成人では顔が赤くなり首の回りが黒ずんだり，全身に発疹・皮膚の乾燥がみられます。アトピー性皮膚炎の人は健康な人の肌よりもカサカサしているという特徴があります。これは皮膚のバリアー機能が弱く，セラミドという物質が皮膚炎のあるなしにかかわらず減っているためです。アトピー性皮膚炎は，症状が良くなったり悪くなったりを繰り返しなかなか治らないので，日常生活を工夫して症状を悪くする原因を取り除き，根気よく治療を続けなければなりません。

【日常生活のポイント】
1. 生活を改善しましょう。
　　アトピー性皮膚炎の人は，他の人はなんでもないのに，過敏に反応してしまいます。他の人たちの生活基準に合わせるのではなく，自分自身が快適になるような日常生活を送ることを心がけましょう。生活を改善するポイントは，①症状を悪化させる原因となるアレルゲンを取り除く努力や工夫をする，②肌に刺激を与えないまたは肌を刺激から守る生活習慣を身につける，の2点です。ありふれたことやものが，皮膚炎を起こすことになるため，自分の生活環境をじっくりと見直し，簡単にできることから改善していきましょう。
2. アレルゲンをよせつけない工夫をしましょう。
　　ダニ，カビ，ペット，花粉などはアトピー性皮膚炎を起こすアレルゲンの原因となりますので，よせつけない工夫をしましょう。
　　　ダニ：アトピー性皮膚炎に最も共通してみられるアレルギーの原因です。寝室の掃除や換気はこまめにしましょう。掃除機は吸引力の強いものを使い，またダニ抗原は水でふき取れるので，できるだけ床の雑巾がけをします。夏でも冬でも，なるべく頻回に窓を開けて換気をします。カーペットはダニの繁殖場となるため敷かないようにしましょう。
　　　カビ：高温多湿の環境下で繁殖してアレルギーの原因となります。キッチン・押し入れ・浴室等は風通しを良くしましょう。冷蔵庫も週に1回は掃除をしましょう。空気清浄機は部屋にただよっているカビの胞子を吸い込んで減らす効果があります。
　　　ペット：犬，猫，鳥などの動物の毛やフケは，アレルギーを起こすことがあります。ペットは飼わないほうが無難です。
　　　花粉：花粉が体内に入りアレルギーを起こすと，皮膚炎は悪化してしまうため，花粉が飛散する季節に洗濯物や布団を干さない，花粉との接触をなるべく減らすなどの注意が必要となります。

3. 皮膚を刺激から守りましょう。
　　直接肌に触れる下着や衣類には木綿や絹の素材のものを，新品の衣類は洗濯をしてから使うなどの気配りが大切です。洗剤かぶれもアトピーを起こす原因のひとつで，洗剤を少なめにし，1回余分にすすぐなどの工夫をしましょう。洗濯のりや柔軟剤はダニの好物なので使用は避けてください。
　　汗をかくと皮膚に付着しているさまざまな物質が溶けだしてしみ込み，皮膚炎を悪化させます。入浴・シャワー浴をしてさまざまな汚れを洗い流しましょう。洗うときのポイントは皮膚をゴシゴシとこすらず，泡だった石けんでやさしく洗うこと，わきの下や首などすすぎ忘れには気をつけましょう。
　　石けんで洗ったままでは，皮脂が取れすぎ，角質の水分はすぐに蒸発してカサカサ肌になってしまいます。お風呂あがりには保湿剤で角質の水分と油分を補いましょう。
　　髪はできるだけ短くして，先端が皮膚を刺激しないようにします。爪は丸く切りましょう。
4. 顔の症状がひどい場合は定期的に眼科医の診察を受けましょう。顔の症状がひどい場合は眼の周囲の皮膚をかいたり，たたいたりすることで眼の病気（白内障，網膜剥離等）になることがあるので気をつけましょう。

【食事療法】
　　乳幼児では卵・大豆・牛乳などがアトピー性皮膚炎の原因となることがあります。かゆみや皮膚炎は，原因になっている食べ物さえ口にしなければきれいに消えてしまうので食物制限が治療方法となります。食物制限は，全栄養素・全エネルギー量が他の食物で代替できることが必要であり，医師や栄養士の指導をきちんと受けましょう。また食物制限をするのは確実に食べ物がアレルゲンになっているときのみで，血液検査や皮膚テストなどで自分のアレルゲンをきちんと調べてから始めましょう。

46 皮膚科用薬　⑪その他の外皮用薬

■ 対象薬剤

サリチル酸（スピール膏M），リドカイン（ペンレス㋟），イオウ・カンフル（イオウ・カンフル㋺），メトキサレン（オクソラレン㋕㋺），カルプロニウム塩化物（フロジン㋯），ビダラビン（アラセナ-A㋕㋘），アシクロビル（ゾビラックス㋕㋘），フェノトリン（スミスリン㋺），イミキモド（ベセルナ㋘），ソフピロニウム臭化物（エクロック㋙）

［㋕軟膏，㋘クリーム，㋺ローション，㋟テープ，㋯外用液，㋙ゲル］

■ 指導のポイント

	患者向け	薬剤師向け
薬効	・この薬は「いぼ」「たこ」や「うおのめ」をとる貼り薬です（スピール膏M）	角質軟化溶解作用
	・この薬は注射針を刺すとき，水イボをとり除くとき，皮膚レーザーを照射するときの痛みを抑える貼り薬です（ペンレス）	局所麻酔作用
	・この薬はにきびを治療する塗り薬です（イオウ・カンフルローション）	抗菌作用，皮膚軟化作用
	・この薬は紫外線療法（PUVA療法等）による，尋常性白斑（白なまず）の治療に用いる塗り薬です（オクソラレン）	光感受性増強作用
	・この薬は発毛を促したり，尋常性白斑（白なまず）を治療する塗り薬です（フロジン）	局所血管拡張作用，発毛促進作用
	・この薬はウイルスの増殖を抑え，感染を治療する塗り薬です（アラセナA，ゾビラックス）	抗ウイルス作用 アラセナA：単純疱疹，帯状疱疹 ゾビラックス：単純疱疹
	・この薬は疥癬（かいせん）を治療する塗り薬です（スミスリン）	神経まひによる殺虫作用
	・この薬は尖圭（せんけい）コンジローマまたは日光角化症を治療する塗り薬です（ベセルナ）	抗ウイルス作用，細胞性免疫応答の賦活化
	・この薬は腋（わき）の下の多すぎる発汗（多汗症）を治療する薬です（エクロック）	ムスカリン受容体拮抗作用
詳しい薬効	・この薬は角質を軟化溶解させる作用のあるサリチル酸を含み，硬くなった角質をやわらかくさせ「いぼ」，「たこ」や「うおのめ」をとる貼り薬です（スピール膏M） ・この薬は局所麻酔薬を含み，皮膚に注射針を刺すとき，水いぼをとり除くとき，皮膚レーザーを照射するときの痛みを抑える貼り薬です（ペンレス） ・この薬は硫黄とカンフルを含み，角質を軟化させる他，殺菌・消炎・鎮痛などの作用があり，にきびや鼻が赤くなる病的状態（酒さ）を治療する塗り薬です（イオウ・カンフルローション）	

詳しい薬効	・この薬は紫外線の吸収力が強いので，塗布1～2時間後人工紫外線を照射または日光浴をすると，皮膚の角質が厚くなり炎症を生じ，メラニンの沈着が起こり，徐々に色素を再生させて，尋常性白斑（白なまず：全身の皮膚の色素の一部が脱色する病気）を治療する塗り薬です（オクソラレン） ・この薬は皮膚の血管を拡張して血流を良くし，頭皮の毛根を活発にし，脱毛防止や発毛を促進したり，皮膚がひどく乾燥しフケが出る乾性脂漏や尋常性白斑（白なまず）を治療する塗り薬です（フロジン） ・この薬はヘルペスウイルスに効く抗ウイルス薬で，ウイルスの増殖を抑え単純疱疹や帯状疱疹（アラセナAのみ）を治療する塗り薬です（アラセナA，ゾビラックス） ・この薬は疥癬（かいせん）の原因である疥癬虫（ヒゼンダニ）の神経をまひさせて，殺す塗り薬です（スミスリン） ・この薬はウイルスに対する免疫力を高め，ウイルスの増殖を抑え，外性器や肛門のまわりにできたイボ（尖圭コンジローマ）を治療したり，また免疫力を高め，顔と禿頭（とくとう）部の病変部位の細胞を死滅させるのを助け，日光角化症を治療する塗り薬です（ベセルナ） ・この薬は，エクリン汗腺に発現するムスカリン受容体を介したコリン作動性反応を阻害して発汗を抑制し，腋の下の多汗症を治療する薬です（エクロック）
警告	〔オクソラレン〕PUVA療法により皮膚がん発生の報告
禁忌	・〔オクソラレン，フロジン以外〕本剤過敏症既往 ・〔ペンレス〕アミド系局所麻酔薬過敏症既往 ・〔ゾビラックス〕バラシクロビル塩酸塩過敏症既往 ・〔オクソラレン〕皮膚がん，またはその既往，ポルフィリン症，紅斑性狼瘡，色素性乾皮症，多形性日光皮膚炎等の光線過敏症 ・〔ベセルナ〕尿道，腟内，子宮頸部，直腸および肛門内 ・〔エクロック〕閉塞隅角緑内障，前立腺肥大による排尿障害

■ 主な副作用と対策

主な副作用	患者に確認すべき症状	対策
発赤，瘙痒，発疹，熱感，刺激感（ベセルナ以外）	赤くなる，かゆい，ぶつぶつができる，ほてりやひりひり感	中止
アセチルコリン様作用（フロジン）	局所発汗，刺激痛，熱感	使用部位等を水で洗い流す
水疱，皮膚表面の炎症，腫脹（オクソラレン）	水疱，浮腫，出血，かさぶたなどでかゆみを伴う，腫れ	紫外線の過剰照射で現れることがある。中止し治療後再開する場合は照射量を減じる
紅斑，びらん，潰瘍，表皮剥離（ベセルナ）	発赤，ただれ，表皮の剥離，浮腫，痛み，かゆみ	症状が強い場合には，石けんを用いて，水または温水でこの薬を洗い流す。直ちに相談する

■ 重大な副作用と妊婦・授乳婦への危険度

薬剤名	重大な副作用	妊婦［授乳婦］
ペンレス	ショック，アナフィラキシー	－
オクソラレン，ゾビラックス	－	B2
ベセルナ	重篤な潰瘍，びらん，紅斑，浮腫，表皮剥離等の皮膚障害，排尿困難	B1［㊞○］

■ その他の指導ポイント

	患者向け	薬剤師向け
使用上の注意	[用法・用量] ・[スピール膏M]「いぼ」や「うおのめ」の患部大に切り絆創膏で上から固定し，2～5日ごとに取り替えてください ・[ペンレス] 1回1枚点滴の針を刺す30分前に貼ってください。またはがした後は，消毒して直ちに注射針を刺すようにしてください ・[ペンレス] 処置をする約1時間前に貼ってください ・[イオウ・カンフルローション] 1日に2回，朝は上澄液を，夜はよく振って塗ってください ・[オクソラレン] 週1～3回白くなった部分にのみ塗り，1～2時間後に日光浴あるいは人工紫外線の照射を行ってください ・[フロジン：脱毛症・乾性脂漏の場合] 1日2～3回塗る，あるいは被髪部全体にふりかけ軽くマッサージしてください ・[フロジン：白斑の場合] 1日3～4回塗ってください ・[アラセナA] 1日1～4回塗るか，ガーゼ等にのばして貼ってください ・[ゾビラックス] 1日数回塗ってください ・[スミスリン] 1週間隔で1回1本を首から足の裏まで塗ってください。塗って12時間後に入浴，シャワーなどで洗ってください	静脈留置針穿刺時の疼痛緩和 ・伝染性軟属腫摘除時：小児は1回2枚まで ・皮膚レーザー照射療法時：成人には1回6枚まで 紫外線照射の目安として，照射した翌日の治療白斑部位が軽度にピンク色に発赤し，持続する程度が適当。日光浴の場合は5分より始め，人工紫外線照射の場合は光源より20～30cmの距離から1分より始め，以後，漸増，漸減する ヒゼンダニを確実に駆除するためには，少なくとも2回の塗布を行う。1回目は成虫を駆除し，2回目は卵からかえった幼虫を駆除する。2回目以降は1週間ごとに検鏡を含めて効果を確認しながら塗布する

使用上の注意	・〔ベセルナ〕1日1回，週3回就寝前に塗って起床後石けんを用い，水または温水で洗い流してください	→ 洗浄を忘れて放置すると重い皮膚障害が現れやすくなるため（尖圭コンジローマ：塗布後6〜10時間，日光角化症：8時間）を目安に洗浄
	・〔ベセルナ〕尖圭コンジローマに使用するときはイボの部分にのみ薄く塗り，クリームが見えなくなるまですり込んでください。日光角化症に使用するときは治療部位（25 cm²までを目安）に最大1包塗り，クリームが見えなくなるまですり込んでください。塗った部位を絆創膏またはテープなどで密封しないでください	塗布部位およびその周辺に重度の紅斑，びらん，潰瘍，表皮剥離などが現れることがあるので，指示された用法・用量を守る 【使用期間】 ・尖圭コンジローマ：16週まで ・日光角化症：4週間塗布後，4週間休薬し，病変が消失した場合は終了。効果が不十分の場合はさらに4週間塗布
	・〔エクロック〕塗布具（アプリケーター）に片方の腋ごとにポンプ1押し分を出し，1日1回適量を腋窩（わきの下）に塗ってください	
	・〔エクロック〕手に直接吐出させて塗布しないでください。手に付着した場合は直ちに手を洗ってください	→ 抗コリン作用（散瞳等）があるため，眼に入るのを防ぐ
	・〔エクロック〕燃えやすい液体を含むため，使用の際は火気を避けてください	→ 可燃性であるため
	[使用部位]	
	・〔スピール膏M，アラセナA，ゾビラックス〕眼科用として眼には使用しないでください	
	・〔イオウ・カンフルローション〕眼または眼の周囲には塗らないでください	
	・〔フロジン，エクロック〕眼に入れないよう注意してください。もし誤って眼に入ったときは水で洗い流してください	→ ・〔フロジン，エクロック〕眼に入るとしみるため ・〔エクロック〕抗コリン作用による散瞳作用等の発現
	・〔ペンレス〕湿疹・発疹のある部位や，傷のある皮膚，粘膜には貼らないでください	
	・〔スミスリン〕潰瘍・びらん面には塗らないでください	
	・〔ベセルナ〕日光角化症に用いるときは，顔面または禿頭（とくとう）部以外に，また尖圭コンジローマに用いるときは外性器・肛門周囲以外には使用しないでください	→ 女性の場合で膣口付近および尿道口付近に塗った場合，尿道口付近およびその周辺に痛みや腫れが現れ，尿が出にくくなることがある（尖圭コンジローマ）
	・〔ベセルナ〕傷のある治療部位および治療部位の周辺の傷のある部位には使用しないでください。また眼，口唇および鼻孔に付着しないように，注意してください	

使用上の注意	[保管]	
	・〔イオウ・カンフルローション〕開封後は冷所に保存してください	
	・〔ゾビラックスクリーム〕冷所保存しないでください →	分離する可能性があるため
	・〔エクロック〕火気を避けて保管してください →	本剤は可燃性であるため，保存および使用の際には火気を避けること
	[その他]	
	・〔イオウ・カンフルローション〕化粧品や他の薬剤が混ざらないようにしてください	
	・〔オクソラレン〕塗布した際に指先等患部以外に付着した薬剤は，エタノール綿または石けん等で洗い流してください。また，紫外線照射後もエタノール綿または石けん等で洗い流すか，入浴してよく洗い流してください →	紫外線照射後そのまま放置しておくと過度の皮膚炎症状を起こすおそれがある
	・〔フロジン〕なるべく湯上り後には使用しないでください →	副作用が強く現れる傾向がある
	・〔アラセナA，ゾビラックス〕薬が処方されたらすぐに塗り始めてください。指示どおり使用し，7日間塗り続けても症状が改善しない場合や悪化する場合は医師にご相談ください →	発症初期に近いほど効果が期待できるので，早期に開始することが望ましい（アラセナAは原則として，発症より5日間以内）。7日間使用し，改善の兆しがみられないか，あるいは悪化する場合には他の治療に切り替える
	・〔アラセナA〕この薬を塗ってからコンドーム等の避妊用具の装着は避けてください →	基剤に使用されている油脂性成分は，コンドーム等の避妊用ラテックスゴム製品の品質を劣化・破損する可能性があるため
	・〔ベセルナ〕日光角化症で治療中は塗布部位が光にあたらないようにしてください。また日焼けした場合には，日焼けに伴う炎症等が消失するまで，使用しないでください →	休薬期間および経過観察期間を含め，日焼けに対する感受性が増加している可能性があるため
	食 〔オクソラレン〕この薬を使用中にセロリ，ライム，ニンジン，パセリ，イチジク，アメリカボウフウ，カラシ等，光に過敏になる成分を含有する食物はとらないでください →	食物中に含まれるフロクマリンは光感受性を増強させるおそれが考えられるため併用注意

使用を忘れたとき	・〔イオウ・カンフルローション，スミスリン，エクロック〕思い出したときすぐに1回分を使用する（2回分を一度に使用しない）
	・〔オクソラレン〕主治医の指示に従って紫外線を当てる前に塗る（2回分を一度に使用しない）
	・〔フロジン，アラセナA，ゾビラックス〕思い出したときすぐに1回分を使用する。ただし次の使用時間が近いときは忘れた分は使用しない（2回分を一度に使用しない）
	・〔ベセルナ〕次の日の就寝前に使用する。その後2日連続で使用しない

■ その他備考

■ 尖圭(せんけい)コンジローマとは

　主に性行為によって，ヒトパピローマウイルスが感染して腫瘤(いぼ)ができる病気。代表的な性行為感染症のひとつで，尖圭コンジローマの人と性行為をすると，60〜80％が感染するといわれている。好発年齢は10代後半〜30代前半で，いぼがよくできる部位は外陰・膣・子宮頸部の皮膚および粘膜で，外陰部のなかでは，会陰や膣入口後部，小陰唇に多くできる。

■ 日光角化症とは

　日光紫外線に慢性的にあたり続けることによって高齢者に好発する皮膚病変で，現在は有棘細胞がんの早期段階の病変(表皮内がん)と位置づけられている。顔面や禿頭(とくとう)部，手背などに多く発生する。自覚症状はほとんどないといわれているが，軽度の刺激感やかゆみを伴うこともある。

47 ビタミン剤　①ビタミンA

■ 対象薬剤
ビタミンA：レチノールパルミチン酸エステル（チョコラA）

■ 指導のポイント

	患者向け	薬剤師向け
薬効	・この薬は，皮膚や粘膜の代謝に関わっているビタミンAの欠乏により起こる，夜盲症や目の乾燥，皮膚の角化症を改善する薬です	・ビタミンA補給 ・網膜の暗順応亢進作用 ・粘膜の異常乾燥，角化改善作用
禁忌・併用禁忌	禁忌 妊婦（3カ月以内）または妊娠を希望する婦人への5,000 IU/日以上の投与（ビタミンA欠乏症の婦人は除く） 併用禁忌 エトレチナート・トレチノイン・タミバロテン・ベキサロテンにてビタミンA過剰様症状増強	

■ 主な副作用と対策，フィジカルアセスメントのチェックポイント

主な副作用	患者に確認すべき症状	対策とPAのチェックポイント
ビタミンA過剰症状（大量・長期投与時）	（急性症状） 小児：吐く，下痢，頭のてっぺんがふくらむ，興奮 成人：体がだるい，気分が悪い，腹痛，吐く （慢性症状） 小児：食欲がない，体重が増えない，便秘，頭が痛い，吐き気 成人：体がだるい，かゆい，毛が抜ける	中止で容易に治癒する。このほか下剤服用，必要なら補液を行う（急性症状） 出血素因にはビタミンK使用，罹患肢の固定を行う PA （急性症状） 小児：頭部大泉門（膨隆で茸状に腫れる：小児急性脳水腫），体重（↑） （慢性症状） 口腔，口角，口唇（乾燥，亀裂），脱毛（↑）

■ 重大な副作用と妊婦・授乳婦への危険度

薬剤名	重大な副作用	妊婦[授乳婦]
チョコラA	－	禁忌※ [授○]

※：妊娠3カ月以内または妊娠を希望する婦人へのビタミンA 5,000 IU/日以上投与

■ その他の指導ポイント

	患者向け	薬剤師向け
使用上の注意	・食事をとらない場合は，牛乳とともに服用してください ・妊娠3カ月以内または妊娠を希望する方は必ずご相談ください	脂溶性のため空腹時に水で服用するとほとんど吸収されないため 妊娠前3カ月から妊娠初期3カ月までにビタミンA 10,000 IU/日以上の摂取にて，奇形発現の増加が推定されたとする疫学調査結果（外国）があるため投与禁忌
	食 この薬の服用中に食物繊維を含む食品（ガラクトマンナン，小麦ふすま，ポリデキストロース，サイリウム種皮，低分子アルギン酸Na，難消化性デキストリン等：お腹の調子を整える特定保健用食品）を一緒にとらないでください	同時服用により薬剤の吸収が抑制される可能性がある
	食 この薬の服用中にキトサン，植物ステロールエステル（コレステロールが高めの方にすすめる特定保健用食品）を一緒にとらないでください	左記の特定保健用食品に含まれる成分は胆汁酸と結合する作用をもつため，吸収に胆汁酸を必要とする脂溶性ビタミンの吸収が減少する可能性がある
服用を忘れたとき	思い出したときすぐに服用する。ただし次の服用時間が近いときは忘れた分は服用しない（2回分を一度に服用しないこと）	

■ その他備考

- ビタミンA（またはカロチン）を多く含む食品は，レバー，うなぎ，卵，牛乳，バター，マーガリン，黄緑野菜（人参，かぼちゃ，パセリ），果物などがある。ビタミンAのうち黄色野菜や果物に含まれるカロチンは必要な量だけビタミンAに変換されるので，カロチンにとりすぎの心配はない

47 ビタミン剤 ②ビタミンＢ群，パントテン酸，葉酸

■ 対象薬剤

ビタミン B_1 ：フルスルチアミン塩酸塩（アリナミンＦ），ジセチアミン塩酸塩水和物（ジセタミン）
ビタミン B_2 ：フラビンアデニンジヌクレオチドナトリウム（フラビタン），リボフラビン酪酸エステル（ハイボン）
ビタミン B_6 ：ピリドキサールリン酸エステル水和物（ピドキサール）
ビタミン B_{12} ：メコバラミン（メチコバール），コバマミド（ハイコバール）
ニコチン酸製剤：ニコチン酸アミド（ニコチン酸アミド）
パントテン酸製剤：パンテチン（パントシン）
葉酸製剤：葉酸（フォリアミン）

■ 指導のポイント

	患者向け	薬剤師向け
薬効	・〔ビタミン B_1〕この薬は，エネルギー変換や神経の働きに関わっているビタミン B_1 の欠乏により起こる，脚気や神経痛，筋肉痛，関節痛，末梢神経炎などを改善する薬です	・ビタミン B_1 補給 ・神経機能障害改善作用
	・〔ビタミン B_2〕この薬は，糖分や脂質，たん白質などの代謝に関わっているビタミン B_2 の欠乏により起こる，口内炎や口角炎，湿疹，ニキビ，結膜炎などを改善する薬です	・ビタミン B_2 補給 ・糖質，脂質，たん白質などの代謝に関与
	・〔ビタミン B_6〕この薬は，たん白質やアミノ酸の代謝に関わっているビタミン B_6 の欠乏により起こる，口内炎や湿疹，ニキビ，末梢神経炎などを改善する薬です	・ビタミン B_6 補給 ・たん白質，アミノ酸の代謝に関与
	・〔ビタミン B_{12}〕この薬は，血液をつくるのに関わり神経の働きにも重要な役目をしているビタミン B_{12} の欠乏で起こる，貧血，関節痛，筋肉痛，末梢性神経障害などを改善する薬です	・ビタミン B_{12} 補給 ・神経組織修復作用，代謝障害改善作用
	・〔ニコチン酸製剤〕この薬は，皮膚や粘膜を正常に保つ働きや血行をよくする作用をもつニコチン酸の欠乏により起こる，ペラグラ（日光皮膚炎，吐き気，下痢，不眠），口内炎，湿疹，手足の冷え，耳鳴，肩こりなどを改善する薬です	・ニコチン酸補給 ・酸化還元反応に関与，末梢血管拡張作用
	・〔パントテン酸製剤〕この薬は，糖分や脂	・パントテン酸補給

薬効	質，たん白質などの代謝に関わり，腸管運動をよくしたり，皮膚を正常に保つパントテン酸の欠乏により起こる，弛緩性便秘や出血傾向，湿疹などを改善する薬です	・糖分，脂質，たん白質の代謝に関与
	・〔葉酸製剤〕この薬は，ビタミンB_{12}とともに血液をつくるのに欠かせない葉酸の欠乏で起こる，巨赤芽球性貧血などを改善する薬	・葉酸補給 ・抗悪性貧血作用
	◆この薬はメトトレキサート（抗リウマチ薬）の副作用を軽減したり，フェニトイン（抗けいれん薬）服用時の葉酸不足を補う薬です（適応外）（フォリアミン）	葉酸補充による副作用の軽減
	◆この薬はベル麻痺，突発性難聴，反回神経麻痺，帯状疱疹，帯状疱疹後神経痛に用いる薬です（適応外）（メチコバール）	

■ 主な副作用と対策，フィジカルアセスメントのチェックポイント

主な副作用	患者に確認すべき症状	対策とPAのチェックポイント
消化器症状	胃部不快感，吐き気，下痢	減量もしくは中止。胃腸薬と併用
過敏症	発疹，かゆみ	中止 PA 皮膚（かゆみ，発赤，発疹），呼吸（喘鳴）
肝機能障害（新生児，乳幼児に大量に用いた場合：ピドキサール）	体がだるい，疲れる，熱がある，皮膚や白目が黄色くなる	減量もしくは休薬 PA No.42 ホルモン製剤③ p.578 参照

■ 重大な副作用と妊婦・授乳婦への危険度

薬剤名	重大な副作用	妊婦[授乳婦]
アリナミンF，フラビタン，メチコバール，フォリアミン，ニコチン酸アミド	－	[✕◎]
ピドキサール	横紋筋融解症	[✕◎]

■ その他の指導ポイント

	患者向け	薬剤師向け
使用上の注意	・〔B_2製剤〕尿が黄色になることがありますが心配ありません。これは黄色のビタミンB_2が吸収された後，尿中に排泄されることによるものです	リボフラビンの活性型であるFMN，FADは補酵素としてアポ酵素と結合し，生体内の酸化還元反応等に重要な役割を果たした後，尿中に黄色のリボフラビンとして排泄されるため
	・〔アリナミンF，フラビタン，ピドキサー→	・〔アリナミンF〕特有なにおいがして，味が

使用上の注意	ル〕この薬はかまずに服用してください ・苦いため糖衣錠となっている ・〔フラビタン，ピドキサール〕腸溶錠のため ・〔フォリアミン〕悪性貧血の患者に投与するときはビタミンB_{12}製剤と併用する
服用を忘れたとき	・〔アリナミンF，ジセタミン，ハイボン，ピドキサール，メチコバール，ニコチン酸アミド，パントシン，フォリアミン〕思い出したときすぐに服用する。ただし次の服用時間が近いときは忘れた分は服用しない ・〔フラビタン〕飲み忘れに気づいても服用しない。次の服用時に決められた用量を服用する（2回分を一度に服用しないこと）

■ その他備考

- 〔ピドキサール〕ピリドキサールリン酸エステルを不活化させるような薬剤（イソニアジド等）服用時において相対的なビタミンB_6欠乏症が起こる

47 ビタミン剤　③ビタミンC・E・H・K

■ 対象薬剤

ビタミンC：アスコルビン酸（ハイシー）
ビタミンE：トコフェロール酢酸エステル（ユベラ）
ビタミンH：ビオチン（ビオチン）
ビタミンK：フィトナジオン（ケーワン，カチーフN），メナテトレノン（ケイツー）

■ 指導のポイント

	患者向け	薬剤師向け
薬効	・〔ビタミンC〕この薬は，皮膚や腱，骨や血管のコラーゲンの生成やメラニン色素を抑えたり，体の抵抗力を高めるビタミンCの欠乏により起こる，毛細血管の出血やシミを改善する薬です	・ビタミンC補給 ・毛細血管増強作用，コラーゲン増加作用，メラニン色素生成抑制作用
	・〔ビタミンE〕この薬は，血行をよくする働きのあるビタミンEの欠乏により起こる，手足の冷えやしもやけ，動脈硬化症などを改善する薬です	・ビタミンE補給 ・微小循環系賦活作用，抗酸化作用
	・〔ビタミンH〕この薬は，皮膚を正常に保つ役割のビタミンHの欠乏により起こる，湿疹や皮膚炎，ニキビなどを改善する薬です	・ビタミンH補給 ・皮膚炎，湿疹改善作用
	・〔ビタミンK〕この薬は，血液の凝固系に	・ビタミンK補給

薬効	関係しているビタミンKの欠乏により起こる, 出血を改善する薬です	・凝固因子生合成促進作用
	◆この薬は抗パーキンソン病薬の吸収を助ける薬です（適応外）（ハイシー）	レボドパやカルビドパは酸性で溶解しやすく, 吸収されやすいため酸度を補い吸収を補助
	◆この薬は骨髄異形成症候群（＊1）に用いられる薬です（適応外）（ケイツー）	
	◆この薬はビオチン依存性マルチプルカルボキシラーゼ欠損症（＊2）に用いられる薬です（適応外）（ビオチン）	

■ 主な副作用と対策, フィジカルアセスメントのチェックポイント

主な副作用	患者に確認すべき症状	対策とPAのチェックポイント
消化器症状	胃部不快感, 吐き気, 便秘, 下痢	減量もしくは中止。胃腸薬と併用
過敏症（ケイツー）	発疹, かゆみ	中止 PA No.47 ビタミン剤② p.702 参照

■ 重大な副作用と妊婦・授乳婦への危険度

薬剤名	重大な副作用	妊婦[授乳婦]
ハイシー, ユベラ, ビオチン, ケーワン, カチーフN, ケイツー	－	[◎◯]

■ その他の指導ポイント

	患者向け	薬剤師向け
使用上の注意	・〔ハイシー〕牛乳等その他の飲料に溶かす場合, 加熱しないでください	温度により, ビタミンCが分解するため
	・〔ハイシー〕臨床検査を受ける場合は, 必ずご相談ください	尿糖の検出を妨害したり, 各種の尿・便潜血反応検査で, 偽陰性を呈することがある
	・〔ケイツーシロップ〕新生児・乳児ではスティック包装から哺乳瓶やスプーンに移して飲ませてください	スティック包装から直接服用させると誤嚥や口唇が傷つくおそれがあるため
	・〔ケイツーシロップ〕生まれてすぐの新生児へは湯ざましで10倍に薄めるか, または乳を飲めるようになってから飲ませてください	高浸透圧になっているため
	・〔E製剤, K製剤〕定められた用量を指定された回数, 食後30分以内に服用してください。食事をしない場合は牛乳等と一緒に服用してください	脂溶性ビタミンであるため, 食後の方が吸収がよい
	・〔ハイシー〕この薬の服用中はタバコを吸わないでください	喫煙により血中アスコルビン酸濃度が低下し, 効果が減弱
	食 〔ハイシー〕この薬の服用中に鉄高含	ビタミンCにより鉄剤の消化管吸収が促進

	有飲食物をとる場合，胃腸障害に気をつけてください	され鉄剤の効果（造血作用）の増強と胃腸障害の出現
服用を忘れたとき	思い出したときすぐに服用する。ただし次の服用時間が近いときは忘れた分は服用しない（2回分を一度に服用しないこと）	

■ その他備考

- ■ *1　骨髄異形成症候群（MDS）とは
  　3種類の血液細胞（赤血球，白血球，血小板）の大もとになる造血幹細胞に異常が起こった病気。原因不明の場合が多く，症状の現れ方は患者により異なる。具体的には，赤血球減少による顔色不良，全身倦怠感，動悸，息切れなどの症状や，血小板減少による皮膚・粘膜の点状出血や鼻出血などの症状がある
- ■ *2　ビオチン依存性マルチプルカルボキシラーゼ欠損症とは
  　ヒトには4種類のカルボキシラーゼがあり，これらは脂肪酸合成の重要な酵素である。この酵素は水溶性ビオチンを補酵素とする。先天性ビオチン代謝異常ではこれらの活性が同時に低下する複合カルボキシラーゼ欠損症（マルチプルカルボキシラーゼ欠損症，MCD）と称される病態を呈する

47　ビタミン剤　④混合ビタミン剤

■ 対象薬剤

配合剤（シナール配合，ノイロビタン配合，ビタノイリン，ビタメジン配合，パンビタン）

■ 指導のポイント

	患者向け	薬剤師向け
薬効	・〔シナール配合〕この薬は，ビタミンCとパントテン酸を混合した複合ビタミンで，シミ，ソバカスなどを改善する薬です	ビタミンC，パントテン酸補給
	・〔ノイロビタン配合，ビタノイリン〕この薬は，ビタミンB_1，B_2，B_6，B_{12}を配合した複合ビタミンで，神経痛，手足のしびれ，肩こり，味覚障害，臭覚障害，難聴などを改善する薬です	ビタミンB_1，B_2，B_6，B_{12}補給

薬効	・〔ビタメジン配合〕この薬は，ビタミン B$_1$，B$_6$，B$_{12}$ を配合した複合ビタミンで，神経痛，手足のしびれ，肩こり，味覚障害，臭覚障害，難聴などを改善する薬です ・〔パンビタン〕この薬は，下記のさまざまなビタミン*が配合される総合ビタミンで，食事が十分とれない時やビタミンの需要が増えている時に服用して代謝の改善を行う薬です 　*ビタミン A，B$_1$，B$_2$，B$_6$，B$_{12}$，C，D，E，パントテン酸カルシウム，ニコチン酸アミド，葉酸	→ ビタミン B$_1$，B$_6$，B$_{12}$ 補給
禁忌	〔パンビタン〕妊娠3カ月以内または妊娠を希望する婦人へのビタミン A 5,000 IU/日以上の投与（ビタミン A 欠乏症を除く）	

■ 主な副作用と対策，フィジカルアセスメントのチェックポイント

主な副作用	患者に確認すべき症状	対策とPAのチェックポイント
消化器症状	胃部不快感，吐き気，下痢	減量もしくは中止。胃腸薬と併用
過敏症 （ビタノイリン，ビタメジン，パンビタン）	発疹，かゆみ	中止 PA No.47 ビタミン剤② p.702 参照

■ 重大な副作用と妊婦・授乳婦への危険度

薬剤名	重大な副作用	妊婦［授乳婦］
シナール	ー	［⊛○］
パンビタン	ー	禁忌※ ［⊛○］

※：妊娠3カ月以内または妊娠を希望する婦人へのビタミン A 5,000 IU/日以上投与

■ その他の指導ポイント

	患者向け	薬剤師向け
使用上の注意	・〔C 含有製剤：シナール〕臨床検査を受ける場合は，必ずご相談ください ・〔B$_2$ 含有製剤：ノイロビタン，ビタノイリン，パンビタン〕尿が黄色になることがありますが心配ありません。これは黄	・各種の尿検査で，尿糖の検出を妨害することがある（アスコルビン酸による） ・〔シナール〕尿・便潜血反応検査で偽陰性を呈することがある（アスコルビン酸による） リボフラビンの活性型である FMN，FAD は補酵素としてアポ酵素と結合し，生体内の酸化還元反応等に重要な役割を果たした後，尿

使用上の注意	色のビタミンB_2が吸収された後，尿中に排泄されることによるものです ・〔パンビタン〕妊娠3カ月以内または妊娠を希望する方は必ずご相談ください→	中に黄色のリボフラビンとして排泄されるため 妊娠前3カ月から妊娠初期3カ月までにビタミンA 10,000 IU/日以上の摂取にて，奇形発現の増加が推定されたとする疫学調査結果（外国）があるため投与禁忌
服用を忘れたとき	思い出したときすぐに服用する。ただし次の服用時間が近いときは忘れた分は服用しない（2回分を一度に服用しないこと）	

■ その他備考

- ■配合剤成分：シナール（アスコルビン酸，パントテン酸カルシウム）
  ノイロビタン（オクトチアミン，リボフラビン，ピリドキシン塩酸塩，シアノコバラミン）
  ビタノイリン（フルスルチアミン塩酸塩，ピリドキサールリン酸エステル水和物，ヒドロキソコバラミン酢酸塩，リボフラビン）
  ビタメジン（ベンフォチアミン，ピリドキシン塩酸塩，シアノコバラミン）
  パンビタン（レチノールパルミチン酸エステル，エルゴカルシフェロール，チアミン硝化物，リボフラビン，ニコチン酸アミド，ピリドキシン塩酸塩，パントテン酸カルシウム，シアノコバラミン，アスコルビン酸，トコフェロール酢酸エステル，葉酸）
- ■〔シナール，パンビタン〕アルカリ性薬剤，吸湿性薬剤との配合は避ける。配合時の粉砕は避ける
- ■〔パンビタン〕葉酸が配合されているので悪性貧血の患者に投与すると血液状態は改善するが，神経症状は改善されない

ビタミン溶解性

脂 溶 性	水 溶 性
ビタミンA	ビタミンB群（B_1, B_2, B_6, B_{12}）
ビタミンD	ビタミンC
ビタミンE	パントテン酸
ビタミンK	ナイアシン（ニコチン酸）
	葉 酸
	ビタミンH（ビオチン）

48 骨粗鬆症治療薬

■ 骨粗鬆症治療薬—薬物治療の確認と指導のポイント

項目	確認のポイント
診断基準（これに合致すると薬物治療の開始）	Ⅰ．脆弱性骨折[*1]あり 　1．椎体骨折または大腿骨近位部骨折あり 　2．その他の脆弱性骨折[*2]があり，骨密度がYAM[*3]の80%未満 Ⅱ．脆弱性骨折なし 　骨密度がYAMの70%以下または−2.55D以下
服薬継続の重要性を理解しているかの確認	治療目的は骨量の変化が目的ではなく，骨折防止が将来の死亡率，生活の質に影響することを理解してもらう
生活習慣の改善を指導	・運動不足解消（ストレッチ，ウォーキング，テニス等），日光浴（15分以上） ・食事療法（Ca多く含む食品，Caの吸収を助ける食品の摂取） ・禁煙，アルコール多飲を避ける
骨粗鬆症の薬物治療の確認	1．骨吸収抑制薬：ビスホスホネート（BP），SERM，エストロゲン製剤，イプリフラボン，抗RANKL抗体。BP，SERMは骨折危険率を30〜50%低下させる 2．骨形成促進薬：副甲状腺ホルモン（PTH） 3．骨代謝調整薬：活性型ビタミンD_3製剤，カルシウム製剤 ・BPは骨粗鬆症の第一選択薬と位置づけられている。閉経後骨粗鬆症の第一選択薬はSERM ・薬剤の選択は患者ごとに検討。骨折による疼痛はカルシトニン製剤を使用。骨量増加の効果発現は半年〜1年かかるため，無症状でもしっかり服用させる。特にBPは自己判断での服薬中止が多いので注意
ビスホスホネート（BP）製剤服用時の注意点の理解度の確認	・1日1回，1週間に1回，1カ月に1回，1年に1回（リクラスト点滴静注）の製剤がある（ダイドロネルは周期的投与）ので，服用日を忘れないように指導 ・お茶，牛乳，ジュース，コーヒー，外国産のミネラルウォーターなどと一緒に服用しない→薬の吸収が妨げられる ・起床後すぐにコップ1杯の水で服用し，30分（ボンビバは60分）は横にならず飲食もしない→空腹の方が薬の吸収がよい。のどや食道に薬がひっかかると炎症を起こす ・重大な副作用として顎骨壊死が知られており，抜歯や口の中の不衛生によって起こりやすい。予防には適切な口腔ケア（口腔内の清掃，定期的な歯科受診）が重要 ・内服困難（嚥下障害や認知症）の患者では静注製剤を用いる
フォルテオ，テリボンの投与終了後の治療法の確認	PTHは骨密度上昇・骨折抑制効果は高いが薬価が高いため重症骨粗鬆症に使用する。フォルテオ，テリボンはともに投与期間が2年と限られている。投与終了後はBP製剤やデノスマブ（抗RANKL抗体）使用の有用性が示されている
服用薬（転倒危険因子薬，続発性骨粗鬆症を引き起こす薬剤）の確認	・転倒すると骨折するため，転倒危険因子薬の確認：睡眠薬，降圧薬，抗精神病薬，抗パーキンソン病薬等 ・続発性骨粗鬆症を引き起こす薬剤の確認：副腎皮質ホルモン，メトトレキサート，PPI，ヘパリン，アルコール，過剰な甲状腺ホルモン，ループ利尿薬，ワルファリン，アロマターゼ阻害薬，抗てんかん薬等

項目	確認のポイント
副作用の確認と指導	BP：低 Ca 血症，上部消化管障害，顎骨壊死 SERM：静脈血栓塞栓症 PTH：悪心嘔吐 抗 RANKL 抗体：低 Ca 血症，顎骨壊死
転倒防止の重要性の確認	転倒・骨折が多いので，予防するためにヒッププロテクター等の使用を勧める

SERM：選択的エストロゲン受容体モジュレーター
* 1 軽微な外力によって発生した非外傷性骨折
* 2 軽微な外力によって発生した非外傷性骨折で，骨折部位は肋骨，骨盤，上腕骨近位部，橈骨遠位端，下腿骨
* 3 若年成人平均値（腰椎では 20〜44 歳，大腿骨近位部では 20〜29 歳）

■骨粗鬆症治療薬の有効性の評価一覧

分類	一般名	骨密度	椎体骨折	非椎体骨折	大腿骨近位部骨折
カルシウム薬	L-アスパラギン酸カルシウム	B	B	B	C
	リン酸水素カルシウム	B	B	B	C
女性ホルモン薬	エストリオール	C	C	C	C
	結合型エストロゲン*1	A	A	A	A
	エストラジオール	A	B	B	C
活性型ビタミン D₃ 薬	アルファカルシドール	B	B	B	C
	カルシトリオール	B	B	B	C
	エルデカルシトール	A	A	B	C
ビタミン K₂ 薬	メナテトレノン	B	B	B	C
ビスホスホネート薬	エチドロン酸	A	B	C	C
	アレンドロン酸	A	A	A	A
	リセドロン酸	A	A	A	A
	ミノドロン酸	A	A	C	C
	イバンドロン酸	A	A	B	C
SERM	ラロキシフェン	A	A	B	C
	バゼドキシフェン	A	A	B	C
カルシトニン薬*2	エルカトニン	B	B	C	C
	サケカルシトニン	B	B	C	C
副甲状腺ホルモン薬	テリパラチド（遺伝子組換え）	A	A	A	C
	テリパラチド酢酸塩	A	A	C	C
抗 RANKL 抗体薬	デノスマブ	A	A	A	A
その他	イプリフラボン	C	C	C	C
	ナンドロロン*3	C	C	C	C

* 1：骨粗鬆症は保険適用外
* 2：疼痛に関して鎮痛作用を有し，疼痛を改善する（A）
* 3：現在，販売していない
薬物に関する「有効性の評価（A，B，C）」
骨密度上昇効果
　　A：上昇効果がある　　B：上昇するとの報告がある　　C：上昇するとの報告はない
骨折発生抑制効果（椎体，非椎体，大腿骨近位部それぞれについて）
　　A：抑制する　　B：抑制するとの報告がある　　C：抑制するとの報告はない
（骨粗鬆症の予防と治療ガイドライン作成委員会・編：骨粗鬆症の予防と治療ガイドライン 2015 年版，p 158，ライフサイエンス出版，2015）

■ 対象薬剤

Ⅰ．骨吸収抑制薬
  （A）ビスホスホネート製剤：第1世代：エチドロン酸二ナトリウム（**ダイドロネル**），第2世代：アレンドロン酸ナトリウム水和物（**フォサマック，ボナロン**），イバンドロン酸ナトリウム水和物（**ボンビバ**），第3世代：リセドロン酸ナトリウム水和物（**アクトネル，ベネット**），ミノドロン酸水和物（**ボノテオ，リカルボン**）
  （B）選択的エストロゲン受容体モジュレーター（SERM）：ラロキシフェン塩酸塩（**エビスタ**），バゼドキシフェン酢酸塩（**ビビアント**）
  （C）イプリフラボン製剤：イプリフラボン（**イプリフラボン**）
  （D）エストロゲン製剤：エストリオール（**エストリール**），エストラジオール（**エストラーナテープ，ジュリナ**），配合剤（**ウェールナラ配合**）
Ⅱ．骨形成促進薬
  （E）ビタミンK_2製剤：メナテトレノン（**グラケー**）
  （F）副甲状腺ホルモン（PTH）：テリパラチド（遺伝子組換え）（**フォルテオ**：在宅自己注射指導対象），テリパラチド酢酸塩（**テリボン**：在宅自己注射指導対象）
Ⅲ．活性型ビタミンD_3およびその他（腸管からのカルシウム吸収増加）
  （G）活性型ビタミンD_3製剤：アルファカルシドール（**アルファロール，ワンアルファ**），カルシトリオール（**ロカルトロール**），エルデカルシトール（**エディロール**）
  （H）カルシウム製剤：L-アスパラギン酸カルシウム水和物（**アスパラ-CA**）
  （Ⅰ）その他：配合剤（**デノタスチュアブル**）
＊エストリール，エストラーナテープ，ジュリナはNo.42 ホルモン製剤④（p.580）参照
　アスパラ-CAはNo.49 無機質製剤③（p.731）参照

■ 指導のポイント

	患者向け	薬剤師向け
薬効	・この薬は骨の量が減少するのを改善し→て，骨がもろくなるのを防ぐ薬です（デノタス以外）	骨吸収抑制作用（A，B，C，D） 骨形成促進作用（E，F） 腸管からのCa吸収促進による血中Ca増加作用（G，H）
	・この薬は6カ月に1回骨を丈夫にする注→射（プラリア）投与に伴う低カルシウム血症を抑える薬です（デノタス）	腸管からのCa吸収促進による血中Ca増加作用
	☆この薬は背骨の損傷や股関節の手術の後にしばしばみられる，骨でない部分にカルシウムが沈着（異所性骨化）するのを抑える薬です（ダイドロネル）	ハイドロキシアパタイト結晶形成抑制作用
	☆この薬は骨の肥厚や変形を起こす（骨ページェット病）のを抑える薬です（ダイドロネル，アクトネル17.5 mg，ベネット17.5 mg）	骨代謝回転改善作用
	☆この薬は慢性腎不全や副甲状腺機能低下症やクル病・骨軟化症におけるビタミンD代謝異常に伴う諸症状（手足のふるえ，全身性のけいれん，しびれ，骨の痛	腸管からのCa吸収促進作用，骨吸収抑制作用，骨形成促進作用

薬効	み等）を改善する薬です（アルファロール，ワンアルファ，ロカルトロール） ☆この薬は女性ホルモンで，女性ホルモンの低下やホルモンバランスがくずれて起きる更年期症状（顔のほてり，のぼせ，異常な汗）や膣部の炎症や乾燥を改善する薬です（ウェールナラ以外のエストロゲン製剤）（参）No.42 ホルモン製剤④ ◆この薬は手術不能な原発性副甲状腺機能亢進症に伴う高カルシウム血症を抑える薬です（適応外）（A） ◆この薬は尿失禁（いきんだり，笑ったり，お腹に力を入れると尿がもれる症状）を改善する薬です（適応外）（エストリール）	女性ホルモン→卵胞ホルモン作用
詳しい薬効	・この薬は骨に直接くっついて破骨細胞（古い骨を壊し血液中に吸収させる働き）に作用し，骨から血液中にCaが流れ出るのを抑えて（骨吸収抑制作用），骨の密度を増加させ，骨がもろくなるのを防ぐ薬です（A：ビスホスホネート製剤） ・この薬はエストロゲン受容体に結合して，骨や脂肪代謝に対して女性ホルモン（エストロゲン）と同じ働きをし，骨から血液中にCaが流れ出るのを抑えて（骨吸収抑制作用），骨の量が減少するのを改善して，骨がもろくなるのを防ぐ薬です（B：エビスタ，ビビアント） ・この薬は骨から血液中にCaが流れ出るのを抑え（骨吸収抑制作用）たり，骨を丈夫にするホルモンのカルシトニンの分泌を促進することにより，骨の量が減少するのを改善して，骨がもろくなるのを防ぐ薬です（C：イプリフラボン） ・この薬は女性ホルモン（エストロゲン）で，骨から血液中にCaが流れ出るのを抑えて（骨吸収抑制作用），骨の量が減少するのを改善して，骨がもろくなるのを防ぐ薬です（ウェールナラ配合） ・この薬は高用量のビタミンKで，新しく骨を作る細胞（骨芽細胞）の働きを促進し（骨形成促進作用），骨の量が減少するのを改善して，骨がもろくなるのを防ぐ薬です（E：グラケー） ・この薬は副甲状腺ホルモンで，新しく骨を作る細胞（骨芽細胞）の働きを促進し（骨形成促進作用），骨の量を増やし骨がもろくなるのを防ぐ皮下に注射する薬です（F：フォルテオ，テリボン） ・この薬は活性型のビタミンD_3で，小腸でのCaの吸収を促進して，骨から血液中にCaが流れ出るのを抑え（骨吸収抑制作用），同時に骨代謝を促進，骨の量が減少するのを改善し，骨がもろくなるのを防ぐ薬です。特にエディロールは骨密度増加作用と骨折を予防する効果が高い薬です（G：活性型ビタミンD_3製剤） ・この薬はCaと天然型ビタミンD_3にマグネシウムを配合しているチュアブル錠で，Caの腸管からの吸収促進と腎臓からのCaの再吸収促進により血中Caを増加させて，6カ月に1回骨を丈夫にする注射（RANKL阻害剤：プラリア）投与に伴う低Ca血症を抑える薬です（I：デノタス）	

禁忌・併用禁忌	禁忌 ・〔A：ビスホスホネート製剤，B：SERM，C：イプリフラボン製剤，E：ビタミンK₂製剤，G：エディロール，F：フォルテオ，テリボン〕骨粗鬆症治療薬比較分類表の禁忌の項（p.720）参照 ・〔ウェールナラ配合〕エストロゲン依存性腫瘍（たとえば乳がん，子宮内膜がん）およびその疑い，未治療の子宮内膜増殖症，乳がんの既往，血栓性静脈炎や肺塞栓症またはその既往，動脈性血栓塞栓疾患またはその既往，妊婦，授乳婦，重篤な肝障害，診断の確定していない異常性器出血，本剤過敏症既往 ・〔ロカルトロール〕高カルシウム血症またはビタミンD中毒症状 併用禁忌 〔グラケー〕⇔ワルファリンの作用減弱

■ 主な副作用と対策，フィジカルアセスメントのチェックポイント

主な副作用	患者に確認すべき症状	対策とPAのチェックポイント
消化器症状	下痢，吐き気，食欲がない，胃の不快感	減量もしくは中止。胃腸薬と併用

〔ビスホスホネート製剤〕

主な副作用	患者に確認すべき症状	対策とPAのチェックポイント
咽喉頭や食道粘膜局部刺激症状〜胃上部消化管障害（ダイドロネル以外），胃・十二指腸潰瘍	のどが痛い，飲み込みにくい，飲むときの痛み，胸痛，腹痛，げっぷ，胸やけ，吐き気，嘔吐，みぞおちの痛み，背中の痛み，血を吐く，便が黒くなる	薬をかんだり口中で溶かしたりしない。薬が食道に停滞したとき潰瘍を生じやすいため，上体を起こしてコップ1杯の水で服用し，30分間は横にならないよう指導する。症状が現れたら薬を中止し受診する PA 上腹部（持続的疼痛），便（黒色） ・出血合併時：顔色（蒼白），眼瞼結膜（蒼白），脈拍（↑），血圧（↓） ・穿孔合併時（筋性防御・反跳痛）
顎骨壊死・顎骨骨髄炎（上あごや下あごの骨が壊死）	口の痛みや腫れ，発赤，歯が浮く，歯のゆるみ，あごのしびれ感・重たい感じ，発熱，歯ぐきの腫れ，抜歯の部位が治らず痛みや腫れ，膿がでる。抜歯後に骨がみえる	リスクとして（がん化学療法，血管新生阻害薬，ステロイド療法，放射線療法，歯科処置，口腔内の不衛生） 口腔内の清潔，定期的な歯科受診，侵襲的な歯科治療の場合は本剤の中止を考慮。 異常があれば直ちに歯科・口腔外科を受診 PA 抜歯部位（疼痛・骨露出），歯肉（腫脹・感染），体温（↑）
外耳道骨壊死	耳の痛み，耳だれ，耳のつまる感じ	異常があれば耳鼻咽喉科を受診
肝機能障害	皮膚・白目が黄色くなる，嘔吐，尿の色が濃くなる，吐き気，食欲不振，かゆみ，体がだるい，疲れる	定期的に肝機能検査（AST・ALTの上昇）。異常があれば減量もしくは中止，必要があれば適切な処置を行う PA 体温（↑），眼球（黄色），皮膚（皮疹，瘙痒感，黄色），尿（褐色），腹部（肝肥大，心窩部・右季肋部，腹水貯留等）
大腿骨転子下および近位大腿骨骨幹部の非定型骨折	太もも・太もも付け根の痛み	長期間服用者において非外傷性に発生。数カ月〜数週間前から前駆痛あり。X線検査（骨の肥厚等に注意），異常があれば投与を中止し，すぐに受診 PA 大腿部・鼠径部（圧痛）

主な副作用	患者に確認すべき症状	対策とPAのチェックポイント
低カルシウム血症（フォサマック，ボナロン，ボノテオ，リカルボン，ボンビバ）	しびれ，筋肉の脱力感，筋力の減退，ふるえ，けいれん，見当識障害，動悸，胸痛，むかむか，めまい，失神	食事等から十分なCaを摂取させる。投与前に低Ca血症，ミネラル代謝障害の治療。異常があれば血液検査，心電図，Ca剤の点滴投与 PA 背部・下肢（けいれん），脈拍（不整脈）

〔エビスタ，ビビアント，ウェールナラ〕

主な副作用	患者に確認すべき症状	対策とPAのチェックポイント
乳房痛	乳房が腫れて痛くなる	減量もしくは中止
血栓症	足の痛み，むくみ，突然の息苦しさ，息切れ，胸の痛み，目が見えにくい，突然の血圧上昇	長時間飛行機や車に乗って動けない状態になる場合は水分を多くとり，こまめに足を動かすよう指導，異常時は直ちに中止，医師に連絡 PA ・深部静脈血栓：片側下肢・上肢（腫脹・発赤・熱感） ・肺塞栓：胸痛，呼吸（困難） ・網膜静脈血栓症：視力（↓） ・脳梗塞：四肢（まひ，脱力），構音（障害：ろれつが回らない） ・心筋梗塞：脈拍（頻脈・徐脈，不整脈），前胸部（狭心痛），頸部・左肩（放散痛），浮腫（上眼瞼，下腿脛骨），呼吸音（水泡音）
血管拡張，下肢けいれん（エビスタ，ビビアント）	ほてり，足のけいれん	減量もしくは中止
性器出血（ウェールナラ）	生理以外の出血	投与継続中に消失するが，頻発または持続する場合，子宮内膜検査を実施

〔活性型ビタミンD_3，フォルテオ，テリボン〕

主な副作用	患者に確認すべき症状	対策とPAのチェックポイント
高カルシウム血症	体がだるい，いらいら感，吐き気，食欲がない，のどが渇く，注意力が散漫	・投与後16時間以降に血清Ca値を測定（フォルテオ） ・血清Ca値を3～6カ月に1回程度測定（エディロール） 異常があれば中止 PA 筋力（↓），口渇（↑），尿量（↑）
急性腎不全（活性型ビタミンD_3）	体がだるい・むくみ，疲れやすい，意識の低下，頭痛，目が腫れぼったい，息苦しい，尿量の減少	血清Ca上昇を伴った急性腎不全が現れることがある。血清Ca値を3～6カ月に1回程度測定。異常が認められれば中止 PA 尿量（↓），浮腫（上眼瞼，下腿脛骨），体重（↑）
尿路結石（エディロール）	激しい腰・背中の痛み，腹痛，血尿	尿路結石の既往のある場合，定期的に尿中Ca値の検査。異常があれば中止 PA 腰・背部（激痛），尿（血尿）

No.48　骨粗鬆症治療薬

■ 重大な副作用と妊婦・授乳婦への危険度

薬剤名	重大な副作用	妊婦[授乳婦]
ダイドロネル	消化性潰瘍, 肝機能障害, 黄疸, 汎血球減少, 無顆粒球症, 顎骨壊死, 顎骨骨髄炎, 外耳道骨壊死, 非定型骨折（大腿骨転子下, 近位大腿骨骨幹部）	禁忌 [❽○]
フォサマック, ボナロン	食道・口腔内障害, 胃・十二指腸障害, 肝機能障害, 黄疸, 低カルシウム血症, 顎骨壊死, 顎骨骨髄炎, 外耳道骨壊死, 中毒性表皮壊死融解症, 皮膚粘膜眼症候群, 非定型骨折（大腿骨転子下, 近位大腿骨骨幹部）	[❽○]
アクトネル, ベネット	上部消化管障害, 肝機能障害, 黄疸, 顎骨壊死, 顎骨骨髄炎, 外耳道骨壊死, 非定型骨折（大腿骨転子下, 近位大腿骨骨幹部）	禁忌/B3（ベネット） [❽○]
ボノテオ, リカルボン	上部消化管障害, 顎骨壊死, 顎骨骨髄炎, 外耳道骨壊死, 非定型骨折（大腿骨転子下, 近位大腿骨骨幹部）, 肝機能障害, 黄疸, 低カルシウム血症	禁忌 [❽○]
ボンビバ	上部消化管障害, アナフィラキシーショック, アナフィラキシー反応, 顎骨壊死・顎骨骨髄炎, 外耳道骨壊死, 非定型骨折（大腿骨転子下・近位大腿骨骨幹部）, 低カルシウム血症	禁忌
エビスタ	静脈血栓塞栓症, 肝機能障害	禁忌/X [❽禁忌]
ビビアント	静脈血栓塞栓症	禁忌 [❽禁忌]
イプリフラボン	消化性潰瘍, 胃腸出血, 黄疸	[❽○]
ウェールナラ	静脈血栓塞栓症, 血栓性静脈炎	禁忌 [❽禁忌]
グラケー	−	[❽◎]
フォルテオ, テリボン	ショック, アナフィラキシー・意識消失	禁忌/B3（フォルテオ） [❽禁忌/○]
アルファロール, ワンアルファ	急性腎不全, 肝機能障害, 黄疸	[❽○]
ロカルトロール	−	B3 [❽○]
エディロール	高カルシウム血症, 急性腎障害, 尿路結石	禁忌 [❽禁忌/○]

■ その他の指導ポイント

患者向け	薬剤師向け
使用上の注意：・〔ビスホスホネート製剤〕この薬の服用を始めるときに, 抜歯等の歯の治療を受けている場合は, 必ずご相談ください。またこの薬の服用中は, 日常的に口の中を清潔にし, 抜歯等の歯科処置をすると	ビスホスホネート系薬剤による治療中に顎骨壊死・顎骨骨髄炎が発現したとの報告。多くは抜歯等の歯科処置や局所感染に関連して発現しているので十分な説明を行い, 異常が認められた場合は直ちに歯科・口腔外科に受診

骨粗鬆症治療薬

使用上の注意	・きは歯科医師にご相談ください ・〔ビスホスホネート製剤〕この薬を服用中に耳の痛みやかゆみ，耳だれが続く場合は耳鼻咽喉科にご相談ください	するように指導 ビスホスホネート系薬剤使用患者に外耳道骨壊死が発現したとの報告。耳の感染症や外傷に関連した症例もあることから，外耳炎，耳漏，耳痛等の症状が続く場合は耳鼻咽喉科に受診するよう指導
	・〔フォサマック，ボナロン，アクトネル，ベネット，ボノテオ，リカルボン，ボンビバ〕この薬は起床してすぐにコップ1杯の水（約180 mL）とともにかんだり，口中で溶かしたりしないで服用し，服用後30分は横にならないでください。就寝時または起床前には服用しないでください。また服用後少なくとも30分（ボンビバは60分）は水以外の飲食を避けてください	・口腔咽頭刺激の可能性があるためかまずに，なめずに服用する ・食道や胃の粘膜に停留すると粘膜があれたり潰瘍ができる可能性があるため服用後30分は立位，座位をとる（ボンビバは60分） ・陽イオン（Ca，Mg等）とキレートを形成し本剤の吸収を低下させることがあるため服用後30分は飲食を避ける ・週1回投与製剤（フォサマック，ボナロン：35 mg アクトネル，ベネット：17.5 mg） ・月1回投与製剤（アクトネル，ベネット：75 mg，リカルボン，ボノテオ：50 mg，ボンビバ：100 mg）
	・〔ダイドロネル〕この薬は空腹時に服用し，服用前後2時間は食事などをとらないでください	吸収率が6％と低く，他の薬や食事により著しく阻害される。原則，空腹時に単独で投与し，前後2時間くらいは飲食を避ける
	・〔ビスホスホネート製剤〕この薬の服用中に太ももや太ももの付け根あたりに痛みが現れることがあるので，これらの症状があれば直ちにご相談ください	長期服用していると非外傷性の大腿骨転子下および大腿骨骨幹部の非定型骨折が発現したとの報告がある。これらでは完全骨折が起こる数週間〜数カ月前に大腿部や鼠径部等に前駆痛が認められる場合がある
	・〔グラケー〕この薬は，必ず食後に服用してください。空腹時に服用する場合は，牛乳とともに服用してください	空腹時投与で吸収が低下するため必ず食後に服用する。なお，本剤の吸収は食事中の脂肪含有量に応じて増大する
	・〔デノタス〕この薬はかみ砕くか，口中で溶かして服用してください	チュアブル錠（かみ砕いて服用する薬）のため
	・〔エビスタ，ビビアント，ウェールナラ配合〕この薬の服用中に脚の痛み，むくみ，胸の痛み，息切れ，突然の呼吸困難，めまい，視力の低下などの症状が現れた場合，必ずご相談ください	静脈血栓塞栓症が現れることがあるため，左記の症状を事前に説明し，症状が現れた場合投与を中止する
	・〔エビスタ，ビビアント〕術後回復期や長期安静期のように長期間動かない状態になる場合，この薬を中止して，完全に歩けるようになるまで服用しないでください	静脈血栓塞栓症のリスクが上昇するため（エビスタは長期不動状態に入る3日前，ビビアントは入る前に服用中止）
	・〔エビスタ，ビビアント〕飛行機や車に長時間乗る場合は水分を多くとり，できるだけ体（特に足）をこまめに動かすようにしてください	静脈血栓塞栓症のリスクが上昇するため

| 使用上の注意 | ・〔フォルテオ，テリボン〕ショックや，一過性の急激な血圧低下に伴う意識消失が現れることがあるので，投与後30分程度はできる限り安静にしてください
・〔フォルテオ，テリボン〕この薬の服用中は，車の運転等，危険を伴う機械の操作は行わないでください
・〔フォルテオ〕1日1回皮下に注射してください。注射する場所は，お腹，太ももで場所を広く順序よく移動してください
・〔フォルテオ〕この注射薬1本は28日用ですので，28日を超えて使用しないでください
・〔フォルテオ〕使用開始後も冷蔵庫に入れ，凍結を避け2～8℃で光を避けて保存してください
・〔テリボン〕1日1回，週に2回皮下に注射してください。投与間隔は原則3～4日間隔です。
　○注射する部位はへその周りから5cm以上離したお腹，太ももまたは二の腕です
　○毎回場所を変えて，前回注射した部位から2～3cm離して注射してください
　○皮膚が敏感な場所，傷がある場所，赤くなっている場所，硬い場所には注射しないでください
　○注射した場所は揉むと腫れることがあるので揉まないでください
・〔ダイドロネル，アクトネル，ベネット，ボノテオ，リカルボン，ボンビバ，エビスタ，ビビアント，エディロール，ウェールナラ配合，フォルテオ，テリボン〕妊娠中または妊娠の可能性のある方は必ずご相談ください | → 投与直後から数時間後にかけて，ショック，一過性の急激な血圧低下に伴う意識消失，けいれん，転倒が現れることがある。投与開始後数カ月以上を経て初めて発現することもある起立性低血圧，めまいが現れることがあるため

→ 注射部位は皮下脂肪の多い部位である腹部・大腿部とし，広く順序よく移動して行うこと
・24カ月の上限を超えて投与した場合の安全性は未確立のため，投与期間を守ること（再投与する場合でも投与日数の合計が24カ月を超えないこと）

→ 使用開始日より28日を超えた場合は残液があっても廃棄すること

→ 使用後は注射針を取り外した状態で，直ちに冷蔵庫に保管する。一度凍結したものは使用せず廃棄すること

患者に十分な教育訓練を実施したのち，患者自ら確実に投与できることを確認したうえで，医師の管理指導のもとで実施すること。また，器具の安全な廃棄方法について指導を徹底すること。
皮下注射のみに使用し，注射部位を腹部，大腿部または上腕部として，広範に順序よく移動して注射すること

→ 以下の理由のため投与禁忌
・〔ダイドロネル〕動物実験の高用量で胎児の骨格異常
・〔アクトネル，ベネット，ボノテオ，リカルボン，ボンビバ〕動物実験で母動物の死亡等
・〔エビスタ，ビビアント〕胎児に悪影響のおそれ，動物実験で流産，胎児心奇形等
・〔エディロール〕動物実験で胎児の骨格異常，腎臓変化，外形異常等
・〔ウェールナラ配合，フォルテオ，テリボン〕妊娠動物で児の生殖器系臓器に異常発生の報告等 |

使用上の注意	・〔エビスタ，ビビアント，エディロール，ウェールナラ配合，フォルテオ〕授乳中の方は必ずご相談ください	以下の理由のため投与禁忌 ・〔エビスタ，ビビアント，フォルテオ〕ヒト乳汁中への移行は不明 ・〔エディロール〕ラットで乳汁中へ移行とラット出生児の腎臓の変化等の報告 ・〔ウェールナラ配合〕ヒトで母乳中への移行が報告
	食 〔ダイドロネル〕この薬は食物，特に牛乳，乳製品のような高 Ca 食，ミネラル入りビタミン剤または Al, Ca, Mg 系制酸剤等と一緒にとらないでください	Ca 等と錯体を作り，また非絶食投与により吸収率が著しく低下するため 2 時間あけて摂取する
	食 〔フォサマック，ボナロン，アクトネル，ベネット，ボノテオ，リカルボン，ボンビバ〕この薬は水以外の飲み物（Ca, Mg 等の含有の特に高いミネラルウォーターを含む）や食物と一緒にとらないでください	陽イオン（Ca, Mg 等）とキレートを形成し本剤の吸収を低下させることがあるため服用後 30 分（ボンビバは 60 分）は飲食を避ける
	食 〔活性型ビタミン D₃ 製剤，デノタス〕この薬の服用中に Ca やビタミン D 補給用健康食品はとらないでください	高 Ca 血症が現れるおそれがあるため併用注意
	食 〔活性型ビタミン D₃ 製剤〕この薬の服用中に食物繊維を含む食品（ガラクトマンナン，小麦ふすま，ポリデキストロース，サイリウム種皮，低分子アルギン酸 Na，難消化性デキストリン等：お腹の調子を整える特定保健用食品）を一緒にとらないでください	同時服用により薬剤の吸収が抑制される可能性がある
	食 〔活性型ビタミン D₃ 製剤〕この薬の服用中にキトサン，植物ステロールエステル（コレステロールが高めの方に勧める特定保健用食品）を一緒にとらないでください	左記の特定保健用食品に含まれる成分は胆汁酸と結合する作用をもつため，吸収に胆汁酸を必要とする脂溶性ビタミンの吸収が減少する可能性がある
服用（使用）を忘れたとき	・〔イプリフラボン，エビスタ，ビビアント，ウェールナラ配合，グラケー，ワンアルファ，デノタス〕思い出したときすぐに服用する。ただし次の服用時間が近いときは忘れた分は服用しない（2 回分を一度に服用しないこと） ・〔ダイドロネル〕思い出したときすぐに服用する。ただし服用時間は食間とする ・〔フォサマック，ボナロン，アクトネル，ベネット，ボノテオ，リカルボン〕思い出したときすぐに服用する。すでに何かを食べたり飲んだりした場合は次の日から服用する 　⇨〔週 1 回製剤：フォサマック，ボナロン，アクトネル，ベネット〕その後は決められた曜日に服用 　⇨〔月 1 回製剤：アクトネル，ベネット〕その後は決められた日に服用 　⇨〔月 1 回製剤：ボノテオ，リカルボン〕飲み忘れに気づいても服用しない。翌日の朝に 1 錠服用する ・〔アルファロール，ロカルトロール，エディロール〕飲み忘れに気づいても服用しない。次回からは指示通り服用する（2 回分を一度に服用しないこと）	

服用（使用）を忘れたとき	・〔ボンビバ〕気づいた日の翌日に1錠服用し，以後，その服用を基点とし，1カ月間隔で服用する ・〔フォルテオ皮下注〕思い出したときすぐに注射する。（2回分を一度に注射しない） ・〔テリボン皮下注〕次の注射予定日の前日までに注射する。もし次の注射予定日に忘れていたことに気づいたときは，忘れた分は注射せずにその日の分（1日分）だけ注射する（2回分を一度に注射したり同じ日に2回注射しないこと）

■ その他備考

- ■配合剤成分：ウェールナラ配合（エストラジオール，レボノルゲストレル）
  　　　　　　　デノタスチュアブル配合（沈降炭酸カルシウム，コレカルシフェロール（天然型ビタミンD），炭酸マグネシウム）
- ■骨のリモデリング（再構築）

骨の組織は常に新陳代謝を繰り返し，古い骨は破骨細胞によって吸収（骨吸収）され，骨芽細胞によって新しく骨が形成（骨形成）される。このように骨の組織を作り替える新陳代謝をリモデリング（再構築）という。骨粗鬆症では加齢や閉経などが原因でリモデリングのバランスがくずれ骨吸収が骨形成より優位になり骨量が減少する

骨粗鬆症治療薬の

分類	第3世代ビスホスホネート製剤					第2世代ビスホスホネート製剤			
商品名	ボノテオ/リカルボン		アクトネル/ベネット			フォサマック/ボナロン		ボンビバ	
一般名	ミノドロン酸水和物		リセドロン酸Na水和物			アレンドロン酸Na水和物		イバンドロン酸Na水和物	
一日用量	1 mg	50 mg	2.5 mg	17.5 mg	75 mg	ボナロン 5 mg	35 mg (錠・経口ゼリー)	100 mg	
用法	1回/1日	1回/4週	1回/1日	1回/1週	1回/1月	1回/1日	1回/1週	1回/月	
効能・効果 骨粗鬆症	○		○			○		○	
異所性骨化の抑制									
骨ページェット病			○						
骨粗鬆症における骨量減少の改善									
骨粗鬆症における疼痛の改善									
代謝 T_{max} (h)	非高齢男子 1.4±0.6 / 非高齢女子 1.2±0.5 / 高齢男子 1.3±0.5 / 高齢女子 1.2±0.7	42 mg投与 1.0±0.5 / 56 mg投与 0.9±0.6	1.67±0.82	0.9±1.01	0.875	0.8	0.8	0.917±0.204	
$T_{1/2}$ (h)	非高齢男子 8.2±3.4 / 非高齢女子 11.5±2.8 / 高齢男子 9.7±1.3 / 高齢女子 9.9±1.9	42 mg投与 41.1±38.0 / 56 mg投与 34.3±8.7	1.52±0.32	1.73±0.57 (1.5-6) / 11.43±2.58 (12-24)	1.56±0.4	1.5	1.4	15.9±3.38	
主な代謝部位	代謝を受けない		代謝を受けない			代謝を受けない		代謝を受けない	
排泄経路	主に尿中		主に尿中			主に尿中		主に尿中	
禁忌 (番号に対応する禁忌事項を表下に記載)	1, 2, 3, 4, 5		1, 2, 3, 4, 5, 6			1, 2, 3, 4		1, 2, 3, 5, 19	
備考	・体内で速やかに骨中のハイドロキシアパタイトに吸着し，破骨細胞のアポトーシスを誘導することにより骨吸収を抑制 ・骨吸収抑制薬の中で最も強力な作用をもち，骨粗鬆症治療の第一選択薬である ・朝起床時に水約180 mLとともに服用し，服用後少なくとも30分(ボンビバは60分)以上臥床，飲食はしない ・ビスホスホネート系薬剤投与患者において抜歯後の歯科処置や局所感染に関連して顎骨壊死・顎骨骨髄炎発現の報告あり ・本剤の投与にあたっては患者への十分な説明と異常が認められた場合の歯科・口腔外科受診を勧める								

[禁忌リスト] 1. 食道狭窄またはアカラシア（食道弛緩不能症）などの食道通過を遅延させる障害 2. 本剤の成分あるいは他のビスホスホネート系製剤に対して過敏症の既往 3. 低Ca血症 4. 服用時の立位あるいは座位を30分以上保つことができない 5. 妊婦または妊娠の可能性のある場合 6. 高度な腎障害 7. 骨軟化症 8. 小児 9. 本剤に過敏症の既往 10. 深部静脈血栓，肺塞栓症，網膜静脈血栓症等の静脈塞栓症またはその既往 11. 長期不動状態（術後回復期，長期安静期）（長期不動状態に入る3日前に中止し，完全に歩行可能になるまで投与を再開

比較分類表

第1世代ビスホスホネート製剤	SERM		イプリフラボン	ビタミンK	活性型ビタミンD₃	副甲状腺ホルモン	
ダイドロネル	エビスタ	ビビアント	イプリフラボン200mg	グラケー 15mg	エディロール	フォルテオ皮下注	テリボン皮下注
エチドロン酸二Na	ラロキシフェン塩酸塩	バゼドキシフェン酢酸塩	イプリフラボン	メナテトレノン	エルデカルシトール	テリパラチド	テリパラチド
200mg〜1,000mg	60mg	20mg	600mg	45mg	0.75μg	20μg	28.2μg/回
*1 1回/1日 2週間投与 10〜12週間休薬 *2 1回/1日 投与期間3ヵ月まで *3 1回/1日 投与期間6ヵ月まで	1日/1回		3回/1日	3回/1日	1日/1回	1日/1回 (24ヵ月間まで)	週2回 (24ヵ月間まで)
○ *1	○ (閉経後のみ)					○ (骨折の危険性が高い)	
○ *2							
○ *3							
			○	○			
				○			
1	9	3.0±3.1	1.3 (未変化体)	4.72±1.52	3.4±1.2	0.25	25.8±14.7 (腹部)
約2	24.3	23±6	9.8 (未変化体)	3.9±1.0	53.0±11.4	0.708	45.5±7.6 (腹部)
代謝を受けない	主に肝臓	主に肝臓	該当資料なし	腎・肝	主に肝臓	該当資料なし	腎・肝
主に尿中	尿中・糞中	主に糞中	該当資料なし	尿・糞	主に糞中	該当資料なし	代謝部位で分解
5, 6, 7, 8, 9	5, 9, 10, 11, 12		禁忌の記載なし	13	5, 14	5, 8, 9, 14, 15, 16, 17, 18	6, 17, 18
・高用量・連続投与を行うと石灰化の抑制が起きてしまうため、休薬期間を要する ・食間投与 ・疼痛改善作用を併せもつ	・SERM (選択的エストロゲン受容体モジュレータ) に属する骨粗鬆症治療薬 ・食事や時間に関係なく服用できる ・閉経後骨粗鬆症女性の新規椎体骨折の発生頻度を低下 ・骨密度を増加させ、骨質を維持		・骨に直接作用して骨吸収抑制作用・骨形成促進作用を示すとともに、女性ホルモンによるカルシトニン分泌を促進して骨吸収抑制作用を示す	・骨基質蛋白質オステオカルシンの正常化 ・骨の微細構造改善 ・骨形成促進、骨吸収抑制の両面から代謝不均衡を改善	・活性型ビタミンD₃の誘導体 ・小腸からのCa吸収を促進し、骨吸収抑制と骨形成促進作用を示す ・骨折予防効果を認める	・骨形成促進作用をもつ薬剤。骨リモデリングの促進とともに骨組織量が増加する ・副甲状腺ホルモンは持続投与で骨吸収作用、間欠投与で骨形成促進作用を示す ・(フォルテオ) 連日、(テリボン) 週2回の在宅自己注射。テリボンは1回使い切りのオートインジェクター製剤 ・上限は24ヵ月	

しない) 12. 抗リン脂質抗体症候群 13. ワルファリンカリウム投与中 14. 授乳婦 15. 高Ca血症 16. 骨肉腫発生のリスクの高い場合 (骨ページェット病、原因不明のALP高値、骨に影響する放射線治療を受けた場合) 17. 骨腫瘍 18. 骨粗鬆症以外の代謝性骨疾患 (副甲状腺機能亢進症) 19. 服用時の立位あるいは座位を60分以上保つことができない

骨粗鬆症の日常生活と食事療法のポイント

　骨はカルシウムと線維などでできており，新陳代謝を絶えず繰り返し，一定の形とバランスを保っています。年齢とともにカルシウムの代謝が衰え，骨の量が減少するのは，ある程度仕方ありませんが，若い頃の30～40％くらいまで少なくなると骨がスカスカでちょうど大根に「鬆（す）」が入ったような状態になります。これが骨粗鬆症という病気です。症状としては，①背中が丸く腰が曲がってくる，②身長が縮んでくる，③背中や腰が痛くなる，④ちょっとしたことで骨折する，などがあげられます。この病気で一番問題となるのは骨折すると治るのに時間がかかり寝込んでしまい「寝たきり」になってしまうことです。骨粗鬆症は女性，高齢者に多いといわれています。これはもともと女性の骨の量が男性より少ないこと，出産によるカルシウムの減少，閉経後のホルモン分泌機能低下などが大きく影響しています。
　骨粗鬆症は慢性の病気ですが，日常生活に注意しながら焦らず根気よく治療することにより，病気の進行を抑えることができます。

【日常生活】
1. 適度な運動をしましょう。
　　座ってばかりで体を動かさないと筋力が落ちて骨がもろくなります。骨に適度な刺激を与えるために運動や散歩をしましょう。骨折やその他の合併症で寝ている患者さんもベッドの上で動かせるところは積極的に動かしましょう。（適度な運動は骨の強化に役立つばかりでなく，老化を防ぐ積極的な生活態度をつくります）

2. 日光浴をしましょう。
　　日光浴は紫外線の働きで皮膚を通じてビタミンDを作りだしカルシウムの吸収を助けます。積極的に戸外に出て適度に日光浴をしましょう。

3．骨折に気をつけましょう．

　　骨粗鬆症はちょっとしたことで骨折しやすくなります．日常生活の中で転ばないように気をつけましょう．

　　床，廊下，階段，浴槽，雨上がりの庭，雪の日の外出などに注意しましょう．

【食事療法】

1．食事は楽しい雰囲気でカルシウム（600～800 mg/日）やビタミンＤ（カルシウムの吸収を助ける）の豊富な食べ物をとるようにしましょう．

　　カルシウムの豊富な食べ物：牛乳，豆腐（揚げ，おから），魚，海草（ひじき，昆布，海苔），青菜（ホウレン草），味噌汁

　　ビタミンＤの豊富な食べ物：椎茸，バター，レバー，卵黄，鰻，まぐろ

2．アルコールやコーヒー，タバコは腸管からのカルシウムの吸収を抑えますのでとり過ぎないように注意しましょう．

カルシウムを多く含む食品

乳製品
牛乳1本 200 cc　220 mg
プロセスチーズ1切れ 20 g　126 mg

豆製品
木綿豆腐 1/3丁　120 mg
納豆1パック　45 mg

魚介類
いわし丸干し2匹　420 mg
干しえび 大さじ1杯　184 mg

野菜・海藻類
干しひじき 大さじ2杯　140 mg
小松菜 1/3束　290 mg

49 無機質製剤　①鉄　剤

■ 対象薬剤

溶性ピロリン酸第二鉄（インクレミン），硫酸鉄水和物（フェロ・グラデュメット），クエン酸第一鉄ナトリウム（フェロミア）

■ 指導のポイント

	患者向け	薬剤師向け
薬効	この薬は体内の欠乏した鉄分を補給し貧血を治す薬です →	造血作用（鉄欠乏性貧血）
詳しい薬効	この薬は，血液中の酸素を体内に運ぶ赤血球を構成するヘモグロビンという物質をつくるときに必要な鉄分の不足を補い，食欲不振，疲労感，頭痛，労作時の息切れなどの貧血の症状を改善する薬です	
禁忌	非鉄欠乏状態	

■ 主な副作用と対策，フィジカルアセスメントのチェックポイント

主な副作用	患者に確認すべき症状	対策と PA のチェックポイント
消化器症状	食欲不振，胃部不快感，吐き気，便秘，下痢	食直後の投与あるいは胃腸薬と併用。使用できない場合は鉄剤の種類変更を検討
過敏症	発疹，かゆみ	中止 PA No.47 ビタミン剤② p.702 参照
肝機能障害（フェロミア）	体がだるい，疲れる，熱がある，皮膚や白目が黄色くなる	中止 PA No.42 ホルモン製剤③ p.578 参照

■ 重大な副作用と妊婦・授乳婦への危険度

薬剤名	重大な副作用	妊婦[授乳婦]
インクレミン，フェロミア，フェロ・グラデュメット	－	[⊛◎]

■ その他の指導ポイント

	患者向け	薬剤師向け
使用上の注意	・この薬の服用後，便が黒くなることがありますが，心配はいりません →	吸収されない鉄による
	・〔フェロ・グラデュメット〕この薬の服用中，糞便の中に錠剤の殻がみられることがありますが心配はいりません →	有効成分放出後の殻が糞中に排出されることがある

使用上の注意	・〔インクレミン，フェロミア〕歯または舌が一時的に茶褐色になることがありますが，その場合は重曹等で歯磨きをしてください	
	・〔フェロ・グラデュメット〕この薬はかまずに服用してください →	徐放錠であるため
	・便鮮血反応を受ける場合は必ずご相談ください →	鮮血反応で偽陽性となることがあるため
	食 この薬の服用中，タンニン酸を含む食品（柿，ぶどう，なす，緑茶，コーヒー，紅茶等）は控えてください →	鉄-タンニン複合体の生成による鉄の吸収阻害のため併用注意。ただし鉄剤を服用する際，従来，禁茶が指導されていたが，貯蔵鉄の減少している女性や貧血患者など体内の鉄量が減少している場合には，腸管からの鉄吸収が亢進しており，タンニンによる吸収阻害の影響は無視できるとの報告や，お茶と水で服用した群間にHb値の有意差がないとの報告もあり，現在では，鉄剤服用時の禁茶は必要ないといわれている
	食 この薬の服用中に牛乳を一緒にとらないでください →	牛乳中リン酸塩・リン蛋白への鉄剤の結合により鉄の消化管吸収が減少する
	食 この薬の服用中にオオバコの種，バレリアン，セイヨウサンザシ，フィーバーフュー，ブラックコホシュ，綿実油，セイヨウイラクサ，ノコギリヤシ，カモミールを一緒にとらないでください →	鉄-タンニン複合体の生成により鉄の消化管吸収が減少する
	食 この薬の服用中に食物繊維を含む食品（ガラクトマンナン，小麦ふすま，ポリデキストロース，サイリウム種皮，低分子アルギン酸Na，難消化性デキストリン等：お腹の調子を整える特定保健用食品）を一緒にとらないでください →	薬剤の吸収が抑制される可能性がある
服用を忘れたとき	思い出したときすぐに服用する。ただし次の服用時間が近いときは忘れた分は服用しない（2回分を一度に服用しないこと）	

■ その他備考

- 〔インクレミン〕下痢，吐乳などを起こしやすい低出生体重児，新生児または乳児に投与する場合，初め少量から開始し，身体の様子を見ながら徐々に通常1日量まで増量すること

鉄欠乏性貧血の日常生活と食事療法のポイント

1. 鉄欠乏性貧血とは？

    貧血とは血液中で酸素の運搬をしている赤血球を構成するヘモグロビンという物質が少なくなっているために起こる病気です。赤血球は主に蛋白質・鉄・ビタミンB_{12}・銅・葉酸・ビタミンC・ビタミンB_6等多くの栄養素で作られていますが、貧血の中で最も多いのが鉄欠乏性貧血といわれるものです。これは潰瘍や痔などの出血や妊娠・分娩・授乳、成長によって鉄の必要度が高くなることが原因となります。また特に若い女性では無理なダイエットによる偏食・節食で栄養不足となり起こる場合もあります。症状としてはひどくなると動悸、息切れ、めまい、立ちくらみ、また、身体がだるく疲れやすかったり、顔色、唇の色がさえなかったりすることがあります。

2. 鉄欠乏性貧血の予防と治療

    ① 1日の栄養所要量を満たすバランスのとれた3回の食事をとり、効率のよい鉄の補給に努めましょう。

    ② 睡眠は十分にとり生活が不規則にならないようにしましょう。

    ③ 症状のひどい場合は食事のみで貧血を改善するのは困難なため薬が処方されます。鉄は徐々に吸収されるので体内への鉄の貯蔵には時間がかかります。自分で薬の量を増減せず根気よく続けましょう。

3．貧血予防に良い食事療法のポイント
 ・3食バランス良く，規則正しく食べましょう
 ・鉄を多く含む食品を毎日摂取しましょう
 ・良質なタンパク質（肉，魚，卵，乳製品，大豆製品）を補いましょう
 ・鉄の吸収率を高めるビタミンCをとりましょう
 ・鉄の吸収を阻害する食品を控えましょう
 ・加工食品に偏らず，手作りもしましょう
 ・鉄の吸収を良くするには，胃酸の分泌が必要です。よく噛んでゆっくり食べること，楽しく食べることで胃酸の分泌を促します

■鉄の1日の摂取推奨量
 ・成人男性では 7.5 mg
 ・月経のある女性では 10.5 mg（月経のない女性は 6.5 mg）

主な食品の目安量に含まれる鉄量

●ヘム鉄を多く含む食品

豚レバー(生50 g)…6.5 mg
鶏レバー(生50 g)…4.5 mg
牛レバー(生50 g)…2.0 mg

かつお(生50 g)…………1.0 mg
きはだまぐろ(生50 g)……1.0 mg
くろまぐろ(脂身生50 g)…0.8 mg
くろまぐろ(赤身生50 g)…0.6 mg

めざし
 (焼1尾15 g)…0.6 mg

●非ヘム鉄を多く含む食品

調製豆乳(200 g)……2.4 mg
糸引き納豆(50 g)……1.7 mg
大豆(ゆで30 g)……0.7 mg

小松菜(ゆで75 g)……1.6 mg
春菊(ゆで75 g)………0.9 mg
ほうれん草
 (ゆで75 g)………0.7 mg

ひじき(ステンレス釜製，
 ゆで50 g)………0.2 mg
ひじき(鉄釜製，
 ゆで50 g)………1.4 mg

（厚生労働省：e-ヘルスネット「貧血の予防には，まずは普段の食生活を見直そう」）

▪食品中に含まれる鉄には「ヘム鉄」と「非ヘム鉄」があり，前者はレバーや赤肉，赤身の魚などに多く含まれ，後者は野菜や卵，牛乳などに多く含まれています。また，動物性食品・植物性食品をバランス良く組み合わせて食べることがポイントです。

貧血予防におすすめのメニュー例

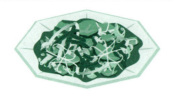

レバニラ炒め
〈豚レバー(生 50 g)…6.5 mg〉

あさりとほうれん草のパスタ
〈あさり水煮缶詰(むき身 20 g)…5.9 mg〉
〈ほうれん草(ゆで 50 g)………0.5 mg〉

カツオのたたき
〈かつお(生 50 g)…1.0 mg〉

ひじきと大豆の煮物
〈大豆(ゆで 30 g)………………0.7 mg〉
〈ひじき(ステンレス釜製，ゆで 50 g)…0.2 mg〉

(厚生労働省：e-ヘルスネット「貧血の予防には，まずは普段の食生活を見直そう」)

49 無機質製剤　②カリウム製剤

■ 対象薬剤

塩化カリウム（塩化カリウム），L-アスパラギン酸カリウム（アスパラカリウム），グルコン酸カリウム（グルコンサンK）

■ 指導のポイント

	患者向け	薬剤師向け
薬効	この薬は体内のカリウムの不足を補う薬です	カリウム補給
詳しい薬効	この薬は，体の細胞の緊張や神経の刺激の伝達，心臓・筋肉の収縮および正常な腎機能を保つのに必要なカリウムの不足を補う薬です	
禁忌・併用禁忌	禁忌　・高K血症，高K血性周期性四肢麻痺，本剤過敏症既往 ・〔塩化カリウム〕乏尿・無尿（前日尿量が500 mL以下，投与直前の排尿20 mL/hr以下）または高窒素血症がみられる高度腎機能障害 ・〔グルコンサンK，アスパラK〕重篤な腎機能障害（前日尿量が500 mL以下，投与直前の排尿20 mL/hr以下） ・〔塩化カリウム，グルコンサンK〕未治療のアジソン病 ・〔アスパラK〕副腎機能障害（アジソン病） ・〔塩化カリウム，アスパラK〕消化管通過障害，食道狭窄または消化管運動機能不全 ・〔グルコンサンK〕消化管通過障害 併用禁忌　エプレレノンにて血清K値上昇のおそれ	

■ 主な副作用と対策，フィジカルアセスメントのチェックポイント

主な副作用	患者に確認すべき症状	対策とPAのチェックポイント
消化器症状	食欲不振，胃部不快感，吐き気	減量もしくは中止。胃腸薬と併用
過敏症（塩化カリウム，グルコンサンK）	発疹，かゆみ	中止 PA No.47 ビタミン剤② p.702 参照

■ 重大な副作用と妊婦・授乳婦への危険度

薬剤名	重大な副作用	妊婦［授乳婦］
塩化カリウム	消化管の閉塞，潰瘍または穿孔，心臓伝導障害	－
アスパラK，グルコンサンK	心臓伝導障害	－

■ その他の指導ポイント

<table>
<tr><th colspan="2">患者向け</th><th>薬剤師向け</th></tr>
<tr><td rowspan="4">使用上の注意</td><td>・〔塩化カリウム〕ゆっくり溶けて効く薬ですので，かみ砕かずに多めの水で服用してください</td><td>塩化カリウムの消化管粘膜に対する刺激を軽減する目的で徐放性となっている</td></tr>
<tr><td>・〔塩化カリウム〕この薬の服用中，糞便の中に錠剤の殻が出ることがありますが心配はいりません</td><td>有効成分放出後の殻が糞中に排泄されることがある</td></tr>
<tr><td>・〔塩化カリウム〕この薬の服用後，錠剤がX線で造影されることがあります</td><td></td></tr>
<tr><td>・〔アスパラカリウム〕この薬は吸湿性が極めて高いため，服用直前までPTPシートから取り出さないでください</td><td>一包化に適さない</td></tr>
<tr><td>服用を忘れたとき</td><td colspan="2">思い出したときすぐに服用する。ただし次の服用時間が近いときは忘れた分は服用しない（2回分を一度に服用しないこと）</td></tr>
</table>

■ その他備考

- ■〔アスパラカリウム，グルコンサンK〕低Cl血症性アルカローシスを伴う低K血症の場合は，本剤とともにクロールを補給することが望ましい
- ■Kイオンは体組織細胞内にある陽イオンで，細胞の緊張の維持，神経インパルスの伝導，心臓の収縮，骨格筋と平滑筋収縮および正常な腎機能保持に作用する
- ■〔塩化カリウム〕各種の消化管吻合術後の患者では吸収されないまま消化管を通過し，吸収率が著しく低下するおそれがあるので内服液剤，顆粒剤等を投与することが望ましい
- ■〔グルコンサンK〕原発性アルドステロン症による低K血症の場合は，抗アルドステロン剤の併用が望ましい

49 無機質製剤　③カルシウム製剤

■ 対象薬剤
L-アスパラギン酸カルシウム水和物（アスパラ-CA），乳酸カルシウム水和物（乳酸カルシウム）

■ 指導のポイント

	患者向け	薬剤師向け
薬効	この薬は体内のカルシウムの不足を補う薬→です	カルシウム補給作用
詳しい薬効	・この薬は，骨や歯牙を形成するときや，血液の凝固や筋肉や神経が正常な活動をするときに必要なカルシウムの不足を補う薬です ・この薬は骨を構成している成分のカルシウムで，腸からのカルシウムの吸収を促進して血液中のカルシウム濃度を上昇させ，骨から血液中にカルシウムが流れ出るのを抑え（骨吸収抑制作用），骨の量が減少するのを改善して，骨がもろくなるのを防ぐ薬です（アスパラ-CA）．（参）No.48 骨粗鬆症治療薬	
禁忌	高 Ca 血症，腎結石，重篤な腎不全	

■ 主な副作用と対策，フィジカルアセスメントのチェックポイント

主な副作用	患者に確認すべき症状	対策と PA のチェックポイント
消化器症状 （アスパラ-CA）	お腹が張る，胸焼けがする，便が緩くなる	減量もしくは中止。胃腸薬と併用
便秘 （乳酸カルシウム）	便秘	減量もしくは中止。下剤と併用 PA 腸音（↓）
高カルシウム血症 （長期投与時）	体がだるい，いらいら感，吐き気，尿が多くなる，のどが渇く	減量もしくは中止 PA 筋力（↓），口渇（↑），尿量（↑）
結石症 （長期投与時）	腰や脇腹が痛くなる，血尿が出る	減量もしくは中止 PA 尿（赤色）

■ その他の指導ポイント

服用を忘れたとき	思い出したときすぐに服用する。ただし次の服用時間が近いときは忘れた分は服用しない（2回分を一度に服用しないこと）

■ その他備考
■長期投与する場合，定期的に血中・尿中 Ca を検査する

49 無機質製剤　④ヨウ素

■対象薬剤
ヨウ化カリウム（ヨウ化カリウム）

■指導のポイント

	患者向け	薬剤師向け
薬効	・この薬は甲状腺の機能が亢進したときには多めに服用して甲状腺ホルモンの過剰な分泌を抑える薬です →	甲状腺機能抑制作用
	・この薬は気管支粘膜の分泌を増やして痰を切れやすくする薬です →	気管支粘膜分泌促進作用
	・この薬は第三期梅毒のゴム腫（こぶ状の隆起）の吸収を促進する薬です →	梅毒肉芽組織に対する選択的作用
	・この薬は放射性ヨウ素による甲状腺の内部被曝を予防または軽減する薬です →	放射性ヨウ素の甲状腺への取り込み抑制作用（国等の指示に従い投与する）
詳しい薬効	・この薬は甲状腺ホルモンの原料となるヨウ素を遊離して、甲状腺の機能が亢進したときには多めに服用して、体の制御機能を利用して甲状腺刺激ホルモンの作用を抑え、甲状腺ホルモン過剰（甲状腺機能亢進症）による、汗をかく、ドキドキ、イライラするといった症状を抑える薬です	
	・この薬は十分量の安定ヨウ素を補充することで、血中の放射性ヨウ素の甲状腺への取り込みを抑え、甲状腺の内部被曝を予防または低減する薬です	
禁忌	本剤・ヨウ素過敏症既往、肺結核	

■主な副作用と対策，フィジカルアセスメントのチェックポイント

主な副作用	患者に確認すべき症状	対策とPAのチェックポイント
消化器症状	吐き気、胃痛、下痢	制酸剤・牛乳等を併用
過敏症	発疹、かゆみ	中止 PA No.47 ビタミン剤②p.702参照

■重大な副作用と妊婦・授乳婦への危険度

薬剤名	重大な副作用	妊婦[授乳婦]
ヨウ化カリウム	（長期連用時）ヨウ素中毒、ヨウ素悪液質	－

■ その他の指導ポイント

	患者向け	薬剤師向け
使用上の注意	・食直後の服用は避けてください →	食直後の服用により，胃内容物に吸着されることがある
	・直接素手に触れないようにしてください →	吸湿性があるため
服用を忘れたとき	思い出したときすぐに服用する。ただし次の服用時間が近いときは忘れた分は服用しない（2回分を一度に服用しないこと）	

■ その他備考

- 放射性ヨウ素摂取率検査を行う場合，ヨウ化カリウム中のヨウ素が^{131}Iの摂取率を低下させることがあるので1週間前に投与を中止する
- 長期投与する場合，定期的に血清K濃度を測定することが望ましい

49 無機質製剤　⑤リン酸製剤

■ 対象薬剤

配合剤（ホスリボン配合顆粒）

■ 指導のポイント

	患者向け	薬剤師向け
薬効	この薬は血液中のリン濃度を上げる薬です →	低リン血症改善作用
詳しい薬効	リンが不足すると骨の石灰化が障害され，骨変形や偽骨折などの症状を示す「くる病・骨軟化症」になります。この薬は血液中のリン濃度を上げて骨の石灰化を進行させて骨形成障害を改善させ，くる病や骨軟化症等の治療に用いる薬です	
警告	腎不全，リン酸腎症の発現に注意。重度の腎障害患者に投与する場合，くる病・骨軟化症に十分な知識を持つ医師のもと本剤投与が適切と判断される場合のみ使用	
禁忌	本剤過敏症既往	

■ 主な副作用と対策，フィジカルアセスメントのチェックポイント

主な副作用	患者に確認すべき症状	対策とPAのチェックポイント
消化器症状	下痢，腹痛	1回あたりの投与量を減量し投与回数を増やす PA 腸音（↑）
アレルギー性皮膚炎	湿疹，じんま疹，かゆみ	中止

■ その他の指導ポイント

	患者向け	薬剤師向け
使用上の注意	・この薬は数回に分けて服用してください→	血清リン濃度は服用1〜2時間後に最高に達し，その後急激に低下するため，1日あたりの投与回数を増やすことが望ましい
	・この薬の服用中は超音波検査を受けてください→	腎臓に石灰化が生じる可能性があるため
服用を忘れたとき	思い出したときすぐに服用する。ただし次の服用時間が近いときは忘れた分は服用しない（2回分を一度に服用しないこと）	

■ その他備考

- 配合剤成分：ホスリボン（リン酸二水素ナトリウム一水和物，無水リン酸水素二ナトリウム）

50 蛋白アミノ酸製剤　①経腸栄養剤

■ 対象薬剤

（A）成 分 栄 養 剤：エレンタール，エレンタール P（新生児・乳幼児用）
　　　　　　　　　：ヘパン ED（肝不全用）
（B）消 化 態 栄 養 剤：ツインライン NF
（C）半消化態栄養剤：エンシュア・リキッド，エンシュア・H，ラコール NF，エネーボ
　　　　　　　　　：アミノレバン EN（肝不全用）

■ 指導のポイント

	患者向け	薬剤師向け
薬効	・この薬は手術の前後や腸の病気などで食事の摂取が困難な場合に，必要な栄養素（三大栄養素，電解質，ビタミン等）を効率よく補給し，栄養状態を改善する栄養剤です（ヘパン ED，アミノレバン EN 以外）	各種栄養補給
	・この薬は肝臓に障害がある場合に不足するアミノ酸（分岐鎖），糖質，脂質，電解質，ビタミン等を効率よく補給して意識障害と栄養状態を改善する栄養剤です（ヘパン ED，アミノレバン EN）	肝不全用各種栄養補給
禁忌	・〔ヘパン ED 以外〕本剤過敏症既往 ・〔エレンタール，ヘパン ED，ツインライン NF〕重症糖尿病，ステロイド大量投与の患者で糖代謝異常が疑われる場合 ・〔エレンタール，エンシュア・リキッド，エンシュア・H〕妊娠 3 カ月以内または妊娠を希望する婦人へのビタミン A 5,000 IU/日以上の投与 ・〔エレンタール，エレンタール P，ツインライン NF，ラコール NF，エネーボ〕（先天性）アミノ酸代謝異常 ・〔ヘパン ED〕肝障害以外のアミノ酸代謝異常 ・〔ツインライン NF〕肝性昏睡または肝性昏睡のおそれ，急性膵炎 ・〔ツインライン NF，ラコール NF，エネーボ〕腸管の機能が残存していない ・〔ラコール NF　半固形剤〕胃の機能が残存していない ・〔ツインライン NF，ラコール NF，エネーボ〕高度の肝・腎障害，重症糖尿病などの糖代謝異常，イレウス ・〔C〕牛乳蛋白アレルギー ・〔エンシュア・H〕蛋白質や電解質の厳密な制限が必要な急性腎炎，ネフローゼ，腎不全末期，悪心，嘔吐，下痢を合併している心不全	

■ 主な副作用と対策，フィジカルアセスメントのチェックポイント

主な副作用	患者に確認すべき症状	対策とPAのチェックポイント
消化器症状	下痢，お腹が張る，お腹が痛い，嘔気，嘔吐	投与速度を遅くする，温めたり，薄めたりしてみる。または製剤の変更を行う PA 腸音（↑）
微量元素欠乏 （長期投与時）	発疹，舌の荒れ，味覚異常，爪の異常	症状に気づいたら相談 PA 爪（白色，変形），皮膚（湿疹），味覚（障害）

■ 重大な副作用と妊婦・授乳婦への危険度

薬剤名	重大な副作用	妊婦[授乳婦]
エレンタール エレンタールP	ショック，アナフィラキシー，低血糖	禁忌※ （エレンタール）
ツインラインNF	低血糖，ショック，アナフィラキシー様症状	－
エンシュア・リキッド エンシュア・H	ショック，アナフィラキシー	禁忌※
エネーボ	類薬 ショック，アナフィラキシー	－
ラコールNF	ショック，アナフィラキシー（半固形），アナフィラキシー様症状（液）	－
アミノレバンEN	低血糖	－

※：妊娠3カ月以内または妊娠を希望する婦人へのビタミンA 5,000 IU/日以上投与

■ その他の指導ポイント

	患者向け	薬剤師向け
使用上の注意	・服用しにくい場合は専用のフレーバーを使用することができますのでご相談ください ・[C] 牛乳蛋白アレルギーの方はご相談ください ・[アミノレバンEN] フレーバーや繊維分を含む野菜などを混ぜてもよいが，果物の生ジュースは混ぜないでください ・[エレンタール，エンシュア・リキッド，エンシュア・H] 妊娠3カ月以内または妊娠を希望する場合は必ずご相談ください ・[エレンタール] 調製するときは，常水または微温湯に溶解して，調製後12時間	→ その他備考参照 味・においの点でアドヒアランスが低下する場合があるため，服薬の意義を十分に説明するとともに飲みやすくするための工夫を指導 → 牛乳由来のカゼインが含まれているため，アナフィラキシーショックを引き起こすおそれ → 酸性の食品と混ぜるとゲル化するため → 外国において，妊娠前3カ月から妊娠初期3カ月までにビタミンAを10,000 IU/日以上摂取した女性から出生した児に頭蓋神経堤等を中心とする奇形発現の増加が推定されたとする疫学調査結果があるため，本剤によるビタミンAの投与は5,000 IU/日以上の場合投与禁忌

使用上の注意	・以内に使用してください ・〔エレンタールP〕調製するときは，水または微温湯に溶解して，調製後6時間以内に使用してください。冷蔵して保存する場合は30時間以内に使用してください　→　70℃以上の湯では成分分解のおそれ ・〔ヘパンED〕調製するときは，常温の水または微温湯に溶解し，溶解後6時間以内に使用してください。冷蔵して保存する場合は7℃以下にし24時間以内に使用してください ・〔ツインラインNF〕使用直前にA液とB液を混合し，12時間以内に使用してください。凍結は避け，また加温する場合は高温（80℃以上）にならないように湯煎してください ・〔エンシュア・リキッド，エンシュア・H，エネーボ〕開封後は密閉し，冷蔵庫内に保存してください。48時間以内に使用してください。また，加温する場合は，未開缶のまま微温湯（30〜40℃）で行い，直火での加温は避けてください ・〔ラコールNF〕加温する場合は，未開封のまま湯煎（70℃以下）で行ってください。保存は冷凍を避け，開封後は冷蔵庫内で24時間以内に使用してください ・〔アミノレバンEN〕調製するときは，水または温湯（約50℃）で溶解し，10時間以内に使用してください
服用を忘れたとき	〔栄養補給として用いる場合〕 思い出したときすぐに服用する。ただしその日の残りの分は等間隔で服用する 理由　決められた1日のカロリーをその日のうちに摂取することが望ましいため 〔栄養補助として用いる場合〕 思い出したときすぐに服用する。ただし，次の服用時間が近いときは忘れた分は服用しない 理由　栄養補助として補助的に使用しているため

■その他備考

- ビタミン，電解質および微量元素の不足を生じる可能性があるので，必要に応じて補給する。
  長期投与中にセレン欠乏症（心機能の低下，爪白色変化，筋力低下等）が現れたとの報告がある。
- 経管投与患者においては，投与濃度が濃すぎるまたは投与速度が速すぎると，投与終了後にダンピング症候群様の低血糖が現れることがあるので，投与濃度，投与速度に注意する。
- 〔ヘパンED，アミノレバンEN〕本剤の1日量のみでは，必要な1日総カロリーおよび蛋白量を満たすことはできないので，患者の状態に合わせた適切な食事を併用して必要な総カロリーおよび蛋白量を確保する

■経腸栄養剤の種類

経腸栄養剤には成分栄養剤，消化態栄養剤，半消化態栄養剤がある。

経腸栄養剤	構成成分	特徴
成分栄養剤	糖と蛋白質がデキストリンとアミノ酸	・消化を要さず吸収されるため無残渣 ・消化能力が低下している患者に適している
消化態栄養剤	糖と蛋白質がデキストリンとアミノ酸・ペプチド	・アミノ酸やペプチド特有の味や香りがあるため摂取しにくい
半消化態栄養剤	最終段階まで分解されていない蛋白質等の成分からなる	・腸管である程度の消化を必要とし，残渣が残る ・アミノ酸やペプチド特有の味がなく摂取しやすい

■飲みやすくするための工夫〔ヘパンED，アミノレバンEN〕

・一度に飲めないときは，冷蔵庫などに保存し1日の中で何回かに分けて飲む。
・薬を溶かすときに氷を1つ程度入れる。(混ぜやすく，冷たくすると飲みやすくなる)
・太めのストローで飲む。
・味付け（フレーバー等）を工夫したり，料理に直接入れて摂取する。(メーカー献立集参考)

■生体に必要な主な栄養素

炭水化物 (糖質)	・構成する糖の数によって，単糖類（ブドウ糖等），少糖類（ショ糖等），多糖類（でんぷん，デキストリン等）に分けられる。 ・主要なエネルギー源であり，特に脳は，通常ブドウ糖を唯一のエネルギー源としている。 ・速やかに代謝されエネルギーとなり，余剰分は一部を除いて脂肪に変換され貯蔵される。
蛋白質	・蛋白質は多数のアミノ酸がペプチド結合したものである。 ・ヒトの蛋白質を構成する約20種類のアミノ酸のうち，体内で合成できない9種類のアミノ酸を必須アミノ酸と呼んでいる。また，構造により芳香族アミノ酸，分岐鎖アミノ酸等に分類される。 ・コラーゲンやケラチン等として体を構成するほか，分子の輸送や貯蔵，免疫防御反応の発生，神経伝達，細胞の増殖・分化の制御等を担っている。
脂質 (脂肪)	・脂質は，含まれる脂肪酸が主要なエネルギー源となるほか，細胞膜の構成成分や，ステロイドホルモンの材料となる。 ・ヒトの脂質を構成する脂肪酸のうち，体内で合成できない脂肪酸を必須脂肪酸と呼ぶ。 ・食事から摂取する場合，炭素鎖の長い長鎖脂肪酸は中性脂肪となってからエネルギー源として利用されるが，中鎖脂肪酸，短鎖脂肪酸は吸収後に直接エネルギー源として効率よく利用される。
ビタミン	・ビタミンは現在13種類あり，脂溶性・水溶性の2群に大別される。 ・炭水化物，脂質，蛋白質等の代謝において補酵素としての働きをしたり，独自の生理作用を示す。
ミネラル	・ミネラルは，種々の生理作用を有している無機質であり，体内に約20種存在している。 ・特に体内でごく微量に存在している9種類の元素を，微量元素と呼ぶ。 ・骨等の硬組織の形成，酸―塩基平衡の調節，浸透圧の調節，酵素やホルモンの成分等，さまざまな働きがある。

経口・経腸栄養剤比較表

分類	成分栄養剤		消化態栄養剤	半消化態栄養剤
商品名	エレンタール	エレンタールP	ツインラインNF	ヘパンED	エンシュア・リキッド
性状	粉末	粉末	乳液	粉末	懸濁液
エネルギー (kcal)	300/80 g	156/40 g 312/80 g	400/400 mL	310/80 g	250/250 mL 500/500 mL
蛋白質* (g)	アミノ酸 4.7	アミノ酸 3.35	ペプチド 4.05	アミノ酸 3.68	3.52
脂質* (g)	0.17	0.9	2.78	0.9	3.52
糖質* (g)	21.1	19.9	14.7	19.9	13.72
主原料（ビタミン、ミネラル除く）	結晶アミノ酸 デキストリン	結晶アミノ酸 デキストリン ダイズ油	乳蛋白加水分解物 アミノ酸 マルトデキストリン トリカプリリン サフラワー油	結晶アミノ酸 デキストリン ダイズ油	カゼインナトリウム カゼインナトリウムカルシウム 分離大豆蛋白質 トウモロコシ油 大豆リン脂質 デキストリン 精製白糖
規格包装	80 g アルミ袋 80 g プラスチック容器	袋（40 g、80 g）	A液 200 mL B液 200 mL	80 g アルミ袋 80 g プラスチック容器	缶（250 mL） パック（500 mL）
フレーバー	専用フレーバー（ドリンクミックス）：オレンジ・パイナップル・青リンゴ・コーヒー・ヨーグルト・グレープフルーツ・さっぱり梅・フルーツトマト・マンゴー エレンタールP専用フレーバー：フルーツミックス ムースベース（とろみをつける） ゼリーミックス（フレーバーと併用する） 水で作れるゼリーミックス（フレーバーと併用する）	専用フレーバー（ドリンクミックス）：オレンジ・パイナップル・青リンゴ・コーヒー・ヨーグルト・グレープフルーツ・さっぱり梅・フルーツミックス	専用フレーバー：レモン・スカッシュ・ココア・コーヒー・グレープフルーツ		缶：バニラ味・コーヒー味・ストロベリー味・バニラ味 パック：バニラ味 専用フレーバーなし
特徴	新生児・乳幼児用 （原則として2歳未満）		A液、B液用時等量混合	肝不全用 経口のみ	

＊単位 100 kcal 中

経口・経腸栄養剤比較表（続き）

分類				半消化態栄養剤		
商品名		エンシュア・H	ラコールNF	ラコールNF	エネーボ	アミノレバンEN
性状		懸濁液	乳液	半固形（ゲル）	懸濁液	粉末
エネルギー (kcal)		375/250 mL	200/200 mL 400/400 mL	300/300 g	300/250 mL	213/50 g
蛋白質*	(g)	3.52	4.38	4.38	4.5	アミノ酸 6.4
脂質*	(g)	3.52	2.23	2.23	3.2	1.7
糖質*	(g)	13.7	15.62	15.62	13.2	14.8
主原料 （ビタミン、ミネラルを除く）		カゼインナトリウム カゼインナトリウムカルシウム 分離大豆蛋白質 トウモロコシ油 大豆レシチン デキストリン 精製白糖	乳カゼイン 分離大豆蛋白質 トリカプリリン ダイズ油 シソ油 パーム油 マルトデキストリン 精製白糖		分離牛乳蛋白質 濃縮乳清蛋白質 分離大豆蛋白質 高オレイン酸ヒマワリ油 ナタネ油 中鎖脂肪酸トリグリセリド 魚油 大豆レシチン デキストリン 精製白糖 難消化性デキストリン 大豆多糖類	結晶アミノ酸 ゼラチン加水分解物 カゼインナトリウム コメ油 デキストリン
規格包装		缶 (250 mL)	パウチ (200 mL) パウチ (400 mL)	パウチ (300 g)	缶 (250 mL)	50 g アルミ袋
フレーバー		バニラ味・コーヒー味・バナナ味・黒糖味・メロン味 専用フレーバーなし	バニラ・ミルクフレーバー・コーヒーフレーバー・バナナフレーバー・コーンフレーバー 専用フレーバー：レモン・スカッシュ・コーンスープ・ココア（ミルクフレーバーに混ぜる）	ミルク味 専用フレーバー：レモン・スカッシュ・コーンスープ・ココア	バニラ味 専用フレーバーなし	専用フレーバー：パイナップル・アップル・コーヒー・抹茶・フルーツ・プラム ゼリーの素（フレーバーと併用する）
特徴		エンシュア・リキッドの1.5倍のカロリー				肝不全用 経口のみ

＊単位 100 kcal 中

■経口 BCAA（分岐鎖アミノ酸）製剤比較

薬剤名	リーバクト顆粒・ゼリー	ヘパン ED	アミノレバン EN
対象患者	血清アルブミン値が 3.5 g/dL 以下の非代償性肝硬変患者	肝性脳症の発現またはそのおそれから十分な食事摂取ができず，栄養状態の低下している肝硬変患者	肝性脳症の発現またはそのおそれから十分な食事摂取ができず，栄養状態の低下している肝硬変患者
効能・効果	食事摂取量が十分にもかかわらず，低アルブミン血症を呈する非代償性肝硬変患者の低アルブミン血症の改善	肝性脳症を伴う慢性肝不全患者の栄養状態の改善	肝性脳症を伴う慢性肝不全患者の栄養状態の改善
用法・用量	1回1包1日3回食後経口摂取	1回1包1日2回食事とともに経口摂取	1回1包1日3回食事とともに経口摂取
組成	分岐鎖アミノ酸・3種のみ	糖・アミノ酸・脂肪・ビタミン・ミネラル	糖・アミノ酸・脂肪・ビタミン・ミネラル
食事摂取	十分	不十分	不十分
薬剤からの1日摂取カロリー	顆粒：48 kcal（16 kcal/包）ゼリー：51 kcal（17 kcal/個）	620 kcal（310 kcal/包）	639 kcal（213 kcal/包）

50 蛋白アミノ酸製剤　②肝・腎不全用アミノ酸製剤

■ 対象薬剤

（A）肝不全用配合剤：リーバクト配合顆粒，リーバクト配合経口ゼリー
（B）腎不全用配合剤：アミユー配合顆粒

■ 指導のポイント

	患者向け	薬剤師向け
薬効	・この薬は肝臓に障害がある場合に不足する分岐鎖アミノ酸を補給して，栄養状態を改善する薬です（リーバクト）（参）No.40 肝疾患治療薬⑤	肝硬変用分岐鎖アミノ酸補給
	・この薬は腎臓に障害がある場合に不足する必須アミノ酸を補給して貧血や栄養状態を改善する薬です（アミユー）	腎不全用必須アミノ酸補給
禁忌	・〔リーバクト〕先天性分岐鎖アミノ酸代謝異常 ・〔アミユー〕高度の肝機能障害	

■ 主な副作用と対策，フィジカルアセスメントのチェックポイント

主な副作用	患者に確認すべき症状	対策
消化器症状	口内不快感，お腹が張る，お腹が痛い，下痢，嘔気，食欲がない	減量もしくは中止 PA 腸蠕動音（↑）
過敏症（アミユー）	発疹，全身じんま疹，掻痒感など	中止 PA 皮膚（かゆみ，発赤，腫脹）

■ その他の指導ポイント

	患者向け	薬剤師向け
使用上の注意	・本剤使用時は医師の指示に従い，必要蛋白量（アミノ酸量）および熱量を食事などからとるようにしてください ・〔リーバクトゼリー〕この薬を開封後は速やかに服用し，残した場合は廃棄してください	・〔リーバクト〕分岐鎖アミノ酸のみからなる製剤のため，本剤のみでは必要アミノ酸のすべてを満たすことはできない。1日蛋白量 40 g 以上，1日熱量 1,000 kcal 以上の摂取を目標とする ・〔アミユー〕腎機能に応じた低蛋白食および熱量を 1,800 kcal 以上摂取する
服用を忘れたとき	思い出したときすぐに服用する。ただし次の服用時間が近いときは忘れた分は服用しない（2回分を一度に服用しないこと） 理由 本剤は患者に必要なアミノ酸を補給する薬であるため，1日量をとらねばならないが，服用が近くなりすぎると消化器系の副作用が現れやすくなったり肝臓や腎臓への負荷が考えられるので，忘れた分は服用しない	

■ その他備考

- 配合剤成分：リーバクト配合（分岐鎖アミノ酸：L-イソロイシン，L-ロイシン，L-バリン）
  アミユー配合顆粒（必須アミノ酸，ヒスチジン）

51 止血薬 ①血管強化・抗線溶薬（抗プラスミン薬）

■ 対象薬剤

- 血管強化薬：カルバゾクロムスルホン酸ナトリウム水和物（**アドナ**）
  配合剤（**オフタルム K 配合**）
- 抗プラスミン薬：トラネキサム酸（**トランサミン**）

■ 指導のポイント

<table>
<tr><th colspan="2">患者向け</th><th>薬剤師向け</th></tr>
<tr><td rowspan="4">薬効</td><td>この薬は出血を止める薬です →</td><td>止血作用
血管強化作用（アドナ，オフタルム K）
抗プラスミン作用（トランサミン）</td></tr>
<tr><td>☆この薬は喉の痛みや炎症を抑える薬です→
（トランサミン）</td><td>抗炎症作用</td></tr>
<tr><td>☆この薬はじんま疹，湿疹等のアレルギー→
を抑える薬です（トランサミン）</td><td>抗アレルギー作用</td></tr>
<tr><td colspan="2">併用禁忌</td><td colspan="2">〔トランサミン〕⇔トロンビンにて血栓形成傾向が増大</td></tr>
</table>

■ 主な副作用と対策

主な副作用	患者に確認すべき症状	対策
消化器症状	食欲がない，吐き気	減量もしくは中止

■ 重大な副作用と妊婦・授乳婦への危険度

薬剤名	重大な副作用	妊婦[授乳婦]
トランサミン	けいれん	B1 [⊗○]
アドナ	－	[⊗○]

■ その他の指導ポイント

	患者向け	薬剤師向け
使用上の注意	・〔アドナ，オフタルムK〕尿検査を受ける方は申し出てください　→ ・〔オフタルムK〕尿や便の検査を受ける方は申し出てください ・〔トランサミン以外〕尿が着色することがありますが心配ありません　→	本剤の代謝物により，尿ウロビリノーゲン試験が陽性になることがある アスコルビン酸により尿糖の検出が妨害されたり，尿・便潜血反応で偽陰性を呈することがある 〔アドナ〕だいだい黄色に着色 〔オフタルムK〕微赤〜赤褐色に着色
服用を忘れたとき	思い出したときすぐに服用する。ただし次の服用時間が近いときは忘れた分は服用しない（2回分を一度に服用しないこと） 理由 倍量服用しても治療効果は変わらず，逆に胃腸障害などの可能性が高くなるおそれがあるため，次の服用が近いときは忘れた分は服用しない	

■ その他備考

- 配合剤成分：オフタルムK（フィトナジオン，アスコルビン酸，カルバゾクロム）

51 止血薬　②局所用止血薬

■ 対象薬剤

トロンビン（経口用トロンビン）

■ 指導のポイント

	患者向け	薬剤師向け
薬効	この薬は組織表面の出血を止める薬です　→	凝血作用
詳しい薬効	この薬は血液の凝固に関係する酵素の1つで，血液の凝固に必要な蛋白（フィブリノーゲン）に直接働いて，血液凝固物質（フィブリン）を生成して組織表面の出血を止める薬です	
警告	血液を凝固させるので，血管内には注入しない	
禁忌・併用禁忌	禁忌 本剤または牛血液が原料の製剤（フィブリノリジン，幼牛血液抽出物等）に過敏症既往 併用禁忌 ヘモコアグラーゼ，トラネキサム酸，アプロチニンにて血栓形成傾向発現のおそれ	

No.51 止血薬

■ 重大な副作用と妊婦・授乳婦への危険度

薬剤名	重大な副作用	妊婦[授乳婦]
トロンビン	ショック，凝固異常・異常出血	－

■ その他の指導ポイント

	患者向け	薬剤師向け
使用上の注意	・服用する前に病院から渡された水薬（または牛乳）を約 50 mL 飲んでください。約 5 分後に 1 回分の薬と病院から渡された水薬（または牛乳）約 50 mL をコップでよくかき混ぜて飲んでください ・溶解時に少し濁っていても効果に影響はありません ・溶解後はすぐに服用してください	トロンビンの至適 pH は 7 付近で，酸により酵素活性を失うため服用する前に牛乳あるいはリン酸緩衝液で胃酸を中和させる
服用を忘れたとき	思い出したときすぐに服用する。ただし次の服用時間が近いときは忘れた分は服用しない（2 回分を一度に服用しないこと）	

■ その他備考

- 強酸，強アルカリ，重金属塩および熱により酵素活性が阻害されるので注意する

52 抗血栓薬 ①抗凝固薬

■ 対象薬剤

ワルファリンカリウム（ワーファリン）

■ 指導のポイント

	患者向け	薬剤師向け
薬効	この薬は血を固まりにくくし，血栓ができるのを抑える薬です ◆この薬は心房細動，冠動脈バイパス術に使用する薬です（適応外）	抗凝固作用 血栓形成抑制作用
詳しい薬効	この薬はビタミンKに類似し，ビタミンKが関与する血液の凝固因子（第Ⅶ，第Ⅸ，第Ⅹ，プロトロンビン）が肝臓で作られるのを抑えて，血を固まりにくくし血栓ができるのを抑え，静脈血栓症，心筋梗塞，肺塞栓症，脳塞栓症，脳血栓症などの治療や予防に用いる薬です	
警告	カペシタビン併用で本剤の作用増強が増強し出血が発現し死亡の報告。併用時血液凝固能検査を定期的に実施	
禁忌・併用禁忌	禁忌 出血，出血する可能性，重篤な肝・腎障害，中枢神経系の手術または外傷後日の浅い患者，本剤過敏症既往，妊婦 併用禁忌 メナテトレノンにて本剤の効果減弱，イグラチモド，ミコナゾールにて本剤の作用増強	

■ 主な副作用と対策，フィジカルアセスメントのチェックポイント

主な副作用	患者に確認すべき症状	対策とPAのチェックポイント
出血傾向	鼻血，皮下出血，歯ぐきの出血，便が黒くなる，血尿	減量もしくは休薬。あるいはビタミンK製剤投与，新鮮凍結血漿の輸注等の処置。同時に血液凝固能の検査を行うことが望ましい PA 体幹・四肢（出血斑），口腔・鼻（出血），顔面（蒼白），眼瞼結膜（蒼白），血圧（↓） ・消化器系出血：便（血便） ・泌尿器系出血：尿（血尿） ・呼吸器系出血：痰（血痰） ・頭蓋内系出血：項部（硬直），意識（↓），視力・感覚（障害）
過敏症	発疹，皮膚が斑状に赤くなる，じんま疹，皮膚炎，発熱	中止 PA 皮膚（かゆみ，発赤，腫脹），呼吸（喘鳴），体温（↑）
脱毛	毛が抜ける	減量もしくは中止

■ 重大な副作用と妊婦・授乳婦への危険度

薬剤名	重大な副作用	妊婦[授乳婦]
ワーファリン	出血，皮膚壊死，カルシフィラキシス，肝機能障害，黄疸	禁忌 [⊗◎]

■ その他の指導ポイント

<table>
<tr><th colspan="2">患者向け</th><th>薬剤師向け</th></tr>
<tr><td rowspan="9">使用上の注意</td>
<td>・飲みすぎると出血を起こしたり，急に服用を中止すると血栓ができたりするかもしれませんので，必ず指示された通り服用してください</td><td></td></tr>
<tr><td>・薬の効果をチェックするため定期的に主治医の診察を受けてください →</td><td>血液凝固能検査（プロトロンビン時間およびトロンボテスト）を必ず実施</td></tr>
<tr><td>・他院や他科を受診されるときは，本剤を服用していることを医師や歯科医師に告げてください（特に手術や抜歯のとき） →</td><td>手術や抜歯の際には，4〜5日前から服用を中止する</td></tr>
<tr><td>・創傷を受けやすいことは避けるようにしてください →</td><td>出血の危険性が増大するため</td></tr>
<tr><td>・悪性腫瘍を治療中の方は必ずご相談ください →</td><td>悪性腫瘍の患者では，血液凝固能の亢進により血栓傾向となる一方で，腫瘍関連出血を生じることがある</td></tr>
<tr><td>・妊娠中または妊娠の可能性のある方は必ずご相談ください →</td><td>本剤は胎盤を通過し，点状軟骨異栄養症等の軟骨形成不全，神経系の異常，胎児の出血傾向に伴う死亡の報告がある。また，分娩時に母体の異常出血が現れることがあるため投与禁忌</td></tr>
<tr><td>・分娩後8週間未満の方は必ずご相談ください →</td><td>出血しやすく，出血量が多くなることがある</td></tr>
<tr><td>食 この薬の服用中に納豆およびクロレラ食品，青汁，セイヨウオトギリソウ含有食品，大量の緑黄色野菜はとらないでください →</td><td>納豆菌が腸内でビタミンKを合成し，本剤の抗凝固作用に拮抗する。またビタミンKを多く含むクロレラや緑黄色野菜を大量に食べると拮抗する。セイヨウオトギリソウ含有食品にて代謝が促進され，血中濃度が低下するおそれがあるため併用注意</td></tr>
<tr><td>食 この薬の服用中にアルコールを飲むと薬の作用が変化するので控えてください →</td><td>アルコールで作用が増強または減弱するため併用注意（薬物代謝酵素が少量で賦活，大量で減弱）</td></tr>
<tr><td></td><td>食 この薬の服用中に健康食品（その他備考）をとると薬の作用が変化するので控えてください</td><td></td></tr>
<tr><td>服用を忘れたとき</td><td colspan="2">思い出したときすぐに服用する。ただし半日以上経過して思い出した場合は，飲み忘れた分は服用しないで，次から規則的に服用する（2回分を一度に服用しないこと）
理由 2回量を一度に服用すると薬効が強く出すぎて出血する危険性があるため，次の服用が近いときは忘れた分は服用しない</td></tr>
</table>

■ 継続的な服薬指導・確認のポイント

項目	確認のポイント
服用方法の確認	指示通りの服用方法が守られているかの確認と服用を忘れたときの対応方法も指導する
併用薬剤の確認	臨床上重要な相互作用を起こす医薬品が多いため，新たに他剤併用時や休薬する場合，血液凝固能の変動に注意し適切な治療域への用量調節の確認と注意を行う（その他備考参照）
血液凝固能が適切か確認	血液凝固能検査の検査値に基づき投与量が決定されるので，定期的な診察により血液凝固能検査(PT-INR)が実施されているかを確認。皮下出血や鼻血，便が黒くなる等の出血傾向の症状の有無を確認
抜歯，手術の予定時の対応	医療機関にかかる場合，ワーファリンを服用していることを説明するように指導。お薬手帳の持参。抜歯や手術時に主治医に相談するよう指導
一般用医薬品・健康食品・食品等の摂取状況の確認	食品や健康食品，一般用医薬品との相互作用が多いことから食品等の摂取状況を把握する（納豆菌，クロレラ食品，青汁，セイヨウオトギリソウ等は抗凝固作用を減弱させる）

■ その他備考

- 〔ワーファリン〕それぞれの疾患に推奨される PT-INR 値になるように投与量を調節する（PT-INR：プロトロンビン時間の国際標準化比）

　　心房細動　　　　　　：2.0～3.0
　　心房細動（75歳以上）：1.6～2.6
　　人工弁置換術　　　　：2.5～3.5
　　静脈血栓症　　　　　：1.5～2.5

- ワーファリンと健康食品の相互作用

　①抗血液凝固作用による出血傾向

　　（アカツメグサ，レイシエキス，ヒマワリの種子エキス，ウコン，ビタミンE高含有飲食物，パイナップル，セロリ，カモミールエキス，フィーバーフュー，ニンニクエキス・油，セイヨウトチノキエキス，カンゾウ，タマネギ，パパイヤ，パッションフラワー，デビルズクローエキス，チャイニーズアンジェリカ，コロハ，スィートクローバー）

　②抗血小板作用による出血傾向

　　（フィーバーフュー，イチョウ葉エキス，タマネギ）

　　（奥村勝彦・監，大西憲明・編：一目でわかる 医薬品と飲食物・サプリメントの相互作用とマネージメント改訂版，フジメディカル出版，2007）

52 抗血栓薬　②抗トロンビン薬

■ 対象薬剤
ダビガトランエテキシラートメタンスルホン酸塩（プラザキサ）

■ 指導のポイント

	患者向け	薬剤師向け
薬効	この薬は血を固まりにくくし，血栓ができるのを抑える薬です	抗トロンビン作用
詳しい薬効	この薬は血液を固めるトロンビンという酵素に結合してその働きを阻害することにより，血を固まりにくくし，血栓ができるのを抑え心房細動の患者の脳卒中や全身性塞栓症の発症を抑える薬です	

	患者向け	薬剤師向け
警告	鼻血，歯茎からの出血，あざ，血尿，血便，吐血，むねやけ，吐き気，むかつきなどの症状が認められた場合には，すぐにご相談ください	消化管出血等の出血による死亡例。血液凝固に関する検査値だけではなく，出血の徴候（ヘモグロビン，ヘマトクリット，血圧の低下，あるいは血尿など）を十分に観察し，徴候があれば直ちに処置。特に消化管出血には注意が必要で，吐血，血便などの症状があれば，投与中止
禁忌・併用禁忌	禁忌　本剤過敏症既往，透析患者を含む高度の腎障害，出血症状，出血性素因および止血障害，臨床的に問題となる出血リスクのある器質的病変，脊椎・硬膜外カテーテル留置および抜去後1時間以内 併用禁忌　イトラコナゾール（経口剤）にて，本剤の血中濃度上昇で出血の危険性増大	

■ 主な副作用と対策，フィジカルアセスメントのチェックポイント

主な副作用	患者に確認すべき症状	対策とPAのチェックポイント
消化器症状	消化不良，下痢，上腹部痛，悪心	減量もしくは中止
出血傾向	鼻血，皮下出血，歯ぐきの出血，便が黒くなる，血尿	ヘモグロビン，ヘマトクリットあるいは血圧の低下に注意。特に血便等の症状がみられた場合は投与中止 PA　No.52 抗血栓薬① p.746 参照

■ 重大な副作用と妊婦・授乳婦への危険度

薬剤名	重大な副作用	妊婦[授乳婦]
プラザキサ	出血，間質性肺炎，アナフィラキシー，急性肝不全，肝機能障害，黄疸	C [授△]

■ その他の指導ポイント

	患者向け	薬剤師向け
使用上の注意	・飲み過ぎると出血を起こしたり，急に服用を中止したりすると血栓ができたりするかもしれませんので，必ず指示された通り服用してください ・他院や他科を受診されるときは本剤を服用していることを医師や，歯科医師に告げてください（特に手術や抜歯のとき）→ ・創傷を受けやすいことは避けるようにしてください→ ・この薬はカプセルを開けて服用しないでください ・この薬は十分量（コップ1杯程度）の水で服用してください→ 食 この薬の服用中にセイヨウオトギリソウ（セント・ジョーンズ・ワート）を含む食品はとらないでください→	手術や抜歯の際には，24時間前までに服用を中止する。完全な止血機能を要する大手術などや出血の危険性の高い患者の場合は2日以上前までに服用を中止する 出血の危険性が増大するため 速やかに胃に到達させないと，消化器症状が起こる可能性があるため セイヨウオトギリソウ含有食品にて代謝が促進され本剤の血中濃度が低下するおそれがあるため併用注意
服用を忘れたとき	思い出したときすぐに1回量を服用する。ただし次の服用まで6時間以上間をあける（2回分を一度に服用しないこと）	

■ 継続的な服薬指導・確認のポイント

項目	確認のポイント
患者の状態による出血の危険性を考慮した投与量か確認	本剤は腎排泄のため，腎障害患者では血中濃度が上昇し，出血の危険性が増大のため中等度の腎障害患者，出血のリスクの高い70歳以上・消化管出血の既往患者等には投与量の確認を行う。服用を忘れたときは，できるだけ早く1回量を服用し次の服用まで6時間以上あけさせるよう指導
血液凝固能が適切か確認	本剤による出血リスクを正確に評価できる指標は確立されていないため，出血や貧血等の徴候（鼻出血，皮下出血，血尿，血便等）の有無の確認と兆候があれば直ちに受診する旨を指導する

項目	確認のポイント
手術，抜歯の予定時の対応	医療機関にかかる場合，本剤を服用していることを説明するよう指導する。お薬手帳の持参。 手術や侵襲的手技の 24 時間前までに投与中止。大手術の場合や出血の危険性が高い患者を対象とする場合には，手術の 2 日以上前までに投与中止し，代替療法（ヘパリン等）の使用を考慮
健康食品の摂取確認	セイヨウオトギリソウ（セント・ジョーンズ・ワート）を含む食品で本剤の血中濃度低下で抗凝固作用減弱のため摂取の有無の確認

■ その他備考

■ 効能・効果に関連する使用上の注意

本剤を人工心臓弁置換術後の抗凝固療法（保険適応外）には使用しないこと。海外にて血栓塞栓事象および出血事象がワルファリン投与群と比較して多くみられたという報告あり

52 抗血栓薬 ③ Xa 因子阻害薬

■ 対象薬剤

リバーロキサバン（イグザレルト），アピキサバン（エリキュース），エドキサバントシル酸塩水和物（リクシアナ）

■ 指導のポイント

	患者向け	薬剤師向け
薬効	この薬は血を固まりにくくし，血栓ができるのを抑える薬です	抗凝固作用（Xa 阻害作用） 血栓形成抑制作用
詳しい薬効	この薬は，血液の凝固因子である第 Xa 因子を阻害しプロトロンビンからトロンビンへの変換を抑え，血を固まりにくくし，血栓ができるのを抑え，心房細動の患者の脳卒中や全身性塞栓症の発症を抑えたり静脈血栓塞栓症の治療および再発を抑え，膝関節全置換術，股関節全置換術，股関節骨折手術施行患者の静脈血栓塞栓症の発症を抑える（リクシアナ）薬です	
警告	鼻血，歯茎からの出血，あざ，血尿，血便，吐血，むねやけ，吐き気，むかつきなどの症状が認められた場合には，直ちに受診してください	重篤な出血で死亡のおそれ。本剤の抗凝固作用を中和する薬剤はないため，血液凝固に関する検査だけではなく，出血の徴候（ヘモグロビン，ヘマトクリット，血圧の低下，あるいは血尿等）を十分に観察し，徴候があれば直ちに処置

警告	〔イグザレルト，エリキュース：静脈血栓症〕脊椎・硬膜外麻酔あるいは腰椎穿刺等との併用で，穿刺部位に血腫が生じ，神経の圧迫による麻痺が現れるおそれ。硬膜外カテーテル留置中，脊椎・硬膜外麻酔または腰椎穿刺後日の浅い場合は，本剤の投与を控える 〔イグザレルト〕成人の深部静脈血栓症または肺血栓塞栓症発症後の初期3週間の15 mg 1日2回投与時，特に出血の危険性が高まる可能性。特に，腎障害，高齢または低体重の患者では出血の危険性が増大するおそれ。抗血小板剤を併用では出血傾向増大のおそれ 〔リクシアナ〕脊椎・硬膜外麻酔あるいは腰椎穿刺等との併用で，穿刺部位に血腫が生じ，神経の圧迫による麻痺が現れるおそれ。併用する場合には神経障害の徴候および症状について十分注意し，異常が認められた場合は直ちに適切な処置
禁忌・併用禁忌	禁忌 ・本剤過敏症既往，出血 ・〔イグザレルト，エリキュース〕非弁膜症性心房細動患者における虚血性脳卒中および全身性塞栓症の発症抑制に用いる場合，腎不全（CLcr 15 mL/min 未満） ・〔イグザレルト〕静脈血栓塞栓症の治療および再発抑制に用いる場合，重度の腎障害（成人では CLcr 30 mL/min 未満，小児では eGFR 30 mL/min/1.73 m^{2}未満），凝固障害を伴う肝疾患，中等度以上（Child-Pugh 分類 B または C）の肝障害，急性細菌性心内膜炎，妊婦 ・〔エリキュース〕静脈血栓塞栓症の治療および再発抑制に用いる場合，重度の腎障害（CLcr 30 mL/min 未満），血液凝固異常および臨床的に重要な出血リスクを有する肝疾患 ・〔リクシアナ〕非弁膜症性心房細動患者における虚血性脳卒中および全身性塞栓症の発症抑制，静脈血栓塞栓症の治療および再発抑制に用いる場合，腎不全（CLcr 15 mL/min 未満），下肢整形外科手術施行患者における静脈血栓塞栓症の発症抑制に用いる場合，高度腎機能障害（CLcr 30 mL/min 未満），凝血異常を伴う肝疾患，急性細菌性心内膜炎 併用禁忌 〔イグザレルト〕⇔リトナビル，カレトラ配合，アタザナビル，ダルナビル，ホスアンプレナビル，スタリビルド配合，ゲンボイヤ配合，プレジコビックス配合，シムツーザ配合，イトラコナゾール，ボリコナゾール，ミコナゾールにて本剤の血中濃度上昇し抗凝固作用増強で出血の危険性増大

■ 主な副作用と対策，フィジカルアセスメントのチェックポイント

主な副作用	患者に確認すべき症状	対策とPAのチェックポイント
出血傾向	鼻血，皮下出血，歯ぐきの出血，便が黒くなる，血尿，喀血	ヘモグロビンあるいは血圧の低下に注意 PA No.52 抗血栓薬① p.746 参照

■ 重大な副作用と妊婦・授乳婦への危険度

薬剤名	重大な副作用	妊婦[授乳婦]
イグザレルト	出血，肝機能障害，黄疸，間質性肺疾患，血小板減少	禁忌 [⊗△]
エリキュース	出血，肝機能障害，間質性肺疾患	C
リクシアナ	出血，肝機能障害，黄疸，間質性肺疾患	－

■ その他の指導ポイント

	患者向け	薬剤師向け
使用上の注意	・飲みすぎると出血を起こしたり，急に服用を中止したりすると血栓ができたりするかもしれませんので，必ず指示された通り服用してください ・他院や他科を受診されるときは，本剤を服用していることを医師や歯科医師に告げてください（特に手術や抜歯のとき）	・〔イグザレルト，リクシアナ〕手術や抜歯の際には，24時間前までに服用を中止する ・〔エリキュース〕手術や抜歯の際には，24時間前までに服用を中止する。出血に関して中〜高リスクまたは臨床的に重要な出血を起こすおそれのある手術・侵襲的手技を実施する場合は，2日以上前までに服用を中止する ・〔リクシアナ：下肢整形外科手術施行患者における静脈血栓塞栓症の発症抑制〕手術の際の初回投与は，手術後12時間を経過し，手術創からの出血がないことを確認してから行う。硬膜外カテーテル抜去あるいは腰椎穿刺の際の初回投与は，処置後少なくとも2時間を経過してから行う。初回投与以降にこれらの処置を行う際には，前回投与から12時間以上の十分な時間をあけ，かつ予定している次回の投与の少なくとも2時間以上前に実施する
	・創傷を受けやすいことは避けるようにしてください ・〔イグザレルト〕妊娠中または妊娠の可能性のある方は必ずご相談ください 食 〔イグザレルト，エリキュース〕この薬の服用中にセイヨウオトギリソウ（セント・ジョーンズ・ワート）を含む食品はとらないでください	出血の危険性が増大するため 動物実験で異常胎児の増加，死産の増加，出生児の生存率低下および一般状態の悪化が報告されているため投与禁忌 セイヨウオトギリソウ含有食品にて代謝が促進され本剤の血中濃度が低下するおそれがあるため併用注意
服用を忘れたとき	・〔エリキュース〕思い出したときすぐに1回量を服用し，その後通常通り1日2回服用する（2回分を一度に服用しないこと） ・〔イグザレルト，リクシアナ〕思い出したときすぐに服用する。ただし次の服用まで12時間以上あける（2回分を一度に服用しないこと） ・〔イグザレルト〕成人の深部静脈血栓症または肺血栓塞栓症発症後の本剤15 mg 1日2回3週間投与時に服用を忘れた場合は直ちに服用し，同日の1日用量が30 mgとなるように服用する（一度に2回分を服用させてよい）	

■ 継続的な服薬指導・確認のポイント

項目	確認のポイント
服用方法の確認	指示通りに服用できているか確認(エリキュース:1日2回,リクシアナ,イグザレルト:1日1回,ただしイグザレルトの静脈血栓症治療時の初期3週間は15mg1日2回,その後15mgを1日1回)
血液凝固能が適切か確認	凝固能検査は(PT-INR, aPTT)は本剤の凝固能をモニタリングする指標にならないため,出血や貧血の兆候(鼻出血,皮下出血,血尿,血便等)の有無の確認と兆候があれば直ちに受診する旨を指導する
手術,抜歯の予定時の対応	医療機関にかかる場合,本剤を服用していることを説明するように指導する。お薬手帳の持参 ・出血が低リスクまたは限定的な手術等の場合は前回投与から24時間以上あける ・出血が中〜高リスクまたは重大な出血をおこすおそれの場合は前回投与から48時間以上あける(エリキュース)
健康食品等の摂取状況の確認	セイヨウオトギリソウ(セント・ジョーンズ・ワート)を含む製品を摂取していないか確認する(イグザレルト,エリキュース)。抗凝固作用,抗血小板作用を有する健康食品を摂取していないか確認する

■ その他備考

■ 抗凝固薬一覧表

薬効	直接阻害型経口抗凝固薬(DOAC*)		ビタミンK依存性凝固因子阻害薬
	トロンビン阻害薬	Xa阻害薬	
商品名	プラザキサ	イグザレルト,エリキュース,リクシアナ	ワーファリン
長所	①固定用量での投与が可能 ②用量調節のための定期的な血液検査が不要 ③頭蓋内出血の発症率がかなり低い ④食事の影響がほとんどない ⑤他の薬剤との相互作用が少ない ⑥効果が速やかに現れる ⑦半減期が短いため術前のヘパリン置換が不要もしくは短時間ですむ		①薬価が安い ②重大な出血の際,中和する薬があり対応しやすい(出血時ビタミンKを5〜20mg注射する)
短所	①高度腎機能低下例には使用できない ②飲み忘れに伴う効果低下が速い ③重大な出血の際の対策が十分確立されていない(プラザキサでは近年中和剤(イダルシズマブ)が使用可能) ④薬価がワルファリンに比べ高い		①用量調節はプロトロンビン時間のINR値を検査しながら投与量を調節する必要がある ②食事制限が必要(納豆,青汁,クロレラは摂取しない。緑黄色野菜は過剰摂取しない)

* Direct Oral Anti Coagulant

No.52 抗血栓薬

■抗凝固薬比較表

商品名	ワーファリン	プラザキサ	イグザレルト	エリキュース	リクシアナ
一般名	ワルファリンカリウム	ダビガトラン	リバーロキサバン	アピキサバン	エドキサバン
発売年月	1958年5月	2011年5月	2012年4月	2013年2月	2011年7月
体内動態 作用発現時間	12～24hr	0.5～1.5hr	－	－	0.5～1hr
体内動態 最高血中濃度	0.25～4hr	空腹時0.5～2hr 食後4hr	0.5～4hr	3～3.5hr	0.5～3hr
主な作用機序	肝臓におけるビタミンK依存性血液凝固因子の生合成抑制	トロンビン阻害	第Xa因子阻害		
適応症	血栓塞栓症	非弁膜症性心房細動患者における虚血性脳卒中および全身性塞栓症の発症抑制			
適応症		静脈血栓塞栓症（深部静脈血栓症および肺血栓塞栓症）の治療および再発抑制			
適応症					下肢整形外科手術施行患者における静脈血栓塞栓症の発症抑制
抜歯や手術時の投与中止期間の目安	5日前（大手術時には手術3～5日前までに中止し，半減期の短いヘパリンに変更）	1日前（大手術時には手術2日以上前までに中止し，ヘパリンに変更）	1日前	1日前（中～高リスクの手術実施時には，2日以上前までに中止しヘパリンに変更）	1日前

抗血栓薬

52 抗血栓薬　④抗血小板薬

■対象薬剤

チクロピジン塩酸塩（パナルジン），ジピリダモール（ペルサンチン），シロスタゾール（プレタール），リマプロストアルファデクス（オパルモン，プロレナール），ベラプロストナトリウム（ドルナー，プロサイリン），イコサペント酸エチル（エパデール，エパデールS），サルポグレラート塩酸塩（アンプラーグ），アスピリン（バイアスピリン），クロピドグレル硫酸塩（プラビックス），プラスグレル塩酸塩（エフィエント），チカグレロル（ブリリンタ）
配合剤（バファリン配合A 81 mg，タケルダ配合，コンプラビン配合，キャブピリン配合）
＊ペルサンチンはNo.22 狭心症治療薬②（p.353）参照
＊エパデール，エパデールSはNo.25 脂質異常症治療薬⑥（p.395）参照

■指導のポイント

	患者向け	薬剤師向け
薬効	・この薬は血を固まりにくくするとともに血行をよくし，血栓ができるのを抑える薬です（オパルモン，プロレナール以外）	抗血小板作用 抗血栓作用
	・この薬は血を固まりにくくするとともに，血管を拡げて手足の冷えや痛み，腰や足の痛みやしびれをやわらげる薬です（オパルモン，プロレナール）	血管拡張作用（プレタール，オパルモン，プロレナール，ドルナー，プロサイリン） 血液レオロジー的性状改善作用（パナルジン） 血管収縮抑制作用，微小循環改善作用（アンプラーグ） 血流改善作用（オパルモン，プロレナール，ドルナー，プロサイリン）
	☆この薬は尿中に蛋白が出るのを防ぐ薬です（ペルサンチン）	尿蛋白減少作用
	☆この薬は心臓へ酸素や栄養を供給している冠血管を拡げ，締めつけられるような胸の痛みを改善したり，予防したりする薬です（ペルサンチン12.5, 25 mg）(参)No.22 狭心症治療薬②	冠血管拡張作用
	☆この薬は血液中のコレステロールや中性脂肪を下げる薬です（エパデール，エパデールS）(参)No.25 脂質異常症治療薬⑥	血清脂質低下作用
	☆この薬は血を固まりにくくして血栓ができるのを抑え，血液の流れをよくする薬です（エパデール，エパデールS）	抗血小板作用
	☆この薬は川崎病の急性期に使用して，血管や心筋の炎症を抑え，心血管後遺症の発生を抑えたり，発熱などの症状を改善する薬です（バファリン81，バイアスピ	・抗炎症作用（高用量：急性期） ・抗血栓作用（低用量：解熱後～慢性期）

薬効	リン） ◆この薬は川崎病冠動脈後遺症合併症の管理に使用する薬です（適応外）（ペルサンチン） ◆この薬は頸椎症性脊髄症，急性感音難聴の治療薬です（適応外）（オパルモン，プロレナール） ◆この薬は網状皮斑の治療薬です（適応外）（バファリン 81，バイアスピリン） ◆この薬は冠動脈ステント留置後の血栓予防，心筋梗塞に使用する薬です（適応外）（パナルジン） ◆この薬は冠動脈疾患，洞不全症候群，高度房室ブロックに使用する薬です（適応外）（プレタール）
詳しい薬効	・この薬は血小板が凝集するのを抑える物質（サイクリック AMP：$_c$AMP）を増加させ，血を固まりにくくするとともに血行をよくして，血栓ができるのを抑えたり，手足の先が異常に冷えたり，痛みやしびれを生じたり，皮膚に潰瘍ができるのを抑える薬です（パナルジン） ・この薬は血小板を活性化させる物質（トロンボキサン A_2：TXA_2）ができるのを抑え，同時に血管の拡張や血小板の凝集を抑える物質（プロスタサイクリン）の生成や作用を高め，また血小板が凝集するのを抑える物質（$_c$AMP）を増加させて，血を固まりにくくするとともに血行をよくし血栓ができるのを抑える薬です（ペルサンチン） ・この薬は血小板を活性化させる物質（TXA_2）ができるのを抑えたり，血小板が凝集するのを抑える物質（$_c$AMP）を増加させ，血を固まりにくくするとともに血行をよくし血栓ができるのを抑えて，手足の先が異常に冷えたり，痛みやしびれを生じたり，皮膚に潰瘍ができるのを抑える薬です（プレタール） ・この薬は血小板を活性化させる物質（TXA_2）ができるのを抑えたり，血小板が凝集するのを抑える物質（$_c$AMP）を増加させ，血を固まりにくくするとともに血管を拡げて，手足の先が異常に冷えたり，痛みやしびれを生じたり，皮膚に潰瘍ができるのを抑えたり，腰部の脊柱管が狭くなり血管や神経が圧迫を受けることによって起こる足の痛みやしびれを和らげ，歩行能力を改善する薬です（オパルモン，プロレナール） ・この薬は血小板を活性化させる物質（TXA_2）ができるのを抑えたり，血小板が凝集するのを抑える物質（$_c$AMP）を増加させ，血を固まりにくくするとともに血行をよくし血栓ができるのを抑えて，手足の先が異常に冷えたり，痛みやしびれを生じたり，皮膚に潰瘍ができるのを抑えたり，肺の血管の通り道が狭くなるのを防ぎ，肺高血圧症を治療する薬です（ドルナー，プロサイリン） ・この薬は血小板を活性化させる物質（TXA_2）ができるのを抑え，血を固まりにくくするとともに血行をよくし血栓ができるのを抑えて，手足の先が異常に冷えたり，痛みやしびれを生じたり，皮膚に潰瘍ができるのを抑える薬です（エパデール，エパデール S） ・この薬は血小板を活性化させる物質（TXA_2）ができるのを抑えて，血を固まりにくくするとともに血行をよくし血栓ができるのを抑える薬です（バイアスピリン） ・この薬は血小板が凝集するのを促す物質（5-HT$_2$）が結合する部位に対する拮抗作用により，血を固まりにくくするとともに血の流れをよくし血栓ができるのを抑えて，手足の先が異常に冷えたり，痛みやしびれを生じたり，皮膚に潰瘍ができるのを抑える薬です（アンプラーグ）

詳しい薬効	・この薬は血小板が凝集するのを抑える物質（cAMP）を増加させて，血を固まりにくくするとともに血行をよくし血栓ができるのを抑える薬です（プラビックス） ・この薬は2種類（アスピリンとダイアルミネート）の薬が配合されており，アスピリンは血小板を活性化させる物質（TXA$_2$）ができるのを抑えて血を固まりにくくし，ダイアルミネートはアスピリンによって起こる胃腸障害を予防して血栓ができるのを抑える薬です（バファリン81） ・この薬は2種類（アスピリンとランソプラゾール）の薬が配合されており，アスピリンは血小板を活性化させる物質（TXA$_2$）ができるのを抑えて血を固まりにくくし，ランソプラゾールはプロトンポンプの働きを抑えることにより酸の分泌を抑えて潰瘍の発生を防ぐので，アスピリンによって起こる胃潰瘍や十二指腸潰瘍の再発を予防して血栓ができるのを抑える薬です（タケルダ） ・この薬は2種類（アスピリンとクロピドグレル）の薬が配合されており，アスピリンは血小板を活性化させる物質（TXA$_2$）ができるのを抑えて，クロピドグレルは血小板が凝集するのを抑える物質（cAMP）を増加させて，血を固まりにくくするとともに血行を良くし血栓ができるのを抑える薬です（コンプラビン） ・この薬は2種類（アスピリンとボノプラザン）の薬が配合されており，アスピリンは血小板を活性化させる物質（TXA2）ができるのを抑えて血を固まりにくくし，ボノプラザンはプロトンポンプの働きを抑えることで酸の分泌を抑えて潰瘍の発生を防ぐので，アスピリンによって起こる胃潰瘍や十二指腸潰瘍の再発を予防して血栓ができるのを抑える薬です（キャブピリン） ・この薬は血小板膜状のADP受容体（P2Y$_{12}$受容体）を直接阻害することで血小板の活性化を抑え，血栓ができるのを抑える薬です（エフィエント，ブリリンタ）

	患者向け	薬剤師向け
警告	〔パナルジン〕発熱，のどが痛い，体がだるい，手足にあざができる，血が止まりにくい，または食欲不振，倦怠感，皮膚や目が黄色くなる症状が現れた場合，使用をやめてすぐに受診してください 検〔パナルジン〕この薬の服用開始2カ月間は2週間に1回，血球算定と肝機能検査を受けるため受診しましょう 〔プレタール〕胸の痛み，圧迫感，息苦しさ，動悸が現れた場合，すぐに受診してください	血栓性血小板減少性紫斑病（TTP），無顆粒球小，重篤な肝障害等の重大な副作用のため2週間に1回血球算定，肝機能検査施行，患者説明，患者指導，投与開始2カ月は原則として1回2週間分を処方 脈拍数が増加し，狭心症が発現することがあるので，狭心症の症状（胸痛等）に対する問診を行う
禁忌・併用禁忌	禁忌 ・〔パナルジン，プレタール，ドルナー，プロサイリン，アンプラーグ，プラビックス，コンプラビン，エフィエント，ブリリンタ，エパデール，エパデールS〕出血 ・〔バイアスピリン，バファリン81，タケルダ，キャブピリン，コンプラビン〕出血傾向 ・〔ブリリンタ〕頭蓋内出血の既往，中等度または重度の肝障害 ・〔プレタール，オパルモン，プロレナール，ドルナー，プロサイリン，アンプラーグ〕妊婦 ・〔バイアスピリン，バファリン81，コンプラビン，タケルダ，キャブピリン〕本剤・サリチル酸系製剤過敏症既往，消化性潰瘍，アスピリン喘息，出産予定日12週以内	

No.52 抗血栓薬

<table>
<tr><td rowspan="2">禁忌・併用禁忌</td><td colspan="2">の妊婦
・〔パナルジン，ペルサンチン，プレタール，プラビックス，エフィエント，ブリリンタ〕本剤過敏症既往
・〔パナルジン〕重篤な肝障害，白血球減少症，本剤による白血球減少症の既往
・〔プレタール〕うっ血性心不全
・〔バイアスピリン，バファリン81〕低出生体重児，新生児または乳児</td></tr>
<tr><td colspan="2">[併用禁忌]・〔タケルダ，キャブピリン〕⇔アタザナビル，リルピビリンの作用減弱のおそれ
・〔ブリリンタ〕⇔イトラコナゾール，ボリコナゾール，クラリスロマイシン，リトナビル，コビシスタット含有薬剤にて，本剤の血中濃度上昇で出血の危険性増大
・〔ブリリンタ〕⇔リファンピシン，リファブチン，カルバマゼピン，フェノバルビタール，フェニトイン，セイヨウオトギリソウ含有食品にて，本剤の血中濃度低下で効果減弱</td></tr>
</table>

■ 主な副作用と対策，フィジカルアセスメントのチェックポイント

主な副作用	患者に確認すべき症状	対策とPAのチェックポイント
出血傾向	歯ぐきの出血，鼻血，皮下出血，青あざができる	血小板数，出血時間，血小板機能，プロトロンビン時間（INR），トロンボテスト，フィブリノゲン，FDP等のチェックを行う [PA] No.52抗血栓薬① p.746 参照
肝機能障害	吐き気，食欲不振，白目が黄色くなる，皮膚が黄色くなる，判断力の低下，尿が黄色い，頭痛，意識がなくなる，嘔吐，考えがまとまらない，発熱，意識の低下，羽ばたくような手のふるえ	投与薬物が初回投与の場合，投与後定期的に肝機能検査を実施し，肝障害の早期発見に努める。多くの薬物性肝障害は薬物服用後60日以内に起こることが多いが，90日以降の発症もみられる（約20％） [PA] No.42ホルモン製剤③ p.578 参照
消化器症状	吐き気，下痢，胸やけ，嘔吐，食欲不振，腹痛	必要に応じ中止
過敏症	発疹，かゆみ，じんま疹	服用後2週間以内に発症することが多く，数日以内あるいは1カ月以上経ってから起こることもある。必要に応じ中止 [PA] 皮膚（かゆみ，発赤，発疹），呼吸（喘鳴）
その他	頭痛，ほてり，めまい，どきどきする	減量もしくは中止。 頭痛は出現しても薬剤を変更すれば改善する可能性のあること等を説明し，薬剤を自分で中断せずに，まず主治医を受診するように指導を行う

■ 重大な副作用と妊婦・授乳婦への危険度

薬剤名	重大な副作用	妊婦[授乳婦]
パナルジン	血栓性血小板減少性紫斑病，無顆粒球症，重篤な肝障害，再生不良性貧血を含む汎血球減少症，赤芽球癆，血小板減少症，出血（脳出血，消化管出血等の重篤な出血），中毒性表皮壊死融解症，皮膚粘膜眼症候群，紅皮症，多形滲出性紅斑，消化性潰瘍，急性腎障害，間質性肺炎，SLE 様症状（発熱，関節痛，胸部痛，胸水貯留，抗核抗体陽性等）	[⊗△]
プレタール	うっ血性心不全，心筋梗塞，狭心症，心室頻拍，出血（脳出血，肺出血，消化管出血，鼻出血，眼底出血），胃・十二指腸潰瘍，汎血球減少，無顆粒球症，血小板減少，間質性肺炎，肝機能障害，黄疸，急性腎不全	禁忌/B3
オパルモン，プロレナール	肝機能障害，黄疸	禁忌
ドルナー，プロサイリン	出血傾向（脳出血，消化管出血，肺出血，眼底出血），ショック，失神，意識消失，間質性肺炎，肝機能障害，狭心症，心筋梗塞	禁忌
アンプラーグ	脳出血，消化管出血，血小板減少，肝機能障害，黄疸，無顆粒球症	禁忌
バイアスピリン	ショック，アナフィラキシー，出血（脳出血，肺出血，消化管出血，鼻出血，眼底出血等），皮膚粘膜症候群，中毒性表皮壊死融解症，剥脱性皮膚炎，再生不良性貧血，血小板減少，白血球減少，喘息発作，肝機能障害，黄疸，消化性潰瘍，小腸・大腸潰瘍	禁忌/C（出産予定日12週以内）[⊗○]
プラビックス	出血（頭蓋内出血，胃腸出血等），胃・十二指腸潰瘍，肝機能障害，黄疸，血栓性血小板減少性紫斑病，間質性肺炎，好酸球性肺炎，血小板減少，無顆粒球症，再生不良性貧血を含む汎血球減少症，中毒性表皮壊死融解症，皮膚粘膜眼症候群，多形滲出性紅斑，急性汎発性発疹性膿疱症，薬剤性過敏症症候群，後天性血友病，横紋筋融解症	B1 [⊗△]
バファリン81mg	ショック，アナフィラキシー，出血（脳出血，肺出血，消化管出血，鼻出血，眼底出血等），皮膚粘膜眼症候群，中毒性表皮壊死融解症，剥脱性皮膚炎，再生不良性貧血，血小板減少，白血球減少，喘息発作の誘発，肝機能障害，黄疸，消化性潰瘍，小腸・大腸潰瘍	禁忌（出産予定日12週以内）[⊗○]
タケルダ	ショック，アナフィラキシー，汎血球減少，無顆粒球症，再生不良性貧血，溶血性貧血，顆粒球減少，血小板減少，貧血，黄疸，重篤な肝機能障害，中毒性表皮壊死融解症，皮膚粘膜眼症候群，剥脱性皮膚炎，間質性肺炎，間質性腎炎，脳出血等の頭蓋内出血，肺出血，消化管出血，鼻出血，眼底出血，喘息発作誘発，消化性潰瘍，小腸・大腸潰瘍 類薬 視力障害	禁忌（出産予定日12週以内）

No.52 抗血栓薬

薬剤名	重大な副作用	妊婦[授乳婦]
コンプラビン	出血（頭蓋内出血，胃腸出血等の出血），胃・十二指腸潰瘍，小腸・大腸潰瘍，肝機能障害，黄疸，血栓性血小板減少性紫斑病，間質性肺炎，好酸球性肺炎，血小板減少，白血球減少，無顆粒球症，再生不良性貧血を含む汎血球減少症，中毒性表皮壊死融解症，皮膚粘膜眼症候群，多形滲出性紅斑，急性汎発性発疹性膿疱症，剥脱性皮膚炎，薬剤性過敏症症候群，後天性血友病，横紋筋融解症，ショック，アナフィラキシー，喘息発作	禁忌/C（出産予定日12週以内）
エフィエント	出血（頭蓋内出血，消化管出血，心嚢内出血），血栓性血小板減少性紫斑病，過敏症 類薬 肝機能障害，黄疸，無顆粒球症，再生不良性貧血を含む汎血球減少症	B1 [⊗△]
ブリリンタ	出血（頭蓋内出血，消化器系出血），アナフィラキシー，血管浮腫	B1
キャブピリン	汎血球減少，無顆粒球症，白血球減少，血小板減少，再生不良性貧血，中毒性表皮壊死融解症，皮膚粘膜眼症候群，多形紅斑，剥脱性皮膚炎，ショック，アナフィラキシー，出血，喘息発作，肝機能障害，黄疸，消化性潰瘍，小腸・大腸潰瘍	禁忌（出産予定日12週以内）

■ その他の指導ポイント

	患者向け	薬剤師向け
使用上の注意	・出血しているか出血傾向のある方，月経出血が普段より多いときはご相談ください ・〔プレタールOD〕この薬は舌の上で唾液を含ませ，舌で軽くつぶしてから唾液と一緒に服用してください。水で服用することもできます。寝たままの状態では水なしで服用しないでください ・手術などの予定がある方は必ずご相談ください	→出血を助長するおそれがあるため注意すること →口腔粘膜から吸収されないため →・〔パナルジン，プラビックス，コンプラビン，エフィエント〕抗血小板作用は非可逆的で，その作用が消失するのに8〜10日間（血小板の寿命）かかると考えられているため手術前（10〜14日前（パナルジン），14日前（プラビックス，コンプラビン，エフィエント））に中止する ・〔ブリリンタ〕血小板への結合が可逆的なため速やかに作用が消失するので5日前に中止する ・〔バファリン81，バイアスピリン，タケルダ，コンプラビン，キャブピリン〕手術前1週間以内にアスピリンを投与した例では出血量が有意に増加したとの報告があるため手術，心臓カテーテル検査，抜歯前1週

使用上の注意	・〔バファリン81, バイアスピリン, タケルダ, コンプラビン, キャブピリン〕小児（15歳未満）で水痘やインフルエンザ（発熱・体がだるい, のどが痛いなどの風邪様症状）の可能性がある方は申し出てください	間以内は注意する 米国においてサリチル酸系製剤とライ症候群との関連性を示す疫学調査報告があるので, 本剤を15歳未満の水痘, インフルエンザの患者には投与しないことを原則とするが, やむをえず投与する場合は慎重に投与し, 投与後の患者の状態を十分に観察する
	・〔バイアスピリン, タケルダ, コンプラビン, キャブピリン〕この薬はかまずに服用してください	・〔バイアスピリン〕腸溶錠のため ・〔タケルダ, コンプラビン, キャブピリン〕腸溶性の内核を含む有核錠のため
	・〔バイアスピリン, バファリン81, コンプラビン, タケルダ, キャブピリン〕喘息のある方は申し出てください	アスピリン喘息でないことを十分確認。アスピリン喘息患者では, 重篤な喘息発作誘発
	・〔バイアスピリン, バファリン81, コンプラビン, タケルダ, キャブピリン〕みぞおちの痛み, 吐き気, 胸やけなどの症状がある方は申し出てください	消化性潰瘍を悪化させることがある
	・〔プロサイリン, ドルナー〕この薬の服用中に自動車の運転等, 危険を伴う操作に従事する際には, 注意してください	意識障害等が現れることがある
	・〔プレタール：プラスチック包装品〕プラスチック包装品専用モジュールを装着して使用してください	交付の際に使用方法を指導
	・〔アンプラーグ細粒〕開封後, 速やかに服用してください	長期間の放置により固まるおそれがある
	・〔パナルジン細粒, アンプラーグ細粒〕服用時, 苦味が残ることがありますので速やかに飲みくだしてください	長く口に含むと舌に苦味が残ることがある
	・〔プラビックス, コンプラビン〕この薬は空腹時に飲むのを避けてください	国内臨床試験で絶食投与時に消化器症状（腹痛, 下痢, 軟便）がみられているため
	・〔プレタール, オパルモン, プロレナール, ドルナー, プロサイリン, アンプラーグ〕妊娠中または妊娠の可能性のある方は必ずご相談ください	以下の理由にて投与禁忌 ・〔プレタール〕動物実験で異常胎児の増加ならびに出生児の低体重および死亡児の増加の報告 ・〔オパルモン, プロレナール〕動物実験にて子宮収縮作用の報告 ・〔ドルナー, プロサイリン〕安全性未確立 ・〔アンプラーグ〕動物実験にて胚胎児死亡率増加および新生児生存率低下の報告
	・〔バファリン81, バイアスピリン, タケルダ, コンプラビン, キャブピリン〕妊婦の方で出産予定日12週以内の方は必ずご相談ください	長期連用した場合は, 母体の貧血, 産前産後の出血, 分娩時間の延長, 難産, 死産, 新生児の体重減少・死亡等の危険が高くなるおそれを否定できないため, 投与禁忌
	食 〔パナルジン〕この薬の服用中にイチョウ葉エキスはとらないでください	イチョウ葉エキスに抗血小板作用があるため副作用出現（致死的な消化管出血）
	食 〔プレタール〕この薬の服用中にグレー	グレープフルーツジュースの成分が

使用上の注意	プフルーツジュースは飲まないでください	CYP3A4を阻害し，本剤の血中濃度が上昇するため併用注意
	食〔バイアスピリン，バファリン81，タケルダ，コンプラビン，キャブピリン〕この薬の服用中にアルコールを飲むと薬の副作用が強く出るので，控えてください	胃出血の危険性が増加することがあるため併用注意
	食〔バファリン81，バイアスピリン，タケルダ，コンプラビン，キャブピリン〕この薬はコーラ，ビールと一緒に飲まないでください	コーラ，ビールにより消化管内pHが変動し，アスピリンの吸収が遅延し，効果（解熱鎮痛作用）が遅延するため
	食〔バファリン81，バイアスピリン，タケルダ，コンプラビン，キャブピリン〕この薬の服用中にビタミンC高含有飲食物，フィーバーフュー，イチョウ葉エキス，アカツメグサ，タマリンドエキスはとらないでください	副作用（出血傾向）出現の可能性があるため（フィーバーフュー，イチョウ葉エキス，アカツメグサに抗血小板作用がある）（ガルシニア・カンボジアにより血中アスピリン濃度上昇）
	食〔ブリリンタ〕この薬の服用中にセイヨウオトギリソウ（セント・ジョーンズ・ワート）を含む食品はとらないでください	セイヨウオトギリソウによりCYP3Aが誘導され，本剤の血中濃度が低下するため併用禁忌
服用を忘れたとき	・〔プロサイリン，ドルナー，ブリリンタ以外〕思い出したときすぐに服用する。ただし次の服用時間が近いときは忘れた分は服用しない（2回分を一度に服用しないこと） 理由 血小板に直接作用する薬剤で効果が血小板の寿命（2週間）まで持続するため，次の服用が近いときは忘れた分は服用しない ・〔プロサイリン，ドルナー，ブリリンタ〕飲み忘れに気づいても服用しない。次の服用時に決められた用量を服用する（2回分を一度に服用しないこと）	

■ 継続的な服薬指導・確認のポイント

項目	確認のポイント
服用方法の確認	指示通りの服用方法が守られているかの確認と服用を忘れたときの対応方法も指導する
副作用の確認	皮下出血や鼻血，便が黒くなる等の出血傾向の症状の有無を確認
手術，抜歯の予定時の対応	医療機関にかかる場合，本剤を服用していることを説明するように指導する。お薬手帳持参。手術時等の投与中止期間を確認（その他備考 p.764 参照）
健康食品を摂取しているか	セイヨウオトギリソウ（セント・ジョーンズ・ワート）を含む製品を摂取していないか確認する（ブリリンタ）。抗凝固作用，抗血小板作用を有する健康食品を摂取していないか確認する

■ その他備考

■配合剤成分：バファリン81（アスピリン，ダイアルミネート）
　　　　　　　タケルダ配合錠（アスピリン，ランソプラゾール）
　　　　　　　コンプラビン配合錠（アスピリン，クロピドグレル硫酸塩）
　　　　　　　キャブピリン配合錠（アスピリン，ボノプラザンフマル酸塩）

主な抗血小板薬

商品名		バイアスピリン	ペルサンチン 25,100 mg	プレタール OD
一般名		アスピリン	ジピリダモール	シロスタゾール
発売年月		2001年1月	1972年2月	(OD)2010年4月
体内動態	作用発現時間	4 hr	2.5〜4 hr	3 hr
	最高血中濃度(到達時間)	4 hr	0.5〜2 hr/2〜4 hr	3.5 hr
薬理作用	血小板凝集抑制作用	○	○	○
	血管平滑筋への作用		拡張	拡張
	赤血球変形能改善作用			△
主な作用機序		シクロオキシゲナーゼ阻害によるTXA$_2$の生成抑制	ホスホジエステラーゼ阻害によるc-AMPの上昇	
適応症		血栓・塞栓形成の抑制(狭心症,心筋梗塞,虚血性脳血管障害*1)	25 mg: 心臓弁置換術後の血栓塞栓の抑制(ワーファリンと併用) / 100 mg: 尿蛋白減少 (ステロイド抵抗性を示すネフローゼ症候群) / L150 mg: (慢性糸球体腎炎)	脳梗塞の再発抑制
		冠動脈バイパス術(CABG)の術後		
		経皮経管冠動脈形成術(PTCA)の術後		
		川崎病	狭心症,心筋梗塞,その他の虚血性心疾患,うっ血性心不全	
抜歯や手術時の投与中止期間の目安		7日前	1〜1.5日前	3日前

*1 虚血性脳血管障害:一過性脳虚血発作(TIA),脳梗塞

比較表

パナルジン	ドルナー/プロサイリン	アンプラーグ	エパデール/エパデール S
チクロピジン	ベラプロスト Na	サルポグレラート	イコサペント酸エチル
1981 年 9 月	1992 年 4 月	1993 年 10 月	1990 年 6 月/1999 年 1 月
24 hr	1 hr	1.5 hr	2 week 以内
2 hr	1.42 hr	0.89 hr	6 hr
○	○	○	○
	拡張	収縮抑制	弾力性保持
○	○	○	△
アデニレートシクラーゼ活性化による c-AMP の上昇　PI3 キナーゼの活性化抑制		選択的 5-HT_2 受容体拮抗作用	シクロオキシゲナーゼ阻害による TXA_2 の生成抑制
	慢性動脈閉塞症（ASO, TAO＝バージャー病を含む）に伴う虚血性諸症状		閉塞性動脈硬化症（ASO）に伴う虚血性諸症状
血管手術, 体外循環に伴う血栓・塞栓・血流障害　虚血性脳血管障害[*1]に伴う血栓・塞栓　クモ膜下出血術後の血流障害	原発性肺高血圧症		高脂血症
10～14 日前	1～2 日前	1 日前	7～10 日前

主な抗血小板薬比較表（続き）

商　品　名	オパルモン/プロレナール	プラビックス	エフィエント	ブリリンタ
一　般　名	リマプロストアルファデクス	クロピドグレル	プラスグレル	チカグレロル
発　売　年　月	1988年4月	2006年5月	2014年5月	2017年2月
体内動態　作用発現時間	0.5 hr	1 hr	1 hr	2 hr
体内動態　最高血中濃度（到達時間）	0.33 hr	1.9 hr	0.6 hr	2 hr
薬理作用　血小板凝集抑制作用	○	○	○	○
薬理作用　血管平滑筋への作用	拡張			
薬理作用　赤血球変形能改善作用	○			
主な作用機序	アデニレートシクラーゼ活性化によるc-AMPの上昇	PI$_3$キナーゼの活性化抑制		P$_2$Y$_{12}$受容体拮抗作用
適応症	閉塞性血栓血管炎（TAO＝バージャー病）に伴う虚血性諸症状　後天性腰部脊柱管狭窄症	虚血性脳血管障害（心原性脳塞栓症を除く）の再発予防　経皮的冠動脈形成術（PCI）が適用される虚血性心疾患（急性冠症候群*2，安定狭心症，陳旧性心筋梗塞）　末梢動脈疾患における血栓・塞栓形成の抑制	PCIが適用される急性冠症候群*2，安定狭心症，陳旧性心筋梗塞	[90 mg] PCIが適用される急性冠症候群*2（アスピリンを含む抗血小板薬併用療法が適切かつアスピリンと併用する他の抗血小板薬の投与が困難な場合）　[60 mg] 65歳以上，薬物療法を必要とする糖尿病，2回以上の心筋梗塞の既往，血管造影で確認された多枝病変を有する冠動脈疾患，または末期でない慢性の腎機能障害の中で，1つ以上を有する陳旧性心筋梗塞のうちアテローム血栓症の発現リスクが特に高い場合
抜歯や手術時の投与中止期間の目安	1日前	14日前	14日前	5日前

＊2 急性冠症候群：不安定狭心症，非ST上昇心筋梗塞，ST上昇心筋梗塞

主な抗血小板薬比較表（続き）

商品名		バファリン配合錠A81	タケルダ配合錠	キャブピリン配合錠	コンプラビン配合錠
一般名		アスピリン/ダイアルミネート	アスピリン/ランソプラゾール	アスピリン/ボノプラザン	アスピリン/クロピドグレル
発売年月		2000年12月	2014年6月	2020年5月	2013年12月
体内動態	作用発現時間	10 min/−	−/−	−/−	−/−
	最高血中濃度	0.5 hr/−	4 hr/1.5 hr	4 hr/1.5 hr	5〜5.5 hr/0.75 hr
薬理作用	血小板凝集抑制作用	○/−	○/−	○/−	○/○
	血管平滑筋への作用				
	赤血球変形能改善作用				
	制酸緩衝作用	−/○			
	胃酸分泌抑制作用 ペプシン分泌抑制作用		−/○	−/○	
主な作用機序		シクロオキシゲナーゼ阻害によるTXA$_2$の生成抑制	シクロオキシゲナーゼ阻害によるTXA$_2$の生成抑制/プロトンポンプ阻害作用		シクロオキシゲナーゼ阻害によるTXA$_2$の生成抑制/アデニレートシクラーゼ活性化によるc-AMPの上昇，PI3キナーゼの活性化抑制
適応症		血栓・塞栓形成の抑制（狭心症，心筋梗塞，虚血性脳血管障害[1]）	胃潰瘍または十二指腸潰瘍既往のある患者の血栓・塞栓形成の抑制（狭心症，心筋梗塞，虚血性脳血管障害[1]）		経皮的冠動脈形成術（PCI）が適用される虚血性心疾患（急性冠症候群[2]，安定狭心症，陳旧性心筋梗塞）
		冠動脈バイパス術（CABG）あるいは経皮経管冠動脈形成術（PICA）施行後の血栓塞栓形成の抑制			
		川崎病			
抜歯や手術時の投与中止期間の目安		7日前	7日前	7日前	14日前

閉塞性動脈硬化症の日常生活と食事療法のポイント

　閉塞性動脈硬化症とは四肢の血管の動脈の粥状硬化により，四肢に虚血性症状を示す疾患です。症状としては，冷感，しびれ感，間歇性跛行，安静時疼痛，潰瘍，壊疽が発現します。閉塞性動脈硬化症は慢性疾患であり，薬物療法や外科療法は日常の一般療法のうえに成り立っているということを認識し，次のような点に気をつけてください。

【日常生活】
　①タバコをやめましょう。
　　喫煙は最大の危険因子です。禁煙が実行できなければどのような治療も無意味であることを認識してください。
　　また，間接的喫煙も極力避けるようにしましょう。
　②慢性循環不全の状態にある四肢が，できるかぎり良好な血流状態を保つことが重要です。
　　四肢の保温に気をつけ，長時間の起立や正座，およびしゃがみ込んだ状態は足の血行を悪くしますので，できるだけ避けてください。
　　潰瘍予防のために厚めのソックスなどを着用し，外傷感染からの保護につとめましょう。
　　冬期や気温が低いときは無理をして屋外で歩行運動を行わず，室内で運動しましょう。
　　夏期にはエアコンの効き過ぎに注意してください。
　③適度な運動をしましょう。
　　少しずつ歩行距離を延長したり，歩行速度のアップを心がけましょう。
　　毎日歩行運動をノートなどに記録しましょう。
　　無理をせず，潰瘍のあるときは行わないでください。

【食事療法】
　①コレステロール摂取量に注意しましょう。
　　コレステロールは卵，レバー，イカ，タコ等に多く含まれています。
　　1日ほぼ300 mgまでのコレステロール摂取に控えましょう。
　②植物性脂肪を多く，動物性脂肪を控えめにとりましょう。
　　動物性脂肪は血液中のコレステロールを上げる働きのある飽和脂肪酸が含まれています。

植物性脂肪に含まれている不飽和脂肪酸は血液中のコレステロールを下げる働きがあります。
③食物繊維は多くとりましょう。
　食物繊維は一般的に野菜，きのこ類，海そう類に多く含まれていて，コレステロールの排泄を促します。
④味付けはうす味にしましょう。
　血圧に注意し，食事は酸味，香味野菜，スパイス等を上手に使い，1日の食塩量を10g以下とし，特に血圧の高い人は，1日6g以下に抑えましょう。
⑤甘いものやアルコールのとりすぎに注意しましょう。
　菓子や甘い果物などの糖分，アルコールのとりすぎは，体内のトリグリセライドを増やし肥満の原因をつくります。
　また，糖尿病を悪化させ，潰瘍，壊疽を進行させます。

53 腎疾患治療薬　①高リン血症治療薬

■ 対象薬剤

セベラマー塩酸塩（フォスブロック，レナジェル），炭酸ランタン水和物（ホスレノール，炭酸ランタン「ニプロ」），沈降炭酸カルシウム（カルタン），ビキサロマー（キックリン），クエン酸第二鉄水和物（リオナ），スクロオキシ水酸化鉄（ピートル）

■ 指導のポイント

	患者向け	薬剤師向け
薬効	・この薬は消化管内でリン酸と結合し血液中のリンを低下させる薬です ☆この薬は鉄イオンとして消化管から吸収され体内の鉄を補充して貧血を改善する薬です（リオナ）	Pの消化管吸収抑制による血清P濃度低下作用
詳しい薬効	この薬は消化管内で食物中のリン酸と結合し，糞便中にリンを排泄することにより，リン吸収を抑え慢性腎不全患者の血液中のリンを低下，FGFR阻害剤（ペマジール）投与に伴う高リン血症を改善（炭酸ランタン顆粒「ニプロ」）させる薬です	
禁忌	・〔カルタン以外〕本剤過敏症既往 ・〔フォスブロック，レナジェル，キックリン〕腸閉塞 ・〔カルタン〕甲状腺機能低下症，炭酸カルシウム過敏症既往	

■ 主な副作用と対策，フィジカルアセスメントのチェックポイント

主な副作用	患者に確認すべき症状	対策とPAのチェックポイント
消化器症状 ・便秘（フォスブロック，レナジェル，キックリン） ・下痢（リオナ，ピートル）	下痢，便秘，食欲がない，気分が悪い，嘔吐，持続する腹痛，お腹が張る	減量もしくは休薬 便秘症状の重い場合には投与を中止 PA 腸音（下痢：↑，便秘：↓）
血清フェリチン増加（鉄過剰）（リオナ，ピートル）	腹痛，心臓の動悸，胸の痛み，関節痛，説明のつかない衰弱，脱力感，疲労感	血清フェリチン値を定期的に測定 減量もしくは休薬

■ 重大な副作用と妊婦・授乳婦への危険度

薬剤名	重大な副作用	妊婦〔授乳婦〕
フォスブロック，レナジェル	腸管穿孔・腸閉塞，憩室炎・虚血性腸炎，消化管出血・消化管潰瘍，肝機能障害，便秘・便秘増悪・腹痛・腹部膨満	B3
ホスレノール	腸管穿孔・イレウス，消化管出血・消化管潰瘍	B3
キックリン	腸管穿孔，腸閉塞，虚血性腸炎，消化管出血，消化管潰瘍，便秘・便秘増悪 類薬 憩室炎，肝機能障害	−

■ その他の指導ポイント

	患者向け	薬剤師向け
使用上の注意	・リンを多く含む食事の制限など，指示されている食事療法があれば守ってください	血中P排泄を促進する薬剤ではないため
	・〔フォスブロック，レナジェル〕食直前にかまずに速やかに飲み込んでください。また砕いて服用はしないでください	空腹時に服用した場合，食物中のPを吸着することができないので食直前に服用する。また口中に長く留めていると膨潤するため速やかに飲み込む
	・〔フォスブロック，レナジェル，キックリン〕便秘しやすい方はご相談ください	腸管穿孔，腸閉塞が現れるおそれがあるため排便状況を確認する
	・〔ホスレノールチュアブル〕食直後に口中で十分にかみ砕き，唾液または少量の水で飲み込んでください	かみ砕かずに服用すると溶けにくいため。かみ砕くことが困難な患者（高齢者等）は粉砕するか，顆粒剤へ変更する
	・〔ホスレノール〕腹部X線撮影を受けるときは，この薬を服用していることをお知らせください	本剤が存在する胃腸管にバリウム様の陰影を認めることがある
	・〔ホスレノールOD，カルタンOD〕この薬は舌の上にのせて湿らせ，舌で軽くつぶし，唾液または水で飲み込んでください	口腔粘膜から吸収されることがないため，唾液または水で飲み込む
	・〔カルタン，リオナ〕この薬は，食直後に服用してください	食べ物からのP吸収を抑制するため
	・〔ピートル，リオナ〕便が黒くなることがありますが心配ありません	鉄の成分により黒色に着色
	・〔ピートル〕この薬は，口の中で噛み砕いて服用してください	チュアブル錠であるため
	・〔ピートル，キックリン〕この薬は，食直前に服用してください	食べ物からのP吸収を抑制するため
	・〔ピートル〕口内が一時的に着色（茶褐色）することがありますが心配ありません	鉄の成分により茶褐色に着色
	・〔リオナ〕胸部X線やMRI検査を受けるときは，この薬を服用していることをお知らせください	本剤が存在する胃腸管の画像に未消化錠が写る可能性がある
	・〔リオナ〕便秘や胃腸症状が認められた場合には，ご相談ください	鉄過剰に注意。定期的にフェリチン値等を測定
	食 〔カルタン〕この薬の服用中に大量の牛乳は飲まないでください	ミルク・アルカリ症候群（高Ca血症，高窒素血症，アルカローシス等）が現れることがあるため併用注意
服用を忘れたとき	・〔フォスブロック，レナジェル〕思い出したときが食事中や食直後の場合はすぐに服用する。それ以外の場合は次の服用時に決められた用量を服用する	
	・〔カルタン，ホスレノール〕服用を忘れて食事より30分以上服用が遅れた場合は服用しない。また食事をとらなかった場合は服用しない 理由 食物に含まれるリンと結合するため	
	・〔キックリン，リオナ，ピートル〕飲み忘れに気づいても服用しない。次の服用時に決められた用量を服用する。（2回分を一度に服用しないこと）	

■ その他備考

- **高リン血症**：腎機能の悪い患者はリンの排泄が悪くなるため、血中リンが高くなる。直ちに症状が現れることはないが、長期間放置すると二次性副甲状腺機能亢進症や腎性骨症に至る。さらに高リン血症は異所性石灰化の原因となり、心不全をはじめ心筋梗塞、脳梗塞などの合併症を引き起こし予後を悪化させ「静かな殺し屋」と呼ばれる。リン吸着剤としてはカルシウム（Ca）製剤（カルタン）、ランタン（La）製剤（ホスレノール）、鉄（Fe）製剤（リオナ、ピートル）といった非ポリマー製剤と、ポリマー製剤（レナジェル、フォスブロック、キックリン）に分類される。健康補助食品として酢酸カルシウムなども用いられている。レナジェル、フォスブロックはCaを上昇させることなくリンを下げることができ、血管壁などにCaやリンが異常に沈着する異所性石灰化の進行を遅延させることが報告されている。

〈リンを多く含む食品〉
- 丸ごと食べる小魚類（煮干し、スルメ、アサリ）
- 肉、乳製品（チーズ、ヨーグルト、アイスクリーム）
- 豆類、卵、海苔
- 保存食品（ハム、ソーセージ、かまぼこ等の練り製品）
- 清涼飲料水

- **透析患者における各検査値の目標値とP、Caの治療管理法について**
 　血清P値：3.5〜6 mg/dL
 　血清補正Ca値：8.4〜10.0 mg/dL
 　血清PTH値：60〜240 pg/mL
 　管理目標優先順位　P＞Ca＞PTH

53 腎疾患治療薬　②高カリウム血症治療薬

■ 対象薬剤

ポリスチレンスルホン酸カルシウム（ポリスチレンスルホン酸Ca, カリメート），ポリスチレンスルホン酸ナトリウム（ケイキサレート），ジルコニウムシクロケイ酸ナトリウム水和物（ロケルマ）

■ 指導のポイント

	患者向け	薬剤師向け
薬効	この薬は血液中のカリウムを低下させる薬→です	イオン交換による血清K値低下作用
詳しい薬効	・この薬は陽イオン交換樹脂で，吸収されることなく腸管内でカルシウムイオン（ポリスチレンスルホン酸Ca, カリメート）またはナトリウムイオン（ケイキサレート）とカリウムイオンを交換して，糞便中に排泄することにより，血液中のカリウムを低下させる薬です（ロケルマ以外） ・この薬は非ポリマー無機陽イオン交換化合物であり，吸収されることなく腸管内で水素イオンおよびナトリウムイオンとカリウムイオンを交換して，糞便中に排泄することにより，血液中のカリウムを低下させる薬です（ロケルマ）	
禁忌	〔ポリスチレンスルホン酸Ca, カリメート〕腸閉塞	

■ 主な副作用と対策，フィジカルアセスメントのチェックポイント

主な副作用	患者に確認すべき症状	対策とPAのチェックポイント
便秘，食欲不振，嘔吐	お腹が張る，吐き気，食欲不振	減量，または下剤の使用を考慮し排便コントロールを行う PA 腸音（便秘：↓）

■ 重大な副作用と妊婦・授乳婦への危険度

薬剤名	重大な副作用	妊婦[授乳婦]
ポリスチレンスルホン酸Ca, カリメート	腸管穿孔，腸閉塞，大腸潰瘍	－
ケイキサレート	心不全誘発，腸穿孔・腸潰瘍・腸壊死	
ロケルマ	低カリウム血症，うっ血性心不全	－

■ その他の指導ポイント

	患者向け	薬剤師向け
使用上の注意	・1回量を水30〜50 mL（カリメート散・ドライシロップ，ポリスチレンスルホン酸Ca顆粒），50〜150 mL（ケイキサレート）に入れ，よく混ぜて使用してください	飲みにくい場合には，ゼリー剤や液剤へ変更。ソルビトール液を用いた懸濁液は，結腸狭窄・結腸潰瘍などの症例報告がある。ポリスチレンスルホン酸Caゼリーにはりんご味フレーバー，カリメート経口液にはオレンジフレーバー製剤がある。ケイキサレートはオブラートに包んだり，粉末のまま服用するとカリウムを吸着する表面積を少なくして効果を弱めるので避ける
	・〔ロケルマ〕1回量を水45 mLに入れ，溶解しないためよく混ぜて，沈澱する前に服用してください	成人の開始用量は1回10 gを1日3回で，最長3日間
	・〔ロケルマ〕脱力感，筋力の低下，四肢の麻痺の症状が認められた場合には，すぐにご相談ください	低K血症による不整脈等が生じるおそれ。本剤投与開始時および投与量調整時には，1週間後を目安に血清K値測定。以後は定期的に血清K値測定
	・〔ロケルマ〕腹部X線撮影をする場合，本剤を服用していることを伝えてください	胃腸管に陰影を認める場合がある
	・〔ポリスチレンスルホン酸Caゼリー，カリメート経口液〕開封後は速やかに服用し，残した場合は廃棄してください	水に懸濁する必要がなく，1日3〜6個（包）服用することで散剤と同等のK減少効果が期待できる
	・〔ロケルマ以外〕服用中は排便状況に注意し，便秘・便秘の悪化，腹痛，腹部膨満感，嘔吐などの症状が現れた場合はすぐにご相談ください	腸管穿孔，腸閉塞が現れることがあるので，異常が現れた場合は速やかに投与を中止し，腹部の診察や画像検査（単純X線，超音波，CT等）を実施し，適切な処置を行う
	・食 この薬の服用中に青汁（ケールという野菜が原料），その他カリウムを多く含む食品はとらないでください	・青汁1回分（180 mL中）にKが500 mg以上含まれているため（透析患者の1日K摂取量は1,500 mgまでとされている）
		・〔カリメート散・ケイキサレート散〕注腸投与時は1回30 gを水または2％メチルセルロース溶液100 mLに懸濁して注腸する。ソルビトール溶液は結腸壊死を起こした症例が報告（外国）されているため使用しない。また本剤投与後は腸管への残留を避けるため，必ず本剤を排泄させる
		・〔ロケルマ以外〕過量投与を防ぐため定期的に血清K値および血清Ca値（ポリスチレンスルホン酸Ca，カリメート）または血清Na値（ケイキサレート）を測定する

| 服用を忘れたとき | ・〔ロケルマ以外〕思い出したときすぐに服用する。ただし次の服用時間が近いときは忘れた分は服用しない（2回分を一度に服用しないこと）
　理由　血清K値の低下が強く現れるおそれがあるため
・〔ロケルマ〕飲み忘れに気づいても服用しない。次の服用時に決められた用量を服用する |

■ その他備考

- **高カリウム血症**：腎機能の悪い患者はカリウムの排泄が悪くなるため，血中カリウムが高くなり，不整脈や心停止など危険な症状が起こることがあるので食物中のカリウム摂取を抑える必要がある。

〈カリウムを多く含む食品〉
- 魚介類（イカ，鮭，マグロ，ブリ）
- 肉・乳製品（ソーセージ，鶏肉，豚肉，牛肉，牛乳）
- 野菜類（青汁（ケール），サツマイモ，トマト，ジャガイモ，キャベツ）
- 果物類（バナナ，夏ミカン，モモ等）

- **交換用量，結合量について**

  ポリスチレンスルホン酸カルシウム
  　1g当たり53～71 mg（1.36～1.82 mEq）のKと交換（日局）
  　腎不全患者（成人）に対し，1日15～30gの投与により血清K値を約1 mEq/L抑制

  ポリスチレンスルホン酸ナトリウム
  　1g当たり2.81～3.45 mEqのKと交換（日局）
  　生体内ではアンモニア，Mg，有機酸，燐脂蛋白などの他の陽イオンとも結合するため，1g当たり約1 mEqのKと交換

53 腎疾患治療薬　③腎性貧血治療薬（HIF-PH阻害薬）

■ 対象薬剤

ロキサデュスタット（エベレンゾ），ダプロデュスタット（ダーブロック），バダデュスタット（バフセオ），エナロデュスタット（エナロイ），モリデュスタットナトリウム（マスーレッド）

■ 指導のポイント

	患者向け	薬剤師向け
薬効	この薬は赤血球を増やし，腎臓の病気による貧血を改善する薬です	HIF-プロリン水酸化酵素（HIF-PH）阻害作用によるエリスロポエチン増加作用
詳しい薬効	この薬は内因性エリスロポエチン産生促進作用をもつ低酸素誘導因子（HIF）の分解に関わる，HIF-プロリン水酸化酵素（HIF-PH）を阻害することでHIF経路を活性化し，エリスロポエチンを誘導して赤血球を増やし，腎性貧血を改善する薬です	
警告	吐き気，嘔吐，脱力，まひ，激しい頭痛，胸の痛み，押しつぶされるような胸の痛み，突然の息切れ，激しい腹痛，お腹が張る，足の激しい痛みなどの症状が現れた場合には，すぐに受診してください	脳梗塞，心筋梗塞等の重篤な血栓塞栓症による死亡のおそれ。投与開始前に血栓塞栓症のリスクを評価し投与の可否を慎重に判断。投与中は血栓塞栓症の徴候・症状に注意し発現時は速やかに医療機関を受診するよう患者に指導
禁忌	・本剤過敏症既往 ・〔エベレンゾ，エナロイ，マスーレッド〕妊婦	

■ 主な副作用と対策，フィジカルアセスメントのチェックポイント

主な副作用	患者に確認すべき症状	対策とPAのチェックポイント
高血圧	血圧が上がる	減量もしくは中止 PA 血圧（↑）
消化器症状	吐き気，下痢，便秘，嘔吐，食欲不振，腹痛	減量もしくは中止 PA 腸音（下痢：↑，便秘：↓）
過敏症	発疹，皮膚が斑状に赤くなる，じんま疹，皮膚炎，発熱	中止 PA 皮膚（かゆみ，発赤，腫脹），呼吸（喘鳴），体温（↑）

■ 重大な副作用と妊婦・授乳婦への危険度

薬剤名	重大な副作用	妊婦［授乳婦］
エベレンゾ	血栓塞栓症，けいれん発作	禁忌
ダーブロック	血栓塞栓症	－
バフセオ	血栓塞栓症，肝機能障害	－
エナロイ	血栓塞栓症	禁忌
マスーレッド	血栓塞栓症，間質性肺疾患	禁忌

■ その他の指導ポイント

	患者向け	薬剤師向け
使用上の注意	検 この薬の服用中は定期的にヘモグロビン濃度と血圧を測定するため，受診してください	本剤開始後・用量変更後は，安定するまでは週1回から2週に1回程度ヘモグロビン濃度を確認。投与中は4週に1回程度確認。ヘモグロビン濃度が4週以内に2.0g/dLを超えるような急激な上昇を認めた場合は，減量・休薬等の適切な処置。造血には鉄が必要なため，鉄欠乏時には鉄の補充を行う
	・［エベレンゾ，エナロイ，マスーレッド］妊娠中の方または妊娠する可能性のある女性は必ずご相談ください	ラットへの投与で出生時の発達遅延，出生時生存率低値（エベレンゾ），出生時の発達遅延，胚・胎児死亡の増加（エナロイ），着床後死亡の増加，平均生存時数の減少（マスーレッド）の報告で投与禁忌
	・［エベレンゾ，エナロイ］授乳中の方は必ずご相談ください	ラットへの投与で乳汁中に移行し，乳汁による曝露の影響と考えられる発生毒性報告。本剤投与中および本剤投与後4日間（エナロイ）もしくは28日間（エベレンゾ）まで授乳を避けさせること
	・［ダーブロック以外］胃薬（アルミニウム，マグネシウム含有制酸剤）や鉄剤，カルシウム含有製剤と同時に服用すると効き目が弱くなるので，できるだけ避けてください	本剤と同時投与にてキレートを形成し吸収が抑制され作用減弱のおそれのため併用注意 **併用する場合の投与間隔** ・［エベレンゾ，マスーレッド］服用前後1時間以上 ・［バフセオ］前後2時間以上 ・［エナロイ］投与後3時間または投与前1時間以上
服用を忘れたとき	・［エベレンゾ以外］思い出したときすぐに服用する。ただし次の服用時間が近いときは忘れた分は服用せず次の時間に1回分を服用する（2回分を一度に服用しないこと） ・［エベレンゾ］次のあらかじめ定めた日の飲む時間と24時間以上間隔があく場合は，すぐに1回分服用する。ただし，以後はあらかじめ定めた日に服用する。次のあらかじめ定めた日の飲む時間との間隔が24時間未満である場合は服用せず，次のあらかじめ定めた日に服用する（2回分を一度に服用しないこと）	

53 腎疾患治療薬　④尿毒症治療薬

■ 対象薬剤

球形吸着炭（クレメジン）

■ 指導のポイント

	患者向け	薬剤師向け
薬効	この薬は腸内で毒素を吸着し，尿毒症症状の改善や，透析導入を遅らせる薬です	尿毒症毒素吸着作用（消化管内）による血清クレアチニン上昇抑制作用
詳しい薬効	この薬は進行性の慢性腎不全における有害物質を消化管内で吸着し，便とともに排泄させることにより，有害物質の体内への吸収を抑え，食欲不振，口臭，吐き気，かゆみなどの尿毒症症状を改善し，透析導入を遅らせる薬です	
禁忌	消化管通過障害	

■ 主な副作用と対策，フィジカルアセスメントのチェックポイント

主な副作用	患者に確認すべき症状	対策とPAのチェックポイント
消化器症状	便秘，食欲がない，気分が悪い，嘔吐，お腹が張る	減量もしくは休薬 便秘症状の重い場合には投与を中止 PA 腸音（便秘：↓）
皮膚症状	湿疹，かゆみ	減量もしくは休薬 PA 皮膚（かゆみ，発赤，皮疹）

■ その他の指導ポイント

	患者向け	薬剤師向け
使用上の注意	・他の薬剤と一緒に服用しないようにしてください。併用薬がある場合，30分～1時間以上の間隔をあけてから服用してください ・便秘しやすい方はご相談ください	他剤併用の場合，本剤は吸着剤なので同時服用は避け，30分～1時間以上の間隔をあけ本剤を投与する。また併用薬が持効性製剤である場合は持効性でない同効薬に変更する 吸着炭による便秘の増悪
服用を忘れたとき	思い出したときすぐに服用する。ただし次の服用時間が近いときは忘れた分は服用しない（2回分を一度に服用しないこと）	

■ その他備考

- 進行性の慢性腎不全と診断された保存療法期の患者を対象とし，本剤適応前には血清クレアチニンの上昇により進行性の慢性腎不全であることを確認する。
- 本剤服用中においては，血清クレアチニンおよび尿毒症症状の変化等の経過を適宜観察し，投与開始 6 カ月を目標に投与継続の適否を検討する。改善が望めない状態に至ったときは，透析療法導入等の処置を行う。

53 腎疾患治療薬　⑤二次性副甲状腺機能亢進症治療薬

■ 対象薬剤

シナカルセト塩酸塩（レグパラ），エボカルセト（オルケディア）

■ 指導のポイント

	患者向け	薬剤師向け
薬効	この薬は血清副甲状腺ホルモンや血清中の→カルシウム濃度を低下させる薬です	・Ca 受容体作動薬 ・副甲状腺ホルモン（PTH）の分泌抑制による血清 PTH および Ca 濃度低下作用
詳しい薬効	この薬は副甲状腺細胞表面のカルシウム受容体に直接作用し，副甲状腺ホルモン（PTH）の合成と分泌を抑えて，血清 PTH や血清カルシウム濃度を低下させ，維持透析下の二次性副甲状腺機能亢進症や，副甲状腺がんや原発性副甲状腺機能亢進症に伴う高カルシウム血症に用いる薬です	
禁忌	・本剤過敏症既往 ・〔オルケディア〕妊婦	

■ 主な副作用と対策，フィジカルアセスメントのチェックポイント

主な副作用	患者に確認すべき症状	対策と PA のチェックポイント
低 Ca 血症	しびれ，筋肉のけいれん，気分不良，脈の乱れ	定期的に血清 Ca および PTH 濃度を測定 PA 背部・下肢（けいれん），脈拍（不整脈）

■ 重大な副作用と妊婦・授乳婦への危険度

薬剤名	重大な副作用	妊婦［授乳婦］
レグパラ	低 Ca 血症・血清 Ca 減少，QT 延長，消化管出血・消化管潰瘍，意識レベルの低下・一過性意識消失，突然死	B3
オルケディア	低 Ca 血症，QT 延長	禁忌

■ その他の指導ポイント

	患者向け	薬剤師向け
使用上の注意	1日1回，ほぼ同じ時刻に服用してください 【食】この薬の服用中にグレープフルーツジュースは飲まないでください 【検】この薬の服用中，血清カルシウムと副甲状腺ホルモン（PTH）濃度を測定するため定期的に受診しましょう	一定の時刻に服用することで，安定したPTH低下効果，維持効果が得られる 本剤の代謝が阻害され血中濃度上昇の可能性があるため併用注意 定期的に血清CaおよびPTH濃度を測定する。本剤は血中Ca低下作用を有するため血清Caが目安として8.4 mg/dL以上有することを確認して投与開始
服用を忘れたとき	飲み忘れに気づいても服用しない。次の服用時に決められた用量を服用する（2回分を一度に服用しないこと） 【理由】過度な血清Ca濃度低下が起こる可能性があるため	

53 腎疾患治療薬 ⑥その他

■ 対象薬剤

ナルフラフィン塩酸塩（レミッチ），ダパグリフロジンプロピレングリコール水和物（フォシーガ）

＊フォシーガはNo.57糖尿病治療薬⑤（p.816）参照

■ 指導のポイント

	患者向け	薬剤師向け
薬効	・この薬は透析患者または慢性肝疾患患者の既存薬が効きにくいかゆみを抑える薬です（レミッチ） ・この薬は腎臓を保護する作用があり，慢性腎臓病に用いる薬です（フォシーガ） ☆この薬は血液中の過剰なブドウ糖を尿中に排泄させることによって血糖値を下げる薬です（フォシーガ） ☆この薬は心臓を保護する作用があり，慢性心不全に用いる薬です（フォシーガ）	オピオイドκ（カッパ）受容体作動薬 SGLT2阻害薬 〃 〃
詳しい薬効	この薬は中枢の神経細胞にあるオピオイドκ（カッパ）受容体に選択的に結合し，κ受容体を活性化させることにより，透析患者または慢性肝疾患患者におけるμ受容体に関連する既存薬が効きにくいかゆみを抑える薬です（レミッチ）	

No.53 腎疾患治療薬

禁忌	本剤過敏症既往

■ 主な副作用と対策，フィジカルアセスメントのチェックポイント

主な副作用	患者に確認すべき症状	対策とPAのチェックポイント
不眠，眠気	眠れない，眠くてしかたない	不眠，便秘，眠気が透析患者では投与開始後2週間以内にまた不眠，眠気，便秘，頻尿・夜間頻尿が慢性肝疾患患者では投与開始後4週間以内に現れることが多い．不眠時は服用時間の変更の検討や減量 PA 腸音（便秘：↓，下痢：↑） 　　体重（↓），尿量（↑），口渇（↑）
消化器症状	便秘，吐き気，嘔吐，下痢	
頻尿・夜間頻尿	トイレに何回も行く，夜中にトイレに行く	

■ 重大な副作用と妊婦・授乳婦への危険度

薬剤名	重大な副作用	妊婦[授乳婦]
レミッチ	肝機能障害，黄疸	－

■ その他の指導ポイント

	患者向け	薬剤師向け
使用上の注意	・この薬を服用してから血液透析開始または腹膜透析の透析液交換までは十分な間隔をあけてください ・[レミッチOD]この薬は舌の上にのせ，唾液を浸潤させ舌で軽くつぶして崩壊後，唾液または水で飲み込んでください ・この薬の服用中は車の運転等，危険を伴う機械の操作は行わないでください 食 この薬の服用中にグレープフルーツジュースは飲まないでください	血液透析等により除去されることから，服用から血液透析までの時間が短い場合，血中濃度が低下する可能性があるため 口腔粘膜からの吸収により効果発現を期待する製剤でないため，唾液または水で飲み込む 眠気，めまいが現れることがあるため 本剤はCYP3A4により代謝されるため，グレープフルーツジュースのCYP3A4阻害作用により，血中濃度上昇の可能性があるため併用注意
服用を忘れたとき	夕食後服用の場合，飲み忘れに気付いたのがその日の就寝前なら服用する．それ以外の場合には服用せず翌日服用時に決められた用量を服用する（2回分を一度に服用しないこと）	

慢性腎不全の食事療法のポイント

慢性腎不全とは徐々に腎臓の機能が低下して，腎臓が体の老廃物を出しきれなくなった状態を言います。腎臓は血液をろ過し尿を作る臓器で，腎臓が高度に障害されると尿素やクレアチニンなどの老廃物の排泄や水分・塩分などの量や濃度の調節が十分に行われなくなり体液のバランスがくずれてきます。症状は初期にはありませんが，進行するとむくみ，嘔気，頭痛，貧血，高血圧，全身倦怠感など多彩な症状が現れ，ついには尿毒症に陥ります。慢性腎不全の原因として最も多いのは慢性糸球体腎炎で，その他腎盂腎炎，悪性高血圧，糖尿病などがあげられます。慢性となっていったん低下した腎機能は，もとの腎機能に回復させることはできません。したがって衰えた腎臓の働きに応じたこまやかな食事療法が必要になってきますので以下の点に注意してください。

【食事療法のポイント】
1. 腎機能が正常の1/3以下の状態では，多量の蛋白質をとると，代謝された老廃物（尿素，尿酸，クレアチニンなど）が体外に十分排泄されないため，血液中の尿素窒素が上昇します。そこで血液中の尿素窒素をできるだけ低く保てるように，低蛋白とし，卵，肉，魚などの良質の蛋白質をできるだけ多くとるようにしましょう。しかし通常の食品のみで蛋白質制限の食事療法を行うとエネルギー不足になるため低蛋白の特殊食品（無～低蛋白含有量でありながらエネルギー含有量の高い食品が市販されている）を日常の食事に取り入れましょう。
2. エネルギーが不足すると，蛋白の異化が亢進するのでエネルギーは十分とりましょう。体重当たり35kcal以上を糖質（米，でんぷんなど），脂質（植物油，マヨネーズ，バターなど）より摂取しましょう。
3. ナトリウムは添加食塩で1日3～5g程度とし，減塩しょうゆ，減塩ソースなどを上手に取り入れましょう。
4. カリウムは血清カリウム値が正常値を上回るようなときには，食事中のカリウム量を減らす工夫をしましょう。そのためにはカリウム含量の低い食品を選ぶか，カリウム含量の高い食品（生野菜や果物，海藻，豆類，いも類など）は使用量を制限するか，調理法を工夫（ゆでると約1/3に減少）するなどしましょう。
5. 水分は，尿量が1日1,000～1,500cc以上あれば，何回にも分けてできるだけ多くとるようにしましょう。しかし人工透析を受けている方は水分の制限が大切です。
6. 香辛料を上手に用いて食欲を増進させるようにしましょう。

54 習慣性中毒用薬　抗酒薬・断酒補助薬・飲酒量低減薬

■ 対象薬剤

抗酒薬：シアナミド（シアナマイド），ジスルフィラム（ノックビン）
断酒補助薬：アカンプロサートカルシウム（レグテクト）
飲酒量低減薬：ナルメフェン塩酸塩水和物（セリンクロ）

■ 指導のポイント

	患者向け	薬剤師向け
薬効	・この薬はお酒を嫌いにさせて節酒または禁酒するのを助ける薬です（シアナマイド，ノックビン）	アルデヒド脱水素酵素阻害作用
	・この薬は飲酒欲求を抑えることで断酒するのを助ける薬です（レグテクト）	グルタミン酸作動性神経活動の抑制作用
	・この薬は飲酒欲求を抑えることでお酒を飲む量を減らす薬です（セリンクロ）	選択的オピオイド受容体の調節作用
詳しい薬効	・この薬はアルコールが代謝されてできる二日酔いの原因となる物質（アセトアルデヒド）を分解する酵素の働きを肝臓で抑え，血液中にアセトアルデヒドがたまりやすくすることで少量のお酒で悪酔いの状態となり，徐々にお酒を嫌いにさせて節酒または禁酒するのを助ける薬です（シアナマイド，ノックビン） ・この薬はアルコール依存で亢進した興奮性神経であるグルタミン酸作動性神経の活動を抑制し，神経間（興奮性神経と抑制性神経）のバランスを調節することで，飲酒欲求を抑え，断酒するのを助ける薬です（レグテクト） ・この薬はアルコール依存形成下でオピオイド受容体を阻害し，飲酒によって引き起こされる過度の多幸感を抑えて，飲酒欲求を抑え，飲酒量を減らすのを助ける薬です（セリンクロ）	
禁忌・併用禁忌	**禁忌**　・〔シアナマイド，ノックビン〕重篤な心・肝・腎障害・呼吸器疾患，妊婦 ・〔レグテクト〕本剤過敏症既往，高度の腎機能障害 ・〔セリンクロ〕本剤過敏症既往，オピオイド系薬剤を投与中または投与中止後1週間以内，オピオイドの依存症または離脱の急性症状 **併用禁忌**　・〔シアナマイド，ノックビン〕⇔アルコールを含む医薬品（エリキシル剤，薬用酒）にて急性アルコール中毒症状発現 ・〔ノックビン〕⇔アルコールを含む食品（奈良漬等），化粧品（アフターシェーブローション等）にて急性アルコール中毒症状発現 ・〔セリンクロ〕⇔本剤にてモルヒネ，フェンタニル，タラモナール，レミフェンタニル，オキシコドン，メサドン，ブプレノルフィン，タペンタドール，トラマドール，トラムセット，ペチジン，ペチロルファン，ペンタゾシン，ヒドロモルフォンの離脱症状を起こすおそれ，また鎮痛効果減弱のおそれ	

■ 主な副作用と対策，フィジカルアセスメントのチェックポイント

主な副作用	患者に確認すべき症状	対策と PA のチェックポイント
消化器症状	吐き気，食欲がない，下痢	減量もしくは休薬 PA 腸音（↓）
精神神経症状	頭痛，体がだるい，眠れない，眠気	減量もしくは休薬

■ 重大な副作用と妊婦・授乳婦への危険度

薬剤名	重大な副作用	妊婦[授乳婦]
シアナマイド	中毒性表皮壊死融解症，皮膚粘膜眼症候群，落屑性紅斑，薬剤性過敏症症候群，再生不良性貧血，汎血球減少，無顆粒球症，血小板減少，肝機能障害，黄疸	禁忌
ノックビン	精神神経系，肝機能障害，黄疸	禁忌
レグテクト	アナフィラキシー，血管浮腫	B2

■ その他の指導ポイント

	患者向け	薬剤師向け
使用上の注意	・〔シアナマイド，ノックビン，セリンクロ〕→この薬を服用中は，車の運転等，危険を伴う機械の操作は行わないでください	・〔シアナマイド，ノックビン〕注意力・集中力・反射運動能力の低下を起こすことがある ・〔セリンクロ〕注意力障害，浮動性めまい，傾眠
	・〔シアナマイド，ノックビン〕妊娠中または妊娠の可能性のある方は必ずご相談ください	安全性は確立していないため投与禁忌
	・〔シアナマイド，ノックビン〕アルコールを含む医薬品（エリキシル剤，薬用酒等）をお飲みの方は必ずご相談ください	急性アルコール中毒症状発現
	・〔シアナマイド，ノックビン〕この薬の服用中にアルコールを含む化粧品（アフターシェーブローション等）は薬の作用が強く出るので使用しないでください	〃
	・〔レグテクト〕この薬は食後に服用してください	空腹時投与では血中濃度が上昇し，副作用発現の危険性増大
	・〔レグテクト〕この薬はかまずに服用してください	腸溶性のフィルムコーティング錠であるため
	・〔セリンクロ〕この薬は分割したり，粉砕しないでください	マウスで皮膚感作性が報告されているため
	・〔セリンクロ〕この薬は飲酒の1～2時間前に服用してください	服用せずに飲酒し始めた場合，本剤の有効性を確実に発揮させるため気づいた時点ですぐに服用。飲酒終了後には服用しない
	・〔レグテクト，セリンクロ〕自分の命を絶ちたいという思いのある方は必ずご相談	本剤との因果関係は明らかでないが，自殺念慮，自殺企図が報告されているため慎重投与

使用上の注意	…ください 食［シアナマイド，ノックビン］この薬の服用中にアルコールおよびアルコールを含む食品（奈良漬等）はとらないでください　薬の作用が強く出るのでとらないでください	→ 急性アルコール中毒症状発現
	食［ノックビン］この薬の服用中にカフェイン高含有飲食物（コーヒー，紅茶，緑茶等）を飲むのを控えてください	→ 本剤によりカフェイン代謝阻害され血中カフェイン濃度上昇により過度の中枢神経刺激作用発現
服用を忘れたとき	・［セリンクロ以外］思い出したときすぐに服用する。ただし次の服用時間が近いときは忘れた分は服用しない（2回分を一度に服用しないこと） ・［セリンクロ］服用せずに飲酒し始めた場合は，気づいた時点ですぐに服用する。ただし，飲酒終了後には服用しない	

■ その他備考
- ［ノックビン］アルコールに対する感受性は服用後少なくとも14日間は持続する

55 高尿酸血症・痛風治療薬

■ 高尿酸血症・痛風治療薬—薬物治療の確認と指導のポイント

項目	確認のポイント
血清尿酸値や痛風発作の発現の確認	**高尿酸血症**：尿酸代謝異常による血清尿酸値が 7.0 mg/dL 以上 （原因）尿酸排泄低下型（約6割），尿酸産生過剰型（約1割），混合型（約3割） **痛風**：高尿酸血症状態で関節内に尿酸塩結晶が析出することにより発症し，激痛を伴う急性関節炎発作（痛風発作）を主症状とした症候群 **痛風発作の症状**：足の親指の付け根に現れることが多く，患部が炎症で赤く腫れ上がり，発熱もみられる。激痛のピークは発症から約24時間 （間欠期）一週間ほどで徐々に治まり全くの無症状 （慢性期）そのまま放置すると，痛風発作は再発をくり返す **発作時の検査**：白血球増多，赤沈亢進，CRP 上昇
食事療法，運動療法を中心とした積極的な生活指導の実施	代表的な生活習慣病であるため，現在の食事内容や運動や飲酒の状況を聞き取り，改善点を中心に指導を実施 **食事療法**：①高プリン体食（アルコール，動物の内臓，乾物，魚の干物等），カロリー，果糖・ショ糖の過剰摂取を控える ②尿の中性化に有効であるアルカリ性食品（海藻，野菜，イモ類）を摂取（尿酸の尿中での溶解度を高める） ③十分な水分を摂取して尿量を2L/日以上確保（尿酸の尿中飽和度を減少させる） ④飲酒制限をする（日本酒1合，ビール 500 mL，ウイスキー 60 mL 程度。ビールはプリン体も多く含むので尿酸を増加させやすい） **運動療法**：適正な体重（BMI＜25）を目標に週3回程度，有酸素運動などを継続して行う
痛風発作の有無による薬物療法の確認	痛風関節炎を防ぐことが第一となる ・**痛風発作時の治療**：コルヒチン，NSAIDs（発作極期にパルス療法として投与），ステロイドの3剤。コルヒチンは痛風発作の前兆期（患部がムズムズしたり発作が起こりそうだと感じるとき）に投与。患部の安静を保ち冷却，禁酒する ・**発作のない時期の治療**：発作が十分鎮静した後，高尿酸血症の病型や合併症に合わせて尿酸降下薬*を選択 ・**痛風発作のない無症候性高尿酸血症**：合併症（腎障害，高血圧，虚血性心疾患，糖尿病，メタボリックシンドローム）を有する場合血清尿酸値 8.0 mg/dL 以上で薬物治療を考慮。尿酸降下薬は少量から開始し，治療目標値は 6.0 mg/dL 以下とする。発作の症状がなくても服薬の継続が重要なので定期的に服薬状況を把握
急性痛風関節炎〜慢性痛風関節炎への服薬指導のポイント	・急性期の治療は発作の症状を速やかに消失させること ・発作が治まってから尿酸降下療法（ULT）を始める ・ULT により血清尿酸値↓となると，尿酸塩結晶が関節内で剥脱するため，痛風発作を起こすことがあり，アドヒアランスの低下につながるので十分説明する ・ULT 開始後の痛風発作予防のため，コルヒチンカバー（短期間に発作を繰り返す場合や尿酸降下薬導入時に 0.5〜1 mg/日を毎日予防的に投与。3〜6カ月間）の必要性を説明する

No.55 高尿酸血症・痛風治療薬

項目	確認のポイント
	・ULT にて尿酸塩結晶の減少，結節の縮小，消失，再発の防止が可能であるが，治療が長期にわたることを説明し，アドヒアランス維持に努める
副作用，相互作用の確認	相互作用 ・コルヒチン⇔タクロリムス，クラリスロマイシン，エリスロマイシン等 副作用 ・コルヒチン：消化器症状 ・NSAIDs：胃腸障害，腎・肝障害 ・グルココルチコイド：糖尿病，感染症

＊①尿酸合成阻害薬（アロプリノール，フェブキソスタット，トピロキソスタット）：主に尿酸産生過剰型に用いる
　②尿酸排泄促進薬（プロベネシド，ベンズブロマロン，ドチヌラド）：尿酸結石を誘発しやすくなるので，十分な水分摂取と尿アルカリ化薬の併用を行う

■高尿酸血症・痛風の治療アルゴリズム

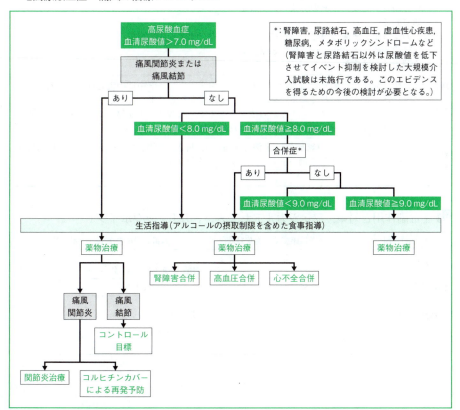

（日本痛風・尿酸核酸学会 ガイドライン改訂委員会・編：高尿酸血症・痛風の治療ガイドライン第3版，p 22，診断と治療社，2018）

55　高尿酸血症・痛風治療薬　①痛風発作緩解薬

■ 対象薬剤
コルヒチン（コルヒチン）

■ 指導のポイント

	患者向け	薬剤師向け
薬効	この薬は痛風発作時の激しい痛みを抑える薬です（ただし，痛風を根本から治す薬ではありません）	痛風発作の緩解および予防
	☆この薬は家族性地中海熱（※）の反復して起こる発熱や疼痛を伴う全身性炎症発作を防ぎ，アミロイドの臓器への沈着を防ぐ薬です	炎症性サイトカインの産生抑制 アミロイド（蛋白質）の臓器沈着予防
	◆この薬は眼や皮膚の炎症，口腔粘膜や外陰部の潰瘍（ベーチェット病）を改善する薬です（適応外）	白血球遊走阻止作用
詳しい薬効	・この薬は局所に浸潤した白血球の尿酸貪食作用を阻止し，好中球の走化性因子に対する反応性を低下させることにより，痛風の発作を抑制する薬です ・この薬は過剰なインターロイキンの働きを抑えて，家族性地中海熱（※）の反復して起こる全身性炎症発作を防ぎ，アミロイドの臓器への沈着を防ぐ薬です	
禁忌	本剤過敏症既往，妊婦（家族性地中海熱を除く），肝臓，腎臓に障害があり，肝代謝酵素CYP3A4を強く阻害する薬剤やP糖蛋白を阻害する薬剤服用中	

■ 主な副作用と対策，フィジカルアセスメントのチェックポイント

主な副作用	患者に確認すべき症状	対策とPAのチェックポイント
過敏症状	かゆみ，発疹，発熱	中止 PA 皮膚（かゆみ，発赤，発疹），呼吸（喘鳴）
消化器症状	吐き気，腹痛，下痢	減量もしくは休薬
腎機能障害	血尿，乏尿	中止 PA 尿量（↓），体重（↑），浮腫（上眼瞼，下腿脛骨）
全身症状	脱毛	中止

■ 重大な副作用と妊婦・授乳婦への危険度

薬剤名	重大な副作用	妊婦[授乳婦]
コルヒチン	再生不良性貧血，顆粒球減少，白血球減少，血小板減少，横紋筋融解症，ミオパチー，末梢神経障害	禁忌 [授△]

■ その他の指導ポイント

	患者向け	薬剤師向け
使用上の注意	・痛風発作の予感があったとき服用するのが一番よく効きますので，発作が始まったらなるべく早く服用してください ・痛風発作時に服用する場合は，1回1錠(0.5mg)を発作が緩解するまで3〜4時間ごとに服用し，1日量は1.8mgまでにしてください	発作3〜4時間前に先行する予兆を感知したらできるだけ早く服用する。発作発現後，服用開始が早いほど効果的である ・投与量の増加に伴い，胃腸障害の発現が増加するため，1.8mgまでの投与にとどめることが望ましい ・痛風発作の前兆期にはコルヒチン1錠(0.5mg)を用い，発作を頓挫させる。痛風発作が頻発する場合には，コルヒチン1日1錠を連日服用させる「コルヒチン・カバー」が有効である
		・痛風発作の極期には非ステロイド性抗炎症薬(NSAIDs)が有効であるが，短期間に限り比較的多量を投与して炎症を鎮静化させる(NSAIDsパルス療法)。副作用の発現に注意する ・NSAIDsが使用できない場合，NSAIDs投与が無効であった場合，多発性に関節炎を生じている場合などには，経口にて副腎皮質ステロイドを投与する
		肝・腎障害のある患者は重篤な副作用が現れるおそれがあるため，投与する場合にはごく少量から開始する
	・妊娠中または妊娠の可能性のある方は必ずご相談ください	動物実験で催奇形性作用が報告されているため投与禁忌。ただし，家族性地中海熱に限り，有益性投与
	・医師の指示どおり服用してください	大量使用または誤用により服用後数時間以内に急性中毒症状が現れることがある
	食 この薬剤の服用中にグレープフルーツジュースは飲まないでください	肝代謝酵素CYP3A4を阻害することにより本剤の血中濃度を上昇させることがある
服用を忘れたとき	思い出したときすぐに服用する。ただし次の服用時間が近いときは忘れた分は服用しない（2回分を一度に服用しないこと）	

■ その他備考

■（※）家族性地中海熱（Familial Mediterranean Fever：FMF）とは

　　発作性に起こる発熱と腹部，胸部の疼痛や関節の腫れなどの症状が繰り返される遺伝性の病気である。現在，コルヒチンが家族性地中海熱に効果が認められている唯一の内服薬である。コルヒチンの内服療法は，反復して起こる発作を防ぎ，アミロイドーシスの予防にもなる。しかし，途中で内服を中止すると，発作を起こし，アミロイドーシスになる危険性が高くなるので内服を継続する必要がある。アミロイドーシスは，腎臓や腸管，皮膚，心臓などの臓器にアミロイドという特殊な蛋白質が沈着する病気で，それが原因で臓器の機能が徐々に低下する。コルヒチンの内服を一生きちんと行えば，さまざまな制限を受けることなく，アミロイドーシスを起こさずに，普通の生活を送ることができる。しかし，治療が遅れたり，治療がなされなかったりすれば，アミロイドーシスを起こしやすくなる。

55　高尿酸血症・痛風治療薬　②尿酸合成阻害薬

■ 対象薬剤

アロプリノール（ザイロリック），フェブキソスタット（フェブリク），トピロキソスタット（ウリアデック，トピロリック）

■ 指導のポイント

	患者向け	薬剤師向け
薬効	この薬は体内で尿酸が作られるのを抑える→薬です	尿酸合成阻害作用（キサンチンオキシダーゼ阻害作用）
	☆この薬はがん化学療法によって尿酸が増えるのを防ぐ薬です（フェブリク）	
	◆この薬は抗がん薬投与時の口内炎予防のためにうがい薬として用いる薬です（適応外）（ザイロリック）	フリーラジカル発生抑制作用
詳しい薬効	・この薬は核酸類似の構造（プリン骨格）をもち，プリン体（核酸）から尿酸を作る酵素（キサンチンオキシダーゼ）を阻害し，尿酸が作られるのを抑え血液中の尿酸を減らし，体のいろいろな場所（足指の関節（特に親指の付け根），足首，ひざ，ひじ，手の関節など）に尿酸が結晶となってたまってくるのを抑える薬です（ザイロリック）	
	・この薬は核酸類似の構造（プリン骨格）をもたず，プリン体（核酸）から尿酸を作る酵素（キサンチンオキシダーゼ）を選択的に阻害し（プリン・ピリミジン代謝酵素は阻害しない），尿酸が作られるのを抑え血液中の尿酸を減らし，体のいろいろな場所（足指の関節（特に親指の付け根），足首，ひざ，ひじ，手の関節など）に尿酸が結晶となってたまってくるの	

No.55　高尿酸血症・痛風治療薬

詳しい薬効	を抑える薬です（フェブリク，ウリアデック，トピロリック） ☆抗がん薬によりがん細胞が急速に崩壊すると，細胞内の核酸等が血液中に大量に放出され，核酸は分解され尿酸を産生するため，高尿酸血症を引き起こします。この薬は，そのような化学療法に伴う高尿酸血症の発症を抑制する薬です（フェブリク）
禁忌・併用禁忌	[禁忌] 本剤過敏症既往 [併用禁忌]〔ザイロリック以外〕⇔メルカプトプリン，アザチオプリンの骨髄抑制等の副作用増強の可能性

■ 主な副作用と対策，フィジカルアセスメントのチェックポイント

〔ザイロリック〕

主な副作用	患者に確認すべき症状	対策とPAのチェックポイント
過敏症状	かゆみ，発疹，発熱	中止 PA No.55 高尿酸血症・痛風治療薬① p.788 参照
消化器症状	食欲がない，下痢，軟便，胃部不快感	減量もしくは休薬
全身症状	体がだるい，毛が抜ける	〃

〔フェブリク，ウリアデック，トピロリック〕

主な副作用	患者に確認すべき症状	対策とPAのチェックポイント
関節痛	関節が痛む，手足が痛い	投与を継続し，症状によりコルヒチン，非ステロイド性抗炎症薬，副腎皮質ステロイド等を併用する
肝機能検査値異常	体がだるい，食欲がない，疲れやすい，イライラする	減量もしくは中止 PA 眼球（黄色），皮膚（皮疹，疲痒感，黄色），尿（褐色），体温（↑）

■ 重大な副作用と妊婦・授乳婦への危険度

薬剤名	重大な副作用	妊婦[授乳婦]
ザイロリック	皮膚粘膜眼症候群，中毒性表皮壊死融解症，剥脱性皮膚炎等の重篤な皮膚障害，過敏性血管炎，薬剤性過敏症症候群，ショック，アナフィラキシー，再生不良性貧血，汎血球減少，無顆粒球症，血小板減少，劇症肝炎等の重篤な肝機能障害，黄疸，腎不全，腎不全の増悪，間質性肺炎を含む腎障害，間質性肺炎，横紋筋融解症	B2 [🚫○]
フェブリク	肝機能障害，過敏症	[🚫○]
ウリアデック，トピロリック	肝機能障害，多形紅斑	[🚫○]

■ その他の指導ポイント

	患者向け	薬剤師向け
使用上の注意	・〔ザイロリック〕皮膚がかゆい，手足がしびれる，息苦しい，発熱，湿疹などの症状があれば必ずご相談ください ・飲み始めたとき一時的に痛みが強くなることがあります ・この薬を飲んでいて痛風発作が起きた場合勝手に薬の量をかえたり，中止したりしないで続けて服用してください ・心臓や腎臓が悪くなければ1日の尿量が2L程度となるよう水分を十分にとりましょう ・この薬は必要があれば何年も継続して服用しないといけないことがあります	過敏症状が認められたら，直ちに投与を中止し適切な処置を行い，再投与しない 投与初期に尿酸値の変動により，痛風発作の一時的な増強をみることがある。また尿酸プールの正常化ないしこれが安定するのに3～6カ月かかるので，この間はしばしば痛風発作が誘発されるので患者に説明しておく 血清尿酸値の急激な変動（増加のみでなく低下の場合も）は急性発作を悪化させる ・〔ザイロリック〕本剤投与中に痛風が増悪した場合には，コルヒチン等を併用する ・〔フェブリク，ウリアデック，トピロリック〕本剤投与中に痛風発作が発現した場合，本剤の用量を変更することなく投与を継続し，症状によりコルヒチン，NSAIDs，副腎皮質ステロイド等を併用する 尿が酸性の場合，尿酸結石およびこれに由来する血尿，腎疝痛等の症状を起こしやすいので，これを防止するため尿量の増加および尿のアルカリ化をはかる 服用を止めれば尿酸値はふたたび上昇するので，長期服用が必要 ・新たに本剤を投与する場合，急性痛風発作がおさまるまで開始しない
服用を忘れたとき	・思い出したときすぐに服用する。ただし次の服用時間が近いときは忘れた分は服用しない（2回分を一度に服用しないこと） ・〔フェブリク：がん化学療法に伴う高尿酸血症〕化学療法前に医師に相談し，その指示に従う。化学療法後の場合は，思い出したときすぐに服用する。ただし次の服用時間が近いときは忘れた分は服用しない（2回分を一度に服用しないこと）	

55 高尿酸血症・痛風治療薬　③尿酸排泄促進薬

■ 対象薬剤

プロベネシド（ベネシッド），ベンズブロマロン（ユリノーム），ドチヌラド（ユリス）

■ 指導のポイント

	患者向け	薬剤師向け
薬効	この薬は尿酸の排泄を促す薬です　→ ☆この薬は菌を殺す薬の尿中への排泄を抑→ えて，血中濃度を高く保って，効果を持続させる薬です（ベネシッド）	尿酸排泄促進作用 ペニシリンおよびパラアミノサリチル酸の尿中排泄抑制作用
詳しい薬効	この薬は尿細管で尿酸が再び吸収されるのを抑えて，尿酸が尿中へ排泄されるのを促進することによって，体のいろいろな場所（足指の関節（特に親指の付け根），足首，ひざ，ひじ，手の関節など）に尿酸が結晶となってたまってくるのを抑える薬です	

	患者向け	薬剤師向け
警告	〔ユリノーム〕体がだるい，発熱，皮膚がかゆい，皮膚や目が黄色くなるなどの症状が現れた場合は必ずご相談ください 検 〔ユリノーム〕この薬を服用して6カ月間は定期的に肝機能検査を受けるため受診しましょう	劇症肝炎等の重篤な肝障害が主に投与開始6カ月以内に発現し，重篤な転帰の報告。少なくとも6カ月間は肝機能検査を行い，異常が認められた場合投与中止し，適切な処置。副作用として肝障害が発生する場合があることを患者に説明し，症状が現れた場合，服用を中止し，直ちに受診するよう注意を行う
禁忌	・腎臓結石症，高度の腎障害，本剤過敏症既往 ・〔ベネシッド〕血液障害，2歳未満の乳児 ・〔ユリノーム〕肝障害，妊婦	

■ 主な副作用と対策，フィジカルアセスメントのチェックポイント

主な副作用	患者に確認すべき症状	対策とPAのチェックポイント
過敏症状	かゆみ，皮膚炎	中止 PA No.55 高尿酸血症・痛風治療薬① p.788 参照
消化器症状	吐き気，食欲がない，胃部不快感，腹痛，下痢，軟便	減量もしくは休薬

■ 重大な副作用と妊婦・授乳婦への危険度

薬剤名	重大な副作用	妊婦[授乳婦]
ベネシッド	溶血性貧血，再生不良性貧血，アナフィラキシー様反応，肝壊死，ネフローゼ症候群	B2 [🚫◎]
ユリノーム	重篤な肝障害	禁忌 [🚫△]

■ その他の指導ポイント

	患者向け	薬剤師向け
使用上の注意	・飲み始めたとき一時的に痛みが強くなることがあります	投与初期に尿酸値の変動により，痛風発作の一時的な増強をみることがある。また尿酸プールの正常化ないしこれが安定するのに3～6カ月かかる。この間はしばしば痛風発作が誘発されるので患者に説明しておく
	・この薬を飲んでいて痛風発作が起きた場合，勝手に薬の量をかえたり，中止したりしないで続けて服用してください	血清尿酸値の急激な変動（増加のみでなく低下の場合も）は急性発作を悪化させる。本剤投与中に痛風が増悪した場合，コルヒチン，NSAIDs等を併用する
	・心臓や腎臓が悪くなければ，1日の尿量が2L程度となるよう水分を十分にとりましょう	尿が酸性の場合，尿酸結石およびこれに由来する血尿，腎疝痛等の症状を起こしやすいので，これを防止するため尿量の増加および尿のアルカリ化をはかる
	・この薬は必要があれば何年も継続して服用しないといけないことがあります	服用を止めれば尿酸値はふたたび上昇するので，長期服用が必要
	・[ユリノーム]妊娠中または妊娠の可能性のある方は必ずご相談ください	動物実験で催奇形作用が報告されているため投与禁忌
服用を忘れたとき	思い出したときすぐに服用する。ただし次の服用時間が近いときは忘れた分は服用しない（2回分を一度に服用しないこと） 理由 次の服用が近いときに服用すると，量が多くなり，尿酸値が通常より下がり，発作を引き起こす可能性があるため	

■ その他備考

- 酸性尿による尿酸結石を防ぐため,尿をアルカリ化する炭酸水素ナトリウム,ウラリット，アセタゾラミド等を水とともに服用させることがある

55　高尿酸血症・痛風治療薬　④その他

■ 対象薬剤
配合剤（ウラリット-U 配合散，ウラリット配合錠）

■ 指導のポイント

	患　者　向　け	薬　剤　師　向　け
薬効	この薬は尿をアルカリ化して尿酸結石を防ぐ薬です ☆この薬は体が酸性になっているのを改善する薬です ◆この薬は尿路結石の再発を防ぐ薬です（適応外）	酸性尿の改善作用 アシドーシス改善作用
詳しい薬効	この薬は体の尿酸値が高く尿中への尿酸の排泄が多いとき，尿が酸性では尿酸結石ができやすいため，尿をアルカリ化して尿酸結石を防ぐ薬です	
併用禁忌	ヘキサミンの効果減弱	

■ 重大な副作用と妊婦・授乳婦への危険度

薬剤名	重大な副作用	妊婦［授乳婦］
ウラリット	高カリウム血症	［愛○］

■ その他の指導ポイント

	患　者　向　け	薬　剤　師　向　け
使用上の注意	・定期的に尿の pH を測定しましょう ・〔ウラリット U〕舌に刺激を感じる場合または服用しにくい場合は，水などに溶かして服用してください	・尿検査で pH 6.2〜6.8 の範囲に入るように投与量を調整する ・リン酸カルシウムはアルカリ側で不溶性となることが知られているので，結石防止のため過度のアルカリ化は避けるべきである 塩味が強く服用しにくいことがある。また，痛風・高尿酸血症の患者においては，尿量の増加をはかることが望ましい
服用を忘れたとき	思い出したときすぐに服用する。ただし次の服用時間が近いとき（4時間以内）は忘れた分は服用しない（2回分を一度に服用しないこと）	

■ その他備考
■配合剤成分：ウラリット（クエン酸カリウム，クエン酸ナトリウム水和物）

高尿酸血症・痛風治療薬一覧表

	尿酸排泄促進薬			尿酸合成阻害薬		
一般名	プロベネシド	ベンズブロマロン	ドチヌラド	アロプリノール	フェブキソスタット	トピロキソスタット
商品名	ベネシッド(科研)	ユリノーム(鳥居)	ユリス(富士薬品)	ザイロリック(グラクソ・スミスクライン)	フェブリク(帝人ファーマ)	ウリアデック・トピロリック(三和化学)、トピロキソスタット(富士薬品)
薬理作用	尿細管で尿酸の再吸収を阻害する。近位>遠位	遠位尿細管での分泌後の再吸収を阻害する	近位尿細管で再吸収を担うトランスポーターURAT1の選択的阻害作用をもつ	キサンチンオキシダーゼ阻害による尿酸生成抑制。主代謝物であるオキシプリノールもキサンチンオキシダーゼ抑制作用を有する	選択的キサンチンオキシダーゼ阻害による尿酸生成抑制。プリン、ピリミジン代謝阻害なし	選択的キサンチンオキシダーゼ阻害による尿酸代謝酵素の阻害なし
T_{max}	1〜5 時間	2〜3 時間	2〜3 時間	2.1 時間	0.5〜3 時間	0.7〜0.9 時間
$T_{1/2}$	6〜12 時間	12〜13 時間	9〜10 時間	1.6 時間（オキシプリノールは17.1 時間）	5〜9 時間	4.6〜7.5 時間
効果比較	1	10	—	—	—	—
用法/日 (排泄経路)	2〜4 回	1〜3 回	1 回	2〜3 回 (腎排泄)	1 回 (胆汁排泄)	2 回 (胆汁排泄)
適応	・尿酸排泄低下型に使用			・尿酸生成過剰型に使用 ・尿路結石の既往ないし保有		

— 796 —

痛風の日常生活と食事療法のポイント

体の中にあるプリン体という物質が代謝されて，尿酸になり多くは尿中に排泄されます。何らかの原因で尿酸の産生が多すぎたり，排泄が低下したりすると血中の尿酸値が高くなります。これが高尿酸血症です。高尿酸血症が続くと尿酸が結晶になって体のいろいろな場所にたまります。足の親指の関節などに尿酸がたまると強烈な痛みを伴う関節炎発作が起こります。足の親指以外にも他の足指の関節，足首，ひざ，ひじ，手の関節にも同じような発作が起きることがあります。これが痛風です。しかしこの急性発作の痛みは，なにも治療しなくても1～数週間で自然に治癒しますが，6カ月ないし2年に1回くらいの間隔で発作が襲ってきます。放置しておくと腎臓や心臓の病気を合併して進行しますから，軽んじられません。最も治療で大切なことは高い尿酸値を正常に下げることで，尿酸値を正しくコントロールすれば扱いやすい病気です。ただこのコントロールは一生涯行う必要がありますので，次のような点に気をつけてください。

【日常生活】
1. 急激な肥満を防ぐことは痛風予防の第一となります。
2. 過度な運動・無酸素運動は避け，週3回程度の軽い運動を継続して行いましょう。
3. 頭脳労働や精神的緊張等のストレスを少なくするように心がけましょう。

【食事療法】
肉エキス，モツ類は避け動物性蛋白，脂肪，酒を制限して，果物，野菜，穀類を主とし，肥りすぎを防いで水分を多量にとるように心がけましょう。
また美食，多食をつつしみ，やや粗食にするよう心がけましょう。

原則　①プリン体を多量に含む食品，主にモツ類，肉エキスなどをとらない。（プリン体として，1日量400 mgを超えないようにする）
②脂肪摂取を少なめにする。
③炭水化物，蛋白質は多すぎないようにする。
④乳製品は積極的にとることが望ましい。
⑤アルカリ性食品をとるよう心がける。
⑥腎臓や心臓がひどく悪くなければ，水分は十分にとって1日の尿量を2Lくらいにする。
⑦酒類は1日酒1合，ビール500 mL，ウイスキー60 mLのいずれかに抑える。禁酒日を週2日以上とる。
⑧多食，美食で肥らないよう，なるべく標準体重に近づくようなカロリー摂取量に抑える。（反対にあまりカロリーを制限しすぎて急激に痩せるのも避ける）

56 消炎酵素薬

■ 対象薬剤
プロナーゼ（プロナーゼMS，ガスチーム）

■ 指導のポイント

	患者向け	薬剤師向け
薬効	この薬は胃内視鏡検査の際に胃粘膜液を除去し，診断を行いやすくする薬です	蛋白分解酵素による胃粘液溶解除去作用
詳しい薬効	この薬は蛋白を分解する酵素で，胃粘液の主成分である粘液糖蛋白質ムチンのペプチド結合を切断することで胃粘液を溶解除去し，胃内視鏡検査の際に診断を行いやすくする薬です	
禁忌	本剤過敏症既往，胃内出血	

■ 主な副作用と対策

主な副作用	患者に確認すべき症状	対策
消化器症状	食欲がない，気分が悪い，吐き気	減量もしくは中止

■ 重大な副作用と妊婦・授乳婦への危険度

薬剤名	重大な副作用	妊婦［授乳婦］
プロナーゼMS，ガスチーム	ショック，アナフィラキシー様症状	−

■ その他の指導ポイント

	患者向け	薬剤師向け
使用上の注意	この薬は検査15〜30分前に，炭酸水素ナトリウム1gとともに約50〜80 mLの水に溶かして服用してください	酸性条件下では不安定であるため，炭酸水素ナトリウムを同時に投与する。また，ジメチコン等の消泡剤と同時に投与することが望ましい

57 糖尿病治療薬

■ 糖尿病治療薬－薬物治療の確認と指導のポイント

項目	確認のポイント
糖尿病と型の確認	糖尿病はインスリン作用不足による慢性的な高血糖を主徴とする代謝疾患群 **治療の目標**：健康な人と変わらない日常生活の質（QOL）の維持，寿命の確保 **成因分類** ・1型糖尿病：膵β細胞破壊により，インスリン分泌が急速・不可逆的に低下して起こる糖尿病 ・2型糖尿病：インスリン分泌低下を主体とするものと，インスリン抵抗性（肥満：内臓脂肪が関与）の場合が主体でそれにインスリンの相対的不足を伴う糖尿病（全糖尿病に占める割合は95%以上） ・その他の特定の機序，遺伝子要因の疾患によるもの ・妊娠糖尿病 **検査**：BMI（体重（kg）/身長（m）^{2}），血糖，HbA1c，尿糖，IRI，1.5-AG，ケトン体，血中Cペプチド，1日尿中Cペプチド，GAD抗体，ICA抗体，IAA抗体，HOMA-IR，グリコアルブミン，75 gOGTT，尿蛋白（付録「検査値の読み方」参照） **糖尿病型**：糖尿病臨床診断のフローチャート（p.835）参照 ・血糖値（空腹時≧126 mg/dL，OGTT2時間≧200 mg/dL，随時≧200 mg/dL のいずれか） ・HbA1c：≧6.5% **症状**：多尿，口渇，多飲，体重減少
生活習慣の改善指導（食事療法，運動療法）	糖尿病治療の日常生活・食事療法・運動療法のポイント（p.844）参照 **食事療法**：今までの食習慣を聞き取り，問題がある場合指導 **運動療法**：肥満解消運動の開始前に心血管リスクの高い患者はメディカルチェックを行う。また糖尿病の合併症や整形外科的疾患を含む身体状態を把握し運動療法を決める
病態に合わせた糖尿病治療薬と効果の確認	**1型糖尿病**：インスリン療法絶対的適応（インスリン投与が必須） ・インスリンの種類：・超速効型・速効型→インスリン追加分泌を補充し食後血糖を改善 　　　　　　　　　・中間型（1日2回）・持効型→インスリン基礎分泌を補充し空腹時血糖を改善 　　　　　　　　　・混合型（超速効型または速効型と中間型を混合→インスリン追加分泌と基礎分泌の両方を補充） 　　　　　　　　　・配合溶解（超速効型と持効型を混合しそれぞれの効果を発現） ・インスリン初期投与量の目安：・1型糖尿病では約0.7単位/kg/日 　　　　　　　　　　　　　　・2型糖尿病では0.1〜0.2単位/kg/日から開始し1〜2単位ずつ増量 **2型糖尿病**：初診時HbA1cが9.0%以上の時は食事療法，運動療法に加えて薬物療法も考慮。代謝異常の程度，年齢，肥満の程度，慢性合併症の程度，肝・腎機能，インスリン分泌能，インスリン抵抗性の程度を評価し薬剤を選択（インスリン非依存状態の治療（p.837）参照） ・高齢者：低血糖リスクの少ない経口血糖降下薬：SU薬，速効性インスリン分泌促進薬以外 ・体重増加を抑えたい場合：メトホルミン，SGLT2阻害薬，GLP-1受容体作動薬 ・心・腎保護作用を期待する場合：SGLT2阻害薬，GLP-1受容体作動薬

項目	確認のポイント
病態に合わせた糖尿病治療薬と効果の確認	【内服】①インスリン分泌非促進系：・インスリン抵抗性改善薬：ビグアナイド薬，チアゾリジン薬 　　　　　　　　　　　　　　　・糖吸収・排泄調節系：α-GI薬，SGLT2阻害薬 　　　　②インスリン分泌促進系（血糖依存性）：DPP-4阻害薬，GLP-1受容体作動薬，ミトコンドリア機能改善薬 　　　　③インスリン分泌促進系（血糖非依存性）：SU薬，速効型インスリン分泌促進薬 【注射】①GLP-1受容体作動薬（インクレチン関連でインスリン分泌促進）は体重減少効果 　　　　②インスリン：経口血糖降下薬（特にSU薬）を長期間使用時，β細胞の疲弊を招き，インスリン分泌能が低下している場合一時的にインスリン療法に切り換えるとβ細胞が休息できインスリン分泌能が回復することがある。インスリン強化療法（毎食前の超速効型＋持効型1〜2回/日）やBOT療法（Basal Supported Oral Therapy）（インスリンの基礎分泌を補うため持効型インスリンと経口血糖降下薬に併用する治療）：その他備考のインスリン注射の例1，例2（p.807）参照 ・治療効果の評価のための検査チェック：HbA1c，血糖値 【血糖コントロール目標（65歳未満）】治療目標は年齢，罹患期間，臓器障害，低血糖の危険性などを考慮して個別に設定 　・血糖正常化を目指す際の目標：HbA1c：6.0未満 　・合併症予防のための目標：HbA1c：7.0未満 　・治療強化が困難な際の目標：HbA1c：8.0未満 【血糖コントロール目標（65歳以上）】高齢者糖尿病の血糖コントロール目標（p.836）参照
慢性合併症発症の有無の確認	・大血管障害：虚血性心疾患，脳血管障害，末梢動脈疾患，閉塞性動脈硬化症 ・細小血管障害（三大合併症） 　①網膜症（自覚症状がほとんどないので定期的に眼科検診）→光凝固療法，硝子体手術，抗VEGF薬，ステロイド眼内注射 　②腎症（アルブミン尿増加，GFR悪化，5〜10年以上経過後発症）→食事療法，糖尿病に合併した高血圧はACE阻害薬orARBが第一選択 　③神経障害（しびれ，感覚低下，足潰瘍・壊疽，起立性低血圧）→エパルレスタット，プレガバリン，デュロキセチン，メキシレチン，カルバマゼピン 　（無力性膀胱）→自己導尿
低血糖発現時の教育・指導 （患者以外の家族への指導も実施）	症状： ・グルコース濃度70 mg/dL未満：動悸，発汗，脱力，顔面蒼白，意識レベルの低下 ・グルコース濃度50 mg/dL程度：頭痛，目のかすみ，空腹感，生あくび ・グルコース濃度50 mg/dL以下：意識レベルの低下，異常行動，けいれん，昏睡 対応： ・経口可能時ブドウ糖10 g（砂糖の場合20 g）あるいはブドウ糖含む飲料150〜200 mLを摂取（α-GI薬服用中は必ずブドウ糖を服用） ・経口不可の場合50％グルコース20 mLあるいはグルカゴン1 mg投与

No.57 糖尿病治療薬

項目	確認のポイント
シックディ対策の指導	**シックディ**：治療中に発熱，下痢，嘔吐をきたし，または食欲不振のため食事ができないなど血糖コントロールの著しく困難な状態 **対応**：主治医に連絡し指示を受けるようにする ・インスリン：食事がとれなくても自己判断で中断してはいけない ・ビグアナイド，SGLT2阻害薬，α-GI薬：シックディの間は中止 ・SU薬，速効型インスリン分泌促進薬：食事の摂取状況に応じて中止（食事量が通常量の1／3以下），減量（食事量が通常量の1／2程度の場合半量に） ・DPP-4阻害薬，チアゾリジン薬：中止が可能（食事量が通常量の1／2程度，1／3以下） ・GLP-1受容体作動薬：中止。悪心など胃腸障害が現れるためインスリンへの切り替え検討 ・SMBGで3〜4時間ごとに測定，200 mg/dLを超えて上昇傾向がみられたら，超速効型，速効型インスリンを2〜4単位追加 ・経口可能な場合十分な水分（お水，お茶等）の摂取により脱水を防ぐ。また炭水化物を補給するためおかゆ，うどん，果物等を摂取する
自己注射薬の使用方法の指導・確認	・注射の操作方法，懸濁製剤の混和方法注射のタイミング，注射部位，投与量，空打ちの意義 ・薬剤の保管方法等は各薬剤の項（p.805）参照
副作用・併用薬の相互作用の確認 （詳細は各薬剤の主な副作用と対策参照）	**主な副作用** ・BG薬：乳酸アシドーシス，胃腸障害 ・TZD薬：浮腫，心不全 ・α-GI薬：放屁，胃腸障害，肝障害 ・SGLT2阻害薬：性器・尿路感染症，脱水，皮疹 ・DPP-4阻害薬：SUとの併用で低血糖増強，胃腸障害，皮膚障害 ・GLP-1受容体作動薬：胃腸障害，注射部位（発赤，皮疹） ・SU薬，グリニド薬：低血糖，肝障害 ・ミトコンドリア機能改善薬：低血糖症，胃腸障害 **相互作用** ・血糖値を上昇させる薬剤：非定型抗神経病薬（オランザピン，クエチアピンは糖尿病患者に禁忌，他の非定型抗神経病薬は慎重投与），副腎皮質ホルモン，高カロリー輸液，チアジド系利尿薬 ・血糖値を低下させる薬剤：解熱鎮痛薬，メトホルミンとシメチジン，メトホルミンとヨード造影剤（造影剤使用後48時間以降服用），インクレチン製剤

57　糖尿病治療薬　　①インスリン製剤

■ 対象薬剤
Ⅰ．インスリンアナログ
（A）超速効型：インスリンアスパルト（ノボラピッド，フィアスプ），インスリングルリジン（アピドラ），インスリンリスプロ（ヒューマログ，ルムジェブ）
（B）混合型：インスリンアスパルト（ノボラピッド 30・50 ミックス），インスリンリスプロ（ヒューマログミックス 25・50）
（C）配合溶解：インスリンデグルデグ・インスリンアスパルト（ライゾデグ）
（D）持効型溶解：インスリングラルギン（ランタス，ランタス XR），インスリンデグルデグ（トレシーバ），インスリンデテミル（レベミル）
Ⅱ．ヒトインスリン
（E）速効型：ノボリン R，ヒューマリン R
（F）混合型：ノボリン 30R，イノレット 30R，ヒューマリン 3/7
（G）中間型：ノボリン N，ヒューマリン N
Ⅲ．配合剤：持効型インスリン・GLP-1 受容体作動薬（ソリクア配合，ゾルトファイ配合）
＊ソリクア配合，ゾルトファイ配合は No.57 糖尿病治療薬⑪（p.831）参照

■ 指導のポイント

	患者向け	薬剤師向け
薬効	この薬は血糖値を下げる注射薬です　→	次の諸作用の結果として血糖降下作用を現す 1）筋肉・脂肪組織の糖の取り込み促進 2）肝臓における糖新生の抑制 3）肝臓・筋肉組織におけるグリコーゲン合成の促進 4）肝臓における解糖系の促進 5）脂肪組織における脂肪合成の促進
詳しい薬効	インスリンは膵臓のランゲルハンス島から分泌されるホルモンで，血液中より細胞にブドウ糖を取り込んで貯えたり，エネルギーに変えて血糖を下げる働きをしていますが，この薬は人体で産生されるインスリンと同じヒトインスリン製剤と，体の生理的なインスリン分泌パターンを再現するインスリンアナログ製剤（ヒトインスリンとはアミノ酸配列が異なるインスリン）があり，血糖値を下げる注射薬です。その作用時間により，①超速効型，②速効型，③混合型，④配合溶解，⑤中間型，⑥持効型溶解に分類されます	
禁忌	・低血糖症状，本剤過敏症既往 ・〔ランタス，ランタス XR〕他のインスリングラルギン製剤過敏症既往 ・〔ルムジェブ〕インスリンリスプロ過敏症既往	

No.57 糖尿病治療薬

■ 主な副作用と対策，フィジカルアセスメントのチェックポイント

主な副作用	患者に確認すべき症状		対策とPAのチェックポイント
低血糖	70 mg/dL～ 50 mg/dL	交感神経系の症状： 空腹感, 脱力感, 発汗, 振戦, 動悸, 不安感, 悪心	通常はショ糖を投与し，α-グルコシダーゼ阻害薬と併用の場合にはブドウ糖を投与する 意識障害がある等，重篤な場合には，50％ブドウ糖の静注，グルカゴンの筋注を実施し，意識障害が続き，脳浮腫が認められる場合は，ステロイドの併用，20％マンニトールを点滴静注する PA 脈拍（↑），体温（↓），皮膚（発汗・湿潤），意識（↓）
	50 mg/dL～ 30 mg/dL	中枢神経系の症状： 頭痛, 目のかすみ, 動作緩慢, 集中力低下, 意識障害 異常行動, けいれん, 昏睡	
浮腫	全身のむくみ，目が腫れぼったい		インスリン治療後に現れる浮腫はインスリンが腎尿細管に作用してNa再吸収が亢進することが原因であり，血圧上昇を伴うこともある．治療は食塩制限を行う PA 体重（↑），浮腫（上眼瞼, 下腿脛骨），尿量（↓）
アレルギー	注射部位が赤く腫れる，かゆくなる		精製ヒトインスリンでは少ない．軽症の場合は製剤変更または抗ヒスタミン薬の使用で消失する（数日から数週間で回復）
リポジストロフィー （脂肪異栄養症）	注射部位がへこむ，膨らむ		注射部位，インスリン製剤を替える PA 注射部位の皮膚（陥没，硬結）
抗インスリン抗体産生（血糖値の上昇）	のどがかわく，多飲，多尿，体重減少		必要があればインスリンの増量を考慮する PA 体重（↓），尿量（↑），口渇（↑）

■ 重大な副作用と妊婦・授乳婦への危険度

薬剤名	重大な副作用	妊婦[授乳婦]
ノボリン各製剤	低血糖, アナフィラキシーショック	[授◎]
ヒューマリン各製剤	低血糖, アナフィラキシーショック, 血管神経性浮腫	－
ノボラピッド各製剤	低血糖, アナフィラキシーショック	[授◎]
ヒューマログ各製剤	低血糖, アナフィラキシーショック, 血管神経性浮腫	A [授◎]
アピドラ, ランタス	低血糖, アナフィラキシー, ショック	B3 [授◎]
ライゾデグ	低血糖, アナフィラキシーショック	B3
ゾルトファイ	低血糖, アナフィラキシーショック, 膵炎, 腸閉塞	－
ルムジェブ	低血糖, アナフィラキシーショック, 血管神経性浮腫	－
フィアスプ	低血糖, アナフィラキシーショック	A
トレシーバ	低血糖, アナフィラキシーショック	－
レベミル	低血糖, アナフィラキシーショック	A [授◎]

■ その他の指導ポイント

	患者向け	薬剤師向け
使用上の注意		糖尿病の診断が確立した場合にのみ適応を考慮する．また糖尿病治療の基本である食事療法，運動療法を十分行ったうえで適用を考慮する
		糖尿病以外にも耐糖能異常や尿糖陽性を呈する糖尿病類似の病態（腎性糖尿，老人性糖代謝異常，甲状腺機能異常等）があることに留意する
	①インスリン注射の一般的注意 → ・自分の使っているインスリンの名前と，必要な量（何単位，何 mL）を覚えておいてください．インスリンの色や包装も目安となります ・医師の処方した量を守り，自分勝手な判断で中断・変更をしてはいけません	糖尿病治療のためにインスリン療法を行う場合，患者教育を十分に行うことが重要である．現在のインスリン治療は，合併症の発症や進展防止を主な目標に「強化インスリン療法」が導入されている．そのため頻回注射を実施する患者が増加しているので，製剤や注射器の選択（プレフィルド製剤やペン型注射器の使用など）および使用法についての説明など患者に応じた指導を行うほか，低血糖の頻度も高くなるので十分な指導が必要となる
	・決められた時刻（食前 30 分あるいは食 → 直前）に忘れずに注射してください	頻回注射時，特に昼間忘れることが多いので規則正しく注射されているか定期的にチェックすることが重要（昼食前に注射する場合，職場や学校または外食等で打ち忘れることが多いので注意する）
	・風邪や下痢など，たとえ些細な病気でも → 血糖のコントロールが乱れることがありますので必ず医師の指示を受けるようにしましょう	薬物治療の確認と指導のポイント（p.799）参照
		インスリン非依存状態で平常によくコントロールされている患者でも著しい高血糖が起こったり，ケトアシドーシスに陥り危険なこともある．インスリン依存状態患者ではさらに起こりやすく特別の注意が必要である
	・低血糖が起こることがあります（薬物治 → 療の確認と指導のポイント（p.799）参照）	強化インスリン療法の場合は特に厳格に血糖をコントロールするため，低血糖の頻度は若干高くなる．よって患者に治療の目的や方法を十分理解させ，不安感を与えないようあらかじめ起こったときの処置や補食による予防法などを指導しておく
	・この薬の使用中は，車の運転等，危険を → 伴う機械の操作は行わないでください	重篤かつ遷延性の低血糖を起こすことがあるため
	・インスリンの用量が不足すると高血糖を → 起こすことがあります	高血糖が無処置の状態で続くと，悪心，嘔吐，眠気，潮紅，口渇，頻尿，脱水，食欲減退，呼気のアセトン臭，ケトアシドーシス，昏睡等を起こし，重篤な転帰をとるおそれがあるので，患者に症状を説明し，必ず医師の指示を

・目が見えにくい等の症状があるときはご相談ください →	受けるよう指導する 急激な血糖コントロールに伴い，糖尿病網膜症の顕在化または増悪，目の屈折異常，有痛性神経障害（目が見えにくい，痛みやしびれ等の症状）が現れることがあるので注意する ・〔アピドラ以外〕肝機能障害が現れることがあるので，観察を十分に行い，異常が認められた場合はインスリン製剤を変更する等，適切な処置を行う

使用上の注意

②注射の仕方

・注射の仕方は次の点に留意し，パンフレット等を参考に正しく使用しましょう →	プレフィルド製剤やペン型注射器については企業パンフレット参照
（留意点） ・製品と単位数を確認 ・注射液は室温に戻す ・空打ちをする →	注射器が正しく作動するかの確認と，注射針や注射器内の空気を抜くために行う
・懸濁製剤は泡立てず均一になるように振る →	ペン型用のインスリン製剤では中のガラス球がよく動くようにゆっくり振る
・注射部位は場所により吸収が異なるので同一部位とし，ただし注射箇所は毎回2～3cmずらす →	腹壁は吸収速度が速く，運動や温度の影響が少ないので適している。また，同一箇所への皮下注は脂肪組織委縮・硬結防止のため少しずらすこと （吸収速度）腹部＞上腕部＞臀部＞大腿部
・注入ボタンを押し終えて5～10秒は針を抜かない →	注入ボタンを押し終えてもインスリンが注射部位の皮下に完全に入っていないため
・注射した後はもまずに軽く押さえる程度にする →	もむとインスリンの吸収速度が亢進するため軽く押さえる程度とする

③取扱い上の注意

・インスリン（特に未使用のもの）は冷蔵庫で保存してください。ただし，短期の旅行などの場合は，室温保存でもかまいません ・ペン型インスリン注射器は装着後冷蔵庫に入れると故障の原因になりますので室温保存してください ・注射器はカンなど密封容器に入れて危険のないよう捨ててください	凍結を避け2～8℃で遮光保存。外出，旅行に際しては保存ケースに入れて室温にて携帯可能。開封後は28日以内に使用 ・有効期限の確認（注射液のラベルに記載）
・注射針は針ケースを付けて，しっかりしたプラ容器類などの可燃性容器に入れ，さらにポリ袋に入れた上，大きなごみ袋に入れるなど衛生的処理をすれば，一般ごみと一緒に捨てることができます。また，医療機関へ持参する場合も同様の処理をしてください →	家庭で使用された注射針は一般の可燃性ゴミと一緒に廃棄してもよい。ただし，病院へ持参された場合や院内で使用された注射針は感染性廃棄物として処理しなければならない

注射を忘れたとき	・〔トレシーバ，ゾルトファイ以外〕医師に相談する．絶対に2回分を一度に注射してはいけない ・〔トレシーバ，ゾルトファイ〕気づいたときに注射する．次の使用は8時間以上あけ，その後は通常の注射時刻に注射する．絶対に2回分を一度に注射してはいけない

■ その他備考

■ インスリン療法の適応

1．インスリン療法の絶対的適応
  ① インスリン依存状態
  ② 高血糖性の昏睡（糖尿病ケトアシドーシス，高浸透圧高血糖状態）
  ③ 重度の肝障害，腎障害を合併しているとき
  ④ 重症感染症，外傷，中等度以上の外科手術（全身麻酔施行例など）のとき
  ⑤ 糖尿病合併妊婦（妊娠糖尿病で，食事療法だけでは良好な血糖コントロールが得られない場合も含む）
  ⑥ 静脈栄養時の血糖コントロール

2．インスリン療法の相対的適応
  ① インスリン非依存状態の例でも，著明な高血糖（たとえば，空腹時血糖値250 mg/dL以上，随時血糖値350 mg/dL以上）を認める場合
  ② 経口薬療法のみでは良好な血糖コントロールが得られない場合
  ③ やせ型で栄養状態が低下している場合
  ④ ステロイド治療時に高血糖を認める場合
  ⑤ 糖毒性を積極的に解除する場合

（日本糖尿病学会 編・著：糖尿病治療ガイド2020-2021, p 67-68, 文光堂, 2020）

■生理的インスリン分泌とインスリン注射の例

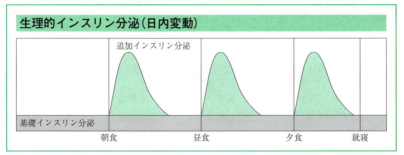

例1（強化インスリン療法） 体重60 kg，BMI 19.6，強化インスリン療法を前提として開始するとき

朝食前 超速効型3単位，昼食前 超速効型3単位，夕食前 超速効型3単位，就寝前 持効型3単位から開始，以降血糖値をみながら責任インスリンを増減する．

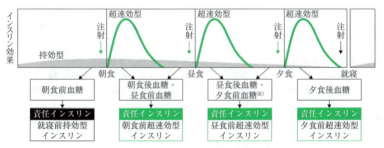

例2（BOT療法） 体重70 kg，BMI 24.6，持効型溶解インスリンにより1日1回注射で開始する方法

使用している経口血糖降下薬を継続したままで就寝前 持効型溶解インスリン6単位から開始，以降血糖値をみながらインスリンあるいは経口血糖降下薬を増減する．

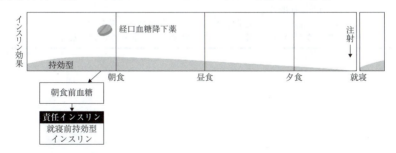

注）例1の夕食前血糖は昼食前超速効型インスリンと持効型溶解インスリンの両方の影響を受けるので，他の時間帯の血糖値も参考にして，どちらのインスリンを調節するかを判断する．
　　（日本糖尿病学会編・著：糖尿病治療ガイド2020-2021，p 70，文光堂，2020）

57 糖尿病治療薬　②ビグアナイド（BG）薬

■ 対象薬剤

メトホルミン塩酸塩（メトグルコ，グリコラン），ブホルミン塩酸塩（ジベトス）
配合剤：BG薬・TZD薬（メタクト配合）
　　　　BG薬・DPP-4阻害薬（エクメット配合，イニシンク配合，メトアナ配合）
＊配合剤はNo.57糖尿病治療薬⑪（p.831）参照

■ 指導のポイント

	患者向け	薬剤師向け
薬効	この薬は血糖値を下げる薬です　→	血糖降下作用 ・筋肉・脂肪細胞での糖利用の促進，肝臓での糖新生の抑制，インスリン感受性増強，腸管からの糖吸収抑制
詳しい薬効	この薬はAMPキナーゼの活性化により肝臓での糖の生成を抑え，筋肉や脂肪組織など末梢での糖の利用を促進して血糖を下げ，インスリンの抵抗性を改善する薬です	
警告	・〔ジベトス〕重篤な乳酸アシドーシス，死亡例の報告。重篤な低血糖 ・〔メトグルコ，グリコラン〕重篤な乳酸アシドーシス，死亡例の報告。腎・肝障害，高齢者には定期的な腎・肝機能の確認等，慎重に投与，特に75歳以上では投与の適否を慎重に判断 検 腎機能・肝機能が悪い患者，高齢者が服用するときは定期的に腎機能や肝機能検査のため受診するよう指導	
禁忌	・乳酸アシドーシスの既往，透析（腹膜透析を含む），ショック，心不全，心筋梗塞，肺塞栓など心血管系，肺機能に高度の障害およびその他低酸素血症を伴いやすい状態，過度のアルコール摂取者，脱水症，脱水状態が懸念される下痢，嘔吐等の胃腸障害，重症ケトーシス，糖尿病性昏睡または前昏睡，1型糖尿病，重症感染症，手術前後，重篤な外傷，栄養不良状態，飢餓状態，衰弱状態，脳下垂体機能不全，副腎機能不全，妊婦，本剤またはビグアナイド系薬剤過敏症既往 ・〔ジベトス〕腎機能障害（軽度障害も含む），肝機能障害，高齢者 ・〔メトグルコ，グリコラン〕重度以上の腎機能障害，重度の肝機能障害	

■ 主な副作用と対策，フィジカルアセスメントのチェックポイント

主な副作用	患者に確認すべき症状	対策とPAのチェックポイント
乳酸アシドーシス（血中乳酸値の上昇，乳酸/ピルビン酸比の上昇，血液PHの低下等を示す）	吐き気，嘔吐，筋肉痛，意識の低下，考えがまとまらない，深く大きい呼吸，意識が薄れる，手足のふるえ	投与開始初期，投与量を増加した場合には乳酸アシドーシスが発生しやすいので注意する．投与を中止し輸液による強制利尿（乳酸を含む輸液は使用不可），炭酸水素ナトリウム静注等によるアシドーシスの補正（過剰投与によるアルカローシスに注意），血液透析による乳酸とビグアナイド系薬剤の除去等適切な処置を行う PA 呼吸（過呼吸），消化器（下痢，嘔吐）
消化器症状	下痢，悪心，食欲がない，消化不良，腹痛等，便秘	服薬を続けていると，徐々に治まっていくことが多いので，症状が軽ければ，少し様子をみる．乳酸アシドーシスの初期症状であることもあるので注意する
低血糖	ふらつき，脱力感，冷や汗，めまい，頭痛，動悸，空腹感，手足のふるえ，意識がなくなる	No.57 糖尿病治療薬① p.803 参照

■ 重大な副作用と妊婦・授乳婦への危険度

薬剤名	重大な副作用	妊婦[授乳婦]
グリコラン，メトグルコ	乳酸アシドーシス，低血糖，肝機能障害，黄疸，横紋筋融解症	禁忌/C [⊗○]
ジベトス	乳酸アシドーシス，低血糖	禁忌

■ その他の指導ポイント

	患者向け	薬剤師向け
使用上の注意	・肝臓，腎臓，甲状腺疾患などがあれば，ご相談ください ・本剤服用中も必ず食事療法，運動療法を守るよう心がけてください → ・医師の決めた量と服用時間を守り，勝手な判断で変更してはいけません ・この薬の服用中は車の運転や危険を伴う機械の操作は行わないでください → ・低血糖が起こることがあります →	・糖尿病治療の目的（合併症：網膜症，腎症，神経症の予防）を明確にした指導を行うことが大切である 2型糖尿病（インスリン非依存型）に適応．ただし食事療法，運動療法のみで効果が不十分な場合本剤が適応となる 食前または食後の服用について，食前の方が血糖増加が抑えられるという文献や，食前，食後とも効果に大差はないという文献がある．最近では食事を摂取しない場合の低血糖の危険性を考え食後に投与されることが多くなっている 重篤な乳酸アシドーシス，重篤かつ遷延性の低血糖を起こすおそれがあるため 薬物治療の確認と指導のポイント（p.799）参照

使用上の注意	・妊娠中または妊娠の可能性のある方は必ずご相談ください →	催奇形作用（動物実験）が報告されており，また妊婦は乳酸アシドーシスを起こしやすいため投与禁忌
	・ヨード造影剤を用いて検査する場合は必ずご相談ください →	ヨード造影剤を用いて検査を行う患者においては，本剤の併用により乳酸アシドーシスを起こすことがあるので併用注意。検査前は本剤の投与を一時的に中止する（ただし，緊急に検査を行う必要がある場合を除く）ヨード造影剤投与後48時間は，本剤の投与を再開しないこと。なお，投与再開時には，患者の状態に注意すること
	・脱水に気をつけてください →	脱水により乳酸アシドーシスを起こすことがある。脱水症状が現れた場合には投与を中止し，適切な処置を行うこと。利尿作用を有する薬剤（利尿薬，SGLT2阻害薬等）との併用時には，特に脱水に注意すること
	食〔メトグルコ，グリコラン〕過度のアルコール摂取は避けてください →	乳酸アシドーシスを起こすことがあるため，過度の飲酒を避けること
服用を忘れたとき	飲み忘れに気づいても服用しない。次の服用時に決められた用量を服用する（2回分を一度に服用しないこと）	

57　糖尿病治療薬　③チアゾリジン（TZD）薬

■ 対象薬剤

ピオグリタゾン塩酸塩（アクトス）
配合剤：TZD薬・BG薬（メタクト配合），TZD薬・SU薬（ソニアス配合），TZD薬・DPP-4阻害薬（リオベル配合）
＊配合剤はNo.57 糖尿病治療薬⑪（p.831）参照

■ 指導のポイント

	患者向け	薬剤師向け
薬効	この薬はインスリンの効きを良くすることによって血糖値を下げる薬です →	〈インスリン抵抗性改善作用〉 ・筋骨格TNF-α低下作用 ・肝臓における糖代謝異常の改善作用 ・筋肉細胞におけるインスリン作用の増強
詳しい薬効	この薬はインスリン抵抗性を惹起する物質（TNFαやFFA）の過剰な分泌を抑え，脂肪細胞を小型化して血糖値を下げ，インスリン抵抗性を改善する薬です	

禁忌	心不全および心不全既往，重症ケトーシス，糖尿病性昏睡または前昏睡，1型糖尿病，重篤な肝機能障害，重篤な腎機能障害，重症感染症，手術前後，重篤な外傷，本剤過敏症既往，妊婦

■ 主な副作用と対策，フィジカルアセスメントのチェックポイント

主な副作用	患者に確認すべき症状	対策とPAのチェックポイント
浮腫（循環血漿量増加による）	目が腫れぼったい，体のむくみ	減量あるいは投与を中止するなど適切な処置を行う。必要に応じてループ利尿薬（フロセミド等）の投与を考慮する。女性やインスリン併用時，糖尿病性合併症発症例において浮腫の発現が多くみられており，本剤を1日1回30mgから45mgに増量した後に浮腫が発現した例も多くみられているので，これらの症例にあっては浮腫の発現に特に留意する PA No.57 糖尿病治療薬① p.803 参照
体重増加	体重が増える，体のむくみ	浮腫による体重増加の場合はフロセミドなどの利尿薬を用いる PA 体重（↑）
心不全の増悪，発症	動くときの息切れ，体がだるい，全身のむくみ，息切れ，息苦しい，横になるより座っているときに呼吸が楽になる	投与を中止し，ループ利尿薬等を投与するなど適切な処置を行う。特に心不全発症のおそれのある心疾患の患者に投与する際やインスリンと併用する際には，心不全の徴候に注意する PA 体重（↑），浮腫（上眼瞼，下腿脛骨），頸動脈（怒張），脈拍（頻脈，不整脈），呼吸（水泡音），心音（Ⅲ音，Ⅳ音）
肝機能異常	皮膚が黄色くなる，嘔吐，白目が黄色くなる，尿が黄色い，吐き気，食欲不振，かゆみ，体がだるい	AST，ALT，ALP等の著しい上昇を伴う肝機能障害，黄疸が現れることがある。基礎に肝機能障害を有する等，必要な場合は定期的に肝機能検査を実施し，異常が認められれば投与を中止し，適切な処置 PA 眼球（黄色），皮膚（皮疹，瘙痒感，黄色），尿（褐色），体温（↑），腹部（肝肥大，心窩部・右季肋部圧痛，腹水貯留）

■ 重大な副作用と妊婦・授乳婦への危険度

薬剤名	重大な副作用	妊婦［授乳婦］
アクトス	心不全増悪，浮腫，肝機能障害，黄疸，低血糖，横紋筋融解症，間質性肺炎，胃潰瘍の再燃	禁忌 ［㊟○］

■ その他の指導ポイント

	患 者 向 け	薬 剤 師 向 け
使用上の注意	・肝臓，腎臓，甲状腺疾患などがあれば，ご相談ください	・糖尿病治療の目的（合併症：網膜症，腎症，神経症の予防）を明確にした指導を行うことが大切である
	・本剤服用中も必ず食事療法，運動療法を守るよう心がけてください →	2型糖尿病に適応。ただし食事療法，運動療法のみで十分な効果が得られず，インスリン抵抗性が推定される場合あるいはスルホニルウレア薬またはα-グルコシダーゼ阻害薬，ビグアナイド系薬，インスリン製剤が効果不十分な場合，本剤が適応となる
		・本剤を使用する場合はインスリン抵抗性が推定される患者に限る。インスリン抵抗性の目安は肥満度（Body Mass Index＝BMI kg/m^2）で24以上あるいはインスリン分泌状態が空腹時血中インスリン値で5μU/mL以上とする
	・血糖，尿糖を定期的に検査してください →	本剤投与中は，血糖，尿糖を定期的に検査し，薬剤の効果を確かめ，3カ月間投与して効果が不十分な場合には，速やかに他の治療への切り替えを行う
	・他の糖尿病用薬と一緒に服用した場合に低血糖症状（ふらつき，脱力感などの軽度な症状）が起こることがあります	他の糖尿病薬との併用時には，患者に対し低血糖症状および対処方法について十分説明し注意を促すことが大切である（薬物治療の確認と指導のポイント（p.799）参照）
	・定期的に心電図検査を行ってください →	心電図異常や心胸比増大が現れることがあるので，定期的に心電図検査を行うなど十分に観察し，異常が認められた場合には投与を一時中止，あるいは減量する。低血糖症状はインスリン併用時に多くみられている
	・むくみ，急激な体重増加が現れたときはご相談ください →	浮腫が比較的女性に多く報告されている。女性に投与する場合は，浮腫の発現に留意し，1日1回15mgから投与を開始することが望ましい
	・妊娠中または妊娠の可能性のある方は必ずご相談ください	動物実験で胚，胎児死亡率の高値，出生児の生存率の低値，母動物の死亡または流産がみられているため投与禁忌
	・この薬の服用中は車の運転等，危険を伴う機械の操作は行わないでください	低血糖症状を起こすことがあるため
服用を忘れたとき	昼までに飲み忘れに気づいた場合はすぐに服用する。ただし，昼過ぎに気づいた場合は服用しない（2回分を一度に服用しないこと）	

57 糖尿病治療薬 ④α-グルコシダーゼ阻害薬（α-GI）

■ 対象薬剤

アカルボース（グルコバイ），ボグリボース（ベイスン），ミグリトール（セイブル）
配合剤：α-GI薬・速効型インスリン分泌促進薬（グルベス配合）
＊配合剤はNo.57糖尿病治療薬⑪（p.831）参照

■ 指導のポイント

	患者向け	薬剤師向け
薬効	この薬は，糖質の消化・吸収を遅くすることにより食後の急激な血糖の上昇を抑える薬です	・α-グルコシダーゼ（マルターゼ，スクラーゼ，グルコアミラーゼ，イソマルターゼ）阻害作用 ・膵液および唾液のα-アミラーゼ阻害作用（グルコバイ）
詳しい薬効	この薬は，小腸粘膜に存在する糖質（デンプン，麦芽糖，砂糖等）を分解する消化酵素（α-グルコシダーゼ）の働きを抑えることで，糖質の消化・吸収を遅らせ食後の急激な血糖の上昇を抑える薬です	
禁忌	・重症ケトーシス，糖尿病性昏睡または前昏睡，重症感染症，手術前後，重篤な外傷，本剤過敏症既往 ・〔グルコバイ，セイブル〕妊婦	

■ 主な副作用と対策，フィジカルアセスメントのチェックポイント

主な副作用	患者に確認すべき症状	対策とPAのチェックポイント
消化器症状	お腹が張る・ガスがたまっておならが出る，おならが増える，下痢，便秘，腹痛	少量から投与を開始し，症状を観察しながら増量する。これらは，一般に時間の経過とともに消失することが多いが，症状に応じて減量あるいは消化管内ガス駆除剤の併用を考慮し，高度で耐えられない場合は投与を中止 PA 腸音（下痢：↑，便秘：↓）
肝機能異常	吐き気，嘔吐，皮膚が黄色くなる，白目が黄色くなる，尿が黄色い，かゆみ，体がだるい，食欲不振	AST，ALT，γ-GTP，LDH，ALPの上昇が増悪傾向となれば投与を中止し，適切な処置 PA No.57糖尿病治療薬③p.811参照

■ 重大な副作用と妊婦・授乳婦への危険度

薬剤名	重大な副作用	妊婦[授乳婦]
グルコバイ	低血糖，腸閉塞，肝機能障害，黄疸，重篤な肝硬変例での意識障害を伴う高アンモニア血症	禁忌/B3 [🚫◎]
ベイスン	低血糖，腸閉塞，劇症肝炎，重篤な肝機能障害，黄疸，意識障害を伴う高アンモニア血症	[🚫◎]

薬剤名	重大な副作用	妊婦［授乳婦］
セイブル	低血糖，腸閉塞，肝機能障害，黄疸	禁忌/B3

■ その他の指導ポイント

<table>
<tr><th colspan="2">患 者 向 け</th><th>薬 剤 師 向 け</th></tr>
<tr><td rowspan="10">使用上の注意</td>
<td>・肝臓，腎臓，甲状腺疾患などがあれば，ご相談ください</td>
<td>・糖尿病治療の目的（合併症：網膜症，腎症，神経症の予防）を明確にした指導を行うことが大切である</td></tr>
<tr><td>・この薬の服用中も必ず食事療法，運動療法による治療を守ってください →</td>
<td>食事療法，運動療法のみを行っている患者では，投与の際，食後血糖2時間値（1～2時間値：セイブル）が 200 mg/dL 以上を示す場合に本剤が適用となる．食事療法・運動療法に加えて経口血糖降下薬，またはインスリン製剤を使用している患者では，投与の際の空腹時血糖値は 140 mg/dL 以上を目安とする</td></tr>
<tr><td>・食事の直前に服用してください．この薬がきちんと働くためには食物と薬が一緒に消化管の中にあることが必要です．食事と薬を服用する時間が大きくずれると効果は少なくなります</td>
<td>本剤は糖質の消化・吸収を遅延させるので，食物が消化管に流入する前に存在することが必要である</td></tr>
<tr><td>・他の糖尿病用薬と一緒に服用する場合，低血糖症状を起こすことがあります →
「起こったときの処置」：この薬は，ブドウ糖以外の糖の消化吸収を遅らせるので，必ずブドウ糖（10～15 g）をとるようにしてください</td>
<td>他の糖尿病用薬と併用した場合に低血糖が現れることがあるので，これらの薬剤との併用時には低用量から開始する．または，他の糖尿病用薬の用量を調節する．特に対処方法が，他の糖尿病用薬と違うことを指導する（ブドウ糖を投与する）</td></tr>
<tr><td>・血糖を定期的に検査してください →</td>
<td>2～3カ月投与しても食後血糖2時間値が 200 mg/dL 以下にコントロールできない場合は，適切と考えられる治療への変更を行う．なお，食後血糖2時間値が 160 mg/dL 以下の場合は投与を中止し，経過観察を行う</td></tr>
<tr><td>・〔グルコバイ〕次のような症状に気づい →
たら使用をやめて，すぐにご相談ください（全身がだるい，皮膚や白目が黄色くなる，嘔吐や強い吐き気がある）</td>
<td>劇症肝炎等の重篤な肝機能障害が現れることがある．これらは投与開始後6カ月以内に認められることが多いので，投与開始後6カ月までは月1回，その後も定期的に肝機能検査を行う</td></tr>
<tr><td>・おならが増えたりお腹が張ったりするこ →
とがあります．一般に時間の経過とともに症状が消えることが多いですが，ひどくなる場合はご相談ください</td>
<td>放屁・腹部膨満感の原因は，消化吸収が遅延した炭水化物が大腸に達し，腸内細菌による発酵を受け水素・二酸化炭素などのガスが発生することによる．しかし，時間の経過とともに下部小腸の酵素が活性化して小腸全体で消化吸収が行われるようになると症状が軽減ないし消失することが多いが，症状に応じて減量あるいは消化管内ガス駆除剤の併用を考</td></tr>
</table>

使用上の注意	・〔グルコバイ OD, ベイスン OD, セイブル OD〕この薬は, 舌の上にのせ湿らせ, 舌で軽くつぶし, 唾液または水で飲み込んでください	慮し, 高度で耐えられない場合は投与を中止する 口腔粘膜から吸収されることがないため, 唾液または水で飲み込む
	・〔グルコバイ, セイブル〕妊娠中または妊娠の可能性のある方は必ずご相談ください →	・〔グルコバイ〕妊娠中の投与に関する安全性は確立していないため投与禁忌 ・〔セイブル〕胎児体重の低下, 骨化遅延, 胎児死亡率増加のため投与禁忌
	・この薬の服用中は車の運転等, 危険を伴う機械の操作は行わないでください →	低血糖症状を起こすことがあるため
	食 この薬の服用中にL-アラビノース, → グアバ茶ポリフェノール, トウチエキス(血糖値が気になりはじめた方に勧める特定保健用食品)は, なるべくとらないでください	左記の特定保健用食品に含まれる成分は糖分解酵素阻害作用をもつため相互に作用が増強され, 血糖値の過度の低下, 腹部膨満感等の副作用発現の可能性
服用を忘れたとき	・〔グルコバイ, セイブル〕飲み忘れたことを食事中に気づいたときは, すぐに1回分を服用する。食後に気づいたときは1回分をとばして, 次の服用時間に服用する(2回分を一度に服用しないこと) ・〔ベイスン〕飲み忘れた場合は, 次の食事の直前に1回分を服用する(2回分を一度に服用しないこと)	

57 糖尿病治療薬　⑤ SGLT2 阻害薬

■ 対象薬剤

イプラグリフロジン L-プロリン（スーグラ），ダパグリフロジンプロピレングリコール水和物（フォシーガ），ルセオグリフロジン水和物（ルセフィ），トホグリフロジン水和物（アプルウェイ，デベルザ），カナグリフロジン水和物（カナグル），エンパグリフロジン（ジャディアンス）

配合剤：SGLT2 阻害薬・DPP-4 阻害薬（トラディアンス配合，スージャヌ配合，カナリア配合）

＊配合剤は No.57 糖尿病治療薬⑪（p.831）参照

■ 指導のポイント

	患者向け	薬剤師向け
薬効	この薬は，血液中の過剰なブドウ糖を尿中に排出させることによって血糖値を下げる薬です ☆この薬は腎臓を保護する作用があり，慢性腎臓病に用いる薬です（フォシーガ） ☆この薬は心臓を保護する作用があり，慢性心不全に用いる薬です（フォシーガ，ジャディアンス）	SGLT2 阻害作用 ・腎近位尿細管に発現する SGLT2 阻害作用によるブドウ糖再吸収抑制作用 　SGLT2：sodium glucose co-transporter 2（Na^+/グルコース共輸送担体 2）
詳しい薬効	この薬は，腎臓（近位尿細管）でブドウ糖の再吸収にかかわっているタンパク質（SGLT2）を阻害し，ブドウ糖の再吸収を抑制することで，血液中の過剰なブドウ糖を尿中に排出させることによって血糖値を下げる薬です。体重低下が期待され，インスリンとは独立した作用を示すため，単独使用では低血糖をきたす可能性は低くなります	
禁忌	本剤過敏症既往，重症ケトーシス，糖尿病性昏睡または前昏睡，重症感染症，手術前後，重篤な外傷	

■ 主な副作用と対策，フィジカルアセスメントのチェックポイント

主な副作用	患者に確認すべき症状	対策と PA のチェックポイント
低血糖	ふらつき，脱力感，冷や汗，めまい，頭痛，動悸，空腹感，手足のふるえ，意識がなくなる	No.57 糖尿病治療薬① p.803 参照
消化器症状	便秘，下痢，お腹が痛い	減量もしくは休薬 PA 腸音（下痢：↑，便秘：↓）
過敏症	発疹	投与を中止 PA 皮膚（かゆみ，発赤），呼吸（喘鳴），体温（↑）

No.57　糖尿病治療薬

主な副作用	患者に確認すべき症状	対策とPAのチェックポイント
感染症（尿路感染，性器感染）	排尿時の痛み，トイレが近い，尿に血が混じる，陰部のかゆみ，おりもののにおいが強い・色がかわる	腎盂腎炎等の重篤な感染症を起こすおそれがあるので，発症した場合には状態に応じて休薬等を考慮 PA 尿（回数：↑，色）性器（瘙痒感：↑，におい：↑）
腎および尿路障害（頻尿，多尿）	尿の回数が多い，尿の量が多い，口が渇く，疲れやすい，めまいがする，食欲がない	本剤の利尿作用により多尿・頻尿，体液量が減少することがあるので，適度な水分補給を行うよう指導し，観察を十分に行う。脱水，血圧低下等の異常が認められた場合は，休薬や補液等の適切な処置 PA 尿（回数：↑，量：↑），体重（↓）皮膚（乾燥：↑）

■ 重大な副作用と妊婦・授乳婦への危険度

薬剤名	重大な副作用	妊婦[授乳婦]
スーグラ	低血糖，腎盂腎炎，外陰部および会陰部の壊死性筋膜炎，敗血症，ケトアシドーシス，ショック，アナフィラキシー	[❊△]
フォシーガ，ルセフィ，アプルウェイ，デベルザ，カナグル	低血糖，腎盂腎炎，外陰部および会陰部の壊死性筋膜炎，敗血症，ケトアシドーシス	D（フォシーガ），C（カナグル） [❊△]
ジャディアンス	低血糖，腎盂腎炎，外陰部および会陰部の壊死性筋膜炎，敗血症，ケトアシドーシス	D

■ その他の指導ポイント

	患者向け	薬剤師向け
使用上の注意	・肝臓，腎臓，甲状腺疾患などがあれば，ご相談ください ・低血糖が起こることがあります → ・尿路感染，性器感染のあるときはご相談ください → ・多尿・頻尿のあるときはご相談ください → ・この薬の服用中は車の運転や危険を伴う機械の操作は行わないでください →	・重度の腎機能障害のある患者または透析中の末期腎不全患者では本剤の効果が期待できないため，投与しないこと 薬物治療の確認と指導のポイント（p.799）参照 尿路感染および性器感染を起こすことがあるので，症状およびその対処方法について患者によく説明する 適度な水分補給を行うよう指導し，観察を十分に行う ・脱水，血圧低下等の異常が認められた場合は，休薬や補液等の適切な処置を行う。排尿困難，無尿，乏尿あるいは尿閉の症状を呈する患者においては，その治療を優先するとともに他剤での治療を考慮すること 低血糖を起こすことがあるため

使用上の注意	・本剤服用中も必ず食事療法，運動療法を守るよう心がけてください ・血糖，尿糖，腎機能等を定期的に検査してください	→	食事療法，運動療法のみで効果が不十分な場合に使用する 本剤投与中は，血糖値等を定期的に検査し，薬剤の効果を確かめ，3カ月投与しても効果が不十分な場合には，より適切な治療法への変更を考慮すること ・本剤投与により，血清クレアチニンの上昇またはeGFRの低下がみられることがあるので，腎機能を定期的に検査するとともに，腎機能障害患者における治療にあたっては経過を十分に観察すること
服用を忘れたとき	・〔スーグラ，カナグル，ジャディアンス〕飲み忘れに気づいても服用しない．次の服用時に決められた用量を服用する（2回分を一度に服用しないこと） ・〔フォシーガ，ルセフィ，アプルウェイ，デベルザ〕思い出したときすぐに服用する．ただし次の服用時時間が近いとき（フォシーガ：半日未満）は忘れた分は服用しない（2回分を一度に服用しないこと）		

57　糖尿病治療薬　⑥ DPP-4阻害薬

■ 対象薬剤

シタグリプチンリン酸塩水和物（グラクティブ，ジャヌビア），ビルダグリプチン（エクア），アログリプチン安息香酸塩（ネシーナ），リナグリプチン（トラゼンタ），テネリグリプチン臭化水素酸塩水和物（テネリア），アナグリプチン（スイニー），サキサグリプチン水和物（オングリザ），トレラグリプチンコハク酸塩（ザファテック），オマリグリプチン（マリゼブ）
配合剤：DPP-4阻害薬・TZD薬（リオベル配合），DPP-4阻害薬・BG薬（エクメット配合，イニシンク配合，メトアナ配合），DPP-4阻害薬・SGLT2阻害薬（トラディアンス配合，スージャヌ配合，カナリア配合）
＊配合剤はNo.57 糖尿病治療薬⑪（p.831）参照

■ 指導のポイント

	患者向け		薬剤師向け
薬効	この薬は，血糖値を下げる薬です	→	・DPP-4選択的阻害作用 　（DPP-4を選択的かつ可逆的に阻害し，内因性の活性型インクレチンの濃度を高める） ・活性型インクレチンの増加 　（血糖依存的にインスリン分泌を促進し，グルカゴン分泌を抑制する）

No.57 糖尿病治療薬

詳しい薬効	この薬は消化管ホルモンのインクレチン（インスリン分泌を促進するホルモン）を分解する酵素（DPP-4）を選択的に阻害し，インクレチン濃度を上昇させてインスリン分泌を促進し，グルカゴン分泌を抑制させて血糖を下げる薬です
禁忌	・本剤過敏症既往，糖尿病性昏睡，1型糖尿病 ・〔マリゼブ以外〕重症感染症，手術前後，重篤な外傷 ・〔マリゼブ〕インスリン注射による血糖管理が望まれる重症感染症，手術前後，重篤な外傷 ・〔エクア，トラゼンタ以外〕重症ケトーシス ・〔エクア，トラゼンタ〕糖尿病性ケトアシドーシス ・〔エクア以外〕糖尿病性昏睡または前昏睡 ・〔エクア〕糖尿病性昏睡，重度の肝機能障害

■ 主な副作用と対策，フィジカルアセスメントのチェックポイント

主な副作用	患者に確認すべき症状	対策とPAのチェックポイント
低血糖	ふらつき，脱力感，冷や汗，めまい，頭痛，動悸，空腹感，手足のふるえ，意識がなくなる	No.57 糖尿病治療薬① p.803 参照
消化器症状	お腹が張る，お腹が痛い，便秘，胃が重たい	減量もしくは休薬 PA 腸音（↓：便秘）
過敏症	発疹	投与を中止する PA No.57 糖尿病治療薬⑤ p.816 参照
肝障害（エクア）	吐き気，嘔吐，皮膚が黄色くなる，白目が黄色くなる，尿が黄色い，かゆみ，体がだるい，食欲不振	3カ月ごとに定期的に肝機能検査を実施。肝機能検査値の異常を認めた場合，中止するなど適切な処置 PA No.57 糖尿病治療薬③ p.811 肝機能異常参照

■ 重大な副作用と妊婦・授乳婦への危険度

薬剤名	重大な副作用	妊婦[授乳婦]
グラクティブ，ジャヌビア	アナフィラキシー反応，皮膚粘膜眼症候群，剥脱性皮膚炎，低血糖，肝機能障害，黄疸，急性腎障害，急性膵炎，間質性肺炎，腸閉塞，横紋筋融解症，血小板減少，類天疱瘡	[❀○]
エクア	肝炎，肝機能障害，血管浮腫，低血糖，横紋筋融解症，急性膵炎，腸閉塞，間質性肺炎，類天疱瘡	B3 [❀○]
ネシーナ	低血糖，急性膵炎，肝機能障害，黄疸，皮膚粘膜眼症候群，多形紅斑，横紋筋融解症，腸閉塞，間質性肺炎，類天疱瘡	[❀○]
トラゼンタ	低血糖，腸閉塞，肝機能障害，類天疱瘡，間質性肺炎，急性膵炎	B3 [❀○]
テネリア	低血糖，腸閉塞，肝機能障害，間質性肺炎，類天疱瘡，急性膵炎	[❀○]
スイニー	低血糖，腸閉塞，急性膵炎，類天疱瘡	[❀○]
オングリザ	低血糖，急性膵炎，過敏症反応，腸閉塞，類天疱瘡	B3 [❀○]

糖尿病治療薬

薬剤名	重大な副作用	妊婦[授乳婦]
ザファテック，マリゼブ	低血糖，急性膵炎，腸閉塞，類天疱瘡	－

■ その他の指導ポイント

<table>
<tr><th colspan="2">患者向け</th><th>薬剤師向け</th></tr>
<tr>
<td rowspan="6">使用上の注意</td>
<td>
・肝臓，腎臓，甲状腺疾患などがあれば，ご相談ください

・本剤服用中も必ず食事療法，運動療法を守るよう心がけてください →
・血糖，尿糖を定期的に検査してください →
</td>
<td>
・糖尿病治療の目的（合併症：網膜症，腎症，神経症の予防）を明確にした指導を行うことが大切である
・食事療法，運動療法のみで効果が不十分な場合に使用する
本剤投与中は，血糖，尿糖を定期的に検査し，薬剤の効果を確かめ，本剤を3カ月投与しても効果が不十分な場合には他の治療へ変更を考慮する
</td>
</tr>
<tr>
<td>・低血糖が起こることがあります（薬物治療の確認と指導のポイント（p.799）参照） →</td>
<td>
本剤の使用にあたっては，患者に対し低血糖症状およびその対処方法について十分説明する．SU薬投与中に本剤を追加投与する場合，SU薬の減量を検討する
・〔グラクティブ，ジャヌビア，スイニー，オングリザ〕速効型インスリン分泌促進薬と併用の場合も同様に減量を検討する
・〔トラゼンタ，テネリア以外〕腎機能障害のある患者では本剤の排泄が遅延し，血中濃度が上昇するおそれがあるので，腎機能を定期的に検査することが望ましい
</td>
</tr>
<tr>
<td>・〔エクア〕全身がだるい，皮膚や白目が黄色くなる，嘔吐や強い吐き気が現れたときは直ちにご相談ください →</td>
<td>肝機能障害（肝炎を含む）が現れることがあるので，本剤投与開始前，投与開始後1年間は少なくとも3カ月ごとに，その後も定期的に肝機能検査を行う．黄疸や肝機能障害を示唆するその他の症状が現れた場合には，本剤を中止し，その後回復した場合でも再投与しない</td>
</tr>
<tr>
<td>・この薬の服用中は車の運転等，危険を伴う機械の操作は行わないでください →</td>
<td>低血糖および低血糖症状を起こすおそれがあるため</td>
</tr>
<tr>
<td>・〔グラクティブ，ジャヌビア，エクア，ネシーナ，マリゼブ〕持続的な激しい腹痛，嘔吐等が現れたときは直ちにご相談ください →</td>
<td>・〔オングリザ〕めまい等が現れることがある
急性膵炎が現れることがあるため</td>
</tr>
<tr>
<td rowspan="2">服用を忘れたとき</td>
<td colspan="2">
・〔ザファテック，マリゼブ以外〕思い出したときすぐに服用する．ただし次の服用時間が近いときは忘れた分は服用しない（2回分を一度に服用しないこと）
・〔ザファテック，マリゼブ〕思い出したときすぐに服用する．次回以降は決められた曜日に服用する（2回分を一度に服用しないこと）
</td>
</tr>
</table>

57 糖尿病治療薬　⑦ GLP-1受容体作動薬

■ 対象薬剤

（A）内服：セマグルチド（リベルサス）
（B）注射：リラグルチド（ビクトーザ），エキセナチド（バイエッタ，ビデュリオン），リキシセナチド（リキスミア），デュラグルチド（トルリシティ），セマグルチド（オゼンピックSD）
配合剤：GLP-1受容体作動薬・持効性インスリン（ソリクア配合注，ゾルトファイ配合注）

＊配合剤はNo.57 糖尿病治療薬⑪（p.831）参照

■ 指導のポイント

	患者向け	薬剤師向け
薬効	この薬は，血糖値を下げる薬です →	グルカゴン様ペプチド-1（GLP-1）受容体作動作用 ・グルコース濃度依存的に膵β細胞からのインスリン分泌を促進 ・グルコース濃度依存的に膵α細胞からのグルカゴン分泌を抑制 ・胃内容物排出の抑制 ・膵β細胞の保護作用
詳しい薬効	食後に小腸下部から分泌されるホルモン（インクレチン：GLP-1，GIP）は血糖を下げるホルモン（インスリン）の分泌を促進したり，血糖を上げるホルモン（グルカゴン）の分泌を抑えたりする働きがありますが，インクレチンの一つ（グルカゴン様ペプチド-1：GLP-1）は体内ですぐにインクレチンを分解する酵素（DPP-4）によって分解されてしまいます。この薬はDPP-4で分解されにくくすることでGLP-1受容体にくっついて，インスリンの分泌を促し，グルカゴンの分泌を抑え，また胃内容物排出を抑制することで，食欲抑制作用など多様な作用を示し，血糖を下げる薬です。通常2型糖尿病の治療に用います	
禁忌	・本剤過敏症既往，糖尿病性ケトアシドーシス，1型糖尿病，重症感染症，手術 ・〔ビクトーザ以外〕糖尿病性昏睡または前昏睡 ・〔ビクトーザ〕糖尿病性昏睡 ・〔バイエッタ，ビデュリオン〕透析患者を含む重度腎機能障害	

■ 主な副作用と対策，フィジカルアセスメントのチェックポイント

主な副作用	患者に確認すべき症状	対策とPAのチェックポイント
消化器症状	吐き気，嘔吐，下痢，便秘，お腹が張る	減量もしくは休薬 PA 腸音（↑：下痢，↑：便秘）
低血糖	ふらつき，脱力感，冷や汗，めまい，頭痛，動悸，空腹感，手足のふるえ	No.57 糖尿病治療薬① p.803参照

主な副作用	患者に確認すべき症状	対策とPAのチェックポイント
過敏症	発疹，かゆみ	中止 PA No.57 糖尿病治療薬⑤ p.816 参照
注射部位反応	赤く腫れる，かゆくなる，発疹	注射は腹部，大腿，上腕に行い，注射場所は毎回変更し，前回の注射場所より2～3cm離す

■ 重大な副作用と妊婦・授乳婦への危険度

薬剤名	重大な副作用	妊婦［授乳婦］
リベルサス，オゼンピック	低血糖，急性膵炎	D（オゼンピック）
ビクトーザ	低血糖，膵炎，腸閉塞	［🚫○］
バイエッタ，ビデュリオン	低血糖，腎不全，急性膵炎，アナフィラキシー反応，血管浮腫，腸閉塞	C ［🚫○］
リキスミア	低血糖，急性膵炎，アナフィラキシー反応，血管浮腫	B3
トルリシティ	低血糖，アナフィラキシー，血管浮腫，急性膵炎，腸閉塞，重度の下痢，嘔吐	B3

■ その他の指導ポイント

	患者向け	薬剤師向け
使用上の注意	・肝臓，腎臓，甲状腺疾患などがあれば，ご相談ください ・本剤服用中も必ず食事療法，運動療法を守るよう心がけてください→ ・血糖，尿糖を定期的に検査してください→ ・低血糖が起こることがあります（薬物治療の確認と指導のポイント（p.799）参照）→ ・嘔吐，持続的な激しい腹痛が現れたときは直ちにご相談ください→ ・〔ビデュリオン，トルリシティ以外〕この薬は低用量から投与を開始します ・この薬を投与中は車の運転等，危険を伴う機械の操作は行わないでください 〈注射の仕方〉 ・注射の仕方は，パンフレットなどを参考→	・本剤はインスリンの代替薬ではない 食事療法，運動療法のみで効果が不十分な場合に使用する 本剤投与中は，血糖，尿糖等を定期的に検査し，薬剤の効果を確かめ，本剤を3～4カ月投与しても効果が不十分な場合には他の薬剤への切り替えを行う 本剤の使用にあたっては，患者に対し低血糖症状およびその対処方法について十分説明する。SU剤，インスリン製剤と併用した場合，低血糖のリスクが増加するおそれがあるため，定期的な血糖測定を行う 胃腸障害が発現した場合，急性膵炎の可能性を考慮し，必要に応じて画像検査などを考慮する。急性膵炎が発現した場合は本剤の投与を中止し，再投与はしない 胃腸障害の発現を軽減するため，低用量より投与を開始し，用量の漸増を行う 低血糖および低血糖症状を起こすおそれがあるため 企業パンフレット参照

使用上の注意	に正しく使用しましょう ・使用前は凍結を避け2〜8℃で遮光保存し，使用開始後は決められた条件で保管してください	〔ビクトーザ〕30℃以下で30日以内，〔ビデュリオン〕30℃以下で28日以内，〔オゼンピック〕30℃以下で56日以内，〔トルリシティ〕30℃以下で14日以内，〔バイエッタ，リキスミア〕25℃以下で30日以内に使用する
服用（使用）を忘れたとき	・〔リベルサス〕飲み忘れに気づいても服用しない。その日は服用せずに，次の日に1回分を服用する（2回分を一度に服用しないこと） ・〔ビクトーザ〕思い出した時間が通常の数時間以内であれば注射をする。それ以上時間が経っていた場合注射せず，次の日に1日分を注射する。絶対に2回分を一度に注射しない ・〔リベルサス，ビクトーザ，トルリシティ，オゼンピック以外〕医師に相談する（絶対に2回分を一度に注射しない） ・〔トルリシティ，オゼンピック〕本剤は週1回，同一曜日に投与する薬剤である。投与を忘れた場合は，次回投与までの期間が（トルリシティ：72時間，オゼンピック：48時間）以上であれば，気づいた時点で直ちに注射し，その後はあらかじめ定めた曜日に注射する。次の注射予定日までの期間が上記未満であれば注射せず，次のあらかじめ定めた曜日に注射する（絶対に2回分を一度に注射しない）	

その他備考
GLP-1 受容体作動薬一覧

商品名	バイエッタ皮下注 5μgペン300 10μgペン300	リキスミア皮下注300μg	ビクトーザ皮下注18mg	ビデュリオン皮下注2mgペン	トルリシティ皮下注0.75mgアテオス	オゼンピック皮下注SD
一般名	エキセナチド	リキシセナチド	リラグルチド	エキセナチド（持続性製剤）	デュラグルチド	セマグルチド
半減期（時間）	1.3	2.45	14〜15	＞24	約108	145
効果持続時間	8時間	15時間	＞24時間	約1週間		
効果 空腹時血糖	低下作用弱			低下作用強		
効果 食後血糖	低下作用強			低下作用弱		
効果 胃排出能	胃排出能を遅らせる			胃排出能への影響小		
空打ち	使い始め1回のみ	毎回	毎回	−	−	−
用法・用量	1日2回朝夕食前 5μg×2 ↓ 1カ月以上 10μg×2	1日1回直食前 10μg ↓ 1週間 15μg ↓ 1週間 20μg	1日1回朝or夕 0.3mg ↓ 1週間 0.6mg ↓ 1週間 0.9mg	週1回 1回2mg	週1回 1回0.75mg	週1回 0.25μg ↓ 4週間 0.5μg ↓ 4週間 0.5μg （効果不十分：1.0μgに増量）
備考	2規格（5μg, 10μg）あり	中間型・持続型インスリンとの併用可	食事時間に関係なく投与可。併用薬制限なし	1回使い切り製剤，投与部位での副作用	1回使い切り製剤，併用薬制限なし	

57 糖尿病治療薬　⑧スルホニル尿素（SU）薬

■ 対象薬剤

第2世代：グリベンクラミド（オイグルコン，ダオニール），グリクラジド（グリミクロン，グリミクロンHA）
第3世代：グリメピリド（アマリール）
配合剤：SU薬・TZD薬（ソニアス配合）
＊配合剤はNo.57 糖尿病治療薬⑪（p.831）参照

■ 指導のポイント

	患者向け	薬剤師向け
薬効	この薬は血糖値を下げる薬です　→	・血糖降下作用（膵臓ランゲルハンス島β細胞刺激によるインスリン分泌促進作用） ・膵外作用によるインスリン感受性改善作用（筋肉・脂肪細胞での糖利用の促進，肝臓での解糖系の促進と糖新生の抑制）（アマリール）
詳しい薬効	・この薬は，インスリンを分泌している膵臓のランゲルハンス島に作用してインスリンがもっと出てくるように働きかけ，血糖値を下げる薬です。膵臓のインスリンを分泌する機能が残っていなければ，効きめのない薬です（アマリール以外） ・この薬はインスリン分泌促進作用を示すとともに，膵臓の機能に関係なく筋肉での糖の利用を高めたり，肝臓で糖をつくるのを抑制することによりインスリンの効きをよくし，血糖値を下げる薬です（アマリール）	
警告	重篤かつ遷延性の低血糖症を起こすことがある	
禁忌・併用禁忌	禁忌　重症ケトーシス，糖尿病性昏睡または前昏睡，インスリン依存型糖尿病，重篤な肝または腎障害，重症感染症，手術前後，重篤な外傷，下痢・嘔吐等の胃腸障害，本剤またはスルホンアミド系薬剤過敏症既往，妊婦 併用禁忌　〔オイグルコン，ダオニール〕⇔ボセンタンにて肝酵素値上昇の発現率増加	

■ 主な副作用と対策，フィジカルアセスメントのチェックポイント

主な副作用	患者に確認すべき症状	対策とPAのチェックポイント
低血糖	ふらつき，脱力感，冷や汗，めまい，頭痛，動悸，空腹感，手足のふるえ，意識がなくなる	No.57 糖尿病治療薬① p.803 参照
消化器症状	悪心，食欲がない，お腹が張る，下痢，便秘	減量もしくは休薬
過敏症	発疹，日光にあたる部位に赤みやかゆみが起こる（光線過敏症）	中止 PA No.57 糖尿病治療薬⑤ p.816 参照

主な副作用	患者に確認すべき症状	対策とPAのチェックポイント
肝機能異常	皮膚が黄色くなる,嘔吐,白目が黄色くなる,尿が黄色い,吐き気,食欲不振,かゆみ,体がだるい	AST,ALT,ALP等の上昇が増悪傾向となれば投与を中止し,適切な処置を行う PA No.57 糖尿病治療薬③ p.811参照

■ 重大な副作用と妊婦・授乳婦への危険度

薬剤名	重大な副作用	妊婦[授乳婦]
オイグルコン,ダオニール	低血糖,無顆粒球症,溶血性貧血,肝炎,肝機能障害,黄疸	禁忌 [禁○]
グリミクロン,グリミクロンHA	低血糖,無顆粒球症,肝機能障害,黄疸	禁忌/C [禁△]
アマリール	低血糖,汎血球減少,無顆粒球症,溶血性貧血,血小板減少,肝機能障害,黄疸 類薬 再生不良性貧血	禁忌/C [禁△]

■ その他の指導ポイント

	患者向け	薬剤師向け
使用上の注意	・肝臓,腎臓,甲状腺疾患などがあれば,ご相談ください	・糖尿病治療の目的(合併症:網膜症,腎症,神経症の予防)を明確にした指導を行うことが大切である
	・本剤服用中も必ず食事療法,運動療法を守るよう心がけてください →	2型糖尿病(インスリン非依存型)に適応。ただし食事療法,運動療法のみで効果が不十分な場合本剤が適応となる
	・医師の決めた量と服用時間を守り勝手な判断で変更してはいけません →	食前または食後の服用について,食前の方が血糖増加が抑えられるという文献や,食前,食後とも効果に大差はないという文献がある。最近では食事を摂取しない場合の低血糖の危険性を考え食後に投与されることが多くなっている
	・この薬の服用中は,車の運転等,危険を伴う機械の操作は行わないでください →	重篤かつ遷延性の低血糖を起こすことがあるため
	・低血糖が起こることがあります 「症状」:脱力感,激しい空腹感,動悸,発汗,手足のふるえなどが現れます	薬物治療の確認と指導のポイント(p.799)参照
	・妊娠中または妊娠の可能性のある方は必ずご相談ください →	胎盤通過が報告されており,新生児の低血糖,巨大児が認められている。また動物実験で催奇形性作用が報告されているため投与禁忌
服を忘れたとき	飲み忘れに気づいても服用しない。次の服用時に決められた用量を服用する(2回分を一度に服用しないこと)	

57 糖尿病治療薬　⑨速効型インスリン分泌促進薬

■ 対象薬剤

ナテグリニド（スターシス，ファスティック），ミチグリニドカルシウム水和物（グルファスト），レパグリニド（シュアポスト）
配合剤：速効型インスリン分泌促進薬・α-GI薬（グルベス配合）
＊配合剤は No.57 糖尿病治療薬⑪（p.831）参照

■ 指導のポイント

	患者向け	薬剤師向け
薬効	この薬は食後の高血糖を抑え血糖値を下げる薬です	・血糖降下作用 ・膵臓ランゲルハンス島β細胞刺激によるインスリン分泌促進作用
詳しい薬効	この薬は，インスリンを分泌している膵臓のランゲルハンス島に作用して食後早期にインスリンがもっと出てくるように働きかけ，血糖値を下げる薬です。膵臓のインスリンを分泌する機能が残っていなければ，効きめのない薬です	
禁忌	・重症ケトーシス，糖尿病性昏睡または前昏睡，1型糖尿病，重症感染症，手術前後，重篤な外傷，本剤過敏症既往，妊婦 ・〔スターシス，ファスティック〕透析を必要とするような重篤な腎機能障害	

■ 主な副作用と対策，フィジカルアセスメントのチェックポイント

主な副作用	患者に確認すべき症状	対策とPAのチェックポイント
低血糖	ふらつき，脱力感，冷や汗，めまい，頭痛，動悸，空腹感，手足のふるえ，意識がなくなる	食前30分前の投与では食事開始前に低血糖を誘発する可能性があるので食直前の服用を厳守させる PA No.57 糖尿病治療薬① p.803 参照

■ 重大な副作用と妊婦・授乳婦への危険度

薬剤名	重大な副作用	妊婦[授乳婦]
スターシス，ファスティック	低血糖，肝機能障害，黄疸，（外国）心筋梗塞，突然死	禁忌/C [授△]
グルファスト	心筋梗塞，低血糖，肝機能障害	禁忌 [授△]
シュアポスト	低血糖，肝機能障害，（外国）心筋梗塞	禁忌 [授△]

■ その他の指導ポイント

	患者向け	薬剤師向け
使用上の注意	・肝臓，腎臓，甲状腺疾患があれば，ご相談ください ・本剤服用中も必ず食事療法，運動療法を守るよう心がけてください ・医師の決めた量を食事前（グルファスト：5分，それ以外：10分）以内に服用してください ・この薬の服用中は車の運転等，危険を伴う機械の操作は行わないでください ・低血糖が起こることがあります（薬物治療の確認と指導のポイント（p.799）参照） ・他の糖尿病の薬を服用している方はご相談ください ・妊娠中または妊娠の可能性のある方は必ずご相談ください	・糖尿病治療の目的（合併症の予防）を明確にした指導を行うことが大切である 薬物治療の確認と指導のポイント（p.799）参照 食後投与では速やかな吸収が得られず効果が減弱する。また食前30分前では食事開始前に低血糖を誘発する可能性がある 低血糖および低血糖症状を起こすことがあるため スルホニル尿素系製剤と同じ作用点であり，相加・相乗の臨床効果および安全性が確立していないため，スルホニル尿素系製剤との併用はしない 以下の理由のため投与禁忌 ・〔スターシス，ファスティック〕動物実験で胎盤通過，催奇形性作用 ・〔グルファスト〕動物実験で胎盤通過，周産期に低血糖による母動物死亡 ・〔シュアポスト〕動物実験で胎児に致死作用および骨格異常，骨格変異の発現頻度の増加
服用を忘れたとき	食前に服用を忘れた場合は，次の食事まで待ち，次の食事の食直前（グルファスト：5分以内，他は10分以内）に必ず1回量を服用する	

57 糖尿病治療薬　⑩ミトコンドリア機能改善薬

■ 対象薬剤
イメグリミン塩酸塩（ツイミーグ）

■ 指導のポイント

	患者向け	薬剤師向け
薬効	この薬は血糖を下げる薬です →	グルコース濃度依存的インスリン分泌促進作用 インスリン抵抗性改善作用
詳しい薬効	この薬はミトコンドリアへの作用を介して，膵β細胞では血糖依存性のインスリン分泌促進作用と，肝臓での糖新生抑制と骨格筋での糖取り込み増強により，インスリン抵抗性を改善し血糖を下げる薬です	
禁忌	本剤過敏症既往，重症ケトーシス，糖尿病性昏睡または前昏睡，1型糖尿病，重症感染症，手術前後，重篤な外傷	

■ 主な副作用と対策，フィジカルアセスメントのチェックポイント

主な副作用	患者に確認すべき症状	対策とPAのチェックポイント
低血糖	ふらつき，脱力感，冷や汗，めまい，頭痛，動悸，空腹感，手足のふるえ，意識がなくなる	No.57 糖尿病治療薬① p.803 参照
消化器症状	お腹が張る，お腹が痛い，便秘，下痢，吐き気がする	減量もしくは休薬 PA 腸音（↑：下痢，↓：便秘）

■ 重大な副作用と妊婦・授乳婦への危険度

薬剤名	重大な副作用	妊婦[授乳婦]
ツイミーグ	低血糖	－

■ その他の指導ポイント

	患 者 向 け	薬 剤 師 向 け
使用上の注意	・本剤服用中も必ず食事療法，運動療法を守るよう心がけてください → ・低血糖が起こることがあります（薬物治療の確認と指導のポイント（p.799）参照） → ・腎・肝疾患があればご相談ください → ・本剤とビグアナイド薬の併用時，消化器症状が認められたらご相談ください → ・この薬の服用中は車の運転等，危険を伴う機械の操作は行わないでください →	食事療法，運動療法のみで効果が不十分な場合に使用する 本剤の使用にあたっては患者に対し低血糖症状およびその対処方法について十分説明する 本剤の排泄が遅延し血中濃度上昇のおそれ 併用初期に消化器症状の副作用が多く発現する傾向が認められている 低血糖症状を起こすおそれがあるため
服用を忘れたとき	思い出したときすぐに服用する。ただし次の服用時間が近いときは忘れた分は服用しない（2回分を一度に服用しないこと）	

57 糖尿病治療薬　⑪配合薬

■ 対象薬剤

内服：（A）TZD薬・BG薬：メタクト配合
　　　（B）TZD薬・SU薬：ソニアス配合
　　　（C）TZD薬・DPP-4阻害薬：リオベル配合
　　　（D）速効インスリン分泌促進薬・α-GI薬：グルベス配合
　　　（E）DPP-4阻害薬・BG薬：エクメット配合，イニシンク配合，メトアナ配合
　　　（F）DPP-4阻害薬・SGLT2薬：トラディアンス配合，スージャヌ配合，カナリア配合
注射：（G）持効型インスリン・GLP-1受容体作動薬：ソリクア配合注，ゾルトファイ配合注

内服

	BG	TZD	α-GI	SGLT2	DPP-4	SU	速効型インスリン分泌促進
メタクト	メトホルミン	ピオグリタゾン					
ソニアス		ピオグリタゾン				グリメピリド	
リオベル		ピオグリタゾン			アログリプチン		
エクメット	メトホルミン				ビルダグリプチン		
イニシンク	メトホルミン				アログリプチン		
メトアナ	メトホルミン				アナグリプチン		
トラディアンス				エンパグリフロジン	リナグリプチン		
スージャヌ				イプラグリフロジン	シタグリプチン		
カナリア				カナグリフロジン	テネリグリプチン		
グルベス			ボグリボース				ミチグリニド

注射

	GLP-1	インスリンアナログ
ソリクア	リキシセナチド	インスリングラルギン
ゾルトファイ	リラグルチド	インスリンデグルデク

■ 指導のポイント

	患者向け	薬剤師向け
薬効	この薬は，インスリンの効きを良くすることによって血糖値を下げる薬です	・肝臓での糖新生抑制作用，末梢でのインスリン感受性改善作用（BG薬） ・インスリン抵抗性改善作用（TZD薬） ・α-グルコシダーゼ阻害作用（α-GI薬） ・SGLT2阻害作用（SGLT2阻害薬） ・DPP-4阻害作用（DPP-4阻害薬） ・膵β細胞刺激によるインスリン分泌促進作用（SU薬，速効型インスリン分泌促進薬） ・グルカゴン様ペプチド-1受容体作動作用（GLP-1受容体作動薬） ・血糖降下作用（持効性インスリンアナログ）
詳しい薬効	各薬剤の項目参照 ①インスリン，②BG薬，③TZD薬，④α-GI薬，⑤SGLT2阻害薬，⑥DPP-4阻害薬，⑦GLP-1受容体作動薬，⑧SU薬，⑨速効型インスリン分泌促進薬	
警告	・〔メタクト，エクメット，イニシンク，メトアナ〕メトホルミンにて重篤な乳酸アシドーシスでの死亡例の報告，乳酸アシドーシスを起こしやすい患者には投与しない，腎・肝機能障害，高齢者には定期的に腎・肝機能の確認する等慎重に投与，特に75歳以上では投与の適否を慎重に判断 ・〔ソニアス〕重篤かつ遷延性の低血糖を起こすことがある	
禁忌・併用禁忌	禁忌 ・糖尿病性昏睡，1型糖尿病，重症感染症，本剤過敏症既往 ・〔ゾルトファイ以外〕糖尿病性昏睡または前昏睡 ・〔ゾルトファイ〕糖尿病性昏睡 ・〔エクメット，ソリクア，ゾルトファイ以外〕重症ケトーシス ・〔エクメット，ソリクア，ゾルトファイ〕糖尿性ケトアシドーシス ・〔ソリクア，ゾルトファイ以外〕手術前後，重篤な外傷 ・〔ソリクア，ゾルトファイ〕手術等の緊急時，低血糖症状 ・〔メタクト，ソニアス，リオベル〕心不全，心不全既往 ・〔メタクト，ソニアス，リオベル，エクメット，イニシンク，メトアナ〕重度の腎機能障害，重度の肝機能障害 ・〔メタクト，エクメット，イニシンク，メトアナ〕乳酸アシドーシス既往，透析患者，心血管系，肺機能に高度障害，低酸素血症，脱水症，脱水症が懸念される患者，過度のアルコール摂取者 ・〔エクメット，イニシンク，メトアナ〕栄養不良状態，飢餓状態，衰弱状態，脳下垂体機能不全，副腎機能不全 ・〔メタクト，ソニアス，リオベル，グルベス，エクメット，イニシンク，メトアナ〕手術等の緊急時，低血糖症状 ・〔メタクト，イニシンク，メトアナ〕ビグアナイド系薬剤過敏症既往 ・〔ソニアス〕スルホンアミド系薬剤過敏症既往 ・〔メタクト，ソニアス，リオベル，グルベス，エクメット，イニシンク，メトアナ〕妊婦	

No.57 糖尿病治療薬

> |併用禁忌|〔メタクト，エクメット，イニシンク，メトアナ〕⇔過度のアルコールにて乳酸アシドーシスの可能性

■ 主な副作用と対策，フィジカルアセスメントのチェックポイント
各薬剤の項目参照

■ 重大な副作用と妊婦・授乳婦への危険度

薬剤名	重大な副作用	妊婦[授乳婦]
メタクト	心不全，乳酸アシドーシス，浮腫，肝機能障害，黄疸，低血糖，横紋筋融解症，間質性肺炎，胃潰瘍の再燃	禁忌/C（メトホルミン）
ソニアス	心不全，低血糖，浮腫，肝機能障害，黄疸，汎血球減少，無顆粒球症，溶血性貧血，血小板減少，横紋筋融解症，間質性肺炎，胃潰瘍の再燃，再生不良性貧血	禁忌/C（グリメピリド）
リオベル	心不全，浮腫，肝機能障害，黄疸，低血糖，横紋筋融解症，間質性肺炎，急性膵炎，皮膚粘膜眼症候群，多形紅斑，腸閉塞，類天疱瘡，胃潰瘍の再燃	禁忌
グルベス	心筋梗塞，低血糖，腸閉塞，劇症肝炎，肝機能障害，黄疸，意識障害	禁忌
エクメット	乳酸アシドーシス，肝炎，肝機能障害，黄疸，血管浮腫，低血糖，横紋筋融解症，急性膵炎，腸閉塞，間質性肺炎，類天疱瘡	禁忌/C
イニシンク	乳酸アシドーシス，低血糖，急性膵炎，肝機能障害，黄疸，皮膚粘膜眼症候群，多形紅斑，横紋筋融解症，腸閉塞，間質性肺炎，類天疱瘡	禁忌
メトアナ	乳酸アシドーシス，低血糖，腸閉塞，急性膵炎，類天疱瘡，肝機能障害，黄疸，横紋筋融解症	禁忌/C
トラディアンス	低血糖，脱水，ケトアシドーシス，腎盂腎炎，外陰部および会陰部の壊死性筋膜炎，敗血症，腸閉塞，肝機能障害，類天疱瘡，間質性肺炎，急性膵炎	D
スージャヌ	低血糖，ショック，アナフィラキシー，皮膚粘膜眼症候群，剥脱性皮膚炎，肝機能障害，黄疸，急性腎炎，急性膵炎，間質性肺炎，腸閉塞，横紋筋融解症，血小板減少，類天疱瘡，腎盂腎炎，外陰部および会陰部の壊死性筋膜炎，敗血症，脱水，ケトアシドーシス	−
カナリア	低血糖，脱水，ケトアシドーシス，腎盂腎炎，外陰部および会陰部の壊死性筋膜炎，敗血症，腸閉塞，肝機能障害，類天疱瘡，急性膵炎，間質性肺炎	C
ソリクア	低血糖，急性膵炎，ショック，アナフィラキシー	B3
ゾルトファイ	低血糖，アナフィラキシーショック，膵炎，腸閉塞	−

■ その他の指導ポイント

	患者向け	薬剤師向け
使用上の注意	・肝臓，腎臓，甲状腺疾患などがあれば，ご相談ください ・〔メタクト，ソニアス，リオベル〕むくみ，急激な体重増加が現れたときはご相談ください　→ ・低血糖が起こることがあります　→ ・〔メタクト，ソニアス，リオベル〕むくみ，急激な体重増加，息切れ，動悸が現れたときはご相談ください ・この薬の服用中は車の運転や危険を伴う機械の操作は行わないでください ・本剤服用中も必ず食事療法，運動療法を守るよう心がけてください ・血糖，尿糖等を定期的に検査してください　→ ・〔メタクト，ソニアス，リオベル，グルベス，エクメット，イニシンク，メタナ〕妊娠中または妊娠の可能性のある方は必ずご相談ください ・ 食 〔メタクト，エクメット，イニシンク，→ メタナ〕 ・〔ソリクア，ゾルトファイ〕使用前は凍結を避け2〜8℃で遮光保存し，使用開始後は決められた条件で保管してください	・2型糖尿病治療の第一選択薬として用いないこと 浮腫が比較的女性に多く報告されているので，女性に投与する場合は，浮腫の発現に留意し，本剤に含まれるピオグリタゾンとして1日1回15mgから投与を開始することが望ましい 薬物治療の確認と指導のポイント（p.799）参照．本剤の使用にあたっては，患者に対し低血糖症状およびその対処方法について十分説明する 循環血漿量の増加によると考えられる浮腫が短期間に発現し，また心不全が増悪あるいは発症することがある ・〔ソニアス以外〕低血糖症状を起こすおそれ ・〔ソニアス〕重篤かつ遷延性の低血糖を起こすことがある 食事療法，運動療法のみで効果が不十分な場合に使用する 本剤投与中は，血糖，尿糖等を定期的に検査し，薬剤の効果を確かめ，効果が不十分な場合には，速やかに他の治療への切り替えを行うこと 以下の理由のため投与禁忌 ・〔メトホルミン，グリメピリド〕動物実験で催奇形性作用の報告 ・〔ピオグリタゾン〕動物実験で出生時生存率の低下，母動物の死亡または流産 ・〔ミチグリニド〕動物実験で母動物の死亡 乳酸アシドーシスを起こすことがあるため過度のアルコール摂取は避けてください 〔ソリクア〕室温で31日以内，〔ゾルトファイ〕30℃以下で21日，25℃以下で28日以内に使用する
服用（使用）を忘れたとき	・〔メタクト，リオベル〕昼までに飲み忘れに気づいたときは，すぐに服用する．ただし，昼過ぎに気づいたときは服用しない．次の服用時間に1回分服用する．運動後や空腹時には服用しない（リオベル）（2回分を一度に服用しないこと） ・〔ソニアス，トラディアンス，スージャヌ，カナリア〕飲み忘れに気づいても服用しない．次の服用時間に決められた量を服用する（2回分を一度に服用しないこと） ・〔グルベス〕食前に服用を忘れた場合は，次の食事まで待ち，次の食事の食直前に必ず1回分服用する（2回分を一度に服用しないこと） ・〔エクメット，メタナ〕思い出したときすぐに服用する．ただし次の服用時間が近いとき	

服用(使用)を忘れたとき	は忘れた分は服用しない（2回分を一度に服用しないこと） ・〔イニシンク〕飲み忘れに気づいたら，次の食事に合わせて1回分服用する。ただし，次の服用時間が近いときは忘れた分は服用せず，次の服用時間に1回分を服用する（2回分を一度に服用しないこと） ・〔ソリクア〕医師に相談する。絶対に2回分を一度に注射しないこと ・〔ゾルトファイ〕注射をし忘れに気づいたらすぐに注射する。次は8時間以上あけてから注射し，その後は通常の注射時刻に注射する（2日分を一度に注射しないこと）

■ その他備考

■ 糖尿病の臨床診断のフローチャート

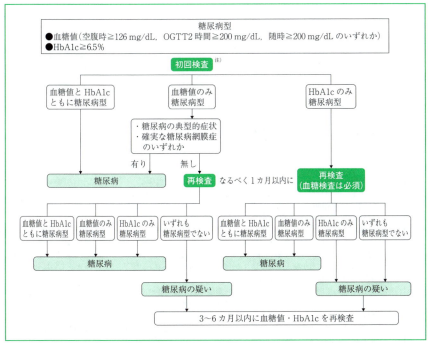

注）糖尿病が疑われる場合は，血糖値と同時にHbA1cを測定する。同日に血糖値とHbA1cが糖尿病型を示した場合には，初回検査だけで糖尿病と診断する。
（日本糖尿病学会 編・著：糖尿病治療ガイド2020-2021, p 26, 文光堂, 2020）

■高齢者糖尿病の血糖コントロール目標（HbA1c 値）

患者の特徴・健康状態(注1)			カテゴリー I ①認知機能正常 かつ ②ADL 自立	カテゴリー II ①軽度認知障害～軽度認知症 または ②手段的 ADL 低下，基本的 ADL 自立	カテゴリー III ①中等度以上の認知症 または ②基本的 ADL 低下 または ③多くの併存疾患や機能障害
重症低血糖が危惧される薬剤（インスリン製剤，SU 薬，グリニド薬など）の使用	なし(注2)		7.0%未満	7.0%未満	8.0%未満
	あり(注3)	65歳以上75歳未満 7.5%未満 （下限 6.5%）	75歳以上 8.0%未満 （下限 7.0%）	8.0%未満 （下限 7.0%）	8.5%未満 （下限 7.5%）

治療目標は，年齢，罹病期間，低血糖の危険性，サポート体制などに加え，高齢者では認知機能や基本的 ADL，手段的 ADL，併存疾患なども考慮して個別に設定する。ただし，加齢に伴って重症低血糖の危険性が高くなることに十分注意する。

注1）認知機能や基本的 ADL（着衣，移動，入浴，トイレの使用など），手段的 ADL（IADL：買い物，食事の準備，服薬管理，金銭管理など）の評価に関しては，日本老年医学会のホームページ（http://www.jpn-geriat-soc.or.jp/）を参照する。エンドオブライフの状態では，著しい高血糖を防止し，それに伴う脱水や急性合併症を予防する治療を優先する。

注2）高齢者糖尿病においても，合併症のための目標は 7.0%未満である。ただし，適切な食事療法や運動療法だけで達成可能な場合，または薬物療法の副作用なく達成可能な場合の目標を 6.0%未満，治療の強化が難しい場合の目標を 8.0%未満とする。下限を設けない。カテゴリー III に該当する状態で，多剤併用による有害作用が懸念される場合や，重篤な併存疾患を有し，社会的サポートが乏しい場合などには，8.5%未満を目標とすることも許容される。

注3）糖尿病罹病期間も考慮し，合併症発症・進展阻止が優先される場合には，重症低血糖を予防する対策を講じつつ，個々の高齢者ごとに個別の目標や下限を設定してもよい。65歳未満からこれらの薬剤を用いて治療中であり，かつ血糖コントロール状態が図の目標や下限を下回る場合には，基本的に現状を維持するが，重症低血糖に十分注意する。グリニド薬は，種類・使用量・血糖値等を勘案し，重症低血糖が危惧されない薬剤に分類される場合もある。

【重要な注意事項】糖尿病治療薬の使用にあたっては，日本老年医学会編「高齢者の安全な薬物療法ガイドライン」を参照すること。薬剤使用時には多剤併用を避け，副作用の出現に十分に注意する。

（日本老年医学会・日本糖尿病学会 編・著：高齢者糖尿病診療ガイドライン 2017, p 46, 南江堂, 2017）

No.57 糖尿病治療薬

■インスリン非依存状態の治療

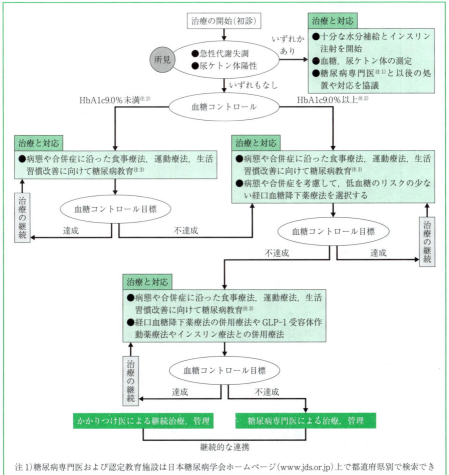

注1)糖尿病専門医および認定教育施設は日本糖尿病学会ホームページ(www.jds.or.jp)上で都道府県別で検索できる。地域ごとの情報については地域医師会や糖尿病専門外来をもつ病院などに問い合わせるとよい。
注2)参考指標であり，個別の患者背景を考慮して判断する。
注3)施設・地域の医療状況や，社会的リソース・サポート体制などの患者背景を考慮し，糖尿病専門医への紹介を考慮する。また，糖尿病専門施設での糖尿病教育入院なども考慮する。
その他，以下の場合，糖尿病専門医へ紹介を考慮する。
①口渇・多尿・体重減少などの症状がある場合
②低血糖を頻回に繰り返し糖尿病治療の見直しが必要な場合
③糖尿病急性増悪やステロイド使用や膵疾患や感染症に伴い血糖値の急激な悪化を認めた場合
④周術期あるいは手術に備えて厳格な血糖コントロールを必要とする場合
⑤糖尿病の患者教育が改めて必要になった場合
⑥内因性インスリン分泌が高度に枯渇している可能性がある場合

(日本糖尿病学会　編・著：糖尿病治療ガイド 2020-2021, p 36, 文光堂, 2020)

■経口糖尿病治療薬一覧表

分類	インスリン分泌促進薬（血糖非依存性）				速効型インスリン分泌促進薬	
	SU薬					
	第2世代		第3世代			
一般名	グリベンクラミド	グリクラジド	グリミクロン/グリミクロンHA	グリメピリド	ナテグリニド	ミチグリニド	レパグリニド
商品名	オイグルコン/ダオニール			アマリール	ファスティック/スターシス	グルファスト	シュアポスト
発売年月	1971.10 / 1981.9	1984.5 / 2004.7		2000.4	1999.8	2004.5	2011.5
規格単位 (mg)	1.25, 2.5	40, (HA) 20		0.5, 1, 3	30, 90	5, 10	0.25, 0.5
1日量 / 最高投与量 (mg)	1.25〜7.5/10	20〜120/160		0.5〜4/6	270〜360/360	15〜30/30	0.75〜3/3
効能・効果	2型糖尿病				2型糖尿病での食後過血糖推移の改善		
単独投与による低血糖リスク	高				中		
体重への影響	増加				増加		

経口糖尿病治療薬一覧表（続き）

分類	BG薬	TZD薬	α-GI薬			インスリン分泌非促進薬		SGLT2阻害薬			
一般名	メトホルミン	ピオグリタゾン	アカルボース	ボグリボース	ミグリトール	イプラグリフロジン	ダパグリフロジン	ルセオグリフロジン	トホグリフロジン	カナグリフロジン	エンパグリフロジン
商品名	メトグルコ／グリコラン	アクトス	グルコバイ	ベイスン	セイブル	スーグラ	フォシーガ	ルセフィ	アプルウェイ／デベルザ	カナグル	ジャディアンス
発売年月	2010.5	1999.12	1993.12	1994.9	2006.1	2014.4	2014.5	2014.5	2014.5	2014.9	2015.2
規格単位（mg）	250, 500	15, 30	50, 100	0.2, 0.3	25, 50, 75	25, 50	5, 10	2.5, 5	20	100	10, 25
1日量（mg）／最高投与量（mg）	（メトグルコ）500〜1,500／2,250（グリコラン）500〜750	15〜30	150〜300／300	0.6〜0.9／0.9	150〜225／225	50〜100／100	5〜10／10	2.5〜5／5	20／20	100／100	10〜25／25
効能・効果	2型糖尿病	2型糖尿病	糖尿病における食後過血糖の改善			※1	※1, 2, 3	2型糖尿病			
単独投与による低血糖リスク	低	低	低					低 ※2			
体重への影響	なし	増加	なし					減少			

※1：1型糖尿病（適切なインスリン治療を十分に行った上で、血糖コントロール不十分な場合に限る）
※2：慢性心不全（慢性心不全の標準的な治療を受けている患者に限る）
※3：慢性腎臓病（末期腎不全または透析施行中の患者を除く）

■経口糖尿病治療薬一覧表（続き）

分類	インスリン分泌促進薬（血糖依存性）								GLP-1作動薬	ミトコンドリア機能改善薬
	DPP-4阻害薬									
一般名	シタグリプチン	ビルダグリプチン	アログリプチン	リナグリプチン	テネリグリプチン	アナグリプチン	サキサグリプチン	トレラグリプチン	オマリグリプチン	セマグルチド	イメグリミン
商品名	グラクティブ/ジャヌビア	エクア	ネシーナ	トラゼンタ	テネリア	スイニー	オングリザ	ザファテック	マリゼブ	リベルサス	ツイミーグ
発売年月	2009.12	2010.4	2010.6	2011.9	2012.9	2012.11	2013.7	2015.5	2015.11	2021.2	2021.9
規格単位（mg）	12.5、25、50、100	50	6.25、12.5、25	5	20、40	100	2.5、5	25、50、100	12.5、25	3、7、14	500
1日量（mg）/最高投与量（mg）	50〜100/100	100/100	25/25	5/5	20〜40/40	200〜400/400	2.5〜5/5	週1回100/100	週1回25/25	3〜14/14	2,000/2,000
効能・効果	2型糖尿病									2型糖尿病	2型糖尿病
単独投与による低血糖リスク	低									低	低
体重への影響	なし									減少	なし

■経口糖尿病治療薬一覧表（続き）

分類	TZD・BG	TZD・SU	TZD・DPP-4	速効型インスリン分泌促進・α-GI	配合剤 DPP-4・BG				配合剤 SGLT2・DPP-4			
一般名	ピオグリタゾン(Pio)/メトホルミン(Met)	ピオグリタゾン(Pio)/グリメピリド(Gli)	ピオグリタゾン(Pio)/アログリプチン(Alo)	ミチグリニド(Mit)/ボグリボース(Vog)	ビルダグリプチン(Vil)/メトホルミン(Met)	アログリプチン(Alo)/メトホルミン(Met)	アナグリプチン(Ana)/メトホルミン(Met)	エンパグリフロジン(Enp)/リナグリプチン(Rna)	シタグリプチン(Sit)/イプラグリフロジン(Ipra)	テネリグリプチン(Tne)/カナグリフロジン(Kna)
商品名	メタクト LD・HD	ソニアス LD・HD	リオベル LD・HD	グルベス	エクメット LD・HD	イニシンク	メトアナ LD・HD	トラディアンス AP・BP	スージャヌ	カナリア
発売年月	2010.7	2011.6	2011.9	2011.7	2015.11	2016.11	2018.11	2018.11	2018.5	2017.9
規格単位(mg)	[Pio]/[Met] LD:15/500 HD:30/500	[Pio]/[Gli] LD:15/1 HD:30/3	[Pio]/[Alo] LD:15/25 HD:30/25	[Mit]/[Vog] 10/0.2	[Vil]/[Met] LD:50/250 HD:50/500	[Alo]/[Met] 25/500	[Ana]/[Met] LD:100/250 HD:100/500	[Enp]/[Rna] AP:10/5 BP:25/5	[Sit]/[Ipra] 50/50	[Tne]/[Kna] 20/100
1日量(mg)	[Pio]/[Met] LD:15/500 HD:30/500 *女性はPioとして1回15mgから開始	[Pio]/[Gli] LD:15/1 HD:30/3	[Pio]/[Alo] LD:15/25 HD:30/25	[Mit]/[Vog] 10/0.6	[Vil]/[Met] LD:100/500 HD:100/1,000	[Alo]/[Met] 25/500	[Ana]/[Met] LD:100/250 HD:100/500	[Enp]/[Rna] AP:10/5 BP:25/5	[Sit]/[Ipra] 50/50	[Tne]/[Kna] 20/100
効能・効果	2型糖尿病									

57 糖尿病治療薬　⑫アルドース還元酵素阻害薬

■ 対象薬剤
エパルレスタット（キネダック）

■ 指導のポイント

	患者向け	薬剤師向け
薬効	この薬は糖尿病による手足のしびれや痛みを改善する薬です	・アルドース還元酵素阻害作用 ・ソルビトール蓄積抑制作用 ・運動神経伝導速度改善作用
詳しい薬効	糖尿病の合併症の一つで神経障害（しびれや痛み）が起きる原因の一つとして，細胞内にソルビトールが蓄積することがあげられますが，この薬は，グルコースからソルビトールに変える酵素（アルドース還元酵素）の働きを抑えて，ソルビトールが細胞内に蓄積しないようにして，手足のしびれや痛みを改善する薬です	

■ 主な副作用と対策，フィジカルアセスメントのチェックポイント

主な副作用	患者に確認すべき症状	対策とPAのチェックポイント
肝機能異常	皮膚が黄色くなる，嘔吐，白目が黄色くなる，尿が黄色い，吐き気，食欲不振，かゆみ，体がだるい	AST，ALT，γ-GTPの上昇が増悪傾向となれば投与を中止し，適切な処置を行う PA No.57 糖尿病治療薬③ p.811 参照
消化器症状	腹痛，嘔気	減量もしくは休薬

■ 重大な副作用と妊婦・授乳婦への危険度

薬剤名	重大な副作用	妊婦[授乳婦]
キネダック	血小板減少，劇症肝炎，肝機能障害，黄疸，肝不全	－

■ その他の指導ポイント

	患者向け	薬剤師向け
使用上の注意	・この薬の服用中も必ず食事療法，運動療法，経口血糖降下剤やインスリンによる治療を守ってください ・食事の30分前に服用してください →	本剤には血糖降下作用はないので，現在までの糖尿病の治療も継続するように指導する。投与の対象となる患者の糖化ヘモグロビンは，HbA1c値7.0（NGSP値）以上を目安とする 本剤は血糖値が高い状態でより阻害作用を発揮するので，食後血糖値が最も高くなるときに薬剤の血中濃度が最も高くなる（血中濃度は食後投与より空腹時投与の方が高く，また

使用上の注意	・この薬の服用中に尿が黄褐色または赤色に変色しますが，心配はいりません →	服用後1〜2時間で最高になる）ように食前投与としている 有効成分の原末が黄〜橙色をしており，（代謝物も同様の色をもつ）尿の変色が全例に認められたとの報告がある。ただし，その呈色度は用量依存性である。また代謝物が試験紙のアルカリ成分によって色調変化するため，ビリルビンおよびケトン体の尿定性試験に影響することがあるので注意する
	・症状が改善しなければ主治医に申し出てください →	投与中は経過を十分に観察し，12週間投与して効果が認められない場合には他の適切な治療に切り換える ・不可逆的な器質的変化を伴う糖尿病性末梢神経障害の患者では効果が確立されていない
服用を忘れたとき	思い出したときすぐに服用する。ただし次の服用時間が近いときは忘れた分は服用しない（2回分を一度に服用しないこと）	

糖尿病治療の日常生活・食事療法・運動療法のポイント

　糖尿病の治療は，食事療法・運動療法・薬物療法が3本柱となり，この3つのバランスをとることで初めて十分な効果が得られます。また糖尿病は「自己管理の病気」といわれるように生活習慣を改善するなど自らの努力で良くなっていく病気です。糖尿病治療の目標は良好な血糖のコントロールを続け，三大合併症（神経障害，網膜症，腎症）を予防し健常人と変わらぬ社会活動を可能にすることです。

【生活習慣の改善・療養指導】
　肥満改善，禁煙，フットケア，口腔ケア，各種ワクチン接種などを行ってください。

【食事療法】
1．1日3食を規則正しくとり，ゆっくりかんで腹八分目としましょう
2．単純糖質を多く含む食品の間食は避けましょう
3．食塩は1日6g未満，アルコールは1日25g程度までとしてください
4．食品の種類はできるだけ多く，食物繊維を含む食品（野菜，海藻，きのこ）をとり，動物性脂質（飽和脂肪酸）は控えめにしましょう
5．食品を選ぶとき，下記の交換表を利用すると，炭水化物割合が50〜60％であれば指示エネルギー量を守りながらバラエティーに富んだ食品を選ぶことができます。

　例えば，指示されたエネルギー量が1,600 kcalの場合は，1日20単位（1,600 kcal÷80 kcal）となります。主治医が，炭水化物の割合を患者の合併症，肥満度などにより60％，55％，50％から選択します。

例：1日の指示単位20単位（1,600キロカロリー/炭水化物55％）の単位配分

	食品交換表	表1	表2	表3	表4	表5	表6	調味料
各表の1日指示単位	食品の種類	穀物，いも，豆など	くだもの	魚介，大豆，卵，チーズ，肉	牛乳など	油脂，多脂性食品など	野菜，海藻，きのこ，こんにゃく	みそ，みりん，砂糖など
	1日の指示単位	9	1	5	1.5	1.5	1.2	0.8
各食事へ配分された単位	朝	3		1			0.4	
	昼	3	1	2	1.5	1.5	0.4	0.8
	夕	3		2			0.4	
	間食							

指示された1日のエネルギー（総エネルギー摂取量の目安）を1単位である80 kcalで除し，総単位数を算出する。
（日本糖尿病学会　編・著：糖尿病食事療法のための食品交換表，第7版，日本糖尿病協会・文光堂，2013，p.18）

【運動療法】

1. 運動には歩行，ジョギング，水泳などの有酸素運動と，腹筋やダンベル，腕立て伏せ，スクワットなどのレジスタンス運動に分かれます。有酸素運動は週に150分以上，週に3回以上，運動をしない場合が2日間以上続かないように行いましょう。歩行運動は1回15～30分間，1日2回，1日の運動量としては約1万歩程度が勧められます。レジスタンス運動は連続しない日程で週に2～3回行うことが勧められます。
2. 運動を行う時間がない場合は，日常生活の中で階段を使ったり，通勤時に歩行するなどして日常生活の中に運動を取り入れましょう。
3. 運動は食後1時間が望ましいとされていますが，特に制限のない場合は運動可能な時間に行ってください。
4. 運動に適した服や靴をはいて，準備運動や整理運動を行うようにしましょう。
5. 運動を行うことで血糖値が下がり，継続することでインスリンの感受性や脂質異常も改善され心肺機能が向上します。
6. 運動療法の適否や効果を判定するために定期的にメディカルチェックを受けるようにしましょう。

食品交換表

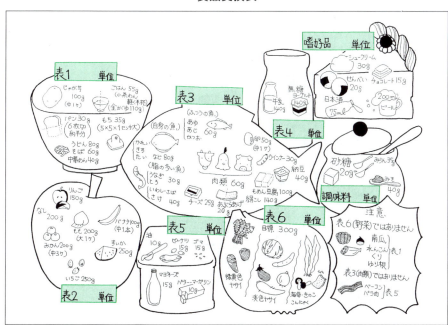

■知識メモ

　食物（糖質）は唾液や膵液中の α アミラーゼで二糖類に，小腸上部にある α-グルコシダーゼでブドウ糖に分解され，小腸で吸収されます。そして吸収されたブドウ糖は門脈を通って肝臓に運ばれ，門脈内のブドウ糖濃度（血糖）が上昇すると，膵ランゲルハンス島の β 細胞からインスリンが分泌されます。分泌されたインスリンによってブドウ糖は肝臓ではグリコーゲンとして貯蔵（肝臓で50％が代謝される）された後，筋肉や脂肪組織に送られエネルギー源として利用されたり，グリコーゲンや脂肪として貯蔵されます。

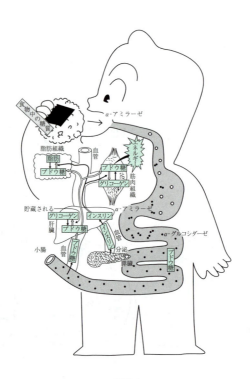

58 抗菌薬

■ 抗菌薬—薬物治療の確認と指導のポイント

項目	確認のポイント（一部注射薬も含む）
感染症の確認〜病原体の推定	患者背景，感染部位，病原体，重症度を確認する ・感染成立の場所（市中感染か医療関連感染か），基礎疾患の有無，服薬歴など ・炎症所見の確認 　　感染部位：呼吸器（肺炎，気管支炎）→咳嗽，喀痰，胸痛，異常呼吸音聴取 　　　　　　消化器（胃炎，腸炎）→嘔吐，下痢，腹痛 　　　　　　中枢神経（脳炎，髄膜炎）→髄膜刺激症状，頭痛 　　　　　　泌尿器（膀胱炎）→排尿痛，頻尿，発熱 ・バイタルサイン（体温，血圧，脈拍数，呼吸数，意識レベル，酸素飽和度等）：体温も大切だが血圧，脈拍・呼吸数に注意。血圧は高いより低い方が重篤。低いとショックの可能性，普段との差が重要。脈拍数，呼吸数は早いかどうか ・①グラム染色（原因不明時，グラム染色で推定）：細菌の分類参照 　②培養検査（血液培養，喀痰培養，尿培養）等 　③血液検査（白血球数，血小板数，CRP，腎機能等）を依頼 　　→白血球数は上昇することが多い。肝機能，腎機能も重要
細菌の分類	細菌は染色性（グラム陽性・陰性）と形状（球菌・桿菌）との組み合わせで大きく4つに分類できる。日常遭遇する細菌をおおよそで比較すると， 　　グラム陽性球菌＞グラム陰性桿菌＞グラム陰性球菌＝グラム陽性桿菌＞その他の菌（抗酸菌，非定型菌等） となる

		グラム染色陽性		グラム染色陰性
一般細菌	グラム陽性球菌	黄色ブドウ球菌 肺炎球菌（肺炎レンサ球菌） 腸球菌	グラム陰性球菌	淋菌 髄膜炎菌 モラクセラ・カタラーリス
	グラム陽性桿菌	ジフテリア菌 リステリア菌 炭疽菌 セレウス菌 放線菌類	グラム陰性桿菌	大腸菌 肺炎桿菌 プロテウス属 エンテロバクター属 セラチア 赤痢菌 サルモネラ属 腸炎エルシニア カンピロバクター ビブリオ属 インフルエンザ菌 百日咳菌 レジオネラ属 アシネトバクター
	嫌気性菌	クロストリジウム属（ボツリヌス菌，破傷風菌等） プロピオニバクテリウム属 ペプトストレプトコッカス属		バクテロイデス属 プレボテラ属 ベイヨネラ属

項目	確認のポイント（一部注射薬も含む）			
		グラム染色陽性		グラム染色陰性
	抗酸菌	結核菌 非結核性抗酸菌 らい菌	スピロヘータ	トレポネーマ属（梅毒トレポネーマ等） ボレリア属 レプトスピラ属
	特殊な細菌	クラミジア マイコプラズマ		リケッチア
	各疾患に対し想定される原因菌，主な抗菌薬は p.849 参照			
初期治療〜最適治療	①重症例や緊急例などで抗菌薬が必要な場合，原因菌を推定して抗菌薬を投与する．感染部位やグラム染色，患者背景から原因菌を推定し，主に広域抗菌薬を投与（エンピリック治療）する場合がある ②培養および感受性の結果（確定診断）後，原因菌に有効なスペクトルの狭い抗菌薬＊に切り替え（デ・エスカレーション），適切な期間投与する 　　＊腎機能を考慮に入れる			
組織移行性の良い抗菌薬	髄液：第3・第4世代セファロスポリン系，ニューキノロン系，ST合剤 肺：マクロライド系，ニューキノロン系，テトラサイクリン系 肝・胆道：リンコマイシン系 腎・尿路：β-ラクタム系（ペニシリン系，セフェム系，カルバペネム系，モノバクタム系），アミノグリコシド系，ニューキノロン系 細胞内：マクロライド系，ニューキノロン系，テトラサイクリン系			
主な副作用の確認	ペニシリン系：ショック，アナフィラキシー，血管痛，静脈炎（PCG） セフェム系（第1世代）：ショック，アナフィラキシー セフェム系（第3世代）：アレルギー症状 カルバペネム系：中枢神経症状（けいれん，呼吸抑制等），肝障害 グリコペプチド系：腎障害 マクロライド系：胃腸障害，QT延長，心室頻拍 リンコマイシン系：肝障害 テトラサイクリン系：胃腸障害，歯牙着色，光線過敏症，肝障害 アミノグリコシド系：腎障害，内耳神経障害 ポリペプチド系：腎障害，神経障害，ショック ニューキノロン系：精神神経症状，QT延長，心室頻拍，肝毒性 ポリエンマクロライド系：腎毒性 　※マクロライド系，ニューキノロン系，抗結核薬，抗真菌薬等は併用禁忌があるため相互作用にも注意			

■ 各疾患に対し想定される原因菌

疾患領域		想定される原因菌
呼吸器 (多くはウイルス感染)	副鼻腔	：インフルエンザ菌，肺炎球菌
	急性咽頭炎・扁桃腺炎	：レンサ球菌
	急性咽頭蓋炎	：インフルエンザ菌
	気管支炎	：肺炎球菌
	細菌性肺炎	：肺炎球菌，インフルエンザ菌，肺炎桿菌，モラクセラ・カタラーリス
	非定型肺炎	：肺炎マイコプラズマ，クラミジア，レジオネラ菌
	肺真菌症	：アスペルギルス，クリプトコッカス，ニューモシチス・イベロチー
	肺膿瘍	：嫌気性菌，黄色ブドウ球菌，レンサ球菌
	肺結核	：結核菌
	非結核性抗酸菌症	：MAC，*M. kansasii*
	細菌性胸膜炎	：肺炎球菌，インフルエンザ菌，肺炎桿菌，黄色ブドウ球菌
	結核性胸膜炎	：結核菌
	膿胸	：嫌気性菌，結核菌，レンサ球菌
消化器	虫垂炎	：腸内の大腸菌，嫌気性菌
	感染性腸炎	：下痢原性大腸炎，サルモネラ属，カンピロバクター，赤痢菌
	胃	：ヘリコバクター・ピロリ菌
感覚器	感染性結膜炎：黄色ブドウ球菌，肺炎球菌，淋菌，クラミジア	
耳鼻科	急性中耳炎：インフルエンザ菌，肺炎球菌，モラクセラ・カタラーリス	
尿路	腎盂腎炎，膀胱炎，前立腺炎：大腸菌などのグラム陰性桿菌	
	性器感染症（男性）：淋菌，クラミジア	
	（女性）：淋菌，クラミジア，嫌気性菌，グラム陰性桿菌（大腸菌等），カンジダ属，トリコモナス	
その他	性感染症：淋菌，クラミジア，梅毒トレポネーマ	

■ 主な抗菌薬（注射薬を含む）

■グラム陽性菌：有効な抗菌薬はβ-ラクタム系が中心　　　（下線が第一選択薬）

球菌	・MSSA：**第1世代セフェム系（特にCEZ）**，VCM，LZD（リネゾリド），DAP（ダプトマイシン） ・MRSA：**グリコペプチド系（特にVCM）**，LZD（感染性心内膜炎，敗血症を除く），DAP（肺炎を除く） ・表皮ブドウ球菌：**VCM**，LZD（敗血症を除く） ・肺炎球菌：**ペニシリン系（特にPCG），髄膜炎ではVCM + CTRX（セフトリアキソン）**，β-ラクタマーゼ阻害薬配合剤，ニューキノロン系，髄膜炎ではカルバペネム系 ・緑色レンサ球菌，A群レンサ球菌，B群レンサ球菌：**ペニシリン系（PCG，ABPC）**，第1世代セフェム系，マクロライド系，CLM，VCM ・腸球菌：**ABPC（感染性心内膜炎ではGM併用）**，グリコペプチド系，LZD
桿菌	・ジフテリア菌：**PCG**，EM ・リステリア菌：**ABPC ± GM**，ST合剤 ・炭疽菌：**PCG**，ニューキノロン系，ドキシサイクリン ・セレウス菌：**グリコペプチド系（特にVCM）**，CLM，カルバペネム系

■グラム陰性菌：様々な抗菌薬を使用（β-ラクタム系が中心）　　（下線が第一選択薬）

球菌	・淋菌：**CTRX**，ニューキノロン系 ・髄膜炎菌：**PCG**，CTRX ・モラクセラ・カタラーリス：**β-ラクタマーゼ阻害薬配合剤，第2世代セフェム系**，第3世代セフェム系，マクロライド系，ニューキノロン系
桿菌	・大腸菌：**第1・第2セフェム系，ABPC**，第3世代セフェム系，アミノグリコシド系，ニューキノロン系，ST合剤，β-ラクタマーゼ阻害薬配合，カルバペネ系（ESBL*産生菌の場合） ・肺炎桿菌：**第1・第2世代セフェム系**，第3世代セフェム系，アミノグリコシド系，ニューキノロン系，ST合剤，β-ラクタマーゼ阻害薬配合，カルバペネム系（ESBL*産生菌の場合） ・プロテウス属：**第1・第2世代セフェム系**，ABPC，第3世代セフェム系，ST合剤，アミノグリコシド系，ニューキノロン系 ・エンテロバクター属，セラチア：**第3世代セフェム系，ST合剤**，ニューキノロン系，アミノグリコシド系，CEPM，カルバペネム系（AmpC*産生菌の場合） ・赤痢菌，サルモネラ属（チフス菌）：**ニューキノロン系**，第3世代セフェム系，AZM ・カンピロバクター：**マクロライド系**，ニューキノロン系 ・ビブリオ属（コレラ菌）：**ニューキノロン系**，AZM ・インフルエンザ菌：**ABPC**，β-ラクタマーゼ阻害薬配合，CTRX ・百日咳菌：**マクロライド系**，ニューキノロン系，テトラサイクリン系 ・レジオネラ菌：**ニューキノロン系，マクロライド系**，テトラサイクリン系 ・アシネトバクター：**カルバペネム系，β-ラクタマーゼ阻害薬配合**，CFPM，ニューキノロン系，アミノグリコシド系

＊ESBL：基質特異性拡張型β-ラクタマーゼ，AmpC：セファロペニシラーゼ

58 抗菌薬 ①ペニシリン系

■ 対象薬剤
(A) ペニシリン系：アンピシリン水和物；ABPC（ビクシリン），アモキシシリン水和物；AMPC（サワシリン，パセトシン），スルタミシリントシル酸塩水和物；SBTPC（ユナシン），バカンピシリン塩酸塩；BAPC（ペングッド）
(B) 複合ペニシリン系：ビクシリンS配合
(C) β-ラクタマーゼ阻害薬配合剤：オーグメンチン配合，クラバモックス配合

■ 指導のポイント

	患者向け	薬剤師向け
薬効	・この薬は細菌を殺し，感染を治療する薬→です ・この薬は胃潰瘍・十二指腸潰瘍の原因の→一つであるヘリコバクター・ピロリ菌を除菌することにより，胃の炎症や潰瘍を治療する薬です（サワシリン，パセトシン）（参）No.32消化性潰瘍治療薬⑨	細胞壁合成阻害 ヘリコバクター・ピロリ菌殺菌作用
詳しい薬効	・この薬は細菌の外側の壁（細胞壁）の合成を阻害して細菌を殺し，感染を治療する薬です（ユナシン以外の(A)） ・この薬はペニシリン等を分解する酵素（β-ラクタマーゼ）の働きを抑える薬とペニシリンを合わせてあり，細菌の外側の壁の合成を阻害してβ-ラクタマーゼを持っている細菌も殺し感染を治療する薬です（ユナシン，(B)，(C)）	
禁忌	・本剤・ペニシリン系抗生物質過敏症既往，伝染性単核症 ・〔C〕黄疸または肝機能障害既往	

■ 主な副作用と対策，フィジカルアセスメントのチェックポイント

主な副作用	患者に確認すべき症状	対策とPAのチェックポイント
アレルギー反応	皮膚のかゆみ，じんま疹，声のかすれ，くしゃみ，のどのかゆみ，息苦しさ，動悸，意識の混濁	中止。ショックが現れた場合は直ちにアドレナリン等の投与により血圧の維持を図り，必要に応じて気道確保，副腎皮質ホルモン薬・抗ヒスタミン薬の投与等の処置 PA 血圧（↓），脈拍（↑），尿量（↓），皮膚温（↓），意識（↓），口唇（チアノーゼ）
腎障害[†] （間質性腎炎）	発熱，発疹，関節の痛み，吐き気，嘔吐，下痢，腹痛，むくみ，尿量が少なくなる	中止 PA 尿量（↓），体重（↑），浮腫（上眼瞼，下腿脛骨）

主な副作用	患者に確認すべき症状	対策とPAのチェックポイント
消化器症状	下痢, 便が軟らかくなる	腸内細菌叢のバランスが崩れ非感受性菌が増殖するため症状が発現する。予防的に耐性乳酸菌製剤を使用。症状がひどければ減量もしくは中止 PA 腸音（↑）

†：厚生労働省の「重篤副作用疾患別対応マニュアル」参照

■ 重大な副作用と妊婦・授乳婦への危険度

薬剤名	重大な副作用	妊婦[授乳婦]
ビクシリン	ショック, アナフィラキシー, 中毒性表皮壊死融解症, 皮膚粘膜眼症候群, 無顆粒球症, 溶血性貧血, 急性腎不全等の重篤な腎障害, 偽膜性大腸炎等の血便を伴う重篤な大腸炎	A [🈲◯]
サワシリン, パセトシン	ショック, アナフィラキシー, 中毒性表皮壊死融解症, 皮膚粘膜眼症候群, 多形紅斑, 急性汎発性発疹性膿疱症, 紅皮症, 顆粒球減少, 血小板減少, 肝障害, 腎障害, 大腸炎, 間質性肺炎, 好酸球性肺炎, 無菌性髄膜炎	A [🈲◯]
ユナシン	ショック, アナフィラキシー, 中毒性表皮壊死融解症, 皮膚粘膜眼症候群, 急性汎発性発疹性膿疱症, 剥脱性皮膚炎, 急性腎不全, 間質性腎炎, 血液障害, 出血性大腸炎, 偽膜性大腸炎, 肝機能障害, 黄疸	[🈲◯]
ペングッド	ショック, アナフィラキシー, 中毒性表皮壊死融解症, 皮膚粘膜眼症候群, 急性汎発性発疹性膿疱症, 急性腎不全, 偽膜性大腸炎, 出血性大腸炎, 肝機能障害, 黄疸	[🈲◯]
ビクシリンS	ショック, アナフィラキシー, 中毒性表皮壊死融解症, 皮膚粘膜眼症候群, 急性汎発性発疹性膿疱症, 無顆粒球症, 溶血性貧血, 急性腎不全等の重篤な腎障害, 偽膜性大腸炎等の血便を伴う重篤な大腸炎	－
オーグメンチン, クラバモックス	ショック, アナフィラキシー, 中毒性表皮壊死融解症, 皮膚粘膜眼症候群, 多形紅斑, 急性汎発性発疹性膿疱症, 紅皮症, 無顆粒球症, 顆粒球減少, 血小板減少, 急性腎不全, 偽膜性大腸炎, 出血性大腸炎, 肝障害, 間質性肺炎, 好酸球性肺炎, 無菌性髄膜炎	A（アモキシシリン）, B1（クラブラン酸） [🈲◯（オーグメンチン）]

■ その他の指導ポイント

	患者向け	薬剤師向け
使用上の注意	・自分の判断で中止せずに医師の指示どおり服用してください →	耐性菌の発現等を防ぐため, 原則として菌の感受性を確認し, 疾病の治療に必要な最小限の期間の投与にとどめる
	・この薬の服用中は, 経口避妊薬の効果が減弱する可能性があるので, 経口以外の方法で避妊してください →	腸内細菌叢を変化させ, 経口避妊薬の腸肝循環による再吸収を抑制すると考えられる
	・この薬の服用中に青あざや鼻出血が現れたらご相談ください →	経口摂取不良または非経口栄養の患者, 全身状態が悪い患者, 高齢者にビタミンK欠乏症による出血傾向が現れることがある

No.58　抗菌薬

使用上の注意	・〔オーグメンチン，クラバモックス〕この薬の服用中に歯が着色することがありますが，歯みがきまたは歯科医による処置にて除去することができます →	機序は不明だが，硫化物生成細菌により作られる被膜が原因とする報告
	・〔ユナシン，ペングッド〕この薬は多めの水で服用してください。特に寝る前に服用するときは注意してください →	食道に停留し崩壊すると，まれに食道潰瘍を起こすおそれがある
	・〔ビクシリンDS〕水に溶かして飲む場合は，飲むときに溶かしてください →	シロップ剤にしてしばらくすると沈殿が生じるため。シロップ剤にして冷蔵庫に10日間保存しても力価の低下は認められないが，なるべく早く服用すること
	・〔ビクシリンDS〕シロップ剤として薬をもらった場合は，よく振ってから飲んでください →	シロップ剤にしてしばらくすると沈殿を生じるため
	・〔クラバモックスボトル〕懸濁液は，服用のたびに十分振り混ぜてください。懸濁液に調製されているので，冷蔵庫（約4℃）に保存し，10日以内に使用してください →	懸濁液に調製する場合は，ドライシロップ約1g当たり4.5 mLの水で溶かし，1日量（調製後懸濁液として）が0.75 mL/kg×体重となるよう調製する
	・〔クラバモックス分包〕分包製剤の場合は，水に溶かして服用してください	
	・〔クラバモックス〕この薬は12時間ごとに食直前に服用してください →	クラブラン酸は食前投与が良好なバイオアベイラビリティを示した
	・〔ユナシン細粒小児用〕この薬は細粒をつぶしたり溶かしたりすることなく，酸性飲料（オレンジジュース，スポーツ飲料等）を避け，水または牛乳で服用してください	主薬の苦味を防ぐためのコーティングをしているため
	・食〔ビクシリン，サワシリン，パセトシン〕この薬はカート茶と一緒に飲まないでください →	アンピシリンまたはアモキシシリンとカート茶の成分が不溶性複合体を形成し，薬剤の消化吸収が低下して，本剤の血中濃度が低下する
	・食〔オーグメンチン〕この薬は牛乳と一緒に飲まないでください →	牛乳によって本剤の血中濃度が低下する
服用を忘れたとき	思い出したときすぐに服用する。ただし次の服用時間が近いとき（ビクシリンカプセル：4時間以内，ビクシリンDS・ビクシリンS：3時間以内）は忘れた分は服用しない（2回分を一度に服用しないこと）	

■ その他備考
　■配合剤成分：ビクシリンS（アンピシリン水和物，クロキサシリンナトリウム水和物）
　　　　　　　　配合比　1：1
　　　　　　　オーグメンチン（アモキシシリン水和物，クラブラン酸カリウム）
　　　　　　　　配合比　2：1
　　　　　　　クラバモックス（　　　　　〃　　　　　）
　　　　　　　　配合比　14：1
　■オーグメンチンとサワシリン併用処方（オグサワ処方）
　　　オーグメンチン配合（250 RS）3錠＋サワシリン（250 mg）3錠/分3あるいは最大各4錠/分4．
　　　2種類のペニシリン系抗菌薬の併用による市中肺炎（肺炎球菌，インフルエンザ菌，モラキセラ菌），誤嚥性肺炎（口腔内常在菌）の治療．米国での同製剤のAMPC/CVA配合比は4：1で，国内製剤のAMPCを補うためオーグメンチンに追加してAMPC250 mgを3〜4錠投与する．
　■ヘリコバクター・ピロリ除菌療法
　　　No.32 消化性潰瘍治療薬⑨（p.494）参照

58　抗 菌 薬　②セフェム系

■ 対象薬剤
　第1世代：セファレキシン；CEX（ケフレックス），セファクロル；CCL（ケフラール），セフロキサジン水和物；CXD（オラスポア）
　第2世代：セフロキシムアキセチル；CXM-AX（オラセフ）
　第3世代：セフィキシム；CFIX（セフスパン），セフテラムピボキシル；CFTM-PI（トミロン），セフポドキシムプロキセチル；CPDX-PR（バナン），セフジニル；CFDN（セフゾン），セフジトレンピボキシル；CPTR-PI（メイアクトMS），セフカペンピボキシル塩酸塩水和物；CFPN-PI（フロモックス）

■ 指導のポイント

	患者向け	薬剤師向け
薬効	この薬は細菌を殺し，感染を治療する薬です →	細胞壁合成阻害
薬詳効しい	この薬は細菌の外側の壁（細胞壁）の合成を阻害して細菌を殺し，感染を治療する薬です	
禁忌	本剤過敏症既往，セフェム系抗生物質過敏症既往	

■ 主な副作用と対策，フィジカルアセスメントのチェックポイント

主な副作用	患者に確認すべき症状	対策とPAのチェックポイント
アレルギー反応	皮膚のかゆみ，じんま疹，声のかすれ，くしゃみ，のどのかゆみ，息苦しさ，動悸，意識の混濁	中止。ショックが現れた場合は直ちにアドレナリン等の投与により血圧の維持を図り，必要に応じて気道確保，副腎皮質ホルモン薬・抗ヒスタミン薬の投与等の処置 PA 血圧（↓），脈拍（↑），尿量（↓），皮膚温（↓），意識（↓），口唇（チアノーゼ）
腎障害†	発熱，発疹，関節の痛み，吐き気，嘔吐，下痢，腹痛，むくみ，尿量が少なくなる	中止。利尿薬，アミノ配糖体薬との併用は注意する PA 尿量（↓），体重（↑），浮腫（上眼瞼，下腿脛骨）
出血傾向	鼻血，青あざができる	ビタミンKの非経口投与を併用する PA 顔色（蒼白），眼瞼結膜（蒼白），体幹・四肢（出血斑）
けいれん	けいれん，顔や手足の筋肉がぴくつく，一時的にボーっとして意識が薄れる，手足の筋肉が硬直しガクガクと震える	中止。鎮静のためジアゼパムを投与

†：厚生労働省の「重篤副作用疾患別対応マニュアル」参照

■ 重大な副作用と妊婦・授乳婦への危険度

薬剤名	重大な副作用	妊婦[授乳婦]
ケフレックス	ショック，アナフィラキシー，急性腎不全，溶血性貧血，偽膜性大腸炎，中毒性表皮壊死融解症，皮膚粘膜眼症候群，間質性肺炎，PIE症候群	[✕◯]
ケフラール	ショック，アナフィラキシー，急性腎不全，汎血球減少，無顆粒球症，血小板減少，偽膜性大腸炎，中毒性表皮壊死融解症，皮膚粘膜眼症候群，間質性肺炎，PIE症候群，肝機能障害，黄疸 類薬 溶血性貧血	[✕◯]
オラスポア	ショック，血便を伴う重篤な大腸炎，間質性肺炎，PIE症候群，中毒性表皮壊死融解症，皮膚粘膜眼症候群 類薬 急性腎不全等の重篤な腎障害，溶血性貧血	−
オラセフ	ショック，アナフィラキシー，急性腎不全等の重篤な腎障害，中毒性表皮壊死融解症，皮膚粘膜眼症候群，偽膜性大腸炎 類薬 汎血球減少，無顆粒球症，溶血性貧血，間質性肺炎，PIE症候群	B1 [✕◯]
セフスパン	ショック，アナフィラキシー，中毒性表皮壊死融解症，皮膚粘膜眼症候群，無顆粒球症，溶血性貧血，血小板減少，急性腎障害等の重篤な腎障害，偽膜性大腸炎等の重篤な大腸炎，間質性肺炎，PIE症候群，肝機能障害，黄疸	[✕◯]
トミロン	ショック，アナフィラキシー，中毒性表皮壊死融解症，皮膚粘膜眼症候群，急性腎不全等の重篤な腎障害，偽膜性大腸炎等の血便を伴う重篤な大腸炎，肝機能障害，黄疸，無顆粒球症，血小板減少，低カルニチン血症に伴う低血糖（小児：特に乳幼児） 類薬 溶血性貧血，間質性肺炎，PIE症候群	[✕◯]

薬剤名	重大な副作用	妊婦[授乳婦]
バナン	ショック，アナフィラキシー，中毒性表皮壊死融解症，皮膚粘膜眼症候群，偽膜性大腸炎，急性腎不全，間質性肺炎，PIE症候群，肝機能障害，黄疸，血小板減少 類薬 汎血球減少症，無顆粒球症，溶血性貧血，けいれん	[⊗○]
セフゾン	ショック，アナフィラキシー，中毒性表皮壊死融解症，皮膚粘膜眼症候群，汎血球減少，無顆粒球症，血小板減少，溶血性貧血，偽膜性大腸炎等の重篤な大腸炎，間質性肺炎，PIE症候群，急性腎障害等の重篤な腎障害，劇症肝炎，肝機能障害，黄疸	[⊗○]
メイアクトMS	ショック，アナフィラキシー，偽膜性大腸炎等の血便を伴う重篤な大腸炎，中毒性表皮壊死融解症，皮膚粘膜眼症候群，間質性肺炎，PIE症候群，黄疸，肝機能障害，急性腎不全等の重篤な腎障害，無顆粒球症，溶血性貧血，低カルニチン血症に伴う低血糖（小児：特に乳幼児）	[⊗○]
フロモックス	ショック，アナフィラキシー，急性腎不全，無顆粒球症，血小板減少，溶血性貧血，偽膜性大腸炎，出血性大腸炎，中毒性表皮壊死融解症，皮膚粘膜眼症候群，紅皮症（剥脱性皮膚炎），間質性肺炎，好酸球性肺炎，劇症肝炎，肝機能障害，黄疸，横紋筋融解症，低カルニチン血症に伴う低血糖（小児：特に乳幼児）	[⊗○]

■ その他の指導ポイント

	患者向け	薬剤師向け
使用上の注意	・自分の判断で中止せずに医師の指示どおり服用してください →	耐性菌の発現等を防ぐため，原則として菌の感受性を確認し，疾病の治療に必要な最小限の期間の投与にとどめる
	・この薬の服用中に青あざや鼻出血が現れたらご相談ください →	経口摂取不良または非経口栄養の患者，全身状態が悪い患者，高齢者にビタミンK欠乏症による出血傾向が現れることがある
	・〔L-ケフレックス，L-ケフラール〕この薬はかまずに服用してください。また制酸剤と同時に飲まないでください →	腸溶性が損なわれるおそれがあるため。制酸剤との併用時は十分な服用間隔をあける
	・〔L-ケフレックス顆粒，ケフラール細粒小児用，セフスパン細粒〕この薬を懸濁液にする場合，牛乳，ジュース等に懸濁したまま放置しないように注意してください →	牛乳，ジュース等に溶解した場合，水に溶解するより力価低下が早いため
	・〔バナン〕この薬は制酸剤と同時に服用しないでください →	吸収が阻害されるおそれ（機序不明）
	・〔セフゾン〕この薬は制酸剤と同時に服用しないでください。制酸剤を服用する場合は2時間以上間隔をあけて服用してください →	吸収が阻害されるおそれ（機序不明）
	・〔セフゾン〕粉ミルクと混ぜて服用しないでください →	配合直後に外観変化（赤色味）と本剤の含有量低下が認められている
	・〔セフゾン〕粉ミルク，経腸栄養剤等，鉄添加製剤との併用により，便の色が赤く →	本剤と鉄イオンとの錯体形成により，便が着色すると考えられている。鉄剤は併用注意と

使用上の注意	なることがありますが心配いりません	されているが，粉ミルク等に含まれる鉄イオンの量では薬効に影響がないと考えられている
	・〔セフゾン〕この薬を服用すると尿が赤くなることがありますが，心配いりません	原因は不明であるが，薬効には影響を与えないと考えられている
	・〔フロモックス小児用細粒〕この薬は，細粒をつぶしたり溶かしたりせず水で飲んでください。やむを得ず牛乳，ジュース，水に溶かした場合は速やかに飲んでください	主薬の苦味を防ぐ製剤になっているため，溶かした場合経時的に力価低下する
	・〔メイアクトMS小児用細粒〕下痢・軟便が現れたらご相談ください	3歳未満で下痢・軟便の発現頻度が高いので注意する
	・食〔セフゾン〕この薬の服用中に鉄を含むサプリメントは同時に服用しないでください。もし摂る場合は3時間以上間隔をあけて服用してください	腸管内において鉄イオンはほとんど吸収されない錯体を形成し，本剤の吸収を約10分の1まで阻害するため
	・〔ケフレックスシロップ用細粒〕光により退色することがあります。退色したものは使用しないでください	
	・〔ケフラール細粒〕経時的に退色しますが，使用に差し支えありません	
	・〔オラスポアドライシロップ〕懸濁液に調製後は冷所に保管し，7日以内に使用してください	
	・〔バナンドライシロップ〕懸濁液に調製後は冷所に保管し，2週間以内に使用してください。服用するときは十分振り混ぜてください	
服用を忘れたとき	思い出したときすぐに服用する。ただし次の服用時間が近いときは忘れた分は服用しない（2回分を一度に服用しないこと）	

膀胱炎の日常生活のポイント

　急性膀胱炎は成人の女性に多く発症し，排尿時の痛みや頻尿，血尿や尿が濁るといった症状が現れます。特に女性に多いのは女性の尿道が太く短く，肛門に近いために便の中の細菌が膀胱の中に入りやすいからです。細菌が膀胱の中に入ると，尿の中で急速に増えて，膀胱の粘膜に付着して炎症を起こします。膀胱炎は菌を殺す薬（抗菌薬）が非常によく効くので，きちんと薬を服用すれば3日以内に急速に症状が改善し，治癒します。しかし膀胱炎は再発や再感染が多く腎盂腎炎の引金となることがありますので以下の点に気をつけて完全に治療を行うことが非常に重要です。

【日常生活のポイント】
1. 治りを早めるためできるだけ水分を多くとって，排尿を頻回に行ってください。お茶，ジュース類等なんでもけっこうですがアルコールの入ったものは避けてください。
2. 尿道や外陰部付近はできるだけ清潔に保つようにしてください。
3. 過労を避け，睡眠を十分とるようにしてください。
4. 完全に治癒するまで性交は行わないようにしてください。
5. 香辛料などの刺激物は避けてください。
6. 下腹部から腰部を温めてください。

【再発予防のポイント】
①尿意をがまんせず，早めに排尿する。
②できるだけ水分をとり尿の量を多くする。
③下腹部を冷えないようにする。
④外陰部を清潔に保つ。
⑤性交の直後に排尿する。
⑥便通を整える。

58 抗菌薬 ③マクロライド系

■ 対象薬剤

14員環：エリスロマイシンステアリン酸塩；EM（**エリスロシン**），クラリスロマイシン；CAM（**クラリス，クラリシッド**），ロキシスロマイシン；RXM（**ルリッド**）
15員環：アジスロマイシン水和物；AZM（**ジスロマック**）
18員環：フィダキソマイシン；FDX（**ダフクリア**）

■ 指導のポイント

	患者向け	薬剤師向け
薬効	・この薬は細菌を殺し，感染を治療する薬→です ・この薬は細菌を殺し，感染性腸炎を治療→する薬です（ダフクリア） ・この薬は胃潰瘍・十二指腸潰瘍の原因の一つであるヘリコバクター・ピロリ菌を除菌することにより，胃の炎症や潰瘍を治療する薬です（クラリス，クラリシッド）（参）No.32 消化性潰瘍治療薬⑨	蛋白合成阻害（ダフクリア以外） RNAポリメラーゼ阻害（ダフクリア） ヘリコバクター・ピロリ菌殺菌作用
詳しい薬効	・この薬は細菌の蛋白質の合成を阻害して細菌を殺し，感染を治療する薬です ・この薬は細菌の増殖に必要なRNAポリメラーゼを阻害することにより，抗菌活性を示し，クロストリジウム・ディフィシルによる感染性腸炎（偽膜性大腸炎を含む）を治療する薬です（ダフクリア）	
禁忌・併用禁忌	**禁忌** ・本剤過敏症既往 ・〔クラリス，クラリシッド〕肝または腎障害でコルヒチン投与中 **併用禁忌** ・〔エリスロシン〕⇄クリアミン配合，ジヒドロエルゴタミンで四肢の虚血，血管れん縮のおそれ ・〔クラリス，クラリシッド〕⇄クリアミン配合，ジヒドロエルゴタミンで血管れん縮等の重篤な副作用のおそれ，スボレキサント，ロミタピド，チカグレロルの血中濃度上昇，タダラフィル（アドシルカ）のクリアランスが減少し作用増強，イブルチニブの作用増強，イバブラジンで過度の徐脈，用量漸増期のベネトクラクスで腫瘍崩壊症候群の発現増強のおそれ ・〔ルリッド〕⇄クリアミン配合，ジヒドロエルゴタミンで四肢虚血のおそれ	

■ 主な副作用と対策, フィジカルアセスメントのチェックポイント

主な副作用	患者に確認すべき症状	対策とPAのチェックポイント
肝機能障害[†]	体がだるい, 疲れやすい, 食欲がない, 発熱, 皮膚や目が黄色くなる, 湿疹, 吐き気, 嘔吐, かゆみ	中止 PA 眼球（黄色）, 皮膚（皮疹, 瘙痒感, 黄色）, 尿（褐色）, 体温（↑）, 腹部（肝肥大, 心窩部・右季肋部圧痛, 腹水貯留等）
消化器症状	下痢, 便が軟らかくなる, 腹痛	減量もしくは中止
QT延長, 心室性不整脈	めまい, 動悸, 胸が痛む, 胸部の不快感, 意識消失, 失神, けいれん	中止 PA 脈拍（不整脈）

[†]：厚生労働省の「重篤副作用疾患別対応マニュアル」参照

■ 重大な副作用と妊婦・授乳婦への危険度

薬剤名	重大な副作用	妊婦［授乳婦］
エリスロシン	偽膜性大腸炎等の血便を伴う重篤な大腸炎, 心室頻拍, QT延長, ショック, アナフィラキシー, 中毒性表皮壊死融解症, 皮膚粘膜眼症候群, 急性間質性腎炎, 肝機能障害, 黄疸	［😐◎］
クラリス, クラリシッド	ショック, アナフィラキシー, QT延長, 心室頻拍, 心室細動, 劇症肝炎, 肝機能障害, 黄疸, 肝不全, 血小板減少, 汎血球減少, 溶血性貧血, 白血球減少, 無顆粒球症, 中毒性表皮壊死融解症, 皮膚粘膜眼症候群, 多形紅斑, PIE症候群, 間質性肺炎, 偽膜性大腸炎, 出血性大腸炎, 横紋筋融解症, けいれん, 急性腎障害, 尿細管間質性腎炎, IgA血管炎, 薬剤性過敏症症候群	B3 ［😐◎］
ルリッド	ショック, アナフィラキシー, 偽膜性大腸炎, 出血性大腸炎, 間質性肺炎, 血小板減少症, 肝機能障害, 黄疸, 皮膚粘膜眼症候群, QT延長, 心室頻拍	B1 ［😐◎］
ジスロマック	ショック, アナフィラキシー, 中毒性表皮壊死融解症, 皮膚粘膜眼症候群, 急性汎発性発疹性膿疱症, 薬剤性過敏症症候群, 肝炎, 肝機能障害, 黄疸, 肝不全, 急性腎障害, 偽膜性大腸炎, 出血性大腸炎, 間質性肺炎, 好酸球性肺炎, QT延長, 心室性頻脈, 白血球減少, 顆粒球減少, 血小板減少, 横紋筋融解症	［😐◎］
ダフクリア	アナフィラキシー	B1

■ その他の指導ポイント

	患者向け	薬剤師向け
使用上の注意	・自分の判断で中止せずに医師の指示どおりに服用してください ・〔クラリスドライシロップ, クラリシッドドライシロップ〕この薬は服用前に懸濁液にして服用してください ・〔クラリスドライシロップ, クラリシッドドライシロップ, ジスロマック細粒〕この薬の服用時, 苦味が出ることがあるのでオレンジジュースやスポーツ飲料等	耐性菌の発現等を防ぐため, 原則として菌の感受性を確認し, 疾病の治療に必要な最小限の期間の投与にとどめる 用時調製の製剤なので, できるだけ速やかに服用すること。やむを得ず保存する場合は冷蔵庫に保存すること 主薬の苦味を防ぐためのコーティングをしているため

使用上の注意	の酸性飲料で飲まないでください	
	・〔ジスロマック〕この薬は制酸剤と同時→に服用しないでください	水酸化マグネシウム，水酸化アルミニウムで本剤の最高血中濃度低下の報告（機序不明）
	・〔ジスロマック〕この薬の服用中に湿疹，→粘膜（口唇，眼，外陰部）のびらんあるいは水ぶくれ等の症状が現れた場合は服用を中止し，ご相談ください	事前に皮膚粘膜眼症候群，中毒性表皮壊死融解症に対して指導する
	・〔ジスロマック〕この薬は作用期間が長→いため，服用終了後も副作用が現れる場合があるのでご注意ください	組織内半減期が長いため，投与終了数日後でも副作用が現れる可能性があるので観察を行う
	・〔ジスロマック〕この薬の服用中は，車の→運転等危険を伴う機械の操作は行わないでください	意識障害等が現れることがある
	・〔ジスロマック〕この薬の服用中に耳鳴→りや聴力低下等の聴力障害，また下痢や腹痛等の消化器症状が現れることがあります	過量投与により聴力障害のおそれ，外国にて総投与量が1.5g超で消化器症状の増加の報告
服用を忘れたとき	・〔ジスロマック 600 mg 以外〕思い出したときすぐに服用する。ただし次の服用時間が近いときは忘れた分は服用しない（2回分を一度に服用しないこと）	
	・〔ジスロマック 600 mg：後天性免疫不全症候群に伴う播種性マイコバクテリウム・アビウムコンプレックス（MAC）症の発症抑制および治療〕思い出したときすぐに服用する。ただし次の服用時間が近いとき（発症抑制の場合では1週間以内，治療の場合では1日以内）は服用しない（2回分を一度に服用しないこと）	

58 抗菌薬 ④ニューキノロン系

■対象薬剤

(A) 第2世代：ノルフロキサシン；NFLX（バクシダール），オフロキサシン；OFLX（タリビッド），シプロフロキサシン塩酸塩；CPFX（シプロキサン），プルリフロキサシン；PUFX（スオード）

(B) 第3世代：レボフロキサシン水和物；LVFX（クラビット），トスフロキサシントシル酸塩水和物；TFLX（オゼックス，トスキサシン）

(C) 第4世代：モキシフロキサシン塩酸塩；MFLX（アベロックス），メシル酸ガレノキサシン水和物；GRNX（ジェニナック），シタフロキサシン水和物；STFX（グレースビット），ラスクフロキサシン塩酸塩；LSFX（ラスビック）

■ 指導のポイント

	患 者 向 け	薬 剤 師 向 け
薬効	この薬は細菌を殺し，感染を治療する薬です	核酸（DNA）合成阻害作用（殺菌的）
詳しい薬効	この薬は，細菌の核酸（DNA）が増えるのを抑えることにより細菌を殺し，感染を治療する薬です	
禁忌・併用禁忌	**禁忌**　・本剤過敏症既往，妊婦＊ ・〔C〕他のキノロン系抗菌薬過敏症既往 ・〔タリビッド〕レボフロキサシン過敏症既往 ・〔クラビット〕オフロキサシン過敏症既往 ・〔バクシダール，オゼックス，トスキサシン以外〕小児 ・〔小児用バクシダール〕乳児＊ ・〔アベロックス〕QT延長，重度の肝障害，低K血症 ＊妊婦・小児に対しては治療上の有益性を考慮して投与 ・〔シプロキサン，クラビット〕炭疽 ＊妊婦に対しては治療上の有益性を考慮して投与 ・〔バクシダール，オゼックス，トスキサシン〕炭疽 ・〔バクシダール〕野兎病 ・〔オゼックス，トスキサシン〕コレラ **併用禁忌**　・〔バクシダール〕⇔フェンブフェン，フルルビプロフェンアキセチル，フルルビプロフェン，エスフルルビプロフェンにてけいれんのおそれ ・〔シプロキサン〕⇔ケトプロフェン（皮膚外用剤を除く）でけいれんのおそれ，チザニジンのCmax，AUCが上昇し血圧低下，傾眠，めまい等発現の報告，ロミタピドの血中濃度上昇のおそれ ・〔スオード〕⇔フェンブフェン，フルルビプロフェンアキセチル，フルルビプロフェンにてけいれん発現のおそれ ・〔アベロックス〕⇔キニジン，プロカインアミド，アミオダロン，ソタロール等にてQT延長，心室性頻拍発現のおそれ	

■ 主な副作用と対策，フィジカルアセスメントのチェックポイント

主な副作用	患者に確認すべき症状	対策とPAのチェックポイント
けいれん	けいれん	服薬後，1～4日でけいれんを発現することが多い。本薬によるけいれんは可逆的であり，早期処置により数日以内に回復し，予後は良好。 けいれん，てんかん発作の鎮静のためジアゼパムを投与
光線過敏症	日光のあたる部分に水疱を伴い肌が赤くなる，水ぶくれ，かゆみ	日光曝露（日光にあたること）を避け，発疹が現れたら中止。 中止後7日間は直射日光を避ける **PA** 顔面・耳介・うなじ・手背（日焼け様皮疹）

No.58 抗菌薬

主な副作用	患者に確認すべき症状	対策とPAのチェックポイント
横紋筋融解症†	筋肉の痛み，疲労感，脱力感，手足のしびれ・こわばり，赤褐色尿	中止 PA 筋力（↓），筋肉（圧痛），尿（赤褐色尿・ミオグロビン尿）
腎障害 （間質性腎炎）	発熱，発疹，関節の痛み，吐き気，嘔吐，下痢，腹痛，むくみ，尿量が少なくなる	PA 体重（↑），浮腫（上眼瞼，下腿脛骨）
アレルギー反応	皮膚のかゆみ，じんま疹，声のかすれ，くしゃみ，のどのかゆみ，息苦しさ，動悸，意識の混濁	中止。ショックが現れた場合は直ちにアドレナリン等の投与により血圧の維持を図り，必要に応じて気道確保，副腎皮質ホルモン薬・抗ヒスタミン薬の投与等の処置 PA 血圧（↓），脈拍（↑），尿量（↓），皮膚温（↓），意識（↓），口唇（チアノーゼ）
偽膜性大腸炎†	下痢を頻回にする。便に血が混じる，お腹が痛い	中止 PA 体温（↑），便（下痢，血便）
低血糖	冷や汗が出る，ふるえ，体がだるい，異常にお腹が空く，どきどきする	中止しブドウ糖等の投与を行う PA 脈拍（↑），皮膚（発汗・湿潤），体温（↓），意識（↓）

†：厚生労働省の「重篤副作用疾患別対応マニュアル」参照

■ 重大な副作用と妊婦・授乳婦への危険度

薬剤名	重大な副作用	妊婦[授乳婦]
バクシダール	ショック，アナフィラキシー様症状，中毒性表皮壊死融解症，皮膚粘膜眼症候群，剥脱性皮膚炎，急性腎障害，けいれん，錯乱，ギラン・バレー症候群，重症筋無力症の増悪，アキレス腱炎・腱断裂等の腱障害，血管炎，溶血性貧血，偽膜性大腸炎等の血便を伴う重篤な大腸炎，横紋筋融解症，間質性肺炎，肝機能障害，黄疸，大動脈瘤，大動脈解離，低血糖	禁忌/B 3 [❷○]
タリビッド	ショック，アナフィラキシー，中毒性表皮壊死融解症，皮膚粘膜眼症候群，けいれん，QT延長，心室頻拍，急性腎不全，間質性腎炎，劇症肝炎，肝機能障害，黄疸，無顆粒球症，汎血球減少症，血小板減少，溶血性貧血，間質性肺炎，好酸球性肺炎，偽膜性大腸炎等の血便を伴う重篤な大腸炎，横紋筋融解症，低血糖，アキレス腱炎，腱断裂等の腱障害，錯乱・せん妄・抑うつ等の精神症状，過敏性血管炎，重症筋無力症の悪化，大動脈瘤，大動脈解離，末梢神経障害	禁忌/B 3 [❷○]
シプロキサン	ショック，アナフィラキシー様症状，大腸炎，横紋筋融解症，間質性肺炎，低血糖，骨髄抑制，汎血球減少，無顆粒球症，血小板減少，劇症肝炎，肝機能障害，黄疸，中毒性表皮壊死融解症，皮膚粘膜眼症候群，多形紅斑，急性汎発性発疹性膿疱症，急性腎不全，間質性腎炎，けいれん，アキレス腱炎・腱断裂等の腱障害，錯乱・抑うつ等の精神症状，重症筋無力症の悪化，血管炎，QT延長，心室頻拍，大動脈瘤，大動脈解離	禁忌/B 3 [❷○]

薬剤名	重大な副作用	妊婦[授乳婦]
スオード	ショック，アナフィラキシー，中毒性表皮壊死融解症，皮膚粘膜眼症候群，多形紅斑，横紋筋融解症，間質性肺炎，低血糖，大動脈瘤，大動脈解離，アキレス腱炎，腱断裂等の腱障害，せん妄，記憶障害等の精神症状 類薬 汎血球減少，無顆粒球症，溶血性貧血，血小板減少，急性腎不全等の重篤な腎障害，肝機能障害，黄疸，心室頻拍，QT延長，偽膜性大腸炎等の血便を伴う重篤な大腸炎，けいれん，血管炎，重症筋無力症の悪化	禁忌 [⊗○]
クラビット	ショック，アナフィラキシー，中毒性表皮壊死融解症，皮膚粘膜眼症候群，けいれん，QT延長，心室頻拍，急性腎障害，間質性腎炎，劇症肝炎，肝機能障害，黄疸，汎血球減少症，無顆粒球症，溶血性貧血，血小板減少，間質性肺炎，好酸球性肺炎，偽膜性大腸炎等の血便を伴う重篤な大腸炎，横紋筋融解症，低血糖，アキレス腱炎・腱断裂等の腱障害，錯乱・せん妄・抑うつ等の精神症状，過敏性血管炎，重症筋無力症の悪化，大動脈瘤，大動脈解離，末梢神経障害	禁忌 [⊗○]
オゼックス，トスキサシン	ショック，アナフィラキシー様症状，中毒性表皮壊死融解症，皮膚粘膜眼症候群，けいれん，意識障害，急性腎障害，間質性腎炎，腎性尿崩症，肝機能障害，黄疸，無顆粒球症，血小板減少，偽膜性大腸炎等の血便を伴う重篤な大腸炎，間質性肺炎，好酸球性肺炎，横紋筋融解症，低血糖，大動脈瘤，大動脈解離，末梢神経障害，アキレス腱炎・腱断裂等の腱障害，精神症状，重症筋無力症の悪化	禁忌 [⊗○]
アベロックス	ショック，アナフィラキシー，心室性頻拍，QT延長，偽膜性大腸炎，アキレス腱炎・断裂等の腱障害，けいれん，錯乱・幻覚等の精神症状，失神，意識消失，中毒性表皮壊死融解症，皮膚粘膜眼症候群，劇症肝炎，肝炎，肝機能障害，黄疸，低血糖，重症筋無力症の悪化，横紋筋融解症，大動脈瘤，大動脈解離 類薬 間質性肺炎，急性腎障害，過敏性血管炎	禁忌/B3 [⊗○]
ジェニナック	ショック，アナフィラキシー，中毒性表皮壊死融解症，皮膚粘膜眼症候群，多形紅斑，徐脈，洞停止，房室ブロック，QT延長，心室頻拍，劇症肝炎，肝機能障害，高血圧，偽膜性大腸炎，汎血球減少，無顆粒球症，血小板減少，横紋筋融解症，幻覚，せん妄等の精神症状，けいれん，間質性肺炎，好酸球性肺炎，重症筋無力症の悪化，急性腎障害，間質性腎炎，大動脈瘤，大動脈解離，末梢神経障害，アキレス腱炎，腱断裂等の腱障害，血管炎	禁忌 [⊗○]
グレースビット	ショック，アナフィラキシー，中毒性表皮壊死融解症，皮膚粘膜眼症候群，急性腎障害，肝機能障害，汎血球減少症，無顆粒球症，溶血性貧血，血小板減少，偽膜性大腸炎，低血糖，錯乱，せん妄，幻覚等の精神症状，大動脈瘤，大動脈解離，アキレス腱炎，腱断裂等の腱障害，けいれん，QT延長，心室頻拍，間質性肺炎，横紋筋融解症	禁忌 [⊗○]
ラスビック	ショック，アナフィラキシー，白血球減少症，間質性肺炎，QT延長，心室頻拍，低血糖，偽膜性大腸炎等の血便を伴う重大な大腸炎，アキレス腱炎，腱断裂等の腱障害，肝機能障害，横紋筋融解症，けいれん，錯乱，せん妄等の精神障害，重症筋無力症の悪化，大動脈瘤，大動脈解離	禁忌

■ その他の指導ポイント

	患者向け	薬剤師向け
使用上の注意	・自分の判断で中止せずに医師の指示どおり服用してください	耐性菌の発現等を防ぐため，原則として感受性を確認し，疾病の治療に必要な最小限の期間の投与にとどめる
	・この薬を胃薬（アルミニウム，マグネシウム含有制酸剤），鉄剤，カルシウム・マグネシウム含有製剤と同時に服用すると効き目が弱くなるので，できるだけ控えてください（オゼックス，トスキサシン，ラスビック：同時服用は避ける）（タリビッド，クラビット：1～2時間以上あけて）（バクシダール，シプロキサン，スオード，アベロックス，ジェニナック，グレースビット：2時間以上あけて）	金属イオンとキレートを形成し，吸収が低下し，効果が減弱するため併用注意（タリビッド，クラビット，アベロックスにはカルシウム含有製剤との相互作用は添付文書に記載されていない）
	・激しい腹痛，胸の痛み，背中の痛みが現れた場合は，すぐにご相談ください	大動脈瘤，大動脈解離を引き起こすことがあるので観察を十分におこなう。既往歴，家族歴を含めてリスク因子を有する患者の画像診断も考慮する
	・この薬の服用中にアキレス腱周辺の痛み，むくみ，発赤等の症状が現れたら，ご相談ください	アキレス腱炎，腱断裂等の腱障害が報告されているので，投与を中止し，適切な処置
	・妊娠中または妊娠の可能性のある方は，必ずご相談ください	安全性が確立されていないため，投与禁忌
	・〔タリビッド，クラビット，アベロックス，ジェニナック〕この薬の服用中は，車の運転等，危険を伴う機械の操作は行わないでください	失神，めまい等の意識障害が現れることがある
	・〔シプロキサン，アベロックス，ジェニナック，ラスビック〕めまい，胸がドキドキする，胸の不快感，気を失う等の症状が現れたら，すぐにご相談ください	QT延長，心室頻拍が現れることがあるため
	・〔グレースビット〕下痢や軟便が続く場合はご相談ください	副作用として下痢と軟便が高頻度で認められているため，リスクとベネフィットを考慮する
	食 〔シプロキサン〕この薬はカルシウムを多く含む飲料（牛乳等）と一緒に飲まないでください	金属イオンとキレートを形成し，吸収が低下し，効果が減弱するため併用注意
	食 〔ジェニナック，ラスビック〕この薬をミネラル入りビタミン剤と同時に飲むと，効き目が弱くなるので控えてください（ジェニナック：2時間あける）（ラスビック：同時服用を避ける）	金属イオンとキレートを形成し，吸収が低下し，効果が減弱するため併用注意
服用を忘れたとき	思い出したときすぐに服用する。ただし次の服用時間が近いとき（スオード：5時間以内，バクシダール：4時間以内，グレースビット：8時間以内）は忘れた分は服用しない（2回分を一度に服用しないこと）	

■ その他備考

- キノロン系薬の細菌に対する作用機序はその核酸（DNA）合成阻害であり，ノルフロキサシン（バクシダール）以降の誘導体は抗菌力が増強され，抗菌スペクトラムの拡大，臓器移行性の改善がなされニューキノロン薬と称されている。
- キノロン系薬の抗菌作用は濃度依存的により強く発現される。また，アミノ酸糖体薬と同様に PAE（Post antibiotic effect）が存在することがわかっているため，1日1回や1日2回の投与で効果が期待できる。
- ニューキノロン系薬剤は，単独投与でもけいれん等の中枢系の副作用がある。非ステロイド性消炎鎮痛薬との併用で，さらにけいれんが起こりやすくなるので併用は避ける。
- 〔タリビッド〕ハンセン病への使用にあたっては，「ハンセン病診断・治療指針」（日本ハンセン病学会・医療問題委員会・治療指針と治癒判定基準に関する小委員会）を参考に治療すること。また，本剤による治療について科学的データの蓄積が少ないことも含め，患者に十分な説明を行い，インフォームド・コンセントを得ること。
- 〔シプロキサン〕小児の炭疽に対しては，米国疾病センター（CDC）がシプロフロキサシンとして1回 15 mg/kg 体重（ただし成人量を超えない）1日2回経口投与を推奨している。また，炭疽の発症および進展抑制には CDC が 60 日間の投与を推奨している。

58 抗 菌 薬　⑤オキサゾリジノン系

■ 対象薬剤

リネゾリド；LZD（ザイボックス），テジゾリドリン酸エステル（シベクトロ）

■ 指導のポイント

	患者向け	薬剤師向け
薬効	この薬は細菌を殺し，感染を治療する薬です →	蛋白合成阻害
詳しい薬効	この薬は，細菌の蛋白質の合成を阻害して細菌を殺し，メチシリン耐性黄色ブドウ球菌（MRSA）による皮膚感染症，敗血症，肺炎，バンコマイシン耐性エンテロコッカス・フェシウム（VRE）による各種感染症（ザイボックス）を治療する薬です	
警告	〔ザイボックス〕本剤の耐性菌の発現を防ぐため「用法・用量に関連する使用上の注意」の項を熟読の上，適正使用に努める	
禁忌	本剤過敏症既往	

■ 主な副作用と対策，フィジカルアセスメントのチェックポイント

主な副作用	患者に確認すべき症状	対策と PA のチェックポイント
骨髄抑制	歯ぐきからの出血，鼻血，息切れ，青あざができる	中止により回復。14 日を超えて投与した場合発現頻度が高くなる PA 体幹・四肢・歯肉（出血斑），顔面（蒼白），眼瞼結膜（蒼白）
偽膜性大腸炎[†]	発熱，腹痛，血液便を伴う激しい下痢	中止 PA 体温（↑），便（下痢，血便）
視神経障害	視力の低下（見えにくい），色を見分けにくい，目のかすみ，視野の中に見えない部分がある	中止。28 日を超えて投与した場合，視神経障害が現れることがあるので，投与は 28 日を超えない PA 視力（低下），視野（障害），色覚（異常）

[†]：厚生労働省の「重篤副作用疾患別対応マニュアル」参照

■ 重大な副作用と妊婦・授乳婦への危険度

薬剤名	重大な副作用	妊婦[授乳婦]
ザイボックス	骨髄抑制，代謝性アシドーシス，視神経症，ショック，アナフィラキシー，間質性肺炎，腎不全，低ナトリウム血症，偽膜性大腸炎，肝機能障害	B3 [㊶○]
シベクトロ	偽膜性大腸炎，可逆的な貧血，白血球減少，汎血球減少，血小板減少等の骨髄抑制，代謝性アシドーシス，視神経症	−

■ その他の指導ポイント

	患者向け	薬剤師向け
使用上の注意	・自分の判断で中止せずに医師の指示どおり服用してください	耐性菌等の発現を防ぐため，原則として感受性を確認し，疾病の治療に必要な最小限の期間の投与にとどめる（ザイボックス：警告，シベクトロ：重要な基本的注意）
	・この薬の服用中に（ザイボックス：服用後 2〜3 週間を含めて），腹痛があったり，何度も下痢があったりした場合はご相談ください	偽膜性大腸炎が現れることがあるので，観察を十分おこない（ザイボックス：発熱，腹痛，白血球減少，粘液・血便を伴う劇症下痢をみる重篤な偽膜性大腸炎が現れる），症状が現れた場合は相談する
	・この薬の服用中に鼻血,歯茎からの出血,息切れ，青あざができる場合はご相談ください	投与中止によって回復する貧血，白血球減少症，汎血球減少症，血小板減少症等の骨髄抑制が現れることがある（ザイボックス：14 日を超えて投与した場合に血小板減少症の頻度が高くなる傾向）
	・この薬の服用中（ザイボックス：28 日以上）に視神経障害が現れることがあるので，視力低下（見えにくい），目がかすむ等の症状が現れたらご相談ください	視神経症が現れる場合がある（ザイボックス：原則 28 日を超えないことが望ましい。28 日を超えて投与した場合，視神経障害発現の可能性）
	・この薬の服用中に，吐き気や嘔吐を繰り	乳酸アシドーシス等の代謝性アシドーシスが

使用上の注意	返す場合は，すぐにご相談ください ・〔ザイボックス〕この薬は抗うつ薬と併用中に意識の混乱や手のふるえ，ほてり，発汗，発熱，寒気，興奮等の症状が現れることがあるのでご相談ください 🍴〔ザイボックス〕この薬の服用中にチラミンを多く含む食品（チーズ，ビール，赤ワイン等）をとらないでください	現れることがある 非選択的，可逆的モノアミン酸化（MAO）阻害作用を有する。セロトニン作動薬（SSRI）と併用するとセロトニン症候群の徴候および症状が現れるおそれ 非選択的，可逆的MAO阻害作用を有するので併用注意。症状として血圧上昇，動悸が現れることがあるので，一食当たりチラミン100 mg以上の摂取を避ける（No.59抗結核薬その他備考＊4（p.882）参照）
服用を忘れたとき	思い出したときすぐに服用する。ただし次の服用時間が近いときは忘れた分は服用しない（2回分を一度に服用しないこと）	

■ その他備考

- ▪ チラミン含有量
  チーズ：0～5.3 mg/10 g，ビール：1.1 mg/100 mL，赤ワイン：0～2.5 mg/100 mL
- ▪ 〔ザイボックス，シベクトロ〕注射剤から投与を開始した患者において，同じ用量の錠剤に切り替えることができる
- ▪ 特徴（抗MRSA薬）
  ・バンコマイシン耐性腸球菌（VRE）およびメチシリン耐性黄色ブドウ球菌（MRSA）に対して抗菌力を有する
  ・既存の抗菌薬と交差耐性を示さない
  ・腸管からの吸収性も高く，注射と内服で同等の薬物動態を示す

58 抗菌薬 ⑥ ST合剤

■ 対象薬剤
配合剤（バクタ配合，バクトラミン配合）

■ 指導のポイント

	患者向け	薬剤師向け
薬効	この薬は細菌を殺し，感染を治療する薬です	葉酸生合成阻害（スルファメトキサゾール） 葉酸の活性化阻害（トリメトプリム）
詳しい薬効	この薬は，細菌の葉酸代謝の連続した2カ所（生合成：スルファメトキサゾール，活性化：トリメトプリム）を阻害することにより，相乗的な効果で細菌を殺して感染を治療したり，予防（ニューモシスチス肺炎）したりする薬です	

No.58 抗菌薬

	患者向け	薬剤師向け
警告	この薬の服用中，めまい，息切れ，血が止まりにくい，湿疹等の症状がみられたら，必ずご相談ください	血液障害，ショック等の重篤な副作用発現のおそれ。他剤無効または使用できない場合にのみ投与
禁忌	本剤・サルファ剤過敏症既往，妊婦，低出生体重児，新生児，グルコース-6-リン酸脱水素酵素欠乏患者	

■ 主な副作用と対策，フィジカルアセスメントのチェックポイント

主な副作用	患者に確認すべき症状	対策とPAのチェックポイント
血液障害	めまい，のどの痛み，疲れやすい，動悸，鼻血，歯ぐきからの出血	血液検査を行い，早期発見に努める。異常が認められたら中止 PA 顔色（蒼白），眼瞼結膜（白色），体幹・四肢・歯肉（出血斑）
過敏症	発疹，皮膚が赤くなる，かゆみ	中止 PA 皮膚（かゆみ，発赤，腫脹，チアノーゼ），呼吸（喘鳴），体温（↑）
消化器症状	吐き気，嘔吐，食欲がない，下痢，お腹が痛い，口内炎	減量もしくは休薬
精神神経症状	頭痛，めまい，しびれ	中止

■ 重大な副作用と妊婦・授乳婦への危険度

薬剤名	重大な副作用	妊婦[授乳婦]
バクタ，バクトラミン	再生不良性貧血，溶血性貧血，巨赤芽球性貧血，メトヘモグロビン血症，汎血球減少，無顆粒球症，血小板減少，血栓性血小板減少性紫斑病，溶血性尿毒症症候群，ショック，アナフィラキシー，中毒性表皮壊死融解症，皮膚粘膜眼症候群，薬剤性過敏症症候群，急性膵炎，偽膜性大腸炎等の血便を伴う重篤な大腸炎，重度の肝障害，急性腎不全，間質性腎炎，無菌性髄膜炎，末梢神経炎，間質性肺炎，PIE症候群，低血糖発作，高カリウム血症，低ナトリウム血症，横紋筋融解症	禁忌/C [⊗○]

■ その他の指導ポイント

	患者向け	薬剤師向け
使用上の注意	・自分の判断で中止せずに医師の指示どおり服用してください	耐性菌の発現等を防ぐため原則として感受性を確認し，疾病の治療に必要な最小限の期間の投与にとどめる
	・〔バクタ配合顆粒〕顆粒はかまずに水またはジュースで服用してください	トリメトプリムの苦味を防ぐためにコーティングをしているので，かまずに水またはジュースなどで服用
	・この薬の服用中は，できるだけ直射日光にあたるのを避けてください	光線過敏症が現れることがあるため
	・妊娠中または妊娠の可能性がある方は必ずご相談ください	単独または併用された患者の児において，先天異常が現れたとの報告があるため投与禁忌

抗菌薬

服用を忘れたとき	思い出したときすぐに服用する。ただし次の服用時間が近いときは忘れた分は服用しない（2回分を一度に服用しないこと）

■ その他備考

- ■ **配合剤成分**：バクタ，バクトラミン（スルファメトキサゾール，トリメトプリム）
- ■ **特徴**
    - ・ST 合剤と呼ばれている（Sulfa＋Trimethoprim）。腎臓や肺への移行が良好で，慢性的な呼吸器疾患や膀胱炎に対して，少量を長期に用いることがある。ただ，血液障害など副作用がやや多いこともあり，日常的な感染症に処方されることは少ない。一般的な抗生物質が効かない場合の第二，第三選択となる。メチシリン耐性黄色ブドウ球菌（MRSA）やペニシリン耐性肺炎球菌（PRSP）にも応用される
    - ・ニューモシスチス肺炎の第一選択薬。また，免疫抑制のある患者のノカルジア症（適応外）にも第一選択薬

58 抗菌薬 ⑦その他

■ 対象薬剤

（A）テトラサイクリン系：ミノサイクリン塩酸塩；MINO（ミノマイシン）
　　リンコマイシン系：クリンダマイシン塩酸塩；CLDM（ダラシン）
　　カルバペネム系：テビペネムピボキシル；TBPM-PI（オラペネム）
　　ペネム系：ファロペネムナトリウム水和物；FRPM（ファロム）
　　ホスホマイシン系：ホスホマイシンカルシウム水和物；FOM（ホスミシン）
（B）アミノグリコシド系：カナマイシン硫酸塩；KM（カナマイシン），アミカシン硫酸塩；AMK（**アリケイス吸入**）
　　グリコペプチド系：バンコマイシン塩酸塩；VCM（**塩酸バンコマイシン散**）
　　ポリペプチド系：ポリミキシン B 硫酸塩；PL-B（**硫酸ポリミキシン B**）
※各系については代表的な薬剤を選択し記載した。

No.58 抗菌薬

■ 指導のポイント

	患者向け	薬剤師向け
薬効	・この薬は細菌を殺し，感染を治療する薬です（A，アリケイス） ・この薬は腸内の細菌を殺す薬です（アリケイス以外のB）	・細胞壁合成阻害 　（ホスミシン，オラペネム，ファロム） ・蛋白合成阻害 　（ミノマイシン，ダラシン，アリケイス） 消化管内ではほとんど吸収されない ・蛋白合成阻害（カナマイシン） ・細胞壁合成阻害（バンコマイシン） ・細胞質膜合成阻害（ポリミキシンB）
詳しい薬効	・この薬は，①細菌の外側の壁（細胞壁）の合成を阻害（ホスミシン，オラペネム，ファロム），②細菌の蛋白質の合成を阻害（ミノマイシン，ダラシン）して細菌を殺し，感染を治療する薬です（A） ・この薬は，①細菌の蛋白質の合成を阻害（カナマイシン），②細菌の外側の壁（細胞壁）の合成を阻害（バンコマイシン），③細菌の細胞質膜の透過性を変化させ（ポリミキシンB）作用を現しますが，腸内ではほとんど吸収されないため腸内の細菌を殺す薬です（B） ・この薬は，細胞の蛋白質の合成を阻害して細菌（マイコバクテリウム・アビウムコンプレックス：MAC）を殺し，感染を治療する吸入薬です（アリケイス）	
警告	〔バンコマイシン散〕本剤の耐性菌の発現を防ぐため「用法・用量に関連する使用上の注意」の項を熟読の上，適正使用に努める	
禁忌・併用禁忌	禁忌・〔オラペネム，ファロム，ダラシン，カナマイシン，アリケイス〕本剤過敏症既往 ・〔バンコマイシン散〕本剤ショック既往 ・〔ミノマイシン〕テトラサイクリン系薬剤過敏症既往 ・〔ダラシン〕リンコマイシン系抗生物質過敏症既往 ・〔カナマイシン，アリケイス〕アミノグリコシド系抗生物質・バシトラシン過敏症既往 ・〔ポリミキシンB〕コリスチン過敏症既往 併用禁忌・〔ダラシン〕⇔エリスロマイシンにて本剤の効果が現れない ・〔オラペネム〕⇔バルプロ酸ナトリウムの血中濃度低下にて，てんかんの発作発現のおそれ	

■ 主な副作用と対策，フィジカルアセスメントのチェックポイント

主な副作用	患者に確認すべき症状	対策とPAのチェックポイント
腎障害	発熱，発疹，関節の痛み，吐き気，嘔吐，下痢，腹痛，むくみ，尿量が少なくなる	中止 PA 尿量（↓），体重（↑），浮腫（上眼瞼，下腿脛骨）
消化器症状	下痢，便が軟らかくなる	減量もしくは中止 PA 腸音（↑）
けいれん（ペネム系）	けいれん，顔や手足の筋肉がぴくつく，一時的にボーっとして意識が薄れる，手足の筋肉が硬直しガクガクと震える	中止。鎮静のためジアゼパムを投与

■ 重大な副作用と妊婦・授乳婦への危険度

薬剤名	重大な副作用	妊婦[授乳婦]
ミノマイシン	ショック，アナフィラキシー，全身性紅斑性狼瘡様症状の増悪，結節性多発動脈炎，顕微鏡的多発血管炎，自己免疫肝炎，中毒性表皮壊死融解症，皮膚粘膜眼症候群，多形紅斑，剥脱性皮膚炎，薬剤性過敏症症候群，血液障害，重篤な肝機能障害，急性腎障害，間質性腎炎，呼吸困難，間質性肺炎，PIE症候群，膵炎，けいれん，意識障害等の精神神経障害，出血性腸炎，偽膜性大腸炎	[⊗○]
ダラシン	ショック，アナフィラキシー，偽膜性大腸炎等の血便を伴う重篤な大腸炎，中毒性表皮壊死融解症，皮膚粘膜眼症候群，急性汎発性発疹性膿疱症，剥脱性皮膚炎，薬剤性過敏症症候群，無顆粒球症 **類薬** 間質性肺炎，PIE症候群，汎血球減少，血小板減少，肝機能障害，黄疸，急性腎障害	[⊗○]
ファロム	ショック，アナフィラキシー，急性腎障害，偽膜性大腸炎等の血便を伴う重篤な大腸炎，中毒性表皮壊死症，皮膚粘膜眼症候群，間質性肺炎，肝機能障害，黄疸，無顆粒球症，横紋筋融解症 **類薬** PIE症候群	[⊗○]
オラペネム	低カルニチン血症に伴う低血糖 **類薬** ショック，アナフィラキシー，けいれん，意識障害，偽膜性大腸炎等の血便を伴う重篤な大腸炎，急性腎障害，無顆粒球症，溶血性貧血，汎血球減少症，中毒性表皮壊死症，皮膚粘膜眼症候群，間質性肺炎，PIE症候群，劇症肝炎等の重篤な肝障害，黄疸	―
ホスミシン	偽膜性大腸炎等の血便を伴う重篤な大腸炎	[⊗○]
カナマイシン	―	D [⊗○]
アリケイス	過敏性肺臓炎，気管支痙攣，第8脳神経障害，急性腎障害，ショック，アナフィラキシー	―
塩酸バンコマイシン	ショック (注射用バンコマイシン塩酸塩製剤にて) アナフィラキシー，急性腎障害，間質性腎炎，汎血球減少，無顆粒球症，血小板減少，中毒性表皮壊死融解症，皮膚粘膜眼症候群，剥脱性皮膚炎，薬剤性過敏症症候群，第8脳神経障害，偽膜性大腸炎，肝機能障害，黄疸	B2 [⊗○]
硫酸ポリミキシンB散	ショック，難聴，神経筋遮断による呼吸抑制	[⊗○]

■ その他の指導ポイント

	患者向け	薬剤師向け
使用上の注意	・自分の判断で中止せずに医師の指示どおり服用してください ・〔ミノマイシン〕胃薬（アルミニウム，マ→	耐性菌の発現等を防ぐため，原則として菌の感受性を確認し，疾病の治療に必要な最小限の期間の投与にとどめる（オラペネムの投与期間は7日間を目安とする） 本剤はCa，Mg，Al，Fe等2～3価の金属イ

No.58　抗菌薬

使用上の注意	グネシウム含有制酸剤）や鉄剤，カルシウム含有製剤と同時に服用すると効きめが弱くなるので，2〜4時間ずらして服用してください	オンとキレートを形成し，吸収阻害により効果減弱のおそれのため併用注意
	・〔ミノマイシン，ダラシン〕多めの水で服用してください。特に寝る前の服用には注意してください	食道に停留し崩壊すると，まれに食道潰瘍を起こすおそれがある
	・〔バンコマイシン：骨髄移植時の消化管内殺菌時〕薬液で口を十分うがいした後服用してください	口腔内殺菌のため
	・〔ミノマイシン〕この薬の服用中は，車の運転等，危険を伴う機械の操作は行わないでください	めまい感が現れることがあるため
	・〔ミノマイシン〕小児では歯が着色することがありますので，その場合はご相談ください	歯牙形成期にある8歳未満の小児への投与で歯牙の着色・エナメル質形成不全，一過性の骨発育不全を起こすことがあるため
	・〔ミノマイシン〕この薬の服用中に尿が黄褐色〜茶褐色，緑，青に変色することがありますが心配はありません	
	・〔バンコマイシン〕服用後，7〜10日以内に下痢，腹痛，発熱等の症状の改善のきざしがまったくみられないときはご相談ください	投与中止を検討する必要があるため
	・〔バンコマイシン〕腸管の病変が高度で血液透析中の方は蓄積を起こす可能性があるので注意してください	偽膜性大腸炎の腸管病変が高度でかつ腎機能障害が高度な患者では吸収され，排泄が遅延して蓄積を起こす可能性があるので，腎機能等に注意して慎重に投与する
	・〔アリケイス〕この薬は専用のネブライザ（ラミラネブライザシステム）で吸入してください	ラミラネブライザシステムの使用方法を患者に十分に指導すること
	・〔アリケイス〕この薬は冷蔵庫（2〜8℃）で保管し，使用前に室温（20〜25℃）に戻してから使用してください。使用時にはバイアルを少なくとも10〜15秒激しく振り混ぜ，内容物が均一になるまでよく混ぜてください	凍結を避け，冷蔵庫に保管（2〜8℃）。本剤は25℃の室温で最大4週間保存が可能。いったん室温で保存した場合，未使用の薬剤は4週間で廃棄する必要がある
	食 〔ミノマイシン〕この薬の服用中にカルシウムを多く含む食品（牛乳等）は一緒にとらないでください	金属イオンとキレートを形成し，吸収阻害により効果減弱のおそれのため併用注意
服用を忘れたとき	・〔アリケイス以外〕思い出したときすぐに服用する。ただし次の服用時間が近いとき（ホスミシン：3時間以内）は忘れた分は服用しない（2回分を一度に服用しないこと）	
	・〔アリケイス〕吸入忘れに気がついても忘れた分は吸入しない。翌日から1回分を吸入する（2回分を一度に吸入しないこと）	

図1：主な抗菌薬の分類（経口）

- 抗菌薬とは、細菌の発育を抑制したり殺菌したりする物質の総称で、大きくは抗生物質と合成抗菌薬に分類される。
抗生物質：微生物の産生する物質で、他の微生物（病原微生物）の発育を阻止する
合成抗菌薬：化学合成された抗菌薬（化学療法薬）

分類	系統	作用機序		主な薬剤（太字：本書掲載剤）
抗生物質	β ラクタム系薬	ペニシリン系薬	細胞壁合成阻害	ABPC（ビクシリン）, AMPC（サワシリン）, SBTPC（ユナシン）, BAPC（ペングッド）
		細胞壁合成阻害配合剤	…	複合ペニシリン：ABPC/MCIPC（ビクシリンS）
		β ラクタマーゼ阻害薬配合剤	細胞壁合成阻害	AMPC/CVA（オーグメンチン, クラバモックス）
		セフェム系薬	第一世代	CEX（ケフレックス, L-ケフレックス, ケフラール）, CCL（ケフラール, L-ケフラール）
				CXD（オラスポア）
			第二世代	CXM-AX（オラセフ）
			第三世代	CFIX（セフスパン）, CFTM-PI（トミロン）, CPDX-PR（バナン）, CFDN（セフゾン）, CDTR-PI（メイアクトMS）, CFPN-PI（フロモックス）
			第四世代	（注のみ）
	カルバペネム系薬		…	TBPM-PI（オラペネム）
	モノバクタム系薬		…	（注のみ）
	ペネム系薬		…	（注のみ）
	ホスホマイシン系薬		…	FRPM（ファロム）
	グリコペプチド系薬		…	FOM（ホスミシン）
			…	VCM（バンコマイシン）
	マクロライド系薬		蛋白合成阻害 14員環	EM（エリスロシン）, CAM（クラリス, クラリシッド）, RXM（ルリッド）
			15員環	AZM（ジスロマック）
			16員環	JM（ジョサマイシン）
			18員環	FDX（ダフクリア）
	リンコマイシン系薬		蛋白合成阻害	CLDM（ダラシン）, LCM（リンコシン）
	テトラサイクリン系薬		蛋白合成阻害	MINO（ミノマイシン）, DMCTC（レダマイシン）, DOXY（ビブラマイシン）
	クロラムフェニコール系薬		蛋白合成阻害	CP（クロロマイセチン）
	アミノグリコシド系薬		蛋白合成阻害	KM（カナマイシン）, PRM（アメパロモ）, AMK（アリケイス吸入）
	ポリペプチド系薬		細胞質膜合成阻害	PL-B（ポリミキシンB）
合成抗菌薬	ニューキノロン系薬		核酸合成阻害	NFLX（バクシダール）, OFLX（タリビッド）, CPFX（シプロキサン）, TFLX（オゼックス, トスキサシン）, GRNX（ジェニナック）, LVFX（クラビット）, PUFX（スオード）, MFLX（アベロックス）, STFX（グレースビット）, LSFX（ラスビック）
	サルファ剤		葉酸合成阻害	ST（バクタ, バクトラミン）
	オキサゾリジノン系薬		蛋白合成阻害	LZD（ザイボックス）, TZD（シベクトロ）
	ストレプトグラミン系薬		蛋白合成阻害	（注のみ）

| |：作用機序
（ ）：商品名

図2：急性気道感染症の診断および治療の手順

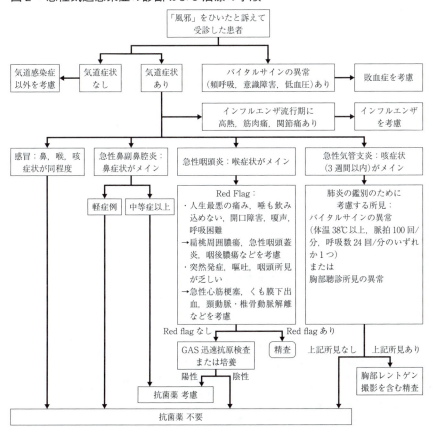

※本図は診療手順の目安として作成されたものであり，実際の診療では診察した医師の判断が優先される。
(厚生労働省健康局結核感染症課：抗微生物薬適正使用の手引き 第二版（令和元年12月5日発行))

59 抗結核薬

■ 対象薬剤

- (A)・First-line drugs(a)：イソニアジド；INH（イスコチン，ヒドラ），リファンピシン；RFP（リファジン），リファブチン；RBT（ミコブティン），ピラジナミド；PZA（ピラマイド）
  （抗菌力の強いもの）
- ・First-line drugs(b)：エタンブトール塩酸塩；EB（エブトール，エサンブトール）
  （静菌的で(a)と併用するもの）
- ・Second-line drugs：サイクロセリン；CS（サイクロセリン），エチオナミド；ETH（ツベルミン）
  （多剤併用で効果が期待できるもの）
- (B)・多剤耐性抗結核菌：デラマニド；DLM（デルティバ），ベダキリンフマル酸塩；BDQ（サチュロ）

■ 指導のポイント

	患者向け	薬剤師向け
薬効	・この薬は結核菌を殺し，結核を治療する薬です（A）	抗菌作用 細胞壁合成阻害（イスコチン，ヒドラ，ピラマイド，サイクロセリン） RNA 合成阻害（リファジン，ミコブティン） 核酸合成阻害（エブトール，エサンブトール） DNA および蛋白合成阻害（ツベルミン）
	・この薬は多剤耐性結核菌を殺し，結核を治療する薬です（B）	抗菌作用 ミコール酸合成阻害作用（デルティバ） ATP 合成酵素阻害作用（サチュロ）
	☆この薬は非結核性抗酸菌を殺し，MAC症（*1参照）を含む非結核性抗酸菌症を治療したり，HIV 感染患者に好発するMAC 症の発症を予防（ミコブティン）したりする薬です（リファジン，ミコブティン，エブトール，エサンブトール）	抗菌作用
	☆この薬はらい菌を殺し，ハンセン病（*2参照）を治療する薬です（リファジン）	抗菌作用
詳しい薬効	・この薬は，結核菌の細胞壁（イスコチン，ヒドラ，ピラマイド，サイクロセリン），RNA（リファジン，ミコブティン），核酸（エブトール，エサンブトール），DNA・蛋白（ツベルミン）の合成を阻害して，結核菌を殺し，結核を治療する薬です（A） ・この薬は結核菌のミコール酸の合成を阻害する（デルティバ），ATP 合成阻害酵素を阻害する（サチュロ）ことにより多剤耐性結核菌を殺し，結核を治療する薬です。感受性を有する既存の抗結核薬3剤以上に上乗せして用います（B）	

No.59　抗結核薬

	患者向け	薬剤師向け
警告	・〔デルティバ，サチュロ〕この薬を自己判断で飲むのをやめたり，飲む量を減らしたりすると結核菌が効かない菌に変化したり，他の薬も効かなくなったりします。医師の指示どおり飲み続けてください ・〔デルティバ，サチュロ〕めまい，どきどきしたり，気を失ったりするような症状が現れたらご相談ください 検 この薬の服用中は定期的に心電図，電解質，血清アルブミン検査等を受けるために受診してください	耐性菌発現を防ぐため，結核症の治療に十分な知識と経験を持つ医師またはその指導のもとで投与。投与は製造販売業者が行う RAP（Responsible Access Program）に登録された医師・薬剤師のいる登録医療機関において登録患者に対して行う QT 延長のおそれがあるので，投与開始前および投与中は定期的に心電図検査等を行う
禁忌・併用禁忌	禁忌 ・〔リファジン，ミコブティン，エブトール，エサンブトール，デルティバ，サチュロ〕本剤過敏症既往 ・〔ミコブティン〕他のリファマイシン系薬剤過敏症既往 ・〔イスコチン，ヒドラ，リファジン，ピラマイド〕重篤な肝障害 ・〔リファジン〕胆道閉塞症 ・〔サイクロセリン〕てんかん等の精神障害 ・〔デルティバ〕妊婦 併用禁忌 ・〔リファジン〕⇔ルラシドン，タダラフィル（アドシルカ），マシテンタン，チカグレロル，ボリコナゾール，ホスアンプレナビル，アタザナビル，リルピビリン，オデフシィ配合，ジャルカ配合，スタリビルド配合，ゲンボイヤ配合，ドラビリン，ソホスブビル，ハーボニー配合，エプクルーサ配合，マヴィレット配合，テノホビルアラフェナミド，エルバスビル，アメナメビル，リアメット配合，プラジカンテルの作用減弱のおそれ，ペマフィブラートの血中濃度上昇のおそれ，ロルラチニブで ALT および AST 上昇のおそれ，ビクタルビ配合の血中濃度低下により効果減弱し耐性発現の可能性，グラゾプレビル併用初期に血中濃度上昇と併用継続で血中濃度低下のおそれ ・〔ミコブティン〕⇔ボリコナゾールの作用減弱と本剤の作用増強のおそれ，グラゾプレビル，エルバスビル，チカグレロル，リアメット配合の作用減弱のおそれ，オデフシィ配合のリルピビリンとテノホビルアラフェナミドの作用減弱のおそれ	

■ 主な副作用と対策，フィジカルアセスメントのチェックポイント

主な副作用	患者に確認すべき症状	対策と PA のチェックポイント
肝機能障害（INH, RFP, PZA, ETH による肝毒性。併用すると頻度が増加）	体がだるい，吐き気，食欲不振，黄疸，発熱，下痢，尿が黄色い	①症状発現時は全薬剤を中止して直ちに受診　②2カ月間は最低2週間毎，以後は毎月肝機能検査　③AST, ALT は一過性に上昇することもあるが，異常値が発現したら毎週検査。AST, ALT が正常値の3倍以上かつビリルビンの上昇あるいは肝炎症状を伴う場合，AST, ALT が5倍を超えた場合は一旦全薬剤を中止　④高齢者，妊婦，低栄養，B・C 型肝炎，アルコール多飲はハイリスク　⑤80歳以上，活動性肝炎，肝硬変では PZA は禁忌　PA 眼球（黄色），皮膚（皮疹，瘙痒感，黄色），尿（褐色），体温（↑），腹部（肝肥大，心窩部・右季肋部圧痛，腹水貯留等）
過敏症	〔RFP〕発熱（2週間以上続く発熱，一旦解熱した後の再発熱），発疹　〔INH〕発熱，発疹	軽度の発疹には対症療法。それ以外は一旦全薬剤を中止して可能な限り1剤ずつ減感作療法を試す。ビタミン B_6 の併用，皮膚障害に準じた治療　PA 皮膚（かゆみ，発赤，発疹），呼吸（喘鳴），体温（↑），眼（視覚異常）
胃腸障害（RFP, ETH の胃腸障害は高率）	吐き気，嘔吐，食欲がない	中枢性制吐剤のプリンペランが有効。肝炎症状でないことを確認。RFP は1日1回朝空腹時の服用が原則であるが，胃腸障害が強いときは朝食後もしくは夕食後に変更する。ETH は1日 0.2～0.3 g の少量から漸増して「慣れ現象」により 0.5～0.7 g の常用量の服用が可能となることが多い　PA 心窩部・上腹部（圧痛），便（黒色），貧血：顔色（蒼白），眼瞼結膜（白色），脈拍（↑）
視力障害（視神経炎）（EB）	赤と緑の区別がつかない（色盲・色覚異常），眼がかすむ・新聞が読みにくい（視力低下），一部分が欠けて見える（視野狭窄）　※視力低下の前に色覚異常が発現することが多く，視力障害に先行または平行して下肢のしびれが発現することがある	中止。中止後1～2カ月は視力低下続くが，発病4～5カ月で好転して急速に回復，5～7カ月で元の視力に戻ることが多い。しかし予後不良例が10％存在する。1日投与量 25 mg/kg では5％，15 mg/kg では0.8％と用量依存的なので，腎機能に応じて減量する　PA 視力（↓），視野（障害），色覚（異常）
末梢神経障害（知覚異常）（INH）	四肢末端のしびれやチクチクした痛み　※足指に生じることが多く，膝へと上方に拡大し，手や指に拡がる（手袋・くつ下型）	発症予防：1日 30～60 mg のビタミン B_6 を併用する　発症後：中止。知覚異常の段階で中止すると数日～数週間以内に回復する。1日 100～200 mg のビタミン B_6 を投与する　※5 mg/kg/日では発生頻度低い（2％程度）　PA 四肢（筋力低下，しびれ感，腱反射消失，手袋・靴下型感覚障害（手袋や靴下を着けるところに異常感覚・感覚低下））

No.59 抗結核薬

主な副作用	患者に確認すべき症状	対策とPAのチェックポイント
第8脳神経障害 (SM, KM, EVM)	耳鳴，難聴，平衡感覚障害	アミノグリコシド系投与時は特に注意。投与前に薬剤性難聴の既往を血縁者を含め聴取する。定期的な聴力検査，前庭機能障害（めまいなど）の早期発見に努める
精神神経障害 (CS)	精神症状：頭痛，頭重，不眠，物忘れ，考えがまとまらない，めまい，ふらつき，不安焦燥 神経症状：てんかん様けいれん，筋の強直，ふるえ，れん縮	中止。けいれんには抗てんかん薬。うつ病，てんかん既往者には禁忌
高尿酸血症（PZA）	足の親指が痛い ※尿酸値が2.5倍前後上昇することが多い	痛風を誘発した場合は中止して，痛風の治療を行う。痛風患者には投与しない PA 足親指のつけ根・足関節（発赤・腫脹）
循環器障害（QT延長）(DLM, BDQ)	めまい，目の前が暗くなる，動悸，気を失う，脈の乱れ，胸の痛みや違和感	中止 PA 脈拍数・リズム（除脈，頻脈，期外収縮）

■ 重大な副作用と妊婦・授乳婦への危険度

薬剤名	重大な副作用	妊婦[授乳婦]
イスコチン，ヒドラ	激症肝炎等の重篤な肝障害，中毒性表皮壊死融解症，皮膚粘膜眼症候群，紅皮症，薬剤性過敏症症候群，SLE様症状，間質性肺炎，腎不全，間質性腎炎，ネフローゼ症候群，無顆粒球症，血小板減少，けいれん，視神経炎，視神経萎縮，末梢神経炎	A [⊗○]
リファジン	劇症肝炎等の重篤な肝障害，ショック，アナフィラキシー，腎不全，間質性腎炎，ネフローゼ症候群，溶血性貧血，無顆粒球症，血小板減少，偽膜性大腸炎等の血便を伴う重篤な大腸炎，中毒性表皮壊死融解症，皮膚粘膜眼症候群，扁平苔癬型発疹，天疱瘡様皮疹，類天疱瘡様皮疹，紅皮症，間質性肺炎	C [⊗○]
ミコブティン	白血球減少症，貧血，血小板減少症，汎血球減少症，肝機能異常，黄疸，肝炎，ショック，心停止，心室細動，不整脈，脳出血，溶血性貧血，消化管出血（吐血，メレナ，胃腸出血），偽膜性大腸炎，深部静脈血栓症，血栓性血小板減少性紫斑病，腎機能障害，筋れん縮，けいれん，精神病性障害，歩行障害，ブドウ膜炎	C [⊗○]
ピラマイド	重篤な肝障害，間質性腎炎	B2 [⊗○]
エサンブトール，エブトール	視力障害，重篤な肝障害，ショック，アナフィラキシー，間質性肺炎，好酸球性肺炎，中毒性表皮壊死融解症，皮膚粘膜眼症候群，紅皮症，血小板減少	A [⊗◎]
サイクロセリン	精神錯乱，てんかん様発作，けいれん	−
ツベルミン	劇症肝炎，急性肝炎等の重篤な肝障害	−
デルティバ	QT延長	禁忌
サチュロ	QT延長，肝機能障害	−

■ その他の指導ポイント

<table>
<tr><th colspan="2">患者向け</th><th>薬剤師向け</th></tr>
<tr><td rowspan="11">使用上の注意</td>
<td>・感染が完治するまでに時間がかかりますので，長期間，医師の指示どおり根気よく服用してください．良くなったと感じても自分の判断でやめてはいけません →</td>
<td>活動性の細菌に強く作用するが，多くの菌は休息（非活動性）の状態で共存するので長期（6カ月～2年）に服用する．さまざまな理由で，服薬を中断することが多いので治療を確実に完結するため DOT（直接監視下治療：＊5参照）は効果的である</td></tr>
<tr><td>・〔イスコチン，ヒドラ〕Al 含有制酸剤は 1 時間以上間をおいてから服用してください →</td>
<td>Al 製剤とキレート形成または吸着により本剤の吸収が低下するため</td></tr>
<tr><td>・〔リファジン〕この薬は朝食前空腹時に服用してください →</td>
<td>食事により薬剤の消化管吸収が減少し，血中リファンピシン濃度が低下するため．ただし，胃腸障害で空腹時が無理な場合は，食後でも吸収率に大きな違いはないという報告がある</td></tr>
<tr><td>・〔デルティバ〕この薬は空腹時投与は避け，食後に服用してください →</td>
<td>空腹時は，食後に比較して Cmax, AUC の低下があるため</td></tr>
<tr><td>・〔リファジン，ミコブティン〕この薬の服用中にコンタクトレンズ（特にソフトコンタクトレンズ）が変色したり，尿や便の色が変色することがありますが，心配はいりません →</td>
<td>リファンピシンおよびその代謝物により尿，便，皮膚，唾液，痰，汗，涙液が橙赤色に着色する．なお，血清も同様の着色をしめす</td></tr>
<tr><td>・〔エブトール，エサンブトール〕この薬の服用中に，霧がかかったように見えたり，見えにくかったり，色がおかしく見えたり，新聞などを読むときに片眼ずつ一定の距離で読むなどして，視力の異常に気づいたら直ちにご相談ください →</td>
<td>本剤による視力障害は，早期に発見して治療すると可逆的だが，発見が遅れ高度に進行すると非可逆的になることがあるので注意を払い，早期発見に努めること（眼障害予防の具体的方法は＊6参照）</td></tr>
<tr><td>・〔リファブチン〕この薬の服用中に充血したり，霧がかかったように見えたり，目が痛い場合はご相談ください →</td>
<td>ぶどう膜炎が現れることがある</td></tr>
<tr><td>食〔サイクロセリン〕この薬の服用中にアルコールを飲むと，薬の作用が強く出るので控えてください →</td>
<td>アルコールの作用を増強することがあるので，併用注意</td></tr>
<tr><td>食〔イスコチン，ヒドラ〕この薬の服用中にヒスチジンを多く含む魚（カツオ，カジキ，マグロ，ブリ，ハマチ，サバ，サンマ，イワシ，アジ等）を摂ると，頭痛，かゆみ等が出るので控えてください →</td>
<td>ヒスチジンを多く含む魚を食べると頭痛，紅斑，嘔吐，瘙痒等のヒスタミン中毒を起こす（＊3参照）</td></tr>
<tr><td>食〔イスコチン，ヒドラ〕この薬の服用中にチラミンを多く含む食品（チーズ，ワイン，ビール，レバー，ニシン等）を摂ると，血圧が上がったり，どきどきしたりすることがあるので控えてください →</td>
<td>チラミンを多く含む食品を食べると血圧上昇，動悸等の交感神経作用が発現することがある（＊4参照）</td></tr>
</table>

服用を忘れたとき	・〔エブトール，エサンブトール以外〕思い出したときすぐに服用する。ただし次の服用時間（サイクロセリン，ツベルミン：3時間以内）が近いときは忘れた分は服用しない（2回分を一度に服用しないこと） ・〔エブトール，エサンブトール〕思い出したときすぐに服用する。ただし1日2回（朝，夕服用）の場合，次の服用時間まで4〜5時間程度あけ，次の服用時間が2〜3時間以内の場合は忘れた分は服用しない（2回分を一度に服用しないこと）

■ 継続的な服薬指導・確認のポイント

項目	確認のポイント
医療従事者連携による服薬確認	長期服薬が必要なので，服薬中断を防ぐため，医療従事者で連携をしながら最適な服薬確認方法を選択する（その他備考のDOTS[*5]参照） 患者のリスクに応じて服薬確認頻度と方法を選択 **服薬確認頻度** 　A：中断リスクの高い患者（再発患者，治療中断歴のある者，住所不定者，アルコール・薬物依存者）：原則毎日服薬確認 　B：服薬支援が必要な患者（要介護・独居の高齢者等）：週1〜2回以上服薬確認 　C：A・B以外の患者：月1〜2回以上 **服薬確認の方法** 　1）外来DOTS 　2）訪問DOTS 　3）連絡確認DOTS 　本人等に十分説明し理解を得たうえで病院・診療所・薬局等と連携しながら最適な服薬確認方法を選択して実施
相互作用の確認	特に併用禁忌のある薬剤（リファジン，ミコブティン）の処方確認
抗結核薬の主な副作用の確認と対策の説明	主な副作用と対策，フィジカルアセスメントのチェックポイント（p.878）参照

■ その他備考

■ *1 非結核性抗酸菌（MAC）症とは

　肺結核に類似した慢性の呼吸器疾患で咳，痰，血痰，喀血，倦怠感，進展すると発熱，呼吸困難，食欲不振，体重減少等の症状が現れる。結核菌に比べると毒性は弱いとされている非結核性抗酸菌の感染により発症し，MAC（マイコバクテリウム・アビウムコンプレックス）によるものが70％を占める。この感染症は多くの場合水中で増殖した菌がシャワー等により微少な粒子として空気中に放出されたものを吸入して感染したり，飲食物，傷口から直接感染することもある（No.58 抗菌薬⑦アリケイス吸入（p.870）参照）

■*2　ハンセン病とは
　　抗酸菌の一種であるらい菌による慢性細菌感染症で，主な病変は皮膚と末梢神経である。皮疹は紅斑，白斑，丘疹，結節，環状の紅斑等多彩で，皮疹に痒みなく，知覚（触覚，痛覚，温冷覚等）の低下，末梢神経の肥厚，神経運動麻痺などを認め，気づかず外傷や火傷等も起こる。治療はWHOの推奨する抗ハンセン病薬（リファンピシン（RFP），ジアフェニルスルホン（DDS），クロファミジン（CLF）の3薬物）を用いた多剤併用療法を原則にし，6カ月から1年間内服を行う。（日本で保険適応になっている抗ハンセン病薬はRFP，DDS，CLF，オフロキサシン（OFLX）の4剤）

■*3　魚に含まれるヒスチジンが *morganella morganii* 等の細菌が有する酵素によって，ヒスタミンは産生される。イソニアジドは人のヒスタミン代謝に関与する酵素（モノアミンオキシダーゼやジアミンオキシダーゼ）を阻害する。そこで，イソニアジドを服用中にこれらの魚を食するとヒスタミンが体内に多く取り込まれ，ヒスタミン中毒が引き起こされると考えられる。鮮魚，干物にはヒスタミンそのものは含まれておらず，腐敗する過程で大量に産生される。

■*4　チラミンは腸壁中に大量に含まれる酵素（チラミンオキシダーゼ；モノアミンオキシダーゼの1種）によって代謝される。イソニアジドはモノアミンオキシダーゼの活性を阻害することから，イソニアジドを服用しているとチラミンが代謝されず体内に多く取り込まれることになる。そして，アドレナリン作動性神経終末部に取り込まれ，蓄積されたノルアドレナリンの遊離を促進し，血圧上昇，動悸等の症状が発現すると考えられている。
チラミン含有量：チーズ（0～5.3 mg/10 g），ビール（1.1 mg/100 mL），赤ワイン（0～2.5 mg/100 mL）

■*5　・直接監視下治療：DOT（Directly Observed Treatment）とは
　　患者が正しい量の正しい薬を，正しい時間に飲むことを監視者がその場で確認するという方法：結核治療の最大のポイントは毎日決められた薬を6～9カ月間きちんと飲み続けることであるが，さまざまな理由で，服薬を中断することが多い。中断により薬がまったく効かなくなる多剤耐性結核菌（Multi-Drug Resistant TB：MDR-TB）をつくるおそれがあり，患者が治療を確実に完結するためDOTは効果的である。

　・直接監視下短期化学療法（DOTS：Directly Observed Treatment Short-course）とは
「Directly Observed Treatment」（直接監視下治療）と「Short Course Chemotherapy」（短期化学療法）の頭文字からとった言葉。短期化学療法の治療方式を用いて，治療監督者が患者の服薬を直接目で確認して行う治療を意味する。わが国では「対面服薬指導」と訳されている。

日本版21世紀型DOTS戦略推進体系図

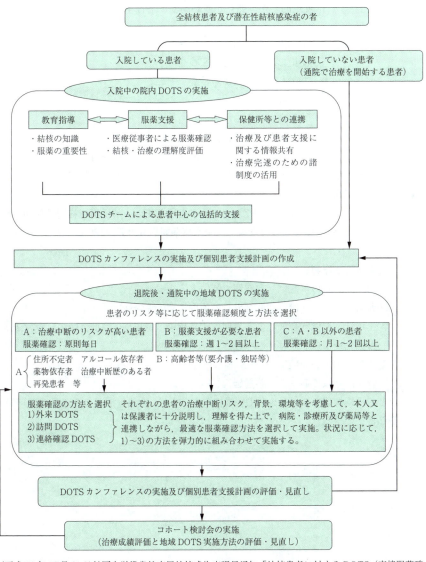

(平成16年12月21日付厚生労働省健康局結核感染症課長通知「結核患者に対するDOTS（直接服薬確認療法）の推進について」)

■*6 エブトール,エサンブトールの眼障害予防の具体的方法
（早期に発見すれば可逆的だが,発見が遅れ高度に進行すると非可逆的になることに留意）
・投与開始前に　①試視力表を用いる視力検査
　　　　　　　　②指を用いる視野狭窄検査
　　　　　　　　③中心暗点計による検査
　　　　　　　　④眼底検査
　　　　　　　　⑤色盲表による検査
　　　　　　　　⑥高齢者では特に慎重な視力検査等の実施
・開始前に白内障,視神経炎等の異常がある場合には処置を行ってから投与する。
・新聞を片眼ずつ一定の距離で毎朝読むことにより,早期に発見できる。

■抗結核薬の初回治療
標準治療法：RFP + INH + PZA に EB または SM の 4 剤併用で初期強化期 2 カ月治療後,RFP + INH を 4 カ月継続し,全治療期間を 6 カ月（180 日）とする。
なお,
①結核再治療例
②治療開始時の重症例（有空洞：特に広汎空洞型）
③非菌陰性化遅延例（初期 2 カ月の治療後も培養陽性）
④免疫低下を伴う合併症のある例（HIV 感染,糖尿病,塵肺,関節リウマチ等の自己免疫疾患）
⑤免疫抑制剤等の使用例
⑥骨関節結核で病巣の改善遅延例

などでは維持期を 3 カ月延長し,維持期を 7 カ月,全治療期間を 9 カ月（270 日）とすることができる

No.59 抗結核薬

抗結核薬一覧表

	一般名（略号）・剤形	用法・用量	備考
First-line drugs（a）	リファンピシン（RFP）Cap	1日1回450 mg、朝食前空腹時。感性併用剤のある場合は週2回投与可	多くの薬剤との相互作用報告がある
	リファブチン（RBT）Cap	1日1回150 mg（多剤耐性結核症は300～450 mg）	RFPの使用が困難な場合に使用
	イソニアジド（INH）末・錠・注	末・錠：1日200～500 mg（4～10 mg/kg）を1日1～3回、毎日または週2回。1日1 gまで増量可 注：1日200～500 mg（4～10 mg/kg）を筋注または静注（局所の場合は1回50～200 mg）	抗菌力は殺菌的で抗結核薬中最も強い。耐性菌の発現はやや早い
	ピラジナミド（PZA）末	1日1.5～2 g、1日1～3回	抗菌力は弱いが、IHNと併用すると作用が増強
First-line drugs（b）	ストレプトマイシン（SM）注	1日1 gを週2～3回、あるいははじめの1～3カ月は毎日、その後週2日筋注（必要に応じ局所投与）。高齢者（60歳以上）には1回0.5～0.75 g	抗菌力は殺菌的。聴力低下、腎機能低下時の使用は避ける。血液透析下は使用できる
	エタンブトール（EB）錠	1日0.75～1 g、1日1～2回	抗菌力はINHに匹敵。視力障害の副作用
Second line drugs	レボフロキサシン（LVFX）細・錠・注	1日1回500 mg	小児・妊婦には禁忌。腎機能低下時は投与間隔を長くする
	カナマイシン（KM）注	1日2 gを朝夕1 gずつ2回筋注し週2日か、1日1 gを週3日筋注（必要に応じ局所投与）。高齢者（60歳以上）には1回0.5～0.75 g	聴力低下、腎機能低下時の使用は避ける。血液透析下は使用できる
	エチオナミド（TH(ETH)）錠	初回1日0.3 g、以後0.5～0.7 gを1日1～3回	高頻度に胃腸障害が発生
	エンビオマイシン（EVM）注	1日1回1 g筋注。初めの90日間は毎日、その後は週2回	
	サイクロセリン（CS）Cap	1回250 mg、1日2回	
Multi-drugs resistant tuberculosis drugs	デラマニド（DLM）錠	1回100 mg、1日2回朝夕食後	空腹時投与を避ける
	ベダキリン（BDQ）錠	開始2週間は1日400 mg、1日1回。その後3週以降は1回200 mgを週3日、48時間以上の間隔をあけて食直後	

60 抗真菌薬 ①深在性

■ 対象薬剤

（A）フルオロピリミジン系：フルシトシン；5-FC（アンコチル）
（B）トリアゾール系：フルコナゾール；FLCZ（ジフルカン），ボリコナゾール；VRCZ（ブイフェンド），ポサコナゾール；PSCZ（ノクサフィル）
（C）ポリエンマクロライド系：アムホテリシンB；AMPH-B（ファンギゾン）

■ 指導のポイント

	患者向け	薬剤師向け
薬効	・この薬は体の中のカビが増えるのを抑え，感染を治療したり，予防（B）したりする薬です（A，B） ・この薬は消化管の中のカビ（カンジダ菌）が増えるのを抑え，カンジダ症を治療する薬です（C）	核酸合成阻害作用（A） 細胞膜合成阻害作用（B） 細胞膜障害作用（消化管からの吸収がほとんどないため全身性の真菌症には無効で，消化管内のカンジダ菌に対して有効）
詳しい薬効	・この薬は真菌の核酸合成を阻害して，真菌が増えるのを抑え，真菌性髄膜炎，呼吸器真菌症，消化管真菌症などの内臓真菌症を治療する薬です（アンコチル） ・この薬は真菌の細胞膜の生合成を阻害して，真菌が増えるのを抑え，真菌性髄膜炎，呼吸器真菌症，消化管真菌症などの内臓真菌症やカンジダによる膣炎（ジフルカンカプセル）を治療したり，造血幹細胞移植患者における深在性真菌症を予防したりする薬です（ジフルカン，ブイフェンド） ・この薬は真菌の細胞膜の生合成を阻害して，真菌が増えるのを抑え，造血幹細胞移植患者または好中球減少が予測される血液悪性腫瘍患者における深在性真菌症を予防したり，真菌感染症（フサリウム症，ムーコル症，コクシジオイデス症，クロモブラストミコーシス，菌腫）を治療したりする薬です。他の抗真菌薬が無効あるいは忍容性に問題がある場合に適用される薬です（ノクサフィル） ・この薬は真菌の細胞膜に障害を起こして，真菌が増えるのを抑え，消化管内のカンジダを治療する薬です（ファンギゾン）	

	患者向け	薬剤師向け
警告	・〔アンコチル〕抗がん剤を服用中の方，または7日前まで抗がん剤を服用していた方は，必ずご相談ください ・〔ブイフェンド〕この薬の服用中および薬を中止した後も，目の症状（まぶしい，見えにくい等）が回復するまでは，車の運転等危険を伴う機械の操作は行わないでください ・〔ブイフェンド〕体がだるい，皮膚がかゆ	テガフール・ギメラシル・オテラシルカリウム配合剤との併用により，重篤な血液障害等のおそれ 感染症治療に十分な知識と経験を持つ医師またはその指導のもとで，重症・難治性真菌感染症患者を対象に実施。羞明，霧視，視力障害等の症状が現れ，中止後も回復するまでは車の運転等危険を伴う機械の操作には従事させない 重篤な肝障害発現のため，肝機能検査を定期

警告	い，湿疹，発熱，皮膚や白目が黄色くなる等の症状が現れたら必ずご相談ください 検 この薬の服用中は定期的に肝機能検査を受けるため受診しましょう	的に実施。異常発見時には投与を中止し，適切な処置

禁忌・併用禁忌	禁忌 ・本剤過敏症既往 ・〔アンコチル，ジフルカン，ブイフェンド〕妊婦 併用禁忌 ・〔アンコチル〕⇔ティーエスワンで早期に重篤な血液障害や消化管障害等が発現するおそれ ・〔ジフルカン〕⇔トリアゾラム，ロミタピド，ブロナンセリンの血中濃度上昇，クリアミン配合の血中濃度上昇で血管れん縮，キニジンの血中濃度上昇でQT延長，アゼルニジピン，レザルタス配合のAUC上昇 ・〔ブイフェンド〕⇔リファンピシン，リトナビル，カレトラ配合にて本剤のCmax・AUC減少，リファブチン，エファビレンツのCmax・AUC増加と本剤のCmax・AUC減少，カルバマゼピン，長時間作用型バルビツール酸誘導体にて本剤の血中濃度減少，イバブラジンの血中濃度増加にて過度の徐脈，クリアミン配合，エルゴメトリン，メチルエルゴメトリンの血中濃度上昇により麦角中毒のおそれ，トリアゾラムの血中濃度上昇・作用増強・作用時間延長，チカグレロルの血中濃度上昇にて血小板凝集抑制作用増強，ロミタピド，ブロナンセリン，スボレキサント，リオシグアト，アゼルニジピン，レザルタス配合の血中濃度上昇，リバーロキサバンの血中濃度上昇にて抗凝固作用増強，用量漸増期のベネトクラクスの血中濃度上昇にて腫瘍崩壊症候群のおそれ ・〔ノクサフィル〕⇔クリアミン配合，メチルエルゴメトリン，エルゴメトリンで麦角中毒，シンバスタチン，アトルバスタチンで横紋筋融解症，キニジンでQT延長，用量漸増期のベネトクラクスの血中濃度上昇にて腫瘍崩壊症候群のおそれ，ルラシドンの血中濃度上昇にて作用増強

■主な副作用と対策，フィジカルアセスメントのチェックポイント

主な副作用	患者に確認すべき症状	対策とPAのチェックポイント
肝機能障害	倦怠感，食欲不振，吐き気，発熱，発疹，かゆみ，皮膚や白目が黄色くなる，尿が褐色	定期的に肝機能検査 PA No.59 抗結核薬 p.878 参照
消化器	食欲不振，吐き気，嘔吐，腹痛，下痢，便秘，口内炎	減量もしくは休薬 PA 腸音（↑：下痢，↓：便秘）
精神神経系	頭痛，めまい，眠気	減量もしくは休薬
過敏症	発疹，かゆみ	中止 PA No.59 抗結核薬 p.878 参照
光線過敏症（ブイフェンド）	日光のあたる部分に発疹や水ぶくれ	長袖の衣服，帽子等の着用，日焼け止め効果の高いサンスクリーンの使用 PA 顔面・耳介・うなじ・手背（日焼け様皮疹）
感覚器（ブイフェンド）	視覚障害（ものがぼやける，まぶしく見える，見え方がおかしい）	服用をやめてもしばらく続くことがあるので，気になるときは受診

■ 重大な副作用と妊婦・授乳婦への危険度

薬剤名	重大な副作用	妊婦[授乳婦]
アンコチル	汎血球減少，無顆粒球症，腎不全	禁忌/B3 [😊△]
ジフルカン	ショック，アナフィラキシー，中毒性表皮壊死融解症，皮膚粘膜眼症候群，薬剤性過敏症症候群，血液障害，急性腎障害，肝障害，意識障害，けいれん，高K血症，心室頻拍，QT延長，不整脈，間質性肺炎，偽膜性大腸炎	禁忌/D [😊◎]
ブイフェンド	ショック，アナフィラキシー，中毒性表皮壊死融解症，皮膚粘膜眼症候群，多形紅斑，肝障害，心電図QT延長，心室頻脈，心室細動，不整脈，完全房室ブロック，心不全，腎障害，呼吸窮迫症候群，ギラン・バレー症候群，血液障害，偽膜性大腸炎，けいれん，横紋筋融解症，間質性肺炎，低血糖，意識障害	禁忌/B3 [😊△]
ノクサフィル	肝機能障害，溶血性尿毒症症候群，血栓性血小板減少性紫斑病，QT延長，心室頻拍，副腎機能不全，低K血症，皮膚粘膜目症候群，脳血管発作，急性腎障害，腎不全，白血球減少症，汎血球減少症	B3
ファンギゾン	皮膚粘膜眼症候群，中毒性表皮壊死融解症	B3 [😊○]

■ その他の指導ポイント

	患者向け	薬剤師向け
使用上の注意	・〔ジフルカンドライシロップ〕服用する際，十分に振り混ぜてから正確に1回分を測り取り服用してください。5〜30℃で保管し，2週間以内に使用してください	粉末の固まりがないよう，粒子がばらばらになるまで瓶を軽くたたき，24 mLの水を瓶に加え懸濁液に調製後，瓶ごと患者に交付し，服用・保管方法，残量の廃棄など十分に説明する
	・〔ファンギゾンシロップ〕服用する際，十分に振り混ぜて懸濁液としてから服用してください。口の中に症状がある場合（口腔内カンジダ症）は，舌で患部に広く行き渡らせ，できるだけ長く含んだ後飲み込んでください。義歯を使用している場合はよく洗浄し，義歯にも塗布してください。なお服用後はうがいや食物をとることを控えてください。また，一過性に歯が黄変することがありますが，心配はいりません	シロップ剤は口の中にできるだけ長く含んだ後，嚥下させる方法を用い，口腔，咽頭，消化管について効果をあげることが可能になる。歯の黄変はブラッシングで簡単に除去できる
	・〔ブイフェンド〕この薬は食事の影響を受けるので，空腹時（食後2時間）に服用してください	高脂肪食直後投与により，Cmax・AUCが34%および24%低下するため
	・〔ブイフェンド〕この薬服用中は長袖の衣服，帽子等の着用により日光の照射を避け，日焼け止め効果の高いサンスク	光線過敏症反応が現れることがあるため

使用上の注意	リーンの使用により紫外線の照射を避けてください	
	・〔ノクサフィル〕服用する時に, 割ったり, かみ砕いたり, 噛んだりせずに服用してください	腸溶錠のため
	・〔アンコチル, ジフルカン, ブイフェンド〕妊娠中または妊娠の可能性のある方は, 必ずご相談ください	動物実験にて催奇形性の報告(アンコチル, ブイフェンド), 催奇形性を疑う症例報告(ジフルカン)のため投与禁忌
	・〔ノクサフィル〕妊娠の可能性のある方は, この薬の服用中および服用終了後も一定期間は適切な避妊をしてください	動物実験にて催奇形性等の報告
	食〔ブイフェンド〕この薬の服用中にセイヨウオトギリソウ(セント・ジョーンズ・ワート)を含む食品はとらないでください	セイヨウオトギリソウにより誘導された肝薬物代謝酵素(CYP3A4)により, 本剤のAUCが59％減少のため併用禁忌
服用を忘れたとき	・〔ジフルカン以外〕思い出したとき(アンコチル：4時間以内)すぐに服用する。ただし次の服用時間が近いときは忘れた分は服用しない(2回分を一度に服用しない)	
	・〔ジフルカン〕思い出したとき(1日以内)すぐに服用する(2回分を一度に服用しない)	

■ 継続的な服薬指導・確認のポイント

項目	確認のポイント
抗真菌薬適応患者の状態の確認	ハイリスク患者(抗菌薬, 抗悪性腫瘍薬, ステロイド薬, 免疫抑制薬, CVカテーテルなどの使用, AIDSや血液悪性疾患患者等)で抗真菌薬投与後も発熱や炎症所見が長期持続する場合, 深在性真菌症の発症を考慮。薬剤選択と投与量の確認の実施
副作用の確認	抗真菌薬は有効性のみならず安全性に配慮が必要 **主な副作用** ・フルオロピリミジン系(アンコチル)：骨髄機能の抑制や腎障害, 胃腸障害 ・トリアゾール系(ジフルカン, ブイフェンド, イトリゾール, ノクサフィル)：重篤な肝障害, 胃腸障害 ・ポリエンマクロライド系(ファンギゾン)：腎障害, 発熱, 悪寒, 低K血症 ・アリルアミン系(ラミシール)：肝障害や血液障害
相互作用の確認(健康食品も含む)	トリアゾール系抗真菌薬は肝代謝酵素チトクロームP450(CYP)の分子種の阻害や誘導作用を有するため, 併用禁忌・併用注意をチェックする ・抗結核薬, 抗HIV薬, 抗てんかん薬(フェニトイン等), 糖尿病薬(スルホニルウレア等)ワルファリン, 免疫抑制薬(シクロスポリン等)など多数。〔ブイフェンド〕セイヨウオトギリソウ含有食品も併用禁忌

60 抗真菌薬　②表在性・深在性

■ 対象薬剤

トリアゾール系：イトラコナゾール；ITCZ（イトリゾール），ホスラブコナゾール L-リシンエタノール付加物（ネイリン）
アリルアミン系：テルビナフィン塩酸塩；TBF（ラミシール）

■ 指導のポイント

	患者向け	薬剤師向け
薬効	・この薬は体の中のカビが増えるのを抑え，感染を治療したり予防（イトリゾール内用液）したりする薬です（イトリゾール） ・この薬は皮膚や爪のカビが増えるのを抑え，感染を治療する薬です（イトリゾールカプセル，ラミシール） ・この薬は口の中や食道のカビ（カンジダ菌）が増えるのを抑え，カンジダ症を治療する薬です（イトリゾール内用液） ・この薬は爪のカビが増えるのを抑え，感染を治療する薬です（ネイリン）	細胞膜合成阻害作用 〃 〃（口腔内，食道内のカンジダ菌に対して） 〃
詳しい薬効	・この薬は真菌の細胞膜の生合成を阻害して，真菌が増えるのを抑え，皮膚や爪のカビ（イトリゾールカプセル），口の中や食道のカンジダ（イトリゾール内用液），真菌性髄膜炎，呼吸器真菌症，消化器真菌症などの内臓真菌症を治療したり，好中球減少が予想される血液悪性腫瘍または造血幹細胞移植患者における深在性真菌症を予防（イトリゾール内用液）したりする薬です（イトリゾール） ・この薬は真菌の細胞膜の生合成を阻害して，真菌が増えるのを抑え，皮膚や爪のカビを治療する薬です（ラミシール） ・この薬は真菌の細胞膜の生合成を阻害して，皮膚糸状菌が増えるのを抑え，爪白癬を治療する薬です（ネイリン）	

	患者向け	薬剤師向け
警告	〔ラミシール錠〕体がだるい，皮膚がかゆい，湿疹，発熱，皮膚や白目が黄色くなる，血が止まりにくい，鼻血，紫斑等の症状がみられたら必ずご相談ください 検 この薬の服用中は定期的に肝機能検査，血液検査を受けるため受診しましょう	重篤な肝障害（肝不全，肝炎，胆汁うっ滞，黄疸等）汎血球減少，無顆粒球症，血小板減少等の報告，死亡例の報告。投与前，投与中は随伴症状に注意し，定期的に肝機能検査および血液検査を実施
禁忌・併用禁忌	禁忌 ・本剤過敏症既往 ・〔イトリゾール，ネイリン〕妊婦 ・〔イトリゾール〕肝臓または腎障害かつコルヒチン投与中，重篤な肝疾患の現症・既往	

No.60 抗真菌薬

禁忌・併用禁忌

・〔ラミシール錠〕重篤な肝障害，汎血球減少，無顆粒球症，血小板減少
(併用禁忌)〔イトリゾール〕⇔キニジン，ベプリジルの血中濃度上昇でQT延長，トリアゾラム，シンバスタチン，アゼルニジピン，ニソルジピン，エプレレノン，ブロナンセリン，イブルチニブ，チカグレロルの血中濃度上昇，エルゴタミン，エルゴメトリン，メチルエルゴメトリンの血中濃度上昇で血管痙縮，バルデナフィルのAUCが増加しCmaxの上昇，シルデナフィル，タダラフィル（アドシルカ），リオシグアトの血中濃度上昇でAUC・Cmaxの増加，スボレキサントの作用増強，アリスキレンの排泄阻害でAUC・Cmaxの増加，ダビガトラン，リバーロキサバンの血中濃度上昇で出血

■ 主な副作用と対策，フィジカルアセスメントのチェックポイント

主な副作用	患者に確認すべき症状	対策とPAのチェックポイント
肝機能障害	倦怠感，食欲不振，吐き気，発熱，発疹，かゆみ，皮膚や白目が黄色くなる，尿が褐色	定期的に肝機能検査 PA No.59 抗結核薬 p.878 参照
消化器	食欲不振，吐き気，嘔吐，腹痛，下痢，便秘，口内炎	減量もしくは休薬 PA 腸音（↑：下痢，↓：便秘）
精神神経系	頭痛，めまい，眠気，不眠	減量もしくは休薬
感覚器	味覚異常，視覚障害	減量もしくは休薬
過敏症	発疹，かゆみ	中止 PA No.59 抗結核薬 p.878 参照
光線過敏症	日光のあたる部分に発疹や水ぶくれ	日光を通しにくい衣服などで肌の露出を避ける，できるだけ直射日光に当たらないようにする PA No.60 抗真菌薬① p.887 参照

■ 重大な副作用と妊婦・授乳婦への危険度

薬剤名	重大な副作用	妊婦[授乳婦]
イトリゾール	うっ血性心不全，肺水腫，肝障害，胆汁うっ滞，黄疸，中毒性表皮壊死融解症，皮膚粘膜眼症候群，急性汎発性発疹性膿疱症，剥脱性皮膚炎，多形紅斑，ショック，アナフィラキシー，間質性肺炎	禁忌/B3 [❷○]
ラミシール錠	重篤な肝障害，汎血球減少，無顆粒球症，血小板減少，中毒性表皮壊死融解症，皮膚粘膜眼症候群，急性全身性発疹性膿疱症，紅皮症，横紋筋融解症，ショック，アナフィラキシー，薬剤性過敏症症候群，亜急性皮膚エリテマトーデス	B1 [❷○]
ネイリン	肝機能障害，多形紅斑	禁忌

■ その他の指導ポイント

	患 者 向 け	薬 剤 師 向 け
使用上の注意	・〔イトリゾールカプセル〕この薬は食直後に服用してください	食直後投与により生物学的利用率（空腹時投与では，食直後投与時の Cmax が 40％）が向上するため
	・〔イトリゾール内用液〕この薬は空腹時に服用してください	空腹時投与により，食直後投与よりも Tmax の短縮，Cmax の上昇・AUC が増加するため
	・〔イトリゾール内用液〕キャップ（蓋）を押しながら回してキャップを外し，1回分を計量カップで正確に量り取って服用してください。	本剤の剤形および包装形態より，誤って注射に用いられることのないよう注意喚起する。服用時，1回分を正確に量り取り，予定日数終了後，飲み残しは服用しないように指導する
	・〔イトリゾール内用液〕口の中に症状がある場合（口腔咽頭カンジダ症）は，数秒間口に含み，口腔内に薬を行き渡らせた後，飲み込んでください	主として消化管から吸収され作用が発現する
	・〔イトリゾール内用液〕この薬の服用中に，下痢，軟便等が現れたらご相談ください	添加物（ヒドロキシプロピル-β-シクロデキストリン）による胃腸障害（下痢，軟便等）の可能性
	・〔ラミシール錠〕この薬の服用中は，車の運転等，危険を伴う機械の操作は行わないでください	眠気，めまい・ふらつき等が現れることがあるため
	・〔イトリゾール，ネイリン〕妊娠中または妊娠の可能性のある方は必ずご相談ください	動物実験にて催奇形性が報告されているため投与禁忌
	・〔ネイリン〕この薬の服用中および中止後も少なくとも 3 カ月間は避妊してください	避妊については，ラブコナゾールの最長消失半減期（600 mg 投与：209.77 時間）を基に 3 カ月と設定
	食 〔イトリゾール〕この薬は酸性の飲料と一緒に飲まないでください	酸性の飲料により消化管内の pH が変化し，薬剤の吸収が増大して血中濃度が上昇する
服用を忘れたとき	・〔イトリゾールカプセル，ラミシール錠，ネイリン〕思い出したときすぐに服用する。ただし次の服用時間が近いとき（ラミシール：8時間以内）は忘れた分は服用しない（2回分を一度に服用しない）	
	・〔イトリゾール内用液〕食後に思い出したときは服用しない。次の食事の前（空腹時）に服用する（2回分を一度に服用しない）	

■ その他備考

〔イトリゾール〕イトリゾールカプセルと内服液は生物学的に同等ではなく，内服液のバイオアベイラビリティが向上しているため，カプセルと内服液の切り替えは十分注意すること。また，内服液の添加物（ヒドロキシプロピル-β-シクロデキストリン）による胃腸障害（下痢，軟便等），浸透圧腎症の可能性があるため注意すること

60 抗真菌薬 ③表在性

■ 対象薬剤
イミダゾール系：ミコナゾール；MCZ（フロリードゲル，オラビ口腔用）

■ 指導のポイント

	患者向け	薬剤師向け
薬効	・この薬は口の中や食道のカビ（カンジダ→菌）が増えるのを抑え，カンジダ症を治療する薬です	細胞膜合成阻害作用
詳しい薬効	・この薬は真菌の細胞膜の生合成を阻害して，真菌が増えるのを抑え，口の中や食道のカンジダを治療する薬です	
禁忌・併用禁忌	[禁忌] 本剤過敏症既往，妊婦 [併用禁忌] ワルファリンの作用増強で重篤な出血，キニジンでQT延長，トリアゾラムの作用増強・作用時間延長，シンバスタチンで横紋筋融解症のおそれ，アゼルニジピン，レザルタス配合，ブロナンセリンの血中濃度上昇，クリアミン配合の血中濃度上昇で血管れん縮，リバーロキサバンの血中濃度上昇で出血，ロミタピド，ルラシドンの血中濃度上昇		

■ 主な副作用と対策，フィジカルアセスメントのチェックポイント

主な副作用	患者に確認すべき症状	対策とPAのチェックポイント
消化器	食欲不振，吐き気，嘔吐，下痢	減量もしくは休薬 PA 腸音（↑：下痢）
過敏症	発疹	中止 PA No.59 抗結核薬 p.878 参照
口腔内症状	口腔内違和感，口腔内疼痛，味覚異常	一時服用中止

■ 重大な副作用と妊婦・授乳婦への危険度

薬剤名	重大な副作用	妊婦[授乳婦]
フロリードゲル	－	禁忌/A

■ その他の指導ポイント

患　者　向　け	薬　剤　師　向　け
・自分の判断で中止せずに医師の指示どおり服用（使用）してください	本剤の投与期間は原則として14日間とする。<u>〔フロリードゲル〕7日間投与しても症状の改善がないときは中止</u>
・妊娠中または妊娠の可能性ある方は必ずご相談ください	安全性未確立のため投与禁忌
・〔フロリードゲル〕飲む前にうがいして，口の中を清潔にしてください。次に直接チューブから，または清潔なスプーンやよく洗った指先にとって口に含んでください	
・〔フロリードゲル：口腔カンジダ症〕口の中に症状がある場合は，舌でまんべんなく口の中に塗りひろげ，できるだけ長く口の中に含んだ後，飲み込んでください。入れ歯のある人はよく洗って入れ歯にも少し塗ってください	口腔内で容易に広がり，唾液と混和して広範囲の病巣に作用し，有効濃度が長時間保持される。また義歯装着患者では十分効果が得られにくい場合があるので，よく義歯を洗浄し義歯にも薬剤を塗布する
・〔フロリードゲル：食道カンジダ症〕食道に症状がある場合は，できるだけ長く（5分前後が目安）口の中に含んだ後，少しずつ飲み込んでください	直接塗布が困難である食道カンジダ症の病変部位に作用させるため
・〔フロリードゲル〕服用後少なくとも1時間ぐらいは，うがい，歯磨き，飲食をしないようにしてください	本剤の効果は口腔および食道粘膜病巣部への直接作用によるもので，含嗽，歯磨き，飲食等をすることにより薬剤との接触が妨げられ効果が減弱する
・〔オラビ錠口腔用〕この薬は使用のたびにしっかりキャップを締め，湿気を避けて保管してください	本剤は湿度の影響を受けやすいため
・〔オラビ錠口腔用〕①＊1：この薬は乾いた手でボトルから取り出し，「L」の印のない曲面を，犬歯の上のくぼみに付着させてください　②＊2：付着後，上唇の上から指で30秒ほど軽く押さえて，しっかり付着させてください　③薬は徐々に溶けていきますので，そのままにしてください　④次に使用する場合は，反対側の犬歯の上にくぼみに付着させてください	本剤は口腔粘膜に付着して用いる錠剤であるため，そのまま飲み込んだり，なめたり，かみ砕いたりせずに使用する

※使用上の注意

＊1
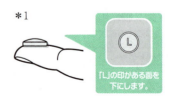

使用上の注意	・〔オラビ錠口腔用〕＊3 ①薬が付着しないか，はがれた（6時間以内）場合ははがれた薬を同じ場所に付着させてください ②6時間以内に飲み込んでしまった場合は，コップ一杯の水を飲んでから，一度だけ新しい薬を使用してください ③6時間以上たってからはがれたり，飲み込んでしまったりした場合は，翌日まで新たな薬を使用する必要はありません ④使用期間中に薬が不足したら，ご相談ください
服用を忘れたとき	・〔フロリードゲル〕思い出したときすぐに服用（使用）する。ただし次の服用（使用）時間が近いときは忘れた分は服用（使用）しない（2回分を一度に服用しない） ・〔オラビ錠口腔用〕上記＊3参照

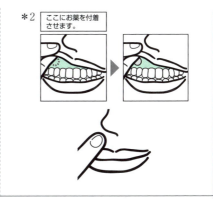

― 〈フロリードゲルの使い方〉 ―

　この薬は，口や食道に増殖したカンジダ菌（カビの一種）を殺菌するものです。必ずしも直接患部に塗る必要はなく，口の中に一定時間「含んで」，さらに「舌で塗りひろげ」れば，十分な効果が期待できます。

①まず，うがいをして口の中を清潔にしてください。
②キャップ先端のとがった部分でチューブに穴をあけてください。
③お薬の含み方
　ここでは，標準的なお薬の含み方を紹介します。
　主治医から指示されたお薬の一回量が多い場合は，少しずつ分けて口に含むようにしてください。

例1．直接チューブから 　例2．清潔なスプーンを用いる 　例3．よく洗った指先で

④主治医から，**口腔内**にカンジダ菌（カビの一種）が生えているといわれた方
（例えば，口の中に白いコケ状のものがある，赤く腫れていたり，飲食物がしみる・痛むなどの症状がある方）

・お薬を含んだら，舌でまんべんなく口の中に塗りひろげてください。
・この状態で，できるだけ長く口の中に含んだあと飲み込んでください。
・また入れ歯の方は，よく洗浄して入れ歯にも少しお薬を付けましょう。

主治医から，**食道**にカンジダ菌（カビの一種）が生えているといわれた方
（口の中に異常が見られない方）
お薬を5分程度口の中に含んだあとで，少しずつ飲み込んでください。

⑤服用後，少なくとも1時間位は，うがい，歯みがき，飲食をしないようにしてください。

（持田製薬株式会社：「フロリードゲル経口用2％を使用されている方へ」）

60 抗真菌薬　④ニューモシスチス肺炎治療薬

■ 対象薬剤
アトバコン（サムチレール内用懸濁液）

■ 指導のポイント

	患者向け	薬剤師向け
薬効	この薬は体の中のカビ（ニューモシスチス・イロベチー）が増えるのを抑え、ニューモシスチス肺炎を治療したり発症を予防したりする薬です	抗ニューモシスチス・イロベチー作用（ミトコンドリア電子伝達系選択的阻害）
詳しい薬効	この薬はニューモシスチス肺炎の原因真菌であるニューモシスチス・イロベチーのミトコンドリア電子伝達系を選択的に阻害し，核酸およびATP合成を阻害して，ニューモシスチス・イロベーチが増えるのを抑え，ニューモシスチス肺炎を治療したり発症を予防したりする薬です（この薬はニューモシスチス肺炎治療の第一選択薬であるST合剤の使用が副作用により困難な場合に用いる）	
禁忌	本剤過敏症既往	

■ 主な副作用と対策，フィジカルアセスメントのチェックポイント

主な副作用	患者に確認すべき症状	対策とPAのチェックポイント
肝機能障害	倦怠感，食欲不振，吐き気，発熱，発疹，かゆみ，皮膚や白目が黄色くなる，尿が褐色	定期的に肝機能検査 PA No.59 抗結核薬 p.878 参照
消化器	吐き気，嘔吐，下痢	減量もしくは休薬（食後投与できない場合や下痢が認められる場合は代替治療を検討） PA 腸音（↑：下痢）
精神神経系	頭痛，不眠	減量もしくは休薬
過敏症	発疹	中止 PA No.59 抗結核薬 p.878 参照

■ 重大な副作用と妊婦・授乳婦への危険度

薬剤名	重大な副作用	妊婦[授乳婦]
サムチレール	皮膚粘膜眼症候群，多形紅斑，重度の肝機能障害，無顆粒球症，白血球減少	B2

■ その他の指導ポイント

	患者向け		薬剤師向け
使用上の注意	・この薬は食後に服用してください	→	絶食下では吸収量が低下するため，食後投与できない場合，代替治療を検討する
	・下痢の症状がみられたら必ずご相談ください	→	下痢の場合吸収量が低下し効果が減弱する可能性があるため，代替治療を検討する
忘れたとき服用を	思い出したとき次回の食後に服用する。ただし次回の食後が翌日となる場合は翌日の決められた時間に服用する（2回分を一度に服用しないこと）		

■ その他備考

- アトバコンは抗マラリア薬（マラロン配合）の成分（No.61 抗寄生虫薬①（p.899）参照）

- ニューモシスチス肺炎とは

　ニューモシスチス属は，当初「原虫」に分類されていたが，遺伝子学的解析により「真菌」へと再分類された。また，名称についても Pneumocystis carinii（ニューモシスチス・カリニ）と呼ばれていたが，後にニューモシスチス属は宿主特異性があることが分かり，ヒトに感染する種は Pneumocystis jirovecii（以下，P. jirovecii）に改称され，疾患名も「Pneumocystis carinii pneumonia；PCP（カリニ肺炎）」から「Pneumocystis pneumonia；PCP（ニューモシスチス肺炎）」と定められた。

　経気道的に体内に侵入し，免疫不全者において PCP を引き起こすと考えられている。

　P. jirovecii 自身は組織障害性をほとんど有しておらず，本菌に対する宿主の過剰な免疫反応，つまり CD4 陽性リンパ球，マクロファージ，好中球およびサイトカインの相互作用により重篤な肺障害を生じる。

　ニューモシスチス属は真菌であるが，一般的な真菌細胞膜の構成成分であるエルゴステロールを有しておらず，エルゴステロールの合成阻害を作用機序とする抗真菌薬に対する感受性がない。このため，P. jirovecii に殺菌的な作用を示す薬剤はスルファメトキサゾール＋トリメトプリム（ST 合剤）など極めて限られている。現在，日本では海外と同様に第一選択薬として ST 合剤（バクタ配合，バクトラミン配合）が使用されているが，副作用の出現により治療継続困難となる場合があり，この場合の代替え薬としてペンタミジン（ベナンバックス注），アトバコンなどが使用される。

（グラクソ・スミスクライン株式会社　稀少専科—稀少疾患情報サイト—より）

61 抗寄生虫薬 ①抗原虫薬（抗マラリア薬）

■ 対象薬剤

メフロキン塩酸塩（メファキン），プリマキンリン酸塩（プリマキン）
配合剤（マラロン配合，リアメット配合）

■ 指導のポイント

	患者向け	薬剤師向け
薬効	・この薬はマラリア原虫が体内で増えるのを抑え，マラリアを治療したり予防（メファキン，マラロン）したりする薬です（プリマキン以外） ・この薬は肝臓で休眠している三日熱マラリア原虫および卵形マラリア原虫を殺し，休眠原虫による再発を防ぐ薬です。他の抗マラリア薬により原虫を殺す治療を行った後に使用する薬です（プリマキン）	抗マラリア作用
詳しい薬効	・この薬は赤血球内の原虫に対し殺滅効果を示す薬で，再発に関与する肝臓内の休眠体原虫には効果を示さず，治療と予防に用いる薬です（メファキン） ・この薬は肝臓内の休眠体原虫に対するミトコンドリア電子伝達系阻害，活性酸素による酸化的損傷で原虫を殺滅する薬で，他の抗マラリア薬で赤血球中の原虫殺滅治療を行った後，三日熱マラリアおよび卵形マラリア原虫の根治療法のみに用いる薬です（プリマキン） ・この薬は配合剤で，マラリア原虫の核酸の複製に必要なピリミジンの生合成（アトバコン），チミジル酸の生合成（プログアニル）を阻害して治療と予防に用いる薬です（マラロン配合） ・この薬は配合剤で，いずれも赤血球内に侵入したマラリア原虫の食胞内に作用することで抗マラリア作用を示し，治療する薬です（リアメット配合）	

	患者向け	薬剤師向け
警告	〔メファキン〕予防で服用する場合には，必要性等を十分ご相談ください 〔プリマキン〕溶血性貧血の既往あるいは家族歴のある方は，重篤な溶血性貧血のリスク（体がだるい，立ちくらみ，褐色尿）があるので必ずご相談ください	予防投与ではマラリア汚染状況を踏まえて必要性を慎重に検討 グルコース-6-リン酸脱水素酵素（G6PD）欠損症の患者で，重篤な溶血性貧血，G6PD欠損症等の溶血性貧血のリスクの有無を十分確認
禁忌・併用禁忌	禁忌 ・本剤過敏症既往 ・〔マラロン配合以外〕妊婦（リアメット配合は14週未満） ・〔メファキン〕キニーネ等過敏症既往，低出生体重児，新生児，乳児，てんかんまたは既往，精神病または既往 ・〔プリマキン〕G6PD欠損症	

<table>
<tr><td rowspan="2">禁忌・併用禁忌</td><td colspan="2">・〔マラロン配合〕重度の腎障害（予防投与時）</td></tr>
<tr><td>併用禁忌</td><td>・〔メファキン〕⇔キニーネおよび類似化合物（キニジン、クロロキン：未承認）にて急性脳症候群、暗赤色尿、呼吸困難、貧血、溶血、ハロファントリン（未承認）にて致死的な QTc 間隔の延長
・〔リアメット配合〕⇔リファンピシン、カルバマゼピン、フェノバルビタール、フェニトイン、リファブチン、セイヨウオトギリソウ（セント・ジョーンズ・ワート）含有食品、ホスフェニトインにて本剤の代謝が促進され、血中濃度が低下、効果減弱のおそれ</td></tr>
</table>

■ 主な副作用と対策，フィジカルアセスメントのチェックポイント

主な副作用	患者に確認すべき症状	対策と PA のチェックポイント
消化器	食欲不振，吐き気，嘔吐，腹痛，下痢，胃部不快感	食事や軽食と一緒に服用 PA 腸音（↑：下痢）
精神神経系	頭痛，めまい	減量もしくは休薬
過敏症	発疹，発赤，蕁麻疹，かゆみ	中止 PA No.59 抗結核薬 p.878 参照

■ 重大な副作用と妊婦・授乳婦への危険度

薬剤名	重大な副作用	妊婦［授乳婦］
メファキン	皮膚粘膜眼症候群，中毒性表皮壊死融解症，けいれん，錯乱，幻覚，妄想，肺炎，肝炎，呼吸困難，循環不全，心ブロック，脳症 類薬 呼吸抑制，循環不全，ショック，けいれん，ミオパシー，視野欠損，網膜障害	禁忌/B3 ［✕○］
マラロン	皮膚粘膜眼症候群，多形紅斑，重度の肝機能障害，肝炎，胆汁うっ滞，アナフィラキシー，汎血球減少症，無顆粒球症，白血球減少	—
プリマキン	溶血性貧血，白血球減少，メトヘモグロビン血症	禁忌/D
リアメット	QT 延長，アナフィラキシー	禁忌(14週未満)/D

■ その他の指導ポイント

<table>
<tr><td rowspan="5">使用上の注意</td><td>患者向け</td><td>薬剤師向け</td></tr>
<tr><td>・〔メファキン〕この薬は大量の水で空腹時を避けて服用してください。胃薬と同時に服用しないでください</td><td>空腹時服用は，食後服用に比して Cmax 約 3.5，AUC 約 3/4 に低下するため。pH 5.5 以下で溶解性が低下するので，制酸剤，H_2 遮断薬等と併用を避ける</td></tr>
<tr><td>・〔マラロン配合〕この薬は食後または乳飲料とともに服用してください</td><td>絶食下では吸収が低下するため</td></tr>
<tr><td>・〔マラロン配合，リアメット配合〕服用後1時間以内に嘔吐したときは1回分を再度服用してください</td><td>本剤の吸収が低下するため</td></tr>
<tr><td>・〔メファキン〕この薬の服用中および服用終了後4週間は，車の運転等，危険を</td><td>めまい，平衡感覚障害，精神神経障害が現れることがあるため</td></tr>
</table>

使用上の注意	伴う機械の操作は行わないでください。ジェットコースター等，動きの激しい乗り物には乗らないでください	
	・〔マラロン配合以外〕妊娠中または妊娠の可能性のある方は必ずご相談ください →	動物にて外表・内臓および骨格の異常，口蓋裂（メファキン），母体および胎児に血管内溶血のおそれ，また遺伝毒性のおそれ（プリマキン），動物にて胚死亡率の増加，生存胎児数の減少（リアメット配合）のため投与禁忌
	・〔プリマキン〕パートナーの方が妊娠する可能性のある男性は，適切な避妊を行ってください	遺伝毒性のおそれ
	・〔メファキン〕妊娠する可能性のある方は服用中および服用終了後3カ月は避妊してください →	遺伝毒性のおそれ
	・〔リアメット配合〕この薬は経口避妊薬の効果を減弱させることがありますので，適切な避妊を行ってください	肝薬物代謝酵素（CYPs）誘導作用にて効果減弱。追加で他の避妊方法を推奨
	食〔メファキン，リアメット配合〕この薬の服用中にグレープフルーツジュースは飲まないでください	本剤はCYP3Aにより代謝され，CYP3A酵素阻害作用を有するグレープフルーツを併用すると相互に血中濃度が変動するため併用注意
	食〔リアメット配合〕この薬の服用中にセイヨウオトギリソウ（セント・ジョーンズ・ワート）を含む食品はとらないでください →	セイヨウオトギリソウによるCYP3A誘導作用により本剤の血中濃度が低下し，抗マラリア作用が減弱するおそれがあるため併用禁忌
	食〔メファキン〕この薬の服用中にアルコールを飲むと，副作用が現れることがあるので控えてください →	本剤による中枢毒性を強める可能性，アルコールの代謝阻害による急性アルコール精神発作の可能性があるため併用注意
服を忘れたとき	思い出したときすぐ服用する。ただし次の服用時間が近いときは忘れた分は服用しない（2回分を一度に服用しないこと）	

■ その他備考

・熱帯病治療薬研究班　オーファンドラッグ中央保管機関（https://www.nettai.org/）「寄生虫病薬物治療の手引き2020」に保管薬，治療薬の入手方法等が掲載されている
・ヒドロキシクロロキン硫酸塩（商品名：プラケニル）
　クロロキン同様の抗マラリア作用が認められているが，本邦では免疫抑制薬に分類され，効能・効果は皮膚エリテマトーデス，全身性エリテマトーデスのみ
　　■配合剤成分：マラロン（アトバコン：プログアニル塩酸塩）配合比5：2
　　　　　　　　　リアメット（アルテメテル：ルメファントリン）配合比1：6

61 抗寄生虫薬　②抗原虫薬（その他）

■ 対象薬剤

メトロニダゾール；MNZ（フラジール），チニダゾール（チニダゾール），パロモマイシン硫酸塩；PRM（アメパロモ）

■ 指導のポイント

	患者向け	薬剤師向け
薬効	・この薬は原虫（トリコモナス，赤痢アメーバ，ランブル鞭毛虫）や細菌が体内で増えるのを抑え，感染（トリコモナス症，嫌気性菌感染症，感染性腸炎，細菌性膣炎，アメーバ赤痢，ランブル鞭毛虫感染症）を治療する薬です（フラジール）	→ 抗原虫作用および抗菌作用
	・この薬は腸内の細菌（*Clostridium difficile*）を殺す薬です（フラジール）（参）No.58 抗菌薬④	→ 抗菌作用（*Clostridium difficile*）
	・この薬は胃潰瘍・十二指腸潰瘍の原因の一つであるヘリコバクター・ピロリ菌を除菌することにより，胃の炎症や潰瘍を治療する薬です（フラジール）（参）No.32 消化性潰瘍治療薬⑨	→ 抗菌作用
	・この薬は原虫（トリコモナス）が体内で増えるのを抑え，感染（トリコモナス症）を治療する薬です（チニダゾール）	→ 抗トリコモナス作用
	・この薬は原虫（腸管アメーバ）が体内で増えるのを抑え，感染（腸管アメーバ症）を治療する薬です（アメパロモ）	→ 抗アメーバ作用
詳しい薬効	・この薬は原虫または菌体により還元を受けニトロソ化合物（R-NO）に変化し，抗原虫作用および抗菌作用を示す薬です（フラジール，チニダゾール） ・この薬は原虫のタンパク質合成を阻害し抗原虫作用と殺菌作用を示す薬です（アメパロモ）	
禁忌	・本剤過敏症既往 ・〔フラジール内服，チニダゾール錠〕脳・脊髄に器質性疾患，妊婦（3カ月以内） ・〔チニダゾール錠〕血液疾患 ・〔アメパロモ〕イレウス，他のアミノグリコシド系抗生物質・バシトラシン過敏症既往	

■ 主な副作用と対策，フィジカルアセスメントのチェックポイント

主な副作用	患者に確認すべき症状	対策とPAのチェックポイント
消化器	食欲不振，吐き気，嘔吐，腹痛，下痢，胃部不快感	食事や軽食と一緒に服用 PA 腸音（↑：下痢）
精神神経系	頭痛，めまい	減量もしくは休薬
過敏症	発疹，発赤，蕁麻疹，かゆみ	中止 PA No.59 抗結核薬 p.878 参照

■ 重大な副作用と妊婦・授乳婦への危険度

薬剤名	重大な副作用	妊婦［授乳婦］
フラジール内服	末梢神経障害，中枢神経障害，無菌性髄膜炎，中毒性表皮壊死融解症，皮膚粘膜眼症候群，急性膵炎，白血球減少，好中球減少，肝機能障害，ヘリコバクター・ピロリ感染症への投与にて出血性大腸炎	禁忌(3カ月以内)/B2 ［妊○］
チニダゾール錠	－	禁忌(3カ月以内)/B3 ［妊△］
アメパロモ	腎障害，第8脳神経障害	－

■ その他の指導ポイント

	患者向け	薬剤師向け
使用上の注意	・症状が消失しても自分の判断で中止せずに医師の指示どおり服用してください ・〔フラジール内服，チニダゾール錠〕尿が着色することがありますが，心配いりません ・〔フラジール内服，チニダゾール錠〕妊娠中（特に3カ月以内）または妊娠の可能性のある方は必ずご相談ください 食〔フラジール内服，チニダゾール錠〕この薬の服用中にアルコールを飲むと，副作用（腹痛・嘔吐・ほてり）が現れることがあるので，服用期間中（フラジール内服），服用期間中および服用後3日間（チニダゾール錠）は控えてください	服用を早く中止すると，再発，再感染することがあるため服用期間を守らせる 内服後，尿が着色するのは，腸内細菌に含まれるニトロソ基還元酵素により，ニトロ基が還元され，アゾキシ化合物を形成するためと考えられている 経口投与で胎盤関門を通過して胎児に移行し，安全性が確立していないので，特に3カ月以内は投与禁忌 アルデヒド脱水素酵素を阻害し，血中アセトアルデヒド濃度を上昇させ腹部の疝痛，嘔吐，潮紅が現れることがあるため併用注意
服用を忘れたとき	思い出したときすぐ服用する。ただし次の服用時間が近いときは忘れた分は服用しない（2回分を一度に服用しない）	

■ その他備考
　■適応外使用
　　・〔フラジール錠〕プロピオン酸血症，メチルマロン酸血症
　　・〔チニダゾール〕赤痢アメーバ，ランブル鞭毛虫症
　■〔フラジール〕胃潰瘍・十二指腸潰瘍におけるヘリコバクター・ピロリ感染症に用いる場合はプロトンポンプインヒビター，アモキシシリンおよびクラリスロマイシン併用による除菌治療が不成功だった患者に適用する（No.32 消化性潰瘍治療薬⑨（p.494）参照）
　■原虫は単細胞の微生物で，人体原性寄生原虫として赤痢アメーバ（アメーバ赤痢：大腸粘膜に特有な潰瘍を形成し粘血便や腹痛・しぶり腹などの症状を呈す，アメーバ性肝腫瘍：赤痢アメーバが大腸より門脈を通って肝臓に運ばれ，肝臓に潰瘍を形成し発熱・右季肋部痛・肝腫大などの症状を呈す），腟トリコモナス（腟炎・帯下増量および不快臭・尿道炎などの症状を呈す），マラリア原虫（三日熱マラリア，四日熱マラリア，熱帯熱マラリア，卵型マラリア：発熱・貧血・脾腫などの症状を呈す），トキソプラズマ（トキソプラズマ症），トリパノソーマ（アフリカ睡眠病），ランブル鞭毛虫（ランブル鞭毛虫症：ジアルジア症ともいわれ，ひどい下痢と腹痛・腹部のはり・食欲不振・吐き気などの症状を呈す）などがある

61　抗寄生虫薬　③抗蠕虫薬

■ 対象薬剤
　・抗線虫薬：ピランテルパモ酸塩（コンバントリン），イベルメクチン（ストロメクトール），ジエチルカルバマジンクエン酸塩（スパトニン）
　・抗吸虫薬：プラジカンテル（ビルトリシド）
　・抗条虫薬：アルベンダゾール（エスカゾール）

■ 指導のポイント

		患者向け	薬剤師向け
薬効		この薬は体内の寄生虫を殺したり麻痺させることにより体外に排出させる薬です ☆この薬は疥癬を治療する薬です（ストロメクトール）	虫体殺滅作用，体外排泄作用

No.61 抗寄生虫薬

禁忌・併用禁忌	禁忌	・〔スパトニン以外〕本剤過敏症既往 ・〔エスカゾール〕妊婦 ・〔ビルトリシド〕有鉤囊虫（条虫）症患者
	併用禁忌	・〔コンバントリン〕⇔ピペラジン系駆虫薬にて両剤の駆虫作用減弱のおそれ ・〔ビルトリシド〕⇔リファンピシンにて血中濃度が約100％低下

■ 主な副作用と対策，フィジカルアセスメントのチェックポイント

主な副作用	患者に確認すべき症状	対策とPAのチェックポイント
消化器症状	吐気，食欲不振，嘔吐，下痢，腹痛	減量もしくは中止
精神神経症状	頭痛，めまい，眠気，けいれん	〃
肝障害	倦怠感，食欲不振	減量もしくは中止 PA No.59 抗結核薬 p.878参照
血液障害（汎血球減少，白血球減少，血小板減少など）	発熱，咽頭痛等のかぜ様症状，出血傾向	中止 PA 体温（↑），顔色（蒼白），眼瞼結膜（蒼白），体幹・四肢・歯肉（出血斑）
過敏症	かゆみ，発疹，じんま疹	中止もしくは軽症の場合は対症療法 PA 皮膚（かゆみ，発赤），呼吸（喘鳴），眼（視覚異常），消化器（胃痛・吐き気）

■ 重大な副作用と妊婦・授乳婦への危険度

薬剤名	重大な副作用	妊婦[授乳婦]
コンバントリン	−	[⊗◎]
ストロメクトール	中毒性表皮壊死融解症・皮膚粘膜眼症候群，肝機能障害・黄疸，血小板減少	[⊗◎]
スパトニン	過敏症状	−
ビルトリシド		B1 [⊗○]
エスカゾール	汎血球減少症，皮膚粘膜眼症候群，多形紅斑，肝機能障害，黄疸	禁忌/D [⊗◎]

■ その他の指導ポイント

	患者向け	薬剤師向け
使用上の注意	・〔ストロメクトール〕この薬は，なるべく空腹時に，水のみで服用してください ・〔ストロメクトール〕この薬を飲んだ後，一時的にかゆみが強くなることがあります ・〔エスカゾール〕この薬は，なるべく食事とともに服用してください ・〔エスカゾール〕この薬が飲みにくい場	脂溶性のため，高脂肪食により血中濃度が上昇するおそれがある 疥癬患者に投与した場合，治療初期に掻痒が一過性に増悪することがある。またヒゼンダニの死滅後もアレルギー反応としての全身の掻痒が遷延することがある 食事（脂肪食）とともに服用すると血漿中濃度が空腹時投与の5倍高まるとの報告（外国人）により，囊胞内への薬物移行量を高める

	合は口中でかみ砕いてから飲んでください ・〔ビルトリシド〕この薬の服用中は車の運転等，危険を伴う機械の操作は行わないでください ・〔エスカゾール〕妊娠中または妊娠の可能性のある方は必ずご相談ください	ため 眠気が現れることがあるため 動物実験において，胎児異常がみられたため投与禁忌。治療中および治療終了から1カ月以内は妊娠を避ける
服用を忘れたとき	・〔コンバントリン〕思い出したときすぐに服用する。 ・〔ストロメクトール〕思い出したときなるべく空腹時に服用する。その次は指示されたとおりの日数がたってから2回目を服用する。 ・〔スパトニン，エスカゾール〕思い出したときすぐに服用する。ただし次の服用時間が近いときは1回とばして次の通常の服用時に服用する。 ・〔ビルトリシド〕思い出したとき，すぐ医師または薬剤師に相談する。	

■その他備考

■疥癬とは

　疥癬は，瘙痒の強い皮疹を形成する疾患で，ダニの一種であるヒゼンダニが皮膚へ寄生して起こる。病型には通常の疥癬と角化型疥癬があり，ヒゼンダニの寄生数の差の他，臨床症状も異なる。通常の疥癬には特徴的な疥癬トンネルがあり，丘疹，小結節，アレルギーによる激しいかゆみがみられる。従来，性感染症の一つとして認識されていたが，近年高齢者施設を中心に医療や介護の現場での発生が問題となっている

抗蠕虫薬一覧表

	成分名（商品名）	適応虫	用法・用量	備考
線虫症治療薬	ピランテルパモ酸塩（コンバントリン）	ぎょう虫, 回虫, 鉤虫, 東洋毛様線虫	通常10 mg/kgを1回投与。投与は1回のみ	食事に関係なく投与でき，下剤を使用する必要はない
	ジエチルカルバマジンクエン酸塩（スパトニン）	フィラリア バンクロフト糸状虫（適応外）	投与開始3日間は1日1回100 mg（小児50 mg）を夕食後投与。次の3日間は1日300 mg（小児150 mg）を分3毎食後。その後週1回，1日300 mg（小児150 mg）を8週間投与 バンクロフト糸状虫：6 mg/kg/日を分3。12日間。マレー糸状虫は半量	1日1回の場合は夕食後に服用する（仔虫の活動期が夜間であるため）
	イベルメクチン（ストロメクトール）	腸管糞線虫, 疥癬 回旋糸状虫（適応外）	1回200 μg/kg 腸管糞線虫：2週間間隔で2回投与 疥癬：1回投与 回旋糸状虫：150 μg/kg，1回（3～6カ月毎）	空腹時に水のみで服用する
	メベンダゾール（メベンダゾール）	鞭虫 回虫, 鉤虫, ぎょう虫（適応外）	1回100 mgを1日2回（朝，夕）3日間投与。体重20 kg以下の小児は半量など適宜減量	ぎょう虫は100 mgを単回服用。2週間後に再度服用
吸虫症・条虫症治療薬	プラジカンテル（ビルトリシド）	肝吸虫, 肺吸虫, 横川吸虫 裂頭条虫, 無鉤条虫, 各種住血吸虫（適応外）	1回20 mg/kg 肝吸虫・肺吸虫：1日2回，2日間 横川吸虫：1日1～2回，1日 住血吸虫：1日2回，2日間 裂頭条虫・無鉤条虫：10 mg/kg1回投与，2時間後にクエン酸マグネシウム投与	1日2回投与の場合，昼食後および夕食後に服用。投与間隔は4時間以上
	アルベンダゾール（エスカゾール）	包虫 幼虫移行, 有鉤嚢虫, 回虫, 鉤虫, 鞭虫（適応外）	1日600 mg，1日3回28日間連続投与し，14日間休薬 幼虫移行：1日10～15 mg/kg，1日2～3回，4週間 有鉤嚢虫：1日15 mg/kg（最大800 mg），1日2回，8～30日間 回虫，鉤虫：400 mg 1回投与 鞭虫：1日1回400 mgを3日間	食事とともに服用

線虫類：ぎょう虫，糞線虫，旋毛虫，アニサキス類，顎口虫，回虫，鉤虫，鞭虫，バンクロフト糸状虫，住血線虫，イヌ回虫，イヌ糸状虫，オンコセルカ，フィリピン毛頭虫

吸虫類：住血吸虫，肝蛭，棘口吸虫，肝吸虫，横川吸虫，ウェステルマン肺吸虫，宮崎肺吸虫，ヒロクチ肺吸虫

条虫類：日本海裂頭条虫，有鉤・無鉤条虫，エキノコックス（包虫），有鉤嚢虫，マンソン孤虫，クジラ複殖門条虫，瓜実条虫

（熱帯病治療薬研究班：「寄生虫症薬物治療の手引き2020 改訂第10.2版」を参考に作成）

■寄生虫の分類

人につく寄生虫は原虫と蠕虫（ぜんちゅう）の2つに分類される。

原虫は1つの細胞（単細胞）からできていて，非常に小さく顕微鏡でないと見ることができない。

蠕虫は多くの細胞（多細胞）からできていて，人の眼で見ることができる。

62　抗ウイルス薬　①抗インフルエンザウイルス薬

■ 対象薬剤

オセルタミビルリン酸塩（**タミフル**），ザナミビル水和物（**リレンザ**），ラニナミビルオクタン酸エステル水和物（**イナビル**），バロキサビル マルボキシル（**ゾフルーザ**），アマンタジン塩酸塩（**シンメトレル**）
＊シンメトレルはNo.10 パーキンソン病薬（p.155）参照

■ 指導のポイント

	患者向け	薬剤師向け
薬効	・この薬はA型，B型インフルエンザウイルスが増えるのを抑え，インフルエンザの症状（発熱，頭痛，筋肉痛，咽頭痛等）を改善したり予防したりする薬です（タミフル，リレンザ，イナビル，ゾフルーザ）	ノイラミニダーゼ阻害作用（タミフル，リレンザ，イナビル） キャップ依存性エンドヌクレアーゼ阻害作用（ゾフルーザ）
	・この薬はA型インフルエンザウイルスが増えるのを抑え，インフルエンザの症状（発熱，頭痛，筋肉痛，咽頭痛等）を改善したり予防したりする薬です（シンメトレル）	M2蛋白阻害作用（抗A型）
	☆この薬は手足のふるえ，筋肉のこわばりや動作が遅くなったり，姿勢のバランスがとれなくなるのを改善する薬です（シンメトレル）（参）No.10 抗パーキンソン病薬	ドパミン放出促進作用
	☆この薬は脳の働きを活発にし，脳梗塞後に低下した意欲や自発性を改善する薬です（シンメトレル）（参）No.26 脳循環・代謝改善薬，抗認知症薬	脳神経伝達改善作用
詳しい薬効	・この薬はA型，B型のインフルエンザウイルスの増殖に関与している酵素（ノイラミニダーゼ）の働きを阻害して，新しく形成されたウイルスの感染細胞からの遊離を阻害することによりインフルエンザウイルスが増えるのを抑え，インフルエンザの症状（発熱，頭痛，筋肉痛，咽頭痛等）を改善したり予防したりする薬です（タミフル） ・この薬はウイルスの増殖部位である気道に散布し，A型，B型のインフルエンザウイルスの増殖に関与している酵素（ノイラミニダーゼ）の働きを阻害して，新しく形成されたウイルスの感染細胞からの遊離を阻害することによりインフルエンザウイルスが増えるのを抑え，インフルエンザの症状（発熱，頭痛，筋肉痛，咽頭痛等）を改善したり予防したりする吸入薬です（リレンザ，イナビル） ・この薬はインフルエンザウイルス特有の酵素（キャップ依存性エンドヌクレアーゼ）の活性を選択的に阻害し，ウイルスのmRNAの合成を阻止し，インフルエンザウイルスが増えるのを抑え，インフルエンザの症状（発熱，頭痛，筋肉痛，咽頭痛等）を改善したり予防したりする薬です（ゾフルーザ）	

警告	使用の必要性を慎重に検討。インフルエンザウイルス感染症の予防の基本はワクチンによる予防であり，予防使用はワクチンによる予防に置き換わるものではない
禁忌	本剤過敏症既往

■ 主な副作用と対策，フィジカルアセスメントのチェックポイント

主な副作用	患者に確認すべき症状	対策とPAのチェックポイント
消化器	食欲不振，吐き気，嘔吐，下痢	食直後または食物と一緒に服用する PA 腸音（↑：下痢）
精神神経系	頭痛，めまい	減量もしくは休薬
過敏症	発疹，かゆい，赤くなる	中止 PA No.59 抗結核薬 p.878 参照
感覚器（リレンザ）	嗅覚障害，声がれ	中止

■ 重大な副作用と妊婦・授乳婦への危険度

薬剤名	重大な副作用	妊婦[授乳婦]
タミフル	ショック，アナフィラキシー，肺炎，劇症肝炎，肝機能障害，黄疸，皮膚粘膜眼症候群，中毒性表皮壊死融解症，急性腎障害，白血球・血小板減少，精神・神経症状，異常行動，出血性大腸炎，虚血性大腸炎	B1 [✕◯]
リレンザ	ショック，アナフィラキシー，気管支れん縮，呼吸困難，皮膚粘膜眼症候群，中毒性表皮壊死融解症，多形紅斑，異常行動	B1 [✕◯]
イナビル	ショック，アナフィラキシー，気管支れん縮，呼吸困難，異常行動，皮膚粘膜眼症候群，中毒性表皮壊死融解症，多形紅斑	[✕◯]
ゾフルーザ	ショック，アナフィラキシー，異常行動，虚血性大腸炎，出血	−

■ その他の指導ポイント

	患者向け	薬剤師向け
使用上の注意	・〔タミフル，リレンザ，イナビル吸入粉末，ゾフルーザ：予防に使用する場合〕この薬を使用していても，インフルエンザ感染症を完全に予防できるわけではないので，マスクの着用やうがい，手洗い等の通常の予防対策をしてください ・小児・未成年者では，服用（吸入）後少なくとも2日間は患者が一人にならないよう配慮してください	インフルエンザウイルス感染症患者に接触後（タミフル，イナビル，ゾフルーザ：2日以内，リレンザ：1.5日以内）に投与を開始し，予防効果は服用している期間のみ持続する（イナビルは服用開始から10日以降の予防効果は確認されていない） 因果関係は不明であるものの，服用（吸入）後に異常行動による転落などの事故に至った例が報告されているため。また薬の服用（吸入）の有無にかかわらずインフルエンザ脳症においても異常行動による転落などの事故に至った例が報告されているので注意を要する

使用上の注意	・インフルエンザ症状発現後，可能な限り速やかに（タミフルは2日以内に）服用（吸入）を開始してください	症状発現から48時間を経過後に投与した患者における有効性を裏付けるデータが得られていないため
	・〔タミフル，リレンザ〕早く熱が下がっても自分の判断で中止せずに指示どおり服用（吸入）してください	服用（吸入）を早く中止すると，インフルエンザウイルスが再び増殖し始める可能性があるため。また，熱が下がった後もしばらくはインフルエンザウイルスの放出は続いているため，周囲への感染を防ぐ意味でも服用（吸入）期間を守らせる
	・〔リレンザ〕慢性呼吸器疾患の治療に用いる吸入薬（短時間作用発現型気管支拡張薬等）を併用する場合はこの薬を吸入する前に使用してください	本剤投与後に気管支れん縮が起こる可能性があるため
	・〔リレンザ，イナビル吸入粉末〕乳製品に対して過敏な反応を経験したことがある方は必ずご相談ください	夾雑物として乳蛋白を含む乳糖水和物を使用。アナフィラキシーの報告あり
	・〔リレンザ〕専用吸入器(ディスクヘラー)を用いて口腔内への吸入投与にのみ使用してください	デモンストレーションも含めて吸入方法を指導すること
	・〔イナビル吸入粉末〕口腔内への吸入投与にのみ使用してください	〃
	・〔リレンザ，イナビル吸入粉末〕吸入はくつろいだ姿勢（座った状態など）で行ってください	失神やショック症状が現れたとの報告があるため
	・〔リレンザ〕ブリスターは吸入直前に穴をあけてください	吸湿性が高いため
	・〔イナビル吸入粉末〕吸入の直前にアルミ包装を開封してください	防湿のため
服用を忘れたとき	〔タミフル，リレンザ〕思い出したときすぐに服用（吸入）する。ただし次の服用時間が近いときは忘れた分は服用（吸入）しない（2回分を一度に服用（吸入）しないこと）	

その他備考

抗インフルエンザウイルス薬の特徴

一般名 商品名	オセルタミビル タミフル	ザナミビル リレンザ	ラニナミビル イナビル	バロキサビル ゾフルーザ	アマンタジン シンメトレル
剤形	カプセル，DS	吸入	吸入粉末	錠	錠，細粒
作用機序	ノイラミニダーゼ阻害			キャップ依存性エンドヌクレアーゼ阻害	M2蛋白阻害
有効ウイルス型	A型およびB型				A型
特徴，注意点	吸入の困難な患者に使用できる	専用の吸入器を用いて吸入するので，小児に対しては適切に吸入投与できると判断された場合にのみ投与。慢性閉塞性肺疾患や喘息患者に使用する場合，気道を刺激する可能性がある	1回で治療が完結するので医療機関で服用することにより確実なコンプライアンスが得られる。吸入可能な患者に使用する（小児も含む）。慢性閉塞性肺疾患や喘息患者に使用する場合，気道を刺激する可能性がある	1回で治療が完結するので医療機関で服用することにより確実なコンプライアンスが得られる	耐性が発生しやすい。小児に対する用法・用量は確立していない

62 抗ウイルス薬　②その他

■ 対象薬剤

（A）抗ヘルペスウイルス：アシクロビル（ゾビラックス），バラシクロビル塩酸塩（バルトレックス），ファムシクロビル（ファムビル），アメナメビル（アメナリーフ）
（B）抗サイトメガロウイルス：バルガンシクロビル塩酸塩（バリキサ）
（C）抗新型コロナウイルス（SARS-CoV-2）：モルヌピラビル（ラゲブリオ）

■ 指導のポイント

	患者向け	薬剤師向け
薬効	・この薬はウイルスが増えるのを抑え，症状（唇や性器や神経にそってできる水ぶくれ，ピリピリする痛み等）を改善したり予防（ゾビラックス，バルトレックス）したりする薬です（ゾビラックス，バル	ウイルスDNA複製阻害作用

薬効	・トレックス，ファムビル）	
	・この薬はウイルスが増えるのを抑え，症状（神経にそってできる水ぶくれ，ピリピリする痛み等）を改善する薬です（アメナリーフ）	→ ウイルス DNA 複製阻害作用
	・この薬はウイルスが増えるのを抑え，水痘（水ぼうそう）を治療する薬です（ゾビラックス顆粒，バルトレックス）	→ 〃
	・この薬はサイトメガロウイルスが増えるのを抑え，免疫力が低下しやすい状態で起こる感染症状の改善や発症を抑える薬です（バリキサ）	→ 〃
	・この薬はウイルスが増えるのを抑え，新型コロナウイルス感染の軽症〜中等症患者を治療する薬です（ラゲブリオ）	→ RNA ポリメラーゼ阻害作用
詳しい薬効	・この薬は単純ヘルペスウイルス，水痘・帯状疱疹ウイルスの DNA の複製を阻害して，ウイルスが増えるのを抑え，唇や性器等にできる水ぶくれ（単純疱疹）（ゾビラックス，バルトレックス，ファムビル）や痛みを伴い神経にそって帯状にできる水ぶくれ（帯状疱疹）を改善したり性器ヘルペスの再発抑制（ゾビラックス：体重 40 kg 以上の小児のみ，バルトレックス）や造血幹細胞移植における単純疱疹発症を予防（ゾビラックス，バルトレックス）したりする薬です（A）	
	・この薬は水痘・帯状疱疹ウイルスの DNA の複製を阻害して，ウイルスが増えるのを抑え，発疹，水疱，発熱，倦怠感，瘙痒感等の水痘の症状を改善する薬です（ゾビラックス顆粒・シロップ・DS，バルトレックス）	
	・この薬はサイトメガロウイルス（CMV）の DNA の複製を阻害して，ウイルスが増えるのを抑え，エイズ，臓器移植，悪性腫瘍により免疫力が低下しやすい状態で起こる感染の症状（発熱，白血球・血小板減少，肝炎，関節炎，大腸炎，網膜炎，間質性肺炎等）を改善したり，臓器移植時の CMV 感染症の発症を抑えたりする薬です（バリキサ）	
	・この薬はプロドラッグで，体内で活性型に代謝され，新型コロナウイルス（SARS-CoV-2）の複製に必要な酵素「RNA ポリメラーゼ」の働きを阻害することで，ウイルスが増えるのを抑え，重症化リスクのある 18 歳以上の新型コロナウイルス感染の軽症〜中等症患者を治療する薬です（ラゲブリオ）	

	患者向け	薬剤師向け
警告	〔バリキサ〕この薬を飲んでから顔色が悪い，疲れやすい，めまい，息切れ，発熱などの症状があれば，必ずご相談ください	重篤な白血球減少，好中球減少，貧血，血小板減少，汎血球減少，再生不良性貧血および骨髄抑制が発現するので，患者の状態を十分観察し慎重投与
	検 〔バリキサ〕この薬の服用中は頻回に血液検査を受けてください	骨髄抑制が現れるので，頻回に血液学的検査を行う
	〔バリキサ〕妊娠の可能性のある方は服用中，男性は服用中および服用後 90 日間は避妊してください	動物実験にて精子形成機能障害，妊孕性低下，催奇形性，遺伝毒性，発がん性が報告されているため，患者に説明し慎重に投与

No.62 抗ウイルス薬

禁忌・併用禁忌	
禁忌	・本剤過敏症既往 ・〔ゾビラックス〕バラシクロビル過敏症既往 ・〔バルトレックス〕アシクロビル過敏症既往 ・〔バリキサ〕好中球数 500/mm³ 未満・血小板数 25,000/mm³ 未満等，著しい骨髄抑制，バルガンシクロビル・ガンシクロビルと化学構造類似化合物過敏症既往 ・〔バリキサ，ラゲブリオ〕妊婦
併用禁忌	〔アメナリーフ〕⇔リファンピシンにて両薬剤の効果が減弱

■ 主な副作用と対策，フィジカルアセスメントのチェックポイント

主な副作用	患者に確認すべき症状	対策と PA のチェックポイント
消化器	吐き気，嘔吐，腹痛，下痢	減量もしくは休薬 PA 腸音（↑：下痢）
精神神経系	頭痛，めまい，眠気，不眠，意識の混乱，考えがまとまらない，実際にはないものが見えたり聞こえたりするように感じる	減量もしくは休薬
過敏症	発疹，かゆみ	中止 PA No.59 抗結核薬 p.878 参照

■ 重大な副作用と妊婦・授乳婦への危険度

薬剤名	重大な副作用	妊婦[授乳婦]
ゾビラックス，バルトレックス	アナフィラキシーショック，アナフィラキシー，汎血球減少，無顆粒球症，血小板減少，播種性血管内凝固症候群（DIC），血小板減少性紫斑病，急性腎障害，尿細管間質性腎炎，精神神経症状，皮膚粘膜眼症候群，中毒性表皮壊死融解症，呼吸抑制，無呼吸，間質性肺炎，肝炎，肝機能障害，黄疸，急性膵炎	B3 [⊗◎]
ファムビル	精神神経症状，多形紅斑，皮膚粘膜眼症候群，中毒性表皮壊死融解症，急性腎障害，横紋筋融解症，ショック，アナフィラキシー，汎血球減少，無顆粒球症，血小板減少，血小板減少性紫斑病，呼吸抑制，無呼吸，間質性肺炎，肝炎，肝機能障害，黄疸，急性膵炎	[⊗○]
アメナリーフ	多形紅斑	－
バリキサ	白血球減少，骨髄抑制，汎血球減少，再生不良性貧血，好中球減少，貧血，血小板減少，血小板減少に伴う重篤な出血，腎不全，膵炎，深在性血栓性静脈炎，けいれん，精神病性障害，幻覚，錯乱，激越，昏睡，敗血症等の骨髄障害および免疫系障害に関連する感染症	禁忌/D [⊗×]
ラゲブリオ	－	禁忌

■ その他の指導ポイント

	患者向け	薬剤師向け
使用上の注意	【1日5回の服用方法の指導について】 〔ゾビラックス〕朝食後，昼食後，おやつの時間（午後4時頃），夕食後，就寝前の5回に分けて服用してください 【1日4回の服用方法の指導について：小児】 〔ゾビラックス・顆粒〕朝食後，昼食後，おやつの時間（午後4時頃），夕食後の4回に分けて服用してください	
	・この薬の服用中は，車の運転等，危険を伴う機械の操作は行わないでください →	・〔ゾビラックス，バルトレックス，ファムビル〕意識障害等が現れることがあるため ・〔バリキサ〕けいれん，鎮静，めまい，運動失調，錯乱が報告されているため
	・〔ゾビラックス，バルトレックス，ファムビル〕皮疹出現後早期に服用を開始してください →	発病初期に近いほど効果が期待できるため。原則として帯状疱疹：皮疹出現後5日以内，水痘：皮疹出現後（ゾビラックス顆粒：3日以内，バルトレックス：2日以内）に投与を開始すること
	・〔バルトレックス，ファムビル〕この薬はつぶさずに服用してください →	主薬の苦みを防ぐためのコーティングを施しているため
	・〔ゾビラックス，バルトレックス〕この薬の服用中は普段より多めに水分をとってください。ただし，水分制限を指導されている方はご相談ください →	アシクロビルによる腎障害を防ぐために尿量を多くするため
	・〔バルトレックス顆粒〕便の中に白い粒が出てくることがありますが，心配いりません →	添加物の一部が溶けずに出てくるため
	・〔バリキサ，アメナリーフ〕この薬は食後に服用してください →	食後投与の場合，空腹時投与と比較してガンシクロビルの AUC_{0-24h} が約30％，$Cmax$ が約14％上昇，空腹時投与の場合，食後投与と比較してアメナメビルの AUC が約0.52倍，$Cmax$ が約0.64倍に減少
	・〔バリキサ〕この薬は錠剤を割ったり，粉砕しないでください。やむを得ず割ったり粉砕した場合は，皮膚や粘膜に直接触れないでください。もし触れた場合は石けんと水で十分洗い，眼に入った場合も水で洗ってください →	催奇形性および発がん性のおそれがあるため
	・〔ラゲブリオ〕18歳以上の患者で感染症の症状が発現したら速やかに服用を開始してください →	18歳未満を対象とした臨床試験は実施していない。また臨床試験で症状発現から6日以降に投与した患者の有効性を裏付けるデータは得られていないため
	・〔ラゲブリオ〕症状が良くなった場合で	

使用上の注意	も5日間飲み切ってください ・〔バリキサ，ラゲブリオ〕妊娠中または妊娠の可能性のある方は必ずご相談ください ・〔ラゲブリオ〕妊娠する可能性のある女性は，この薬を服用中および服用終了後4日間は適切な避妊を行ってください 食〔アメナリーフ〕この薬の服用中にグレープフルーツジュースは飲まないでください 食〔アメナリーフ〕この薬の服用中にセイヨウオトギリソウ（セント・ジョーンズ・ワート）を含む食品はとらないでください	以下の理由のため投与禁忌 ・〔バリキサ〕活性代謝物（ガンシクロビル）の動物実験にて妊孕性低下，催奇形性が報告 ・〔ラゲブリオ〕動物実験で胎児毒性が報告 CYP3A4阻害作用により本剤の血中濃度上昇のおそれのため併用注意 CYP3A4誘導作用により本剤の血中濃度低下，作用減弱のため併用注意
服用を忘れたとき	・〔ラゲブリオ以外〕思い出したときすぐに服用する。ただし次の服用時間が近いときは忘れた分は服用しない（2回分を一度に服用しないこと） ・〔ラゲブリオ〕思い出したときすぐに服用する。ただし次の服用時間が近いときは，1回とばして次の時間に1回分を服用する（2回分を一度に服用しないこと）	

63 抗HIV薬

■ 抗HIV薬―薬物治療の確認と指導のポイント

項目	確認のポイント
HIV感染症の病期の確認	ヒト免疫不全ウイルス（HIV[*1]）による感染症で主に免疫系の指令・調整を行うCD4陽性T細胞（ヘルパーT細胞）に感染することで，CD4陽性T細胞が減少し免疫不全になり進行すると後天性免疫不全症候群（AIDS[*2]）を発症する **病期**・急性感染初期（2～6週）：発熱などのインフルエンザ様症状を呈する ・無症候期（数年～十数年）：ほとんど無症状だがHIVの増殖が続く ・AIDS発症期：免疫不全により各種日和見感染による症状を呈する **検査**・スクリーニング検査：抗HIV抗体 ・免疫状態：CD4陽性T細胞数（200/μL未満は免疫不全状態） ・薬の治療効果判定：HIV-RNA量
薬物治療の効果確認	**治療目標**・ウイルスの増殖を抑制しHIV-RNA量を長期に検出限界以下に抑える ・CD4陽性T細胞数を一定レベルに保ち免疫能を回復・維持する **薬物治療の原則** ・抗レトロウイルス療法（ART[*3]）が中心で3剤以上の多剤併用療法で早期開始が原則 ・ウイルス増殖抑制効果が強力なキードラッグ（NNRTI, INSTI, PI）を1剤（薬剤によってはリトナビルもしくはコビシスタット併用）と，キードラッグの効果を高めるバックボーン（NRTI）の2剤併用が標準治療 **抗HIV治療ガイドライン2021.3での初期投与の推奨併用療法** ①INSTI　1剤＋NRTI　2剤 ②INSTI　1剤＋NRTI　1剤の2剤療法 ③NNRTI　1剤＋NRTI　2剤 ④PI（リトナビルもしくはコビシスタット併用）　1剤＋NRTI　2剤 定期的に検査を実施して薬剤の効果等を確認
服薬アドヒアランス維持のための指導	「治療を始める」といった患者本人の能動的意思が重要である。治療の意義や目標を説明して中断しないように定期的に確認する。HIVを体内から完全に排除できないので薬で増殖を抑制しHIVの数を極力減らし免疫能を回復・維持する。そのためには100％近い服薬が成立しないと治療の成功は望めず，一度失敗すると薬剤の選択肢が狭くなるばかりか薬剤耐性の問題ともなるため治療が困難になる。また生涯治療を継続する必要がある旨を説明する。医師へ可能な限り服薬回数や錠剤の少ない処方（配合剤）への提案をする
日常生活の指導	体調の変化に注意，口腔ケア，他人への感染予防対策，定期的受診の実施等（HIV感染症の日常生活のポイント参照）
副作用と相互作用の確認と対処法への説明（主な副作用と対策参照）	**主な副作用**・NRTI：乳酸アシドーシス，胃腸障害 ・NNRTI：精神神経症状，皮膚障害，肝障害 ・PI：胃腸障害，脂質異常，肝障害 ・INSTI：胃腸症状，頭痛 ・CCR5：疲労，めまい，不眠 **相互作用**・併用禁忌が多数あるため，併用禁忌（p.929）参照

[*1] HIV：Human Immunodeficiency Virus
[*2] AIDS：Acquired Immunodeficiency Syndrome
[*3] ART：Anti Retroviral Therapy

63 抗HIV薬　①核酸系逆転写酵素阻害薬（NRTI）・配合剤

■ 対象薬剤

ジドブジン（別名：アジドチミジン）；ZDV（AZT）（レトロビル），ラミブジン；3TC（エピビル），アバカビル硫酸塩；ABC（ザイアジェン），テノホビル ジソプロキシルフマル酸塩；TDF（ビリアード），エムトリシタビン；FTC（エムトリバ）
配合剤（AZT・3TC：コンビビル配合，ABC・3TC：エプジコム配合，TDF・FTC：ツルバダ配合，FTC・TAF：デシコビ配合）

■ 指導のポイント

	患者向け	薬剤師向け
薬効	この薬はエイズウイルス（HIV）が増殖するのを抑えて，免疫機能を改善してエイズの発症や進行を遅らせる薬です ◆この薬はB型肝炎ウイルスの増殖を抑えることで，ウイルス量を減らし，肝機能を改善する薬です（適応外）（エピビル（同一成分：ゼフィックス＝B型肝炎治療薬），ビリアード（同一成分：テノゼット＝B型肝炎治療薬））	逆転写酵素阻害作用 抗B型肝炎ウイルス作用
詳しい薬効	この薬はエイズウイルス（HIV：Human Immunodeficiency Virus）が増殖するのに必要な自らを複製する際に働く酵素（逆転写酵素）を阻害することで，ウイルスの増殖を抑え，免疫を受け持つリンパ球（CD4陽性リンパ球）の数が減って免疫が低下するのを抑えて，免疫機能を改善することで，エイズの発症や進行を遅らせる薬です	

	患者向け	薬剤師向け
警告	〔ザイアジェン，エプジコム〕この薬を服用中，皮疹，発熱，嘔気，嘔吐，下痢，腹痛，疲労感，呼吸困難，咽頭痛，咳などの症状が現れた場合は中止し，直ちにご相談ください	治療開始6週間以内に過敏症発現（約5％）。過敏症発現後は，アバカビル製剤再投与不可。呼吸器疾患，インフルエンザ様症候群，胃腸炎，併用薬の副作用発現時，胸部X線像異常発現時過敏症と考えられる症状が否定できない場合，投与中止し再投与不可。過敏症に注意するカードを携帯するように指示
	〔レトロビル，コンビビル〕骨髄抑制が現れるので頻回に血液検査を実施 〔エピビル，ビリアード，エムトリバ，コンビビル，エプジコム，ツルバダ，デシコビ〕B型慢性肝炎患者では本剤投与中止によりB型慢性肝炎が再燃のおそれ，特に非代償性の場合重症化するおそれ 〔エピビル〕膵炎発症の可能性のある小児は，他の治療法がない場合にのみ投与。膵炎を疑う重度の腹痛，悪心・嘔吐，血清アミラーゼ，血清リパーゼ，トリグリセライドなどの上昇時投与中止	

禁忌	・本剤過敏症既往 ・〔レトロビル，コンビビル〕好中球数 750 mm³ 未満またはヘモグロビン値が 7.5 g/dL 未満に減少（ただし原疾患である HIV 感染症に起因し，本剤または他の HIV 治療薬による治療経験がないものを除く） ・〔ザイアジェン，エプジコム〕重度の肝障害
併用禁忌	〔レトロビル，コンビビル〕⇔イブプロフェンで血友病患者にて出血傾向増強

■ 主な副作用と対策，フィジカルアセスメントのチェックポイント

主な副作用	患者に確認すべき症状	対策と PA のチェックポイント
乳酸アシドーシス	意識の低下，羽ばたくような手のふるえ，考えがまとまらない，判断力の低下，深く大きい呼吸，全身のだるさ，吐き気，嘔吐，息苦しさ	慢性代償性高乳酸血症が多く，肝腫脹や脂肪肝を伴う重度の非代償性乳酸アシドーシスを起こすことはまれであるが，症状や検査値異常（高乳酸血症，アニオンギャップ＞16など）があれば急激に病態が進行することがあるので，抗HIV薬中止のタイミングを要観察。血清乳酸値＝2～5 mmol/L（18～45 mg/dL）なら慎重に観察可，＞5 mmol/L（45 mg/dL）ならすべての抗HIV薬中止 PA 呼吸（過呼吸），消化器（下痢，嘔吐）
胃腸障害	吐き気，嘔吐，下痢，腹痛	減量もしくは休薬 PA No.59 抗結核薬 p.878 参照
膵炎	上腹部～背中の強い痛み，吐き気，嘔吐，発熱	血清アミラーゼ等の生化学的検査を定期的に実施し検査値の上昇がみられた場合は直ちに投与中止 PA 上腹部から背部（激痛：背臥位で増強し，前屈位で軽減），腸音（↓），体温（↑），眼球（黄色），尿（褐色）
骨髄抑制による血液障害（レトロビル）	鼻血，発熱，のどの痛み，だるい，血豆・青あざや歯ぐきからの出血，息切れ，めまい，顔色が悪い	投与開始後3カ月間は少なくとも2週間ごとに，その後最低1カ月ごと血液検査を実施。軽度減少（ヘモグロビン値7.5～9.5 g/dL，好中球 750～1,000/mm³）の場合は減量。著しい減少（好中球 750/mm³ 未満・投与前の50％以上，ヘモグロビン値 7.5 g/dL 未満・投与前値の25％以上）がみられた場合は休薬。場合によっては輸血。休薬または減量後，骨髄機能回復の場合，徐々に投与量を増量 PA 体温（↑），顔色（蒼白），眼瞼結膜（白色），体幹・四肢・歯肉（出血斑）
頭痛，めまい（レトロビル，ビリアード，エムトリバ）	頭痛，めまい	減量もしくは休薬

主な副作用	患者に確認すべき症状	対策とPAのチェックポイント
特異な過敏症（ザイアジェン）	発疹、じんま疹、斑状の発赤、発熱、咳、息苦しい、のどの痛み、胃腸症状（吐き気、吐く、下痢、腹痛）、筋肉痛、疲労感	通常服用開始6週間以内に発現。過敏症が疑われた場合は直ちに中止し再投与しない。過敏症の主な症状（皮疹、発熱、胃腸症状等）の1つのみが発現した場合、本剤の有益性が危険性を上回ると判断された場合のみ、必要に応じて入院のもとで投与 PA 皮膚（かゆみ、発赤、発疹）、呼吸（喘鳴）、体温（↑）、眼（視覚異常）、消化器（胃痛・吐き気）
腎機能障害（ビリアード）	尿が少ない・出ない、尿の濁り・泡立ち、血尿、むくみ、だるい、吐き気	臨床検査等を実施し異常がみられた場合投与中止 PA 体重（↑）、尿量（↓）、浮腫（上眼瞼、下腿脛骨）

（配合剤の主な副作用と対策は上記の各成分参照）

■ 重大な副作用と妊婦・授乳婦への危険度

薬剤名	重大な副作用	妊婦[授乳婦]
レトロビル	重篤な血液障害（再生不良性貧血、赤芽球癆、汎血球減少、貧血、白血球減少、好中球減少、血小板減少）、うっ血性心不全、乳酸アシドーシスおよび脂肪沈着による重度の肝腫大（脂肪肝）、てんかん様発作、膵炎	B3 [🚫○]
エピビル	重篤な血液障害（赤芽球癆、汎血球減少、貧血、白血球減少、好中球減少、血小板減少）、膵炎、乳酸アシドーシスおよび脂肪沈着による重度の肝腫大（脂肪肝）、横紋筋融解症、精神神経系（ニューロパシー、錯乱、けいれん）、心不全	B3 [🚫○]
ザイアジェン	過敏症（多臓器および全身に症状を認める）、膵炎、皮膚粘膜眼症候群、中毒性表皮壊死融解症、乳酸アシドーシスおよび脂肪沈着による重度の肝腫大（脂肪肝）	B3
ビリアード	腎不全または重度の腎機能障害（腎機能不全、腎不全、急性腎障害、近位腎尿細管機能障害、ファンコニー症候群、急性腎尿細管壊死、腎性尿崩症または腎炎等の重度の腎機能障害）、膵炎、乳酸アシドーシスおよび脂肪沈着による重度の肝腫大（脂肪肝）	B3 [🚫△]
エムトリバ	乳酸アシドーシスおよび脂肪沈着による重度の肝腫大（脂肪肝）	B1 [🚫△]
コンビビル	重篤な血液障害（再生不良性貧血、赤芽球癆、汎血球減少、貧血、白血球減少、好中球減少、血小板減少）、乳酸アシドーシスおよび脂肪沈着による重度の肝腫大（脂肪肝）、膵炎、横紋筋融解症、精神神経系（ニューロパシー、錯乱、けいれん、てんかん様発作）、心不全	B3
エプジコム	過敏症（多臓器および全身に症状を認める）、重篤な血液障害（赤芽球癆、汎血球減少、貧血、白血球減少、好中球減少、血小板減少）、膵炎、乳酸アシドーシスおよび脂肪沈着による重度の肝腫大（脂肪肝）、横紋筋融解症、精神神経系（ニューロパシー、錯乱、けいれん）、心不全、皮膚粘膜眼症候群、中毒性表皮壊死融解症	B3

薬剤名	重大な副作用	妊婦[授乳婦]
ツルバダ	腎不全または重度の腎機能障害（腎機能不全，腎不全，急性腎障害，近位腎尿細管機能障害，ファンコニー症候群，急性腎尿細管壊死，腎性尿崩症または腎炎等の重度の腎機能障害），膵炎，乳酸アシドーシスおよび脂肪沈着による重度の肝腫大（脂肪肝）	B3
デシコビ	腎不全または重度の腎機能障害（腎機能不全，腎不全，急性腎障害，近位腎尿細管機能障害，ファンコニー症候群，急性腎尿細管壊死，腎性尿崩症または腎炎等の重度の腎機能障害），乳酸アシドーシスおよび脂肪沈着による重度の肝腫大（脂肪肝）	B3

■ 妊婦に対する抗HIV薬の推奨度

推奨度	INSTI	PI	NNRTI	NRTI	その他
第一選択	DTG RAL	ATV + RTV DRV + RTV		ABC/3TC TDF/FTC TDF/3TC	
第二選択			EFV RPV	AZT/3TC TAF/FTC	
データ不十分	BIC/TAF/FTC DTG/3TC EVG/COBI/TAF/FTC EVG/COBI/TDF/FTC	FPV	DOR		MVC

(日本エイズ学会 HIV 感染症治療委員会：HIV 感染症「治療の手引き」
第25版，p.33，2021（http://www.hivjp.org/より入手可能））

■ その他の指導ポイント

	患者向け	薬剤師向け
使用上の注意	・この薬の服用開始後の身体状況の変化は，すべて申し出てください ・この薬は病気を治すのではなく，症状の悪化・進行を抑え，健康に近い状態に保つ薬であり，きちんとした服用が大切になるので，医師との相談なしに，勝手に服用を変更したり，中止しないでください ・抗エイズ薬の多剤併用療法を行った方は，必ずご相談ください ・〔エムトリバ，ビリアード，ツルバダ〕かまずに服用してください	日和見感染を含む HIV 感染症の進展に伴う疾病を発症し続ける可能性があるため本剤の使用に関しては，患者またはそれに代わる適切な者によく説明し，同意を得た後で使用する。服用中止・変更等により副作用の発現や耐性化を促進させるおそれがあるため服用方法をきちんと守らせるように指導する必要がある 免疫再構築症候群が報告されている。投与開始後，免疫機能が回復し，症候性のみならず無症候性日和見感染等に対する炎症反応の発現に注意する。または免疫機能の回復に伴い自己免疫疾患が発現するとの報告がある しびれるような強い苦味を有するため。粉砕調剤により投与する場合，オブラートに包むなどの工夫が必要

使用上の注意	食〔ザイアジェン，エプジコム〕この薬の服用中にアルコールを飲むと作用が強く出るので控えてください →	エタノールによりアバカビルの AUC が 41% 増加の報告
	食〔デシコビ〕この薬の服用中にセイヨウオトギリソウ（セント・ジョーンズ・ワート）を含む食品はとらないでください →	本剤の血中濃度低下にて効果減弱のおそれのため併用注意
	・〔レトロビル〕光を避けて保存してください →	光によって分解する
服用を忘れたとき	思い出したときすぐに服用する。ただし次の服用時間が近いときは忘れた分は服用しない（2回分を一度に服用しないこと） 注意 原則的に飲み忘れはあってはならない薬剤であり，服用し忘れにより治療効果があがらないことがある。抗エイズ薬の服薬率が 95% 以下になると，薬の効きにくい耐性ウイルスの出現が多くなるという報告がある	

■ その他備考

- 配合剤成分：コンビビル（ジドブジン，ラミブジン）
  エプジコム（ラミブジン，アバカビル硫酸塩）
  ツルバダ（エムトリシタビン，テノホビル ジソプロキシルフマル酸塩）
  デシコビ（エムトリシタビン，テノホビル アラフェナミドフマル酸塩）
- 逆転写酵素阻害薬には，核酸系と非核酸系があり，一般的に前者は食事の影響を受けにくく，他の薬剤との相互作用が少ない。一方後者は発疹を起こしやすく，他の薬剤と相互作用を起こしやすい

63 抗HIV薬　②非核酸系逆転写酵素阻害薬（NNRTI）・配合剤

■ 対象薬剤

ネビラピン；NVP（ビラミューン），エファビレンツ；EFV（ストックリン），エトラビリン；ETR（インテレンス），リルピビリン塩酸塩；RPV（エジュラント），ドラビリン；DOR（ピフェルトロ）
配合剤（RPV・TAF・FTC：オデフシィ配合）

■ 指導のポイント

	患者向け	薬剤師向け
薬効	この薬はエイズウイルス（HIV）が増殖するのを抑えて，免疫機能を改善してエイズの発症や進行を遅らせる薬です	逆転写酵素阻害作用（酵素との直接結合による阻害作用）

詳しい薬効	この薬はエイズウイルス（HIV：Human Immunodeficiency Virus）が増殖するのに必要な自らを複製する際に働く酵素（逆転写酵素）を阻害（酵素との直接結合による阻害作用）することで，ウイルスの増殖を抑え，免疫を受け持つリンパ球（CD4陽性リンパ球）の数が減って免疫が低下するのを抑えて免疫機能を改善することで，エイズの発症や進行を遅らせます

	患者向け	薬剤師向け
警告	〔ビラミューン〕この薬を服用中，発熱，口の中がただれる，結膜炎，顔面や手足が腫れる，筋肉痛，関節痛，倦怠感を伴う発疹などの皮膚障害が現れた場合は中止し，直ちにご相談ください	中毒性表皮壊死融解症，皮膚粘膜眼症候群，過敏症症候群を含め，重篤で致死的な皮膚障害が発現することがある。投与開始概ね18週までに（重篤な発疹は6週までに）発現する場合が多いので，当該期間中は十分観察する。重篤な発疹または全身症状を伴う発疹が発現した患者には再投与しない
	〔ビラミューン〕肝不全等の重篤で致死的な肝機能障害が現れた場合は中止し再投与しないこと	
	検 服用開始時ならびに服用開始後6カ月間は少なくとも1カ月に1回，定期的かつ必要に応じて肝機能検査を行う	
禁忌・併用禁忌	禁忌 ・本剤過敏症既往 ・〔ビラミューン〕本剤投与による肝障害，重篤な発疹，全身症状を伴う発疹の発現，重篤な肝障害 併用禁忌 ・〔ビラミューン〕⇔ケトコナゾールにて本剤の血中濃度上昇，ケトコナゾール，シンフェーズの血中濃度低下 ・〔ストックリン〕⇔トリアゾラム，ミダゾラム，クリアミン配合，メチルエルゴメトリンおよびエルゴメトリンにて不整脈，持続的な鎮静，呼吸抑制，ボリコナゾールにてAUCおよびCmax増加，エルバスビル，グラゾプレビルにてこれらの薬剤の血漿中濃度が低下し効果減弱 ・〔エジュラント，オデフシィ〕⇔リファンピシン，カルバマゼピン，フェノバルビタール，フェニトイン，ホスフェニトイン，デキサメタゾン（全身投与）（単回投与を除く），セイヨウオトギリソウ含有食品，オメプラゾール，ランソプラゾール，ラベプラゾール，エソメプラゾール，ボノプラザン，アスピリン・ボノプラザンにて本剤の血中濃度が低下し効果減弱 ・〔ピフェルトロ〕⇔カルバマゼピン，フェノバルビタール，フェニトイン，ホスフェニトイン，エンザルタミド，リファンピシン，ミトタン，セイヨウオトギリソウ含有食品にて本剤の血中濃度が低下し効果減弱 ・〔オデフシィ〕⇔リファブチンにて本剤の血中濃度が低下し効果減弱	

■ 主な副作用と対策，フィジカルアセスメントのチェックポイント

主な副作用	患者に確認すべき症状	対策とPAのチェックポイント
皮膚障害	発疹・発赤，高熱，唇や口内のただれ，のどが痛い，水ぶくれ，皮がむける，強い痛み，目の充血	投与開始後2週間以内に起きる。重度の場合は直ちに投与中止。ステロイドによる予防効果は認められていない PA 体温（↑），皮膚（発赤），眼（充血），粘膜・口唇（びらん）
肝障害	だるい，食欲不振，吐き気，発熱，発疹，かゆみ，皮膚や白目が黄色くなる	基準値上限の3〜5倍以上を示すことがあるが無症候性の場合が多く，中止や変更せずに解消することが多い。ビラミューンは致死的肝壊死の報告あり PA 眼球（黄色），皮膚（皮疹，瘙痒感，黄色），尿（褐色），体温（↑），腹部（肝肥大，心窩部・右季肋部圧痛，腹水貯留等）
精神神経症状（ストックリン，エジュラント）	眠い，めまい，ふらつき，不眠，異常な夢，うつ症状，集中力低下	投与初期から50％以上の症例に症状がみられる。就寝前の空腹時投与が勧められる。多くは投与開始2〜4週間で減弱するが長期にわたる場合もある。精神疾患の既往歴や不安定な精神神経症状患者等への処方は注意が必要
胃腸障害	吐き気，嘔吐，下痢，腹痛	減量もしくは休薬 PA No.59抗結核薬（p.878）参照
頭痛，めまい（ストックリン，エジュラント，ピフェルトロ）	頭痛，めまい	減量もしくは休薬

■ 重大な副作用と妊婦・授乳婦への危険度

薬剤名	重大な副作用	妊婦[授乳婦]
ビラミューン	中毒性表皮壊死症，皮膚粘膜眼症候群，過敏症症候群，肝炎（劇症肝炎を含む），肝機能障害（AST，ALT，γ-GTP，Al-P，総ビリルビン等の上昇），黄疸，肝不全，顆粒球減少，うつ病，幻覚，錯乱，脱水症，心筋梗塞，出血性食道潰瘍，全身けいれん，髄膜炎，アナフィラキシー	B3 [授△]
ストックリン	皮膚粘膜眼症候群，多形紅斑，肝不全，QT延長	D [授△]
インテレンス	重篤な皮膚障害（中毒性表皮壊死融解症，皮膚粘膜眼症候群，多形紅斑および全身症状を伴う発疹を特徴とする過敏反応（薬剤性過敏症症候群を含む）），肝炎，腎不全，急性腎不全，横紋筋融解症	−
エジュラント	−	B1
ピフェルトロ	−	−
オデフシィ	重度の腎機能障害（急性腎障害，腎不全，腎尿細管壊死，ファンコニー症候群，近位尿細管腎症，間質性腎炎（急性を含む），腎性尿崩症等の重度の腎機能障害），乳酸アシドーシスおよび脂肪沈着による重度の肝腫大（脂肪肝）	B3

■ その他の指導ポイント

	患者向け	薬剤師向け
使用上の注意	・この薬の服用開始後の身体状況の変化は，すべて申し出てください	日和見感染を含むHIV感染症の進展に伴う疾病を発症し続ける可能性があるため
	・この薬は病気を治すのではなく，症状の悪化・進行を抑え，健康に近い状態に保つ薬であり，きちんとした服用が大切になるので，医師の相談なしに，勝手に服用を変更したり，中止しないでください	本剤の使用に関しては，患者またはそれに代わる適切な者によく説明し，同意を得た後で使用する。服用中止・変更等により副作用の発現や耐性化を促進させるおそれがあるため服用方法をきちんと守らせるように指導する必要がある
	・抗エイズ薬の多剤併用療法を行った方は，必ずご相談ください	免疫再構築症候群が報告されている。投与開始後，免疫機能が回復し，症候性のみならず無症候性日和見感染等に対する炎症反応の発現に注意する。免疫機能の回復に伴い自己免疫疾患が発現するとの報告がある
	・〔ストックリン〕発疹，およびそれに伴って発熱，水疱，口内病変，結膜炎，腫脹，筋肉痛，関節痛などの症状がある場合は，必ずご相談ください	発疹のほとんどは服用後2週間以内に発生し，1カ月以内で消失する（投与を継続しながら，対症療法で治療可能）
	・〔インテレンス〕体がだるい，ひどい口内炎，まぶたや眼の充血，陰部の痛み，関節の痛み，結膜のただれ，高熱，食欲不振，唇や口内のただれ，赤い発疹，全身の赤い斑点と破れやすい水ぶくれ（水疱）などの症状があれば，必ずご相談ください	軽度から中等度の発疹が高頻度に発現する。また中毒性表皮壊死融解症，皮膚粘膜眼症候群および多形紅斑，薬剤性過敏症症候群を含む重度の発疹が報告されており，重度の発疹が発現した場合には，直ちに投与を中止する
	・〔ストックリン〕めまい，集中力低下，眠い，眠れないなどの神経症状は服用開始1～2日後から出現し，2～4週後に消失します。治療当初の2～4週間と，めまいなどの神経症状が続く場合は就寝前に服用してください	神経系の副作用が日常の活動に影響することを避けるために，就寝前投与が推奨される
	・〔ストックリン〕この薬の服用中は，車の運転等，危険を伴う機械の操作は行わないでください	めまい，集中力障害，嗜眠状態を引き起こすことがある
	・〔ストックリン〕食事に関係なく服用できますが，食後に服用するとめまいなどの副作用が増えることがあるので，空腹時，可能な限り就寝前に服用してください	食物との併用により，本剤の曝露量を増加させ，副作用の発現頻度を増加させるおそれがある
	・〔エジュラント，オデフシィ〕この薬は食事中または食直後に服用してください	空腹時単回投与で本剤のAUCが低下するため
	食 この薬の服用中にセイヨウオトギリソウ（セント・ジョーンズ・ワート）を含む食品はとらないでください	本剤の代謝を促進させ，血中濃度低下にて効果減弱のおそれのため併用注意（エジュラント，ピフェルトロ，オデフシィは併用禁忌）

使用上の注意	食 〔ストックリン〕この薬の服用中にア→ルコールを飲むと，副作用が強く出るので控えてください	相加的に中枢神経系作用（めまい，集中力障害，嗜眠状態等）が増強されるため併用注意
服用を忘れたとき	思い出したときすぐに服用する。ただし次の服用時間が近いとき（エジュラント，オデフシィ：12時間以内，食事とともに）は忘れた分は服用しない（2回分を一度に服用しないこと） 注意 原則的に飲み忘れはあってはならない。抗HIV薬の服薬率が95％以下になると薬の効きにくい耐性ウイルスの出現が多くなるという報告がある	

■ その他備考

- 配合剤成分：オデフシィ（リルピビリン塩酸塩，テノホビル アラフェナミドフマル酸塩，エムトリシタビン）

63 抗HIV薬　③プロテアーゼ阻害薬（PI）・配合剤

■ 対象薬剤

リトナビル；RTV（ノービア），アタザナビル硫酸塩；ATV（レイアタッツ），ホスアンプレナビルカルシウム水和物；FPV（レクシヴァ），ダルナビルエタノール付加物；DRV（プリジスタ，プリジスタナイーブ）
配合剤（LPV・RTV：カレトラ配合，PCX（DRV・COBI）：プレジコビックス配合，SMT（DRV・COBI・TAF・FTC）：シムツーザ配合）

■ 指導のポイント

	患者向け	薬剤師向け
薬効	この薬はエイズウイルス（HIV）が増殖す→るのを抑えて，免疫機能を改善してエイズの発症や進行を遅らせる薬です	プロテアーゼ阻害作用
詳しい薬効	この薬はエイズウイルスが増殖する過程で働くプロテアーゼという酵素を阻害して，ウイルスの増殖を抑えることにより免疫を受け持つリンパ球（CD4陽性リンパ球）の数が減って免疫が低下するのを抑えて，免疫機能を改善してエイズの発症や進行を遅らせる薬です	
警告	〔シムツーザ〕B型慢性肝炎患者では投与中止によりB型慢性肝炎が再燃のおそれ，特に非代償性の場合重症化するおそれ	
禁忌・併用禁忌	禁忌 ・〔レクシヴァ以外〕本剤過敏症既往 ・〔レクシヴァ〕本剤・アンプレナビル過敏症既往 ・〔ノービア，プリジスタ，カレトラ，プレジコビックス，シムツーザ〕腎機能あるいは肝機能障害でコルヒチンを投与中 ・〔レイアタッツ，レクシヴァ〕重度の肝障害 ・〔プリジスタ，プレジコビックス，シムツーザ〕低出生体重児，新生児，乳児，3歳	

未満の幼児
併用禁忌 別表（p.929）参照

■ 主な副作用と対策，フィジカルアセスメントのチェックポイント

主な副作用	患者に確認すべき症状	対策とPAのチェックポイント
胃腸障害	下痢，吐き気，嘔吐，腹痛	下痢の場合はロペラミド，タンナルビン投与。減量もしくは休薬 No.59 抗結核薬 p.878 参照
脂質異常	コレステロール，トリグリセリド等の検査値異常	PA TG（↑），T-Col（↑），LDL-Col（↑）
高血糖・糖尿病	体がだるい，脱力感，水を多く飲む，尿量が増える，体重が減る，のどが渇く	糖尿病の有無にかかわらず，血糖値上昇は3〜17％報告されている。糖尿病の悪化や新規発症があっても，重篤でなければ投与継続 PA 口渇（↑），尿量（↑，夜間尿），体重（↓），皮膚・口腔粘膜（乾燥：脱水），血圧（↓），脈拍（↑）
肝障害	だるい，食欲不振，吐き気，発熱，発疹，かゆみ，皮膚や白目が黄色くなる	基準値上限の3〜5倍以上を示すことがあるが無症候性の場合が多く，中止や変更せずに解消することが多い PA No.63 抗HIV薬② p.923 参照
出血傾向	鼻血，歯ぐきの出血，青あざができる，出血が止まりにくい	血友病患者の出血傾向が亢進することがある。関節内や軟組織の出血がほとんどであるが，頭蓋内や消化管の重篤な出血の報告もみられる。血液凝固因子を投与するなど適切な処置 PA No.52 抗血栓薬① p.746 参照
皮膚症状	発疹，発熱，まぶたや目の充血，唇や口の中のただれ，むくみを伴った赤い斑点	発疹の多くは軽度から中等度で投与継続中に寛解するが重度の発疹が現れた場合は直ちに投与中止 PA 体温（↑），皮膚（発赤），眼（充血），粘膜・口唇（びらん）

（配合剤の主な副作用と対策は各成分参照）

■ 重大な副作用と妊婦・授乳婦への危険度

薬剤名	重大な副作用	妊婦[授乳婦]
ノービア	錯乱，けいれん発作，脱水（下痢等に伴う），高血糖，糖尿病，肝炎，肝不全，過敏症（アナフィラキシー，じんま疹，皮疹，気管支けいれん，血管性浮腫），中毒性表皮壊死融解症，皮膚粘膜眼症候群，出血傾向	B3
カレトラ	高血糖，糖尿病，膵炎，出血傾向，肝機能障害，肝炎，徐脈性不整脈，中毒性表皮壊死融解症，皮膚粘膜眼症候群，多形紅斑	B3
レイアタッツ	重度の肝機能障害，肝炎，糖尿病，糖尿病の悪化および高血糖，出血傾向，QT延長，心室頻拍，房室ブロック，皮膚粘膜眼症候群，多形紅斑，中毒性皮疹，尿細管間質性腎炎	B2

No.63　抗HIV薬

薬剤名	重大な副作用	妊婦[授乳婦]
レクシヴァ	皮膚粘膜眼症候群，高血糖，糖尿病，出血傾向，横紋筋融解症，筋炎，筋痛，CK上昇	B3
プリジスタ（ナイーブ），プレジコビックス	中毒性表皮壊死融解症，皮膚粘膜眼症候群，多形紅斑，急性汎発性発疹性膿疱症，肝機能障害，黄疸，急性膵炎	B2
シムツーザ	中毒性表皮壊死融解症，皮膚粘膜眼症候群，多形紅斑，急性汎発性発疹性膿疱症，肝機能障害，黄疸，急性膵炎，腎不全または重度の腎機能障害，乳酸アシドーシスおよび脂肪沈着による重度の肝腫大（脂肪肝）	B2

■ その他の指導ポイント

	患者向け	薬剤師向け
使用上の注意	・この薬の服用開始後の身体状況の変化→は，すべて申し出てください ・この薬は病気を治すのではなく，症状の悪化・進行を抑え，健康に近い状態に保つ薬であり，きちんとした服用が大切になるので，医師の相談なしに，勝手に服用を変更したり，中止しないでください ・抗エイズ薬の多剤併用療法を行った方→は，必ずご相談ください ・〔カレトラ内用液，プリジスタ，プリジス→タナイーブ，プレジコビックス，シムツーザ〕この薬の服用中は，車の運転等，危険を伴う機械の操作は行わないでください ・〔ノービア錠，カレトラ錠〕この薬はかん→だり，砕いたりせずに服用してください ・〔レイアタッツ，プリジスタ，プリジスタ→ナイーブ，プレジコビックス，シムツーザ〕この薬は食事中または食直後にお飲みください ・〔ノービア〕この薬の服用中にタバコを→吸うと薬の作用が弱くなるので喫煙は控えてください ・食 この薬の服用中にセイヨウオトギリソウ（セント・ジョーンズ・ワート）を含む食品はとらないでください	日和見感染を含むHIV感染症の進展に伴う疾病を発症し続ける可能性があるため 本剤の使用に関しては，患者またはそれに代わる適切な者によく説明し，同意を得た後で使用する。服用中止・変更等により副作用の発現や耐性化を促進させるおそれがあるため服用方法をきちんと守らせるように指導する必要がある 免疫再構築症候群が報告されている。投与開始後，免疫機能が回復し，症候性のみならず無症候性日和見感染等に対する炎症反応の発現に注意する。免疫機能の回復に伴い自己免疫疾患が発現するとの報告がある ・〔カレトラ内用液〕本剤はエタノールを含有するため相加的に中枢神経系抑制作用が増強する ・〔プリジスタ，プリジスタナイーブ，プレジコビックス，シムツーザ〕浮動性めまいが報告されているため 吸収に影響を与えるおそれがあるため 空腹時に服用すると，血中濃度が低下し抗ウイルス作用を発揮できないことがある 喫煙により本剤のAUCが減少するとの報告があるため併用注意 セイヨウオトギリソウにより誘導された肝薬物代謝酵素（チトクロームP450）が本剤の代謝を促進させ，血中濃度が低下し，抗ウイルス作用の欠如または耐性化が起こるおそれが

使用上の注意	・〔カレトラ内用液〕光・湿気・凍結を避けて，冷蔵庫内（2～8℃）で保管してください。冷蔵庫から出す場合も25℃以上にならないようにしてください ・〔カレトラ〕吸湿性があるので開栓後は湿気を避けて保存してください あるため併用注意（レイアタッツ，プレジコビックス，シムツーザは併用禁忌）
服用を忘れたとき	・〔プリジスタ，プリジスタナイーブ以外〕思い出したとき，すぐに服用（レイアタッツ，プレジコビックス：食事とともに服用）する。ただし，次の服用時間が近いとき（プレジコビックス，シムツーザ：12時間以内）は忘れた分は服用しない（2回分を一度に服用しないこと） ・〔プリジスタ，プリジスタナイーブ〕飲み忘れに気づいてもすぐに服用せず，次の食事のときに決められた用量を服用する 注意 原則的に飲み忘れはあってはならない薬剤であり，服用し忘れにより治療効果があがらないことがある。抗エイズ薬の服薬率が95%以下になると薬の効きにくい耐性ウイルスの出現が多くなるという報告がある

■ その他備考

■配合剤成分：カレトラ（ロピナビル，リトナビル）
　　　　　　プレジコビックス（ダルナビルエタノール付加物，コビシスタット）
　　　　　　シムツーザ（ダルナビルエタノール付加物，コビシスタット，エムトリシタビン，テノホビル アラフェナミドフマル酸塩）

別表：併用禁忌一覧

B剤 一般名	ノービア	レイアタッツ	レクシヴァ	プリジスタ	カレトラ	プルジコビックス	シムツーザ
キニジン	●*2-1						
ベプリジル	●*2-1	●*2	●*2				
フレカイニド	●*2-1						
プロパフェノン	●*2-1						
アミオダロン	●*2-1						
ピモジド	●*2-1						
アンピロキシカム	●*2-1						
エレトリプタン	●*2-1	●*5	●*5	●*5		●*5	●*5
エルゴタミン	●*2-1	●*5	●*5	●*5		●*5	●*5
メチルエルゴメトリン	●*2-1	●*5	●*5	●*5		●*5	●*5
バルデナフィル	●*2-1	●*1	●*1	●*1	●*1	●*1	●*1
シルデナフィル	●*2-1				●*1	●*1	●*1
タダラフィル	●*2-1	●*1			●*1	●*1	●*1
リオシグアト	●*7	●*7			●*7		
アゼルニジピン	●*2-1	●*1	●*1	●*1	●*1	●*1	●*1
アゼルニジピン・オルメサルタン	●*2-1	●*1	●*1	●*1	●*1	●*1	●*1
リファブチン	●*2-1						
ブロナンセリン	●*2-1	●*1	●*1	●*1	●*1	●*1	●*1
ルラシドン	●*2-1	●*1	●*1	●*1	●*1	●*1	●*1
ジアゼパム	●*4						
クロラゼプ酸二カリウム	●*4						
エスタゾラム	●*4						
フルラゼパム	●*4						
トリアゾラム	●*4	●*4	●*4	●*4	●*4	●*4	●*4
ミダゾラム	●*4	●*4	●*4	●*4	●*4	●*4	●*4

併用禁忌理由（A剤にてB剤の代謝阻害）
- *1 B剤の血中濃度上昇
- *2 不整脈のような重篤又は生命に危険を及ぼす事象
- *2-1 不整脈、血液障害、血管れん縮等
- *3 腫瘍崩壊症候群の発現増強
- *4 過度の鎮静や呼吸抑制
- *5 末梢血管収縮、四肢のチアノーゼ一等
- *6 横紋筋融解症を含むミオパチー等
- *7 ケトコナゾールとの併用でB剤の血中濃度上昇

別表：併用禁忌一覧（続き）

B剤		A剤：プロテアーゼ阻害薬						
併用禁忌理由	一般名	ノービア	レイアタッツ	レクシヴァ	プリジスタ	カレトラ	プレジコビックス	シムツーザ
A剤にてB剤の代謝阻害 *1 B剤の血中濃度上昇 *2 不整脈のような重篤又は生命に危険を及ぼす事象 　*2-1 不整脈、血液障害、血管れん縮等 *3 腫瘍崩壊症候群の発現増強 *4 過度の鎮静や呼吸抑制 *5 末梢血管収縮、四肢のチアノーゼ等 *6 横紋筋融解症を含むミオパチー等 *7 ケトコナゾールとの併用でB剤の血中濃度上昇	リバーロキサバン	●*2-1					●*1	●*1
	チカグレロル					●*1	●*1	●*1
	ベネトクラクス	●*3				●*3	●*3	●*3
	ロミタピド	●*2-1					●*1	●*1
	シンバスタチン		●*6				●*6	●*6
	ロバスタチン		●*6					
	グラゾプレビル		●*1		●*1		●*1	●*1
	イバブラジン		●*8					
*8 B剤の副作用増強	イリノテカン	●*9				●*9		
*9 B剤の血中濃度低下	ボリコナゾール		●*10					
	オメプラゾール		●*10					
	ランソプラゾール		●*10					
	ラベプラゾール		●*10					
	エソメプラゾール		●*10					
B剤にてA剤の吸収抑制	ボノプラザン		●*10					
*10 A剤の血中濃度低下	リファンピシン		●*10	●*10		●*10	●*10	●*10
	フェノバルビタール						●*10	●*10
	フェニトイン						●*10	●*10
	ホスフェニトイン						●*10	●*10
	カルバマゼピン						●*10	
B剤にてA剤の代謝誘導	セイヨウオトギリソウ含有食品					●*10		

63 抗HIV薬 ④インテグラーゼ阻害薬（INSTI）

■ 対象薬剤

ラルテグラビルカリウム；RAL（アイセントレス），ドルテグラビルナトリウム；DTG（テビケイ）

■ 指導のポイント

	患者向け	薬剤師向け
薬効	この薬はエイズウイルス（HIV）が増殖するのを抑えて，免疫機能を改善してエイズの発症や進行を遅らせる薬です	インテグラーゼ阻害作用
詳しい薬効	この薬はエイズウイルスのDNAがヒトのDNAに組み込まれる際に必要な酵素（インテグラーゼ）を阻害し，ウイルスの複製を阻止し，エイズウイルス（HIV）が増殖するのを抑えて，免疫機能を改善してエイズの発症や進行を遅らせる薬です	
禁忌	本剤過敏症既往	

■ 主な副作用と対策，フィジカルアセスメントのチェックポイント

主な副作用	患者に確認すべき症状	対策とPAのチェックポイント
悪心，下痢，頭痛，不眠，めまい	吐き気，下痢，頭が痛い，眠れない，目がまわる	重症化することはほとんどなく，軽い場合は継続 PA 腸音（↑）

■ 重大な副作用と妊婦・授乳婦への危険度

薬剤名	重大な副作用	妊婦［授乳婦］
アイセントレス	皮膚粘膜眼症候群，薬剤性過敏症症候群，過敏症，横紋筋融解症，ミオパチー，腎不全，肝炎，胃炎，陰部ヘルペス	B3
テビケイ	薬剤性過敏症症候群，肝機能障害，黄疸	B1

■ その他の指導ポイント

	患者向け	薬剤師向け
使用上の注意	・この薬の服用開始後の身体状況の変化は，すべて申し出てください ・この薬は病気を治すのではなく，症状の悪化・進行を抑え，健康に近い状態に保つ薬であり，きちんとした服用が大切に	日和見感染を含むHIV感染症の進展に伴う疾病を発症し続ける可能性があるため本剤の使用に関しては，患者またはそれに代わる適切な者によく説明し，同意を得た後で使用する。服用中止・変更などにより副作用

使用上の注意	なるので，医師の相談なしに，勝手に服用を変更したり，中止しないでください	の発現や耐性化を促進させるおそれがあるため服用方法をきちんと守らせるように指導する必要がある
	・抗エイズ薬の多剤併用療法を行った方は，必ずご相談ください	免疫再構築症候群が報告されている。投与開始後，免疫機能が回復し，症候性のみならず無症候性日和見感染などに対する炎症反応の発現に注意する。免疫機能の回復に伴い自己免疫疾患が発現するとの報告がある
	・〔テビケイ〕B型またはC型肝炎で治療を受けている方は，必ずご相談ください	肝機能悪化のおそれがあるため（定期的な肝機能検査）
	・この薬は食事の有無に関係なく服用できます	
	食 この薬の服用中にマグネシウム，アルミニウムを含む制酸剤およびサプリメントの同時服用は避けてください	キレート形成による吸収抑制が起こるおそれのため併用注意。6時間以上間隔をあける
	食 〔テビケイ〕鉄やカルシウムを含むサプリメントなどをお飲みの方は必ずご相談ください	鉄，カルシウムとのキレート形成により，吸収が阻害され，効果減弱のため併用注意。本剤はこれらを含有する製剤の投与2時間前または6時間後の投与推奨
	食 〔テビケイ〕この薬の服用中にセイヨウオトギリソウ（セント・ジョーンズ・ワート）を含む食品はとらないでください	本剤の代謝を促進させ，血中濃度低下にて効果減弱のおそれのため併用注意
服用を忘れたとき	思い出したときすぐに服用する。ただし次の服用時間が近いときは忘れた分は服用しない（2回分を一度に服用しないこと） 注意 原則的に飲み忘れはあってはならない。抗HIV薬の服薬率が95％以下になると薬の効きにくい耐性ウイルスの出現が多くなるという報告がある	

63 抗HIV薬　⑤インテグラーゼ阻害薬（INSTI）配合剤

■ 対象薬剤

配合剤（EVG・COBI・FTC・TDF：スタリビルド配合）
　　　（EVG・COBI・FTC・TAF：ゲンボイヤ配合）
　　　（DTG・ABC・3TC：トリーメク配合）
　　　（DTG・RPV：ジャルカ配合）
　　　（BIC・TAF・FTC：ビクタルビ配合）
　　　（DTG・3TC：ドウベイト配合）

■ 指導のポイント

	患者向け	薬剤師向け
薬効	この薬は複数の成分を含む配合錠で，他の抗HIV薬と併用せず，この薬1剤でエイズウイルス（HIV）が増殖するのを抑えて，免疫機能を改善してエイズの発症や進行を遅らせる薬です	・核酸系逆転写酵素阻害作用：ABC（トリーメク）・3TC（トリーメク，ドウベイト），FTC（スタリビルド，ゲンボイヤ，ビクタルビ），TAF（ゲンボイヤ，ビクタルビ），TDF（スタリビルド） ・非核酸系逆転写酵素阻害作用：RPV（ジャルカ） ・インテグラーゼ阻害作用：DTG（トリーメク，ジャルカ，ドウベイト），EVG（スタリビルド，ゲンボイヤ），BIC（ビクタルビ） ・薬物動態学的増強因子（CYP3A阻害作用）：COBI（スタリビルド，ゲンボイヤ）
詳しい薬効	HIV感染症治療は，複数の抗HIV薬を組み合わせて併用する多剤併用療法が標準となっていますが，この薬は複数の成分を含む配合錠で他剤と併用することなく1日1回1錠の服薬でエイズウイルス（HIV）が増殖するのを抑え，免疫機能を改善してエイズの発症や進行を遅らせる薬です ・核酸系逆転写酵素阻害薬の詳しい薬効は No.63 抗HIV薬① p.917 参照 ・非核酸系逆転写酵素阻害薬の詳しい薬効は No.63 抗HIV薬② p.922 参照 ・インテグラーゼ阻害薬の詳しい薬効は No.63 抗HIV薬④ p.931 参照 ・薬物動態学的増強因子のコビシスタットは薬物代謝酵素（CYP3A）の働きを阻害し，併用薬の有効血中濃度を維持する働きをもっています	

	患者向け	薬剤師向け
警告	〔トリーメク〕この薬を服用中，皮疹，発熱，嘔気，嘔吐，下痢，腹痛，疲労感，呼吸困難，咽頭痛，咳などの症状が現れた場合は中止し，決して再投与しないでください	治療開始6週間以内に過敏症発現（約5％）。過敏症発現後はアバカビル製剤再投与不可。呼吸器疾患，インフルエンザ様症候群，胃腸炎，併用薬の副作用，胸部X線像異常発現時投与中止，再投与不可。過敏症に注意するカードを携帯するように指示

警告	・〔ジャルカ以外〕B型慢性肝炎患者では投与中止によりB型慢性肝炎が再燃のおそれ，特に非代償性の場合重症化するおそれ ・〔ドウベイト〕膵炎発症の可能性のある小児は，他の治療法がない場合にのみ投与。膵炎を疑う重度の腹痛，悪心・嘔吐，血清アミラーゼ，血清リパーゼ，トリグリセライドなどの上昇時は投与中止
禁忌・併用禁忌	禁忌 ・本剤過敏症既往 ・〔トリーメク〕重度の肝障害 ・〔スタリビルド，ゲンボイヤ〕腎機能または肝機能障害がありコルヒチンを投与中 併用禁忌 ・〔スタリビルド，ゲンボイヤ〕⇔ジヒドロエルゴタミン，クリアミン，エルゴメトリン，メチルエルゴメトリンの血中濃度が上昇し，末梢血管れん縮，四肢およびその他組織に虚血等発現の可能性，シンバスタチンの血中濃度上昇でミオパチー等発現の可能性，シルデナフィル，バルデナフィル，タダラフィルの血中濃度上昇で視覚障害，低血圧，持続勃起および失神等発現の可能性，ブロナンセリン，アゼルニジピン，リバーロキサバン，トリアゾラム，ミダゾラムの血中濃度上昇にて重篤・生命に危険を及ぼす事象発現の可能性，ロミタピドの血中濃度が著しく上昇の可能性 ・〔スタリビルド，ゲンボイヤ，ジャルカ，ビクタルビ〕⇔カルバマゼピン，フェノバルビタール，フェニトイン，ホスフェニトイン，リファンピシン，セイヨウオトギリソウ含有食品にて本剤の血中濃度が著しく低下の可能性 ・〔ジャルカ〕⇔デキサメタゾン（全身投与）（単回投与を除く），オメプラゾール，ランソプラゾール，ラベプラゾール，エソメプラゾール，ボノプラザンにて本剤の血中濃度が低下し効果減弱の可能性

■ 主な副作用と対策，フィジカルアセスメントのチェックポイント

主な副作用	患者に確認すべき症状	対策とPAのチェックポイント
悪心，下痢，異常な夢，頭痛	吐き気，下痢，異常な夢，眠れない，頭が痛い，疲れる	減量もしくは休薬
乳酸アシドーシス	深く大きい呼吸，羽ばたくような手のふるえ，下痢，吐き気，嘔吐	一時中止 PA 呼吸（過呼吸），消化器（下痢，嘔吐）

■ 重大な副作用と妊婦・授乳婦への危険度

薬剤名	重大な副作用	妊婦[授乳婦]
スタリビルド	腎不全または重度の腎機能障害（腎機能不全，腎不全，急性腎障害，近位腎尿細管機能障害，ファンコニー症候群，急性腎尿細管壊死，腎性尿崩症または腎炎等），膵炎，乳酸アシドーシスおよび脂肪沈着による重度の肝腫大（脂肪肝）	B3
ゲンボイヤ	腎不全または重度の腎機能障害（腎機能不全，腎不全，急性腎不全，近位腎尿細管機能障害，ファンコニー症候群，急性腎尿細管壊死，腎性尿崩症または腎炎等），乳酸アシドーシスおよび脂肪沈着による重度の肝腫大（脂肪肝）	B3

No.63 抗HIV薬

薬剤名	重大な副作用	妊婦[授乳婦]
トリーメク	過敏症（多臓器および全身に症状を認める），薬剤性過敏症症候群，中毒性表皮壊死融解症，皮膚粘膜眼症候群，多形紅斑，重篤な血液障害，膵炎，乳酸アシドーシスおよび脂肪沈着による重度の肝腫大（脂肪肝），横紋筋融解症，ニューロパチー，錯乱状態，けいれん，心不全，肝機能障害，黄疸	B3
ジャルカ	薬剤性過敏症症候群，肝機能障害，黄疸	B1
ビクタルビ	腎不全または重度の腎機能障害（腎機能不全，腎不全，急性腎障害，近位腎尿細管機能障害，ファンコニー症候群，急性腎尿細管壊死，腎性尿崩症または腎炎等），乳酸アシドーシスおよび脂肪沈着による重度の肝腫大（脂肪肝）	B3
ドウベイト	薬剤性過敏症症候群，重篤な血液障害，膵炎，乳酸アシドーシスおよび脂肪沈着による重度の肝腫大（脂肪肝），横紋筋融解症，ニューロパチー，錯乱状態，けいれん，心不全，肝機能障害，黄疸	B1（ドルテグラビル），B3（ラミブジン）

■ その他の指導ポイント

	患者向け	薬剤師向け
使用上の注意	・この薬の服用開始後の身体状況の変化は，すべて申し出てください ・この薬は病気を治すのではなく，症状の悪化・進行を抑え，健康に近い状態を保つ薬であり，きちんとした服用が大切になるので，医師との相談なしに，勝手に服用を変更したり，中止しないでください ・抗エイズ薬の多剤併用療法を行った方は，必ずご相談ください ・〔ジャルカ以外〕深く大きい呼吸，羽ばたくような手のふるえ，吐き気，右上腹部の痛みや圧痛，皮膚が黄色くなる症状が現れたら，必ずご相談ください ・〔スタリビルド，ジャルカ〕この薬は食事中または食直後に服用してください ・〔ゲンボイヤ〕食後に服用してください。空腹時は薬の吸収が悪くなります 食 この薬の服用中にセイヨウオトギリソウ（セント・ジョーンズ・ワート）を含む食品はとらないでください 食 〔トリーメク〕この薬の服用中にアルコールを飲むと作用が強く出るので控えてください	→ 日和見感染を含むHIV感染症の進展に伴う疾病を発症し続ける可能性があるため → 本剤の使用に際しては，患者またはそれに代わる適切な者によく説明し，同意を得た後で使用する。服用中止・変更等により副作用の発現や耐性化を促進させるおそれがあるため服用方法をきちんと守らせるように指導する必要がある → 免疫再構築症候群が報告されている。投与開始後，免疫機能が回復し，症候性のみならず無症候性日和見感染等に対する炎症反応の発現に注意する。免疫機能の回復に伴い自己免疫疾患が発現するとの報告がある → 重篤な乳酸アシドーシスおよび脂肪沈着による重い肝腫大が女性に多く報告されている 本剤の吸収が低下 空腹時投与でエルビテグラビルのCmaxおよびAUC低下 本剤の血中濃度低下にて効果減弱のおそれのため併用禁忌（トリーメク，ドウベイトは併用注意） エタノールによりアバカビルのAUCが41%増加の報告

使用上の注意	食 この薬の服用中にマグネシウム、アルミニウム、鉄、カルシウム等を含む制酸剤およびサプリメントの同時服用は避けてください →	キレートを形成し血中濃度低下の可能性のため下記の間隔をあけて投与 ・〔トリーメク、ドウベイト〕2時間前または6時間以上後 ・〔ジャルカ〕4時間前または6時間以上後 ・〔スタリビルド、ゲンボイヤ、ビクタルビ〕2時間以上
服用を忘れたとき	思い出したときすぐに服用する。ただし次の服用時間が近いとき（ジャルカ：食事とともに）は忘れた分は服用しない（2回分を一度に服用しないこと） 注意 原則的に飲み忘れはあってはならない。抗HIV薬の服薬率が95％以下になると薬の効きにくい耐性ウイルスの出現が多くなるという報告がある	

■ その他備考

- 配合剤成分：スタリビルド（エルビテグラビル，コビシスタット，エムトリシタビン，テノホビル ジソプロキシルフマル酸塩）
  ゲンボイヤ（エルビテグラビル，コビシスタット，エムトリシタビン，テノホビル アラフェナミドフマル酸塩）
  トリーメク（ドルテグラビルナトリウム，アバカビル硫酸塩，ラミブジン）
  ジャルカ（ドルテグラビルナトリウム，リルピビリン塩酸塩）
  ビクタルビ（ビクテグラビルナトリウム，エムトリシタビン，テノホビル アラフェナミドフマル酸塩）
  ドウベイト（ドルテグラビルナトリウム，ラミブジン）

63 抗HIV薬　⑥侵入阻害薬（CCR5阻害薬）

■ 対象薬剤
マラビロク；MVC（シーエルセントリ）

■ 指導のポイント

	患者向け	薬剤師向け
薬効	この薬はエイズウイルス（HIV）が増殖するのを抑えて，免疫機能を改善してエイズの発症や進行を遅らせる薬です	CCR5阻害作用
詳しい薬効	エイズウイルスがヒトの免疫細胞に入る際，免疫細胞の膜にあるケモカイン受容体を介します．この薬はケモカイン受容体※（CCR5）と選択的に結合することで，エイズウイルスがケモカイン受容体と結合するのを防ぎ，免疫細胞内への侵入を阻止し，エイズウイルスが増殖するのを抑えて，免疫機能を改善してエイズの発症や進行を遅らせる薬です	
禁忌	本剤過敏症既往	

■ 主な副作用と対策，フィジカルアセスメントのチェックポイント

主な副作用	患者に確認すべき症状	対策とPAのチェックポイント
疲労，不眠，浮動性めまい，発疹，便秘	疲れやすい，眠れない，目がまわる，発疹，便秘	重症化することはほとんどなく，軽い場合は継続 PA 腸音（便秘：↓），皮膚（発赤，発疹）

■ 重大な副作用と妊婦・授乳婦への危険度

薬剤名	重大な副作用	妊婦［授乳婦］
シーエルセントリ	心筋虚血，肝硬変，肝不全，肝酵素上昇，肝機能検査異常，肺炎，食道カンジダ症，胆管癌，骨転移，肝転移，腹膜転移，汎血球減少症，好中球減少症，リンパ節症，幻覚，脳血管発作，意識消失，てんかん，小発作てんかん，けいれん，顔面神経麻痺，多発ニューロパシー，反射消失，白内障，呼吸窮迫，気管支けいれん，膵炎，直腸出血，筋炎，腎不全，多尿，皮膚粘膜眼症候群	B1

■ その他の指導ポイント

	患者向け	薬剤師向け
使用上の注意	・この薬の服用開始後の身体状況の変化は，すべて申し出てください →	日和見感染を含むHIV感染症の進展に伴う疾病を発症し続ける可能性があるため
	・この薬は病気を治すのではなく，症状の悪化・進行を抑え，健康に近い状態に保つ薬であり，きちんとした服用が大切になるので，医師の相談なしに，勝手に服用を変更したり，中止しないでください	本剤の使用に関しては，患者またはそれに代わる適切な者によく説明し，同意を得た後で使用する。服用中止・変更等により副作用の発現や耐性化を促進させるおそれがあるため服用方法をきちんと守らせるように指導する必要がある
	・抗エイズ薬の多剤併用療法を行った方は，必ずご相談ください	免疫再構築症候群が報告されている。投与開始後，免疫機能が回復し，症候性のみならず無症候性日和見感染等に対する炎症反応の発現に注意する。免疫機能の回復に伴い自己免疫疾患が発現するとの報告がある
	・この薬を使用する前に，血液中のHIVの種類を調べ，この薬が使用できるかを確認する検査（指向性検査）が行われます	その他備考参照 ウイルスの指向性が変化することがあるため最新の検体で実施する
	・この薬は食事の有無に関係なく服用できます	
	・この薬の服用中は，車の運転等，危険を伴う機械の操作は行わないでください →	めまい等が現れることがあるため
	食 この薬を服用中にセイヨウオトギリソウ（セント・ジョーンズ・ワート）を含む食品はとらないでください →	本剤の代謝を促進させ，血中濃度低下にて効果減弱のおそれのため併用注意
服用を忘れたとき	思い出したときすぐに服用する。ただし次の服用時間が近いときは忘れた分は服用しない（2回分を一度に服用しないこと） 注意 原則的に飲み忘れはあってはならない。抗HIV薬の服薬率が95％以下になると薬の効きにくい耐性ウイルスの出現が多くなるという報告がある	

■ その他備考

- ※**ケモカイン受容体**：白血球やリンパ球など細胞を組織へ遊走させるのに必要な物質をケモカインと呼び，HIVを受けとめるCCR5やCXCR4もケモカイン受容体である。これらの受容体はHIVの表面糖蛋白の一部分と結合し，HIVと細胞の膜が癒合し，HIVが細胞内に侵入することになる

- **指向性検査の必要性**

　マラビロク（MVC）は，HIVと宿主細胞のCCR5との結合を阻害することでHIVの侵入を阻害する薬剤である。そのため，CXCR4指向性HIVまたは二重指向性HIVが存在していると，R5ウイルスの宿主細胞への侵入は阻害できても，X4ウイルスおよび二重指向性HIVの侵入は阻害しないため，十分な治療効果が得られない。した

がって，MVC による治療を開始する前，および MVC による治療効果が十分でない場合などには，指向性検査によって末梢血中の HIV の指向性を確認する必要がある

(参考：HIV 感染症治療委員会：HIV 感染症「治療の手引き」第 25 版, p 26, 2021)

HIV感染症の日常生活のポイント

―国立国際医療研究センターエイズ治療・研究開発センター発行
「2021年版ACC患者ノート からだ・こころ・くらし・くすりノート」より―

1. 治療を成功させるためには「確実な服薬」をしましょう

    HIVは増えるスピードが早く，変異しやすいウイルスなので抗HIV薬の血中濃度を常に一定に保つ必要があります。自己判断で，薬を減らしたり中止したりすると，薬の血中濃度が下がり，耐性ウイルスを生じる危険性があります。

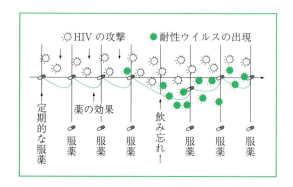

2. 体調の変化に注意しましょう

    体調の変化について，HIV感染が原因の時もあれば，他に原因があるかもしれません。いつからどこがどうなったかなど記録しておきましょう。体温計，体重計，血圧計などを準備すると体調の変化が把握しやすいです。

3. 口の中の定期検診を受けましょう

    虫歯や歯周病は自覚症状がなく進行する場合があります。1年に1度は定期検診を受けましょう

4. 日常生活を送るための感染予防をしましょう。HIVは血液，精液，膣分泌液等に含まれているので下記の点に注意しましょう
    ① カミソリ，歯ブラシなどの共有は避けましょう
    ② 衣類の洗濯は通常通りで問題はありません。血液汚染がひどいようなら0.1%の次亜塩素酸Naに30分以上浸した後，洗濯してください
    ③ 献血はできません

④ 血液製剤やインスリン注射などで使用した針は専用の容器等に入れて病院に持ってきてください
⑤ 血液や体液等が付いたものを捨てる時は，他の人に触れないようにビニール袋に入れて，口をしばって捨てましょう．触れた場合はまず流水で洗いましょう
⑥ 性感染症を予防するには1）コンドームなどで予防する，2）大量の飲酒やドラッグを使用してのセックスは注意力や自制心を低下させるので避けましょう

5．定期的に病院に通いましょう

HIV感染症と診断されてから治療しないままでいると徐々に免疫が下がり，いろいろな病気（日和見疾患）にかかる可能性があります．自覚症状がなくても定期的な診察や検査で体内の変化を確認しましょう

6．その他

・非常時に備え，検査データや処方薬名を把握しておきましょう．お薬手帳の持ち歩きも有用です
・他の病院を受診した際に処方された薬とHIVの薬に相互作用がある場合があります．かかりつけの病院や調剤薬局に飲み合わせを確認しましょう
・転居，転院が必要になっても全国にHIV診療が可能な病院があります．医療費助成の手続きに時間を要するため，予定がわかり次第，かかりつけの病院に相談しましょう

64 生活質改善薬　①禁煙補助薬

■ 対象薬剤
（A）ニコチン（ニコチネル TTS）
（B）バレニクリン酒石酸塩（チャンピックス）

■ 指導のポイント

	患者向け	薬剤師向け
薬効	・この薬は，喫煙者が禁煙を試みるときに，体内にタバコに含まれるニコチンを補充して禁煙を助ける薬です（ニコチネル） ・この薬は，禁煙に伴う離脱症状やタバコに対する切望感を軽減することで，禁煙を助ける薬です（チャンピックス）	ニコチンを補充することにより，禁煙時の離脱症状を軽減 $α_4β_2$ ニコチン受容体刺激作用・拮抗作用（部分作動）
詳しい薬効	・この薬は，喫煙者が禁煙を試みるときに，体内にタバコに含まれるニコチンを皮膚より補充することにより，禁煙の際ニコチン濃度低下によって起こる離脱症状（吸いたいという欲求，イライラ感，集中力の低下等）を抑え，禁煙を助ける薬です（ニコチネル） ・この薬は，脳内の $α_4β_2$ ニコチン受容体に結合することで，ニコチンの結合を妨げることにより喫煙による満足感を抑制（拮抗作用）し，少量のドパミンが放出され離脱症状やタバコに対する切望感を軽減（作動薬用）し，禁煙を助ける薬です（チャンピックス）	
禁忌	・本剤過敏症既往 ・〔ニコチネル〕非喫煙者，妊婦，授乳婦，不安定狭心症，急性期の心筋梗塞（発症後3カ月以内），重篤な不整脈または経皮的冠動脈形成術直後，冠動脈バイパス術直後，脳血管障害回復初期	

■ 主な副作用と対策

〔ニコチネル TTS〕

主な副作用	患者に確認すべき症状	対策
急性ニコチン中毒症状	頭痛，発汗，嘔吐，めまい ひどい場合は精神錯乱，呼吸不全	減量もしくは中止。ニコチネル TTS をはがして皮膚表面を水で洗い乾燥させる
ニコチン局所作用	皮膚が赤くなる，かゆみ，盛りあがった湿疹，腫れ	貼る場所を毎日変えるよう指導。抗ヒスタミン薬やステロイド外用剤を必要時使用。水泡形成など皮膚症状が強い場合は中止
不眠	眠れない	朝起床時に貼り替えるように指導。それでも不眠がみられる場合は，朝貼って就寝前にははがす

〔チャンピックス〕

主な副作用	患者に確認すべき症状	対策
神経系症状	不眠，異常な夢，頭痛，刺激に反応しやすい状態	減量もしくは中止
消化器症状	嘔気，お腹にガスがたまる	嘔気には飲水や食後服用を徹底させる。必要に応じて標準的な制吐剤を服用または減量
精神障害	抑うつ，不安，焦燥，興奮，行動および思考の変化，精神障害，気分の変動，攻撃的になる，敵意を持つ，死んでしまいたいと感じる	中止し受診

■ 重大な副作用と妊婦・授乳婦への危険度

薬剤名	重大な副作用	妊婦［授乳婦］
ニコチネルTTS	アナフィラキシー様症状	禁忌／－ ［❀禁忌／○］
チャンピックス	皮膚粘膜眼症候群・多形紅斑，血管浮腫，意識障害，肝機能障害・黄疸	B3 ［❀△］

■ その他の指導ポイント

使用上の注意

患者向け	薬剤師向け
・〔ニコチネル〕この薬の使用中にタバコを吸うとニコチンが過量投与になるおそれがあるので，喫煙はしないでください	本剤使用中の喫煙により，循環器系への影響が増強されることがあるので，本剤使用中は喫煙しないよう指導する
・〔チャンピックス〕この薬は原則として他の禁煙補助薬と併用しないでください	併用時の有効性は検討されておらず，安全性についても併用により副作用発現率の上昇が認められているため
・〔チャンピックス〕この薬は，禁煙開始日の1週間前から服用してください	禁煙開始日を設定し，その1週間前から用法用量に従い服用開始する。12週間の禁煙治療により，禁煙に成功した患者に対して，長期間の禁煙をより確実にするために，必要に応じさらに本剤を延長して投与することができる
・〔チャンピックス〕この薬の服用中は，車の運転等，危険を伴う機械の操作は行わないでください	めまい，傾眠，意識障害等が現れることがあるため
・〔チャンピックス〕この薬の服用中に抑うつ気分，不安になる，あせる，興奮しやすい，行動および思考の変化，精神障害，気分の変動，攻撃的になる，敵意を持つ，死んでしまいたいと感じる等の症状が現れた場合には，使用を中止し，すぐご相談ください	本剤投与時に精神症状の悪化が認められた症例が報告されているため

使用上の注意	・〔ニコチネル〕この薬を使用するときは、内袋裏面の点線に沿って、貼付剤を傷つけないようハサミで切って取り出してください	→ 子供が中身を容易に取り出せないように包装に工夫が施されているため
	・〔ニコチネル〕貼る場所をタオルなどでよくふき、乾燥させた後、傷や皮膚病のある場所、またはベルトラインや体毛の濃い部分を避けて、上腕・腹部・腰背部のいずれかに貼ってください	・禁煙の成功は、禁煙指導の質および頻度に依存するので、本剤は、医師等による適切な禁煙指導の下に禁煙計画・指導の補助として用いる
	・〔ニコチネル〕肌にシワができないように伸ばして貼り、薬のフチが浮かないように10秒くらい手のひら、指先でしっかり押さえてください	・〔ニコチネル〕本剤は禁煙意志が強く、循環器疾患、呼吸器疾患、消化器疾患、代謝性疾患等の基礎疾患を持つ患者であって、禁煙の困難な喫煙者に使用する
	・〔ニコチネル〕皮膚への刺激を避けるため、毎回貼る場所を変えてください	・〔チャンピックス〕本剤の使用にあたっては患者に禁煙意志があることを確認し、TDSによりニコチン依存症を診断する
	・〔ニコチネル〕内袋を開封後は1カ月以内に使用してください	
	・〔ニコチネル〕妊娠中または妊娠の可能性のある方は必ずご相談ください →	動物実験でマウスにおいて、催奇形作用、胎児死亡増加、胎児体重減少、ラットにおいて、胎児死亡増加、胚の発育遅延等が報告されているため投与禁忌
	・〔ニコチネル〕授乳中の方は必ずご相談ください →	ヒト母乳中へ移行することが報告されているため投与禁忌
	・〔ニコチネル〕絶対に小児の手に入ることのないように、取り扱いに注意をし、使用後には接着面を内側にして半分に折り、子供の手に触れないところに捨ててください →	未使用および使用済みニコチネルTTSはいずれも、相当な量のニコチンを含有しており、幼児には重度の中毒症状を生じ、死亡に至るおそれもあるため
服用を忘れたとき	・〔ニコチネル〕思い出したときすぐに使用する。以後は主治医から指示されたスケジュールに従って使用する。 ・〔チャンピックス〕思い出したときすぐに服用する。ただし次の服用時間が近いときは忘れた分は服用しない（2回分を一度に服用しないこと）。	

■ その他備考

■ 〔ニコチネルTTS〕以下の療法を行う場合および状態の時は前もって本剤を除去すること

1. 電気的除細動（DC細動除去等）：本剤の支持体と類似するアルミニウムが使用されている製剤で、除細動器と接触した場合、製剤の支持体（アルミニウム箔）が破裂したとの報告。
2. ジアテルミー（高周波療法）：本剤の温度が上昇するおそれ。
3. MRI（核磁気共鳴画像法）：本剤の貼付部位に火傷を引き起こすことがある。
4. サウナの使用や激しい運動：ニコチンの吸収量が増加し、過剰摂取時の症状が

現れることがある。
5．発熱時：ニコチンの吸収量が増加し，過量摂取になるおそれがある。

■禁煙治療のための標準手順書　第8版 2021.4 抜粋（日本循環器学会・日本肺癌学会・日本癌学会・日本呼吸器学会）
・禁煙治療に対する保険適応「ニコチン依存症管理料」の詳細については厚生労働省のホームページや告示等を参照すること。

1．禁煙治療の流れ

一般診療における対象者のスクリーニング

問診・診察項目
① 喫煙状況の問診
② 禁煙の準備性に関する問診
③ ニコチン依存症のスクリーニングテスト（TDS）の実施
④ 喫煙に伴う症状や身体所見の問診および診察

ただちに禁煙しようとは考えていない喫煙者
ニコチン依存症ではない喫煙者

① 自由診療による禁煙治療
② 簡易な禁煙アドバイス
③ セルフヘルプ教材等の資料の提供

下記条件を満たす喫煙者に対して禁煙治療プログラムを提供
1) ただちに禁煙しようと考えていること
2) TDS によりニコチン依存症と診断（TDS 5 点以上）されていること
3) 35 歳以上の場合は，ブリンクマン指数が 200 以上であること
4) 禁煙治療を受けることを文書により同意していること

標準禁煙治療プログラム（保険適用）

1. 初回診察

禁煙治療
① 喫煙状況，禁煙の準備性，TDS による評価結果の確認
② 喫煙状況とニコチン摂取量の客観的評価と結果説明（呼気一酸化炭素濃度測定等）
③ 禁煙開始日の決定
④ 禁煙にあたっての問題点の把握とアドバイス
⑤ 禁煙補助薬（ニコチン製剤またはバレニクリン）の選択と説明
⑥ 禁煙治療用アプリ及び CO チェッカー使用の選択と説明

2. 再診　初回診察から 2, 4, 8, 12 週間後（計 4 回）

禁煙治療
① 喫煙（禁煙）状況や離脱症状に関する問診
② 喫煙状況とニコチン摂取量の客観的なモニタリングと結果説明（呼気一酸化炭素濃度測定等）
③ 禁煙継続にあたっての問題点の把握とアドバイス
④ 禁煙補助薬（ニコチン製剤またはバレニクリン）の選択と説明
⑤ 禁煙治療用アプリ及び CO チェッカー使用の状況把握とアドバイス

（日本循環器学会，日本肺癌学会，日本癌学会，日本呼吸器学会：禁煙治療のための標準手順書 第 8 版, p 9, 2021）

2．TDS（ニコチン依存症のスクリーニングテスト）

1．	自分が吸うつもりよりも，ずっと多くタバコを吸ってしまうことがありましたか．
2．	禁煙や本数を減らそうと試みて，できなかったことがありましたか．
3．	禁煙したり本数を減らそうとしたときに，タバコがほしくてほしくてたまらなくなることがありましたか．
4．	禁煙したり本数を減らそうとしたときに，次のどれかがありましたか．（イライラ，神経質，落ちつかない，集中しにくい，憂うつ，頭痛，眠気，胃のむかつき，脈が遅い，手のふるえ，食欲または体重増加）
5．	問4でうかがった症状を消すために，またタバコを吸い始めることがありましたか．
6．	重い病気にかかったときに，タバコはよくないとわかっているのに吸うことがありましたか．
7．	タバコのために自分に健康問題が起きているとわかっていても，吸うことがありましたか．
8．	タバコのために自分に精神的問題(注)が起きているとわかっていても，吸うことがありましたか．
9．	自分はタバコに依存していると感じることがありましたか．
10．	タバコが吸えないような仕事やつきあいを避けることが何度かありましたか．

(注) 禁煙や本数を減らした時に出現する離脱症状（いわゆる禁断症状）ではなく，喫煙することによって神経質になったり，不安や抑うつなどの症状が出現している状態．

「はい」（1点），「いいえ」（0点）で回答を求める．「該当しない」場合（問4で，禁煙したり本数を減らそうとしたことがないなど）には0点を与える．

判定方法：合計点が5点以上の場合，ニコチン依存症であると診断する．
スクリーニング精度等：感度＝ICD-10 タバコ依存症の95％が5点以上を示す．特異度＝ICD-10 タバコ依存症でない喫煙者の81％が4点以下を示す．得点が高い者ほど禁煙成功の確率が低い傾向にある．

（川上憲人：TDSスコア．治療，88(10), 2491-2497, 2006）

■禁煙補助薬の使い方

一般名	ニコチンパッチ		ニコチンガム	バレニクリン
分類	医療用医薬品	一般用医薬品（第1類）	一般用医薬品（指定第2類）	医療用医薬品
商品名	ニコチネルTTS	ニコチネルパッチ	ニコチネルガム，ニコレット	チャンピックス
含量	10, 20, 30 mg	10, 20 mg	2 mg	0.5, 1 mg
長所	・使用法が簡単（貼付） ・安定した血中濃度の維持が可能 ・歯の状態に関係なく使用できる ・食欲抑制効果により体重増加の軽減が期待できる ・健康保険が適用される（ニコチネルTTS）		・短時間で効果発現 ・ニコチン摂取量の自己調節が可能 ・食欲抑制効果により体重増加の軽減が期待できる ・処方箋なしで購入可能	・使用法が簡単（内服） ・ニコチンを含まない ・離脱症状だけでなく，喫煙による満足感も抑制 ・循環器疾患患者に使いやすい ・健康保険が適用される

短所	・突然の喫煙欲求に対処できない ・汗をかくスポーツをする人には使いにくい ・医師の処方箋が必要（ニコチネル TTS）	・かみ方の指導が必要 ・歯の状態や職業によっては使用しにくい場合がある	・突然の喫煙欲求に対処できない ・医師の処方箋が必要 ・自動車の運転等の危険を伴う機械の操作に従事している人は使えない

〔ニコチンパッチ〕

・ニコチネル TTS：1日1回24時間貼付する。通常，最初の4週間はニコチネル
（医療用）　　TTS 30から貼付し，次の2週間はニコチネル TTS 20 を貼付し，最後の2週間はニコチネル TTS 10 を貼付する。最初の4週間に減量の必要が生じた場合には，ニコチネル TTS 20 を貼付する。

　　　　　　　減量する場合は，予定の貼付時間を変更せず，一段階ニコチン含量の少ない同一製剤を使用する。

・ニコチネルパッチ：通常，1日1回，起床時から就寝時まで貼付する。2～3段階
（一般用）　　　で用量を減らしながら合計8～10週間かけて使用する。

〔ニコチンガム〕

1個あたり2 mgのニコチンを含有し，そのうちの約 0.8 mgが口腔粘膜から吸収される。

通常，1日4～12個から始めて適宜増減していく。禁煙に慣れてきたら徐々に使用個数を減らし使用期間は3カ月を目途とする。

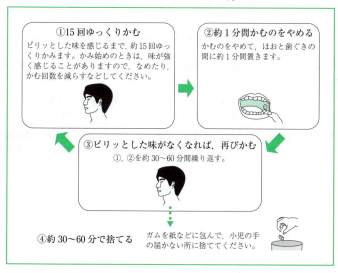

図　ニコチンガムのかみ方

〔バレニクリン〕

禁煙開始日を設定し，その1週間前から服用開始する。

服用期間は12週間で，禁煙に成功した場合，必要に応じてさらに禁煙を確実にするため12週間の延長が可能。

図　バレニクリンの使い方

1週	禁煙の開始予定日を決めその1週間前から服用します。 　1日目〜3日目　0.5mg錠を1日1回　食後（朝・昼・夕は問いません） 　4日目〜7日目　0.5mg錠を1日2回　朝・夕食後
2週	8日目に禁煙を開始します。 　8日目〜14日目　　1mg錠を1日2回　朝・夕食後
12週	1mg錠1日2回の投与を12週まで続けます。

64　生活質改善薬　②勃起不全治療薬

■ 対象薬剤

タダラフィル（シアリス），シルデナフィルクエン酸塩（バイアグラ），バルデナフィル塩酸塩水和物（レビトラ）

■ 指導のポイント

	患者向け	薬剤師向け
薬効	この薬は満足な性行為を行うに十分な勃起をうながし，維持させる薬です	PDE5（ホスホジエステラーゼ5）阻害作用
詳しい薬効	この薬は陰茎海綿体の血管に存在する平滑筋をゆるめ（弛緩させ），海綿体への血液の流入量を増やして，満足な性交を行うに十分な勃起をうながし，維持させる薬です	
警告	硝酸剤・NO供与剤併用で降圧作用が増強し過度の血圧低下のおそれあり，本剤投与中・投与後も併用しないよう注意。死亡例を含む心筋梗塞等の報告あり，投与前に心血管系障害の有無を確認	

禁忌・併用禁忌	禁忌	・本剤過敏症既往，併用禁忌薬剤投与中，心血管障害を有するなど性行為が不適当，脳梗塞・脳出血既往歴が最近6カ月以内，重度の肝障害，網膜色素変性症 ・〔シアリス〕不安定狭心症，または性交中に狭心症を発現，コントロール不良の不整脈，低血圧（血圧＜90/50 mmHg）またはコントロール不良の高血圧（安静時血圧＞170/100 mmHg），心筋梗塞既往歴が最近3カ月以内 ・〔バイアグラ〕低血圧（血圧＜90/50 mmHg）または治療による管理がなされていない高血圧（安静時収縮期血圧＞170 mmHg または安静時拡張期血圧＞100 mmHg），心筋梗塞既往歴が最近6カ月以内 ・〔レビトラ〕血液透析が必要な腎障害，低血圧（安静時収縮期血圧＜90 mmHg）または治療による管理がなされていない高血圧（安静時収縮期血圧＞170 mmHg または安静時拡張期血圧＞100 mmHg），不安定狭心症，先天性の QT 延長（QT 延長症候群），心筋梗塞既往歴が最近6カ月以内
	併用禁忌	・ニトログリセリン，亜硝酸アミル，硝酸イソソルビド，ニコランジル等にて降圧作用増強，リオシグアトで血圧低下 ・〔バイアグラ〕⇔アミオダロンで QTc 延長 ・〔レビトラ〕⇔リトナビル，アタザナビル，ホスアンプレナビル，カレトラ配合，ダルナビル含有製剤にて本剤の AUC 増加と半減期延長，ケトコナゾール（外用剤を除く・経口剤は国内未発売），イトラコナゾールにて本剤の AUC 増加，コビシスタット含有製剤にて本剤の血漿中濃度上昇，キニジン，プロカインアミド，ジソピラミド，シベンゾリン，ピルメノール，アミオダロン，ソタロールで QTc 延長

■ 主な副作用と対策，フィジカルアセスメントのチェックポイント

主な副作用	患者に確認すべき症状	対策と PA のチェックポイント
血管拡張作用	頭痛，ほてり，血圧低下，どきどきする，意識を失う，胸が痛む	症状が強い場合は，すぐに受診する。受診の際は必ず薬の服用について伝えること PA 血圧（↓），脈拍（↑）
視覚障害	眼の痛み，視覚異常，結膜炎，光が赤く見えたり，まぶしく見えたり，物が青く見える，眼に光が当たっていないにもかかわらず，光を感じる，白目が赤くなる	車の運転等には注意をする。症状に気付いたら減量もしくは中止
持続勃起	勃起が続く	4時間以上続く場合は受診する

■ 重大な副作用と妊婦・授乳婦への危険度

薬剤名	重大な副作用	妊婦［授乳婦］
シアリス	過敏症	－
バイアグラ	－	B1
レビトラ	－	B3

■ その他の指導ポイント

<table>
<tr><th colspan="2">患 者 向 け</th><th>薬 剤 師 向 け</th></tr>
<tr><td rowspan="11">使用上の注意</td><td>・性行為の約1時間前に1回25〜50 mg（バイアグラ）または1回10〜20 mg（シアリス，レビトラ）を服用してください →</td><td>〔バイアグラ〕高齢者（65歳以上），肝障害，重度の腎障害（CCr＜30 mL/min）の場合は25 mgを開始用量とする
〔シアリス〕軽度・中等度の肝障害の場合は10 mgまで，中等度の腎障害の場合は5 mgから始めて10 mgを超えない，重度の腎障害の場合は5 mgを超えない
〔レビトラ〕高齢者（65歳以上），中等度の肝障害の場合は5 mgを開始用量とし，最高10 mgまで</td></tr>
<tr><td>・この薬の服用中は，車の運転等，危険を伴う機械の操作は行わないでください →</td><td>めまいや視覚障害（色が変化して見える等）が現れることがあるため</td></tr>
<tr><td>・〔バイアグラ〕食事をした後に飲むと効果が出るまでに時間がかかる場合があります →</td><td>食後投与により吸収速度が有意に減少する</td></tr>
<tr><td>・〔バイアグラODフィルム〕この薬は舌の上に乗せると唾液で溶けるので水なしでも服用できます。口に入れると速やかに溶けますが，その後は唾液または水で飲み込んでください →</td><td>口腔粘膜から吸収されないため</td></tr>
<tr><td>・必ず1日1回までの服用回数を守り，次の服用は24時間以上あけてください。医師に指示された以上の量を飲んではいけません →</td><td>高用量投与により有害事象の頻度と重症度は上昇する</td></tr>
<tr><td>・この薬は催淫剤や性欲増進剤ではありません →</td><td>性的刺激を受けなければ勃起することはなく，また性的刺激が中止されれば勃起はおさまる</td></tr>
<tr><td>・この薬を服用後，勃起が4時間以上続く場合はすぐに受診してください →</td><td>持続勃起により陰茎組織の損傷または勃起機能を永続的に損なうことがある（その他備考参照）</td></tr>
<tr><td>・性行為は心臓に負担をかけます。特に心臓や脳血管に持病のある方は健康状態について医師によく相談してください。また，パートナーにもあらかじめ本剤を服用していることを伝えてください →</td><td>性行為は心臓へのリスクを伴うため勃起不全の治療を行う前に心血管系の状態に注意する
・〔レビトラ〕臨床薬理試験において，本剤投与によるQTc延長がみられていることから，心血管系障害または肝障害を有する患者に対しては，本剤投与中に必要に応じて心電図検査を実施することが望ましい</td></tr>
<tr><td>食 〔シアリス〕この薬の服用中にグレープフルーツジュースは飲まないでください →</td><td>血中濃度が上昇することにより副作用発現のおそれのため併用注意</td></tr>
</table>

■ 継続的な服薬指導・確認のポイント

項目	確認のポイント
ニトログリセリンなどの硝酸剤を使用していない（心血管系の状態）ことを確認	警告参照。硝酸剤には飲み薬だけでなく，舌下錠，貼り薬，注射，スプレーなどもある
服用時間の確認	性行為の約1時間前，投与間隔は通常24時間以上
食事の影響の確認	〔バイアグラ〕食後服用は空腹時に比べ効果発現時間が遅れる可能性のため空腹時に服用しているかの確認 〔レビトラ〕油の多い食事で効果を弱める場合もある 〔シアリス〕影響なし
勃起障害のリスクファクターの有無の確認	ED のリスクファクター ・加齢，喫煙，肥満と運動不足，薬剤，外傷および手術，うつ症状，テストステロン低下 ・高血圧，心血管疾患，糖尿病，脂質異常症，下部尿路症状・前立腺肥大症，慢性腎臓病，睡眠時無呼吸症候群，神経疾患

■ その他備考

■ 勃起不全治療薬の薬物動態と用法用量一覧

		シアリス	バイアグラ・ODフィルム	レビトラ
T_{max}(hr)		2	0.8	0.7〜0.9
$T_{1/2}$(hr)		17.5	3〜5	4〜5
効果持続時間(hr)		36	7〜8	7〜8
タンパク結合率(%)		97	96	91
α遮断薬の併用		制限なし	25 mg から開始	5 mg から開始
通常用量		10 mg	25 mg・50 mg	10 mg
高齢者		制限なし	25 mg から開始	5 mg から開始
腎障害	中等度	5 mg から開始。10 mg を超えない		
	重度	5 mg を超えない	25 mg から開始	透析患者は禁忌
肝障害	軽度	程度に関係なく 10 mg を超えない	程度に関係なく 25 mg から開始	
	中等度			5 mg から開始。10 mg を超えない
CYP3A4 阻害薬[*]など投与患者		5 mg から開始。10 mg を超えない	25 mg から開始	5 mg を超えない
食事の影響			効果発現時間が遅れることがある	高脂肪食では効果が減弱

[*] エリスロマイシン，シメチジン，クラリスロマイシン，グレープフルーツジュースなど

■ 持続勃起症

持続勃起症とは：性的刺激・性的興奮と無関係である勃起が4時間を超えて持続している状態

虚血性持続勃起症（緊急処置が必要）と非虚血性持続勃起症（必ずしも緊急処置が必要ではない）の鑑別を行う

64 生活質改善薬　③経口避妊薬　低用量ピル（OC）

■ 対象薬剤

- （A）［1相性］　　　　　　　：マーベロン 21・28
- （B）［3相性］　中間増量型：シンフェーズ T28
- （C）［3相性］　段階増量型：アンジュ 21・28，トリキュラー 21・28

■ 指導のポイント

	患者向け	薬剤師向け
薬効	この薬は卵胞ホルモン（エストロゲン）と黄体ホルモン（プロゲストーゲン）の2種類の女性ホルモンが含まれており，定期的に服用することで妊娠を防ぐ薬です ◆この薬は月経困難を改善する薬です（適応外）	→排卵抑制作用 子宮内膜の性状変化による着床阻害作用 子宮頸管粘液の変化による精子通過阻害作用
詳しい薬効	この薬は卵胞ホルモン（エストロゲン）と黄体ホルモン（プロゲストーゲン）の2種類の女性ホルモンが含まれており，これらの女性ホルモンを定期的に服用することにより，排卵に必要なホルモン（LH，FSH）の分泌量が減って排卵が起こらなくなり，同時に子宮頸管粘液の粘度を上昇させて，精子が子宮内へ入れないようにしたり，子宮内膜を受精卵が着床しにくい状態にすることで妊娠を防ぐ薬です	
禁忌	本剤成分に過敏性素因，エストロゲン依存性悪性腫瘍（例：乳がん，子宮内膜がん），子宮頸がんおよびその疑い，診断未確定の異常性器出血，血栓性静脈炎・肺塞栓症・脳血管障害・冠動脈疾患またはその既往，35歳以上で1日15本以上の喫煙者，前兆（閃輝暗点，星型閃光等）を伴う片頭痛，肺高血圧症または心房細動を合併する心臓弁膜症・亜急性細菌性心内膜炎既往歴のある心臓弁膜症，血管病変を伴う糖尿病，血栓性素因，抗リン脂質抗体症候群，手術前4週以内・術後2週以内・産後4週以内および長期安静状態，重篤な肝障害，肝腫瘍，脂質代謝異常，高血圧，耳硬化症，妊娠中に黄疸・持続性瘙痒症・妊娠ヘルペス既往歴，妊婦，授乳婦，骨成長が終了していない可能性がある女性	

■ 主な副作用と対策，フィジカルアセスメントのチェックポイント

主な副作用	患者に確認すべき症状	対策とPAのチェックポイント
エストロゲン作用	乳房が痛む，しこりがある，吐き気，頭痛	服用開始初期に好発し，3クール目くらいから軽減することが多い 服用後2～3時間で起こることが多いので就寝前や食直後に服用する
エストロゲン作用（不正出血）	生理時以外に出血がある	多くは一時的でしばらくすれば治まる。続く場合は他の薬剤への変更等を考慮

主な副作用	患者に確認すべき症状	対策とPAのチェックポイント
下痢	下痢	吸収が減少し作用が減弱する可能性があるため，下痢時には他の避妊方法を併用する PA 腸音（↑）
アンドロゲン作用	にきび，多毛，体重増加	症状が強い場合には，男性ホルモン活性の低い他の薬剤への変更も考慮 PA 体重（↑）
血栓症	下肢の痛みや浮腫，激しい頭痛，嘔吐，吐き気，めまい	すぐに受診 PA No.42 ホルモン製剤④ p.581 参照

■ 重大な副作用と妊婦・授乳婦への危険度

薬剤名	重大な副作用	妊婦［授乳婦］
シンフェーズ	血栓症，アナフィラキシー	禁忌/－ ［㊧禁忌］
マーベロン，トリキュラー	血栓症	禁忌/－ ［㊧禁忌/○ （トリキュラー）］
アンジュ	血栓症	禁忌/B3

■ その他の指導ポイント

	患者向け	薬剤師向け
使用上の注意	・この薬の服用中に，ふくらはぎの痛み・むくみ，突然息苦しくなる，胸痛，激しい頭痛，見えにくくなる等の症状が現れた場合には服用を中止し，すぐにご相談ください ・この薬を長期に服用する場合は6カ月ごとに検診を受けてください ・〔A, C〕1日1錠を毎日一定の時刻に服用してください。初めて服用する場合は月経第1日目から服用し，服用開始日が月経第1日目から遅れた場合，飲み始めの1週間は他の避妊法を併用してください ・〔B〕1日1錠を毎日一定の時刻に服用してください。初めて服用する場合は月経	重大な副作用として血栓症が現れることがあるので血栓症の初期症状を指導しておく ・血栓症の初期症状：下肢疼痛・浮腫，突然の息切れ，胸痛，激しい頭痛，急性視力障害等 ・血栓症のリスクが高まる状態：体を動かせない状態，顕著な血圧上昇がみられた場合等 → 6カ月ごとに問診と検診（血圧，乳房・腹部検査，臨床検査）と1年ごとに子宮・卵巣を中心とした骨盤内臓器の検査，子宮頸部の細胞診の実施を考慮 → Day 1 スタート ［21錠服用タイプ］21日間服用し7日間休薬する。休薬8日目から新しいピルの服用を開始する。休薬中にホルモンが急に下がるため，2日後位から子宮内膜がはがれ月経（消退出血）が起こる ［28錠服用タイプ］21日間服用後，飲み忘れを防ぐためにプラセボを7日間服用する。28日間服用後，翌日から新しいピルの服用を開始する → Sunday スタート 週末に消退出血が起こりにくい

使用上の注意	が始まった次の日曜日から（月経が日曜日に始まった場合は，その日から）服用を始めてください．この場合は飲み始めの最初の1週間は他の避妊法を併用してください	[28錠服用タイプ] 21日間服用後，飲み忘れを防ぐためにプラセボを7日間服用する．28日間服用後，翌日から新しいピルの服用を開始する
	・この薬を飲み始めて1〜2周期の間は軽い吐き気，乳房の張り，または生理以外の出血が現れることがあります．通常は服用中になくなりますが，症状がひどい場合，あるいはおかしいと思った場合はご相談ください →	服用中に不正性器出血が発現した場合，通常は投与継続中に消失するが，長期間持続する場合は，膣細胞診等の検査で悪性疾患によるものではないことを確認のうえ，投与する
	・この薬の服用中に激しい下痢や嘔吐が続いた場合，薬の吸収が悪くなり妊娠する可能性が高くなるので他の避妊法を併用し，ご相談ください	
	・飲み忘れにより妊娠する可能性が高くなりますので，指示どおり服用してください →	服用を忘れたとき参照
	・経口避妊薬はHIV感染（エイズ）および他の性感染症（例：梅毒，性器ヘルペス，淋病，クラミジア感染症，尖圭コンジローマ，膣トリコモナス症，B型肝炎等）を防止するものではありません →	これらの感染防止にはコンドームの使用が有効であることを説明し，必要に応じ性感染症検査の実施を考慮する
	・妊娠中または妊娠の可能性のある方は必ずご相談ください →	妊娠中の服用は安全性が確立されていないため投与禁忌
	・授乳中の方は必ずご相談ください →	授乳婦は母乳の量的質の低下が起こることがあり，また母乳中への移行，児において黄疸，乳房腫大が報告されているため投与禁忌
	・服用中に2周期連続して生理が来なかったときは，妊娠の可能性もありますので必ずご相談ください →	妊娠中の服用は安全性が確立されていないため，妊娠していないことを確認後，投与を継続する
	・妊娠を希望する場合は医師にご相談ください →	月経周期が回復するまで避妊することが望ましい．経口避妊薬を長期間服用した場合，月経が回復するまでに時間（通常3〜4カ月）がかかることがある
	・この薬の服用中は，禁煙してください（特に35歳以上で1日15本以上の喫煙者）→	年齢35歳以上で1日15本以上の喫煙者は心筋梗塞等の心血管系の重篤な副作用の危険性が増大するとの報告があるため投与禁忌
	食 この薬の服用中にセイヨウオトギリソウ（セント・ジョーンズ・ワート）を含む食品はとらないでください →	本剤の代謝が促進され，効果の減弱化および不正性器出血の発現率が増大するおそれがあるため併用注意
服用を忘れたとき	・飲み忘れが1日以内の場合（プラセボ錠を除く）：思い出したときすぐに服用する．さらにその日の分も通常どおりに服用する．	
	・2日以上連続して飲み忘れた場合：今回の服用を中止し，次の月経を待って新しいシートで服用を再開する．	
	※飲み忘れにより妊娠する可能性が高くなるので，その周期は他の避妊法を用いること	

■ 継続的な服薬指導・確認のポイント

項目	確認のポイント
ピルの重大な副作用として血栓症があるので初期症状がないか確認	ふくらはぎの痛み・むくみ，突然の息切れ，胸痛，激しい頭痛，見えにくくなる等の症状
喫煙者には禁煙するよう指導	心血管系の重篤な副作用の危険性が増大するため（年齢35歳以上で1日15本以上の喫煙者は投与禁忌）
飲み忘れた場合の服用方法を十分指導する	2日以上連続して飲み忘れた場合，妊娠する可能性が高くなるので，その周期は他の避妊法を使用させる
定期的な受診・検査がされているか確認	6カ月ごとに血圧・乳房・腹部などの検査，1年に1回以上子宮・卵巣を中心とした骨盤内臓器の検査，1年に1回子宮頸部細胞診，乳がんの自己検診を行うよう指導。外国で経口避妊剤服用により乳がん，子宮頸がんの発生の可能性が高くなるとの報告がある

■ その他備考

■経口避妊薬の種類と服用パターン

		ホルモン配合パターン	商品名	服用開始日	1周期当たりの総量(mg)	
					エストロゲン	プロゲストーゲン
一相性		21日 1,000μg 黄体ホルモン / 35μg 卵胞ホルモン	マーベロン21，28(＊)	Day 1 スタート	EE 0.63	DSG 3.15
三相性	中間増量型	7日 9日 5日 500μg 1,000μg 500μg 黄体ホルモン / 35μg 卵胞ホルモン	シンフェーズT 28	Sunday スタート	EE 0.735	NET 15.0
	段階増量型	6日 5日 10日 50μg 75μg 125μg 黄体ホルモン / 30μg 40μg 30μg 卵胞ホルモン	アンジュ21・28	Day 1 スタート	EE 0.680	LNG 1.925
			トリキュラー21・28			

エストロゲン（卵胞ホルモン）EE：エチニルエストラジオール
プロゲストーゲン（黄体ホルモン）NET：ノルエチステロン　DSG：デソゲストレル　LNG：レボノルゲストレル

（＊）マーベロンは他の経口避妊薬の投与が適当でないと考えられる場合に投与を考慮する。
　　　LNG等の経口避妊薬と比較して，静脈血栓症の相対危険率を増加させることを示唆する報告があるため。

■経口避妊薬（ピル）の作用機序

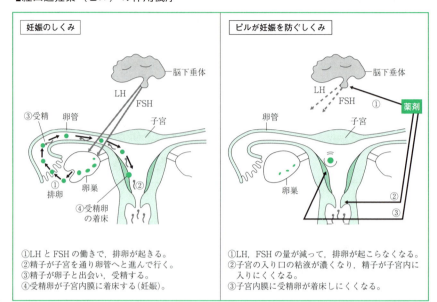

64 生活質改善薬　④男性型脱毛症用薬

■ 対象薬剤

フィナステリド（プロペシア），デュタステリド（ザガーロ）

■ 指導のポイント

	患者向け	薬剤師向け
薬効	この薬は男性の男性型脱毛症の人において，髪の毛が薄くなるのを防ぐ薬です	5α還元酵素Ⅱ型阻害作用（プロペシア） 5α還元酵素Ⅰ型Ⅱ型阻害作用（ザガーロ）
詳しい薬効	この薬は，毛乳頭細胞（毛根中）の中にある酵素（5α還元酵素Ⅱ型：プロペシア，5α還元酵素Ⅰ型Ⅱ型：ザガーロ）の働きを阻害し，男性ホルモン（テストステロン）が脱毛症の原因物質であるDHT（ジヒドロテストステロン）に変化するのを抑えて，男性の髪の毛が薄くなるのを防ぐ薬です	
禁忌	・〔プロペシア〕本剤過敏症既往，妊婦，授乳婦 ・〔ザガーロ〕本剤・他の5α還元酵素阻害薬過敏症既往，女性，小児等，重度の肝機能障害	

■ 主な副作用と対策，フィジカルアセスメントのチェックポイント

主な副作用	患者に確認すべき症状	対策とPAのチェックポイント
肝機能障害	食欲不振，全身倦怠感，皮膚や粘膜が黄色くなる	中止 PA 眼球（黄色），皮膚（皮疹，瘙痒感，黄色），尿（褐色），体温（↑）
射精障害	性欲減退，陰茎の勃起力が弱くなる	症状に気づいたら相談

■ 重大な副作用と妊婦・授乳婦への危険度

薬剤名	重大な副作用	妊婦［授乳婦］
プロペシア	肝機能障害	禁忌/X ［❷禁忌］
ザガーロ	肝機能障害，黄疸	禁忌/X ［❷禁忌］

■ その他の指導ポイント

	患者向け	薬剤師向け
使用上の注意	・〔プロペシア〕この薬は分割・粉砕しないでください。万一粉砕，破損した場合は妊婦または妊娠の可能性のある婦人および授乳中の婦人は取り扱わないようにしてください	本剤はコーティングされているため。また本剤を妊婦に投与すると，男子胎児の生殖器官等の正常発育に影響を及ぼすおそれがあるため投与禁忌
	・〔ザガーロ〕カプセルから漏れた薬剤に女性や小児は触れないでください。触れた場合には，直ちに石鹸と水で洗ってください	本剤は女性や小児に禁忌で，経皮吸収されるため
	・〔ザガーロ〕この薬は噛んだり開けたりせずに服用してください	内容物が口腔咽頭粘膜を刺激する場合があるため
	・この薬の効果が確認できるまで通常6カ月は続けてください	3カ月の連日投与により効果が発現する場合もあるが，通常6カ月の連日投与が必要である。また，効果を持続させるためには継続服用が必要
	・前立腺がん検診（PSA検査）を受ける予定のある方は，検査を実施する医師にこの薬を服用していることをお知らせください	本剤投与中の患者に対し前立腺がん診断の目的で血清PSA濃度を測定する場合は，PSA値が減少すると推測されるので，注意して評価する
服用を忘れたとき	思い出したときすぐに服用する（2回分を一度に服用しないこと） 理由 この薬は食事の有無にかかわらず服用できるため，思い出したときに服用すればよい	

■ その他備考

■ 男性型脱毛症（AGA（エージーエー）：Androgenetic Alopecia）とは

髪の成長期が短くなり，ヘアサイクルのなかで早い時期に髪の成長が止まるため，細く短い毛が増え（軟毛化），太く長い髪が減り，薄くなったと感じる。成長期の髪が減って，やがて毛根が徐々に小さくなり，最終的に発毛しなくなる。特徴として頭頂部や額の生え際から薄くなる。病気に関係して起こるものではないのでほうっておいても特に問題はない。改善したい場合は本項の薬剤や育毛剤を使用したり，髪や頭皮のケアを行う。

65　漢方製剤

■ 対象薬剤

	漢方薬剤名	番号	構成生薬（数字は成人1日分の配合量）
あ	安中散	5	桂皮4　延胡索3　良姜0.5　牡蛎3　縮砂1　茴香1.5　甘草1
	茵蔯蒿湯	135	茵蔯蒿4　山梔子3　大黄1
	茵蔯五苓散	117	茵蔯蒿4　沢瀉6　茯苓4.5　猪苓4.5　蒼朮4.5　桂皮2.5
	温経湯	106	当帰3　川芎2　芍薬2　人参2　麦門冬4　半夏4　桂皮2　生姜1　呉茱萸1　甘草2　牡丹皮2　阿膠2
	温清飲	57	黄芩1.5　黄連1.5　黄柏1.5　山梔子1.5　当帰3　川芎3　芍薬3　地黄3
	越婢加朮湯	28	石膏8　麻黄6　蒼朮4　大棗3　甘草2　生姜1
	黄連湯	120	黄連3　乾姜3　人参3　半夏6　大棗3　甘草3　桂皮3
	黄連解毒湯	15	黄芩3　黄連2　黄柏1.5　山梔子2
	乙字湯	3	柴胡5　黄芩3　升麻1　当帰6　甘草2　大黄0.5
か	葛根湯	1	葛根4　麻黄3　桂皮2　芍薬2　生姜2　大棗3　甘草2
	葛根湯加川芎辛夷	2	葛根4　麻黄3　桂皮2　芍薬2　大棗3　生姜1　甘草2　川芎2　辛夷2
	加味帰脾湯	137	人参3　蒼朮3　茯苓3　甘草1　生姜1　大棗2　酸棗仁3　竜眼肉3　遠志2　当帰2　黄耆3　木香1　柴胡3　山梔子2
	加味逍遙散	24	柴胡3　芍薬3　甘草1.5　蒼朮3　茯苓3　当帰3　乾姜1　薄荷1　牡丹皮2　山梔子2
	甘麦大棗湯	72	大棗6　甘草5　小麦20
	帰脾湯	65	黄耆3　酸棗仁3　人参3　白朮3　茯苓3　竜眼肉3　遠志2　大棗2　当帰2　甘草1　生姜1　木香1
	荊芥連翹湯	50	柴胡1.5　黄芩1.5　黄連1.5　黄柏1.5　山梔子1.5　当帰1.5　芍薬1.5　川芎1.5　地黄1.5　薄荷1.5　連翹1.5　荊芥1.5　防風1.5　白芷1.5　桔梗1.5　枳実1.5　甘草1
	桂枝加芍薬湯	60	桂皮4　芍薬6　生姜1　大棗4　甘草2
	桂枝加朮附湯	18	桂皮4　芍薬4　生姜1　大棗4　甘草2　蒼朮4　加工附子0.5
	桂枝加竜骨牡蛎湯	26	桂皮4　芍薬4　大棗4　牡蛎3　竜骨3　甘草2　生姜1.5
	桂枝湯	45	桂皮4　芍薬4　大棗4　甘草2　生姜1.5
	桂枝人参湯	82	桂皮4　甘草3　蒼朮3　人参3　乾姜2
	桂枝茯苓丸	25	桂皮3　芍薬3　茯苓3　桃仁3　牡丹皮3
	香蘇散	70	香附子4　蘇葉2　陳皮2　甘草1.5　生姜1

	処方名	番号	構成生薬
	五積散	63	蒼朮3　陳皮2　当帰2　半夏2　茯苓2　甘草1　桔梗1　枳実1　桂皮1　厚朴1　芍薬1　生姜1　川芎1　大棗1　白芷1　麻黄1
	牛車腎気丸	107	地黄5　山薬3　山茱萸3　茯苓3　沢瀉3　牡丹皮3　桂皮1　加工附子1　牛膝3　車前子3
	呉茱萸湯	31	呉茱萸3　人参2　生姜1.5　大棗4
	五苓散	17	沢瀉4　茯苓3　猪苓3　蒼朮3　桂皮1.5
さ	柴胡加竜骨牡蛎湯	12	柴胡5　黄芩2.5　半夏4　生姜1　大棗2.5　人参2.5　桂皮3　茯苓3　竜骨2.5　牡蛎2.5
	柴胡桂枝湯	10	柴胡5　黄芩2　半夏4　生姜1　大棗2　人参2　甘草2　桂皮2　芍薬2
	柴胡桂枝乾姜湯	11	柴胡6　黄芩3　桂皮3　瓜呂根3　乾姜2　牡蛎3　甘草2
	柴朴湯	96	柴胡7　黄芩3　半夏5　生姜1　大棗3　人参3　甘草2　厚朴3　茯苓5　蘇葉2
	柴苓湯	114	柴胡7　黄芩3　半夏5　生姜1　大棗3　人参3　甘草2　沢瀉5　茯苓3　猪苓3　蒼朮3　桂皮2
	三黄瀉心湯	113	大黄3　黄芩2　黄連3
	酸棗仁湯	103	酸棗仁10　茯苓5　川芎3　知母3　甘草1
	四逆散	35	柴胡5　芍薬4　枳実2　甘草1.5
	四君子湯	75	蒼朮4　人参4　茯苓4　甘草1　生姜1　大棗1
	七物降下湯	46	当帰4　川芎3　芍薬4　地黄3　釣藤鈎3　黄耆3　黄柏2
	四物湯	71	当帰3　川芎3　芍薬3　地黄3
	炙甘草湯	64	地黄6　麦門冬6　桂皮3　炙甘草3　大棗3　人参3　麻子仁3　生姜1　阿膠2
	芍薬甘草湯	68	芍薬6　甘草6
	十全大補湯	48	当帰3　川芎3　芍薬3　地黄3　人参3　蒼朮3　茯苓3　甘草1.5　桂皮3　黄耆3
	十味敗毒湯	6	荊芥1　防風1.5　独活1.5　樸樕3　桔梗3　川芎3　生姜1　茯苓3　柴胡3　甘草1
	潤腸湯	51	大黄2　枳実2　厚朴2　麻子仁2　杏仁2　桃仁2　当帰3　地黄6　黄芩2　甘草1.5
	小建中湯	99	桂皮4　芍薬6　生姜1　大棗4　甘草2　膠飴10
	小柴胡湯	9	柴胡7　黄芩3　半夏5　生姜1　大棗3　人参3　甘草2
	小柴胡湯加桔梗石膏	109	柴胡7　黄芩3　半夏5　生姜1　大棗3　人参3　甘草2　桔梗3　石膏10
	小青竜湯	19	麻黄3　桂皮3　甘草3　芍薬3　半夏6　乾姜3　細辛3　五味子3
	小半夏加茯苓湯	21	半夏6　茯苓5　生姜1.5
	消風散	22	荊芥1　防風2　牛蒡子2　蒼朮2　蝉退1　苦参1　知母1.5　木通2　当帰3　地黄3　石膏3　胡麻1.5　甘草1

No.65　漢方製剤

	名称		成分
	辛夷清肺湯	104	辛夷2　枇杷葉2　麦門冬5　知母3　百合3　升麻1　石膏5　黄芩3　山梔子3
	参蘇飲	66	半夏3　茯苓3　葛根2　桔梗2　前胡2　陳皮2　大棗1.5　人参1.5　甘草1　枳実1　蘇葉1　生姜0.5
	真武湯	30	茯苓4　芍薬3　蒼朮3　生姜1.5　附子末0.5
	清上防風湯	58	黄芩2.5　黄連1　山梔子2.5　薄荷1　連翹2.5　荊芥1　防風2.5　白芷2.5　桔梗2.5　川芎2.5　枳実1　甘草1
	清心蓮子飲	111	人参3　茯苓4　甘草1.5　蓮肉4　黄芩3　黄耆2　麦門冬4　地骨皮2　車前子3
	清肺湯	90	麦門冬3　天門冬2　貝母2　桑白皮2　桔梗2　陳皮2　杏仁2　五味子1　竹筎2　黄芩2　山梔子2　茯苓2　当帰3　生姜1　大棗2　甘草1
	疎経活血湯	53	当帰2　川芎2　芍薬2.5　地黄2　蒼朮2　茯苓2　甘草1　防風1.5　羌活1.5　牛膝1.5　威霊仙1.5　白芷1　防已1.5　桃仁2　竜胆1.5　生姜0.5　陳皮1.5
た	大黄甘草湯	84	大黄4　甘草2
	大黄牡丹皮湯	33	大黄2　芒硝1.8　牡丹皮4　桃仁4　冬瓜子6
	大建中湯	100	蜀椒2　乾姜5　人参3　膠飴10
	大柴胡湯	8	柴胡6　黄芩3　半夏4　生姜1　大棗3　枳実2　芍薬3　大黄1
	大承気湯	133	厚朴5　枳実3　大黄2　無水芒硝1.3
	大防風湯	97	黄耆3　地黄3　芍薬3　蒼朮3　当帰3　杜仲3　防風3　川芎2　甘草1.5　羌活1.5　牛膝1.5　大棗1.5　人参1.5　乾姜1　附子末1
	調胃承気湯	74	大黄2　甘草1　無水芒硝0.5
	治打撲一方	89	桂皮3　川芎3　川骨3　樸樕3　甘草1.5　大黄1　丁字1
	釣藤散	47	釣藤鈎3　菊花2　防風2　甘草1　人参2　石膏5　半夏3　生姜1　茯苓3　陳皮3　麦門冬3
	猪苓湯	40	沢瀉3　茯苓3　猪苓3　滑石3　阿膠3
	通導散	105	枳実3　大黄3　当帰3　甘草2　紅花2　厚朴2　蘇木2　陳皮2　木通2　無水芒硝1.8
	桃核承気湯	61	大黄3　芒硝0.9　甘草1.5　桃仁5　桂皮4
	当帰飲子	86	当帰5　川芎3　芍薬3　地黄4　荊芥1.5　防風3　蒺藜子3　黄耆1.5　何首烏2　甘草1
	当帰四逆加呉茱萸生姜湯	38	桂皮3　芍薬3　生姜1　大棗5　当帰3　細辛2　木通3　呉茱萸2
	当帰芍薬散	23	当帰3　川芎3　芍薬4　蒼朮4　茯苓4　沢瀉4
な	二朮湯	88	半夏4　生姜1　茯苓2.5　陳皮2.5　甘草1　白朮2.5　蒼朮3　香附子2.5　羌活1.5　威霊仙2.5　天南星2.5　黄芩2.5
	二陳湯	81	半夏5　茯苓5　陳皮4　甘草1　生姜1
	女神散	67	香附子3　川芎3　蒼朮3　当帰3　黄芩2　桂皮2　人参2　檳榔子2　黄連1　甘草1　丁字1　木香1

	処方名	番号	構成生薬
	人参湯	32	人参3　白朮3　乾姜3　甘草3
	人参養栄湯	108	当帰4　芍薬2　地黄4　人参3　白朮4　茯苓4　甘草1　桂皮2.5　黄耆1.5　陳皮2　遠志2　五味子1
は	麦門冬湯	29	麦門冬10　半夏5　人参2　大棗3　粳米5　甘草2
	八味地黄丸	7	地黄6　山薬3　山茱萸3　茯苓3　沢瀉3　牡丹皮2.5　桂皮1　加工附子0.5
	半夏厚朴湯	16	半夏6　厚朴3　茯苓5　生姜1　蘇葉2
	半夏瀉心湯	14	黄芩2.5　黄連1　乾姜2.5　人参2.5　半夏5　大棗2.5　甘草2.5
	半夏白朮天麻湯	37	半夏3　白朮3　茯苓3　人参1.5　陳皮3　生姜0.5　天麻2　麦芽2　神曲2　黄耆1.5　黄柏1　沢瀉1.5　乾姜1
	白虎加人参湯	34	知母5　粳米8　甘草2　石膏15　人参1.5
	茯苓飲合半夏厚朴湯	116	半夏6　茯苓5　蒼朮4　厚朴3　陳皮3　人参3　蘇葉2　枳実1.5　生姜1
	平胃散	79	蒼朮4　厚朴3　陳皮3　大棗2　甘草1　生姜0.5
	防已黄耆湯	20	防已5　黄耆5　蒼朮3　生姜1　大棗3　甘草1.5
	防風通聖散	62	大黄1.5　芒硝0.7　甘草2　麻黄1.2　石膏2　生姜0.3　白朮2　当帰1.2　川芎1.2　芍薬1.2　薄荷1.2　連翹1.2　荊芥1.2　防風1.2　黄芩2　山梔子1.2　滑石3　桔梗2
	補中益気湯	41	人参4　蒼朮4　甘草1.5　生姜0.5　大棗2　当帰3　黄耆4　陳皮2　升麻1　柴胡2
ま	麻黄湯	27	麻黄5　杏仁5　桂皮4　甘草1.5
	麻黄附子細辛湯	127	麻黄4　附子1　細辛3
	麻杏甘石湯	55	麻黄4　杏仁4　甘草2　石膏10
	麻杏薏甘湯	78	薏苡仁10　麻黄4　杏仁3　甘草2
	麻子仁丸	126	麻子仁5　大黄4　枳実2　厚朴2　杏仁2　芍薬2
	木防已湯	36	石膏10　防已4　桂皮3　人参3
や	薏苡仁湯	52	麻黄4　桂皮3　甘草2　当帰4　芍薬3　蒼朮4　薏苡仁8
	抑肝散	54	蒼朮4　茯苓4　川芎3　釣藤鈎3　当帰3　柴胡2　甘草1.5
	抑肝散加陳皮半夏	83	半夏5　蒼朮4　茯苓4　川芎3　釣藤鈎3　当帰3　陳皮3　柴胡2　甘草1.5
ら	六君子湯	43	人参4　蒼朮4　茯苓4　甘草1　半夏4　陳皮2　生姜0.5　大棗2
	竜胆瀉肝湯	76	地黄5　当帰5　木通5　黄芩3　車前子3　沢瀉3　竜胆1　山梔子1　甘草1
	苓甘姜味辛夏仁湯	119	茯苓4　半夏4　杏仁4　五味子3　甘草2　乾姜2　細辛2
	苓姜朮甘湯	118	茯苓6　乾姜3　白朮3　甘草2
	苓桂朮甘湯	39	茯苓6　桂皮4　蒼朮3　甘草2
	六味丸	87	地黄5　山茱萸3　山薬3　沢瀉3　茯苓3　牡丹皮3

※構成生薬の配合量についてはツムラに準じて記載している

No.65　漢方製剤

■ 漢方薬の製品番号

No	薬剤名	No	薬剤名	No	薬剤名
1	葛根湯	38	当帰四逆加呉茱萸生姜湯	81	二陳湯
2	葛根湯加川芎辛夷	39	苓桂朮甘湯	82	桂枝人参湯
3	乙字湯	40	猪苓湯	83	抑肝散加陳皮半夏
5	安中散	41	補中益気湯	84	大黄甘草湯
6	十味敗毒湯	43	六君子湯	86	当帰飲子
7	八味地黄丸	45	桂枝湯	87	六味丸
8	大柴胡湯	46	七物降下湯	88	二朮湯
9	小柴胡湯	47	釣藤散	89	治打撲一方
10	柴胡桂枝湯	48	十全大補湯	90	清肺湯
11	柴胡桂枝乾姜湯	49	加味帰脾湯	96	柴朴湯
12	柴胡加竜骨牡蛎湯	50	荊芥連翹湯	97	大防風湯
14	半夏瀉心湯	51	潤腸湯	99	小建中湯
15	黄連解毒湯	52	薏苡仁湯	100	大建中湯
16	半夏厚朴湯	53	疎経活血湯	103	酸棗仁湯
17	五苓散	54	抑肝散	104	辛夷清肺湯
18	桂枝加朮附湯	55	麻杏甘石湯	105	通導散
19	小青竜湯	57	温清飲	106	温経湯
20	防已黄耆湯	58	清上防風湯	107	牛車腎気丸
21	小半夏加茯苓湯	60	桂枝加芍薬湯	108	人参養栄湯
22	消風散	61	桃核承気湯	109	小柴胡湯加桔梗石膏
23	当帰芍薬散	62	防風通聖散	111	清心蓮子飲
24	加味逍遙散	63	五積散	113	三黄瀉心湯
25	桂枝茯苓丸	64	炙甘草湯	114	柴苓湯
26	桂枝加竜骨牡蛎湯	65	帰脾湯	116	茯苓飲合半夏厚朴湯
27	麻黄湯	66	参蘇飲	117	茵蔯五苓散
28	越婢加朮湯	67	女神散	118	苓姜朮甘湯
29	麦門冬湯	68	芍薬甘草湯	119	苓甘姜味辛夏仁湯
30	真武湯	70	香蘇散	120	黄連湯
31	呉茱萸湯	71	四物湯	123	当帰建中湯
32	人参湯	72	甘麦大棗湯	126	麻子仁丸
33	大黄牡丹皮湯	74	調胃承気湯	127	麻黄附子細辛湯
34	白虎加人参湯	75	四君子湯	133	大承気湯
35	四逆散	76	竜胆瀉肝湯	135	茵蔯蒿湯
36	木防已湯	78	麻杏薏甘湯	137	加味帰脾湯
37	半夏白朮天麻湯	79	平胃散		

■ 指導のポイント

薬効	患者向け	薬剤師向け
	この薬は，漢方薬です	
あ	安中散：この薬は，冷え性の人のみぞおち付近（心下部）の持続的な痛みや慢性的な胃炎，胸やけなどの症状を改善する漢方薬です	鎮痛，鎮痙 特に空腹時の胃の痛み，胸やけの不快感によく用いられる
	茵蔯蒿湯：この薬は，上腹部より胸部の不快感があり，口渇，悪心，便秘，尿量の少ない人に用い，黄疸，肝疾患やじんま疹を改善する漢方薬です	利胆，鎮痛，抗炎症 胃腸が虚弱，下痢をしている場合には使用を控える（山梔子による胃腸障害，大黄による下痢）
	茵蔯五苓散：この薬は，茵蔯蒿湯の大黄・山梔子の代わりに五苓散が配合されたもので，口渇，むくみや尿量減少，胸がつかえて吐いたり，黄疸，肝疾患，二日酔いやじんま疹などを改善する漢方薬です	利水，鎮吐，止渇，止瀉，利胆，抗炎症 胃腸が悪くても下痢気味でも使用可能
	温経湯：この薬は，血の流れをよくし，月経不順，月経困難，手のほてり，唇の乾燥，肌荒れ，下腹部の冷えなどの症状を改善する漢方薬です	鎮静，鎮痙，鎮痛，温補，性ホルモン調節 更年期障害で冷えを伴うもの。多くは女性への適応となる
	温清飲：この薬は，炎症を抑え全身の血のめぐりをよくすることで，のぼせ，手足のほてり，皮膚のかゆみなどの症状を改善する漢方薬です	抗炎症，抗アレルギー，鎮静，鎮痙，鎮痛，止血 黄連解毒湯に四物湯を合わせた処方
	越婢加朮湯：この薬は，体の熱や腫れ痛みを発散させ腎炎，ネフローゼ，関節リウマチ，湿疹などを改善する漢方薬です	利水，清熱 服用すると尿量が増える場合がある（体の余分な水を尿として排泄している）
	黄連湯：この薬は，心窩部のつかえ，胃部膨満感，悪心・嘔吐のある人に用い，胃炎や潰瘍を改善する漢方薬です	鎮静，鎮痛，鎮痙，抗消化性潰瘍作用 半夏瀉心湯の黄芩を桂皮に置き換えた処方でのぼせや胃の症状が強いときに。甘草が多い処方
	黄連解毒湯：この薬は，上半身の充血を去り，気持ちを落ちつかせるので，脳充血，高血圧による精神不安や不眠などの症状を改善する漢方薬です	抗炎症，鎮痛，止血，脳血流改善，血圧低下 じんま疹，アトピー性皮膚炎などかゆみや炎症性が強い皮膚疾患にも使われる
	乙字湯：この薬は痔の薬で，便秘傾向があって肛門付近の痛み，出血，かゆみなどの症状を改善する漢方薬です	抗炎症，肛門部潰瘍抑制，緩下 軽度の痔に一般的に用いられる
か	葛根湯：この薬は，かぜや悪寒のある発熱の初期に使い，汗を出しやすくする漢方薬です。また，肩や首すじのこりを改善する漢方薬です	発汗，解熱，鎮痛，抗炎症 かぜに繁用されるが初期にしか効果がなく投与期間も数日と短い

漢方製剤

葛根湯加川芎辛夷：この薬は，鼻づまり，鼻汁などの鼻症状を改善し頭重や肩や首すじのこりを改善する漢方薬です
→ 解熱，抗炎症，抗アレルギー
使用目的はほぼ副鼻腔炎か鼻づまりで，頭痛を伴うことがしばしばある

加味帰脾湯：この薬は，体が衰弱し熱感がある人の不眠，不安やイライラなど精神症状を緩和させ，消化機能，貧血を改善する漢方薬です
→ 強壮，中枢抑制，鎮静，抗ストレス
下痢をする場合には帰脾湯のほうがよい。（帰脾湯には山梔子が入っていない）

加味逍遙散：この薬は，血のめぐりをよくし冷えのぼせ・イライラ感を改善し，特に虚弱者，婦人のさまざまな訴え（不定愁訴：疲労，肩こり，頭重，めまい，不安，不眠など）を改善する漢方薬です
→ 中枢抑制，鎮静，頭痛，鎮痙，末梢循環改善，抗炎症
女性の更年期障害に多用される

甘麦大棗湯：この薬は，多くの場合は子供や女性に用いられる漢方薬で夜泣きやひきつけ，不安定な精神状態を改善します
→ 緩和鎮静
精神的な疾患に広く使用される。甘草が多い処方

帰脾湯：この薬は，胃腸を丈夫にし貧血症状を改善する漢方薬です。また，不安や緊張をやわらげ寝つきをよくします
→ 滋養強壮，鎮静
胃腸が弱い人の不眠や貧血に。不安やイライラが強い場合は加味帰脾湯

荊芥連翹湯：この薬は，鼻，のど，上気道，顔などの炎症，特に慢性の炎症（蓄膿症，扁桃腺炎等）を改善する漢方薬です
→ 抗炎症，抗菌，排膿
皮膚疾患（にきび，アトピー性皮膚炎など）にも使われる

桂枝加芍薬湯：この薬は，あまり顔色のよくない体質虚弱者の消化管の過緊張を緩め，腹痛やしぶり腹を改善する漢方薬です
→ 鎮痙，鎮痛，止瀉
腹痛やストレス・緊張による下痢によく使用される

桂枝加朮附湯：この薬は，手足の関節の痛み，腫れ，筋肉痛，運動障害などを改善する漢方薬です
→ 鎮痛，抗炎症，末梢循環改善
痛みは重だるく慢性化していることが多い

桂枝加竜骨牡蛎湯：この薬は，桂枝湯に竜骨と牡蛎を加えた漢方で些細なことが気になって集中できない，ストレスを感じやすいといった神経症や不眠に用いられる漢方薬です
→ 鎮静，強壮
不眠や疲労で性的不定愁訴を伴う場合によく使用される

桂枝湯：この薬は，自然に汗が出やすく体力のあまりない人で，かぜのひき始めや体の痛みを改善する漢方薬です
→ 発汗，解熱，鎮痛
虚弱な人のかぜによく使用される

桂枝人参湯：この薬は，胃腸の働きを高めるほか，体の冷えや頭痛を改善し動悸を鎮める漢方薬です
→ 保温，胃腸機能改善，強壮
下痢を伴うかぜによく使われる。甘草が多い処方

桂枝茯苓丸：この薬は，血のめぐりをよくし，めまい，肩こり，頭重を改善し，特に婦人の月経不順を改善する漢方薬です
→ 末梢循環改善，鎮静，鎮痛，止血，抗炎症
瘀血を改善する基本的な処方

香蘇散：この薬は，かぜのひき始めや頭痛，胃の調子が悪い，じんま疹などの症状を改善する漢方薬です
→ 発散，健胃
精神症状の緩和や，高齢者や中高年の軽いかぜに使用される

	五積散:この薬は,胃腸の働きを高めて体の冷えや腰痛,関節痛,神経痛,生理痛などを改善する漢方薬です。冷房病にも使用されます	→	調経,鎮痛,通絡,利水 体が冷えて水代謝が悪くなったため起こった症状に適応が多い
	牛車腎気丸:この薬は,尿を出す作用があるので,尿量減少や浮腫のある体力の低下した人の腰部および下肢の冷え・痛み・しびれ,特に老人性腰痛に効く漢方薬です	→	利尿,鎮痛,免疫賦活,強壮,頻尿改善 温めるとよくなる痛みやしびれに用いる
	呉茱萸湯:この薬は,常習的に起きる激しい頭痛や首・肩のこりや嘔吐を改善する薬です。また足の冷える人のシャックリに効く場合もあります	→	鎮痛,鎮静,鎮吐 冷えると強くなる頭痛,特に片頭痛に使われることが多い
	五苓散:この薬は,体内の水分を調節する作用があるので,頭痛やむくみを伴い,口渇,尿量減少があるのに水を飲むとすぐ吐くという症状などを改善する漢方薬です	→	利水,鎮吐,止渇,止瀉 かなり応用範囲の広い処方で,水分代謝異常に関するさまざまな疾患に適応される
さ	柴胡加竜骨牡蠣湯:この薬は,ストレスなどにより引き起こされたイライラ・不眠・心悸亢進や胸から季肋部にかけてのつまった重苦しい症状を改善する漢方薬です	→	中枢抑制,抗炎症,鎮静,脂質代謝改善 精神疾患や高血圧などの治療に長期使用されることがある
	柴胡桂枝湯:この薬は,小柴胡湯に痛みをとる生薬を加えてあるので消化性潰瘍の痛み,胆石症・胆嚢炎・膵臓炎の痛み,こじれたかぜの首筋のこわばり,寒気,吐き気,頭痛をとる漢方薬です	→	抗炎症,鎮静,鎮痛,鎮痙,自律神経調節 不定愁訴や精神症状にも使われることがある 小柴胡湯と桂枝湯の合方
	柴胡桂枝乾姜湯:この薬は,軽い胸苦しさ,微熱,頭痛などの症状を軽くするので,こじれたかぜや更年期障害などを改善する漢方薬です	→	中枢抑制,抗炎症,鎮静 虚弱なタイプの精神疾患（不眠,寝汗など）や疲労,倦怠感などにも使用される
	柴朴湯:この薬は,小柴胡湯に半夏厚朴湯を加えてあるので,胸苦しさや咳,喘鳴などの症状をとる漢方薬です。気管支喘息の少し喘鳴がおさまっているときによく用いられます	→	抗アレルギー,鎮咳,鎮静 倦怠感の改善や精神安定作用も期待される
	柴苓湯:この薬は,小柴胡湯に五苓散を加えてあるので,胸苦しさとむくみや尿量減少,口渇などの症状をとる漢方薬です	→	利水,抗炎症,止瀉,止渇 小柴胡湯で特に水の流れが悪く,むくみや尿量減少を来しているときに使う
	三黄瀉心湯:この薬は,比較的体力がありのぼせ気味で,顔面紅潮し,精神不安,便秘傾向のある人に用いる漢方薬です	→	中枢抑制,瀉下,血圧降下,抗炎症 頓服で用いることが多い
	酸棗仁湯:この薬は,神経を鎮めて寝つきをよくする漢方薬です	→	催眠,鎮静 疲れているのに眠れないというときに使用さ

	れることが多い
四逆散（しぎゃくさん）：この薬は，イライラによる胃痛，腹痛，胸脇痛や不安，不眠などの精神症状を改善する漢方薬です →	鎮静，鎮痛 神経質であることと手足の冷えのある場合に使用される
四君子湯（しくんしとう）：この薬は，胃腸の働きをよくして胃もたれ，軟便下痢などを改善し，元気をつける漢方薬です →	胃腸機能改善，強壮，利水 長期入院後や高齢者に適応が多い
七物降下湯（しちもつこうかとう）：この薬は，冷えや顔色の悪い虚弱体質者の高血圧，特にのぼせ・肩こり・耳鳴り・頭重のある高血圧などの症状を改善する漢方薬です →	末梢血管拡張，血圧降下 胃腸機能が弱い人には適応しない
四物湯（しもつとう）：この薬は，血液の循環をよくし，月経不順や産前産後の異常，ことに血の道といわれる神経症状を改善する漢方薬です →	末梢血管拡張，調経 即効性はなく，数カ月にわたる服用になることが多い
炙甘草湯（しゃかんぞうとう）：この薬は，不整脈や動悸，息切れを改善する漢方薬です →	補気，補血，補心，滋陰 あまり元気がない状態に使用される。甘草が多い処方
芍薬甘草湯（しゃくやくかんぞうとう）：この薬は，筋肉の緊張をほぐすので，筋のけいれん・こむらがえりを伴う痛みや消化器の鋭い痛みに頓服で用いられる漢方薬です →	鎮痛，鎮痙 甘草の量が非常に多いため長期の処方が出ている場合は副作用の出現に注意
十全大補湯（じゅうぜんたいほとう）：この薬は，血行促進に効く四物湯と気力を治す四君子湯に，強壮作用のある生薬を加えてあるので，病後や術後や慢性病など体力，気力ともに低下した者の疲労倦怠感，顔色不良，食欲不振，手足の冷えなどの症状を改善する漢方薬です →	強壮，血管拡張，胃腸機能改善，免疫賦活 即効性はあまりないため比較的長期（数カ月）にわたって処方されることが多い
十味敗毒湯（じゅうみはいどくとう）：この薬は，アレルギー体質の者の体質改善や，皮膚疾患（湿疹やじんま疹），化膿性疾患の初期に炎症を発散させる漢方薬です →	抗アレルギー，抗炎症，排膿，解熱，抗面疱 ほとんどは皮膚疾患に対する処方
潤腸湯（じゅんちょうとう）：この薬は，老人などの体力の低下した者の，水不足による便秘を改善する漢方薬です →	緩下 便がかなり硬くて出ないと訴える人に
小建中湯（しょうけんちゅうとう）：この薬は，体質虚弱な小児の夜尿症，夜泣き等の症状を改善し，虚弱な体質を強壮にする漢方薬です。また，体質虚弱な人の疲労感，神経性腹痛，動悸，頻尿および多尿等の症状を改善する漢方薬です →	強壮，鎮静，鎮痛，利水 小児に適応されることが多い
小柴胡湯（しょうさいことう）：この薬は，柴胡剤の基本となる薬で，胸部の重苦しい感じ（胸脇苦満）を治す漢方薬です。肝炎，胃炎，腎炎，糖 →	抗炎症，免疫賦活，肝障害改善，解熱 かなり幅広い適応があるが，およそ炎症性疾患に処方される

	尿病などの者の食欲不振，悪心，疲れやすいなどの症状やかぜをこじらせた場合の微熱や食欲不振を改善する漢方薬です	
	小柴胡湯加桔梗石膏：小柴胡湯に痰を切る作用，解熱鎮痛作用のある生薬を加えてあるので，胸苦しくてのどが腫れ，痛むのを改善する漢方薬です →	抗炎症，免疫賦活 扁桃炎や扁桃周囲炎に用いられる
	小青竜湯：この薬は，水鼻やくしゃみ，薄い痰などを伴う鼻かぜやアレルギー性鼻炎，花粉症，喘息などに効く漢方薬です →	解熱，抗炎症，抗アレルギー，利水 アレルギー体質改善のため連用する場合があるが，甘草が多いので副作用の発現には注意する
	小半夏加茯苓湯：この薬は，つわりや諸病の嘔吐，吐き気を改善する漢方薬です →	利水，去痰 悪心・嘔吐にしか用いられない。長期の使用はほとんどない
	消風散：この薬は，皮膚疾患に用いられ，分泌物の多い湿疹のかゆみを改善する漢方薬です →	抗炎症，止痒，抗アレルギー 慢性化した皮膚疾患に使用されることが多い
	辛夷清肺湯：この薬は，鼻づまりを治す漢方薬です。蓄膿症，肥厚性鼻炎によく効く漢方薬です →	抗炎症，排膿，抗菌 応用範囲はあまり広くなく，鼻閉，鼻炎，蓄膿症など鼻の炎症を抑える
	参蘇飲：この薬は，胃腸の働きをよくし，咳が残るかぜや長引く咳を改善する漢方薬です →	鎮咳，去痰，胃腸機能改善 高齢者，小児のかぜや葛根湯・麻黄湯が副作用で飲めない人でも使えるかぜ薬である
	真武湯：この薬は，体を温め水分の循環をよくし，痛みをやわらげたり下痢や腹痛を改善する漢方薬です →	鎮痛，利水 中高年や虚弱者での使用が主で，若年者や子どもの使用はあまりない
	清上防風湯：この薬は，にきび，顔や頭のおでき・発赤を改善する漢方薬です →	抗炎症，抗菌 青年期のにきびに最もよく用いられる
	清心蓮子飲：この薬は，排尿時の残尿感や不快感がありイライラする場合や，頻尿，排尿痛等の症状をやわらげる漢方薬です →	強壮，鎮静，利尿，鎮痛 不眠や不安など自律神経系の失調に使用されることもある
	清肺湯：この薬は，慢性化し体力の低下した者の，粘稠で切れにくい痰を伴う頑固な咳に効く漢方薬です →	鎮咳，去痰，抗炎症 多くは慢性化していて切れにくい（膿のような）痰が多く出る咳に用いられる
	疎経活血湯：この薬は，血の循環をよくする生薬と痛みを抑える生薬が組み合わせてあるので，腰から足にかけての筋肉，関節などの激しい痛みを改善する漢方薬です →	鎮痛，鎮痙，鎮静，末梢血管拡張 応用範囲は広いが基本的には痛みとしびれをとる処方
た	大黄甘草湯：この薬は，便秘に広く用いられる漢方薬です →	瀉下 一般的に使用される便秘薬
	大黄牡丹皮湯：この薬は血が停滞している状態（瘀血）を解消し子宮や膀胱や肛門などの下半身の炎症を改善する漢方薬です →	抗炎症，月経障害改善 便秘を伴う月経痛，月経不順や月経困難に

漢方薬	作用	備考
大建中湯（だいけんちゅうとう）：この薬は，体力の低下した者の手足・腹部の冷え，強い腹痛，腹部の張りや，脳卒中後遺症の便秘や腹部手術後早期の腸管ぜん動運動を改善する漢方薬です	鎮痙，鎮痛，駆風，腸管蠕動改善	冷えとは関係なく術後のイレウス予防に使われることが最も多い
大柴胡湯（だいさいことう）：この薬は，小柴胡湯とともに柴胡剤の代表格の一つで，体質的には肥満あるいは筋骨たくましい者の，胸から脇にかけてのつかえ感，便秘，悪心，嘔吐，肩こり，頭痛，息切れなどの症状を改善する漢方薬です	消炎，利胆，抗炎症，脂質代謝改善，鎮静，瀉下	常習の便秘や高血圧，糖尿病などの改善に長期にわたって使用されることがある
大承気湯（だいじょうきとう）：この薬は，便秘や高血圧，不安やイライラを改善する漢方薬です	緩下，抗炎症，鎮静	調胃承気湯や大黄甘草湯より強い瀉下剤
大防風湯（だいぼうふうとう）：この薬は，体を温め痛みを発散させ，関節リウマチ，慢性関節炎，痛風を改善する漢方薬です	補血，保温，鎮痛，利湿	虚弱な人の関節リウマチ・関節痛に使われる
治打撲一方（ぢだぼくいっぽう）：この薬は，打撲による腫れや痛みに用いる漢方薬です	抗炎症，鎮痛，収斂，血液循環改善，止血	打撲や捻挫の痛みに使われる
調胃承気湯（ちょういじょうきとう）：この薬は，便が硬く出にくい便秘を改善する漢方薬です	緩下	体力の有無に関係なく，一般的に利用される便秘薬である
釣藤散（ちょうとうさん）：この薬は，中年以降の慢性に経過する頭痛やめまい，肩こり，のぼせ，耳鳴り，不眠，目の充血などの症状を改善する漢方薬です	鎮痙，鎮痛，降圧	主に頭痛や高血圧に用いられるが，目や耳に関する疾患にもよく使用される
猪苓湯（ちょれいとう）：この薬は，炎症を抑え尿を出し，神経を抑える作用があるので頻尿，残尿感，排尿痛，血尿などの症状を改善する漢方薬です	抗炎症，利尿	慢性化した泌尿器系の疾患に対する使用が多い
通導散（つうどうさん）：この薬は，生理不順，生理痛，更年期障害，肥満が気になる，便秘，打撲後の疼痛腫れを改善する漢方薬です	緩下，血液循環改善，鎮静	女性に使用されることが多いが，打撲などには男女問わず使用される
桃核承気湯（とうかくじょうきとう）：この薬は，血が停滞している状態（瘀血）を解消し，のぼせや便秘，頭痛，めまい，興奮などの神経症状や月経不順，月経困難を改善する漢方薬です	末梢循環改善，鎮静，鎮痙，瀉下	男性にも使えるが対象は女性が多く，症状が月経と関係していることが多い
当帰飲子（とうきいんし）：この薬は，皮膚の栄養を高め，かゆみを抑えるので，体力の低下した者，老人の皮膚の乾燥，発赤，かゆみなどの症状を改善する漢方薬です	末梢血管拡張，抗炎症，止瀉	高齢者の乾燥肌への適応が多い
当帰四逆加呉茱萸生姜湯（とうきしぎゃくかごしゅゆしょうきょうとう）：この薬は，温める生薬と痛みやけいれんをとる生薬を合わせてあるので，下腹部，腰部，四肢末端の冷えて痛むという症状や頭痛を改善する漢方薬です	末梢血管拡張，鎮痛，鎮痙，保温，調経	女性に比較的適応が多い

	漢方薬	作用・適応
	当帰芍薬散（とうきしゃくやくさん）：この薬は，婦人の聖薬といわれ，虚弱で，冷え性で貧血傾向の人に用い，血液，ことに月経を調節し，めまい，痛み，けいれんをとる漢方薬です	利水，保温，調経，鎮痙，鎮痛 幅広く使われる処方であり，痛み，冷え，月経不順が治療目標になっていることが多い
な	二朮湯（にじゅつとう）：この薬は，肩関節や上腕筋肉の痛みやこりを改善する漢方薬です	利水，消炎，鎮痙，鎮痛 およそ上半身の痛みに使われ，五十肩への適応が多い
	二陳湯（にちんとう）：この薬は，吐き気や嘔吐を抑える漢方薬です	利水，健胃 胃に水がたまったような感じで吐き気があるときに使われる
	女神散（にょしんさん）：この薬は，気分がすぐれず，不安や不眠，頭痛や動悸などの症状を伴う月経トラブルや産前産後の血の道症，更年期障害，自律神経失調に用いる漢方薬です	中枢抑制，末梢血管拡張，血圧降下，抗炎症，筋弛緩 ほとんどの場合，女性の月経周期に関係する疾患に使われる
	人参湯（にんじんとう）：この薬は，冷えやすい虚弱体質の人の食欲不振，胃部不快感，胃の痛みや下痢などの胃腸症状を改善する漢方薬です	保温，鎮痙，鎮痛，胃腸機能改善，強壮 小児や高齢者によく使用される。甘草が多い処方
	人参養栄湯（にんじんようえいとう）：この薬は，大病後や外科手術後，気力・体力のともに衰えた者の全身倦怠感，食欲不振，動悸，寝汗，手足の冷え，貧血などの症状を改善する漢方薬です	強壮，血管拡張，胃腸機能改善，免疫賦活 十全大補湯と似たような使われ方をするが不眠などの精神症状や咳嗽がある場合に使用される
は	麦門冬湯（ばくもんどうとう）：この薬は，のどを潤す作用があるので，かすれ声，乾いた咳，粘稠で痰の切れにくい咳などの炎症を改善する漢方薬です	鎮咳，去痰 咳は必ず乾いていて痰は少なく出にくい場合に使用される。逆に痰が多い症状には使わない
	八味地黄丸（はちみじおうがん）：この薬は，水分と血液のめぐりをよくする作用があるので手足の冷えやすい者，体力の低下した者，特に老人の全身倦怠感，口渇，腰痛，しびれ，かすみ目，排尿異常などの症状を改善する漢方薬です	利水，鎮痛，免疫賦活，強壮 中年以降，高齢者への適応（老化に伴う症状の改善）が多い
	半夏厚朴湯（はんげこうぼくとう）：この薬は，気持ちを落ちつかせる作用があり，誤嚥性肺炎後の嚥下反射，咳反射を改善させ，肺炎になるのを抑える漢方薬です	鎮静，鎮咳，胃腸機能改善 のどや胸のつまり，呼吸が苦しい，声が出ないなどが主な訴えであることが多い
	半夏瀉心湯（はんげしゃしんとう）：この薬は，みぞおちのつかえを治す作用があるので，悪心，嘔吐，下痢などの症状をを改善する漢方薬です	健胃，鎮静，胃腸機能改善，胃粘膜保護 ストレスによる口内炎や胃部のつかえを伴う胃腸障害に。甘草が多い処方
	半夏白朮天麻湯（はんげびゃくじゅつてんまとう）：この薬は，水分停滞を除き消化作用を強めるので，胃腸虚弱の者の冷え性，持続性の頭痛，頭重感，めまいなどの症状を改善する漢方薬です	利水，健胃，鎮痛，抗暈，鎮吐 めまいに使われることが最も多い

	白虎加人参湯：この薬は，口渇が強く，1日に何杯も水を飲むという症状を改善するので，口渇の強い糖尿病，乾性皮膚疾患などに用いられる漢方薬です	止渇，解熱 自覚的にも他覚的にも熱感が強い場合に使用される
	茯苓飲合半夏厚朴湯：この薬は，気持ちをやわらげ，胃の働きをよくしてストレス性の胃炎，胸やけなどを改善する漢方薬です。つわりにも使用されます	鎮静，胃腸機能改善，利水 のどの異物感，嘔気・嘔吐，胸の痛みなどが主な訴えであることが多い
	平胃散：この薬は，胃の働きをよくする漢方薬です。消化不良による胃もたれ，下痢を改善します	健胃，利水 胃酸を中和する働きはないため胸やけや強い胃痛には安中散を使用
	防已黄耆湯：この薬は，余分な水分を除く作用と痛みをとる作用があるので，色白で水太りの人に用い，浮腫，関節腫脹・疼痛，発汗過多，疲労感，尿量減少などの症状を改善する漢方薬です	利水，鎮痛，抗炎症 関節の痛みは下半身が多く，膝に水がたまっていることがある
	防風通聖散：この薬は，発汗，排尿，排便などの促進により停滞した水分や老廃物を排出し，熱をさます作用があるので，肥満性卒中体質者，太鼓腹で便秘，尿不利傾向の者の体質を改善する漢方薬です	抗炎症，利水，瀉下 肥満に用いられることが多いが，冷えがあったり虚弱だったり水太りのような場合には使わない
	補中益気湯：この薬は，胃腸機能を促進し，気力・体力を増す作用があるので，全身倦怠感，食欲不振，病後の衰弱，寝汗，微熱などの症状をとったり，夏やせ，こじれて長引くかぜ，痔，胃下垂などを改善する漢方薬です	抗疲労，内臓下垂改善，免疫賦活 易疲労などで長期服用になることがある一方，食欲不振などは2，3日で効果が出ることもある
ま	麻黄湯：この薬は，体力が充実した人の熱性疾患の初期で，自然発汗のない場合に，頭痛，発熱，悪寒，腰痛，四肢の関節痛等の症状を改善する漢方薬です	発汗，鎮咳，去痰，抗炎症 数分から1～2時間で効果が出る場合が多い。使用は非常に短期的で通常3日程度
	麻黄附子細辛湯：この薬は，老人などの体力低下者のかぜの初期症状（悪寒，無気力，微熱など）を改善する漢方薬です	解熱，鎮痛，鎮咳，抗アレルギー 冷えが強く体力や気力がないときに
	麻杏甘石湯：この薬は，激しく咳込んで息苦しく，のどが渇くなどの症状を改善する漢方薬です	交感神経興奮様作用，鎮咳，去痰，抗炎症，解熱 多くの場合呼吸器疾患で処方される
	麻杏薏甘湯：この薬は，関節痛や神経痛の痛みをやわらげる漢方薬です	発汗，止痛，利湿，鎮咳 比較的長期間処方されることが多い
	麻子仁丸：この薬は，虚弱している人や高齢者の便秘を改善する漢方薬です	緩下，平滑筋弛緩 便が硬くて出ないと訴える人によく使用される
	木防已湯：この薬は，心臓病や腎臓病に基づくむくみや喘鳴を改善する漢方薬です	抗炎症，利水，強壮 ほとんどは動悸，息切れや胸のつかえに使用される

や	薏苡仁湯：この薬は慢性化して貧血傾向のあるリウマチなどの関節や筋肉の痛みや腫れ，熱感を改善する漢方薬です	鎮痛，抗炎症 慢性化している痛みに適応されることが多い
	抑肝散：この薬は虚弱な体質で神経が高ぶる諸症状（イライラ，緊張，不安，妄想など）を鎮めたり，子どもの夜泣き，ひきつけなどや，認知症の周辺症状（徘徊，易怒，幻覚，妄想，昼夜逆転，興奮，暴言，暴力）を改善する漢方薬です	抗不安，攻撃性抑制，睡眠障害改善 心因性の疾患に用いられ，小児から高齢者まで広く適応
	抑肝散加陳皮半夏：この薬は，抑肝散のタイプで吐き気や腹部膨満感がある人に用いられます	抗不安，攻撃性抑制，睡眠障害改善，健胃 抑肝散とほとんど同じであるが体力がより低下していたり長期化している場合にこちらを使うことが多い
ら	六君子湯：この薬は，悪心，嘔吐を止める生薬と，胃の中の水の停滞と痰を除く生薬を合わせてあるので，慢性の胃腸症状，食欲不振，全身倦怠感などの症状を改善する漢方薬です	胃腸機能改善，強壮 四君子湯と二陳湯との合方
	竜胆瀉肝湯：この薬は，排尿痛や残尿感，陰部のかゆみや色の濃いおりものを改善する漢方薬です	抗炎症，利尿，血管拡張 生殖・泌尿器系の「熱」（炎症・かゆみ）を抑えることを治療目標としている
	苓甘姜味辛夏仁湯：この薬は，冷え性で薄い痰が多く症状が長引くような，気管支炎や喘息などを改善する漢方薬です	去痰，鎮咳，利水，保温 花粉症などの治療で小青竜湯を飲むと胃腸障害や不眠がみられる場合に
	苓姜朮甘湯：この薬は，腰の冷えや痛み，夜尿症を改善する漢方薬です	鎮痛，利水，保温 腰の冷えと痛みに使用されることがほとんど
	苓桂朮甘湯：この薬は，胃アトニー・低血圧の人で，めまいや立ちくらみ，動悸，尿量減少等の症状を改善する漢方薬です	中枢抑制，鎮静，抗潰瘍，利水 基本的にはめまいや動悸を治す処方
	六味丸：この薬は，体力の弱った中高年でのぼせ気味で暑がりの人に向きます。主に足腰の痛みや排尿異常を改善する漢方薬です	清熱，利水 八味地黄丸と構成は似ているが冷えはみられずほてりが強いのが特徴
禁忌	〔甘草 2.5 g 以上の含有処方：黄連湯，甘麦大棗湯，桂枝人参湯，炙甘草湯，芍薬甘草湯，小青竜湯，人参湯，半夏瀉心湯〕アルドステロン症，ミオパチー，低 K 血症	

■ 重大な副作用と妊婦・授乳婦への危険度

薬剤名	重大な副作用	妊婦[授乳婦]
3, 9, 10, 11, 14, 19, 20, 29, 41, 50, 51, 88, 96, 109, 111, 114	間質性肺炎，偽アルドステロン症，ミオパチー，肝機能障害，黄疸	[✕○]
8, 12, 100, 107, 113	間質性肺炎，肝機能障害，黄疸	[✕○]

No.65　漢方製剤

薬剤名	重大な副作用	妊婦[授乳婦]
2, 5, 6, 18, 22, 27, 32, 38, 39, 47, 52, 53, 55, 60, 61, 84, 86, 89, 99, 118, 120, 137	偽アルドステロン症, ミオパチー	[⊗○]
1, 43, 48, 67, 108	偽アルドステロン症, ミオパチー, 肝機能障害, 黄疸	[⊗○]
25, 127	肝機能障害, 黄疸	[⊗○]
15, 57, 104	間質性肺炎, 肝機能障害, 黄疸, 腸間膜静脈硬化症	[⊗○]
24, 58	偽アルドステロン症, ミオパチー, 肝機能障害, 黄疸, 腸間膜静脈硬化症	[⊗○]
54	間質性肺炎, 偽アルドステロン症, ミオパチー, 肝機能障害, 黄疸, 心不全, 横紋筋融解症	[⊗○]
68	間質性肺炎, 偽アルドステロン症, ミオパチー, 肝機能障害, 黄疸, うっ血性心不全, 心室細動, 心室頻拍	[⊗○]
114	間質性肺炎, 偽アルドステロン症, ミオパチー, 劇症肝炎, 肝機能障害, 黄疸	[⊗○]
135	肝機能障害, 黄疸, 腸間膜静脈硬化症	[⊗○]
137	偽アルドステロン症, ミオパチー, 腸管膜静脈硬化症	―
50, 62, 76, 90	間質性肺炎, 偽アルドステロン症, ミオパチー, 肝機能障害, 黄疸, 腸管膜静脈硬化症	―

漢方製剤

■ **副作用について**

　漢方薬の副作用においては証の診断違いや, 構成生薬の重複, 過剰投与, 西洋薬との相互作用あるいはアレルギー体質なども考えられる。一般に副作用としては胃部不快感, 食欲不振, 下痢などが多くみられる。作用が比較的強力で, 臨床で頻用され注意すべき漢方製剤として麻黄, 甘草, 大黄, 附子, 人参, 地黄, 桃仁, 芒硝などがあげられる

■ 漢方薬（生薬）における有害作用と使用上の注意

生薬	成分など	起こり得る有害作用など	使用上の注意
麻黄	エフェドリン：交感神経興奮様作用 プソイドエフェドリン：抗炎症作用	狭心症発作誘発，不整脈悪化，血圧上昇，不眠，動悸，頻脈，発汗過多，尿閉，食欲低下，心窩部痛，腹痛，下痢	虚血性心疾患，重症高血圧，腎障害，前立腺肥大，高齢者には特に注意。 交感神経興奮様作用を有する薬物と相乗作用がある。
甘草	グリチルリチン	偽アルドステロン症（脱力感，浮腫，低カリウム血症等）	漢方薬併用時やグリチルリチン製剤，利尿薬との併用時に起こりやすい。
大黄	センノサイド類：瀉下作用	過量投与で腹痛，下痢 胃腸虚弱（虚証）では微量でも起こる。	下痢傾向の者，兎糞状の者には要注意。 大黄で下痢する者は虚証と考えるべき。
附子	アコニチン，メサコニチン	過量投与で中毒症状（吐き気，動悸，冷汗，重篤な例では不整脈，血圧低下）	小児は中毒が起こりやすく原則として使用しない。 陽証で副作用が起こりやすい。
人参	人参サポニン類	のぼせ，湿疹，じんま疹，皮膚炎の悪化 稀に長期投与例で血圧上昇をみる。	陽証・実証の体質者に副作用が起こりやすい。
地黄	カタルポール，マンニット	嘔気，胃痛，食欲低下，腹痛，下痢	胃下垂傾向顕著な者で起こりやすい。
桃仁	青酸配糖体（アミグダリン）	過量投与で腹痛，下痢，めまい，嘔吐	妊婦，下痢および出血しやすい人に注意。
芒硝	硫酸ナトリウム	過量投与で腹痛，下痢	妊婦，胃腸の弱い人，寒証の人に注意。

（岡野善郎，永田郁夫：スキルアップのための漢方薬の服薬指導 改訂2版，p 36，南山堂，2006）

■ その他の指導ポイント

	患者向け	薬剤師向け
使用上の注意	・食前（食前30分位）ないし食間（食後2→時間位）に微温湯で服用する(1)か，または湯（湯飲み茶碗一杯位）に溶かして服用(2)してください。もし，溶けきれなくても残さず飲んでください。ただし，悪心，嘔吐，急性の出血などあるときには，冷水にて服用してください	その他備考（1），（2）参照 ・漢方製剤を2種類以上あわせて用いる場合，含有生薬の重複に注意（特に甘草，大黄，附子） ・〔甘草〕血清K値や血圧に注意し，異常があれば中止 ・〔大黄〕瀉下作用の個人差に注意
服用を忘れたとき	思い出したときすぐに服用する。ただし次の服用時間が近いときは忘れた分は服用しない（2回分を一度に服用しないこと）	

■ その他備考

(1) 食前または食間服用の意味

1) 有効成分の吸収への影響

　　アルカロイドを主成分とする生薬（アコニチン類を含む附子，エフェドリンを含む麻黄等）は少量で激しい作用を示すので，空腹時の胃内のpHが低いとき服用すると，水溶性が増し細胞膜を通りにくくなり，吸収が下がり安全性が高くなる。同時に併用薬の中に胃内のpHが上がらないよう中和剤の入った胃薬を同時服用しないよう注意する。

2) 食物や新薬との相互作用

　　食前投与なら速やかに腸へ到達し薬効がでることと，食物と接する量が減り食物成分との相互作用や，新薬の多くが食後投与が多いので相互作用も防ぎやすくなる。

(2) お湯に溶かす意味

　　エキス剤を湯に溶いて服用した場合，エキス剤が煎剤に近くなり，漢方薬特有の味や香りを十分に嗅いで服用すると胃酸の分泌が高まり，アルカロイドなど塩基性成分の血中濃度上昇を抑えることができるので，高齢者（胃酸の分泌能が低下している患者）にとって安全な服用方法になる。

　　しかし麻黄湯や葛根湯など，風邪の初期に用い速く効かせたい場合，胃酸を希釈(pHをあげる)しエフェドリンの吸収促進，保温，水分補給を目的に多量の白湯で服用するよう指導する。

　　　　　　　　　(田代眞一，友金幹視：漢方調剤研究 Vol.6　No.4別冊，臨床情報センター，1998)

66 抗悪性腫瘍薬

■ 1. 大腸がん治療薬—薬物治療の確認と指導のポイント

項目	確認のポイント
疫学	**大腸がん**：結腸がん65％，直腸がん35％ **罹患数**：第1位（2018年），男性：第3位，女性：第2位 **死亡数**：第2位（2019年），男性：第3位，女性：第1位 ・男女とも罹患数は死亡数の約3倍であり，生存率は比較的高い。 ・50〜70歳代で多く特に60歳代にピーク，罹患率は日本人と欧米白人とでほぼ同じ。
リスクファクター	年齢，肥満，炎症性腸疾患，大腸腺腫，大腸がん家族歴，高脂肪食，アルコール，喫煙
病期別治療方針の確認	①内視鏡治療 　リンパ節転移の可能性がほとんどなく，腫瘍が一括切除できる大きさと部位にある粘膜内がん，粘膜下層への軽度浸潤がんが適応 ②手術治療 ・Stage 0〜Ⅲ：根治目的 ・Stage Ⅳ：原発巣が切除可能であれば手術を考慮。遠隔転移巣も切除可能であれば同時切除も考慮する ③放射線治療 　術前照射療法，術中照射療法，術後照射療法，緩和的照射療法（転移巣など） ④化学療法 ・術後補助化学療法：R0（がんの残存がない）切除が行われたStage Ⅲ患者 　　原則，投与期間は6カ月，術後4〜8週頃までに開始することが望ましい ・切除不能進行再発大腸がん 　　化学療法を実施しない場合の生存期間中央値（MST）は約8カ月と報告されているが，一次と二次治療において5-FU系薬剤，イリノテカン，オキサリプラチンの3剤を使うことにより，20カ月以上のMSTが得られると報告されている
大腸がんで選択される薬物治療の確認〈代表的なレジメン例〉	**術後補助化学療法** ・FOLFOX療法：フルオロウラシル注＋レボホリナート注＋オキサリプラチン注 ・CapeOX療法：カペシタビン（ゼローダ）内服＋オキサリプラチン注 ・Cape（カペシタビン）内服単剤療法 ・5-FU＋*l*-LV療法：フルオロウラシル注＋レボホリナート注 ・UFT（ユーエフティ）内服＋LV（ユーゼル）内服療法 ・S-1（テガフール・ギメラシル・オテラシルカリウム配合剤）内服単剤療法 **手術不能・進行再発に対する化学療法** ・FOLFOX療法＋BEV or CET or PANI：フルオロウラシル注＋レボホリナート注＋オキサリプラチン注 ・FOLFIRI療法＋BEV or RAM or CET or PANI or AFL：フルオロウラシル注＋レボホリナート注＋イリノテカン注 ・FOLFOXIRI療法＋BEV：フルオロウラシル注＋レボホリナート注＋オキサリプラチン注＋イリノテカン注 ・CapeOX療法＋BEV：カペシタビン内服＋オキサリプラチン注 ・SOX療法＋BEV：S-1内服＋オキサリプラチン注 ・IRIS療法＋BEV：イリノテカン注＋S-1内服 ・レゴラフェニブ（スチバーガ）内服療法 ・FTD/TPI（ロンサーフ）内服療法 ※BEV：ベバシズマブ注，CET：セツキシマブ注，PANI：パニツムマブ注，RAM：ラムシルマブ注，AFL：アフリベルセプトベータ注

項目	確認のポイント
主な副作用と注意点	内服抗がん薬：主な副作用と対策参照 **FOLFOX 療法，FOLFIRI 療法，FOLFOXIRI 療法** ・骨髄抑制→発熱に注意し感染対策を行う，貧血症状や出血傾向にも注意 ・悪心，嘔吐→5-HT$_3$ 受容体拮抗薬や D$_2$ 阻害薬など症状に応じて制吐薬調節 ・口内炎，粘膜障害→口腔内ケア（歯磨きやうがい）で口腔内清潔を保つ ・オキサリプラチン：末梢神経障害（急性，慢性） 　・急性のしびれ→寒冷刺激で増悪。冷たいものに触れることや冷たい飲み物を避ける 　・慢性のしびれ→用量依存・蓄積性で出現する，重篤になる前にオキサリプラチン休薬 ・イリノテカン：下痢（早発性，遅発性） 　・早発性の下痢→投与 24 時間以内，コリン作動性の影響であり抗コリン薬で対応 　・遅発性の下痢→投与 2 日目以降，腸粘膜障害でありロペラミドや半夏瀉心湯で対応 **抗 VEGF 抗体薬（ベバシズマブ，ラムシルマブ，アフリベルセプトベータ）** ・投与開始〜投与 24 時間はインフュージョンリアクションが出現しやすい ・血圧上昇→定期的な血圧測定，ARB などで血圧コントロール ・蛋白尿→定期的な尿検査，一定値以上で休薬 ・出血→軽度の鼻出血程度が主だが，重篤な出血や脳出血も起こりうるため注意 ・血栓症→深部静脈血栓症や肺塞栓症をきたしうる。定期的に D ダイマー測定 ・創傷治癒遅延→術前術後で一定期間の休薬が必要 **抗 EGFR 抗体薬（セツキシマブ，パニツムマブ）** ・投与開始〜投与 24 時間はインフュージョンリアクションが出現しやすい ・皮膚障害（皮膚乾燥，ざ瘡様皮疹，亀裂，爪囲炎など）が大多数の患者で出現する。抗がん剤開始時からの予防対策が重要となる。 　・清潔を保つ→石鹸などは低刺激性のもの，タオル，スポンジは柔らかいものを選ぶ 　・保湿→1 日数回以上の保湿剤での保湿 　・刺激を避ける→締め付けの強い靴や服は避け，紫外線対策も行う 　・保湿剤としてヘパリン類似物質外用薬，ミノサイクリン内服やナジフロキサシン外用薬などの抗菌薬，皮膚障害の程度に応じた副腎皮質ステロイド外用薬などが処方される
服薬アドヒアランスの確認と指導（各種がんに共通の指導項目）	レジメン通り正しく休薬期間を遵守できているか，各企業から提供されている服薬日記等を活用し確認する。また休薬・中止すべき副作用発現のチェックと副作用に対する支持薬を理解しているかの確認をする。服薬タイミングに注意が必要な薬剤は患者のライフスタイルに応じて服用時間を相談し，最も服用忘れの少ない時間を提案し指導する

■ 2．胃がん治療薬—薬物治療の確認と指導のポイント

項目	確認のポイント
疫学	**罹患数**：第2位（2018年），男女とも85歳以上を除き中高年で罹患率が減少 **死亡数**：第3位（2019年），男女ともほぼすべての年齢階級で死亡率が減少 男女比は2：1，好発年齢は65〜69歳代，東アジアで高くアメリカ白人で低い
リスクファクター	*H. pylori* 感染，食塩過多，野菜や果物の摂取不足，喫煙
病期別治療方針の確認	①切除 ・Stage ⅠA：リンパ節転移の可能性がほとんどない場合は，内視鏡での切除も行われる ・Stage Ⅰ〜Ⅲ：手術治療が最も有効で標準な治療となる。同時にリンパ節郭清も行う ②化学療法 ・Stage Ⅱ〜Ⅲ：手術治療後の術後補助化学療法 ・Stage Ⅳ：手術不能・再発に対する臨床症状発現時期の遅延および生存期間延長目的
胃がんで選択される薬物治療の確認〈代表的なレジメン例〉	**術後補助化学療法** ・1年間のS-1（テガフール・ギメラシル・オテラシルカリウム配合剤）内服 ・6カ月のCape OX療法：カペシタビン（ゼローダ）内服＋オキサリプラチン注 **手術不能・再発に対する化学療法** ・XP療法±HER：カペシタビン内服＋シスプラチン注±トラスツズマブ注 ・Cape OX療法：カペシタビン内服＋オキサリプラチン注 ・SP療法：S-1内服＋シスプラチン注 ・SOX療法：S-1内服＋オキサリプラチン注 ・PTX＋RAM療法：パクリタキセル注＋ラムシルマブ注 ・ニボルマブ（オプジーボ） ・FTD/TPI（ロンサーフ）内服
主な副作用と注意点	**内服抗がん薬**：主な副作用と対策参照 **XP療法，Cape OX療法，SP療法，SOX療法，PTX＋RAM療法** ・骨髄抑制→発熱に注意し感染対策を行う，貧血症状や出血傾向にも注意 ・悪心・嘔吐→ $5\text{-}HT_3$ 受容体拮抗薬，D_2 阻害薬など症状に応じて制吐薬調節 ・シスプラチン 　・高度催吐性リスクのため，適切な制吐薬にて吐き気をコントロールする 　・腎障害軽減目的で，投与後は1〜2L程度の飲水を推奨し，尿量を確保する 　・蓄積毒性として末梢神経障害，聴覚障害に注意 ・オキサリプラチン：末梢神経障害（急性，慢性） 　・大腸がん（p.977）参照 ・パクリタキセル 　・投与開始時から過敏反応の出現に注意する 　・蓄積毒性として，回数依存的に末梢神経障害が出現しやすい 　・関節痛，筋肉痛が投与後数日出現することがある，鎮痛薬での対応可能 **抗HER2抗体薬（トラスツズマブ）** ・投与開始〜投与24時間はインフュージョンリアクションが出現しやすい ・心機能障害の出現に注意，導入前と治期間療中は定期的な心機能検査を実施 ・肺障害の出現に注意 **抗VEGF抗体薬（ラムシルマブ）** ・大腸がん（p.977）参照

項目	確認のポイント
	免疫チェックポイント阻害薬（ニボルマブ） ・自己組織に対する免疫反応の活性化に関連する，免疫関連有害事象（irAE） ・他の殺細胞性抗がん薬のように副作用出現タイミングは予想できない ・irAE → 1型糖尿病，甲状腺機能障害，下垂体不全，副腎不全，薬剤性肺炎，腸炎，神経障害，重症筋無力症，皮疹，肝障害，腎障害など
併用薬の確認	ゼローダ，フトラフール，フルツロン，ユーエフティ，ロンサーフ ⇔ ティーエスワン ギメラシルがフルオロウラシルの異化代謝を阻害し，血中フルオロウラシル濃度が著しく上昇することで，早期に重篤な血液障害や下痢，口内炎等の消化管障害等が発現するおそれがある

■ 3．肺がん治療薬―薬物治療の確認と指導のポイント

項目	確認のポイント
疫学	**罹患数**：第3位（2018年） **死亡数**：第1位（2019年），男性では悪性腫瘍による死亡の原因の第1位 罹患率，死亡率ともに40歳代後半から増加し，高齢になるほど高くなる
リスクファクター	喫煙（直接・受動），環境要因（アスベスト，ヒ素，クロム，ニッケル，大気汚染などへの曝露），遺伝的要因（発がん性物質の代謝経路における遺伝的多型など），慢性閉塞性肺疾患など
病期別治療方針の確認	①小細胞肺がん ・限局型（LD）Stage Ⅰ・ⅡA：外科的切除＋術後化学療法 　　　　　　　　　Stage Ⅱ〜Ⅲ：化学療法＋放射線療法±予防的全脳照射 ・進展型（ED）Stage ⅢB・Ⅳ：化学療法 ②**非小細胞肺がん（扁平上皮がん，腺がん，大細胞がん）** ・Stage ⅠAT1a：外科的切除 ・Stage ⅠAT1b：外科的切除＋術後補助化学療法 ・Stage ⅠB〜ⅢA 切除可能：外科的切除＋術後補助化学療法 ・Stage ⅠB〜ⅢA 切除不可：化学放射線療法（放射線＋化学療法） ・Stage ⅢB 根治照射可能：化学放射線療法（放射線＋化学療法） ・Stage ⅢB 根治照射不可：化学療法 ・Stage Ⅳ：化学療法
肺がんで選択される薬物治療の確認 〈代表的なレジメン例〉	**小細胞肺がん** ①限局型（LD） ・PE療法：CDDP（シスプラチン）＋VP-16（エトポシド） ・CE療法：CBDCA（カルボプラチン）＋VP-16（エトポシド） ②進展型（ED） ・PI療法：CDDP（シスプラチン）＋CPT-11（イリノテカン） ・PE療法：CDDP（シスプラチン）＋VP-16（エトポシド） ・CE療法：CBDCA（カルボプラチン）＋VP-16（エトポシド）±アテゾリズマブ ③再発がん ・AMR（アムルビシン） ・NGT（ノギテカン）

項目	確認のポイント
肺がんで選択される薬物治療の確認〈代表的なレジメン例〉	非小細胞肺がん ①術後補助化学療法 ・UFT 単剤療法（テガフール・ウラシル） ・NP 療法：CDDP（シスプラチン）＋ VNR（ビノレルビン） ②化学放射線療法 ・NP 療法：CDDP（シスプラチン）＋ VNR（ビノレルビン） ・CD 療法：CDDP（シスプラチン）＋ DTX（ドセタキセル） ・CP 療法：CBDCA（カルボプラチン）＋ PTX（パクリタキセル） ③化学療法 ◇扁平上皮がん ・プラチナ製剤＋他の化学療法剤±免疫チェックポイント阻害薬（ICI） ・化学放射線療法後のデュルバルマブ維持療法（ICI） ◇非扁平上皮がん ・プラチナ製剤＋非プラチナ製剤±抗 VEGF 抗体±免疫チェックポイント阻害薬 ・化学放射線療法後のデュルバルマブ維持療法（ICI） ※プラチナ製剤：シスプラチン，カルボプラチン 　非プラチナ製剤：ペメトレキセド，パクリタキセル，nab パクリタキセル，ドセタキセル，イリノテカン，ゲムシタビン，ビノレルビン，S-1 　抗 VEGF 抗体：ベバシズマブ 　免疫チェックポイント阻害薬：ニボルマブ，アテゾリズマブ，ペムブロリズマブ ・EGFR チロシンキナーゼ阻害薬（EGFR-TKI） 　非扁平上皮がん，EGFR 遺伝子変異陽性症例に対し 　・ゲフィチニブ，エルロチニブ，アファチニブ，オシメルチニブ，ダコミチニブ ・ALK 阻害薬（ALK-TKI） 　非扁平上皮がん，ALK 遺伝子転座陽性に対し 　・クリゾチニブ，アレクチニブ，セリチニブ，ロルラチニブ，ブリグチニブ
主な副作用と注意点	内服抗がん薬：主な副作用と対策参照 化学療法全般 ・骨髄抑制→発熱に注意し感染対策を行う，貧血症状や出血傾向にも注意 ・悪心，嘔吐→$5-HT_3$受容体拮抗薬，D_2阻害薬など症状に応じて制吐薬調節 ・口内炎や粘膜障害が起こりやすい薬剤も多く，口腔内の観察と口腔ケアを指導する シスプラチン ・胃がん（p.978）参照 カルボプラチン ・中等度催吐性リスクのため，適切な制吐薬にて吐き気をコントロールする ・血小板減少をきたしやすい パクリタキセル，ドセタキセル，nab パクリタキセル ・投与開始時から過敏反応の出現に注意する。nab パクリタキセルは出現リスクが低い ・蓄積毒性として，回数依存的に末梢神経障害が出現しやすい ・関節痛，筋肉痛が投与後数日出現することがある，鎮痛薬での対応可能 ・ドセタキセルは浮腫の頻度が比較的高い イリノテカン ・大腸がん（p.977）参照

項目	確認のポイント
	その他の非プラチナ製剤 ・ビノレルビン→便秘，イレウスのリスクが高い。排便コントロールを確認する ・ゲムシタビン→血管痛，血小板減少をきたしやすい ・ペメトレキセド→葉酸連日内服，9週ごとのビタミンB_{12}注が処方されているか 抗VEGF抗体薬（ベバシズマブ） ・大腸がん（p.977）参照 免疫チェックポイント阻害薬 ・胃がん（p.979）参照

■ 4．乳がん治療薬―薬物治療の確認と指導のポイント

項目	確認のポイント
疫学	女性の年間がん罹患率第1位（2018年），がん死亡率第5位（2019年） 罹患率は20歳代から増加傾向を示し，45〜49歳でピーク，60〜64歳で第2のピークを示した後，加齢とともに罹患率は減少する
リスクファクター	アルコール摂取，喫煙，生下時体重一定以上，肥満（閉経後），早い初経，遅い閉経，出産経験なし，初産年齢が高い，授乳経験なし，胸部の放射線被爆，乳がん家族歴，閉経後ホルモン補充療法，糖尿病既往など
乳がんサブタイプ分類と病期別治療方針の確認	・Luminal A 　HER2（−），ER（＋），PgR（＋）→ホルモン療法 ・Luminal B，HER2 陰性 　HER2（−），ER（＋），PgR（−）→ホルモン療法＋大部分で化学療法 ・Luminal B，HER2 陽性 　HER2（＋），ER（＋）→ホルモン療法＋抗HER2療法＋化学療法 ・non luminal（HER2型） 　HER2（＋），ER（−），PgR（−）→抗HER2療法＋化学療法 ・triple negtive 　HER2（−），ER（−），PgR（−）→化学療法 **手術可能な乳がん** ・外科療法：乳房温存手術，乳房切除術 ・放射線療法：手術でがんを切除した後に，乳房のその領域の再発を予防する ・薬物療法：術前化学療法 or 術後化学療法，術後ホルモン療法 **手術不能転移・再発乳がん** ・薬物療法：ホルモン療法，化学療法 ・放射線療法：リンパ節など転移部照射，QOL向上や症状緩和目的 ・転移に対する治療

項目	確認のポイント
乳がんで選択される薬物治療の確認〈代表的なレジメン例〉	**手術可能な乳がん** ①術前 or 術後化学療法 ・HER2（－）：アントラサイクリン系薬剤（3ヵ月）→タキサン系薬剤（3ヵ月） ・HER2（＋）：アントラサイクリン系薬剤（3ヵ月）→タキサン系薬剤（3ヵ月）＋Tmab（トラスツズマブ計1年）＋PER（ペルツズマブ計1年） ②ホルモン療法（術後） ・閉経前：タモキシフェンを計5年～10年±LH-RHアゴニスト ・閉経後：アロマターゼ阻害薬を5年～10年，もしくはタモキシフェンを数年服用後にアロマターゼ阻害薬に変更し計5年～10年 **手術不能転移・再発乳がん** ①ホルモン療法 ・閉経前 　一次治療：LH-RHアゴニスト＋タモキシフェン 　二次治療：LH-RHアゴニスト＋閉経後二次治療と同様 ・閉経後 　一次治療：アロマターゼ阻害薬 　二次治療：SERM（タモキシフェン，トレミフェン），SERD（フルベストラント），一次治療では未使用のアロマターゼ阻害薬，エキセメスタン＋mTOR阻害薬（エベロリムス）併用 ②抗HER2療法，化学療法 ・HER2（－） 　一次治療：アントラサイクリン系，タキサン系，S-1を含むレジメン，PTX＋Bmab 　二次治療：一次治療で未使用の薬剤，またはエンドキサン，ビノレルビン，イリノテカン，ゲムシタビン，エリブリンなど ・HER2（＋） 　一次治療：Tmab＋PER＋化学療法 　二次治療：T-DM1（トラスツズマブエムタンシン） 　三次治療：Tmab±化学療法，トラスツズマブデルクステカン，ラパチニブ＋カペシタビンなど ③その他 ・手術不能または再発のHER2（－），ホルモン（－），PD-1（＋）： 　ペムブロリズマブ＋化学療法（PTX，nab-PTX，カルボプラチン＋ゲムシタビン） 　アテゾリズマブ＋化学療法（nab-PTX） ・手術不能または再発のHER2（－），BRCA（＋）：PARP阻害薬（オラパリブ） ・手術不能または再発のHER2（－），ホルモン（＋）：CDK 4/6阻害薬（パルボシクリブ，アベマシクリブ） ※アントラサイクリン系薬剤を含むレジメン 　AC療法（ドキソルビシン＋シクロホスファミド） 　EC療法（エピルビシン＋シクロホスファミド） 　FEC療法（5-FU＋エピルビシン＋シクロホスファミド） ※タキサン系薬剤 　PTX（パクリタキセル），DTX（ドセタキセル）， 　nab-PTX（アルブミン懸濁型パクリタキセル　術前後不可，治癒切除不能のみ）

項目	確認のポイント
主な副作用と注意点	**内服抗がん薬**：主な副作用と対策参照 **化学療法全般** ・骨髄抑制→発熱に注意し感染対策を行う，貧血症状や出血傾向にも注意 ・悪心・嘔吐→5-HT$_3$ 受容体拮抗薬，D$_2$ 阻害薬など症状に応じて制吐薬調節 ・口内炎や粘膜障害が起こりやすい薬剤も多く，口腔内の観察と口腔ケアを指導する **アントラサイクリン系薬剤** ・高度催吐性リスクのため，適切な制吐薬にて吐き気をコントロールする ・蓄積毒性として心毒性があり，心機能低下に注意 ・投与後 2 日程度は尿の色が赤くなる（薬剤の色が尿に排出されるため） **タキサン系薬剤** ・投与開始時から過敏反応の出現に注意する ・蓄積毒性として，回数依存的に末梢神経障害が出現しやすい ・悪心・嘔吐→低リスクであるが，D$_2$ 阻害薬など症状に応じて制吐薬調節 ・関節痛，筋肉痛→投与後数日出現することがある，鎮痛薬での対応可能 ・ドセタキセルは浮腫の頻度が比較的高い **抗 HER2 抗体薬（トラスツズマブ，ペルツズマブ）** ・胃がん（p.978）参照 **抗 VEGF 抗体薬（ベバシズマブ）** ・大腸がん（p.977）参照 **免疫チェックポイント阻害薬（ペムブロリズマブ，アテゾリズマブ）** ・胃がん（p.979）参照
併用薬の確認	・フェアストン⇔キニジン，プロカインアミド，アミオダロン，ソタロールとの併用で，QT 間隔延長，心室性頻脈のおそれのため併用禁忌 ・ヒスロン H⇔黄体ホルモン，卵胞ホルモン，副腎皮質ホルモンとの併用で血栓症のおそれのため併用禁忌 ・タモキシフェン⇔パロキセチンは本剤の作用減弱のため併用注意

■ 5．膵がん治療薬—薬物治療の確認と指導のポイント

項目	確認のポイント
疫学	**罹患数**：第 6 位（2018 年），60 歳頃より増加し高齢になるほど高くなる **死亡数**：第 4 位（2019 年），死亡数は罹患数とほぼ等しく生存率は比較的低い ・70 歳以上の男性に多い ・発症部位は膵頭部 60%，膵体部 20%，膵尾部 8 %
リスクファクター	家族歴，糖尿病，肥満，喫煙，大量飲酒，慢性膵炎，膵管内乳頭粘液性腫瘍，膵嚢胞
病期別治療方針の確認	**①切除可能膵がん** ・Stage 0：外科的切除 ・Stage Ⅰ～Ⅱ：（術前補助化学療法＋）外科的切除＋術後補助化学療法 **②切除可能境界膵がん** ・Stage Ⅱ～Ⅲ：まずは化学放射線療法 or 化学療法を行い，再評価 　　　　　　　再評価で手術可能→外科的切除＋術後補助化学療法 　　　　　　　再評価で手術不可→化学放射線療法 or 化学療法 **③切除不能局所進行膵がん** ・Stage Ⅲ：化学放射線療法 or 化学療法 **④切除不能転移性膵がん** ・Stage Ⅳ：化学療法

項目	確認のポイント
膵がんで選択される薬物治療の確認〈代表的なレジメン例〉	**化学放射線療法** ・放射線治療と化学療法を組み合わせた治療 ・フッ化ピリミジン系抗がん剤または GEM（ゲムシタビン）と併用される **術後補助化学療法** ・S-1（テガフール・ギメラシル・オテラシルカリウム配合剤）内服単剤を4コース ・GEM 単剤を6コース **切除不能・転移再発に対する化学療法** ・FOLFIRINOX 療法：フルオロウラシル注＋レボホリナート注＋オキサリプラチン注＋イリノテカン注 ・GEM ＋ nab-PTX（アルブミン懸濁型パクリタキセル） ・GEM 単剤 ・GEM ＋エルロチニブ（タルセバ，遠隔転移に対してのみ使用） ・S-1 内服単剤 ・ペムブロリズマブ（キイトルーダ）
主な副作用と注意点	**内服抗がん薬**：主な副作用と対策参照 **FOLFIRINOX 療法** ・骨髄抑制➡発熱に注意し感染対策を行う，貧血症状や出血傾向にも注意 ・悪心・嘔吐➡5-HT$_3$ 受容体拮抗薬や D$_2$ 阻害薬など症状に応じて制吐薬調節 ・口内炎，粘膜障害➡口腔内ケア（歯磨きやうがい）で口腔内清潔を保つ ・オキサリプラチン：末梢神経障害（急性，慢性） 　➡大腸がん（p.977）参照 ・イリノテカン：下痢（早発性，遅発性） 　➡大腸がん（p.977）参照 **ゲムシタビン** ・血管痛，血小板減少をきたしやすい ・悪心・嘔吐➡低リスクであるが，D$_2$ 阻害薬など症状に応じて制吐薬調節 **nab-PTX（アルブミン懸濁型パクリタキセル）** ・蓄積毒性として，回数依存的に末梢神経障害が出現しやすい ・悪心・嘔吐➡低リスクであるが，D$_2$ 阻害薬など症状に応じて制吐薬調節 ・関節痛，筋肉痛➡投与後数日出現することがある，鎮痛薬での対応可能 **免疫チェックポイント阻害薬（ペムブロリズマブ）** ・胃がん（p.979）参照
併用薬の確認	ティーエスワン⇔フッ化ピリミジン系抗悪性腫瘍剤，フッ化ピリミジン系抗真菌剤（フルシトシン）で，早期に重篤な血液障害や消化管障害等発現にて併用禁忌

■ 6．肝がん治療薬―薬物治療の確認と指導のポイント

項目	確認のポイント
疫学	**罹患数**：第7位（2018年） **死亡数**：第4位（2019年） ・罹患率は男性では45歳，女性では55歳から増加する。死亡率も同様な傾向にある ・罹患率，死亡率ともに男性のほうが高く，男女比は2：1
リスクファクター	・肝硬変，B型・C型慢性肝炎，男性，高齢，アルコール多飲，喫煙，肥満，糖尿病 ・肝がんの約75％は HBV および HCV によるもので，肝細胞がんの約60％が HCV，約15％が HBV の持続感染による

No.66 抗悪性腫瘍薬

項目	確認のポイント
病期別治療方針の確認	・肝臓の細胞が，がんになる「肝細胞がん」と，胆汁を十二指腸に流す管の細胞が，がんになる「胆管細胞がん（肝内胆管がん）」，その他として未分化がんや神経内分泌腫瘍などがある。日本では肝細胞がんが90％と大部分を占める ・肝細胞がんの治療法選択基準は，肝障害度，腫瘍数，腫瘍径の3因子から規定される 　1）細胞障害度A，B＋腫瘍数1（単発）＋腫瘍径制限なし：肝切除 or 穿刺局所療法 　2）細胞障害度A，B＋腫瘍数2〜3個＋腫瘍径3cm以内：肝切除 or 穿刺局所療法 　3）細胞障害度A，B＋腫瘍数2〜3個＋腫瘍径3cm以上：肝切除 or 化学塞栓療法 　4）細胞障害度A，B＋腫瘍数4個以上＋腫瘍径制限なし：化学塞栓療法 or 化学療法 　5）細胞障害度C＋腫瘍数1〜3個＋腫瘍径3cm以内：肝移植 　6）細胞障害度C＋腫瘍数4個以上＋腫瘍径制限なし：緩和ケア **外科的治療（肝切除）** 肝臓に腫瘍が局在しており，腫瘍数が3個以下で適応。腫瘍径の制限はない **穿刺局所療法** エタノール注入療法（PEI），経皮的マイクロ波熱凝固療法（PMC），ラジオ波凝固療法（RFA※） ※RFA：現在の標準治療。超音波ガイド下に電極を腫瘍部に到達させ，ラジオ波を直接照射することで，腫瘍を焼灼壊死させる **肝動脈塞栓療法** 肝動脈内に経カテーテル的に塞栓物質を注入し，腫瘍を阻血壊死させる ・肝動脈塞栓療法（TAE）：固形塞栓物質を使用し抗がん剤は使用しない ・肝動脈化学塞栓療法（TACE）：抗がん薬*1との懸濁液を注入後，塞栓物質を注入する ・肝動注化学療法（TAI）：抗がん薬*2の肝動注療法であり塞栓物質は使用しない 　＊1：エピルビシン，ドキソルビシン，シスプラチン，マイトマイシンCなど 　＊2：シスプラチン，5-FU
肝がんで選択される薬物治療の確認〈代表的なレジメン例〉	**化学療法** ①1次治療：切除不能な肝細胞がん ・アテゾリズマブ注＋ベバシズマブ注 ・ソラフェニブ（ネクサバール）内服 ・レンバチニブ（レンビマ）内服 ②2次治療：がん化学療法後に増悪した切除不能な肝細胞がん ・レゴラフェニブ（スチバーガ）内服 ・カボサンチニブ（カボメティクス）内服 ・ラムシルマブ注（血清AFP値が400ng/mL以上で投与可能）
主な副作用と注意点	**内服抗がん薬**：主な副作用と対策参照 **抗VEGF抗体薬（ベバシズマブ，ラムシルマブ）** ・大腸がん（p.977）参照 **免疫チェックポイント阻害薬（アテゾリズマブ）** ・胃がん（p.979）参照

■ 7. 腎がん治療薬―薬物治療の確認と指導のポイント

項目	確認のポイント
疫学	**罹患数**：第 9 位（2018 年） **死亡数**：第 11 位（2019 年） ・罹患率は 50 歳から 70 歳まで増加する。罹患率・死亡率ともに男女とも増加傾向 ・欧米先進国で高く，日本を含むアジアでは低くなっている
リスクファクター	・肥満，高血圧，喫煙，過度のアルコール摂取などの生活習慣病 ・石油由来の有機溶媒やカドミウム，アスベストへの曝露 ・遺伝因子として，von Hippel-Lindau 病や Birt-Hogg-Dube 症候群とその血縁者 ・長期透析患者は後天性嚢胞性腎疾患から腎がんを合併することが多い
病期別治療方針の確認	腎臓の悪性腫瘍は，腎実質に発生する腎細胞がん（約 90%）と，腎盂の尿路上皮由来の腎盂がんに大別され，通常は腎がんとは腎細胞がんのことをいう 腎細胞がんの治療は，可能な限りの外科的切除が原則 ・Stage Ⅰ，Ⅱ，Ⅲ：腎摘徐術 ・Stage Ⅳ（遠隔転移なし）：腎摘徐術 ・Stage Ⅳ（遠隔転移あり，切除可能）：腎摘徐術＋転移巣に対して薬物療法 ・Stage Ⅳ（遠隔転移あり，切除不能）：薬物療法 **薬物療法** ・分子標的治療薬（チロシンキナーゼ阻害薬（TKI）） ・免疫療法（サイトカイン療法，免疫チェックポイント阻害薬） 　**一次治療** 　・低/中リスク：スニチニブ，パゾパニブ，サイトカイン療法 　・高リスク：スニチニブ，テムシロリムス 　**二次治療** 　・TKI 使用後：アキシチニブ，ソラフェニブ，エベロリムス，ニボルマブ 　・サイトカイン療法後：アキシチニブ，ソラフェニブ，スニチニブ，パゾパニブ 　**三次治療** 　・TKI 2 剤使用後：エベロリムス，ニボルマブ 　・TKI/mTOR 阻害薬後：アキシチニブ，ソラフェニブ，スニチニブ，パゾパニブ 　　　　※ニボルマブ＋カボサンチニブ療法は低リスクの一次治療から使用可 　　　　※ニボルマブ＋イピリムマブ療法は中/高リスクの一次治療から使用可
腎がんで選択される薬物療法の確認 〈代表的なレジメン例〉	**分子標的治療薬（チロシンキナーゼ阻害薬）** 　**VEGFR 阻害薬** 　・アキシチニブ（インライタ）内服 　**マルチキナーゼ阻害薬** 　・スニチニブ（スーテント）内服 　・パゾパニブ（ヴォトリエント）内服 　・ソラフェニブ（ネクサバール）内服 　・カボサンチニブ（カボメティクス）内服 　**mTOR 阻害薬** 　・テムシロリムス（トーリセル） 　・エベロリムス（アフィニトール）内服 **免疫療法（サイトカイン療法）** ・インターフェロン製剤（IFN-α）：スミフェロン，イムノマックス ・インターロイキン製剤（IL-2）：イムネース

項目	確認のポイント
主な副作用と注意点	**免疫療法（免疫チェックポイント阻害薬）** ・ニボルマブ（オプジーボ） ・ニボルマブ＋イピリムマブ（ヤーボイ） ・ニボルマブ＋カボサンチニブ内服 ・ペムブロリズマブ（キイトルーダ）＋アキシチニブ内服 ・アベルマブ（バベンチオ）＋アキシチニブ内服 **内服抗がん薬**：主な副作用と対策参照 **mTOR 阻害薬（テムシロリムス）** ・口内炎，粘膜障害→口腔内ケア（歯磨きやうがい）で口腔内清潔を保つ ・間質性肺炎，発熱，呼吸苦，咳などの初期症状に注意 ・その他，骨髄抑制，高血糖，脂質異常など **免疫療法（サイトカイン療法）** ・発熱，頭痛，筋肉痛，倦怠感，意欲低下 ・白血球減少，血小板減少 ・甲状腺機能異常，耐糖能異常 ・間質性肺炎 ・脱毛，皮膚症状 **免疫チェックポイント阻害薬（ニボルマブ，イピリムマブ，ペムブロリズマブ，アベルマブ）** ・胃がん（p.979）参照

■ 8．前立腺がん治療薬―薬物治療の確認と指導のポイント

項目	確認のポイント
疫学	男性の年間がん罹患率第 1 位（2018 年），がん死亡率第 6 位（2019 年） ・高齢者に多く，罹患率は 65 歳前後から顕著に高くなる
リスクファクター	危険因子：年齢（高齢者），人種（黒人），遺伝的要因（近親者，その発症年齢が若年），脂質，乳製品，カルシウム，肉の摂取，喫煙 予防因子：機能性食品（大豆，緑茶，セレン，ビタミン E，リコピンなど），魚，コーヒー，野菜，運動などの報告がある
病期別治療方針の確認	①**限局性がん** ・低リスク：PSA 監視療法，Focal therapy ・中間リスク：根治療法（前立腺全摘徐術），放射線療法，内分泌療法，Focal therapy ・高リスク：根治療法（前立腺全摘徐術），放射線療法，内分泌療法 ②**局所進行がん** ・放射線療法，内分泌療法 ・前立腺全摘徐術の適応なし（期待余命が 10 年以上のときには全摘徐術適応） ③**転移性がん** ・内分泌療法，化学療法

項目	確認のポイント
前立腺がんで選択される薬物治療の確認〈代表的なレジメン例〉	**内分泌療法** 　遠隔転移を有さない去勢感受性前立腺がん：CAB療法 　・LH-RHアゴニストまたはアンタゴニスト＋ビカルタミド（カソデックス） 　・LH-RHアゴニストまたはアンタゴニスト＋フルタミド（オダイン） 　遠隔転移を有する去勢感受性前立腺がん：CAB療法 　・LH-RHアゴニストまたはアンタゴニスト＋アビラテロン（ザイティガ） 　・LH-RHアゴニストまたはアンタゴニスト＋エンザルタミド（イクスタンジ） 　・LH-RHアゴニストまたはアンタゴニスト＋アパルタミド（アーリーダ） 　遠隔転移を有さない去勢抵抗性前立腺がん 　・アビラテロン，エンザルタミド，アパルタミド，ダロルタミド（ニュベクオ） 　遠隔転移を有する去勢抵抗性前立腺がん 　・アビラテロン，エンザルタミド 　　※アビラテロンはプレドニゾロンとの併用が必要 　　※ダロルタミドは遠隔転移を有さない場合のみ **化学療法** 　内分泌療法後の再燃 　・ドセタキセル注とエストラムスチン（エストラサイト）の併用 　・ドセタキセル注とプレドニゾロン（経口）の併用 　・カバジタキセル注とプレドニゾロン（経口）の併用
主な副作用と注意点	**内服抗がん薬**：主な副作用と対策参照 ドセタキセル ・投与開始時から過敏反応の出現に注意する ・下痢，浮腫も比較的頻度が高い ・蓄積毒性として，回数依存的に末梢神経障害が出現しやすい ・骨髄抑制→発熱に注意し感染対策を行う，貧血症状や出血傾向にも注意 ・悪心・嘔吐→5-HT$_3$受容体拮抗薬やD$_2$阻害薬など症状に応じて制吐薬調節 ・関節痛，筋肉痛→投与後数日出現することがある，鎮痛薬での対応可能 カバジタキセル ・投与開始時から過敏反応の出現に注意する ・下痢，浮腫も比較的頻度が高い ・蓄積毒性として，回数依存的に末梢神経障害が出現しやすい ・骨髄抑制→発熱に注意し感染対策を行う，貧血症状や出血傾向にも注意 ・悪心・嘔吐→5-HT$_3$受容体拮抗薬やD$_2$阻害薬など症状に応じて制吐薬調節 ・高頻度で好中球減少するため発熱に注意する．発熱性好中球減少症対策としてペグフィルグラスチムの予防投与が行われる

■ 9．悪性リンパ腫治療薬―薬物治療の確認と指導のポイント

項目	確認のポイント
疫学	**罹患数**：35,776人で第8位（2018年） **死亡数**：13,049人で第8位（2019年） 血液中の「リンパ球」ががん化した疾患で，主にリンパ節，脾臓および扁桃腺などのリンパ組織に発生するが，リンパ組織以外にも多く発生する．腫瘍細胞の形態や性質から「ホジキンリンパ腫」と「非ホジキンリンパ腫」に分けられる（比率＝1：9）
リスクファクター	・感染性要因：EBウイルス，HTLV-1，HIV，ヘリコバクターピロリ菌など ・化学・物理学的要因：化学療法，放射線療法 ・免疫不全状態：先天性・後天性免疫不全症候群，免疫抑制剤投与中の臓器移植患者，自己免疫疾患など

項目	確認のポイント
悪性リンパ腫の分類の確認	**ホジキンリンパ腫** ・好発年齢：若年者層（20歳代）と中年層（50～60歳代）の二峰性にピーク ・限局期では長期予後が90％程度と予後が良好である ・「結節性リンパ球優位型ホジキンリンパ腫（NLPHL）」と「古典的ホジキンリンパ腫（CHL）」に分けられる **非ホジキンリンパ腫** ・好発年齢：60～70歳代がピーク ・大きくは下記3つのタイプに分けられる 　低悪性度：年単位で進行，濾胞性リンパ腫，MALTリンパ腫 　中悪性度：月単位で進行，マントル細胞リンパ腫，びまん性大細胞型B細胞リンパ腫 　高悪性度：週単位で進行，バーキットリンパ腫 **ホジキン/非ホジキンリンパ腫** ・限局期（Stage ⅠA，ⅡA，巨大腫瘤なし） ・進行期（Stage ⅠB，ⅡB，Ⅲ，Ⅳ，巨大腫瘤なし）
悪性リンパ腫で選択される薬物治療の確認	化学療法と放射線治療が中心で患者の全身状態，病理組織診断，悪性度および臨床病期（ステージ）に基づいて治療方針を決定 **ホジキンリンパ腫** 　①結節性リンパ球優位型ホジキンリンパ腫（NLPHL） 　◇限局期：領域放射線照射 　◇進行期：化学療法（＋放射線照射） 　・化学療法：ABVD（標準療法） 　②古典的ホジキンリンパ腫（CHL） 　◇限局期：［初回治療］化学療法＋領域放射線照射→［再発・難治］救援化学療法（＋造血幹細胞移植），分子標的治療薬，免疫チェックポイント阻害薬 　◇進行期：［初回治療］化学療法（＋放射線照射）→［再発・難治］救援化学療法（＋造血幹細胞移植），分子標的治療薬，免疫チェックポイント阻害薬 　・初回治療：ABVDまたはAVD＋BV（ブレンツキシマブ ベドチン） 　・救援化学療法：ESHAP療法，ICE療法など 　・分子標的治療薬：BV 　・免疫チェックポイント阻害薬：ニボルマブ，ペムブロリズマブ **非ホジキンリンパ腫** 　①濾胞性リンパ腫 　◇限局期：領域放射線照射 　◇進行期：［初回治療］化学療法→［再発・難治］化学療法，放射線療法 　・初回化学療法：RまたはO＋CHOP療法，RまたはO＋B療法など 　・再発化学療法：R単剤，B単剤，RまたはO＋B，RまたはO＋CHOP療法，多剤併用療法など 　　※R：リツキシマブ，O：オビヌツズマブ，B：ベンダムスチン 　　※CD20陽性の濾胞性に対してのみ，リツキシマブの代わりにオビヌツズマブも使用できる 　②MALTリンパ腫 　◇限局期：（胃）*H. pylori*（＋）除菌療法，*H. pylori*（－）放射線療法，R単剤，R＋化学療法 　　　　　　（胃以外）放射線療法，外科的切除 　◇進行：濾胞性リンパ腫に準ずる

項目	確認のポイント
	③マントル細胞リンパ腫 ◇限局期：領域放射線照射±化学療法 ◇進行期：［初回治療］化学療法➡［再発・難治］救援化学療法 ・初回治療：R-CHOP療法，R＋高用量シタラビン療法，R＋B療法など ・救援化学療法：B単剤，フルダラビン，R＋化学療法，イブルチニブ内服など ④びまん性大細胞型B細胞リンパ腫 ◇限局期：領域放射線照射±化学療法 ◇進行期：［初回治療］化学療法➡［再発・難治］救援化学療法，造血幹細胞移植 ・初回治療：CHOP療法（CD20陽性の場合は，R-CHOP療法）標準療法 ・救援化学療法：CHASE療法，ESHAP療法，EPOCE療法，ICE療法，GDP療法など（CD20陽性の場合はすべてR追加） ⑤バーキットリンパ腫 ◇［初回治療］化学療法➡［再発・難治］適応があれば造血幹細胞移植 ・化学療法：R-hyper-CVAD，CODOX-M/IVACなど

■ 10. 白血病治療薬—薬物治療の確認と指導のポイント

項目	確認のポイント
疫学	**罹患数**：14,287人で第17位（2018年） **死亡数**：8,839人で第13位（2019年） ・AMLは成人75％（69～65歳），小児25％（10歳前後） ・ALLは成人20％（50歳以降），小児80％（2～5歳）
リスクファクター	白血病の原因はまだ完全には解明されていない．放射線，ベンゼン，トルエンなどの化学物質，アルキル化剤を含む抗がん薬などが発症の要因の一つである
白血病の分類の確認	・急速に進行する「急性白血病」（治療しないと数週間から2～3カ月以内で致死的に）と，ゆっくりと経過する「慢性白血病」（長期間無症状のときもあり，月から年の単位で致死的に）に分類される ・骨髄系の細胞を起源とする「骨髄性白血病」と，リンパ球系の細胞から発生する「リンパ性白血病」とに分類される ➡白血病は骨髄性とリンパ性，それぞれ急性と慢性の4つに分類される **急性骨髄性白血病（AML）** 　急性前骨髄性白血病（APL）は他のAMLとは治療方針が異なる **急性リンパ性白血病（ALL）** 　成人ALLの25％にBCR-ABL融合遺伝子を形成するPh染色体がみられ，異常なBcr-Ablタンパク（チロシンキナーゼ）が作られる **慢性骨髄性白血病（CML）** 　Ph染色体である融合遺伝子BCR-ABLをもち，異常なBcr-Ablタンパクが作られる **慢性リンパ性白血病（CLL）** 　末梢血や骨髄でCD5陽性のB細胞が増殖し，進行するとリンパ節に浸潤する
白血病で選択される薬物治療の確認	①**急性骨髄性白血病（AML）** ◇寛解導入療法➡寛解➡地固め療法（＋維持療法）or同種造血幹細胞移植 ◇寛解導入療法➡非寛解➡救援化学療法➡同種造血幹細胞移植 ・寛解導入療法：Ara-c（シタラビン）＋アントラサイクリン系薬剤の併用 ・地固め療法：Ara-c＋アントラサイクリン系薬剤の併用またはAra-c大量療法 ・救援化学療法：Ara-c大量療法，ゲムツズマブオゾガマイシンなど ・強力な寛解導入療法の適応とならない未治療AML： 　ベネトクラクス内服＋アザシチジン，ベネトクラクス＋低用量シタラビン

項目	確認のポイント
	②急性リンパ性白血病（ALL） ◇寛解導入療法→寛解→地固め療法（＋維持療法）or 同種造血幹細胞移植 ◇寛解導入療法→非寛解→救援化学療法→同種造血幹細胞移植 Ph 染色体（＋） ・寛解導入療法：TKI ＋多剤併用化学療法 ・地固め療法：TKI ＋ Ara-c 大量療法 or MTX 大量療法 　※ TKI（チロシンキナーゼ阻害薬）内服：イマチニブ，ダサチニブ，ポナチニブ Ph 染色体（－） ・寛解導入療法：多剤併用化学療法 ・地固め療法：Ara-c 大量療法 or MTX 大量療法 ③慢性骨髄性白血病（CML） ・TKI（チロシンキナーゼ阻害薬）内服：イマチニブ，ニロチニブ，ダサチニブ， 　　　　　　　　　　　　　　　　　　ボスチニブ，ポナチニブ ④慢性リンパ性白血病（CLL） ・初回治療：イブルチニブ内服，多剤併用化学療法，同種造血幹細胞移植など ・二次治療：イブルチニブ内服，ベネトクラクス内服＋リツキシマブ，多剤併用 　　　　　　化学療法，同種造血幹細胞移植など

※白血病の多剤併用化学療法は，非常に複雑で，かつ非常に多くのレジメンが存在するためレジメン名等は省略

■11．多発性骨髄腫治療薬―薬物治療の確認と指導のポイント

項目	確認のポイント
疫学	**罹患数**：7,765 人で第 19 位（2018 年） **死亡数**：4,374 人で第 17 位（2019 年） ・好発年齢は 40 歳以上の成人，特に 60～70 歳代の高齢者 ・白血球の一種である B 細胞から分化する形質細胞ががん化し骨髄腫細胞になり，多発性骨髄腫を発症する
リスクファクター	遺伝的素因，放射線，化学薬品，ダイオキシンなどの環境因子などがあげられるが，いずれも確定はされていない
多発性骨髄腫で選択される薬物治療の確認 〈代表的なレジメン例〉	①初発（移植適応あり） ◇ボルテゾミブ，レナリドミドなどを含む多剤導入療法→自家造血幹細胞移植→移植後は必要に応じて，ボルテゾミブまたはレナリドミドでの地固め・維持療法 多剤導入療法（2～3剤を併用する） ・Bd 療法（ボルテゾミブ＋デキサメタゾン） ・Ld 療法（レナリドミド内服＋デキサメタゾン） ・Td 療法（サリドマイド内服＋デキサメタゾン） ・BAD 療法（ボルテゾミブ＋ドキソルビシン＋デキサメタゾン） ・BLD 療法（ボルテゾミブ＋レナリドミド内服＋デキサメタゾン） ・BCD 療法（ボルテゾミブ＋シクロホスファミド＋デキサメタゾン） ・VAD 療法（ビンクリスチン＋ドキソルビシン＋デキサメタゾン） ・HDD 療法（高用量デキサメタゾン）

項目	確認のポイント
	②初発（移植適応なし） ◇多剤併用療法→必要に応じて維持療法 多剤併用療法（2〜3剤を併用する） ・Bd 療法（ボルテゾミブ＋デキサメタゾン） ・Ld 療法（レナリドミド内服＋デキサメタゾン） ・D-Ld 療法（ダラツムマブ＋レナリドミド内服＋デキサメタゾン） ・D-MPB 療法（ダラツムマブ＋メルファラン＋プレドニゾロン＋ボルテゾミブ） ・VAD 療法（ビンクリスチン＋ドキソルビシン＋デキサメタゾン） ・MP 療法（メルファラン＋プレドニゾロン） ・MPB 療法（メルファラン＋プレドニゾロン＋ボルテゾミブ） ・MPL 療法（メルファラン＋プレドニゾロン＋レナリドミド内服） ③再発・再燃・難治性（移植適応あり） ◇救援化学療法 or 自家造血幹細胞移植 or 同種造血幹細胞移植 ④再発・再燃・難治性（移植適応なし） ◇救援化学療法 ボルテゾミブ含有レジメン後の1年以内の初回再発・抵抗性 ・Ld 療法（レナリドミド内服＋デキサメタゾン） ・Kd 療法（カルフィルゾミブ＋デキサメタゾン） ・Td 療法（サリドマイド内服＋デキサメタゾン） ・Ld 療法＋ DARA, ELO, KFZ, IXA ・Kd 療法＋ DARA ・Td 療法＋ CPA レナリドミド系含有レジメン後の1年以内の初回再発・抵抗性 ・Bd 療法（ボルテゾミブ＋デキサメタゾン） ・Kd 療法 ・Bd 療法＋ DARA, PAN, POM ・Kd 療法＋ DARA ボルテゾミブ／レナリドミド両者抵抗性 ・Pd 療法（ポマリドミド内服＋デキサメタゾン） ・Kd 療法 ・Pd 療法＋ DARA, ELO, CPA, ISA ・Kd 療法＋ DARA ・Bd 療法＋ DXR ※ DARA：ダラツムマブ, ELO：エロツズマブ, KFZ：カルフィルゾミブ, IXA：イキサゾミブ, PAN：パノビノスタット, POM：ポマリドミド, CPA：シクロホスファミド, ISA：イサツキシマブ, DXR：ドキソルビシン
主な副作用と注意点 （使用頻度の高い薬剤のみ）	内服抗がん薬：主な副作用と対策参照 ボルテゾミブ ・骨髄抑制, 感染症, 末梢神経障害, 間質性肺疾患, 心疾患, イレウス, 低血圧, 帯状疱疹, 発疹, 下痢, 便秘など カルフィルゾミブ ・骨髄抑制, 感染症, 疲労感, 発熱, 間質性肺疾患, 高血圧, 心障害, 肝障害, 腎障害, 下痢, 便秘など ダラツムマブ ・インフュージョンリアクション, 骨髄抑制, 感染症, 疲労感, 発熱, 間質性肺疾患, 呼吸困難, 下痢, 便秘など エロツズマブ ・インフュージョンリアクション, 骨髄抑制, 感染症, 疲労感, 発熱, 間質性肺疾患, 高血糖, 末梢性浮腫, 筋痙縮, 下痢, 便秘など

66 抗悪性腫瘍薬　①アルキル化薬

■ 対象薬剤

シクロホスファミド水和物；CPA，CPM（エンドキサン）
テモゾロミド；TMZ（テモダール）
プロカルバジン塩酸塩；PCZ（塩酸プロカルバジン）

■ 指導のポイント

	患者向け	薬剤師向け
薬効	この薬はがん細胞の核酸や蛋白の合成を抑えることによりがん細胞が増えるのを抑える薬です ☆この薬は，免疫が関わるネフローゼを含めた治療抵抗性の膠原病の免疫系の細胞を抑制的に作用する薬です（エンドキサン）	核酸や蛋白のアルキル化作用（エンドキサン，塩酸プロカルバジン） 核酸のアルキル化作用（テモダール）
詳しい薬効	・この薬はがん細胞の核酸（DNA）や蛋白をアルキル化して，血液がんや乳がん，子宮がん，卵巣がんなどのがん細胞が増えるのを抑える薬です（エンドキサン） ・この薬はがん細胞の核酸（DNA）をアルキル化して，脳腫瘍やユーイング肉腫のがん細胞が増えるのを抑える薬です（テモダール） ・この薬はがん細胞の核酸や蛋白をアルキル化して悪性リンパ腫や脳腫瘍のがん細胞が増えるのを抑える薬です（塩酸プロカルバジン）	
共通警告	①緊急時に十分対応できる医療施設で，がん化学療法に十分な知識・経験を持つ医師のもと，本療法が適切と判断される症例についてのみ投与 ②適応患者の選択にあたっては，各併用薬剤の添付文書を参照して十分注意 ③治療開始に先立ち，患者またはその家族に有効性および危険性を十分説明し，同意を得てから投与	
警告	・〔エンドキサン〕共通警告①（全身性ALアミロイドーシス，治療抵抗性リウマチ疾患・ネフローゼ症候群投与時），②③，ペントスタチンを投与しない ・〔塩酸プロカルバジン〕共通警告①②③ ・〔テモダール〕共通警告①③，放射線照射併用の場合，重篤な副作用や放射線照射による合併症の可能性があるため，併用治療に十分な知識・経験をもつ医師のもとで実施。投与後にニューモシスチス肺炎が発生することがある	
禁忌・併用禁忌	禁忌　・〔エンドキサン，塩酸プロカルバジン〕本剤重篤過敏症既往 　　　・〔エンドキサン〕重症感染症合併 　　　・〔テモダール〕本剤・ダカルバジン過敏症既往，妊婦 併用禁忌　・〔エンドキサン〕⇔ペントスタチンにて心毒性発現し，死亡症例報告 ・〔塩酸プロカルバジン〕⇔アルコールに対する耐性を低下させるおそれ	

■ 主な副作用と対策，フィジカルアセスメントのチェックポイント

主な副作用	患者に確認すべき症状	対策とPAのチェックポイント
消化器症状	吐き気，吐く，便秘，お腹が張る，下痢，食欲がない	減量もしくは休薬，制吐剤，下剤，止瀉薬を症状に応じて使用 PA 腸音（↑：下痢，↓：便秘）
骨髄抑制	発熱，のどの痛み，かぜのような症状，鼻血，歯ぐきからの出血，青ざができる，出血が止まりにくい，出血しやすい	減量もしくは休薬，中止 PA 食欲不振，体温（↑），顔面（蒼白），眼瞼結膜（蒼白），体幹・四肢・歯肉（出血斑）
出血性膀胱炎（エンドキサン）	尿の回数が多い，排尿時の痛み，排尿後もスッキリしない，血尿	減量もしくは休薬。予防のため十分に水分をとらせ尿量の増加を図る PA 尿（血尿），膀胱刺激症状（↑）（頻尿，排尿時痛，残尿感）

■ 重大な副作用と妊婦・授乳婦への危険度

薬剤名	重大な副作用	妊婦[授乳婦]
エンドキサン	ショック，アナフィラキシー，骨髄抑制，出血性膀胱炎，排尿障害，イレウス，胃腸出血，間質性肺炎，肺線維症，心筋障害，心不全，抗利尿ホルモン不適合分泌症候群（SIADH），中毒性表皮壊死融解症，皮膚粘膜眼症候群，肝機能障害，黄疸，急性腎不全，横紋筋融解症	D [授×]
テモダール	骨髄機能抑制，ニューモシスチス肺炎，感染症，間質性肺炎，脳出血，アナフィラキシー，肝機能障害，黄疸，中毒性表皮壊死融解症，皮膚粘膜眼症候群	禁忌/D [授×]
塩酸プロカルバジン	間質性肺炎，けいれん発作，骨髄抑制	−

■ その他の指導ポイント

	患者向け	薬剤師向け
使用上の注意	・顔色が悪い，疲れやすい，めまい，息切れ，発熱などの症状が現れた場合には必ずご相談ください	骨髄機能抑制等の重篤な副作用が起こることがある
	・〔エンドキサン〕尿が赤くなる，尿の回数が増える，尿の量が少ないなどの症状が現れた場合には必ずご相談ください	出血性膀胱炎等の重篤な副作用が起こることがある
	・〔エンドキサン〕この薬を服用中は，十分に水分をとって尿をよく出すようにしてください	出血性膀胱炎の防止のため，尿量の増加を図ること。投与方法として，夜間に出血性膀胱炎の原因となる代謝物（アクロレイン）が長時間膀胱内に止まることを回避するため，朝1回投与が望ましいと考えられる
	・〔テモダール〕悪心，嘔吐，食欲不振などの症状が現れた場合には必ずご相談ください	悪心，嘔吐，食欲不振等の消化器症状が高頻度に認められるため
	・〔テモダール〕この薬は空腹時に服用し	本剤の食後（高脂肪食）投与において Tmax

使用上の注意	てください	が約1時間遅延し，Cmaxが約32％，AUCが9％低下するため
	・〔テモダール〕この薬はカプセルを開かず，またそのままかみ砕かず十分な水とともに服用してください。カプセルの内容物が体についた場合すぐに洗い流してください	
	・〔エンドキサン，テモダール〕妊娠する可能性がある女性およびパートナーが妊娠する可能性がある男性は避妊を行ってください →	妊娠中に使用するか，使用中に妊娠した場合，胎児に異常を生じる可能性があるため
	・〔テモダール〕妊娠中または妊娠の可能性のある方は必ずご相談ください →	ラット，ウサギで胚・胎児死亡および奇形が報告されているため投与禁忌
	食 〔塩酸プロカルバジン〕この薬の服用中にアルコールは飲まないでください →	アルコールに対する耐性を低下させるおそれのため併用禁忌
服用を忘れたとき	・〔エンドキサン〕思い出したときすぐに服用する。ただし次の服用時間が近いときは忘れた分は服用しない（2回分を一度に服用しないこと）	
	・〔テモダール，塩酸プロカルバジン〕飲み忘れに気づいても服用しない。次の服用時に決められた用量を服用する（2回分を一度に服用しないこと）	

66 抗悪性腫瘍薬　②代謝拮抗薬

■ 対象薬剤

(A) 葉酸系：メトトレキサート；MTX（メソトレキセート）
(B) フッ化ピリミジン系：カペシタビン（ゼローダ），テガフール；FT, TGF（フトラフール），ドキシフルリジン；5′-DFUR（フルツロン）
　　配合剤：UFT（ユーエフティ配合，ユーエフティE配合），TS-1（ティーエスワン配合）
(C) プリン系：フルダラビンリン酸エステル（フルダラ）
(D) その他：ホリナートカルシウム（ユーゼル，ロイコボリン）
　　配合剤：FTD・TPI（ロンサーフ配合）

■ 指導のポイント

患者向け	薬剤師向け
・この薬は細胞の増殖に必要な葉酸（ビタミン）の働きを抑えることにより，白血病等のがん細胞が増えるのを抑える薬です（メソトレキセート）	葉酸産生転換酵素阻害作用
・この薬はがん細胞の核酸（DNA）の合成を抑えることにより，消化器がん（胃がん，結腸・直腸がん）や乳がんなどのがん細胞が増えるのを抑える薬です（ゼローダ，フトラフール）	DNA合成阻害作用
・この薬はがん細胞の核酸（DNA）の合成を抑えることにより，消化器がん（胃がん，結腸・直腸がん）や乳がん，子宮頸がん，膀胱がんなどのがん細胞が増えるのを抑える薬です（フルツロン）	〃
・この薬はがん細胞の核酸（DNA）の合成を抑えることにより，頭頸部がん，消化器がん（胃がん，結腸・直腸がん）や肝臓がん，胆のうがん，胆管がん，膵臓がん，肺がん，乳がん，膀胱がん，前立腺がん，子宮頸がんなどのがん細胞が増えるのを抑える薬です（ユーエフティ，ユーエフティE）	〃
・この薬はがん細胞の核酸（DNA）の合成を抑えることにより，消化器がん（胃がん，結腸・直腸がん）や頭頸部がん，非小細胞肺がん，乳がん，膵臓がん，胆道がんなどのがん細胞が増えるのを抑える薬です（ティーエスワン）	〃
・この薬はがん細胞の核酸（DNA，RNA）の合成を抑えることにより悪性リンパ腫，貧血または血小板減少を伴う慢性リンパ性白血病のがん細胞が増えるのを抑える薬です（フルダラ）	DNA，RNA合成阻害作用，DNA修復阻害作用
・この薬は抗がん薬のユーエフティを結腸・直腸がんに使用するとき，同時に用いてユーエフティの効果を高める薬です（ユーゼル25 mg，ロイコボリン25 mg）	フルオロウラシル抗腫瘍効果増強作用
・この薬はメトトレキサート（抗がん薬：メソトレキセート）の毒性を軽減する薬です（ロイコボリン5 mg）	細胞の核酸合成再開作用
・この薬はがん細胞の核酸（DNA）の合成を抑えることにより，結腸・直腸がん，胃がん（進行・再発）のがん細胞が増え	DNA合成阻害作用

(薬効)

	るのを抑える薬です（ロンサーフ） ☆この薬はメトトレキサート（抗リウマチ薬：リウマトレックス）の毒性を軽減する薬です（ロイコボリン5mg）	細胞の核酸合成再開作用

詳しい薬効	・この薬は葉酸を核酸合成に必要な活性型葉酸に変える酵素の働きを阻害して，細胞の増殖に必要な葉酸（ビタミン）の働きを抑えることにより，白血病などのがん細胞が増えるのを抑える薬です（メソトレキセート） ・この薬は消化管より未変化体のまま吸収され，体内で活性化されて 5-FU に変化され，がん細胞の核酸（DNA）の合成を抑えることにより，胃がん，結腸・直腸がんや乳がん（B薬剤共通），子宮頸がん（フルツロン，ユーエフティ，ユーエフティE），膀胱がん（フルツロン，ユーエフティ，ユーエフティE）のがん細胞が増えるのを抑える薬です（B） ・この薬はがん細胞の核酸（DNA，RNA）の合成や修復を抑えることにより悪性リンパ腫，貧血または血小板減少を伴う慢性リンパ性白血病のがん細胞が増えるのを抑える薬です（フルダラ） ・この薬は高用量の葉酸製剤で，抗がん作用はありませんが，抗がん薬のユーエフティを結腸・直腸がんに使用するとき，同時に用いるとユーエフティと強固な複合体を形成し，抗がん効果を高める薬です（ユーゼル，ロイコボリン25mg） ・この薬はがん細胞の核酸（DNA）に取り込まれることによって DNA 機能障害を起こし，結腸・直腸がん，進行・再発の胃がんのがん細胞が増えるのを抑える薬です（ロンサーフ） ☆この薬は葉酸製剤で，この薬には抗がん作用はありませんが，葉酸の代謝を阻害するメトトレキサート（メソトレキセート，リウマトレックス）を使用するとき用いると，細胞の葉酸プールに取り込まれて活性型葉酸となり，細胞の核酸合成を再開させて，メトトレキサートの毒性を軽減する薬です（ロイコボリン5mg）
共通警告	①緊急時に十分対応できる医療施設で，がん化学療法に十分な知識・経験を持つ医師のもと，本療法が適切と判断される症例についてのみ投与 ②適応患者の選択にあたっては，各併用薬剤の添付文書を参照して十分注意 ③治療開始に先立ち，患者またはその家族に有効性および危険性を十分説明し，同意を得てから投与
警告	〔ゼローダ，ティーエスワン〕共通警告①②③，他に警告あり＊ 〔ユーエフティ，ユーゼル，ロイコボリン25mg，ロンサーフ〕共通警告①②，他に警告あり＊ 〔フルダラ〕共通警告①③，他に警告あり＊ 　　　　　　　　　　　　　　　　　　　　　　　　　　　　　　　　＊他の警告は下記参照 〔ゼローダ，フトラフール，フルツロン，ユーエフティ，ユーエフティE，ユーゼル，ロイコボリン25mg〕ティーエスワン配合との併用で，重篤な血液障害等の副作用発現のおそれのため併用禁忌 〔ティーエスワン〕フッ化ピリミジン系抗悪性腫瘍剤との併用療法，抗真菌剤（フルシトシン）との併用で，重篤な血液障害等の副作用発現のおそれのため併用禁忌 〔ロンサーフ〕フッ化ピリミジン系抗悪性腫瘍剤との併用療法，抗真菌剤（フルシトシン），葉酸代謝拮抗剤との併用で，重篤な骨髄抑制等の副作用発現のおそれのため併用注意 〔フルダラ〕ペントスタチンとの併用により致命的な肺毒性発現のため併用禁忌

	患者向け	薬剤師向け
警告	〔ゼローダ〕検　この薬はワーファリンと併用すると，出血傾向が強くなるおそれがあるので，定期的に採血検査を受けて	ワルファリンとの併用により，血液凝固能検査値異常，出血が発現し死亡例発現（併用開始数日後から投与中止後1カ月以内）。併用

警告	ください	時は血液凝固能検査を定期的に実施（併用注意）
	〔フトラフール，ユーエフティ，ユーエフティE，ティーエスワン，ユーゼル，ロイコボリン 25 mg〕肝機能障害が現れることがあるため，疲れやすい，食欲がない，体がかゆい，皮膚や目が黄色くなる等の症状が現れた場合は直ちに服用を中止し，ご相談ください 検 この薬の服用中は，定期的に肝機能検査を受けてください	劇症肝炎等の重篤な肝障害発現のおそれ。定期的に肝機能検査実施。食欲不振を伴う倦怠感等に注意し，黄疸（眼球黄染）の発現時は投与中止 ・〔フトラフール，ユーエフティ〕通常，投与開始から 2 カ月間は月 1 回以上 ・〔ユーエフティ，ユーゼル，ロイコボリン〕ホリナート・テガフール・ウラシル療法時，1 クールに 1 回以上，特に開始から 2 クールは開始前，クール中に 1 回以上
	〔ユーエフティ，ユーエフティE，ユーゼル，ロイコボリン 25 mg〕この薬の服用中に発熱，咳，口内炎，めまい，息切れ，鼻血等の症状が現れたらご相談ください 検 この薬の服用中は，定期的に血液検査を受けてください	ホリナート・テガフール・ウラシル療法にて重篤な骨髄抑制発現のおそれ。定期的に血液検査実施。食欲不振を伴う倦怠感等に注意 ・〔ユーエフティ〕通常，投与開始から 2 カ月間は月に 1 回以上 ・〔ユーエフティ，ユーゼル，ロイコボリン〕ホリナート・テガフール・ウラシル療法時，1 クールに 1 回以上，特に開始から 2 クールは開始前，クール中に 1 回以上
	〔ユーエフティ，ユーエフティE，ユーゼル，ロイコボリン 25 mg〕この薬の服用中に，激しい腹痛や下痢の症状が現れた場合は，服用を中止し，ご相談ください	ホリナート・テガフール・ウラシル療法にて重篤な下痢で致命的な経過。激しい腹痛，下痢等の症状の発現時，投与中止。脱水症状が現れた場合は，補液等の適切な処置
	〔ティーエスワン〕この薬に服用中に，発熱，咳，口内炎，めまい，息切れ，鼻血等の症状が現れたらご相談ください 検 この薬の服用中は，血液障害の副作用を早めに察知する必要があるので，頻回な血液検査を受けてください	従来の経口フルオロシル系薬剤とは異なり，本剤は投与（用量）制限毒性が骨髄抑制となっているので，特に臨床検査値に十分注意，頻回に臨床検査実施
	〔フルダラ〕検 この薬の服用中は，感染症（発熱，咳，口内炎等）や血球減少（めまい，息切れ，鼻血等），免疫不全が起こりやすいため，定期的な血液検査を受けてください	骨髄抑制・遷延性のリンパ球減少により重症の免疫不全，致命的な自己免疫性溶血性貧血の報告。頻回に臨床検査実施 ・放射線非照射血の輸血により移植片対宿主病の発現あり。必要時照射処理された血液を輸血

禁忌・併用禁忌	禁忌 ・〔ゼローダ，フルダラ以外〕本剤重篤過敏症既往 ・〔メソトレキセート，ティーエスワン，ロンサーフ，フルダラ以外〕ティーエスワン配合投与中および投与中止 7 日以内 ・〔メソトレキセート，フルツロン以外〕妊婦 ・〔メソトレキセート〕肝障害，腎障害，胸水，腹水 ・〔ゼローダ〕重篤な腎障害，本剤・フルオロウラシル過敏症既往 ・〔ユーエフティ，ユーエフティE〕重篤な骨髄抑制・下痢・感染症合併 ・〔ティーエスワン〕重篤な骨髄抑制・腎障害・肝障害

禁忌・併用禁忌	・〔フルダラ〕本剤過敏症既往，重篤な腎障害，フルダラビンで溶血性貧血 ・〔ユーゼル，ロイコボリン 25 mg〕テガフール・ウラシル配合剤に重篤な過敏症既往，重篤な骨髄抑制，下痢（水様便），重篤な感染症合併 **併用禁忌** ・〔ゼローダ，フトラフール，フルツロン，ユーエフティ，ユーエフティ E，ユーゼル，ロイコボリン 25 mg〕⇔ティーエスワン配合にて血中フルオロウラシル濃度上昇し，重篤な血液障害や消化管障害等発現のおそれ ・〔ティーエスワン〕⇔フッ化ピリミジン系抗悪性腫瘍剤，ホリナート・テガフール・ウラシル療法，レボホリナート・フルオロウラシル療法，フッ化ピリミジン系抗真菌剤併用で著しく血中フルオロウラシル濃度上昇にて，重篤な血液障害や消化管障害等発現のおそれ。併用時は適切な間隔（7 日以上）をあけて投与開始 ・〔フルダラ〕⇔ペントスタチンにて致命的な肺毒性

■ 主な副作用と対策，フィジカルアセスメントのチェックポイント

主な副作用	患者に確認すべき症状	対策と PA のチェックポイント
消化器症状	吐き気，嘔吐，下痢（重篤な場合は脱水症状を伴う），口内炎	減量もしくは休薬。激しい下痢の場合は中止，支持薬（制吐剤，止瀉薬）の投与 PA 腸音（↑）
骨髄抑制	発熱，のどの痛み，かぜのような症状，鼻血，歯ぐきからの出血，青あざができる，出血が止まりにくい，出血しやすい	減量もしくは休薬，中止 PA No.66 抗悪性腫瘍薬① p.994 参照
肝機能障害[†]	かゆみ，皮膚が黄色くなる，白目が黄色くなる，疲れやすい，褐色尿，体がだるい	減量もしくは休薬，中止 PA 眼球（黄色），皮膚（皮疹，瘙痒感，黄色），尿（褐色），体温（↑），腹部（肝肥大，心窩部・右季肋部圧痛，腹水貯留）
間質性肺炎[†]	から咳，息切れ，発熱	中止 PA 呼吸数（↑），呼吸音（捻髪音），指先・唇（チアノーゼ），体温（↑）
手足症候群[†]（ゼローダ）	手のひらや足の裏の感覚が鈍くなったり過敏になる，赤く腫れ上がる，痛み，皮がむける，水ぶくれ・ただれ，皮膚が黒ずむ	休薬，中止 保湿剤，ステロイド軟膏 ピリドキシン，NSAIDs の内服 PA 手足の感覚異常（しびれ，チクチクまたはピリピリする痛み↑），手足皮膚（発赤，紅斑，むくみ，色素沈着・角化・ひびわれ・水疱），爪（変形，色素沈着）
白質脳症[†]（ロンサーフ，ロイコボリン 5 mg 以外）	ぼんやりする，歩行時のふらつき，覚えられない，物忘れ，けいれん，しゃべりにくい，意識がなくなる	中止 PA 歩行障害（ふらつき），言語障害（↑），認知症様症状，四肢麻痺

[†]：厚生労働省の「重篤副作用疾患別対応マニュアル」参照

■ 重大な副作用と妊婦・授乳婦への危険度

薬剤名	重大な副作用	妊婦[授乳婦]
メソトレキセート	ショック，アナフィラキシー，骨髄抑制，感染症，劇症肝炎，肝不全，急性腎障害，尿細管壊死，重症ネフロパチー，間質性肺炎，肺線維症，胸水，中毒性表皮壊死融解症，皮膚粘膜眼症候群，出血性腸炎，壊死性腸炎，膵炎，骨粗鬆症，脳症（白質脳症を含む）	[㊟×]
ゼローダ	脱水症状，手足症候群，心障害，肝障害，黄疸，腎障害，骨髄抑制，口内炎，間質性肺炎，重篤な腸炎，重篤な精神神経系障害（白質脳症等），血栓塞栓症，皮膚粘膜眼症候群，溶血性貧血	禁忌/D [㊟×]
フトラフール	骨髄抑制，溶血性貧血等の血液障害，劇症肝炎等の重篤な肝障害，肝硬変，脱水症状，重篤な腸炎，白質脳症等を含む精神神経障害，狭心症，心筋梗塞，不整脈，急性腎障害，ネフローゼ症候群，嗅覚脱失，間質性肺炎，急性膵炎，重篤な口内炎，消化管潰瘍，消化管出血，中毒性表皮壊死融解症，皮膚粘膜眼症候群	禁忌
フルツロン	脱水症状，急性腎不全，骨髄機能抑制，溶血性貧血，重篤な腸炎，重篤な精神神経障害（白質脳症等），間質性肺炎，心不全，肝障害，黄疸，急性膵炎，嗅覚脱失，皮膚粘膜眼症候群，中毒性表皮壊死融解症，肝硬変（長期投与時），安静狭心症，心筋梗塞，不整脈（心室性頻拍等を含む），ネフローゼ症候群，ショック，アナフィラキシー（フルオロウラシルの静脈内投与時）	—
ユーエフティ	骨髄抑制，溶血性貧血等の血液障害，劇症肝炎等の重篤な肝障害，肝硬変，脱水症状，重篤な腸炎，白質脳症等を含む精神神経障害，狭心症，心筋梗塞，不整脈，急性腎障害，ネフローゼ症候群，嗅覚脱失，間質性肺炎，急性膵炎，重篤な口内炎，消化管潰瘍，消化管出血，中毒性表皮壊死融解症，皮膚粘膜眼症候群	禁忌
ティーエスワン	骨髄抑制，溶血性貧血，播種性血管内凝固症候群（DIC），劇症肝炎等の重篤な肝障害，脱水症状，重篤な腸炎，間質性肺炎，心筋梗塞，狭心症，不整脈，心不全，重篤な口内炎，消化管潰瘍，消化管出血，消化管穿孔，急性腎障害，ネフローゼ症候群，皮膚粘膜眼症候群，中毒性表皮壊死融解症，白質脳症等を含む精神神経障害，急性膵炎，横紋筋融解症，嗅覚脱失，涙道閉塞 類薬 肝硬変	禁忌
フルダラ	骨髄抑制，間質性肺炎，精神神経障害，腫瘍崩解症候群，重症日和見感染，自己免疫性溶血性貧血，自己免疫性血小板減少症，赤芽球癆，脳出血，肺出血，消化管出血，出血性膀胱炎，重篤な皮膚障害，心不全，進行性多巣性白質脳症	禁忌/D
ユーゼル，ロイコボリン (25 mg)	骨髄抑制，溶血性貧血等の血液障害，劇症肝炎等の重篤な肝障害，肝硬変，脱水症状，重篤な腸炎，白質脳症等を含む精神神経障害，狭心症，心筋梗塞，不整脈，急性腎障害，ネフローゼ症候群，嗅覚脱失，間質性肺炎，急性膵炎，重篤な口内炎，消化管潰瘍，消化管出血，皮膚粘膜眼症候群，中毒性表皮壊死融解症，ショック，アナフィラキシー	禁忌

薬剤名	重大な副作用	妊婦[授乳婦]
ロンサーフ	骨髄抑制，感染症，間質性肺疾患	禁忌

■ その他の指導ポイント

	患者向け	薬剤師向け
使用上の注意	・〔ロイコボリン5mg以外〕顔色が悪い，疲れやすい，めまい，発熱などの症状が現れた場合には必ずご相談ください	骨髄機能抑制等の重篤な副作用が起こることがある
	・〔ロイコボリン5mg以外〕血が止まりにくい，疲れやすい，めまい，息切れ，発熱などの症状が現れた場合には必ずご相談ください	感染症・出血傾向の発現および悪化に十分注意する
	・〔ロンサーフ，フルダラ，ロイコボリン5mg以外〕腹痛，下痢，発熱，脱水などの症状が現れた場合には必ずご相談ください	重篤な腸炎等により脱水症状が現れることにより出血性腸炎，虚血性腸炎，壊死性腸炎等が現れ，激しい腹痛，下痢等から脱水症状まで至ることがある
	・〔メソトレキセート〕体がだるい，皮膚がかゆい，湿疹，発熱，尿が濁る，尿が赤くなるなどの症状が現れた場合には必ずご相談ください	・肝・腎機能障害等の重篤な副作用が起こることがある。使用が長時間にわたると副作用が強く現れ，遷延性に推移することがある ・B型またはC型肝炎ウイルスキャリアの患者への投与により，重篤な肝炎や肝障害の発現が報告されている
	・〔ロンサーフ，ロイコボリン5mg以外〕ふらつき，めまい，手足のしびれ，口のもつれ，物忘れなどの症状が現れた場合には必ずご相談ください	白質脳症等の重篤な精神神経症状が起こることがある
	・〔フトラフール腸溶顆粒，ユーエフティE〕かんだり砕いたりせず，そのまま服用してください	腸溶剤のため
	・〔ティーエスワン〕この薬は食後に服用してください	ラットで空腹時投与ではオテラシルカリウムのバイオアベイラビリティが変化し，フルオロウラシルのリン酸化が抑制されて抗腫瘍効果の減弱が予想されるため
	・〔ユーエフティ，ユーエフティE，ユーゼル，ロイコボリン25mg〕この薬は食事の前後1時間を避けて服用してください	ホリナート（ユーゼル，ロイコボリン）およびテガフール・ウラシル配合剤を空腹時および食後に投与した場合，空腹時に比べて食後投与時のウラシルのAUC，テガフールから変換されたフルオロウラシルのAUCはそれぞれ66%，37%減少するため
	・〔ロンサーフ〕この薬は空腹時を避けて服用してください	空腹時投与の場合，食後投与と比べてトリフルリジンのCmaxの上昇が認められるため
	・〔メソトレキセート，フルツロン以外〕妊娠中または妊娠の可能性がある方は必ず	以下の理由のため投与禁忌 ・〔ゼローダ，ロンサーフ〕動物実験で胚致死

使用上の注意	ご相談ください	作用および催奇形作用報告 ・〔フトラフール，ユーエフティ，ユーエフティE，ティーエスワン，ユーゼル，ロイコボリン〕ヒトで奇形を有する児を出産および動物実験で催奇形作用報告 ・〔フルダラ〕胎児毒性および催奇形性報告
	・〔ゼローダ，ロンサーフ〕パートナーが妊娠する可能性のある男性はこの薬の服用中，服用終了後も適切な方法で避妊してください	・〔ゼローダ〕本剤の代謝物（5-FU）遺伝子突然変異誘発作用の報告 ・〔ロンサーフ〕動物実験で遺伝毒性の報告
服み忘れたとき	飲み忘れに気づいても服用しない。次の服用時に決められた用量を服用する（2回分を一度に服用しないこと）	

■ その他備考

- 配合剤成分：ユーエフティ，ユーエフティE（テガフール，ウラシル）
  - ティーエスワン（テガフール，ギメラシル，オテラシルカリウム）
  - ロンサーフ（トリフルリジン，チピラシル塩酸塩）

66 抗悪性腫瘍薬　③ホルモン薬

■ 対象薬剤

抗アンドロゲン薬：ビカルタミド（**カソデックス**），フルタミド（**オダイン**），クロルマジノン酢酸エステル（**プロスタール**），エンザルタミド（**イクスタンジ**），アビラテロン酢酸エステル（**ザイティガ**），アパルタミド（**アーリーダ**），ダロルタミド（**ニュベクオ**）

抗エストロゲン薬：タモキシフェンクエン酸塩；TAM（**ノルバデックス**），トレミフェンクエン酸塩；TOR（**フェアストン**）

アロマターゼ阻害薬：アナストロゾール（**アリミデックス**），エキセメスタン（**アロマシン**），レトロゾール（**フェマーラ**）

その他：エストラムスチンリン酸エステルナトリウム水和物；EMP（**エストラサイト**），メドロキシプロゲステロン酢酸エステル；MPA（**ヒスロンH**）

＊プロスタールはNo.44 泌尿器科用薬②（p.627）参照

■ 指導のポイント

	患者向け	薬剤師向け
薬効	・この薬は男性ホルモンの働きを抑えて，前立腺がんのがん細胞が増えるのを抑える薬です（カソデックス，オダイン，プロスタール，イクスタンジ，ザイティガ，アーリーダ，ニュベクオ，エストラサイト）	→ 抗アンドロゲン作用 殺細胞作用（エストラサイト）
	・この薬は女性ホルモンの働きを抑えて，乳がんのがん細胞が増えるのを抑える薬です（ノルバデックス，フェアストン）	→ 抗エストロゲン作用（フェアストンのみ閉経後乳がん）
	・この薬は女性ホルモンの分泌を抑え，女性ホルモンの働きを抑えて乳がんや子宮体がんのがん細胞が増えるのを抑える薬です（ヒスロンH）	→ 抗エストロゲン作用 下垂体，副腎，性腺系への抑制作用 DNA合成抑制作用
	・この薬は女性ホルモンが生成されるのを抑えて，乳がんのがん細胞が増えるのを抑える薬です（アリミデックス，アロマシン，フェマーラ）	→ アロマターゼ阻害作用
	☆この薬は男性ホルモンの働きを抑えて肥大した前立腺を小さくし，尿の排泄を促したり，頻尿，残尿感等の症状を改善したりする薬です（プロスタール）（参）No.44 泌尿器科用薬②	→ 抗アンドロゲン作用
詳しい薬効	・この薬は男性ホルモン（アンドロゲン）が前立腺がんの組織のアンドロゲン受容体に結びつくのを阻害することで男性ホルモンの働きを抑えて前立腺がんのがん細胞が増えるのを抑える薬です（カソデックス，オダイン，プロスタール，イクスタンジ，アーリーダ，ニュベクオ） ・この薬は男性ホルモン（アンドロゲン）を合成するのを阻害することで男性ホルモンの働きを抑えて前立腺がんのがん細胞が増えるのを抑える薬です（ザイティガ） ・この薬は女性ホルモン（エストロゲン）が乳がんの組織のエストロゲン受容体に結びつくのを阻害することで，女性ホルモンの働きを抑え乳がんのがん細胞が増えるのを抑える薬です（ノルバデックス，フェアストン） ・この薬は男性ホルモン（アンドロゲン）を女性ホルモン（エストロゲン）に変える酵素（アロマターゼ）を阻害することにより，女性ホルモンが生成されるのを抑えて乳がんのがん細胞が増えるのを抑える薬です（アリミデックス，アロマシン，フェマーラ） ・この薬は女性ホルモン（卵胞ホルモン）と抗がん薬（アルキル化薬）を結合させた薬で，男性ホルモンの働きを抑えたり，がん細胞に働きかけて前立腺がんのがん細胞が増えるのを抑える薬です（エストラサイト） ・この薬は女性ホルモン（黄体ホルモン）の一種で下垂体，副腎皮質等に働きかけて，女性ホルモンの分泌を抑え，女性ホルモンの働きを抑えたり，がん細胞に働きかけて乳がんや子宮体がんのがん細胞が増えるのを抑える薬です（ヒスロンH）	

	患者向け	薬剤師向け
警告	・〔オダイン〕この薬の服用中に，食欲がない，吐き気，嘔吐，体がだるい，体がかゆい，皮膚や白目が黄色くなる等の症状が現れたら，服用を中止し，直ちに受診してください 検 この薬の服用中は定期的に肝機能検査を行いますので，1カ月に1回は受診してください	劇症肝炎等の重篤な肝障害で死亡例。定期的に肝機能検査（少なくとも1カ月に1回）。異常が認められた場合は投与中止，適切な処置
	・〔ヒスロンH〕頭痛，吐き気，ろれつが回らなくなる，物が二重に見える，激しく胸が痛い，どきどきする，めまい，息切れ，息苦しい等の症状が現れたら，ご相談ください	重篤な動・静脈血栓症が発現し，死亡例（脳梗塞，心筋梗塞，肺塞栓等）
禁忌・併用禁忌	禁忌 ・〔フェアストン以外〕本剤過敏症既往 ・〔ノルバデックス，フェアストン，アリミデックス，アロマシン，フェマーラ，ヒスロンH〕妊婦 ・〔フェアストン，アリミデックス，アロマシン，フェマーラ〕授乳婦 ・〔オダイン，ザイティガ，エストラサイト，ヒスロンH〕重篤な肝障害 ・〔カソデックス〕小児，女性 ・〔エストラサイト〕エストラジオールまたはナイトロジェンマスタードに過敏症既往歴，血栓性静脈炎・脳血栓・肺塞栓等の血栓塞栓性障害・虚血等の重篤な冠血管疾患または既往，重篤な血液障害，消化性潰瘍 ・〔ヒスロンH〕血栓症を起こすおそれの高い患者（手術後1週間以内，脳梗塞・心筋梗塞・血栓性静脈炎等の血栓性疾患または既往，動脈硬化症，心臓弁膜症・心房細動・心内膜炎・重篤な心不全等の心疾患），診断未確定の性器出血・尿路出血，乳房病変，高Ca血症 ・〔フェアストン〕QT延長または既往，低カリウム血症 併用禁忌 ・〔フェアストン〕⇔キニジン，プロカインアミド，アミオダロン，ソタロール等にてQT延長を増強し，心室性頻脈等のおそれ ・〔ヒスロンH〕⇔黄体ホルモン，卵胞ホルモン，副腎皮質ホルモン等にて血栓症のおそれ	

■ 主な副作用と対策，フィジカルアセスメントのチェックポイント

主な副作用	患者に確認すべき症状	対策とPAのチェックポイント
消化器症状	吐き気，吐く，下痢，腹痛，食欲不振	減量もしくは休薬 PA 腸音（↑）
肝機能障害[†]（ヒスロンH以外）	かゆみ，皮膚が黄色くなる，白目が黄色くなる，疲れやすい，褐色尿，体がだるい	減量もしくは休薬，中止，または状況に応じて対症療法 PA No.66抗悪性腫瘍薬② p.999参照
不正出血，無月経，月経異常，性器出血	生理以外の出血，生理不順，生理がない，下腹部の痛みなど	減量もしくは休薬，中止，または状況に応じて対症療法。不正出血がみられた場合，直ちに検査

No.66 抗悪性腫瘍薬

主な副作用	患者に確認すべき症状	対策とPAのチェックポイント
乳房腫脹, 性欲減退, 勃起力低下	乳房が腫れて痛くなる, 精力減退	減量もしくは休薬, 中止, または状況に応じて対症療法
血栓症, 塞栓症[†]（ノルバデックス, フェマーラ, エストラサイト, ヒスロンH, アリミデックス, フェアストン）	足が腫れて痛む, しびれる, 息苦しい, 意識の低下, うまく話せない, 頭痛, 視力の低下	中止 PA ・深部静脈血栓：片側下肢・上肢（腫脹・発赤・熱感） ・脳梗塞：四肢（まひ・脱力）, 構語（障害：ろれつが回らない） ・心筋梗塞：脈拍（頻脈・不整脈）, 狭心痛（前胸部）, 放散痛（頸部・左肩へ）, 浮腫（上眼瞼, 下腿脛骨）, 呼吸音（水泡音）
視力異常, 視覚異常（ノルバデックス, フェアストン）	ものの形が見えにくい, 視力の低下, 目のかすみ, 見えにくい	直ちに眼科的検査 PA 視力（↓）, 視野（障害）
心臓障害（アーリーダ, ニュベクオ）	息苦しい, 疲れやすい, 足のむくみ, 動悸, 脈の乱れ, 強い胸の痛み	減量, 休薬もしくは中止 PA 狭心痛（前胸部）, 放散痛（頸部・左肩へ）, 呼吸音（水泡音）, 脈拍（不整脈・頻脈）倦怠感, 体重（↑）, 浮腫
間質性肺炎[†]（アーリーダ, ニュベクオ）	息切れ, 息苦しさ, から咳, 発熱	中止 PA 呼吸数（↑）, 呼吸音（捻髪音）, 指先・唇（チアノーゼ）, 体温（↑）
皮膚障害（アーリーダ）	唇のただれ, 赤い発疹, 手足・体のかゆみ, 皮膚の広範囲が赤くなる	減量もしくは休薬, 中止 清潔, 保湿剤, ステロイド軟膏塗布 PA 手足・体幹（瘙痒, 発赤, 熱感, 皮膚剝離, ただれ）
貧血, 白血球減少, 血小板減少[†]	体がだるい, 息切れ, 動悸, めまい, 発熱, のどの痛み, かぜのような症状, 鼻血, 歯ぐきからの出血, 青あざができる, 出血が止まりにくい, 出血しやすい	減量もしくは休薬, 中止, または状況に応じて対症療法 PA 顔色（蒼白）, 眼瞼結膜（白色）, 体幹・四肢・歯肉（出血斑）, 体重（↑）, 体温（↑）
ほてり・顔面紅潮	ほてり, 顔がほてる, 顔が赤くなる	減量もしくは休薬, 中止, または状況に応じて対症療法
脂質代謝異常	コレステロール上昇, トリグリセライド上昇	〃
その他 （高カルシウム血症, 血圧上昇, 疲労, 浮腫, 関節痛, 嗄声, 体重増加・減少, 多汗, 満月様顔貌, 骨粗鬆症）	尿量が多い, 口の渇き, 水を多く飲む, 吐き気, 嘔吐, 注意力が散漫になる, 血圧が上がる, 体がだるい, むくみ, 関節が痛む, 声がかすれる, 体重の増加・減少, 汗を多くかく, 満月様の丸い顔, 骨折症状	〃

[†]：厚生労働省の「重篤副作用疾患別対応マニュアル」参照

■ 重大な副作用と妊婦・授乳婦への危険度

薬剤名	重大な副作用	妊婦[授乳婦]
カソデックス	劇症肝炎，肝機能障害，黄疸，白血球減少，血小板減少，間質性肺炎，心不全，心筋梗塞	－
オダイン	重篤な肝障害，間質性肺炎，心不全，心筋梗塞	－
イクスタンジ	けいれん発作，血小板減少，間質性肺疾患	X
ザイティガ	心障害，劇症肝炎，肝不全，肝機能障害，低カリウム血症，血小板減少，横紋筋融解症	D
アーリーダ	けいれん発作，心臓障害，重度の皮膚障害，間質性肺疾患	－
ニュベコオ	心臓障害	－
ノルバデックス	無顆粒球症，白血球減少，好中球減少，貧血，血小板減少，視力異常，視覚障害，血栓塞栓症，静脈炎，劇症肝炎，肝炎，胆汁うっ滞，肝不全，高カルシウム血症，子宮筋腫，子宮内膜ポリープ，子宮内膜増殖症，子宮内膜炎，間質性肺炎，アナフィラキシー，血管浮腫，皮膚粘膜眼症候群，水疱性類天疱瘡，膵炎	禁忌 [授×]
フェアストン	血栓塞栓症，静脈炎，肝機能障害，黄疸，子宮筋腫	禁忌/B3 [授禁忌]
アリミデックス	皮膚粘膜眼症候群，アナフィラキシー，血管浮腫，じんま疹，肝機能障害，黄疸，間質性肺炎，血栓塞栓症	禁忌 [授禁忌]
アロマシン	肝炎，肝機能障害，黄疸	禁忌/C [授禁忌]
フェマーラ	血栓症，塞栓症，心不全，狭心症，肝機能障害，黄疸，中毒性表皮壊死融解症，多形紅斑	禁忌 [授禁忌]
エストラサイト	血栓塞栓症，心筋梗塞，心不全，狭心症，血管浮腫，胸水，肝機能障害，黄疸	D
ヒスロンH	血栓症，うっ血性心不全，アナフィラキシー，乳頭水腫	禁忌/D

■ その他の指導ポイント

	患者向け	薬剤師向け
使用上の注意	・〔アーリーダ，アリミデックス，アロマシン，フェマーラ〕この薬の服用中は，車の運転等，危険を伴う機械の操作は行わないでください ・息切れ，息苦しさ，から咳，発熱などの症状があれば，すぐに受診してください	・〔アーリーダ〕けいれん発作が現れることがあるため ・〔アリミデックス〕本剤との関連性は明確でないが，無力症や傾眠等の報告があるため ・〔アロマシン〕嗜眠，傾眠，無力（症），めまいの報告があるため ・〔フェマーラ〕疲労，めまい，まれに傾眠が起こることがあるため 間質性肺疾患が現れることがあるので，初期症状（息切れ，呼吸困難，咳嗽，発熱等）の確認および胸部X線検査の実施等，患者の状態を十分に観察

使用上の注意		
	・〔アーリーダ, ニュベクオ〕この薬の服用中に, 息苦しい, 倦怠感, 足のむくみ, 動悸, 胸の痛みなどがみられた場合, すぐにご相談ください →	心臓障害発現の可能性があるので, 投与開始前および本剤投与中は適宜心機能検査(心電図, 心エコー等)実施
	・〔エストラサイト, ヒスロンH〕この薬の服用中に体のむくみ, 体重増加がみられたら, ご相談ください →	心疾患, 腎疾患がある場合, Naまたは体液貯留が発現
	・〔アーリーダ〕この薬の服用中に, 唇のただれ, 赤い発疹, 手足・体のかゆみ, 皮膚の広範囲が赤くなる等の皮膚症状があれば, すぐに受診してください →	重度の皮膚障害発現の可能性。皮疹発現時には早期に皮膚科医に相談し, 本剤の休薬または投与中止を考慮
	・〔エストラサイト, ザイティガ〕体がだるい, かゆみ, 湿疹などの症状があれば, 必ずご相談ください →	肝機能異常, 血液障害等の重篤な副作用が起こることがある
	・〔ノルバデックス, フェアストン〕生理以外の出血などあれば, 必ずご相談ください →	子宮内膜ポリープ, 子宮内膜増殖, 子宮体がん発生増加がみられたとの報告があるので, 定期的に検査を行うことが望ましい
	・〔オダイン〕尿が変色(琥珀色または黄緑色)することがありますが心配いりません →	代謝物により琥珀色または黄緑色がみられることがある
	・〔フェアストン〕治療中はホルモン剤以外の方法で避妊してください →	抗エストロゲンおよびエストロゲン作用がある。治療開始前に妊娠していないことを確認し, 治療中はホルモン剤以外で避妊するよう指導。妊娠が疑われた場合は投与中止
	・〔アリミデックス, アロマシン, フェマーラ〕骨折に注意してください →	骨粗鬆症, 骨折が起こりやすくなるので骨密度等の骨状態を定期的に観察することが望ましい
	・〔アリミデックス, アロマシン, フェマーラ〕閉経前の方は必ずご相談ください →	活発な卵巣機能を有する閉経前の患者ではアロマターゼを阻害する効果は不十分であると予想されること, ならびに使用経験がないことを考慮して, 閉経前患者への投与は避ける
	・〔ノルバデックス, フェアストン, アリミデックス, アロマシン, フェマーラ, ヒスロンH〕妊娠中または妊娠の可能性がある方は必ずご相談ください →	以下の理由のため投与禁忌 ・〔ノルバデックス〕自然流産, 先天性欠損, 胎児死亡報告(外国) ・〔フェアストン〕動物実験で胎児毒性, 生殖障害 ・〔アリミデックス〕動物実験で胎児発育遅延, 胎児への移行 ・〔アロマシン〕動物実験で分娩障害, 妊娠期間の延長, 吸収胚数の増加, 生存胎児数の減少等 ・〔フェマーラ〕奇形児出産報告(外国), 動物実験で胎児死亡・催奇形性 ・〔ヒスロンH〕催奇形性疑う疫学的調査報告, 女子胎児の男性化, 男子胎児の女性化報告, 先天異常児出産率高い報告

使用上の注意	・〔フェアストン，アリミデックス，アロマシン，フェマーラ〕授乳中の方は，必ずご相談ください	・〔フェアストン，アロマシン，フェマーラ〕動物実験で乳汁中への移行が認められているため投与禁忌 ・〔アリミデックス，アロマシン〕授乳中婦人における使用経験がないため投与禁忌
	・〔ザイティガ〕食事の影響を避けるため食事の1時間前から食後2時間までの間の服用は避けてください	低脂肪食および高脂肪食とともに投与するとCmaxおよびAUCが上昇
	食 〔ノルバデックス，フェアストン〕この薬の服用中に大豆をなるべくとらないでください	大豆中エストロゲン様物質により本剤の作用が阻害され効果（抗エストロゲン作用）を減弱させる
	食 〔エストラサイト〕この薬は牛乳などの乳製品や，カルシウムを多量に含む食物，カルシウム製剤と一緒にとらないでください	Caイオンとの間に不溶性の複合体が形成され，吸収が抑制され作用減弱させるため併用注意。可能な限り1時間は間隔をあけることが望ましい
	・〔ザイティガ〕この薬の服用中に，血圧の上昇，けいれん，筋肉のこわばり，手足のむくみが現れることがあるため，体重の増加がある場合はご相談ください	血圧の上昇，低K血症，体液貯留が現れることがある。投与開始前に血清電解質濃度を測定し，低K血症の場合は，血清K値を補正後に，本剤の投与を開始。また投与中は定期的に血圧測定，血液検査，体重の測定等を実施
	検 定期的な血圧測定，血液検査体重測定を受けてください	
	検 〔ザイティガ〕この薬の服用中は，定期的に肝機能検査を受けるために受診してください	劇症肝炎等の重篤な肝機能障害による肝不全の報告。定期的に肝機能検査を実施（投与初期は頻回）
服用を忘れたとき	・〔カソデックス，オダイン，アーリーダ，ニュベクオ，ノルバデックス，フェアストン，アリミデックス，アロマシン，フェマーラ，エストラサイト〕思い出したときすぐに服用する。ただし次の服用時間が近いとき（ニュベクオ：6時間以内）は忘れた分は服用しない（2回分を一度に服用しないこと） ・〔ヒスロンH〕飲み忘れに気づいても服用しない。次の服用時に決められた用量を服用する（2回分を一度に服用しないこと） ・〔イクスタンジ〕思い出したらすぐに服用する。ただし丸1日服用を忘れた場合は，忘れた分を服用せずに翌日に1回分を服用する（2回分を一度に服用しないこと） ・〔ザイティガ〕思い出したとき，空腹時に（食前1時間〜食後2時間を避けて）服用する。ただし次の服用時間まで最低8時間はあけること。1日服用を忘れた場合はその日は服用せず，翌日から通常の1回分を服用する（2回分を一度に服用しないこと）	

66 抗悪性腫瘍薬　④分子標的治療薬（チロシンキナーゼ・マルチキナーゼ阻害薬）

■ 対象薬剤

（A）チロシンキナーゼ阻害薬
- EGFR阻害薬：ゲフィチニブ（イレッサ），エルロチニブ塩酸塩（タルセバ），アファチニブマレイン酸塩（ジオトリフ），オシメルチニブメシル酸塩（タグリッソ），ダコミチニブ水和物（ビジンプロ）
- HER2阻害薬：ラパチニブトシル酸塩水和物（タイケルブ）
- BCR/ABL阻害薬：イマチニブメシル酸塩（グリベック），ダサチニブ水和物（スプリセル），ニロチニブ塩酸塩水和物（タシグナ），ボスチニブ水和物（ボシュリフ），ポナチニブ塩酸塩（アイクルシグ）
- ALK阻害薬：クリゾチニブ（ザーコリ），アレクチニブ塩酸塩（アレセンサ），セリチニブ（ジカディア），ロルラチニブ（ローブレナ），ブリグチニブ（アルンブリグ）
- TRK阻害薬：ラロトレクチニブ硫酸塩（ヴァイトラックビ）
- TRK/ROS1阻害薬：エヌトレクチニブ（ロズリートレク）
- VEGFR阻害薬：アキシチニブ（インライタ）
- BTK阻害薬：イブルチニブ（イムブルビカ），アカラブルチニブ（カルケンス），チラブルチニブ塩酸塩（ベレキシブル）
- JAK阻害薬：ルキソリチニブリン酸塩（ジャカビ）
- FLT3阻害薬：キザルチニブ塩酸塩（ヴァンフリタ），ギルテリチニブフマル酸塩（ゾスパタ）
- MET阻害薬：カプマチニブ塩酸塩水和物（タブレクタ），テポチニブ塩酸塩水和物（テプミトコ）
- FGFR阻害薬：ペミガチニブ（ペマジール）

（B）マルチキナーゼ阻害薬
スニチニブリンゴ酸塩（スーテント），ソラフェニブトシル酸塩（ネクサバール），パゾパニブ塩酸塩（ヴォトリエント），レゴラフェニブ水和物（スチバーガ），レンバチニブメシル酸塩（レンビマ），バンデタニブ（カプレルサ），カボサンチニブリンゴ酸塩（カボメティクス）

■ 指導のポイント

	患 者 向 け	薬 剤 師 向 け
薬効	この薬は各種がん細胞が持っている特定の分子（変異遺伝子，変異蛋白質など）のみに，直接働いてがん細胞が増えるのを抑える薬です	チロシンキナーゼ（蛋白質）阻害作用（A） マルチキナーゼ阻害作用（B）
詳しい薬効	・この薬は各種がん細胞の増殖の信号を伝達する上で重要となるチロシンキナーゼという酵素（対象薬剤参照）の働きを阻害し，がん細胞の増殖能を低下させることにより再発または難治性がん（ボシュリフは初発のがんにも使用可能）の増殖を抑える薬です（A） ・この薬は各種がん細胞の増殖や血管新生に関与する複数のプロテインキナーゼという酵素の働きを阻害し，がん細胞の増殖能を低下させることにより再発または難治性のがんの増殖を抑える薬です（B） （各薬剤の適応疾患についてはその他備考参照）	
共通警告	①緊急時に十分対応できる医療施設で，がん化学療法に十分な知識・経験を持つ医師のもと，本療法が適切と判断される症例についてのみ投与 ②適応患者の選択にあたっては，各併用薬剤の添付文書を参照して十分注意 ③治療開始に先立ち，患者またはその家族に有効性および危険性を十分説明し，同意を得てから投与	
警告	〔グリベック，スプリセル，ボシュリフ，ローブレナ，ヴァイトラックビ，ロズリートレク，インライタ，イムブルビカ，カルケンス，ベレキシブル，ヴァンフリタ，ゾスパタ，ペマジール，ネクサバール，レンビマ，カボメティクス〕共通警告①③ 〔その他〕共通警告①③，他に警告あり＊ ＊他の警告は下記参照	

	患 者 向 け	薬 剤 師 向 け
警告	・(a)〔イレッサ，タルセバ，ジオトリフ，タグリッソ，タイケルブ，ザーコリ，アレセンサ，ジカディア，ビジンプロ，アルンブリグ，タブレクタ，テプミトコ，カプレルサ〕この薬の服用中に息苦しい，呼吸がしにくい，から咳，発熱など風邪のような症状があればすぐに受診してください 検 定期的な胸部検査を受けてください	・(a) 間質性肺疾患にて死亡例の報告あり。初期症状（息切れ，呼吸困難，咳嗽，発熱等）の確認および胸部画像検査の実施。異常が認められたら投与中止，適切な処置（デキサメサゾン等の副腎皮質ホルモン投与：タブレクタ，テプミトコ） ・〔イレッサ，タイケルブ，タブレクタ，テプミトコ以外の (a)〕治療初期は入院またはそれに準ずる管理下で，間質性肺疾患等の重篤な副作用発現に十分注意 ・〔イレッサ〕間質性肺炎等が発生（投与初期）し，致死的な転帰。投与開始後4週間は入院またはそれに準ずる管理下で十分に観察。特発性肺線維症等肺疾患の合併を確認。急性肺障害・間質性肺炎による致命的な転帰の報告。全身状態の悪い患者ほど急性肺障害・間質性肺炎の発現率・死亡率上昇傾向あり，十分注意 ・〔タグリッソ〕投与前に間質性肺疾患の合

警告	・(b)〔タイケルブ,アイクルシグ,ザーコリ,ヴォトリエント,スチバーガ〕この薬の服用中に,体がだるい,疲れやすい,食欲がない,黄疸などの症状が現れた場合は必ずご相談ください 検 この薬の服用開始前および治療中は定期的に肝機能検査を受けてください ・〔タシグナ,カプレルサ〕この薬の服用中に,ドキドキする,ふらつく,気を失うなどの症状があれば必ずご相談ください 検 この薬の服用開始前には心電図検査を受け,治療期間中は適宜心電図検査や電解質検査を受けてください ・〔アイクルシグ〕この薬の服用中に,胸の痛み,腹痛,手足が痛い,片麻痺,目が見えにくくなる,息苦しい,しびれなどがみられた場合,すぐにご相談ください ・〔スーテント〕この薬の服用中に,息苦しい,体がだるい,足のむくみ,胸の苦しさなどがみられた場合,すぐにご相談ください 検 投与開始前と投与中は適宜心機能検査を受けてください ・〔スーテント〕この薬の服用中に,頭痛,けいれん,手足のふるえ,神経機能変化,意識がもうろうとするなどの症状がみられた場合は,すぐにご相談ください ・〔ジャカビ〕この薬の服用中に,高熱や咳,痰が出るなど感染症状がみられた場合は必ずご相談ください	併,既往の確認(胸部CT検査,問診)後,投与の可否を慎重に判断 ・〔ザーコリ〕特に投与初期に死亡例あり ・(b) 重篤な肝機能障害にて死亡例の報告。投与開始前および投与中は定期的に肝機能検査を実施,患者の状態を十分に観察 ・〔ヴォトリエント〕中等度以上の肝機能障害患者では,最大耐用量が低いため,投与可否を慎重に判断。投与の場合は減量 ・〔タシグナ〕QT間隔延長発現,心タンポナーデによる死亡例の報告。投与開始前に心電図検査を行い,投与期間中は適宜心電図検査等を実施 ・〔カプレルサ〕QT間隔延長発現,定期的な心電図検査および電解質検査の実施等,十分に観察。QT間隔延長を起こす薬剤との併用は有益性により判断 心筋梗塞,脳梗塞等の重篤な血管閉塞性事象等発現で死亡例報告。投与開始前に,虚血性疾患,静脈血栓塞栓症等の既往歴・心血管系疾患の危険因子の有無等を確認し,投与の可否を慎重に判断。 投与中は胸痛,腹痛,しびれ等の血管閉塞性事象の徴候や症状発徴候に注意 心不全等の重篤な心障害にて死亡例の報告あり。開始前に心機能を確認し,投与中は適宜心機能検査(心エコー等)実施,十分観察 可逆性後白質脳症症候群(RPLS)が現れることがある。RPLSが疑われた場合は,投与中止し,適切な処置 結核,敗血症等の重篤な感染症が発現し,死亡例の報告。十分な観察を行うなど感染症の発症に注意

禁忌・併用禁忌		
禁忌	・本剤過敏症既往 ・〔タグリッソ，タイケルブ，グリベック，スプリセル，タシグナ，ボシュリフ，アイクルシグ，アレセンサ，インライタ，イムブルビカ，ジャカビ，スーテント，ネクサバール，ヴォトリエント，スチバーガ，レンビマ，カプレルサ〕妊婦 ・〔イムブルビカ〕中等度以上の肝機能障害 ・〔カプレルサ〕先天性QT延長症候群	
併用禁忌	・〔グリベック，ザーコリ〕⇨ロミタピドの血中濃度が著しく上昇するおそれ ・〔ローブレナ〕⇨リファンピシンにてALTおよびASTが上昇するおそれ ・〔イムブルビカ〕⇨ケトコナゾール（経口，国内未発売），イトラコナゾール，クラリスロマイシンにて本剤の血中濃度が上昇し，副作用が増強されるおそれ	

■ 主な副作用と対策，フィジカルアセスメントのチェックポイント

主な副作用	患者に確認すべき症状	対策とPAのチェックポイント
皮膚症状，爪障害	湿疹，皮膚ががさがさになる，かゆみ，おでき，赤く腫れ上がる，痛み，皮がむける，水ぶくれ・ただれ，皮膚が黒ずむ，爪の周りが赤くなる，爪の角が指にささり腫れる	減量もしくは休薬，中止。ステロイドの外用を中心に使用し，瘙痒感を伴う場合は抗ヒスタミン剤や抗アレルギー剤を追加。皮膚症状出現前から保湿が重要 PA 皮膚（かゆみ，発赤，発疹），爪（周囲炎，変形）
手足症候群† （B：マルチキナーゼ阻害薬）	手のひらや足の裏が赤くなって腫れる・角質化する・水ぶくれができる・感覚が鈍くなる・激しい痛みがある	減量もしくは休薬，中止。保湿剤，角質軟化剤，ステロイド外用剤等で処置 PA No.66 抗悪性腫瘍薬② p.999 参照
消化器症状	吐き気，嘔吐，下痢（重篤な場合は脱水症状を伴う），口内炎，食欲不振，便秘	減量もしくは休薬，中止。制吐剤，下剤，止瀉薬を症状に応じて使用 PA 腸音（↑：下痢，↓：便秘） 脱水：（脇・唇・舌・口乾燥），手甲の皮膚（つまんだ後すぐ戻らない），爪を押す（色がすぐ戻らない）
血液障害	発熱，のどの痛み，かぜのような症状，鼻血，歯ぐきからの出血，青あざができる，出血が止まりにくい，出血しやすい	減量もしくは休薬，中止 PA No.66 抗悪性腫瘍薬① 骨髄抑制 p.994 参照
間質性肺炎† （アイクルシグ，ヴァイトラックビ，ペマジール以外）	息苦しい，発熱，から咳	中止し，ステロイド治療等の処置 PA No.66 抗悪性腫瘍薬② p.999 参照
肝機能障害†	かゆみ，皮膚が黄色くなる，白目が黄色くなる，疲れやすい，褐色尿，体がだるい	減量もしくは休薬，中止，または状況に応じて対症療法 PA No.66 抗悪性腫瘍薬② p.999 参照
神経障害 （イレッサ，ジカディア以外）	頭痛，味覚異常，不眠症，めまい，ふらつき	減量もしくは休薬，中止，または状況に応じて対症療法 PA めまい

主な副作用	患者に確認すべき症状	対策とPAのチェックポイント
筋肉痛，筋肉のつっぱり・けいれん，関節痛 (イレッサ，ジカディア，タグリッソ以外)	筋肉の痛み・けいれん，関節の痛み	減量もしくは休薬，中止，または状況に応じて対症療法
浮腫 (ジカディア以外)	目のまわりのむくみ，顔のむくみ，まぶたのむくみ，足のむくみ，全身のむくみ	減量もしくは休薬，中止，または状況に応じて対症療法 PA 体重（↑），浮腫（上眼瞼，下腿脛骨），尿量（↓）
視覚障害（結膜炎・角膜炎・視力障害） (ジカディア，ジャカビ，ヴァイトラックビ，ロズリートレク，カルケンス，ヴァンフリタ，タブレクタ，テプミトコ，カボメティクス，ネクサバール，ヴォトリエント，スチバーガ，レンビマ以外)	目の充血，目の痛み，見えにくい	直ちに眼科的検査 PA 結膜（充血）
心臓障害 (イレッサ，タルセバ，アレセンサ，ビジンプロ，ヴァイトラックビ，タブレクタ，テプミトコ，ペマジール以外)	冷や汗，息苦しい，急激に胸を強く押えつけられた感じ，体がだるい，全身のむくみ，横になるより座っているときに呼吸が楽になる，脈が乱れる，動悸，気を失う	減量もしくは休薬，中止 PA 狭心痛（前胸部），放散痛（頸部，左肩へ），脈拍（不整脈・頻脈），体重（↑），浮腫（上眼瞼，下腿脛骨），頸静脈（怒張），呼吸音（水泡音）
高血圧 (B：マルチキナーゼ阻害薬)	血圧が上がる，頭痛がする，頭が重い，倦怠感	減量もしくは休薬，中止，または状況に応じて対症療法 PA 血圧（↑）

†：厚生労働省の「重篤副作用疾患別対応マニュアル」参照

■ 重大な副作用と妊婦・授乳婦への危険度

薬剤名	重大な副作用	妊婦[授乳婦]
イレッサ	急性肺障害，間質性肺炎，重度の下痢，脱水，中毒性表皮壊死融解症，皮膚粘膜眼症候群，多形紅斑，肝炎，肝機能障害，黄疸，肝不全，血尿，出血性膀胱炎，急性膵炎，消化管穿孔，消化管潰瘍，消化管出血	-
タルセバ	間質性肺疾患，肝炎，肝不全，肝機能障害，重度の下痢，急性腎不全，重度の皮膚障害，皮膚粘膜症症候群，中毒性表皮壊死融解症，多形紅斑，消化管穿孔，消化管潰瘍，消化管出血，角膜穿孔，角膜潰瘍	C [◎×]
ジオトリフ	間質性肺疾患，重度の下痢，重度の皮膚障害，肝不全，肝機能障害，心障害，中毒性表皮壊死融解症，皮膚粘膜眼症候群，多形紅斑，消化管潰瘍，消化管出血，急性膵炎	C
タグリッソ	間質性肺疾患，QT間隔延長，血小板減少，好中球減少，白血球減少，貧血，肝機能障害，中毒性表皮壊死融解症，皮膚粘膜眼症候群，多形紅斑，うっ血性心不全，左室駆出率低下	禁忌/D
ビジンプロ	間質性肺疾患，重度の下痢，重度の皮膚障害，肝機能障害	-

薬剤名	重大な副作用	妊婦[授乳婦]
タイケルブ	肝機能障害, 間質性肺疾患, 心障害, 下痢, QT 間隔延長, 中毒性表皮壊死融解症, 皮膚粘膜眼症候群, 多形紅斑	禁忌/C
グリベック	骨髄抑制, 出血（脳出血, 硬膜下出血）, 消化管出血, 胃前庭部毛細血管拡張症, 消化管穿孔, 腫瘍出血, 肝機能障害, 黄疸, 肝不全, 重篤な体液貯留（胸水, 腹水, 肺水腫, 心膜滲出液, うっ血性心不全, 心タンポナーデ）, 感染症, 重篤な腎障害, 間質性肺炎, 肺線維症, 中毒性表皮壊死融解症, 皮膚粘膜眼症候群, 多形紅斑, 剥脱性皮膚炎, ショック, アナフィラキシー, 心膜炎, 脳浮腫, 頭蓋内圧上昇, 麻痺性イレウス, 血栓症, 塞栓症, 横紋筋融解症, 腫瘍崩壊症候群, 肺高血圧症	禁忌/D [🚼×]
スプリセル	骨髄抑制, 出血（脳出血・硬膜下出血, 消化管出血）, 体液貯留（胸水, 肺水腫, 心囊液貯留, 腹水, 全身性浮腫等）, 感染症, 間質性肺疾患, 腫瘍崩壊症候群, 心電図 QT 延長, 心不全, 心筋梗塞, 肺動脈性肺高血圧症, 急性腎不全	禁忌/D
タシグナ	骨髄抑制, QT 間隔延長, 心筋梗塞, 狭心症, 心不全, 末梢動脈閉塞性疾患, 脳梗塞, 一過性脳虚血発作, 高血糖, 心膜炎, 出血（頭蓋内出血, 消化管出血, 後腹膜出血）, 感染症, 肝炎, 肝機能障害, 黄疸, 膵炎, 体液貯留（胸水, 肺水腫, 心囊液貯留, うっ血性心不全, 心タンポナーデ）, 間質性肺疾患, 脳浮腫, 消化管穿孔, 腫瘍崩壊症候群	禁忌/D
ボシュリフ	肝炎, 肝機能障害, 重度の下痢, 骨髄抑制, 体液貯留, ショック, アナフィラキシー, 心障害, 感染症, 出血, 膵炎, 間質性肺炎, 腎不全, 肺高血圧症, 腫瘍崩壊症候群, 中毒性表皮壊死融解症, 皮膚粘膜眼症候群, 多形紅斑	禁忌
アイクルシグ	冠動脈疾患, 脳血管障害, 末梢動脈閉塞性疾患, 静脈血栓塞栓症, 骨髄抑制, 高血圧, 肝機能障害, 膵炎, 体液貯留, 感染症, 重度の皮膚障害, 出血, 心不全, うっ血性心不全, 不整脈, 腫瘍崩壊症候群, ニューロパチー, 肺高血圧症	禁忌/D
ザーコリ	間質性肺疾患, 劇症肝炎, 肝不全, 肝機能障害, QT 間隔延長, 徐脈, 血液障害, 心不全	D
アレセンサ	間質性肺疾患, 肝機能障害, 好中球減少, 白血球減少, 消化管穿孔, 血栓塞栓症	禁忌/D
ジカディア	間質性肺疾患, 肝機能障害, QT 間隔延長, 徐脈, 重度の下痢, 高血糖・糖尿病, 膵炎	D
ローブレナ	間質性肺疾患, QT 間隔延長, 中枢神経系障害, 膵炎, 肝機能障害	−
アルンブリグ	間質性肺疾患, 膵炎, 肝機能障害	D
ヴァイトラックビ	肝機能障害, 骨髄抑制, 中枢神経系障害	D
ロズリートレク	心臓障害, QT 間隔延長, 認知障害, 運動失調, 間質性肺疾患	D
インライタ	高血圧, 高血圧クリーゼ, 動脈血栓塞栓症, 静脈血栓塞栓症, 出血, 消化管穿孔, 瘻孔形成, 甲状腺機能障害, 創傷治癒遅延, 可逆性後白質脳症症候群, 肝機能障害, 心不全, 間質性肺疾患	禁忌/D
イムブルビカ	出血, 白血球減少症, 感染症, 進行性多巣性白質脳症, 骨髄抑制, 不整脈, 腫瘍崩壊症候群, 過敏症, 皮膚粘膜症候群, 肝不全, 肝機能障害, 間質性肺疾患	禁忌/D

No.66 抗悪性腫瘍薬

薬剤名	重大な副作用	妊婦[授乳婦]
カルケンス	出血, 感染症, 骨髄抑制, 不整脈, 虚血性心疾患, 腫瘍崩壊症候群, 間質性肺疾患	C
ベレキシブル	出血, 感染症, 重度の皮膚障害, 骨髄抑制, 過敏症, 間質性肺疾患, 肝機能障害	−
ジャカビ	骨髄抑制, 感染症, 進行性多巣性白質脳症, 出血, 間質性肺疾患, 肝機能障害, 心不全	禁忌/C
ヴァンフリタ	QT間隔延長, 心室性不整脈, 感染症, 出血, 骨髄抑制, 心筋梗塞, 急性腎障害, 間質性肺疾患	−
ゾスパタ	骨髄抑制, 感染症, 出血, QT間隔延長, 心膜炎, 心不全, 心嚢液貯留, 肝機能障害, 腎障害, 消化管穿孔, 間質性肺疾患, 過敏症, 可逆性後白質脳症症候群	−
タブレクタ	間質性肺疾患, 体液貯留, 肝機能障害, 腎機能障害	−
テプミトコ	間質性肺疾患, 体液貯留, 肝機能障害, 腎機能障害	−
ペマジール	網膜剥離, 高リン血症	−
スーテント	骨髄抑制, 感染症, 高血圧, 出血, 消化管穿孔, QT間隔延長, 心室性不整脈, 心不全, 左室駆出率低下, 肺塞栓症, 深部静脈血栓症, 血栓性微小血管症, 一過性脳虚血発作, 脳梗塞, 播種性血管内凝固症候群, てんかん様発作, 可逆性後白質脳症症候群, 急性膵炎, 甲状腺機能障害, 肝不全, 肝機能障害, 黄疸, 急性胆嚢炎, 間質性肺炎, 急性腎障害, ネフローゼ症候群, 横紋筋融解症, ミオパシー, 副腎機能不全, 腫瘍崩壊症候群, 皮膚粘膜眼症候群, 多形紅斑	禁忌/D
ネクサバール	手足症候群, 剥脱性皮膚炎, 中毒性表皮壊死融解症, 皮膚粘膜眼症候群, 多形紅斑, ケラトアカントーマ, 皮膚有棘細胞がん, 出血(消化管出血, 気道出血, 脳出血, 口腔内出血, 鼻出血, 爪床出血, 血腫, 腫瘍出血), 劇症肝炎, 肝機能障害・黄疸, 肝不全, 肝性脳症, 急性肺障害, 間質性肺炎, 高血圧クリーゼ, 可逆性後白質脳症症候群, 心筋虚血・心筋梗塞, うっ血性心不全, 消化管穿孔, 消化管潰瘍, 出血性腸炎, 虚血性腸炎, 白血球減少, 好中球減少, リンパ球減少, 血小板減少, 貧血, 膵炎, 腎不全, ネフローゼ症候群, 蛋白尿, 低ナトリウム血症, ショック, アナフィラキシー, 横紋筋融解症, 低カルシウム血症	禁忌/D
ヴォトリエント	肝不全, 肝機能障害, 高血圧, 高血圧クリーゼ, 心機能障害, QT間隔延長, 心室性不整脈, 動脈血栓性事象, 静脈血栓性事象, 出血, 消化管穿孔, 消化管瘻, 甲状腺機能障害, ネフローゼ症候群, 蛋白尿, 感染症, 創傷治癒遅延, 間質性肺炎, 血栓性微小血管症, 可逆性後白質脳症症候群, 膵炎, 網膜剥離	禁忌/D
スチバーガ	手足症候群, 中毒性表皮壊死融解症, 皮膚粘膜眼症候群, 多形紅斑, 劇症肝炎, 肝不全, 肝機能障害, 黄疸, 出血, 間質性肺疾患, 血栓塞栓症, 高血圧, 高血圧クリーゼ, 可逆性後白質脳症, 消化管穿孔, 消化管瘻, 血小板減少	禁忌/D
レンビマ	高血圧, 出血, 動脈血栓塞栓症, 静脈血栓塞栓症, 肝障害, 急性胆嚢炎, 腎障害, 消化管穿孔, 瘻孔形成, 気胸, 可逆性後白質脳症症候群, 心障害, 手足症候群, 感染症, 骨髄抑制, 低カルシウム血症, 創傷治癒遅延, 間質性肺疾患, 甲状腺機能低下	禁忌

薬剤名	重大な副作用	妊婦[授乳婦]
カプレルサ	間質性肺疾患，QT延長，心室性不整脈，心障害，重度の下痢，中毒性表皮壊死融解症，皮膚粘膜眼症候群，多形紅斑，重度の皮膚障害，高血圧，可逆性後白質脳症症候群，腎障害，低カルシウム血症，肝障害，出血，消化管穿孔	禁忌/D
カボメティクス	消化管穿孔，瘻孔，出血，血栓塞栓症，高血圧，可逆性後白質脳症症候群，顎骨壊死，膵炎，腎障害，肝不全，肝機能障害，骨髄抑制，虚血性心疾患，不整脈，心不全，横紋筋融解症，間質性肺疾患，手足症候群，創傷治癒遅延，重度の下痢	D

■ その他の指導ポイント

	患者向け	薬剤師向け
使用上の注意	・〔イレッサ，グリベック，タシグナ，ザーコリ，ボシュリフ，スーテント，レンビマ，カプレルサ〕この薬の服用中は車の運転等，危険を伴う機械の操作を行わないでください	・〔イレッサ〕無力症 ・〔グリベック〕めまい，眠気，霧視 ・〔タシグナ〕めまい，霧視・視力低下等の視力障害 ・〔ザーコリ〕視覚障害 ・〔ボシュリフ〕浮動性めまい，疲労，視力障害 ・〔スーテント〕めまい，傾眠，意識消失 ・〔レンビマ〕疲労，無力症，めまい，筋痙縮 ・〔カプレルサ〕疲労，霧視，視力障害
	・〔スーテント，ヴォトリエント〕この薬を服用すると，毛髪または皮膚の色が脱色したり，変色したりすることがあります	有効成分の色（黄～橙色）に起因すると考えられる．毛髪・皮膚の変色，色素脱失は休薬期間中に回復傾向がみられるが，投与する場合は適切に説明すること（ヴォトリエントは類薬記載）
	・〔カプレルサ，ペマジール〕この薬の服用中に，視力低下，視野欠損，目のかすみ，光がチカチカする，黒いものが飛ぶように見えるなどの症状がみられた場合は必ずご相談ください	重篤な眼障害が現れることがあるので，投与中は定期的に目の異常の有無を確認する
	・〔カボメティクス〕この薬の服用中に，顎の痛み，口や顎の部分から膿が出るなどの症状がみられた場合は必ずご相談ください	顎骨壊死が現れることがある．多くが抜歯後の顎骨の対する侵襲的な歯科処置や局所感染に関連して発現しているため，治療開始前に歯科受診を済ませておく
	・〔イレッサ，タルセバ，タシグナ，ヴォトリエント，ベレキシブル，ネクサバール，タイケルブ，ジオトリフ，スチバーガ，カボメティクス〕この薬は食事の影響を受けるので，注意事項を守って指示された時間に服用してください	・効果低下（イレッサ：高齢者は無酸症が多いため食後服用，ジオトリフ：食前1時間～食後3時間を避けて空腹時服用，スチバーガ：空腹時と高脂肪食後を避けて，食後服用） ・副作用増強（タルセバ，タシグナ，ヴォトリエント，ベレキシブル，カボメティクス：食前1時間～食後2時間を避けて服用，タ

No.66 抗悪性腫瘍薬

使用上の注意	・〔グリベック〕この薬は食後に多めの水またはぬるま湯で服用してください	イケルブ：食事の前後1時間を避けて服用） ・副作用増強・効果低下（ネクサバール：高脂肪食時は食前1時間～食後2時間を避けて服用） 消化管刺激作用による吐き気・嘔吐・腹痛等を最小限に抑えるため，食後に多めの水で服用
	・〔タグリッソ，タイケルブ，グリベック，スプリセル，タシグナ，ボシュリフ，アイクルシグ，アレセンサ，インライタ，イムブルビカ，ジャカビ，スーテント，ネクサバール，ヴォトリエント，スチバーガ，レンビマ，カプレルサ〕妊娠中または妊娠の可能性のある方は必ずご相談ください	以下の理由で投与禁忌 ・〔タグリッソ〕動物で胚死亡，胎児・出生児の生存率低下等 ・〔タイケルブ〕動物で胎児体重の低値・軽度な骨格変異，流産 ・〔グリベック，レンビマ〕ヒトで流産，動物で催奇形性等 ・〔スプリセル〕ヒトで奇形・胎児毒性 ・〔タシグナ，ジャカビ〕動物で胚・胎児毒性 ・〔ボシュリフ〕動物で生存胎児数の減少，催奇形性等 ・〔アイクルシグ〕動物で催奇形性，生殖細胞の変性 ・〔アレセンサ〕動物で胚・胎児の死亡，流産，内臓異常，骨格変異 ・〔インライタ，スーテント〕動物で胚・胎児死亡および奇形の発生 ・〔イムブルビカ〕動物で胚致死作用および催奇形性 ・〔ネクサバール〕動物で胚・胎児毒性，催奇形性 ・〔ヴォトリエント〕動物で母体毒性および催奇形性，流産 ・〔スチバーガ〕動物で着床後胚死亡および胎児奇形 ・〔カプレルサ〕動物で胎児死亡，胎児発育遅延，心血管奇形
	・妊娠する可能性のある女性は，薬の服用中および治療終了から一定期間は避妊してください	ヒトで流産，動物で催奇形性・胚・胎児毒性等がみられるため
	・〔タグリッソ，アイクルシグ，ローブレナ，アルンブリグ，ロズリートレク，ヴァンフリタ，ゾスパタ，タブレクタ，テプミトコ，ペマジール〕男性が服用する場合，服用開始から治療終了の一定期間は避妊してください	・〔タグリッソ〕雄性生殖器の変化 ・〔アイクルシグ〕サルで生殖細胞の変性 ・〔ローブレナ〕遺伝毒性試験で染色体異常誘発作用 ・〔アルンブリグ〕異数性誘発作用に起因した小核誘発性を持つ可能性 ・〔ロズリートレク〕動物で高用量で染色体異常 ・〔ヴァンフリタ〕細菌での変異原性報告

使用上の注意		・〔ゾスパタ〕動物で遺伝毒性 ・〔タブレクタ,テプミトコ,ペマジール〕精液を介して胎児に悪影響を及ぼす可能性,コンドームで避妊
	・〔アルンブリグ〕精巣機能低下による精子減少がみられる可能性があります	動物で精巣毒性
	食〔アレセンサ,ザーコリ,ヴォトリエント,スチバーガ,ビジンプロ,ローブレナ,ロズリートレク,ベレキシブル,タブレクタ,テプミトコ,ペマジール以外〕この薬の服用中にセイヨウオトギリソウ(セント・ジョーンズ・ワート)を含む食品はとらないでください	CYP3A4を誘導することにより本剤の代謝を促進し,血中濃度を低下させる可能性があり併用注意
	食〔イレッサ,タルセバ,タイケルブ,グリベック,スプリセル,タシグナ,ボシュリフ,アイクルシグ,ローブレナ,アルンブリグ,ヴァイトラックビ,ロズリートレク,インライタ,イムブルビカ,スーテント,ヴォトリエント,カボメティクス〕この薬の服用中にグレープフルーツジュースを飲まないでください	グレープフルーツジュースに含まれる成分がCYP3A4を阻害することにより本剤の代謝を阻害し,血中濃度を上昇させる可能性があり併用注意
	食〔タルセバ〕この薬の服用中にタバコを吸わないでください	喫煙により本剤の血中濃度が低下する可能性があるので併用注意
	食〔スプリセル,カルケンス〕この薬と制酸剤を同時に飲むと吸収が悪くなるので,必要な場合は2時間以上あけてください	本剤の吸収が抑制され,血中濃度が低下する可能性があるので併用注意
服用を忘れたとき	・〔ビジンプロ,グリベック,スプリセル,タシグナ,ボシュリフ,アレセンサ,ジカディア,ローブレナ,ヴァイトラックビ,ロズリートレク,ジャカビ,スーテント,ネクサバール,カボメティクス〕飲み忘れに気づいても服用しない。次の服用時に決められた用量を服用する(2回分を一度に服用しないこと) ・〔イレッサ,タグリッソ,ゾスパタ,ヴァンフリタ,ザーコリ,テプミトコ,インライタ,カルケンス,スチバーガ,レンビマ,カプレルサ〕思い出したときに服用(テプミトコ:食事とともに)する。ただし次の服用時間(インライタ:3時間以内,ザーコリ:6時間以内,カルケンス:6時間未満,テプミトコ,ジオトリフ:8時間以内)が近いときは服用しない(2回分を一度に服用しないこと) ・〔タルセバ,ベレキシブル〕思い出したとき,空腹時に服用する。ただし次の服用時間が近いときは服用せず,次の服用時(ベレキシブル:次の日)に決められ用量を服用する(2回分を一度に服用しないこと) ・〔タイケルブ,アイクルシグ,アルンブリグ〕飲み忘れに気づいてもその日は服用しない。次の日から決められた用量を服用する(2回分を一度に服用しないこと) ・〔イムブルビカ〕思い出したとき,同日内ならすぐに服用する。次の日から決められた用量を1回分服用する(2回分を一度に服用しないこと) ・〔ヴォトリエント〕思い出したとき,同日内ならすぐに服用(空腹時)する。ただし,次の服用時間が近い(12時間以内)ときは服用せず,次の日から決められた用量を服用する(2回分を一度に服用しないこと)	

No.66 抗悪性腫瘍薬

・[タブレクタ, ペマジール] 思い出したときが服用時間から 4 時間以内ならすぐに服用する。4 時間を過ぎていたら服用せず，次の服用時間（ペマジール：次の日）に 1 回分を服用する（2 回分を一度に服用しないこと）

■その他備考

■分子標的治療薬　適応一覧

（2021 年 10 月現在）

分類	一般名	商品名	消化管間質腫瘍	肝がん	結腸・直腸がん	膵がん	非小細胞肺がん	腎がん	乳がん	甲状腺がん	急性リンパ性白血病	慢性骨髄性白血病	慢性リンパ性白血病	悪性リンパ腫	その他
チロシンキナーゼ阻害薬	ゲフィチニブ	イレッサ					●								
	エルロチニブ	タルセバ				●*1	●								
	アファチニブ	ジオトリフ					●								
	オシメルチニブ	タグリッソ					●								
	ダコミチニブ	ビジンプロ					●								
	ラパチニブ	タイケルブ							●						
	イマチニブ	グリベック	●								●	●			●*2
	ダサチニブ	スプリセル									●	●			
	ニロチニブ	タシグナ										●			
	ボスチニブ	ボシュリフ										●			
	ポナチニブ	アイクルシグ									●	●			
	クリゾチニブ	ザーコリ					●								
	アレクチニブ	アレセンサ					●							●*9	
	セリチニブ	ジカディア					●								
	ロルラチニブ	ローブレナ					●								
	ブリグチニブ	アルンブリグ					●								
	ラロトレクチニブ	ヴァイトラックビ													●*11
	エヌトレクチニブ	ロズリートレク					●								●*11
	アキシチニブ	インライタ						●							
	イブルチニブ	イムブルビカ											●*3	●*4	
	アカラブルチニブ	カルケンス											●*3		
	チラブルチニブ	ベレキシブル												●*12	●*13
	ルキソリチニブ	ジャカビ													●*5
	キザルチニブ	ヴァンフリタ													●*14
	ギルテリチニブ	ゾスパタ													●*15
	カプマチニブ	タブレクタ													●*16

分類	一般名	商品名								
	テポチニブ	テプミトコ								●*16
	ペミガチニブ	ペマジール								●*17
マルチキナーゼ阻害薬	スニチニブ	スーテント	●			●				●*6
	ソラフェニブ	ネクサバール		●		●	●			
	パゾパニブ	ヴォトリエント				●				●*7
	レゴラフェニブ	スチバーガ	●	●	●					
	レンバチニブ	レンビマ		●			●			●*10
	バンデタニブ	カプレルサ				●*8				
	カボサンチニブ	カボメティクス		●		●				

*1 150 mg を除く　*2 好酸球増多症候群・慢性好酸球性白血病　*3 小リンパ球性リンパ腫を含む　*4 マントル細胞リンパ腫　*5 骨髄線維症，真性多血症　*6 膵神経内分泌腫瘍　*7 悪性軟部腫瘍　*8 甲状腺髄様がん　*9 未分化大細胞リンパ腫　*10 胸腺がん　*11 NTRK 陽性の進行・再発の固形がん　*12 中枢神経系原発リンパ腫，形質細胞リンパ腫　*13 原発性マクログロブリン血症　*14 再発または難治性の FLT3-ITD 変異陽性の急性骨髄性白血病　*15 再発または難治性の FLT3 遺伝子変異陽性の急性骨髄性白血病　*16 MET遺伝子エクソン　*14 スキッピング変異陽性の切除不能な進行・再発の非小細胞肺がん　*17 がん化学療法後に増悪した FGFR 陽性の治癒切除不能な胆道がん

66 抗悪性腫瘍薬　⑤分子標的治療薬（その他）

■ 対象薬剤

（A）mTOR 阻害薬：エベロリムス（アフィニトール），シロリムス（ラパリムス）
（B）HDAC 阻害薬：パノビノスタット乳酸塩（ファリーダック），ボリノスタット（ゾリンザ）
（C）BRAF・MEK 阻害薬：ダブラフェニブメシル酸塩（タフィンラー），ベムラフェニブ（ゼルボラフ），トラメチニブジメチルスルホキシド付加物（メキニスト），エンコラフェニブ（ビラフトビ），ビニメチニブ（メクトビ）
（D）プロテアソーム阻害薬：イキサゾミブクエン酸エステル（ニンラーロ）
（E）サイクリン依存性キナーゼ阻害薬：パルボシクリブ（イブランス），アベマシクリブ（ベージニオ）
（F）PARP 阻害薬：オラパリブ（リムパーザ），ニラパリブトシル酸塩水和物（ゼジューラ）
（G）BCL-2 阻害薬：ベネトクラクス（ベネクレクスタ）
（H）レチノイド：トレチノイン（ベサノイド），タミバロテン（アムノレイク），ベキサロテン（タルグレチン）
（I）サリドマイド関連薬：サリドマイド（サレド），レナリドミド水和物（レブラミド），ポマリドミド（ポマリスト）

■ 指導のポイント

	患者向け	薬剤師向け
薬効	この薬は各種がん細胞がもっている特定の分子（変異遺伝子，変異蛋白質など）のみに，直接働いてがん細胞が増えるのを抑える薬です ☆この薬は結節性硬化症に伴う腎血管筋脂	mTOR（哺乳類ラパマイシン標的蛋白質：Mammalian Target of Rapamycin）阻害作用（A） ヒストン脱アセチル化酵素（HDAC）阻害作用（B） BRAF 阻害作用（タフィンラー，ゼルボラフ，ビラフトビ） MEK 阻害作用（メキニスト，メクトビ） プロテアソーム阻害作用（ニンラーロ） サイクリン依存性キナーゼ阻害作用（E） ・ポリアデノシン 5' 二リン酸リボースポリメラーゼ（PARP）1 および 2 阻害作用（F） ・アポトーシス抑制タンパク質 BCL-2 阻害作用（G） キメラ遺伝子（PML-RAR-α）阻害作用（ベサノイド，アムノレイク） レチノイド X 受容体選択的結合作用（タルグレチン） 血管新生阻害作用（I）

薬効		肪腫や上衣下巨細胞性星細胞腫の腫瘍を小さくする薬です（アフィニトール）	
		☆この薬はハンセン病の急性症状としての2型らい反応（らい性結節性紅斑）を抑える薬です（サレド）	INF-2，IL-12産生抑制
		☆この薬はクロウ・深瀬症候群を治療する薬です（サレド）	サイトカイン（VEGF）抑制作用（機序不明）
詳しい薬効	・この薬は細胞増殖や血管新生に関与する蛋白（哺乳類ラパマイシン標的蛋白質：mTOR）を阻害して，手術不能や転移した腎細胞がん，手術不能や再発した乳がん，神経内分泌腫瘍，結節性硬化症（アフィニトール），リンパ脈管筋腫症（ラパリムス）のがん細胞の増殖を抑える薬です（A）		
	・この薬は細胞増殖に関与するヒストン脱アセチル化酵素（HDAC）活性を阻害し，再発または難治性の多発性骨髄腫（ファリーダック），皮膚T細胞性リンパ腫（ゾリンザ）のがん細胞の増殖を抑える薬です（B）		
	・この薬は細胞増殖のシグナル伝達で重要なBRAFというキナーゼ蛋白質の活性を阻害（タフィンラー，ゼルボラフ，ビラフトビ），BRAFの次の伝達物質MEKの活性を阻害（メキニスト）して，がん細胞の増殖能を低下させることによりBRAF遺伝子変異を有する根治切除不能な悪性黒色腫（ゼルボラフ，ビラフトビ，メクトビ），悪性黒色腫と治癒切除不能な進行・再発の非小細胞肺がん（タフィンラー，メキニスト），治癒切除不能な進行・再発の結腸・直腸がん（ビラフトビ，メクトビ）に用いる薬です。タフィンラーとメキニストを併用することで，がん細胞の増殖を抑える作用がより強くなります（C）		
	・この薬は細胞内で不要になった蛋白質はプロテアソームという酵素によって分解されるが，プロテアソーム酵素を阻害し，不要になった蛋白質を細胞内へ蓄積させる作用などによりがん細胞の自滅（アポトーシス）を誘導し，再発または難治性の多発性骨髄腫，または多発性骨髄腫の維持療法として，がん細胞の増殖を抑える薬です（ニンラーロ）		
	・この薬は細胞周期の制御を不能とする酵素であるサイクリン依存性キナーゼ4および6（CDK4/6）を阻害することにより，細胞周期の進行を停止させ，ホルモン受容体陽性，HER2陰性の手術不能または再発乳がんのがん細胞の増殖を抑える薬です（イブランス，ベージニオ）		
	・この薬は損傷したDNAを修復するPARPという酵素の働きを阻害することで，乳がん，再発乳がん，前立腺がん，膵がん（リムパーザ）のがん細胞の増殖を抑える薬です（F）		
	・この薬は抗アポトーシス作用を阻害することにより，がん細胞のアポトーシスを誘導して，再発・難治性慢性リンパ性白血病，急性骨髄性白血病を治療する薬です（ベネクレクスタ）		
	・この薬はビタミンAの代謝物で，前骨髄球の分化誘導をブロックしてしまうキメラ遺伝子（PML-RAR-α）の働きを阻害し，前骨髄球の分化を進めて増殖を抑え急性前骨髄球性白血病のがん細胞の増殖を抑える薬です（ベサノイド，アムノレイク）		
	・この薬はビタミンAの一種で，がんの増殖に関わるレチノイドX受容体に選択的に結合して転写を活性化することで，アポトーシス誘導および細胞周期停止作用を示して皮膚T細胞リンパ腫のがん細胞の増殖を抑える薬です（タルグレチン）		
	・この薬は血管新生抑制作用を含め免疫調節作用などさまざまな作用が総合的に働いて，多発性骨髄腫，5番染色体長腕部欠失を伴う骨髄異形成症候群，再発または難治性の成人T細胞白血病リンパ腫，濾胞性リンパ腫および辺縁帯リンパ腫（レブラミド）のがん細胞が増えるのを抑える薬です（I）		

No.66　抗悪性腫瘍薬

共通警告	①緊急時に十分対応できる医療施設で，がん化学療法に十分な知識・経験を持つ医師のもと，本療法が適切と判断される症例についてのみ投与 ②適応患者の選択にあたっては，各併用薬剤の添付文書を参照して十分注意 ③治療開始に先立ち，患者またはその家族に有効性および危険性を十分説明し，同意を得てから投与
警告	〔ゾリンザ，タフィンラー，ゼルボラフ，メキニスト，ビラフトビ，メクトビ，ニンラーロ，リムパーザ，ゼジューラ〕共通警告①③ 〔ラパリムス，ベサノイド以外〕共通警告①③，他に警告あり＊ 〔ラパリムス，ベサノイド〕共通警告①，他に警告あり＊ 　　　　　　　　　　　　　　　　　　　　　　　　　　　　＊他の警告は下記参照

	患者向け	薬剤師向け
警告	・〔アフィニトール，ラパリムス，イブランス，ベージニオ〕息苦しい，呼吸がしにくい，から咳，発熱など，かぜのような症状があればすぐに受診してください [検] 治療前および治療中は定期的な胸部検査を受けてください	間質性肺疾患にて死亡例の報告あり。初期症状（息切れ，呼吸困難，咳嗽，発熱等）の確認および胸部画像検査（アフィニトール，ラパリムス：胸部CT検査，イブランス，ベージニオ：胸部X線検査）の実施。異常発現時，投与中止，適切な処置（イブランス，ベージニオ；胸部CTX検査，血清マーカー）の実施。継続の可否については，慎重に検討（アフィニトール，ラパリムス）
	・〔アフィニトール，ラパリムス〕治療開始前に，今までに検査で肝炎ウイルスを保持しているといわれたことがある場合は，必ずお知らせください。 また，この薬の服用中および治療終了後も，疲れやすい，体がかゆい，食欲がない，白目が黄色くなる等の症状が現れたらすぐにご相談ください [検] この薬の服用期間中または治療終了後も定期的に肝機能検査を受けてください	肝炎ウイルスキャリア患者で，肝炎ウイルスの再活性化にて肝不全による死亡例の報告あり。本剤投与期間中または治療終了後は定期的に肝機能検査を行い，肝炎ウイルスの再活性化の徴候や症状の発現に注意する
	・〔アフィニトール〕この薬は錠剤と分散錠は全く同じ量ではないため，変更時はご相談ください	アフィニトール錠とアフィニトール分散錠の生物学的同等性は示されていないので，切り換える場合は血中濃度を測定する
	・〔ベネクレクスタ〕この薬の服用中（特に開始時と増量時）は，十分な水分補給をして，尿が出ているか気をつけてください。 また，力が入らなくなる，感覚がおかしい，吐き気，嘔吐などの症状がみられた場合は必ずご相談ください。 [検] 投与開始前および投与中は，定期的に血液検査を受けてください。	腫瘍崩壊症候群（TLS）が現れる（特に投与開始および増量後1～2日）ので，投与開始前，休薬後の再開時にTLSのリスク評価実施，リスクに応じた予防措置。開始前および投与中は血液検査を実施，異常が認められたら投与中止，適切な処置。症状が回復するまで十分観察する
	・〔ベサノイド，アムノレイク，タルグレチ	催奇形性があるので，妊婦，妊娠している可

― 1023 ―

警告	ン〕この薬は，胎児に影響が出る可能性があるため，妊娠しているまたは妊娠の可能性がある場合は必ずご相談ください ・〔ベサノイド，アムノレイク〕この薬の服用中に，発熱，呼吸苦，から咳，息苦しい，倦怠感，足のむくみ，胸の苦しさ，血圧が低いなどの症状がみられた場合は，すぐにご相談ください ・〔サレド，レブラミド，ポマリスト〕この薬は服用するときの管理手順が定められているので，ご本人もご家族も手順を守ってください。 胎児への影響が報告されているため，妊娠期間中の服用はできません。服用予定4週間前から治療終了4週間前後までは極めて有効な方法で必ず避妊をし（男性は必ずコンドームを着用），妊婦との性交渉は禁止です。服用開始前に妊娠陰性を確認し，治療開始後も定期的な妊娠検査を行い，妊娠の可能性がある場合は必ずご相談ください 検 服用開始前に妊娠陰性を確認し，治療開始後も定期的な妊娠検査を行ってください ・〔サレド，レブラミド，ポマリスト〕この薬の服用中に，急激な手足の赤黒い腫れ・痛み，呼吸が苦しい，胸が痛いなどの症状がみられた場合は必ず受診してください	能性のある婦人には投与不可。また，妊娠する可能性のある婦人には原則投与しない。投与する場合は使用上の注意を厳守 レチノイン酸症候群（分化症候群）等の副作用（アムノレイク：致死的な転帰）の可能性あり ・〔アムノレイク〕十分な経過観察を行い，異常が認められたら休薬し，副腎皮質ホルモン剤のパルス療法等の適切な処置 胎児曝露を避けるため，安全管理手順（サレド），適正管理手順（レブラミド，ポマリスト）を遵守。 ・ヒトにおいて催奇形性（確認：サレド，可能性：レブラミド，ポマリスト）のため，妊婦または妊娠している可能性のある女性には投与不可。 投与開始前に妊娠検査を実施し，陰性確認後投与開始。精液中にも移行するため女性・男性共に投与開始予定4週間前から投与終了4週間後までパートナーとともに避妊を徹底。（男性はコンドームを着用）。妊婦との性交渉は不可。定期的に妊娠検査を実施し，妊娠が疑われる場合には，直ちに投与を中止し，医師等に連絡するよう指導 深部静脈血栓症・肺塞栓症を引き起こすおそれ。異常があれば直ちに投与を中止，適切な処置
禁忌・併用禁忌	禁忌 ・〔ファリーダック以外〕本剤過敏症既往 　・〔A，D，H，I，タフィンラー，イブランス〕妊婦 　・〔H〕ビタミンA過剰症 　・〔ゾリンザ，タルグレチン〕重度の肝障害 　・〔ベサノイド〕肝障害，腎障害 　・〔サレド〕安全管理手順を遵守できない患者 　・〔レブラミド，ポマリスト〕適正管理手順を遵守できない患者 併用禁忌 ・〔アフィニトール〕⇔免疫抑制下で生ワクチンを接種すると発症するおそれ 　・〔ベサノイド，アムノレイク，タルグレチン〕⇔チョコラAにてビタミンA過剰症と類似した副作用症状を起こすおそれ 　・〔ベネクレクスタ〕⇔用量漸増期にリトナビル，クラリスロマイシン，イトラコナゾール，ボリコナゾール，ポサコナゾール，スタリビルド配合にて本剤の血中濃度が上昇する可能性	

■ 主な副作用と対策，フィジカルアセスメントのチェックポイント

主な副作用	患者に確認すべき症状	対策とPAのチェックポイント
皮膚症状	髪の毛が抜ける，湿疹，皮膚がさがさになる，赤く腫れ上がる，痛み，皮がむける，水ぶくれ・ただれ，皮膚が黒ずむ	減量もしくは休薬，中止。ステロイドの外用を中心に使用し，瘙痒感を伴う場合は抗ヒスタミン剤や抗アレルギー剤を追加。皮膚症状出現前から保湿が重要 PA 皮膚（かゆみ，発赤，発疹）
消化器症状	吐き気，嘔吐，下痢（重篤な場合は脱水症状を伴う），口内炎，食欲不振，便秘	減量もしくは休薬，中止。制吐剤，下剤，止瀉薬を症状に応じて使用 PA 腸音：（↑：下痢，↓：便秘） 　　脱水：（脇・唇・舌・口乾燥），手甲の皮膚（つまんだ後すぐ戻らない），爪を押す（色がすぐ戻らない）
血液障害	発熱，のどの痛み，かぜのような症状，鼻血，歯ぐきからの出血，青あざができる，出血が止まりにくい，出血しやすい	減量もしくは休薬，中止 PA No.66 抗悪性腫瘍薬①骨髄抑制 p.994 参照
間質性肺炎[†]（A, E, F, H, I, メキニスト）	息苦しい，発熱，から咳	中止し，ステロイド治療等の処置 PA No.66 抗悪性腫瘍薬② p.999 参照
肝機能障害[†]	かゆみ，皮膚が黄色くなる，白目が黄色くなる，疲れやすい，褐色尿，体がだるい	減量もしくは休薬，中止，または状況に応じて対症療法 PA No.66 抗悪性腫瘍薬② p.999 参照
神経障害	頭痛，味覚異常，不眠症，めまい，ふらつき	減量もしくは休薬，中止，または状況に応じて対症療法
筋肉痛，筋肉のつっぱり・けいれん，関節痛	筋肉の痛み・けいれん，関節の痛み	減量もしくは休薬，中止，または状況に応じて対症療法
浮腫（A, B, C, D, I, ベージニオ, ゼジューラ, ベサノイド, タルグレチン）	目のまわりのむくみ，顔のむくみ，まぶたのむくみ，足のむくみ，全身のむくみ	減量もしくは休薬，中止，または状況に応じて対症療法 PA 体重（↑），浮腫（上眼瞼，下腿脛骨），尿量（↓）
視覚障害（結膜炎・角膜炎・視力障害）（C, ニンラーロ, サレド）	目の充血，目の痛み，見えにくい	直ちに眼科的検査 PA 結膜（充血）
心臓障害（タフィンラー, メキニスト, ビラフトビ, メクトビ, ファリーダック, サレド）	冷や汗，息苦しい，急激に胸を強く押えつけられた感じ，体がだるい，全身のむくみ，横になるより座っているときに呼吸が楽になる，動悸，気を失う	減量もしくは休薬，中止 PA 狭心痛（前胸部），放散痛（頸部，左肩へ），脈拍（不整脈・頻脈），体重（↑），浮腫（上眼瞼，下腿脛骨），頸静脈（怒張），呼吸音（水泡音）

[†]：厚生労働省の「重篤副作用疾患別対応マニュアル」参照

主な副作用	患者に確認すべき症状	対策とPAのチェックポイント
脂質代謝異常 （アフィニトール，ラパリムス，ビラフトビ，メクトビ，ベサノイド，アムノレイク，タルグレチン，サレド）	コレステロール上昇，トリグリセライド上昇	減量もしくは休薬，中止，または状況に応じて対症療法
高血圧（アフィニトール，ラパリムス，ゾリンザ，タフィンラー，メキニスト，ビラフトビ，メクトビ，ベージニオ，ゼジューラ）	血圧が上がる，頭痛がする，頭が重い，倦怠感	減量もしくは休薬，中止，または状況に応じて対症療法 PA 血圧（↑）
レチノイン酸症候群 （ベサノイド，アムノレイク）	38℃以上の熱が出る，息苦しい，息切れ，胸の痛み，頭が痛い，体がだるい	中止し，ステロイドパルス療法等の処置 PA 体温（↑），体重（↑），呼吸（困難）；三大徴候
眠気，傾眠，鎮静（サレド，レブラミド，ポマリスト）	眠気，眠りがち，ぼんやりしている，意識がはっきりしていない	減量もしくは休薬

■ 重大な副作用と妊婦・授乳婦への危険度

薬剤名	重大な副作用	妊婦［授乳婦］
アフィニトール	間質性肺疾患，感染症，腎不全，高血糖，糖尿病の発症・増悪，貧血，ヘモグロビン減少，白血球減少，リンパ球減少，好中球減少，血小板減少，口内炎，アナフィラキシー，急性呼吸窮迫症候群，肺塞栓症，深部静脈血栓症，悪性腫瘍（二次発がん），創傷治癒不良，進行性多巣性白質脳症，BKウイルス腎症，血栓性微小血管障害，肺胞蛋白症，心嚢液貯留	禁忌/C
ラパリムス	間質性肺疾患，感染症，消化管障害，アナフィラキシー，進行性多巣性白質脳症，BKウイルス腎症，体液貯留，脂質異常症，創傷治癒不良，腎障害，皮膚障害	禁忌/C
ファリーダック	重度の下痢，脱水症状，骨髄抑制，出血，感染症，QT間隔延長，心障害，肝機能障害，腎不全，静脈血栓塞栓症，低血圧，起立性低血圧，失神，意識消失	―
ゾリンザ	肺塞栓症，深部静脈血栓症，血小板減少症，貧血，脱水症状，高血糖，腎不全	D
タフィンラー	有棘細胞がん，悪性腫瘍，心障害，肝機能障害，静脈血栓塞栓症，脳血管障害	禁忌/D
ゼルボラフ	有棘細胞がん，悪性腫瘍，アナフィラキシー，過敏症，皮膚粘膜眼症候群，中毒性表皮壊死融解症，多形紅斑，紅皮症，薬剤性過敏症症候群，QT間隔延長，肝不全，肝機能障害，黄疸，急性腎障害	D
メキニスト	心障害，肝機能障害，間質性肺疾患，横紋筋融解症，静脈血栓塞栓症，脳血管障害	D
ビラフトビ	皮膚悪性腫瘍，眼障害，心機能障害，肝機能障害，横紋筋融解症，高血圧，高血圧クリーゼ，出血，手掌・足底発赤知覚不全症候群	―

No.66 抗悪性腫瘍薬

薬剤名	重大な副作用	妊婦[授乳婦]
メクトビ	眼障害，心機能障害，肝機能障害，横紋筋融解症，高血圧，高血圧クリーゼ，出血	－
ニンラーロ	血小板減少症，重度の下痢，皮膚粘膜眼症候群，末梢神経障害，可逆性後白質脳症症候群，感染症	禁忌
イブランス	骨髄抑制，間質性肺疾患	禁忌/D
ベージニオ	肝機能障害，重度の下痢，骨髄抑制，間質性肺疾患	－
リムパーザ	骨髄抑制，間質性肺疾患	D
ゼジューラ	骨髄抑制，高血圧，可逆性後白質脳症，間質性肺疾患	－
ベネクレクスタ	腫瘍崩壊症候群，骨髄抑制，感染症	C
ベサノイド	レチノイン酸症候群，白血球増多症，血栓症，血管炎，感染症，錯乱 類薬 過骨症・骨端の早期閉鎖（長期投与），肝障害，中毒性表皮壊死融解症，多形紅斑	禁忌
アムノレイク	分化症候群，感染症，白血球増加症，間質性肺疾患，縦隔炎，横紋筋融解症 類薬 血栓症，血管炎，錯乱，中毒性表皮壊死融解症，多形紅斑	禁忌
タルグレチン	脂質異常症，膵炎，下垂体性甲状腺機能低下症，低血糖，白血球減少症，好中球減少症，貧血，肝不全，肝機能障害，感染症，間質性肺疾患，血栓塞栓症，横紋筋融解症	禁忌
サレド	催奇形性，深部静脈血栓症，肺塞栓症，脳梗塞，末梢神経障害，骨髄機能抑制，感染症，間質性肺炎，消化管穿孔，腸閉塞，イレウス，虚血性心疾患，冠れん縮，皮膚粘膜眼症候群，中毒性表皮壊死融解症，嗜眠状態，傾眠，鎮静，けいれん，起立性低血圧，不整脈，心不全，甲状腺機能低下症，腫瘍崩壊症候群，肝機能障害	禁忌/X
レブラミド	深部静脈血栓症，肺塞栓症，脳梗塞，一過性脳虚血発作，骨髄抑制，感染症，進行性多巣性白質脳症，皮膚粘膜眼症候群，中毒性表皮壊死融解症，過敏症，腫瘍崩壊症候群，間質性肺疾患，心筋梗塞，心不全，不整脈，末梢神経障害，甲状腺機能低下症，消化管穿孔，起立性低血圧，けいれん，肝機能障害，黄疸，重篤な腎障害，催奇形性	禁忌/X
ポマリスト	深部静脈血栓症，肺塞栓症，脳梗塞，骨髄抑制，感染症，進行性多巣性白質脳症，腫瘍崩壊症候群，心不全，不整脈，急性腎不全，過敏症，末梢神経障害，間質性肺疾患，肝機能障害，黄疸 類薬 催奇形性	禁忌/X

■ その他の指導ポイント

	患者向け	薬剤師向け
使用上の注意	・〔ファリーダック, I〕この薬の服用中は車の運転等, 危険を伴う機械の操作を行わないでください	・〔ファリーダック〕低血圧, 起立性低血圧, 失神, 意識消失 ・〔サレド, レブラミド〕傾眠, 眠気, めまい, 徐脈, 起立性低血圧 ・〔ポマリスト〕傾眠, 錯乱, 疲労, 意識レベルの低下, めまい
	・〔サレド, レブラミド, ポマリスト〕この薬はカプセルを開かずに服用してください	飛散事故を防ぐため。やむを得ず脱カプセル調剤する場合は, 安全キャビネット内で調製を行う
	・〔ファリーダック, ゾリンザ, タフィンラー〕この薬の服用中に, 頻回に吐いたり, 下痢をしたら, 脱水に気をつけて水分を補給し, 診察を受けてください	脱水症状が現れることがあるので, 必要に応じて, 補液, 電解質補充等を行う。患者には脱水の徴候や注意点を指導
	・〔タフィンラー, ゼルボラフ, メキニスト, ビラフトビ, メクトビ, タルグレチン〕この薬の服用中に, 目のかすみ, 目が見えにくくなる等の症状が現れたら, すぐにご相談ください	重篤な眼障害が認められているので, 定期的に確認 ・〔タフィンラー, ゼルボラフ〕ぶどう膜炎 ・〔メキニスト, ビラフトビ, メクトビ〕重篤な眼障害 ・〔タルグレチン〕白内障
	・〔ゼルボラフ, タルグレチン〕この薬の服用中は, 外出時に直射日光に注意し, 帽子や上着などで遮光したり, 日焼け止めを塗ったりしてください	光線過敏症が現れることがあるので, 日光やUV光線を避ける
	・〔ゼルボラフ, アフェニトール, ラパリムス, タフィンラー, メキニスト, ニンラーロ〕この薬は食事の影響を受けるので, 決められた条件を守って服用してください	・副作用増強(ゼルボラフ:食事1時間以上前, 食後2時間以降に服用, ラパリムス:食後か空腹時のいずれか一定の条件で服用) ・効果低下(アフィニトール:食後か空腹時のいずれか一定の条件で服用, タフィンラー, メキニスト, ニンラーロ:空腹時服用, 食前1時間~食後2時間は避ける)
	・〔タフィンラー, タルグレチン〕この薬の服用中に経口避妊薬を飲むと, 効果が低下するので, 経口以外の方法で避妊してください	血中濃度が低下し, 効果減弱 ・〔タフィンラー〕併用注意
	・〔サレド〕この薬の服用中に経口避妊薬を飲むと, 血栓症のリスクが増すので経口以外の方法で避妊してください	血栓症と血栓塞栓症のリスクが高くなるため併用注意
	・〔レブラミド, ポマリスト〕この薬の服用中は, 服用開始から終了4週間後までは, 献血, 精子・精液の提供はしないでください	精液内への移行が報告されている
	・〔A, D, H, I, タフィンラー, イブラン〕	以下の理由で禁忌

No.66　抗悪性腫瘍薬

使用上の注意	ス〕妊娠中または妊娠している可能性のある方は必ずご相談ください	・〔アフィニトール，ラパリムス〕動物で生殖発生毒性
		・〔タフィンラー〕動物で胎児体重の低値，骨化遅延，着床前・後死亡率高値等
		・〔ニンラーロ，イブランス，ベサノイド，アムノレイク，タルグレチン〕動物で催奇形性
		・〔サレド〕ヒトで催奇形性
		・〔レブラミド，ポマリスト〕ヒトで催奇形性の可能性
	・〔H以外〕妊娠する可能性のある女性は，薬の服用中および治療終了から一定期間は避妊してください →	動物で胎児毒性等がみられるため
		・〔アフィニトール〕投与終了後8週避妊
		・〔ラパリムス〕投与終了後12週避妊
	・〔H〕妊娠する可能性のある女性は，薬の服用前，服用中および治療終了から一定期間は避妊してください。また次の正常な生理が始まってから2〜3日後までこの薬は飲まないでください →	催奇形性があるため以下の期間避妊を実施
		・〔ベサノイド，タルグレチン〕投与前・投与終了後1カ月間避妊
		・〔アムノレイク〕投与前1カ月，投与終了後2年間避妊
		・〔ベサノイド，アムノレイク，タルグレチン〕投与開始前2週間以内の妊娠検査が陰性であることを確認
	・〔タフィンラー，ニンラーロ，イブランス，リムパーザ，ベネクレクスタ，アムノレイク，タルグレチン，I〕男性が服用する場合服用開始から治療終了から一定期間は避妊してください →	・〔タフィンラー，ニンラーロ，イブランス，ベネクレクスタ〕動物で精巣毒性がみられるため一定期間避妊
		・〔リムパーザ〕動物で染色体異常誘発性
		・〔アムノレイク，タルグレチン〕精子形成能に異常を起こすため投与終了後6カ月間（アムノレイク），3カ月（タルグレチン）避妊
		・〔I〕精液中に移行するため投与終了後4週間避妊
	食〔A, D, G, ファリーダック, イブランス, リムパーザ, アムノレイク〕この薬の服用中にセイヨウオトギリソウ（セント・ジョーンズ・ワート）を含む食品はとらないでください →	CYP3A4を誘導することにより本剤の代謝を促進し，血中濃度低下させる可能性があり併用注意
	食〔A, E, G, リムパーザ, アムノレイク〕この薬の服用中にグレープフルーツジュースを飲まないでください →	グレープフルーツジュースに含まれる成分がCYP3A4を阻害することにより本剤の代謝を阻害し，血中濃度を上昇させる可能性があり併用注意
	食〔サレド〕この薬の服用中にアルコールは飲まないでください →	相互に作用を増強するおそれあり併用注意

使用上の注意	🍴〔ベサノイド, アムノレイク, タルグレ→チン〕この薬の服用中にビタミンA製剤を含むサプリメントはとらないでください	ビタミンA過剰症と類似した副作用症状を起こすおそれのため併用禁忌
服用を忘れたとき	・〔イブランス, ベージニオ, ゼジューラ, アムノレイク〕飲み忘れに気づいても服用しない。次の服用時に決められた用量を服用する（2回分を一度に服用しないこと） ・〔ゾリンザ, タフィンラー, ゼルボラフ, メクトビ, メキニスト, ビラフトビ, ベサノイド, タルグレチン〕思い出したときに服用する。ただし次の服用時間（ゼルボラフ：4時間以内, タフィンラー：6時間以内, メキニスト, ビラフトビ：12時間以内）が近いときは服用しない（2回分を一度に服用しないこと） ・〔リムパーザ, アフィニトール, ベネクレクスタ, ファリーダック, レブラミド, ポマリスト〕通常服用時間から（リムパーザ：2時間以内, アフィニトール：6時間以内, ベネクレクスタ：8時間以内, ファリーダック, レブラミド, ポマリスト：12時間以内）の場合は服用する。上記時間を超えた場合は服用せず, 次回服用時間に1回分服用する（2回分を一度に服用しないこと） ・〔ニンラーロ〕次の服用予定まで3日間（72時間）以上であれば思い出したときにすぐに服用する。72時間未満であれば服用しない。次回の服用予定日に1回分服用する（2回分を一度に服用しないこと） ・〔サレド〕飲み忘れに気づいても服用しない。その旨をカプセルシートに記載し, 次の服用時間に決められた用量を服用する（2回分を一度に服用しないこと） ・〔ラパリムス〕飲み忘れに気づいたら, 医師, 薬剤師に相談する（2回分を一度に服用しないこと）	

67　免疫抑制薬

■ 対象薬剤

（A）カルシニューリン阻害薬：シクロスポリン（サンディミュン，ネオーラル），タクロリムス水和物（プログラフ，グラセプター）
（B）代謝拮抗薬（プリン拮抗薬）：アザチオプリン（アザニン，イムラン），ミゾリビン（ブレディニン），ミコフェノール酸モフェチル（セルセプト）
（C）mTOR 阻害薬：エベロリムス（サーティカン）
（D）免疫調節薬（クロロキン誘導体）：ヒドロキシクロロキン硫酸塩（プラケニル）
＊プログラフ 0.5・1mg カプセル，ブレディニンは No.17 抗リウマチ薬①（p.257）参照

■ 指導のポイント

患者向け	薬剤師向け
・この薬は臓器を移植するとき，免疫機能を抑えて拒絶反応を抑える薬です（プラケニル以外）	免疫抑制作用 ・T 細胞由来のインターロイキン-2 等のサイトカイン産生抑制作用（A） ・核酸（プリン）合成阻害によるリンパ球細胞増殖抑制作用（B） ・T 細胞増殖抑制作用（C） ・抗炎症作用，免疫調節作用（D）
・この薬は腎臓を移植した後の難治性の拒絶反応を治療する薬です（セルセプト） ・この薬は骨髄を移植するとき，免疫機能を抑えて拒絶反応や移植片対宿主病（GVHD）を抑える薬です（サンディミュン，ネオーラル，プログラフ，グラセプター） ・この薬は異常な免疫機能を抑えて，関節などの炎症や腫れをやわらげる薬です（プログラフ 0.5・1mg カプセル，ブレディニン） （参）No.17 抗リウマチ薬① ・この薬は異常な免疫機能を抑えて，膠原病（全身性血管炎，全身性エリテマトーデス）多発性筋炎，強皮症など）の症状を改善する薬です（アザニン，イムラン） ・この薬は異常な免疫機能を抑えてネフローゼ症候群（サンディミュン，ネオーラル，ブレディニン）や，ループス腎炎（プログラフ 0.5・1mg カプセル，ブレ	主な免疫抑制薬の作用機序 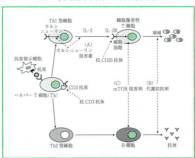 (高久史麿・監：治療薬ハンドブック 2022，じほう，2022) ・免疫抑制薬の剤形・容量の適応症一覧はその他備考（p.1037）を参照

薬効	ディニン，セルセプト）で腎臓の組織が障害されるのを改善する薬です（サンディミュン，ネオーラル，プログラフ，ブレディニン，セルセプト） ・この薬は異常な免疫機能を抑えて免疫異常が関与している炎症性腸疾患（クローン病，潰瘍性大腸炎）の炎症をやわらげる薬です（プログラフカプセル，アザニン，イムラン） ・この薬は異常な免疫機能を抑えて，自己免疫性肝炎の症状を抑える薬です（アザニン，イムラン） ・この薬は異常な免疫機能を抑えて重症筋無力症での筋力低下を改善する薬です（ネオーラル，プログラフ顆粒，0.5・1mgカプセル） ・この薬は異常な免疫機能を抑えて呼吸筋の炎症によって起こる多発性筋炎，皮膚筋炎に合併する間質性肺炎を治療する薬です（プログラフ0.5・1mgカプセル） ・この薬は異常な免疫機能を抑えてベーチェット病の眼の症状や乾癬の皮膚症状や再生不良性貧血・赤芽球癆の血液を作る機能の異常を改善する薬です（サンディミュン，ネオーラル） ・この薬は異常な免疫機能を抑えて，ぶどう膜炎（非感染性）による眼の症状を改善する薬です（ネオーラル） ・この薬は異常な免疫機能を抑えてアトピー性皮膚炎の皮膚の炎症をやわらげる薬です（ネオーラル） ・この薬は皮膚エリテマトーデスの皮膚症状を改善したり，全身性エリテマトーデスの筋肉痛や関節痛を緩和し，倦怠感などをやわらげる薬です（プラケニル）	
警告	〔セルセプト〕この薬を服用する場合，服用前，服用中および服用後6週間は避妊してください 検 〔セルセプト〕この薬の服用前から服用中止後6週間は定期的に妊娠検査のため受診してください 検 〔プラケニル〕この薬の服用中に網膜症が現れることがありますので，定期的に眼科検査を受けてください	ヒトで催奇形性の報告。妊娠の可能性のある女性への投与は，投与開始前に妊娠検査で陰性を確認。投与前から投与中止後6週間は避妊を徹底させ，妊娠検査等により定期的に確認 網膜症等の重篤な眼障害が用量依存的に発現。長期服用の場合も網膜障害発現の可能性が高くなる。眼科医と連携し，定期的に眼科検査を実施

No.67　免疫抑制薬

<table>
<tr><td rowspan="6">警告</td><td>・〔プラケニル以外：臓器移植〕移植における投与は免疫療法および移植患者の管理に精通している医師の指導のもと実施</td></tr>
<tr><td>・〔サンディミュン，ネオーラル〕ネオーラルとサンディミュンは製剤学的に同等でなく，ネオーラルはバイオアベイラビリティが向上しているので，相互に切り替える際はシクロスポリンの血中濃度上昇による副作用発現に注意し，両剤の十分な使用経験をもつ専門医のもとで実施。ネオーラルからサンディミュンへの切り替えはシクロスポリンの血中濃度低下の可能性があるため原則行わない。特に移植患者では用量不足による拒絶反応のおそれ</td></tr>
<tr><td>・〔ネオーラル〕アトピー性皮膚炎への投与はアトピー性皮膚炎の治療に精通している医師のもと，患者・家族に説明し，理解・確認のうえ投与</td></tr>
<tr><td>・〔プログラフ顆粒・カプセル5mg，グラセプター〕重篤な副作用の可能性により緊急時に措置可能な医療施設，十分な知識と経験をもつ医師が使用。本剤と同一成分製剤と本剤の切り替え時は血中濃度測定をし，血中濃度に変更がないことを確認</td></tr>
<tr><td>・〔アザニン，イムラン〕治療抵抗性のリウマチ疾患に投与の場合，緊急時に対応できる医療機関で，十分な知識と治療抵抗性リウマチ疾患治療の経験をもつ医師のもとで実施</td></tr>
<tr><td>・〔プラケニル〕投与は安全性および有効性についての十分な知識とエリテマトーデスの治療経験をもつ医師のもとで，本療法が適切と判断される患者についてのみ実施</td></tr>
<tr><td rowspan="8">禁忌・併用禁忌</td><td>禁忌　・本剤過敏症既往
　　　・〔アザニン，イムラン，プラケニル以外〕生ワクチン
　　　・〔セルセプト，サーティカン〕妊婦
　　　・〔サンディミュン，ネオーラル〕肝臓または腎臓障害でコルヒチン投与中
　　　・〔アザニン，イムラン〕メルカプトプリン過敏症既往，白血球数3,000/mm³以下
　　　・〔サーティカン〕シロリムスまたはシロリムス誘導体過敏症既往
　　　・〔プラケニル〕網膜症（SLE網膜症を除く），6歳未満の幼児</td></tr>
<tr><td>併用禁忌　・〔プラケニル以外〕⇔生ワクチン接種で発症するおそれ</td></tr>
<tr><td>・〔サンディミュン，ネオーラル〕⇔タクロリムスで本剤の血中濃度上昇，ピタバスタチン，ロスバスタチン，ボセンタン，アリスキレン，グラゾプレビル，ペマフィブラートの血中濃度上昇</td></tr>
<tr><td>・〔グラセプター〕⇔シクロスポリンの副作用上昇（シクロスポリンから切り替える場合24時間以上あける），ボセンタンの副作用が発現，カリウム保持性利尿薬にて高カリウム血症</td></tr>
<tr><td>・〔アザニン，イムラン〕⇔フェブキソスタット，トピロキソスタットで骨髄抑制等の副作用増強</td></tr>
</table>

■ 主な副作用と対策，フィジカルアセスメントのチェックポイント

主な副作用	患者に確認すべき症状	対策とPAのチェックポイント
感染症の合併・増悪	発熱，のどの痛み，かぜのような症状，体がだるい	人混みを避け，外出後はこまめに手洗いやうがいをし感染の予防を行う。感染症を併発したら減量もしくは休薬し抗生物質の投与等実施 PA 体温（↑），尿量（↓），脈拍（↑）

主な副作用	患者に確認すべき症状	対策とPAのチェックポイント
腎機能障害（カルシニューリン阻害薬）	尿が出にくい，体がむくむ，疲れやすい，目が腫れぼったい	頻回に腎機能の検査を実施。特に投与初期には注意する。血中濃度が高いと腎障害が認められているのでTDMを実施。（シクロスポリンではトラフ値が150 ng/mL以上，タクロリムスでは20 ng/mL以上になると副作用の発現頻度が高い） 減量もしくは休薬 PA 尿量（↓），体重（↑），浮腫（上眼瞼，下腿脛骨）
高血圧（カルシニューリン阻害薬）	血圧上昇	定期的に血圧測定実施。血圧上昇が現れた場合，降圧薬等投与 PA 血圧（↑）
高血糖†（カルシニューリン阻害薬）	口渇，多飲・多尿，疲れやすい	PA 口渇（↑），尿量（↑・夜間尿），体重（↓），皮膚・口腔粘膜（乾燥：脱水），血圧（↓），脈拍（↑）
骨髄障害（代謝拮抗薬）	歯ぐきや鼻からの出血，発熱	2週間ごとに血液検査し安定しても1～3カ月ごとに検査を行う。白血球数が2,000～3,000/mm³以下になれば減量もしくは中止 PA 体温（↑），顔色（蒼白），眼瞼結膜（蒼白），体幹・四肢・歯肉（出血斑）
肝機能障害†（代謝拮抗薬）	体がだるい，皮膚や白目が黄色い，吐き気，食欲不振	PA 眼球（黄色），皮膚（皮疹，瘙痒感，黄色），尿（褐色），体温（↑），腹部（肝肥大，心窩部・右季肋部圧痛，腹水貯留）
低血糖†（免疫調節薬）	空腹，発汗，動悸，眠気，頭痛，昏睡，意識障害，けいれん	PA 発汗（↑），動悸（↑），眠気（↑）

†：厚生労働省の「重篤副作用疾患別対応マニュアル」参照

■ 重大な副作用と妊婦・授乳婦への危険度

薬剤名	重大な副作用	妊婦[授乳婦]
サンディミュン，ネオーラル	・腎障害，肝障害，肝不全，可逆性後白質脳症症候群，高血圧性脳症等の中枢神経系障害，感染症，進行性多巣性白質脳症，BKウイルス腎症，急性膵炎，血栓性微小血管障害，溶血性貧血，血小板減少，横紋筋融解症，悪性腫瘍 ・神経ベーチェット病症状（ベーチェット病使用時） ・〔ネオーラルのみ〕クリーゼ（全身型重症筋無力症使用時）	C [㊜禁忌/△]
プログラフ（顆粒・カプセル5mg），グラセプター	急性腎障害，ネフローゼ症候群，心不全，不整脈，心筋梗塞，狭心症，心膜液貯留，心筋障害，可逆性後白質脳症症候群，高血圧性脳症等の中枢神経系障害，脳血管障害，血栓性微小血管障害，汎血球減少症，血小板減少性紫斑病，無顆粒球症，溶血性貧血，赤芽球癆，イレウス，皮膚粘膜眼症候群，呼吸困難，急性呼吸窮迫症候群，感染症，進行性多巣性白質脳症，BKウイルス腎症，リンパ腫等の悪性腫瘍，膵炎，糖尿病および悪化，高血糖，肝機能障害，黄疸	C [㊜○]
アザニン，イムラン	血液障害，ショック様症状，肝機能障害，黄疸，悪性新生物，感染症，間質性肺炎，重度の下痢，進行性多巣性白質脳症	D [㊜○]

No.67 免疫抑制薬

薬剤名	重大な副作用	妊婦［授乳婦］
セルセプト	感染症，日和見感染，進行性多巣性白質脳症，BK ウイルス腎症，汎血球減少，好中球減少，無顆粒球症，白血球減少，血小板減少，貧血，赤芽球癆，悪性リンパ腫，リンパ増殖性疾患，悪性腫瘍，消化管潰瘍，消化管出血，消化管穿孔，イレウス，重度の下痢，アシドーシス，低酸素症，糖尿病，脱水症，血栓症，重度の腎障害，心不全，狭心症，心停止，不整脈，肺高血圧症，心嚢液貯留，肝機能障害，黄疸，肺水腫，無呼吸，気胸，けいれん，錯乱，幻覚，精神病，アレルギー反応，難聴	禁忌/D [🚼×]
サーティカン	腎障害，感染症，移植片血栓症，悪性腫瘍，創傷治癒不良，汎血球減少，白血球減少，貧血，血小板減少，好中球減少，進行性多巣性白質脳症，BK ウイルス腎症，血栓性微小血管障害，間質性肺疾患，肺胞蛋白症，心嚢液貯留，高血糖，糖尿病の発症または増悪，肺塞栓症，深部静脈血栓症，急性呼吸窮迫症候群	禁忌/C
プラケニル	網膜症，中毒性表皮壊死融解症，皮膚粘膜眼症候群，多形紅斑，紅皮症，薬剤性過敏症症候群，急性汎発性発疹性膿疱症，黄斑症，黄斑変性，血小板減少症，無顆粒球症，白血球減少症，再生不良性貧血，心筋症，ミオパチー，ニューロミオパチー，低血糖，QT 延長，心室頻拍	D [🚼×]

■ その他の指導ポイント

	患者向け	薬剤師向け
使用上の注意	・この薬を飲んでいる間，できるだけこまめに手洗いやうがいをしてください →	免疫抑制作用や骨髄抑制による易感染状態になりやすいので感染の予防を行う
	・〔サーティカン〕この薬を服用するときは食後または空腹時のいずれかの一定の条件で飲んでください →	本剤を高脂肪食摂取後に服用すると吸収率が低下するので，バラツキを抑えるため服用条件を一定にする
	・〔セルセプト〕この薬の服用中は帽子等の衣類や日焼け止め効果の高いサンスクリーンを使用して直射日光や紫外線を避けるようにしてください →	日光や紫外線による皮膚がんの危険性を避けるため
	・〔セルセプト，サーティカン〕妊娠中または妊娠の可能性のある方は必ずご相談ください →	以下の理由のため投与禁忌 ・〔セルセプト〕耳，眼，顔面，手指，心臓，食道，神経系等の催奇形性報告 ・〔サーティカン〕動物実験で生殖発生毒性の報告
	・〔プラケニル以外〕生ワクチンを接種するときは必ずご相談ください →	生ワクチン接種で発症のおそれ
	食 〔サンディミュン，ネオーラル，グラセプター，サーティカン〕この薬の服用中にグレープフルーツジュースは飲まないでください →	グレープフルーツジュースの腸管での代謝酵素阻害から本剤の血中濃度上昇のおそれがあるため併用注意
	食 〔サンディミュン，ネオーラル，グラセプター，サーティカン〕この薬の服用	薬物代謝酵素 CYP3A4 が誘導され，本剤の代謝が促進されて血中濃度が低下するおそれ

使用上の注意	中にセイヨウオトギリソウ（セント・ジョーンズ・ワート）はとらないでください	があるため併用注意
	・〔ネオーラルカプセル〕服用直前まで→PTP包装のまま保存してください	吸湿によりカプセルが軟化したり，含有するエタノールが揮発することがあるため
	・〔ネオーラル内用液〕約20℃以下で保存するとゼリー状になることがありますが，その場合，20℃以上に室温で溶解後使用してください	
	・〔サンディミュン内用液〕低温（約5℃以下）で保存すると沈殿を生じることがありますが，その場合，常温において沈殿が溶けてから使用してください	
	・〔プラケニル〕6歳未満の幼児の手の届→かない場所に保管してください	4-アミノキノリン化合物の毒性作用は乳児に対して極めて感受性が高いため
服用を忘れたとき	思い出したときすぐに服用する。ただし次の服用時間が近いとき（サンディミュン，ネオーラル，サーティカン：5時間以内）は忘れた分は服用しない（2回分を一度に服用しないこと）	

■ その他備考

■ 移植片対宿主病（GVHD：Graft-Versus-Host-Disease）とは

拒絶反応は，患者の免疫系の働きによって，移植された臓器を異物として認識しこれを攻撃し排除する現象をいうが，GVHDはこれと反対に移植された臓器（移植片：グラフト）が患者(宿主)の細胞を異物として攻撃，傷害する病気である。GVHDはさまざまな臓器移植の後に発生するが，特に骨髄移植後や輸血後が知られている

No.67 免疫抑制薬

免疫抑制薬の適応症一覧（保険適応のみ）

分類	カルシニューリン阻害薬				代謝拮抗薬			mTOR阻害薬	免疫調節薬
商品名	サンディミュン	ネオーラル	プログラフ	グラセプター	アザニン,イムラン	ブレディニン	セルセプト	サーティカン	ブラケニール
成分名	シクロスポリン	シクロスポリン	タクロリムス水和物	タクロリムス	アザチオプリン	ミゾリビン	ミコフェノール酸モフェチル	エベロリムス	ヒドロキシクロロキン
剤形・含有量	内用液 (5 g/50 mL)	内用液 (5 g/50 mL) Cp(10, 25, 50 mg)	顆粒 (0.2%), Cp 0.5 mg, 1 mg	Cp 0.5, 1.5 mg	錠 50 mg	錠 25, 50 mg	Cp(250 mg) 懸濁用散 (200 mg/mL)	錠 0.25, 0.5, 0.75 mg	錠 200 mg
臓器移植時の拒絶反応抑制	○(腎, 心, 肝, 肺, 膵) (小腸：ネオーラルのみ)	○(肝, 肺, 膵)	○(腎, 心, 肝, 肺, 膵, 小腸)	Cp	錠 50 mg	○(腎)	○(腎, 心, 肝, 肺, 膵)	○(心, 腎, 肝)	
腎移植後の難治性拒絶反応の治療	○								
骨髄移植時拒絶反応および移植片対宿主病抑制	○								
眼症状のあるベーチェット病、非感染性ぶどう膜炎*1	○(ベーチェット病のみ)	○							
尋常性乾癬、膿疱性乾癬、乾癬性紅皮症、関節症性乾癬	○	○							
再生不良性貧血、赤芽球癆	○	○							
ネフローゼ症候群	○	○(全身型)	○			○			
重症筋無力症			○						
アトピー性皮膚炎		○							
関節リウマチ		○	○						
治療抵抗性のリウマチ性疾患*2					○				
ループス腎炎			○						
潰瘍性大腸炎			○(ステロイド抵抗性, 依存性の活動期)		*3				
クローン病					*3				
多発性筋炎・皮膚筋炎に合併する間質性肺炎			○						
皮膚エリテマトーデス、全身性エリテマトーデス									○
自己免疫性肝炎					○				
川崎病の急性期	○(内用液のみ)								

*1：眼内感染症が否定されているが、ぶどう膜(虹彩、毛様体、脈絡膜の総称)に炎症が起こる病気　*2：全身性血管炎、全身性エリテマトーデス、多発性筋炎、強皮症、混合性結合組織病および難治性リウマチ疾患　*3：ステロイド依存性

■ 付　録

付録1　重篤副作用疾患別対応マニュアル―副作用名一覧
　　　　………………………………………………1040
付録2　主なフィジカルアセスメントのポイント ……1042
付録3　検査値の読み方 ………………………………1051

付録1　重篤副作用疾患別対応マニュアル―副作用名一覧

　重篤副作用疾患別対応マニュアルは，厚生労働省が実施する「重篤副作用総合対策事業」の一環として，重篤度等から判断して必要性の高いと考えられる下記の副作用について，患者の方や臨床現場の医師，薬剤師等が活用する治療法，判別法等を包括的にまとめたものである．本マニュアルは関係学会の協力を得つつ，最新の知見を踏まえた改定・更新等を定期的に実施している．各副作用のマニュアルについては下記URLを参照のこと．

厚生労働省「重篤副作用疾患別対応マニュアル」
(https://www.mhlw.go.jp/stf/seisakunitsuite/bunya/kenkou_iryou/iyakuhin/topics/tp061122-1.html)

医薬品医療機器総合機構「重篤副作用疾患別対応マニュアル（医療関係者向け）」
(https://www.pmda.go.jp/safety/info-services/drugs/adr-info/manuals-for-hc-pro/0001.html)

■代謝・内分泌
　低血糖
　甲状腺中毒症
　甲状腺機能低下症
　高血糖
　偽アルドステロン症

■神経・筋骨格系
　小児の急性脳症
　無菌性髄膜炎
　急性散在性脳脊髄炎
　運動失調
　頭痛
　末梢神経障害
　ギラン・バレー症候群
　　・急性炎症性脱髄性多発神経根ニューロパチー
　　・急性炎症性脱髄性多発根神経炎
　ジスキネジア
　痙攣・てんかん
　横紋筋融解症
　白質脳症
　薬剤性パーキンソニズム

■呼吸器
　急性好酸球性肺炎
　肺胞出血
　　・肺出血
　　・びまん性肺胞出血
　肺水腫

　胸膜炎，胸水貯留
　間質性肺炎
　　・肺臓炎
　　・胞隔炎
　　・肺線維症
　急性肺損傷
　　・急性呼吸窮迫症候群（急性呼吸促迫症候群）
　　・成人型呼吸窮迫症候群
　　・成人型呼吸促迫症候群
　非ステロイド性抗炎症薬による喘息発作
　　・アスピリン喘息
　　・解熱鎮痛薬喘息
　　・アスピリン不耐喘息
　　・鎮痛剤喘息症候群

■血液
　血栓性血小板減少性紫斑病（TTP）
　ヘパリン起因性血小板減少症（HIT）
　再生不良性貧血　汎血球減少症
　薬剤性貧血
　　・溶血性貧血
　　・メトヘモグロビン血症
　　・赤芽球ろう
　　・鉄芽球性貧血
　　・巨赤芽球性貧血
　出血傾向
　無顆粒球症
　　・顆粒球減少症
　　・好中球減少症
　血小板減少症

付録1　重篤副作用疾患別対応マニュアル—副作用名一覧

血栓症
　・血栓塞栓症
　・塞栓症
　・梗塞
播種性血管内凝固
　・全身性凝固亢進状態
　・消費性凝固障

■ 腎臓
腫瘍崩壊症候群
血管炎による腎障害（ANCA 関連含む）
　※従前の急性腎盂腎炎から切り替え
腎性尿崩症
ネフローゼ症候群
急性腎障害（急性尿細管壊死）
間質性腎炎（尿細管間質性腎炎）
低カリウム血症

■ 皮膚
薬剤による接触皮膚炎
急性汎発性発疹性膿疱症
スティーヴンス・ジョンソン症候群
　・皮膚粘膜眼症候群
中毒性表皮壊死融解症（中毒性表皮壊死症）
　・ライエル症候群
　・ライエル症候群型薬疹
薬剤性過敏症症候群
多形紅斑

■ 過敏症
アナフィラキシー
血管性浮腫（非ステロイド性抗炎症薬によらないもの）
非ステロイド性抗炎症薬（NSAIDs, 解熱鎮痛薬）によるじんま疹/血管性浮腫

■ 消化器
重度の下痢
急性膵炎（薬剤性膵炎）
麻痺性イレウス
消化性潰瘍
　・胃潰瘍
　・十二指腸潰瘍
　・急性胃粘膜病変
　・NSAIDs 潰瘍
偽膜性大腸炎

■ 肝臓
薬物性肝障害
　・肝細胞障害型薬物性肝障害
　・胆汁うっ滞型薬物性肝障害
　・混合型薬物性肝障害
　・急性肝不全
　・薬物起因の他の肝疾患

■ 精神
アカシジア
セロトニン症候群
新生児薬物離脱症候群
薬剤惹起性うつ病
悪性症候群

■ 感覚器（耳）
難聴（アミノグリコシド系抗菌薬, 白金製剤, サリチル酸剤, ループ利尿剤による）

■ 感覚器（眼）
角膜混濁
網膜・視路障害
緑内障

■ 感覚器（口）
薬物性味覚障害

■ 口腔
骨吸収抑制薬に関連する顎骨壊死・顎骨骨髄炎
薬物性口内炎
抗がん剤による口内炎

■ 骨
骨粗鬆症

■ 泌尿器
出血性膀胱炎
尿閉・排尿困難

■ 心臓・循環器
うっ血性心不全
心室頻拍

■ がん
手足症候群

■ 卵巣
卵巣過剰刺激症候群（OHSS）

付録2　主なフィジカルアセスメントのポイント

■バイタルサイン

　バイタルサインとは、Vital（生命）のSign（徴候）という意味で、"生きている証"というような意味があり、患者の生命に関する最も基礎的情報である。一般にバイタルサインとは、脈拍，呼吸，血圧，体温の4つを指すが、これに、救急医学の分野では意識レベルを加える

1．体温

　正常な体温は36〜37℃の間とされているが、年齢差，個人差，行動差等の個人の状態によって変化する。最近は低体温の人が増えてきている。発熱の目安として、微熱が37〜37.5℃前後，高熱が39〜41℃である。発熱の程度は、対象者の平熱を基準にして何度高いか低いかが重要である

［熱型］
　体温の経過を体温表に記録すると、疾病により特徴のあるグラフになる
①稽留熱：高熱で1日の高低差が1℃以内（肺炎・腸チフスなど）
②弛張熱：1日の体温差が1℃以上で低い時でも正常体温にならない（敗血症・結核など）
③間欠熱：高熱と平熱の状態が一定の期間をおいて交互に現れる（マラリア・回帰熱）

［WHO基準値］
　　成　人：36.5〜37℃
　　幼　児：37℃
　　高齢者：36℃

2．脈拍

　脈拍とは心臓の拍動（周期的に繰り返される収縮と拡張の運動）に基づいて、体表から触れることができる動脈の拍動で心臓の活動状態を示す。脈拍測定に最も用いられるのは橈骨動脈でその他上腕動脈，大腿動脈，足背動脈，後脛骨動脈，頸動脈

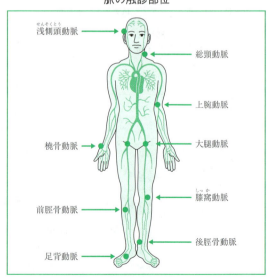

脈の触診部位

― 1042 ―

などがある。脈拍の正常域の目安は成人60〜100回/分，乳幼児80〜120回/分である

頻脈：100回/分以上
徐脈：60回/分以下

①橈骨動脈の触診方法
- 第2〜4指の3本指をそろえて橈骨内側の拍動にあてる
- 両側の橈骨動脈を同時に触れて左右差の有無を確認する
- 一側で不整の有無を確認する
- 3本の指を使って緊張度を見る（指で動脈を脈拍が感じられなくなるまで押したときどのくらいの力で拍動が触れなくなるかということ。強い力が必要なときを硬脈，弱い力で十分なときを軟脈という）
- 脈拍を15秒間数え4倍する（リズムに注意し不整脈があれば1分間数える）

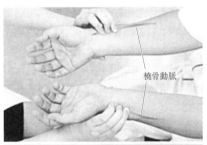
橈骨動脈

②上腕動脈
　左手で患者の右肘を支え，右手で肘関節のくぼみよりやや内側を3本の指で触れる

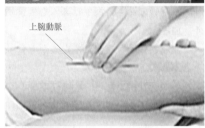
上腕動脈

③総頸動脈
　下顎角より甲状軟骨（のど仏）へ向かって2〜3cm下の部位を3本の指で触れる。同時に両方を抑えた場合，副交感神経興奮を引き起こし心停止を起こす可能性があるので，2カ所を同時に抑えない

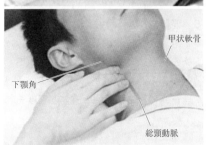
甲状軟骨
下顎角
総頸動脈

④足背動脈
　第3趾の根元と内果を結んだ中点を3本の指で触れる。橈骨動脈が触れるのに，足背動脈が触れにくい場合，閉塞性動脈硬化や重症糖尿病で血管障害が引き

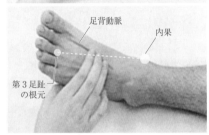
足背動脈
内果
第3足趾の根元

起こっている可能性大。血小板凝集抑制薬や抗凝固薬，末梢循環動態改善薬などが処方されている患者は四肢末梢の色調（血流低下の場合は暗赤色になる）や冷感，痛みの有無などとともに，足背動脈が触知できるか，左右差がないかチェックする

3．呼吸

呼吸は肺の伸縮によって，体内へ酸素を取り入れ二酸化炭素を排出する運動のこと。この運動は肺自体の運動ではなく，呼吸筋（肋間筋・横隔膜など）により胸郭内腔が拡張・収縮することによって行われる。正常呼吸数は成人で，毎分12～18回，小児で20～30回である

頻呼吸：20回/分以上（呼吸不全，発熱，肺炎など）
徐呼吸：12回/分以下（睡眠剤の多量服用，脳圧亢進など）
無呼吸：安静時呼気で一時的に停止（睡眠時無呼吸症候群）

呼吸数の測定方法
・胸郭または腹部を観察し呼吸数を数える
・30秒間測定し2倍する
・呼吸の深さ，型，リズムも観察する

4．血圧

血圧とは動脈を流れる血液が血管壁に及ぼす圧力の大きさで，心臓が血液を全身に送るため収縮・拡張することによって変化する。血圧を規定する主な因子は，心拍出量と末梢血管抵抗である。心臓が収縮したときの血圧が収縮期血圧（＝最大血圧），心臓の拡張期の血圧を拡張期血圧（＝最小血圧）という（成人における血圧値の分類は p.321 参照）

5．意識レベル

意識レベルとは『意識の明瞭度』，『意識の内容』の二つを数値的に表すための指標である。意識レベルを表すのにはJCS（Japan Coma Scale）とGCS（Glasgow Coma Scale）等がある。JCSは主に日本で最も使われている指標で，急性期意識障害を評価するスケールで，主に覚醒の有無と程度を判断している

> JCS（ジャパン・コーマ・スケール）
> Ⅰ．覚醒している（1桁の点数で表現）
> 　1：見当識は保たれているが意識清明ではない
> 　2：見当識障害がある
> 　3：自分の名前・生年月日が言えない
> Ⅱ．刺激に応じて一時的に覚醒する（2桁の点数で表現）
> 　10：普通の呼びかけで開眼する
> 　20：大声で呼びかけたり，強く揺するなどで開眼する
> 　30：痛み刺激を加えつつ，呼びかけを続けると辛うじて開眼する
> Ⅲ．刺激しても覚醒しない（3桁の点数で表現）
> 　100：痛みに対して払いのけるなどの動作をする
> 　200：痛み刺激で手足を動かしたり，顔をしかめたりする
> 　300：痛み刺激に対し全く反応しない

この他，R(不穏)・I(糞便失禁)・A(自発性喪失)などの付加情報をつけて，JCS Ⅲ-200 Ⅰなどと表す。評価基準がわかりやすいことから日本では広く普及している。覚醒度によって3段階に分け，それぞれ3段階あることから，3-3-9度方式とも呼ばれる

■フィジカルアセスメント

　フィジカル：身体的な
　アセスメント：情報を収集して判断する
　薬剤師が医師や看護師等と連携しながら，薬剤管理指導業務の薬学的管理の一環として患者のバイタルサインのチェックやフィジカルアセスメントを行うことは，患者の体調の変化だけではなく，薬の効果や薬の副作用を早期に発見することができるため，積極的な実施が期待されている

・他覚症状
　身体所見：視覚・聴覚・触覚：視診→触診→打診→聴診（腹部の診察では視診→聴診→打診→触診）により，時に道具を用いて，得られる患者の身体状況
　全身所見：身長，体重，意識状態，体温，血圧，脈拍，呼吸数
　局所所見：結膜（黄疸，充血など），瞳孔，口腔粘膜，頸部リンパ節，甲状腺腫脹，呼吸音，心音，腹部，肝種大，腱反射

1．顔の視診
　顔貌の評価は，疾患や身体的状態を知るきっかけであるので，顔を観察することがフィジカルアセスメントの力をつける第一歩である

顔の評価

	所見	考えられる疾患
色	赤みを帯びる，紅潮	発熱など
	白い，蒼白	貧血，ショック
形	丸味を帯びる，多毛	クッシング症候群
	前額や眉弓部，頬骨などが突出	末端肥大症
印象	表情が乏しい	パーキンソン病，精神神経疾患
	活気がなく無関心	敗血症，精神疾患など

2．眼瞼，眼球の視診

眼の評価

部位	所見	考えられる疾患
眼瞼（まぶた）	さがる（下垂）	加齢によるもの，動眼神経麻痺，重症筋無力症
	周囲が赤い（ヘリオトロープ疹）	皮膚筋炎
	周囲がはれぼったい（浮腫）	腎不全
眼瞼結膜[*1]	全体に白い（貧血）	貧血を来す疾患，溶血性疾患など
眼球	眼球	バセドウ病（グレーブス病）
眼球結膜[*2]	全体に黄色（黄染）	薬剤性障害，胆汁うっ滞を伴う肝胆系疾患，血液疾患など

(河野茂・監，濱田久之，佐々木均，北原隆志・編：薬剤師がはじめるフィジカルアセスメント，南江堂，2011より)

＊1　眼瞼結膜：母指で下眼瞼を固定し（下方へ少し力をいれる）充血，浮腫，貧血の有無を見る

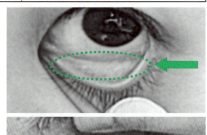

＊2　眼球結膜：母指で上眼瞼を固定し（上方へ少し力をいれる）黄染，充血，出血の有無を見る

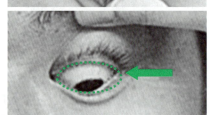

3．腸蠕動音（グル音）の聴診

　　グル音は腸が動くときの音（腸は食物を先に運ぶ蠕動運動と，吸収しやすくさせる分節運動という運動をする）で聴診器の膜型をお腹にあて，腹壁の1〜2カ所で30秒〜3分間聴診する。便秘は腸の動きが弱くグル音も聞こえにくい。下痢は腸の動きが亢進してグル音も激しく聞こえる。蠕動音の評価には聴取される頻度と音の性状が重要である

付録2　主なフィジカルアセスメントのポイント

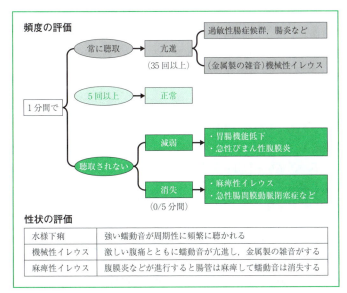

4．呼吸音の聴診

呼吸音の聴診のポイント

聴診器の膜型を使い，上方から下方へ，吸気の初めから呼気の終わりまで採音部の移動は呼気の終わりに行う。最低1呼吸，できれば2呼吸聞く。できれば深呼吸をしてもらう

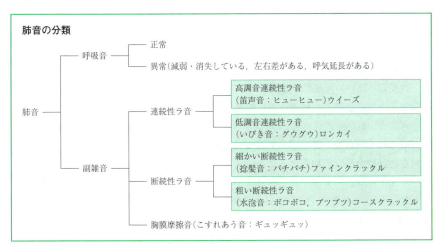

①呼吸音の観察

1）正常呼吸音

・気管呼吸音：頸部気管上で聴取される粗い呼吸音のこと。呼気は吸気より大，吸気

と呼気の間にポーズ
- 気管支呼吸音：胸骨上部の狭い範囲でのみ聴取。肺胞呼吸音よりも大きく、高調な成分を持つ呼吸音。吸気よりも呼気で大きく、長い時間持続するとされる
- 気管支肺胞呼吸音：聴取部位は気管支呼吸音よりも下のあたりの胸骨周囲、肺尖部。肺胞呼吸音と気管支呼吸音の中間の音
- 肺胞呼吸音：正常な末梢肺に接する大部分の胸壁上で聴取される柔らかい音。口をやすぼめた状態で息を吸い込んだときに出る音に似ている。吸気ではほぼ一定の大きさで聴かれ、呼気ではやや弱く聴かれる

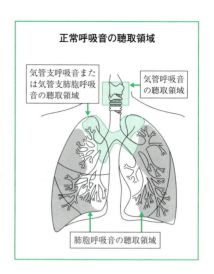

正常呼吸音の聴取領域

2）異常呼吸音
- 減弱・消失、増強、左右差、呼気延長、気管支呼吸音化

②副雑音（肺雑音）

1）連続性ラ音：閉塞性障害（気管支喘息、肺気腫等）で聴かれる
- 笛声音（高調音連続性ラ音）：末梢気道の狭窄を示す高いヒューヒューという音→気管支喘息などの閉塞性疾患
- いびき音（低調音連続性ラ音）：中枢気道の狭窄を示す低いグウグウという音→気道異物、痰、肺がん等による中枢気道の狭窄

2）断続性ラ音：接続時間の短い不連続的に発生するラ音で「プツプツ、ブツブツ」という断続性の音が聴かれる。クラックルとも呼ばれる
- 捻髪音（細かい断続性ラ音）：バチバチと両側性下肺野、特に背側肺底部に多く出現する→間質性肺炎、肺線維症、塵肺
- 水泡音（粗い断続性ラ音）：ボコボコ、ブツブツと疾患肺区域に隣接する胸壁上で聴取される→肺炎、肺水腫、気管支拡張症、心不全

5．経皮的動脈血酸素飽和濃度モニター（パルオキシメーター、SpO_2モニター）

　パルスオキシメーターで計るのは「動脈血酸素飽和度と脈拍数」である。動脈に含まれる酸素（O_2）の飽和度（Saturation：サチュレーション）をパルスオキシメーター（pulse oximeter）を使って計っているので、その測定値をSpO_2（エスピーオーツー）と呼ぶ。採血などの方法によって動脈血の酸素飽和度を測定したものはSpO_2と区別するためSaO_2（エスエーオーツー）と呼ぶ。一般的に健常者のSpO_2は96％〜98％の範囲内になると言われ、90％未満で呼吸不全と診断される

6．浮腫の評価

脛骨前面部分を母指または人差し指等で約5秒以上圧迫し，圧迫を解除して，指で触って圧痕の状況を確認。

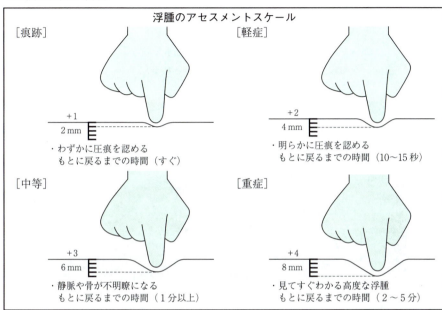

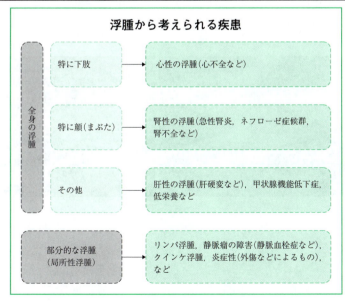

7．脱水の評価
　①問診：めまい，ふらつき，頭痛，悪心，吐き気等
　②視診：脇が乾いてないか，口の中や舌が乾いてないか，唇が乾いてないか
　③触診：a．ブランチテスト：爪床を白くなるまで圧迫した後に圧迫を解除して色がもとに戻るまでの時間を計る。
　　　　　　赤みが戻るまで2秒以上かかる場合，脱水を疑う。（末梢循環の判断の目安になるので，ショックの評価にも使用される）

a.

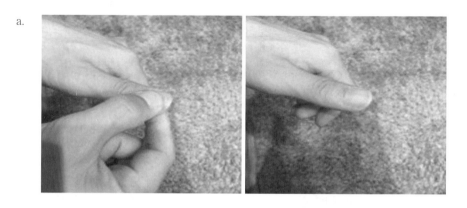

　　　　b．ツルゴール（皮膚の張り）テスト：手の甲の皮膚をつまみ上げ，離して皮膚が2秒経っても戻ってこなければ脱水を疑う。

b.

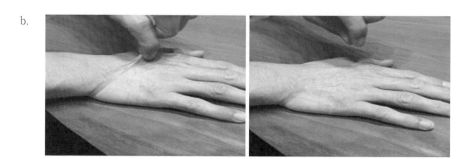

付録3 検査値の読み方

	検査項目	基準値	ページ
尿・便	尿量	1日 1,000〜1,500 mL	1054
	尿比重	1.010〜1.030	1054
	尿 pH	4.8〜7.5	1054
	尿蛋白	〔定性検査〕陰性（−） 〔定量検査〕20〜120 mg/日	1054
	尿糖	〔定性検査〕陰性（−） 〔定量検査〕40〜185 mg/日	1054
	尿ケトン体（アセトン体）	〔定性検査〕陰性（−）	1054
	尿ウロビリノーゲン	〔定性検査〕（±）	1054
	尿潜血反応	陰性（−）	1055
	便鮮血反応	陰性（−）	1055
血液一般	赤血球数（RBC）	男性：427〜570 万/μL 女性：376〜500 万/μL	1055
	ヘモグロビン（Hb）	男性：13〜17 g/dL 女性：12〜15 g/dL	1055
	ヘマトクリット	男性：39〜52% 女性：34〜46%	1055
	赤血球恒数 　MCV（平均赤血球容積） 　MCH（平均赤血球ヘモグロビン量） 　MCHC（平均赤血球ヘモグロビン濃度）	MCV：83〜100 fl MCH：28〜35 pg MCHC：32〜36%	1055
	赤血球沈降速度（赤沈）（ESR）	男性：10 mm/hr 以下 女性：15 mm/hr 以下	1056
	白血球数（WBC）	3,300〜9,000/μL	1056
	血小板数（PLT）	14〜34 万/μL	1056
凝固線溶	プロトロンビン時間（PT）	10.5〜13.5 秒　INR：0.85〜1.15	1056
	活性化部分トロンボプラスチン時間（APTT）	25.0〜36.0 秒	1057
	フィブリン分解産物（FDP）	5 μg/mL 未満	1057
肝機能	AST（GOT）	10〜40 U/L	1057
	ALT（GPT）	5〜45 U/L	1057
	ALP（アルカリホスファターゼ）	38〜113 U/L	1057
	LDH（乳酸脱水素酵素）	120〜240 U/L	1058
	γ-GTP（γ-グルタミルトランスペプチダーゼ）	男性：70 U/L 以下 女性：30 U/L 以下	1058
	LAP（ロイシンアミノペプチダーゼ）	35〜73 U/L	1058

	検査項目	基準値	ページ
肝機能	ChE（コリンエステラーゼ）	男性：242〜495 U/L 女性：200〜459 U/L （JSCC 標準化対応法）	1058
	T-Bil（総ビリルビン）	0.2〜1.2 mg/dL	1058
	D-Bil（直接ビリルビン）	0.4 mg/dL 以下	1058
蛋白	TP（総蛋白）	6.7〜8.3 g/dL	1059
	Alb（アルブミン）	3.8〜5.2 g/dL	1059
	アルブミン・グロブリン比（A/G 比）	1.1〜2.1	1059
血清脂質	T-cho（総コレステロール）	150〜219 mg/dL	1059
	LDL-C（LDL コレステロール）	70〜139 mg/dL	1060
	HDL-C（HDL コレステロール）	男性：40〜85 mg/dL 女性：40〜95 mg/dL	1060
	TG（中性脂肪）	30〜149 mg/dL	1060
代謝系	CPK（CK）（クレアチンキナーゼ）	男性：60〜270 U/L 女性：40〜150 U/L	1060
	AMY（アミラーゼ）	40〜122 U/L（血清） 65〜840 U/L（尿）	1060
	UA（尿酸）	男性：3.8〜7.0 mg/dL 女性：2.5〜7.0 mg/dL	1061
腎機能	BUN（血中尿素窒素）	8〜22 mg/dL	1061
	Cre（クレアチニン）	男性：0.61〜1.04 mg/dL 女性：0.47〜0.79 mg/dL	1061
	シスタチン C	男性：0.61〜1.00 mg/L 女性：0.51〜0.82 mg/L	1061
電解質	Na（ナトリウム）	136〜147 mEq/L	1061
	K（カリウム）	3.6〜5.0 mEq/L	1062
	Cl（クロール）	98〜108 mEq/L	1062
	Ca（カルシウム）	8.4〜10.4 mg/dL	1062
	P（無機リン）	2.5〜4.5 mg/dL	1062
貧血	Fe（血清鉄）	男性：50〜200 μg/dL 女性：40〜180 μg/dL	1062
	TIBC（総鉄結合能）	男性：253〜365 μg/dL 女性：246〜410 μg/dL	1063
	UIBC（不飽和鉄結合能）	男性：104〜259 μg/dL 女性：108〜325 μg/dL	1063
	フェリチン	男性：39.4〜340 ng/mL 女性：3.6〜114 ng/mL	1063

付録3　検査値の読み方

	検査項目	基準値	ページ
糖尿病	GLU（血糖）	70〜109 mg/dL（空腹時採血）	1063
	HbA1c（ヘモグロビン A1c）	4.6〜6.2%（NGSP 値）	1063
	インスリン（IRI）	1.7〜10.4 μU/mL（空腹時）	1064
	グリコアルブミン	11〜16%	1064
	1,5-AG	14 μg/mL 以上	1064
	CPR（C-ペプチド）	血清：0.6〜1.8 ng/mL 尿：20.1〜155 μg/day	1064
免疫血清	CRP（C 反応性蛋白）	定量法：0.30 mg/dL 以下	1065
	RA テスト	陰性（−）	1065
	HBs 抗原	陰性（−）	1065
	HBs 抗体	陰性（−）	1065
	HBe 抗原	陰性（−）	1065
	HCV 抗体	陰性（−）	1065
	HIV 抗体	陰性（−）	1065
	非特異的 IgE（CLEIA）	170 IU/mL 以下	1065
甲状腺	FT3（フリー T3）	2.1〜4.1 pg/mL	1066
	FT4（フリー T4）	1.0〜1.7 ng/dL	1066
	TSH（甲状腺刺激ホルモン）	0.39〜4.01 μIU/mL	1066
心	BNP（脳性ナトリウム利尿ポリペプチド）	18.4 pg/mL 以下	1066
	NT-proBNP（脳性ナトリウム利尿ペプチド前駆体 N 端フラグメント）	125 pg/mL 以下	1066
腫瘍	CEA（がん胎児性抗原）	5.0 ng/mL 以下	1066
	AFP（αフェトプロテイン）	10.0 ng/mL 以下	1066
	PSA（前立腺特異抗原）	4.0 ng/mL 以下	1066
	CA 19-9	37.0 U/mL 以下	1066
	CA-125	35 U/mL 以下	1067
	PIVKA-II	40 mAU/mL 未満	1067

（※）基準値は検査方法や測定方法，測定機器，用いる試薬，単位により値が異なる。

	検査項目	基準値（※）	検査目的	異常値の原因
尿・便	尿量	1日 1,000〜1,500 mL	腎臓や尿路系の障害を調べる	**多尿**（1日 2,000 mL/日以上）：尿崩症，心因性多尿，糖尿病 **無尿**（100 mL/日以下），**乏尿**（400 mL/日以下）：脱水，外傷，吐血，下血，心臓病，敗血症，慢性腎不全
	尿比重	1.010〜1.030	尿の濃さの変化を調べ，主に腎臓の病気を調べる	**1.010 以下**：慢性腎炎，尿崩症 **1.030 以上**：ネフローゼ症候群，糖尿病，心不全，脱水症状
	尿 pH	4.8〜7.5	尿が酸性かアルカリ性かを調べる．体内の酸塩基平衡の状態を把握する	**酸性尿**：糖尿病，痛風，腎炎，発熱，脱水，下痢 **アルカリ性尿**：嘔吐，尿路感染症，過呼吸
	尿蛋白	〔定性検査〕陰性（−） 〔定量検査〕20〜120 mg/日	尿中の蛋白の有無を調べる．腎臓や尿路の障害を調べる	**陽性（＋）**：腎炎，腎硬化症，尿路系感染症，尿路結石，ネフローゼ症候群，妊娠中毒，糖尿病性腎症，腎腫瘍，膀胱炎
	尿糖	〔定性検査〕陰性（−） 〔定量検査〕40〜85 mg/日	尿中のブドウ糖の有無を調べる．糖尿病や腎臓の働きを調べる	**陽性（＋）**：糖尿病，腎性糖尿，急性・慢性膵炎，肝硬変，慢性腎炎，内分泌疾患（クッシング症候群，甲状腺機能亢進症など），薬剤の影響
	尿ケトン体（アセトン体）	〔定性検査〕陰性（−）	尿中のケトン体の有無を調べる．ケトン体はインスリンの欠乏や，ストレスが原因で脂肪酸からつくられる．糖代謝異常や糖の摂取・利用障害の有無を調べる	**陽性（＋）**：糖尿病，高脂肪食，絶食（または飢餓），運動，外傷や大手術，発熱
	尿ウロビリノーゲン	〔定性検査〕（±）	尿中のウロビリノーゲンを測定する．ウロビリノーゲンは，ビリルビンが胆汁となって腸内に排泄され，腸内細菌によって分解されてできたもの．ほとんどが便とともに排泄され，一部は腎臓から尿中に排泄される．肝臓や胆のうの機能異常の有無を調べる	**陰性（−）**：胆道閉塞，腸内細菌の減少 **強陽性（2＋以上）**：肝炎，肝硬変，便秘，腸閉塞

付録3 検査値の読み方

	検査項目	基準値（※）	検査目的	異常値の原因
尿・便	尿潜血反応	陰性（−）	尿中の血液混入の有無を調べる。腎臓や尿路・膀胱の障害を調べる	**陽性（＋）**：腎臓・尿管・膀胱・尿道・前立腺の炎症，腫瘍，結石，外傷性筋肉損傷，多発性筋炎，筋ジストロフィなどの筋肉破壊，溶血性疾患
	便鮮血反応	陰性（−）	便の中に血液が混入しているかを調べる。消化管の炎症や腫瘍（特に大腸がん）を調べる	**陽性（＋）**：大腸がん，潰瘍性大腸炎，クローン病，胃・十二指腸潰瘍，胃がん，食道がん，急性胃病変，憩室炎，腸結核などの消化管感染症，消化管寄生虫症，痔疾
血液一般	赤血球数（RBC）	男性：427〜570万/μL 女性：376〜500万/μL	血液中の赤血球の数を調べる。貧血や多血症（赤血球が増加している病気）などを調べる	**高値**：脱水，多血症，赤血球増加症など **低値**：各種貧血（鉄欠乏性貧血，溶血性貧血，再生不良性貧血など），白血病，悪性腫瘍，妊娠
	ヘモグロビン（Hb）	男性：13〜17 g/dL 女性：12〜15 g/dL	血液中のヘモグロビン量を調べる。ヘモグロビンはヘムという鉄分を含む物質とグロビンという蛋白質が結びついたもので，酸素と結合して体内に酸素を運ぶ。貧血の有無を調べる	**高値**：脱水，多血症 **低値**：各種貧血（鉄欠乏性貧血，溶血性貧血，再生不良性貧血など），大量出血
	ヘマトクリット	男性：39〜52% 女性：34〜46%	血液中の赤血球の占める割合を調べる。貧血や多血症を調べる	**高値**：脱水，多血症 **低値**：各種貧血（鉄欠乏性貧血，溶血性貧血，再生不良性貧血）
	赤血球恒数 MCV（平均赤血球容積） MCH（平均赤血球ヘモグロビン量） MCHC（平均赤血球ヘモグロビン濃度）	MCV：83〜100 fl MCH：28〜35 pg MCHC：32〜36%	赤血球数，ヘマトクリット値，ヘモグロビン量から計算し，赤血球の大きさ，赤血球に含まれるヘモグロビンの量を調べる。貧血の原因種類を調べる。 MCV：個々の赤血球の平均容積 MCH：平均赤血球血色素量 MCHC：一定容積の赤血球の中に含まれるヘモグロビン濃度	（貧血時の MCV, MCHC によるおおまかな分類） ・MCV, MCHC がともに低下：小球性低色素性貧血（鉄欠乏性貧血，鉄芽球性貧血，慢性出血による貧血など） ・MCV 上昇，MCHC 正常：大球性貧血（ビタミン B_{12} 欠乏，葉酸欠乏および代謝異常など） ・MCV, MCHC がともに正常：正球性正色素性貧血（再生不良性貧血，溶血性貧血，腎性貧血，急性出血など）

	検査項目	基準値（※）	検査目的	異常値の原因
血液一般	赤血球沈降速度（赤沈）（ESR）	男性：10 mm/hr 以下 女性：15 mm/hr 以下	血液中の赤血球が1時間で沈む速度。血液成分の異常の有無や炎症の程度を調べる	亢進：感染症，心臓の疾患（心内膜炎，心筋梗塞），血液疾患（多発性骨髄腫，再生不良性貧血，急性白血病），膠原病，悪性腫瘍 遅延：赤血球増加症，播種性血管内凝固症候群（DIC），アレルギー性疾患
	白血球数（WBC）	3,300〜9,000/μL	血液中の白血球数を調べる。白血球は体内に細菌やウイルスなどが侵入したとき破壊したり，免疫抗体を作って細菌やウイルス，がん細胞を殺したりする（免疫反応）働きをしている。感染症や炎症の有無や白血病などを調べる	高値：急性感染症，心筋梗塞，出血，慢性白血病，ステロイド投与時など 低値：再生不良性貧血，急性白血病，悪性貧血，薬剤の副作用，放射線障害，抗腫瘍薬の長期投与
	血小板数（PLT）	14〜34万/μL	血液中の血小板数を調べる。血小板は出血がある部分で粘着・凝集して血小板血栓を作り止血する。血小板が減少すると出血傾向になり，増加すると血栓傾向になる。出血や止血の状態を調べる。	高値（40万/μL以上）：本態性血小板血症，慢性骨髄性白血病，鉄欠乏性貧血，出血，摘脾，感染症，悪性腫瘍 低値（10万/μL以下）：再生不良性貧血，急性白血病，巨赤芽球性貧血，薬剤や放射線による骨髄抑制，特発性血小板減少性紫斑病（ITP），播種性血管内凝固症候群（DIC），血栓性血小板減少性紫斑病（TTP）
凝固線溶	プロトロンビン時間（PT）	基準時間：10.5〜13.5秒（血液が凝固するまでの時間）	血管外の組織中に存在する外因系凝固因子（第Ⅱ，Ⅴ，Ⅶ，Ⅹ因子）の異常を調べる。出血傾向のスクリーニング検査，ビタミンK欠乏，肝機能異常を調べる	高値（延長）：血液凝固因子欠乏（Ⅰ，Ⅱ，Ⅴ，Ⅶ，Ⅹ）ビタミンK欠乏症，重症肝障害，播種性血管内凝固症候群（DIC），薬剤（ワルファリン，ヘパリン）の影響
	PT-INR（プロトロンビン時間国際標準比：prothrombin time-international normalized ratio）	0.85〜1.15（ワルファリンコントロール時 INR2〜3で調整）	ワルファリンコントロール時に用い，PTに試薬ごとの国際感受性指数（ISI：International Sensitivity Index）を乗じた値 PT-INR＝(患者PT/正常PT)^{ISI}	

付録3 検査値の読み方

	検査項目	基準値（※）	検査目的	異常値の原因
凝固線溶	活性化部分トロンボプラスチン時間（APTT）	25.0〜36.0秒	血管内の組織中に存在する内因系凝固因子（第Ⅷ, Ⅸ, Ⅹ, Ⅺ, Ⅻ因子）の異常を調べる。血友病のスクリーニング検査，循環抗凝血素の存在を疑うとき調べる	高値（延長）：血液凝固因子欠乏（Ⅰ, Ⅱ, Ⅴ, Ⅷ, Ⅸ, Ⅹ, Ⅺ, Ⅻ）ビタミンK欠乏症，重症肝障害，播種性血管内凝固症候群（DIC），循環抗凝血素の存在，薬剤（ワルファリン，ヘパリン）の影響
	フィブリン分解産物（FDP）	5μg/mL未満	フィブリンは，プラスミンという酵素によって処理，分解され，このときにできる老廃物がフィブリン分解産物のFDPである。生体内の線溶系の活性化の状況や血栓症を把握するとき調べる	高値：播種性血管内凝固症候群（DIC），凝固亢進状態を招く疾患（ショック，悪性腫瘍，白血病，大手術，大動脈瘤など），血栓性血小板減少性紫斑病（TTP），溶血性尿毒症症候群（HUS），肝硬変
肝機能	AST（GOT）	10〜40 U/L	ASTは肝臓，心筋，骨格筋に多く含まれている酵素なので，それらの臓器や組織が障害（破壊）された場合，血液中のASTの値が異常に上昇する。肝臓，心筋（心臓の筋肉），骨格筋などの障害を調べる	高値：肝疾患（急性肝炎，慢性肝炎，アルコール性肝炎，肝硬変，肝がん，脂肪肝），心疾患（急性心筋梗塞），筋疾患（進行性筋ジストロフィ症，多発性筋炎，筋無力症），激しい運動，溶血
	ALT（GPT）	5〜45 U/L	ALTは肝細胞に多く含まれている酵素なので，肝細胞が障害（破壊）された場合，血液中のALTの値が異常に上昇。肝臓や胆道の障害を調べる	高値：肝疾患（急性肝炎，慢性肝炎，アルコール性肝炎，肝硬変，肝がん，脂肪肝），心疾患（急性心筋梗塞），筋疾患（進行性筋ジストロフィ症），胆汁うっ滞，伝染性単核症
	ALP（アルカリホスファターゼ）	38〜113 U/L	ALPはエネルギー代謝に関わる酵素のひとつで，ほとんど全ての臓器や組織に含まれており，特に胆道系の細胞に多く含まれているため，この細胞が障害を受けるとALPは高値になる。また，骨の成長に関わる骨芽細胞にも多く含まれているため，骨の病気の検査にも使われる。肝胆道系の異常を調べる	高値：肝疾患（急性肝炎，アルコール性肝炎，肝硬変，肝がん，原発性胆汁性肝硬変），胆道疾患（胆管癌，総胆管結石症，硬化性胆管炎），骨疾患（骨軟化症，骨肉腫，転移性骨腫瘍），小児期，妊娠末期，甲状腺機能亢進症，尿毒症

	検査項目	基準値（※）	検査目的	異常値の原因
肝機能	LDH（乳酸脱水素酵素）	120〜240 U/L	LDHは細胞内で糖がエネルギーに変わるときに働く酵素で肝細胞，心筋，骨格筋，血球など全身のあらゆる細胞に含まれている。肝臓，心筋（心臓の筋肉），骨格筋，血球の異常の有無を調べる	高値：肝疾患（急性肝炎，慢性肝炎，肝硬変，肝がん），心疾患（急性心筋梗塞，うっ血性心不全），筋疾患（多発性筋炎，筋ジストロフィ），悪性貧血，白血病，溶血性貧血
	γ-GTP（γ-グルタミルトランスペプチダーゼ）	男性：70 U/L以下 女性：30 U/L以下	γ-GTPは蛋白質を分解する酵素。肝胆道系異常やアルコール性肝障害を調べる	高値：肝疾患（アルコール性肝障害，アルコール性脂肪肝，常習飲酒，慢性肝炎，肝硬変，肝がん），胆道疾患（胆道炎，胆道閉鎖，胆道がん），胃がん，肺がん
	LAP（ロイシンアミノペプチダーゼ）	35〜73 U/L	LAPはロイシンなどの蛋白質を分解する酵素で，胆汁中に多く含まれており，胆のう，胆管を経て十二指腸に分泌される。肝胆道閉塞状態を調べる	高値：肝疾患（急性・慢性肝炎，肝硬変，脂肪肝，肝細胞がん），胆道系疾患（胆道がん，胆石症，胆のう炎，急性膵炎，膵臓がん），白血病，悪性リンパ腫，自己免疫性疾患，ウイルス感染症，皮膚炎
	ChE（コリンエステラーゼ）	男性：242〜495 U/L 女性：200〜459 U/L （JSCC標準化対応法）	コリンエステラーゼは肝細胞で合成されて体内のコリンエステルを分解する酵素である。肝実質機能の障害の有無を調べる	高値：ネフローゼ症候群，脂肪肝，糖尿病，甲状腺機能亢進症 低値：肝疾患（急性肝炎，慢性肝炎，肝硬変，肝がん），胆道閉塞症，膵炎，薬物中毒症
	T-Bil（総ビリルビン）	0.2〜1.2 mg/dL	ビリルビンは赤血球中のヘモグロビンが壊れてできる色素で，肝臓で処理（抱合）されて，胆汁を介して十二指腸に排泄される。このうち，肝臓で処理される前のビリルビンを間接ビリルビン，処理されたあとのビリルビンを直接ビリルビン，両方をあわせたものを総ビリルビンという。肝胆道系の障害を調べる	高値：溶血性黄疸，新生児黄疸，急性肝炎，肝硬変，原発性胆汁性肝硬変，肝内胆管閉塞，総胆管結石
	D-Bil（直接ビリルビン）	0.4 mg/dL以下	黄疸の原因が肝臓で処理（抱合）される以前の過程に問題があるのか，それより以降の過程に問題があるのかを評価するために総ビ	高値：急性肝炎，肝硬変，原発性胆汁性肝硬変，肝内胆管閉塞，総胆管結石

付録3 検査値の読み方

	検査項目	基準値（※）	検査目的	異常値の原因
蛋白			リルビンとともに測定。直接ビリルビンが高値になる疾患を調べる	
	TP（総蛋白）	6.7〜8.3 g/dL	血清中の総蛋白量を調べる。栄養状態，肝機能・腎機能の障害の有無を調べる	高値：自己免疫疾患，慢性炎症性疾患，肝硬変，悪性腫瘍，感染症，多発性骨髄腫，マクログロブリン血症 低値：栄養摂取不足，腸吸収不良症候群，急性肝炎，肝硬変，ネフローゼ症候群，蛋白漏出性胃腸症，急性感染症，慢性消耗性疾患，全身性浮腫，日焼け
	Alb（アルブミン）	3.8〜5.2 g/dL	アルブミンは血清蛋白中の約70％を占める蛋白質で，体内で浸透圧の維持や各種の物質と結合し，それらの運搬に関与し肝臓で合成される。栄養状態や肝機能障害の有無を調べる	高値：血液濃縮（脱水症） 低値：栄養摂取不足，腸吸収不良症候群，急性肝炎，肝硬変，ネフローゼ症候群，蛋白漏出性胃腸症，急性感染症，慢性消耗性疾患，全身性浮腫，日焼け
	アルブミン・グロブリン比（A/G比）	1.1〜2.1	血清中のアルブミンとグロブリンの比率を調べる。肝機能障害の有無を調べる	高値：無γ-グロブリン血症，低γ-グロブリン血症 低値：（アルブミン減少でA/G比が低下した時）栄養摂取不足，腸吸収不良症候群，急性肝炎，肝硬変，蛋白漏出性：ネフローゼ症候群，蛋白漏出性胃腸症，甲状腺機能亢進症 （グロブリンの上昇でA/G比が低下した時）自己免疫疾患，慢性炎症性疾患，肝硬変，悪性腫瘍，感染症，多発性骨髄腫，マクログロブリン血症
血清脂質	T-cho（総コレステロール）	150〜219 mg/dL	コレステロールをはじめ，糖・脂質代謝に異常をきたす疾患を調べる	高値：家族性高コレステロール血症，糖尿病，ネフローゼ症候群，動脈硬化症，多発性骨髄腫，閉塞性黄疸，甲状腺機能低下症，妊娠 低値：無β-リポ蛋白血症，低β-リポ蛋白血症，LCAT欠損症，甲状腺機能亢進症，重症肝障害，下垂体機能低下症

	検査項目	基準値（※）	検査目的	異常値の原因
血清脂質	LDL-C（LDLコレステロール）	70〜139 mg/dL	低比重リポ蛋白（LDL）に含まれるコレステロールがLDLコレステロールで，高値になると血管壁に沈着し動脈硬化が進みやすいといわれ悪玉コレステロールとも呼ばれる。動脈硬化や高脂血症の危険度を調べる	高値：動脈硬化症，ネフローゼ症候群，糖尿病，肥満，家族性高コレステロール血症，閉塞性黄疸 低値：肝硬変，慢性肝炎，甲状腺機能亢進症，家族性低コレステロール血症
	HDL-C（HDLコレステロール）	男性：40〜85 mg/dL 女性：40〜95 mg/dL	高比重リポ蛋白（HDL）に含まれるコレステロールがHDLコレステロールで，LDLコレステロールなどが血管に沈着するのを取り除く働きをするため，善玉コレステロールと呼ばれ，動脈硬化を防ぐ働きをする。動脈硬化の危険度を調べる	高値：家族性高αリポ蛋白血症，閉塞性肺疾患，原発性胆汁性肝硬変，アルコール飲用，運動 低値：LCAT欠損症，LPL欠損症，糖尿病，肥満，脳梗塞，冠状動脈硬化症，慢性腎不全，肝硬変，甲状腺機能異常，喫煙
	TG（中性脂肪）	30〜149 mg/dL	中性脂肪は脂質の一種で多くなると動脈硬化性疾患の原因となる。動脈硬化や高脂血症の危険度を調べる	高値：高カイロミクロン血症，LPL欠損症，糖尿病，肥満，動脈硬化，痛風，甲状腺機能低下症，クッシング症候群，ネフローゼ症候群，閉塞性黄疸，急性・慢性膵炎 低値：無β-リポ蛋白血症，低β-リポ蛋白血症，甲状腺機能亢進症，下垂体機能低下症，肝硬変，アジソン病
代謝系	CPK（CK）（クレアチンキナーゼ）	男性：60〜270 u/L 女性：40〜150 u/L	CPKは筋肉に多量に存在する酵素で，筋肉細胞のエネルギー代謝に重要な役割を果たしている。骨格筋，心筋，脳などの障害の有無を調べる	高値：進行性筋ジストロフィ，多発性筋炎，皮膚筋炎，急性心筋梗塞，心筋炎，脳血栓，脳梗塞，脳損傷，甲状腺機能低下症，悪性腫瘍，薬物中毒 低値：甲状腺機能亢進症，全身性エリテマトーデス，シェーグレン症候群，関節リウマチ
	AMY（アミラーゼ）	40〜122 u/L（血清） 65〜840 u/L（尿）	アミラーゼは膵臓，唾液腺を始め，卵巣，小腸，肝臓，肺などに存在する消化酵素で，特に膵臓の細胞に多量に存在する。血中のアミラーゼには膵臓由来のP型と唾液腺由来のS型の	高値：膵疾患：急性膵炎，慢性膵炎，膵のう胞，流行性耳下腺炎，十二指腸潰瘍，腸閉塞，腹膜炎，卵巣がん，腎不全 低値：膵がん（末期），膵切除（膵頭部十二指腸切除，

付録3 検査値の読み方

	検査項目	基準値（※）	検査目的	異常値の原因
代謝系			アイソザイムが存在する。膵臓，唾液腺などの機能障害を調べる	膵全摘，放射線治療後（下顎部，頸部）シェーグレン症候群，唾液腺摘出後
	UA（尿酸）	男性：3.8〜7.0 mg/dL 女性：2.5〜7.0 mg/dL	尿酸はプリン体の最終代謝産物で主として腎臓より尿中に排泄される。プリン体代謝異常や腎機能障害の有無を調べる	高値：若年性痛風，白血病，高脂血症，腎不全 低値：肝硬変，キサンチン尿症，ファンコニー症候群，ウィルソン症候群，糸球体腎炎
腎機能	BUN（血中尿素窒素）	8〜22 mg/dL	尿素窒素は血液中の尿素の中に含まれる窒素のことで腎臓から尿に排泄される。腎臓や尿路系や肝臓の障害を調べる	高値：腎前性（脱水症，重症心不全，消化管出血），腎性（腎炎，尿毒症，ネフローゼ症候群，腎結石），腎後性（尿管閉塞，膀胱腫瘍） 低値：中毒性肝炎，劇症肝炎，肝硬変の末期，尿崩症，末端肥大症
	Cre（クレアチニン）	男性：0.61〜1.04 mg/dL 女性：0.47〜0.79 mg/dL	クレアチニンは筋肉内で作られて，腎臓の糸球体でろ過されて尿中へ排泄される。腎機能が低下すると血液中のクレアチニン濃度が高値になる。さらに，クレアチニンは筋肉内で合成されるため筋肉の量に比例し筋ジストロフィ症などの筋肉の萎縮する病気では低値になる。腎臓の障害の有無を調べる	高値：GFR（糸球体ろ過率）低下（糸球体腎炎，腎不全），血液濃縮（脱水症，火傷） 低値：尿排泄量増加（尿崩症，妊娠），筋萎縮（筋ジストロフィ）
	シスタチンC	男性：0.61〜1.00 mg/L 女性：0.51〜0.82 mg/L	腎糸球体で濾過されて，近位尿細管で再吸収・分解されるため，糸球体濾過量（GFR）が低下すると血清シスタチンCは上昇し，その上昇度はGFRの低下を反映。腎機能を調べる	高値：腎機能低下，糸球体腎炎，腎硬化症，ショックなど
電解質	Na（ナトリウム）	136〜147 mEq/L	ナトリウムは，血清中の陽イオンの約90％以上を占め，からだの水分の保持や浸透圧の調節（酸・塩基平衡）をしている。体液水分量の平衡状態を調べる	高値：嘔吐，下痢，発汗過多（熱中症），尿崩症，高Ca血症，クッシング症候群，口渇中枢障害 低値：腎不全，ネフローゼ症候群，心不全，肝硬変，アジソン病，妊娠中毒症，利尿剤・抗生物質投与

	検査項目	基準値（※）	検査目的	異常値の原因
電解質	K（カリウム）	3.6〜5.0 mEq/L	カリウムは，神経の興奮や心筋（心臓の筋肉）の働きを助け，生命活動の維持調節に重要な電解質のひとつである。腎臓，筋肉，神経などの状態を調べる	高値：細胞内からの移動（代謝性アシドーシス，インスリン欠乏，薬物の影響），腎臓での排泄低下（腎不全，アジソン病，低アルドステロン症），溶血，白血球増多，血小板増多 低値：細胞内への移動（代謝性アルカローシス，インスリン投与，高濃度輸液），消化管からの喪失（嘔吐，下痢，吸収不良性症候群），腎臓からの喪失（原発性アルドステロン症，クッシング症候群，利尿剤の影響）
	Cl（クロール）	98〜108 mEq/L	クロールは血清中の陰イオンの約70％を占め，からだの水分の保持や浸透圧の調節（酸・塩基平衡）などの働きをしている。水代謝異常や酸・塩基平衡の状態を調べる	高値：ネフローゼ症候群，腎不全，クッシング症候群，脱水症，食塩の過剰摂取 低値：激しい嘔吐，アジソン病，尿崩症，食塩の摂取不足
	Ca（カルシウム）	8.4〜10.4 mg/dL	カルシウムはNa・Kとの拮抗作用，浸透圧の調節，筋肉や神経の興奮度の調節，血液凝固や酵素活性を賦活化させる。骨の異常，副甲状腺などの疾患の有無を調べる	高値：ビタミンD過剰，原発性副甲状腺機能亢進症，甲状腺機能亢進症，悪性腫瘍，サルコイドーシス，結核，リチウム，サイアザイド系利尿剤投与時 低値：ビタミンD欠乏症および活性化障害（くる病），吸収不良症候群，ネフローゼ症候群
	P（無機リン）	2.5〜4.5 mg/dL	リンは副甲状腺ホルモンおよびビタミンDにより調節される生体内の重要な無機物でCaと同様に骨ミネラルの重要な構成成分である。内分泌の異常，骨代謝異常を調べる	高値：原発性副甲状腺機能低下症，甲状腺機能亢進症，腎不全，重症溶血症，糖尿病性アシドーシス 低値：副甲状腺機能亢進症，尿細管アシドーシス
貧血	Fe（血清鉄）	男性：50〜200 μg/dL 女性：40〜180 μg/dL	鉄は血色素（ヘモグロビン）を形成する重要な元素である。血液疾患や鉄代謝異常を調べる	高値：溶血性貧血，再生不良性貧血，サラセミア，ヘモジデローシス，肝炎，肝硬変 低値：鉄欠乏性貧血，多血症，慢性感染症，膠原病，悪性腫瘍

付録3　検査値の読み方

	検査項目	基準値（※）	検査目的	異常値の原因
貧血	TIBC（総鉄結合能）	男性：253〜365μg/dL 女性：246〜410μg/dL	血清中のトランスフェリンの1/3が鉄と結合し，残りの2/3は鉄と結合しない状態で存在する。総鉄結合能は血清中のトランスフェリンが結合しうる総鉄量。総鉄結合能（TIBC）＝不飽和鉄結合能（UIBC）＋血清鉄（Fe）。Fe（血清鉄）と同時に測定することにより，鉄代謝異常を調べる	高値：鉄欠乏性貧血，真性多血症 低値：ネフローゼ症候群，慢性感染症，膠原病，悪性腫瘍
	UIBC（不飽和鉄結合能）	男性：104〜259μg/dL 女性：108〜325μg/dL	不飽和鉄結合能は未結合の2/3のトランスフェリンと鉄が結合しうる量 不飽和鉄結合能（UIBC）＝総鉄結合能（TIBC）－血清鉄（Fe）。Fe（血清鉄）と同時に測定することにより，鉄代謝異常を調べる	高値：鉄欠乏性貧血，真性多血症 低値：ヘモジデローシス，ネフローゼ症候群，再生不良性貧血，慢性感染症，膠原病，悪性腫瘍
	フェリチン	男性：39.4〜340 ng/mL 女性：3.6〜114 ng/mL	フェリチンは球形のアポフェリチンの中に鉄を貯蔵する可溶性蛋白である。また造血系の腫瘍（白血病，骨髄腫など）や肝がん，膵がん，肺がん，卵巣がんなどの多くのがんで高値を示す。体内貯蔵鉄の状態とがんのスクリーニングに用いる	高値：ヘモクロマトーシス，ヘモジデローシス，再生不良性貧血，白血病，多発性骨髄腫，悪性リンパ腫，肺がん，肝がん，膵がん，卵巣がん 低値：鉄欠乏性貧血，消化器腫瘍，消化器潰瘍，真性多血症，ビタミンC欠乏症，妊娠
糖尿病	GLU（血糖）	70〜109 mg/dL（空腹時採血）	血液中のブドウ糖の濃度を測定する。糖尿病や低血糖を呈する各種の糖代謝異常を調べる	高値：糖尿病，膵臓がん，膵炎，先端巨大症，甲状腺機能亢進症，クッシング症候群，ストレス，肥満 低値：インスリノーマ，肝硬変，肝臓がん，甲状腺機能低下症，下垂体機能低下症，過剰のインスリン注射，経口糖尿病降下剤の使用，激しい運動，絶食
	HbA1c（ヘモグロビンA1c）	4.6〜6.2%（NGSP値）	赤血球中のヘモグロビンと血液中のブドウ糖とが結合したものをグリコヘモグロビンといい，血液中に糖が多いほどグリコヘモグロビンも多くなる。このグリコヘモグロビンの1つが	高値：糖尿病，その他の高血糖を呈する疾患 低値：溶血性貧血や出血などで赤血球寿命が短縮し，網赤血球が増加している場合

	検査項目	基準値（※）	検査目的	異常値の原因
糖尿病			HbA1cで，HbA1cは赤血球が死滅するまでは消滅しないので過去1～2カ月間の血糖コントロール状態を反映する	
	インスリン（IRI）	1.7～10.4 μU/mL（空腹時）	血液中のインスリン量を測定する。インスリンはすい臓のランゲルハンス島のβ細胞で合成・分泌され血糖値を低下させるホルモン。糖尿病の診断や病態把握や，耐糖能異常の原因を調べる	高値：インスリノーマ，肥満，肝疾患，Cushing症候群，末端肥大症，異常インスリン血症，インスリン受容体異常症，インスリン自己免疫症候群 低値：糖尿病，低栄養状態，原発性アルドステロン症，低血糖症（膵外腫瘍，下垂体・副腎不全），膵がん
	グリコアルブミン	11～16%	グリコアルブミンとはアルブミンがブドウ糖と結合したもので，血液中のすべてのアルブミンのうちグリコアルブミンがどのくらいの割合を占めているかをパーセントで表している。グリコアルブミンは過去1～2週間前の血糖状態を反映している	高値：糖尿病，甲状腺機能低下症 低値：ネフローゼ症候群，肝硬変
	1,5-AG	14 μg/mL 以上	1,5-AGは主に食物から供給され，1日の尿中排泄量と経口摂取量はほぼ一定になっているが，糖尿病などで糖の排泄（尿糖）が増加すると，尿中への排泄量が増加し血中濃度は低下する。このため，軽症糖尿病のごく最近の血糖変動の把握に優れている。	低値：糖尿病，腎性糖尿，腎不全
	CPR（C-ペプチド）	血清：0.6～1.8 ng/mL 尿：20.1～155 μg/日	CPRはプロインスリンからインスリンを分解生成する過程に切り離されて生じる副産物である。プロインスリンから等モルのインスリンとC-ペプチドが生じ，両者の血中分泌動態には基本的に並行関係が存在することから，C-ペプチドの測定によってインスリンに代えることができる	高値：インスリノーマ，肥満，肝疾患，Cushing症候群，末端肥大症，異常インスリン血症，インスリン受容体異常症，インスリン自己免疫症候群 低値：糖尿病，低栄養状態，原発性アルドステロン症，低血糖症（膵外腫瘍，下垂体・副腎不全），膵がん

付録3　検査値の読み方

	検査項目	基準値（※）	検査目的	異常値の原因
免疫血清	CRP（C反応性蛋白）	定量法：0.3 mg/dL以下	CRPは炎症マーカーとして利用されている蛋白で、体内に急性炎症や組織崩壊がある場合に血液中に増加する。炎症や組織障害の有無と程度を調べる	高値：感染症，悪性腫瘍，自己免疫疾患，組織壊死，炎症性疾患
	RAテスト	陰性（−）	リウマトイド因子（RA）は関節リウマチの大部分の人がもつ抗体。リウマトイド因子の有無により慢性関節リウマチを調べる	陽性：関節リウマチ（RA），膠原病（全身性エリテマトーデス，シェーグレン症候群など），慢性肝疾患，慢性感染症
	HBs抗原	陰性（−）	B型肝炎ウイルスに感染しているかどうかを調べる	陽性：HBV無症候性キャリア，急性肝炎，慢性肝炎，肝硬変，肝がん
	HBs抗体	陰性（−）	HBs抗体はHBs抗原に対する中和抗体で、急性B型肝炎発症後の6カ月以降に陽性となる。またHBワクチン接種によっても抗体を獲得できるため，これらの治療や効果判定に用いられる	陽性：急性B型肝炎治癒後6カ月以降，HBV感染既往をもつ症例，HBワクチンによる抗体獲得
	HBe抗原	陰性（−）	HBe抗原陽性はHBVが盛んに増殖していることを表し，HBe抗原の陰性化はおおむね慢性肝炎の沈静化を意味する	陽性：HBV量が多い（感染性が強い）活動性肝炎
	HCV抗体	陰性（−）	HCV抗体の有無により，ウイルスに感染しているかどうかが調べる	陽性：急性肝炎，慢性肝炎，肝硬変，肝がん
	HIV抗体	陰性（−）	エイズ（後天性免疫不全症候群）に感染しているかどうかを調べる	陽性：HIV感染症
	非特異的IgE(CLEIA)	170 IU/mL以下	IgEはⅠ型（即時型）アレルギーに関与する免疫グロブリン。アレルギー体質の診断，経過観察の目的でIgEの総量を測定するもの。全体的なアレルギーの程度を調べる	高値：気管支喘息(アトピー性)，アトピー性皮膚炎，アレルギー性鼻炎，花粉症，寄生虫感染，IgE骨髄腫，膠原病，肝疾患 低値：IgE以外の骨髄腫，慢性リンパ性白血病，サルコイドーシス，低γ-グロブリン血症，石綿肺など

	検査項目	基準値（※）	検査目的	異常値の原因
甲状腺	FT3（フリーT3）	2.1～4.1 pg/mL	甲状腺ホルモンには、トリヨードサイロニン（T3）とサイロキシン（T4）という二種類があり、TSH（甲状腺刺激ホルモン）の刺激を受けて甲状腺から分泌される。血液中のT3とT4は、ほとんどが甲状腺ホルモン結合蛋白と結合した状態で血液中を流れており、そのごく一部が遊離型ホルモン（FT3、FT4）として全身で作用する。甲状腺機能を調べる	高値：甲状腺機能亢進症（バセドウ病）、TSH産生腫瘍、亜急性甲状腺炎、無痛性甲状腺炎等 低値：甲状腺機能低下症（橋本病、特発性粘液水腫）
	FT4（フリーT4）	1.0～1.7 ng/dL		
	TSH（甲状腺刺激ホルモン）	0.39～4.01 μIU/mL		高値：クレチン病（先天性甲状腺機能低下症）、慢性甲状腺炎（橋本病）、下垂体TSH産生腫瘍 低値：甲状腺機能低下症、バセドウ病
心	BNP（脳性ナトリウム利尿ポリペプチド）	18.4 pg/mL 以下	BNPは心臓から分泌されるホルモンの一種で、心筋梗塞や心不全のような心臓に負担がかかった状態になると心臓（主に心室）から血液中に分泌される。心不全の病態把握や確定診断、治療効果を調べる	高値：心不全、心筋梗塞、高血圧、慢性腎不全、ネフローゼ症候群、クッシング症候群、甲状腺機能亢進症 低値：脱水状態、利尿薬の影響 ※NT-proBNPは検体の安定性がBNPより高い。検査を外注する施設で重用
	NT-proBNP（脳性ナトリウム利尿ペプチド前駆体N端フラグメント）	125 pg/mL 以下		
腫瘍	CEA（がん胎児性抗原）	5.0 ng/mL 以下	胎児の消化器組織だけに見られる蛋白の一種で、消化器系がん患者の血液に多いことから、消化器がんを調べる	陽性：大腸がん、胃がん、膵がん、乳がん、肺がん、膀胱がん、卵巣がん、子宮頸部がん 偽陽性：肝硬変、肝炎、肺疾患、潰瘍性大腸炎
	AFP（αフェトプロテイン）	10.0 ng/mL 以下	妊娠早期の胎児に見られる血清蛋白の一種で、健康な人の血液には含まれない。肝臓がんや肝臓の病気を調べる	陽性：肝細胞がん、転移性肝がん、ヨークサック腫瘍、肝硬変、慢性肝炎、乳児肝炎、チロシン血症
	PSA（前立腺特異抗原）	4.0 ng/mL 以下	前立腺の異常、特に前立腺がんを調べる	陽性：前立腺がん 偽陽性：前立腺肥大症等
	CA19-9	37.0 U/mL 以下	消化器系（特に膵臓、胆道）がんを調べる	陽性：膵がん（陽性率80％前後）、胆道がん（陽性率70％前後）、大腸がん（陽性率40％前後）、その他のがん（胃がん、肝がん） 偽陽性：良性疾患（膵炎、胆道結石、肝炎）

	検査項目	基準値（※）	検査目的	異常値の原因
腫瘍	CA-125	35 U/mL 以下	卵巣がんを調べる	**陽性**：卵巣がん，膵がん，子宮頸がん，子宮内膜症，良性卵巣腫瘍，子宮筋腫，腹膜炎
	PIVKA-Ⅱ	40 mAU/mL 未満	血液凝固第Ⅱ因子であるプロトロンビンの肝における不全生成物。肝細胞がんに特異性が高い	**陽性**：肝細胞がん **偽陽性**：慢性肝炎，肝硬変，肝内胆汁うっ滞，ビタミンK欠乏性出血症，呼吸不全症候群，ワルファリン投与時

索　引

1．ゴシック体は商品名，明朝体は成分名を表す
2．複数のページが記載されている品目のうち，下線を引いたページは主の薬効を表す
3．本文に掲載していない商品名も掲載した

数字

3TC（ラミブジン）……………………556,917
5'-DFUR（ドキシフルリジン）………………995
5-FC（フルシトシン）…………………………886

英字

ABC（アバカビル硫酸塩）……………………917
ABC・3TC（ラミブジン・アバカビル硫酸塩）…917
ABPC（アンピシリン水和物）………………851
AMK（アミカシン硫酸塩）……………………870
AMPC（アモキシシリン水和物）……………851
AMPH-B（アムホテリシンB）………………886
ATP→
　　アデノシン三リン酸二ナトリウム水和物……89
ATV（アタザナビル硫酸塩）…………………925
AZM（アジスロマイシン水和物）………205,859
AZT・3TC（ジドブジン・ラミブジン）……917
AZ含嗽用配合→アズレンスルホン酸ナトリウム
　　水和物・炭酸水素ナトリウム………………466
AZ点眼液→
　　アズレンスルホン酸ナトリウム水和物……216
BAPC（バカンピシリン塩酸塩）……………851
BDQ（ベダキリンフマル酸塩）………………876
BIC・TAF・FTC（ビクテグラビルナトリウム・
　　エムトリシタビン・テノホビルアラフェナミド
　　フマル酸塩）……………………………933
CAM（クラリスロマイシン）…………………859
CCL（セファクロル）…………………………854
CEX（セファレキシン）………………………854
CFDN（セフジニル）…………………………854
CFIX（セフィキシム）…………………………854
CFPN-PI（セフカペンピボキシル塩酸塩水和物）
　　………………………………………………854
CFTM-PI（セフテラムピボキシル）…………854
CLDM（クリンダマイシン）………………655,870

CPA（シクロホスファミド水和物）…………993
CPDX-PR（セフポドキシムプロキセチル）……854
CPFX（シプロフロキサシン塩酸塩）………861
CPM（シクロホスファミド水和物）…………993
CPTR-PI（セフジトレンピボキシル）………854
CS（サイクロセリン）…………………………876
CXD（セフロキサジン水和物）………………854
CXM-AX（セフロキシムアキセチル）………854
d-クロルフェニラミンマレイン酸塩…………232
d-クロルフェニラミンマレイン酸塩・
　　ベタメタゾン………………………232,564
D・E・X点眼液→デキサメタゾンメタスルホ
　　安息香酸エステルナトリウム………………203
dl-イソプレナリン塩酸塩………………………89
DLM（デラマニド）……………………………876
DOR（ドラビリン）……………………………921
DRV（ダルナビルエタノール付加物）………925
DRV・COBI（ダルナビルエタノール付加物・
　　コビシスタット）……………………………925
DRV・COBI・TAF・FTC（ダルナビルエタノール
　　付加物・コビシスタット・エムトリシタビン・
　　テノホビルアラフェナミドフマル酸塩）……925
DTG（ドルテグラビルナトリウム）…………931
DTG・3TC（ドルテグラビルナトリウム・
　　ラミブジン）………………………………933
DTG・ABC・3TC（ドルテグラビルナトリウム・
　　アバカビル硫酸塩・ラミブジン）…………933
DTG・RPV（ドルテグラビルナトリウム・
　　リルピビリン塩酸塩）………………………933
EB（エタンブトール塩酸塩）…………………876
EEエスワン配合→テガフール・ギメラシル・
　　オテラシルカリウム…………………………995
EFV（エファビレンツ）………………………921
EM（エリスロマイシンステアリン酸塩）……859
EMP（エストラムスチンリン酸エステル
　　ナトリウム水和物）…………………………1002
EPA（イコサペント酸エチル）……………395,756

― 1069 ―

EPA・DHA（オメガ-3脂肪酸エチル）············· 395
EPL→ポリエンホスファチジルコリン············· 403
ES ポリタミン配合······························· 741
ETH（エチオナミド）····························· 876
ETR（エトラビリン）····························· 921
EVG・COBI・FTC・TAF（エルビテグラビル・
　　コビシスタット・エムトリシタビン・
　　テノホビルアラフェナミドフマル酸塩）····· 933
EVG・COBI・FTC・TDF（エルビテグラビル・
　　コビシスタット・エムトリシタビン・
　　テノホビルジソプロキシルフマル酸塩）····· 933
FAD→
　　フラビンアデニンジヌクレオチドナトリウム ··· 701
FAD 点眼液→フラビンアデニンジヌクレオチド
　　ナトリウム································· 213
FDX（フィダキソマイシン）····················· 859
FK 配合··· 499
FLCZ（フルコナゾール）························· 886
FOM（ホスホマイシンカルシウム水和物）········· 870
FPV（ホスアンプレナビルカルシウム水和物）····· 925
FRPM（ファロペネムナトリウム水和物）········· 870
FT（テガフール）································ 995
FTC（エムトリシタビン）························ 917
FTC・TAF（エムトリシタビン・テノホビル
　　アラフェナミドフマル酸塩）················· 917
FTD・TPI（トリフルリジン・チピラシル塩酸塩）
　　··· 995
GRNX（メシル酸ガレノキサシン水和物）········· 861
HM·· 499
INH（イソニアジド）····························· 876
ITCZ（イトラコナゾール）······················· 890
K．C．L．→塩化カリウム······················· 729
KM··· 499
KM（カナマイシン硫酸塩）······················· 870
L-アスパラギン酸カリウム······················· 729
L-アスパラギン酸カルシウム水和物··········· 709,731
L-エチルシステイン塩酸塩······················· 462
L-カルボシステイン····························· 462
L-グルタミン・アズレンスルホン酸ナトリウム
　　水和物····································· 488
L-ケフラール→セファクロル····················· 854
L-ケフレックス→セファレキシン················· 854
L-ケフレックス小児用→セファレキシン··········· 854
LPV・RTV（ロピナビル・リトナビル）············ 925
LSFX（ラスクフロキサシン塩酸塩）··············· 861

LVFX（レボフロキサシン水和物）··········· 205,861
LZD（リネゾリド）······························· 866
MCZ（ミコナゾール）················· 613,664,893
MDS コーワ→デキストラン硫酸エステル
　　ナトリウム································· 403
MFLX（モキシフロキサシン塩酸塩）········· 205,861
MINO（ミノサイクリン塩酸塩）··················· 870
MMD 配合······································· 499
M・M 配合······································· 499
MNZ（メトロニダゾール）··················· 613,902
MPA（メドロキシプロゲステロン酢酸エステル）
　　·································· 585,1002
MS 温シップ···································· 658
MS コンチン→モルヒネ硫酸塩水和物··············· 55
MS ツワイスロン→モルヒネ硫酸塩水和物··········· 55
MS 冷シップ···································· 658
MTX（メトトレキサート）·············· 257,672,995
MVC（マラビロク）······························ 937
NFLX（ノルフロキサシン）··················· 205,861
NIM 配合·· 499
NVP（ネビラピン）······························ 921
OFLX（オフロキサシン）··············· 205,228,861
PCX（ダルナビルエタノール付加物・
　　コビシスタット）··························· 925
PCZ（プロカルバジン塩酸塩）··················· 993
PL-B（ポリミキシン B 硫酸塩）·················· 870
PL 配合·· 38
PL 配合〔幼児用〕······························· 38
PRM（パロモマイシン硫酸塩）··················· 902
PSCZ（ポサコナゾール）························· 886
PUFX（プルリフロキサシン）····················· 861
PZA（ピラジナミド）····························· 876
RAL（ラルテグラビルカリウム）················· 931
RBT（リファブチン）····························· 876
RBV（リバビリン）······························ 550
RFP（リファンピシン）··························· 876
RPV（リルピビリン塩酸塩）····················· 921
RPV・TAF・FTC（リルピビリン塩酸塩・
　　エムトリシタビン・テノホビルアラフェナミド
　　フマル酸塩）······························· 921
RTV（リトナビル）······························ 925
RXM（ロキシスロマイシン）····················· 859
SBTPC（スルタミシリントシル酸塩水和物）······ 851

SMT（ダルナビルエタノール付加物・
　　コビシスタット・エムトリシタビン・
　　テノホビルアラフェナミドフマル酸塩）‥‥925
S・M 配合‥‥‥‥‥‥‥‥‥‥‥‥‥‥‥‥499
SOF（ソホスブビル）‥‥‥‥‥‥‥‥‥‥‥550
SP トローチ→デカリニウム塩化物‥‥‥‥‥468
STFX（シタフロキサシン水和物）‥‥‥‥‥861
TAM（タモキシフェンクエン酸塩）‥‥‥‥1002
TBF（テルビナフィン塩酸塩）‥‥‥‥664,890
TBPM-PI（テビペネムピボキシル）‥‥‥‥870
TDF（テノホビルジソプロキシルフマル酸塩）
　　‥‥‥‥‥‥‥‥‥‥‥‥‥‥‥‥556,917
TDF・FTC（エムトリシタビン・
　　テノホビルジソプロキシルフマル酸塩）‥‥917
TFLX（トスフロキサシントシル酸塩水和物）
　　‥‥‥‥‥‥‥‥‥‥‥‥‥‥‥‥205,861
TGF（テガフール）‥‥‥‥‥‥‥‥‥‥‥995
TMZ（テモゾロミド）‥‥‥‥‥‥‥‥‥‥993
TM 配合‥‥‥‥‥‥‥‥‥‥‥‥‥‥‥‥499
TOR（トレミフェンクエン酸塩）‥‥‥‥‥1002
VCM（バンコマイシン塩酸塩）‥‥‥‥205,870
VRCZ（ボリコナゾール）‥‥‥‥‥‥‥‥886
YM‥‥‥‥‥‥‥‥‥‥‥‥‥‥‥‥‥‥499
ZDV（ジドブジン）‥‥‥‥‥‥‥‥‥‥‥917

ア

アイクルシグ→ポナチニブ塩酸塩‥‥‥‥‥1009
アイスフラット懸濁用配合→乾燥水酸化アルミ
　　ニウムゲル・水酸化マグネシウム‥‥‥485
アイセントレス→ラルテグラビルカリウム‥‥931
アイドロイチン点眼液→コンドロイチン硫酸
　　エステルナトリウム‥‥‥‥‥‥‥‥213
アイトロール→一硝酸イソソルビド‥‥‥‥347
アイピーディ→スプラタストトシル酸塩‥‥246
アイファガン点眼液→ブリモニジン酒石酸塩‥191
アイベータ配合点眼液→ブリモニジン酒石酸塩・
　　チモロールマレイン酸塩‥‥‥‥‥‥191
アイミクス配合→イルベサルタン・
　　アムロジピンベシル酸塩‥‥‥‥‥‥288
アイラミド配合懸濁性点眼液→
　　ブリモニジン酒石酸塩・ブリンゾラミド‥‥191
亜鉛華リニメント・フェノール‥‥‥‥‥‥662
アカラブルチニブ‥‥‥‥‥‥‥‥‥‥‥1009
アカルボース‥‥‥‥‥‥‥‥‥‥‥‥‥‥813

アカンプロサートカルシウム‥‥‥‥‥‥‥783
アキシチニブ‥‥‥‥‥‥‥‥‥‥‥‥‥1009
アキネトン→ビペリデン塩酸塩‥‥‥‥‥‥155
アクアチム→ナジフロキサシン‥‥‥‥653,655
アクセノン→エトトイン‥‥‥‥‥‥‥‥‥22
アクタリット‥‥‥‥‥‥‥‥‥‥‥‥‥‥257
アクテムラ→トシリズマブ‥‥‥‥‥‥‥‥265
アクトシン→ブクラデシンナトリウム‥‥‥680
アクトス→ピオグリタゾン塩酸塩‥‥‥‥‥810
アクトネル→リセドロン酸ナトリウム水和物‥709
アクリジニウム臭化物‥‥‥‥‥‥‥‥‥‥435
アクロマイシン→テトラサイクリン塩酸塩‥‥653
アクロマイシントローチ→
　　テトラサイクリン塩酸塩‥‥‥‥‥‥468
アコチアミド塩酸塩水和物‥‥‥‥‥‥‥‥523
アコニップ→インドメタシン‥‥‥‥‥‥‥658
アコファイド→アコチアミド塩酸塩水和物‥‥523
アサコール→メサラジン‥‥‥‥‥‥‥‥‥531
アザチオプリン‥‥‥‥‥‥‥‥‥‥‥‥1031
アザニン→アザチオプリン‥‥‥‥‥‥‥1031
アザルフィジン EN→
　　サラゾスルファピリジン‥‥‥‥‥‥257
アシクロビル‥‥‥‥‥‥‥‥‥‥212,693,911
アジスロマイシン水和物‥‥‥‥‥‥205,859
アシタザノラスト水和物‥‥‥‥‥‥‥‥‥210
アシドレス配合→乾燥水酸化アルミニウムゲル・
　　水酸化マグネシウム‥‥‥‥‥‥‥‥485
アシノン→ニザチジン‥‥‥‥‥‥‥‥‥‥475
アジマイシン点眼液→アジスロマイシン水和物‥205
アジルサルタン‥‥‥‥‥‥‥‥‥‥‥‥‥288
アジルサルタン・アムロジピンベシル酸塩‥‥288
アジルバ→アジルサルタン‥‥‥‥‥‥‥‥288
アジレクト→ラサギリンメシル酸塩‥‥‥‥155
アスコルビン酸‥‥‥‥‥‥‥‥‥‥‥‥‥703
アスコルビン酸・カルバゾクロム配合剤‥‥‥743
アスコルビン酸・パントテン酸カルシウム‥‥705
アスタット→ラノコナゾール‥‥‥‥‥‥‥664
アストミン→ジメモルファンリン酸塩‥‥‥460
アズノール→
　　アズレンスルホン酸ナトリウム水和物‥‥466
アズノール→ジメチルイソプロピルアズレン‥680
アズノール ST→アズレンスルホン酸ナトリウム
　　水和物‥‥‥‥‥‥‥‥‥‥‥‥‥‥470
アスパラ-CA→
　　L-アスパラギン酸カルシウム水和物‥709,731

アスパラカリウム→
　L-アスパラギン酸カリウム……………729
アスパラギン酸カリウム〔L-〕…………729
アスパラギン酸カルシウム水和物〔L-〕……709,731
アスピリン………………………………43,756
アスピリン・クロピドグレル硫酸塩…………756
アスピリン・ダイアルミネート…………43,756
アスピリン・ボノプラザンフマル酸塩…………756
アスピリン・ランソプラゾール………………756
アスファネート配合→
　アスピリン・ダイアルミネート……………756
アスプール→dl-イソプレナリン塩酸塩………89
アスペノン→アプリンジン塩酸塩……………361
アスベリン→チペピジンヒベンズ酸塩………465
アズマネックス→モメタゾンフランカルボン酸
　エステル…………………………………437
アズレイ→
　アズレンスルホン酸ナトリウム水和物……466
アズレン→
　アズレンスルホン酸ナトリウム水和物……466
アズレン含嗽液アーズミン→
　アズレンスルホン酸ナトリウム水和物……466
アズレン含嗽用→
　アズレンスルホン酸ナトリウム水和物……466
アズレンスルホン酸ナトリウム水和物
　………………………………216,466,470
アズレンスルホン酸ナトリウム水和物・
　L-グルタミン……………………………488
アズレンスルホン酸ナトリウム水和物・
　炭酸水素ナトリウム……………………466
アズレン点眼液→
　アズレンスルホン酸ナトリウム水和物……216
アセタゾラミド………………………………22,273
アセチルフェネトライド………………………22
アセトアミノフェン……………………………38
アセトアミノフェン・トラマドール塩酸塩……55
アセナピンマレイン酸塩……………………110
アゼプチン→アゼラスチン塩酸塩……………235
アセメタシン……………………………………43
アゼラスチン塩酸塩…………………………235
アゼルニジピン………………………………282
アゼルニジピン・オルメサルタンメドキソミル
　………………………………………288
アゾセミド………………………………………273
アゾルガ配合懸濁性点眼液→ブリンゾラミド・

チモロールマレイン酸塩………………191
アタザナビル硫酸塩……………………925
アタバニン→ラクトミン…………………517
アダパレン…………………………………655
アダパレン・過酸化ベンゾイル…………655
アダプチノール→ヘレニエン………………188
アタラックス→ヒドロキシジン塩酸塩………123
アタラックス-P→ヒドロキシジンパモ酸塩……123
アダラートCR→ニフェジピン……………282
アダリムマブ……………………………265,672
アーチスト→カルベジロール………………305
アデカット→デラプリル塩酸塩……………296
アテキュラ→モメタゾンフランカルボン酸
　エステル・インダカテロール酢酸塩……442
アデスタン→イソコナゾール硝酸塩……613,664
アテディオ配合→
　バルサルタン・シルニジピン……………288
アデノシン三リン酸二ナトリウム水和物……89
アテノロール……………………………305,365
アデホスコーワ→
　アデノシン三リン酸二ナトリウム水和物……89
アデホビルピボキシル……………………556
アデムパス→リオシグアト…………………374
アテレック→シルニジピン…………………282
アーテン→トリヘキシフェニジル塩酸塩……155
アドエア→サルメテロールキシナホ酸塩・
　フルチカゾンプロピオン酸エステル……442
アドシルカ→タダラフィル…………………374
アトーゼット配合→エゼチミブ・
　アトルバスタチンカルシウム水和物……384
アドソルビン→天然ケイ酸アルミニウム……519
アドナ→カルバゾクロムスルホン酸ナトリウム
　水和物…………………………………743
アトバコン…………………………………897
アトバコン・プログアニル塩酸塩……………899
アドビオール→ブフェトロール塩酸塩………357
アドフィード→フルルビプロフェン…………658
アトモキセチン塩酸塩……………………133
アトラント→ネチコナゾール塩酸塩………664
アトルバスタチンカルシウム水和物………384
アトルバスタチンカルシウム水和物・
　アムロジピンベシル酸塩……………282,384
アトルバスタチンカルシウム水和物・エゼチミブ
　…………………………………………384
アトロピン硫酸塩水和物…………………189

— 1072 —

索引　アスパ～アモバ

アトロベント→
　　イプラトロピウム臭化物水和物………… 435
アナグリプチン…………………………………… 818
アナグリプチン・メトホルミン塩酸塩………… 831
アナストロゾール……………………………… 1002
アナフラニール→クロミプラミン塩酸塩……… 138
アニュイティ→フルチカゾンフランカルボン酸
　　エステル…………………………………… 437
アノーロ→ウメクリジニウム臭化物・
　　ビランテロールトリフェニル酢酸塩……… 440
アバカビル硫酸塩……………………………… 917
アバカビル硫酸塩・ドルテグラビルナトリウム・
　　ラミブジン………………………………… 933
アバカビル硫酸塩・ラミブジン……………… 917
アバタセプト……………………………………… 265
アバプロ→イルベサルタン…………………… 288
アパルタミド………………………………… 1002
アピキサバン…………………………………… 751
アピドラ→インスリングルリジン…………… 802
アビラテロン酢酸エステル………………… 1002
アファチニブマレイン酸塩………………… 1009
アフィニトール→エベロリムス…………… 1021
アフィニトール分散→エベロリムス……… 1021
アブストラル→フェンタニルクエン酸塩……… 55
アフタゾロン口腔用→デキサメタゾン……… 470
アフタッチ口腔用→
　　トリアムシノロンアセトニド……………… 470
アプリンジン塩酸塩…………………………… 361
アプレース→トロキシピド…………………… 490
アプレゾリン→ヒドララジン塩酸塩………… 319
アプレピタント………………………………… 527
アプレミラスト………………………………… 672
アフロクアロン………………………………… 180
アベマシクリブ……………………………… 1021
アベロックス→モキシフロキサシン塩酸塩… 861
アポカイン→アポモルヒネ塩酸塩水和物…… 155
アポモルヒネ塩酸塩水和物…………………… 155
アボルブ→デュタステリド…………………… 625
アマージ→ナラトリプタン塩酸塩……………… 77
アマリール→グリメピリド…………………… 825
アマルエット配合→アムロジピンベシル酸塩・
　　アトルバスタチンカルシウム水和物… 282,384
アマンタジン塩酸塩……………… 155,415,908
アミオダロン塩酸塩…………………………… 366
アミカシン硫酸塩……………………………… 870

アミサリン→プロカインアミド塩酸塩……… 359
アミティーザ→ルビプロストン……………… 502
アミトリプチリン塩酸塩…………………… 76,138
アミノバクト配合→
　　イソロイシン・ロイシン・バリン…… 559,741
アミノフィリン水和物………………………… 425
アミノレバンEN配合………………………… 735
アミユー配合…………………………………… 741
アムシノニド…………………………………… 645
アムノレイク→タミバロテン……………… 1021
アムバロ配合→バルサルタン・
　　アムロジピンベシル酸塩………………… 288
アムホテリシンB……………………………… 886
アムロジピンベシル酸塩……………………… 282
アムロジピンベシル酸塩・アジルサルタン… 288
アムロジピンベシル酸塩・アトルバスタチン
　　カルシウム水和物…………………… 282,384
アムロジピンベシル酸塩・イルベサルタン… 288
アムロジピンベシル酸塩・カンデサルタン
　　シレキセチル……………………………… 288
アムロジピンベシル酸塩・テルミサルタン… 288
アムロジピンベシル酸塩・テルミサルタン・
　　ヒドロクロロチアジド…………………… 288
アムロジピンベシル酸塩・バルサルタン…… 288
アムロジン→アムロジピンベシル酸塩……… 282
アメジニウムメチル硫酸塩…………………… 343
アメナメビル…………………………………… 911
アメナリーフ→アメナメビル………………… 911
アメパロモ→パロモマイシン硫酸塩………… 902
アモキサピン…………………………………… 138
アモキサン→アモキサピン…………………… 138
アモキシシリン水和物………………………… 851
アモキシシリン水和物・クラブラン酸カリウム
　　………………………………………………… 851
アモキシシリン水和物・ボノプラザンフマル酸塩・
　　クラリスロマイシン……………………… 494
アモキシシリン水和物・ボノプラザンフマル酸塩・
　　メトロニダゾール………………………… 494
アモキシシリン水和物・ラベプラゾール
　　ナトリウム・クラリスロマイシン……… 494
アモキシシリン水和物・ラベプラゾール
　　ナトリウム・メトロニダゾール………… 494
アモスラロール塩酸塩………………………… 305
アモバルビタール……………………………… 12
アモバン→ゾピクロン…………………………… 5

アモロルフィン塩酸塩……………………… 664
アラセナ-A→ビダラビン………………… 693
アラセプリル……………………………… 296
アラバ→レフルノミド…………………… 257
アラミスト点鼻液→
　　フルチカゾンフランカルボン酸エステル… 225
アリケイス→アミカシン硫酸塩………… 870
アリスキレンフマル酸塩………………… 300
アリセプト→ドネペジル塩酸塩………… 415
アーリーダ→アパルタミド………………1002
アリチア配合……………………………… 705
アリナミンF→フルスルチアミン塩酸塩… 701
アリピプラゾール………………… 110,128,138
アリミデックス→アナストロゾール……1002
アルギン酸ナトリウム…………………… 488
アルクロメタゾンプロピオン酸エステル… 645
アルサルミン→スクラルファート水和物… 488
アルジオキサ……………………………… 490
アルシオドール→アルファカルシドール… 709
アルセノール→アテノロール…………305,365
アルダクトンA→スピロノラクトン……273,315
アルタット→
　　ロキサチジン酢酸エステル塩酸塩……… 475
アルテメテル・ルメファントリン……… 899
アルドメット→メチルドパ水和物……… 317
アルピニー→アセトアミノフェン……… 38
アルファカルシドール…………………… 709
アルファロール→アルファカルシドール… 709
アルプラゾラム…………………………… 123
アルプロスタジルアルファデクス……… 680
アルベンダゾール………………………… 904
アルボ→オキサプロジン………………… 43
アルメタ→
　　アルクロメタゾンプロピオン酸エステル… 645
アルロイドG→アルギン酸ナトリウム… 488
アルンブリグ→ブリグチニブ……………1009
アレギサール→ペミロラストカリウム… 239
アレギサール点眼液→ペミロラストカリウム… 210
アレクチニブ塩酸塩………………………1009
アレグラ→フェキソフェナジン塩酸塩… 235
アレサガ→エメダスチンフマル酸塩…… 235
アレジオン→エピナスチン塩酸塩……… 235
アレジオン点眼液→エピナスチン塩酸塩… 210
アレジオンLX点眼液→エピナスチン塩酸塩… 210
アレセンサ→アレクチニブ塩酸塩………1009

アレビアチン→フェニトイン…………… 22
アレルギン→
　　d-クロルフェニラミンマレイン酸塩…… 232
アレロック→オロパタジン塩酸塩……… 235
アレンドロン酸ナトリウム水和物……… 709
アログリプチン安息香酸塩……………… 818
アログリプチン安息香酸塩・
　　ピオグリタゾン塩酸塩………………… 831
アログリプチン安息香酸塩・メトホルミン塩酸塩
　　………………………………………………… 831
アローゼン→センナ・センナ実………… 502
アロチノロール塩酸塩………………305,365
アロフト→アフロクアロン……………… 180
アロプリノール…………………………… 790
アロマシン→エキセメスタン……………1002
アンカロン→アミオダロン塩酸塩……… 366
アンコチル→フルシトシン……………… 886
アンジュ→エチニルエストラジオール・
　　レボノルゲストレル…………………… 952
安息香酸ナトリウムカフェイン・フェニトイン・
　　フェノバルビタール…………………… 22
安中散……………………………………… 959
アンテベート→ベタメタゾン酪酸エステル
　　プロピオン酸エステル………………… 645
アンピシリン水和物……………………… 851
アンピシリン水和物・クロキサシリンナトリウム
　　水和物…………………………………… 851
アンヒバ→アセトアミノフェン………… 38
アンピロキシカム………………………… 43
アンプラーグ→サルポグレラート塩酸塩… 756
アンブリセンタン………………………… 374
アンプリット→ロフェプラミン塩酸塩… 138
アンブロキソール塩酸塩………………… 462
アンペック→モルヒネ塩酸塩水和物…… 55
アンベノニウム塩化物…………………… 183

イ

EEエスワン配合→テガフール・ギメラシル・
　　オテラシルカリウム…………………… 995
ESポリタミン配合………………………… 741
イオウ・カンフル………………………… 693
イキサゾミブクエン酸エステル…………1021
イキセキズマブ…………………………… 672
イグザレルト→リバーロキサバン……… 751

— 1074 —

イクスタンジ→エンザルタミド‥‥‥‥‥‥1002
イクセロン→リバスチグミン‥‥‥‥‥‥‥415
イグラチモド‥‥‥‥‥‥‥‥‥‥‥‥‥‥257
イーケプラ→レベチラセタム‥‥‥‥‥‥‥22
イコサペント酸エチル‥‥‥‥‥‥‥395, 756
イーシー・ドパール配合→
　レボドパ・ベンセラジド塩酸塩‥‥‥‥155
イスコチン→イソニアジド‥‥‥‥‥‥‥876
イスツリサ→オシロドロスタットリン酸塩‥‥593
イストラデフィリン‥‥‥‥‥‥‥‥‥‥155
イソクスプリン塩酸塩‥‥‥‥‥‥‥‥‥600
イソコナゾール硝酸塩‥‥‥‥‥‥‥613, 664
イソジン→ポビドンヨード‥‥‥‥‥‥‥466
イソジン→精製白糖・ポビドンヨード‥‥680
イソソルビド‥‥‥‥‥‥‥‥‥‥‥‥‥‥89
イソニアジド‥‥‥‥‥‥‥‥‥‥‥‥‥876
イソバイド→イソソルビド‥‥‥‥‥‥‥‥89
イソプロピルアンチピリン・エルゴタミン
　酒石酸塩・無水カフェイン‥‥‥‥‥‥77
イソプロピルウノプロストン‥‥‥‥‥‥191
イソミタール→アモバルビタール‥‥‥‥‥12
イソメニール→dl-イソプレナリン塩酸塩‥‥89
イソロイシン・ロイシン・バリン‥‥559, 741
一硝酸イソソルビド‥‥‥‥‥‥‥‥‥‥347
イトプリド塩酸塩‥‥‥‥‥‥‥‥‥‥‥523
イドメシンコーワ→インドメタシン‥‥‥658
イトラコナゾール‥‥‥‥‥‥‥‥‥‥‥890
イトリゾール→イトラコナゾール‥‥‥‥890
イナビル→
　ラニナミビルオクタン酸エステル水和物‥‥908
イニシンク配合→アログリプチン安息香酸塩・
　メトホルミン塩酸塩‥‥‥‥‥‥‥‥‥831
イノベロン→ルフィナミド‥‥‥‥‥‥‥‥22
イノラス配合経腸用‥‥‥‥‥‥‥‥‥‥735
イノレット R→インスリンヒト‥‥‥‥‥802
イバブラジン塩酸塩‥‥‥‥‥‥‥‥‥‥338
イバンドロン酸ナトリウム水和物‥‥‥‥709
EPL→ポリエンホスファチジルコリン‥‥403
イフェクサー SR→ベンラファキシン塩酸塩‥‥138
イーフェン→フェンタニルクエン酸塩‥‥‥55
イフェンプロジル酒石酸塩‥‥‥‥‥‥‥415
イブジラスト‥‥‥‥‥‥‥‥‥210, 239, 415
イブプロフェン‥‥‥‥‥‥‥‥‥‥‥‥‥43
イブプロフェンピコノール‥‥‥‥‥‥‥658
イプラグリフロジン L-プロリン‥‥‥‥‥816
イプラグリフロジン L-プロリン・
　シタグリプチンリン酸塩水和物‥‥‥‥831
イプラトロピウム臭化物水和物‥‥‥‥‥435
イブランス→パルボシクリブ‥‥‥‥‥1021
イプリフラボン‥‥‥‥‥‥‥‥‥‥‥‥709
イブルチニブ‥‥‥‥‥‥‥‥‥‥‥‥1009
イベルメクチン‥‥‥‥‥‥‥‥‥‥‥‥904
イマチニブメシル酸塩‥‥‥‥‥‥‥‥1009
イミキモド‥‥‥‥‥‥‥‥‥‥‥‥‥‥693
イミグラン→スマトリプタン‥‥‥‥‥‥‥77
イミグラン点鼻液→スマトリプタン‥‥‥‥77
イミダフェナシン‥‥‥‥‥‥‥‥‥‥‥632
イミダプリル塩酸塩‥‥‥‥‥‥‥‥‥‥296
イミドール→イミプラミン塩酸塩‥‥‥‥138
イミプラミン塩酸塩‥‥‥‥‥‥‥‥‥‥138
イムブルビカ→イブルチニブ‥‥‥‥‥1009
イムラン→アザチオプリン‥‥‥‥‥‥1031
イメグリミン塩酸塩‥‥‥‥‥‥‥‥‥‥829
イメンド→アプレピタント‥‥‥‥‥‥‥527
イリボー→ラモセトロン塩酸塩‥‥‥‥‥537
イルアミクス配合→イルベサルタン・
　アムロジピンベシル酸塩‥‥‥‥‥‥‥288
イルソグラジンマレイン酸塩‥‥‥‥‥‥490
イルトラ配合→
　イルベサルタン・トリクロルメチアジド‥‥288
イルベサルタン‥‥‥‥‥‥‥‥‥‥‥‥288
イルベサルタン・アムロジピンベシル酸塩‥‥288
イルベサルタン・トリクロルメチアジド‥‥288
イルベタン→イルベサルタン‥‥‥‥‥‥288
イレッサ→ゲフィチニブ‥‥‥‥‥‥‥1009
イロプロスト‥‥‥‥‥‥‥‥‥‥‥‥‥374
インヴェガ→パリペリドン‥‥‥‥‥‥‥110
インクレミン→溶性ピロリン酸第二鉄‥‥724
インサイド→インドメタシン‥‥‥‥‥‥658
インスリンアスパルト‥‥‥‥‥‥‥‥‥802
インスリンアスパルト・インスリンデグルデク
　‥‥‥‥‥‥‥‥‥‥‥‥‥‥‥‥‥‥802
インスリングラルギン‥‥‥‥‥‥‥‥‥802
インスリングラルギン・リキシセナチド‥‥831
インスリングルリジン‥‥‥‥‥‥‥‥‥802
インスリンデグルデク‥‥‥‥‥‥‥‥‥802
インスリンデグルデク・インスリンアスパルト
　‥‥‥‥‥‥‥‥‥‥‥‥‥‥‥‥‥‥802
インスリンデグルデク・リラグルチド‥‥831
インスリンデテミル‥‥‥‥‥‥‥‥‥‥802

インスリンヒト………………………………802
インスリンリスプロ…………………………802
インダカテロール酢酸塩・
　モメタゾンフランカルボン酸エステル……442
インダカテロール酢酸塩・
　モメタゾンフランカルボン酸エステル・
　グリコピロニウム臭化物………………445
インダカテロールマレイン酸塩……………432
インダカテロールマレイン酸塩・
　グリコピロニウム臭化物………………440
インダパミド…………………………………302
インタール→クロモグリク酸ナトリウム…………239
インチュニブ→グアンファシン塩酸塩…………133
茵蔯蒿湯………………………………………959
茵蔯五苓散……………………………………959
インテナース→インドメタシン…………………658
インテバン→インドメタシン………………53,658
インデラル→プロプラノロール塩酸塩…77,305,365
インテレンス→エトラビリン…………………921
インドメタシン………………………………53,658
インドメタシンファルネシル…………………43
インフリー→インドメタシンファルネシル………43
インフリー S→インドメタシンファルネシル……43
インライタ→アキシチニブ…………………1009

ウ

ヴァイトラックビ→ラロトレクチニブ硫酸塩…1009
ヴァンフリタ→キザルチニブ塩酸塩…………1009
ウインタミン→クロルプロマジン塩酸塩……………98
ウェールナラ配合→エストラジオール・
　レボノルゲストレル………………………709
ヴォトリエント→パゾパニブ塩酸塩…………1009
ヴォリブリス→アンブリセンタン……………374
ウタゲン配合→クエン酸カリウム・
　クエン酸ナトリウム水和物………………795
ウテメリン→リトドリン塩酸塩………………600
ウトロゲスタン→プロゲステロン……………613
ウパダシチニブ水和物………………………257
ウプトラビ→セレキシパグ……………………374
ウブレチド→ジスチグミン臭化物…………183,622
ウブレチド点眼液→ジスチグミン臭化物……191
ウメクリジニウム臭化物……………………435
ウメクリジニウム臭化物・
　ビランテロールトリフェニル酢酸塩………440

ウメクリジニウム臭化物・
　フルチカゾンフランカルボン酸エステル・
　ビランテロールトリフェニル酢酸塩………445
ウラシル・テガフール…………………………995
ウラジロガシエキス…………………………638
ウラピジル………………………………313,622
ウラリット配合→クエン酸カリウム・
　クエン酸ナトリウム水和物………………795
ウラリット-U 配合→クエン酸カリウム・
　クエン酸ナトリウム水和物………………795
ウリアデック→トピロキソスタット……………790
ウリトス→イミダフェナシン…………………632
ウルグート→
　ベネキサート塩酸塩ベータデクス………490
ウルソ→ウルソデオキシコール酸……………543
ウルソデオキシコール酸……………………543
ウルティブロ→インダカテロールマレイン酸塩・
　グリコピロニウム臭化物………………440
ウレパール→尿素……………………………670
ウロアシス配合→クエン酸カリウム・
　クエン酸ナトリウム水和物………………795
ウロカルン→ウラジロガシエキス……………638
温経湯…………………………………………959
温清飲…………………………………………959

エ

エイゾプト懸濁性点眼液→ブリンゾラミド……191
HM………………………………………………499
エイベリス点眼液→
　オミデネパグイソプロピル………………191
エカード配合→カンデサルタンシレキセチル・
　ヒドロクロロチアジド………………………288
エカベトナトリウム水和物…………………490
エキザルベ……………………………………645
エキセナチド…………………………………821
エキセメスタン………………………………1002
エクア→ビルダグリプチン……………………818
エクセグラン→ゾニサミド………………………22
エクセラーゼ配合……………………………499
エクセルダーム→スルコナゾール硝酸塩……664
エクフィナ→サフィナミドメシル酸塩…………155
エクメット配合→ビルダグリプチン・
　メトホルミン塩酸塩………………………831
エクラー→デプロドンプロピオン酸エステル…645

索引　インス〜エビス

エクリラ→アクリジニウム臭化物··············435
エクロック→ソフピロニウム臭化物··············693
エコリシン眼軟膏→
　エリスロマイシンラクトビオン酸塩・
　コリスチンメタンスルホン酸ナトリウム·····205
エサキセレノン······························315
エサンブトール→エタンブトール塩酸塩·········876
エジュラント→リルピビリン塩酸塩··············921
S・M配合··································499
エスエーワン配合→テガフール・ギメラシル・
　オテラシルカリウム·························995
エスカゾール→アルベンダゾール················904
エスクレ→抱水クロラール······················15
エースコール→テモカプリル塩酸塩·············296
エスシタロプラムシュウ酸塩···················138
エスゾピクロン······························5
エスタゾラム································5
エストラサイト→エストラムスチンリン酸・
　エステルナトリウム水和物···················1002
エストラジオール······················580,709
エストラジオール・酢酸ノルエチステロン·······587
エストラジオール・レボノルゲストレル·········709
エストラーナ→エストラジオール········580,709
エストラムスチンリン酸エステルナトリウム
　水和物···································1002
エストリオール····················580,613,709
エストリール→エストリオール······580,613,709
エストロゲン〔結合型〕······················580
SPトローチ→デカリニウム塩化物·············468
エスフルルビプロフェン・ハッカ油·············658
エスワンケーケー配合→テガフール・
　ギメラシル・オテラシルカリウム·············995
エスワンタイホウ配合→テガフール・
　ギメラシル・オテラシルカリウム·············995
エゼチミブ··································388
エゼチミブ・アトルバスタチンカルシウム水和物
　···384
エゼチミブ・ロスバスタチンカルシウム·········384
AZ含嗽用配合→アズレンスルホン酸ナトリウム
　水和物・炭酸水素ナトリウム·················466
AZ点眼液→
　アズレンスルホン酸ナトリウム水和物·········216
エソメプラゾールマグネシウム水和物···········478
エタネルセプト······························265
エタンブトール塩酸塩························876

エチオナミド································876
エチゾラム································5,123
エチドロン酸二ナトリウム····················709
エチニルエストラジオール・デソゲストレル·····952
エチニルエストラジオール・ドロスピレノン·····602
エチニルエストラジオール・ノルエチステロン
　·································587,602,952
エチニルエストラジオール・ノルゲストレル
　·····································587,602
エチニルエストラジオール・レボノルゲストレル
　·································587,602,952
エチルシステイン塩酸塩〔L-〕················462
エックスフォージ配合→バルサルタン・
　アムロジピンベシル酸塩·····················288
越婢加朮湯·································959
ATP→
　アデノシン三リン酸二ナトリウム水和物······89
エディロール→エルデカルシトール·············709
エドキサバントシル酸塩水和物················751
エトスクシミド······························22
エトトイン··································22
エトドラク··································43
エトラビリン································921
エトレチナート······························672
エナジア→モメタゾンフランカルボン酸エステル・
　グリコピロニウム臭化物・インダカテロール
　酢酸塩···································445
エナラプリルマレイン酸塩····················296
エナロイ→エナロデュスタット················776
エナロデュスタット··························776
NIM配合··································499
エヌケーエスワン配合→テガフール・
　ギメラシル・オテラシルカリウム·············995
エヌトレクチニブ···························1009
エネーボ配合経腸用··························735
エバスチン··································235
エバステル→エバスチン······················235
エパデール→イコサペント酸エチル·······395,756
エパデールS→イコサペント酸エチル·····395,756
エバミール→ロルメタゼパム··················5
エパルレスタット····························842
エパロース→イコサペント酸エチル·······395,756
エパロース粒状→イコサペント酸エチル···395,756
エピカルス配合······························625
エビスタ→ラロキシフェン塩酸塩··············709

― 1077 ―

エピデュオ→アダパレン・過酸化ベンゾイル‥‥ 655
エピナスチン塩酸塩‥‥‥‥‥‥‥‥‥ 210, 235
エピビル→ラミブジン‥‥‥‥‥‥‥‥‥‥ 917
エピプロスタット配合‥‥‥‥‥‥‥‥‥‥ 625
エビリファイ→アリピプラゾール‥‥‥ 110, 128, 138
エピレオプチマル→エトスクシミド‥‥‥‥‥ 22
エファビレンツ‥‥‥‥‥‥‥‥‥‥‥‥‥ 921
エフィエント→プラスグレル塩酸塩‥‥‥‥‥ 756
エフィナコナゾール‥‥‥‥‥‥‥‥‥‥‥ 664
FAD→フラビンアデニンジヌクレオチド
　　ナトリウム‥‥‥‥‥‥‥‥‥‥‥‥‥ 701
FAD点眼液→フラビンアデニンジヌクレオチド
　　ナトリウム‥‥‥‥‥‥‥‥‥‥‥‥‥ 213
エプクルーサ配合→
　　ソホスブビル・ベルパタスビル‥‥‥‥ 550
FK配合‥‥‥‥‥‥‥‥‥‥‥‥‥‥‥‥ 499
エプジコム配合→
　　ラミブジン・アバカビル硫酸塩‥‥‥‥ 917
エブトール→エタンブトール塩酸塩‥‥‥‥‥ 876
エフピー→セレギリン塩酸塩‥‥‥‥‥‥‥ 155
エフメノ→プロゲステロン‥‥‥‥‥‥‥‥ 613
エプラジノン塩酸塩‥‥‥‥‥‥‥‥‥‥‥ 465
エブランチル→ウラピジル‥‥‥‥‥ 313, 622
エプレレノン‥‥‥‥‥‥‥‥‥‥‥‥‥‥ 315
エペリゾン塩酸塩‥‥‥‥‥‥‥‥‥‥‥‥ 180
エベレンゾ→ロキサデュスタット‥‥‥‥‥ 776
エベロリムス‥‥‥‥‥‥‥‥‥‥ 1021, 1031
エボカルセト‥‥‥‥‥‥‥‥‥‥‥‥‥‥ 778
エホニジピン塩酸塩エタノール付加物‥‥‥ 282
エボロクマブ‥‥‥‥‥‥‥‥‥‥‥‥‥‥ 398
エミレース→ネモナプリド‥‥‥‥‥‥‥‥ 106
MS温シップ‥‥‥‥‥‥‥‥‥‥‥‥‥‥ 658
MSコンチン→モルヒネ硫酸塩水和物‥‥‥‥ 55
MSツワイスロン→モルヒネ硫酸塩水和物‥‥ 55
MS冷シップ‥‥‥‥‥‥‥‥‥‥‥‥‥‥ 658
MMD配合‥‥‥‥‥‥‥‥‥‥‥‥‥‥‥ 499
M・M配合‥‥‥‥‥‥‥‥‥‥‥‥‥‥‥ 499
MDSコーワ→
　　デキストラン硫酸エステルナトリウム‥ 403
エムトリシタビン‥‥‥‥‥‥‥‥‥‥‥‥ 917
エムトリシタビン・エルビテグラビル・
　　コビシスタット・テノホビルアラフェナミド
　　フマル酸塩‥‥‥‥‥‥‥‥‥‥‥‥‥ 933
エムトリシタビン・エルビテグラビル・
　　コビシスタット・テノホビルジソプロキシル
　　フマル酸塩‥‥‥‥‥‥‥‥‥‥‥‥‥ 933
エムトリシタビン・ダルナビルエタノール付加物・
　　コビシスタット・テノホビルアラフェナミド
　　フマル酸塩‥‥‥‥‥‥‥‥‥‥‥‥‥ 925
エムトリシタビン・テノホビルアラフェナミド
　　フマル酸塩‥‥‥‥‥‥‥‥‥‥‥‥‥ 917
エムトリシタビン・テノホビルジソプロキシル
　　フマル酸塩‥‥‥‥‥‥‥‥‥‥‥‥‥ 917
エムトリシタビン・ビクテグラビルナトリウム・
　　テノホビルアラフェナミドフマル酸塩‥ 933
エムトリシタビン・リルピビリン塩酸塩・
　　テノホビルアラフェナミドフマル酸塩→ 921
エムトリバ→エムトリシタビン‥‥‥‥‥‥ 917
エメダスチンフマル酸塩‥‥‥‥‥‥‥‥‥ 235
エラスターゼ‥‥‥‥‥‥‥‥‥‥‥‥‥‥ 403
エラスチーム→エラスターゼ‥‥‥‥‥‥‥ 403
エリキュース→アピキサバン‥‥‥‥‥‥‥ 751
エリザス→
　　デキサメタゾンシペシル酸エステル‥‥ 225
エリザス点鼻粉末→
　　デキサメタゾンシペシル酸エステル‥‥ 225
エリスパン→フルジアゼパム‥‥‥‥‥‥‥ 123
エリスロシン→
　　エリスロマイシンステアリン酸塩‥‥‥ 859
エリスロマイシンステアリン酸塩‥‥‥‥‥ 859
エリスロマイシンラクトビオン酸塩・
　　コリスチンメタンスルホン酸ナトリウム‥ 205
L-アスパラギン酸カリウム‥‥‥‥‥‥‥‥ 729
L-アスパラギン酸カルシウム水和物‥‥‥ 709, 731
L-エチルシステイン塩酸塩‥‥‥‥‥‥‥‥ 462
L-カルボシステイン‥‥‥‥‥‥‥‥‥‥‥ 462
L-グルタミン・アズレンスルホン酸ナトリウム
　　水和物‥‥‥‥‥‥‥‥‥‥‥‥‥‥‥ 488
L-ケフラール→セファクロル‥‥‥‥‥‥‥ 854
L-ケフレックス→セファレキシン‥‥‥‥‥ 854
L-ケフレックス小児用→セファレキシン‥‥ 854
エルゴタミン酒石酸塩・無水カフェイン・
　　イソプロピルアンチピリン‥‥‥‥‥‥‥ 77
エルサメット配合‥‥‥‥‥‥‥‥‥‥‥‥ 625
エルサメットS配合‥‥‥‥‥‥‥‥‥‥‥ 625
エルデカルシトール‥‥‥‥‥‥‥‥‥‥‥ 709
エルビテグラビル・コビシスタット・
　　エムトリシタビン・テノホビルアラフェナミド
　　フマル酸塩‥‥‥‥‥‥‥‥‥‥‥‥‥ 933

エルビテグラビル・コビシスタット・
　エムトリシタビン・テノホビルジソプロキシル
　フマル酸塩………………………………933
エルロチニブ塩酸塩…………………………1009
エレトリプタン臭化水素酸塩…………………77
エレンタールP乳幼児用配合………………735
エレンタール配合……………………………735
エロビキシバット水和物……………………502
塩化カリウム…………………………………729
エンクラッセ→ウメクリジニウム臭化物…435
エンコラフェニブ……………………………1021
エンザルタミド………………………………1002
塩酸エピナスチン→エピナスチン塩酸塩…235
塩酸シプロフロキサシン……………………861
塩酸セルトラリン……………………………138
塩酸テトラヒドロゾリン・プレドニゾロン…224
塩酸バンコマイシン→バンコマイシン塩酸塩…870
塩酸プソイドエフェドリン・
　フェキソフェナジン塩酸塩……………235
塩酸プロカルバジン→プロカルバジン塩酸塩…993
塩酸プロピベリン→プロピベリン塩酸塩…632
塩酸ベニジピン→ベニジピン塩酸塩………282
塩酸ロメフロキサシン…………………205, 228
エンシュア・H………………………………735
エンシュア・リキッド………………………735
エンタカポン…………………………………155
エンタカポン・レボドパ・カルビドパ水和物…155
エンテカビル水和物…………………………556
エンテロノン-R→耐性乳酸菌製剤…………517
エンドキサン→シクロホスファミド水和物…993
エンドキサン〔経口用〕→シクロホスファミド
　水和物……………………………………993
エンパグリフロジン……………………339, 816
エンパグリフロジン・リナグリプチン……831
エンブレル→エタネルセプト………………265
エンペシド→クロトリマゾール………613, 664
エンペラシン配合→ベタメタゾン・
　d-クロルフェニラミンマレイン酸塩……232, 564
エンレスト→サクビトリルバルサルタン
　ナトリウム水和物…………………288, 336

オ

オイグルコン→グリベンクラミド…………825
オイラックス→クロタミトン………………662
オイラックスH→
　ヒドロコルチゾン・クロタミトン………662
黄連解毒湯……………………………………959
黄連湯…………………………………………959
オキサゾラム…………………………………123
オキサトミド…………………………………235
オキサプロジン…………………………………43
オキサロール→マキサカルシトール………672
オキシコドン塩酸塩水和物……………………55
オキシコナゾール硝酸塩…………………613, 664
オキシコンチンTR→
　オキシコドン塩酸塩水和物………………55
オーキシス→
　ホルモテロールフマル酸塩水和物……432
オキシテトラサイクリン塩酸塩・
　ヒドロコルチゾン…………………………645
オキシテトラサイクリン塩酸塩・ポリミキシンB
　硫酸塩……………………………………653
オキシブチニン塩酸塩………………………632
オキシプロカイン塩酸塩……………………218
オキシペルチン………………………………108
オキセサゼイン………………………………530
オキナゾール→オキシコナゾール硝酸塩…613, 664
オキノーム→オキシコドン塩酸塩水和物…55
オクソラレン→メトキサレン………………693
オーグメンチン配合→アモキシシリン水和物・
　クラブラン酸カリウム……………………851
オークル→アクタリット……………………257
オザグレル→オザグレル塩酸塩水和物……243
オザグレル塩酸塩水和物……………………243
オシメルチニブメシル酸塩…………………1009
オシロドロスタットリン酸塩………………593
オステラック→エトドラク……………………43
オスポロット→スルチアム……………………22
オゼックス→
　トスフロキサシントシル酸塩水和物……861
オゼックス点眼液→
　トスフロキサシントシル酸塩水和物……205
オゼノキサシン………………………………653, 655
オセルタミビルリン酸塩……………………908
オゼンピック→セマグルチド………………821
オダイン→フルタミド………………………1002
乙字湯…………………………………………959
オテズラ→アプレミラスト…………………672

オデフシィ配合→
　リルピビリン塩酸塩・エムトリシタビン・
　テノホビルアラフェナミドフマル酸塩……921
オテラシルカリウム・テガフール・ギメラシル
　………………………………………………995
オドリック→トランドラプリル………………296
オーネスN配合…………………………………499
オーネスSP配合…………………………………499
オーネスST配合…………………………………499
オノン→プランルカスト水和物………………241
オパルモン→リマプロストアルファデクス…756
オピカポン………………………………………155
オフサロン点眼液→クロラムフェニコール・
　コリスチンメタンスルホン酸ナトリウム…205
オプスミット→マシテンタン…………………374
オプソ→モルヒネ塩酸塩水和物…………………55
オフタルムK配合→
　カルバゾクロム・アスコルビン酸配合剤…743
オフミック点眼液→
　トロピカミド・フェニレフリン塩酸塩…189
オフロキサシン…………………………205,228,861
オーペグ配合……………………………………502
オペプリム→ミトタン…………………………593
オマリグリプチン………………………………818
オミデネパグイソプロピル……………………191
オメガ-3脂肪酸エチル…………………………395
オメプラゾール…………………………………478
オメプラゾン→オメプラゾール………………478
オメプラール→オメプラゾール………………478
オラスポア小児用→セフロキサジン水和物…854
オラセフ→セフロキシムアキセチル…………854
オラドールトローチ→ドミフェン臭化物……468
オラドールSトローチ→ドミフェン臭化物…468
オーラノフィン…………………………………257
オラパリブ………………………………………1021
オラビ→ミコナゾール…………………………893
オラペネム小児用→テビペネムピボキシル…870
オランザピン…………………………110,128,527
オルガドロン点眼・点耳・点鼻→
　デキサメタゾンリン酸エステル
　ナトリウム…………………………………203
オルケディア→エボカルセト…………………778
オルセノン→トレチノイントコフェリル……680
オルテクサー口腔用→
　トリアムシノロンアセトニド……………470

オルベスコ→シクレソニド……………………437
オルミエント→バリシチニブ…………………257
オルメサルタンメドキソミル…………………288
オルメサルタンメドキソミル・アゼルニジピン
　………………………………………………288
オルメテック→オルメサルタンメドキソミル…288
オレンシア→アバタセプト……………………265
オロダテロール塩酸塩・チオトロピウム臭化物
　水和物………………………………………440
オロパタジン塩酸塩……………………210,235
オングリザ→サキサグリプチン水和物………818
オンジェンティス→オピカポン………………155
オンダンセトロン………………………………527
オンブレス→インダカテロールマレイン酸塩…432

カ

カイトリル→グラニセトロン塩酸塩…………527
カイロック→シメチジン………………………475
過酸化ベンゾイル………………………………655
過酸化ベンゾイル・アダパレン………………655
過酸化ベンゾイル・クリンダマイシンリン酸
　エステル水和物……………………………655
ガスコン→ジメチコン…………………………517
ガスサール→ジメチコン………………………517
ガスター→ファモチジン………………………475
ガスチーム→プロナーゼ………………………798
ガストローム→エカベトナトリウム水和物…490
ガスモチン→モサプリドクエン酸塩水和物…523
ガスロンN→イルソグラジンマレイン酸塩…490
カソデックス→ビカルタミド…………………1002
カタプレス→クロニジン塩酸塩………………317
カタリン点眼用→ピレノキシン………………208
カタリンK点眼用→ピレノキシン……………208
カチーフN→フィトナジオン…………………703
カチリ→フェノール・亜鉛華リニメント……662
ガチフロキサシン水和物………………………205
ガチフロ点眼液→ガチフロキサシン水和物…205
葛根湯……………………………………………959
葛根湯加川芎辛夷………………………………959
カデキソマー・ヨウ素…………………………680
カデチア配合→カンデサルタンシレキセチル・
　ヒドロクロロチアジド……………………288
カデックス→カデキソマー・ヨウ素…………680

カデュエット配合→アムロジピンベシル酸塩・
　アトルバスタチンカルシウム水和物……282,384
カトレップ→インドメタシン……………………658
カナグリフロジン水和物……………………………816
カナグリフロジン水和物・
　テネリグリプチン臭化水素酸塩水和物………831
カナグル→カナグリフロジン水和物………………816
ガナトン→イトプリド塩酸塩………………………523
カナマイシン→カナマイシン硫酸塩………………870
カナマイシン硫酸塩…………………………………870
カナリア配合→テネリグリプチン臭化水素酸塩
　水和物・カナグリフロジン水和物……………831
カバサール→カベルゴリン……………………155,618
ガバペン→ガバペンチン………………………………22
ガバペンチン……………………………………………22
ガバペンチンエナカルビル…………………………176
カプトプリル…………………………………………296
カプトリル→カプトプリル…………………………296
カプトリル-R→カプトプリル………………………296
カプマチニブ塩酸塩水和物………………………1009
カプレルサ→バンデタニブ………………………1009
カペシタビン…………………………………………995
カベルゴリン…………………………………155,618
カボサンチニブリンゴ酸塩………………………1009
カボメティクス→カボサンチニブリンゴ酸塩…1009
加味帰脾湯……………………………………………959
加味逍遙散……………………………………………959
カムシア配合→カンデサルタンシレキセチル・
　アムロジピンベシル酸塩………………………288
カモスタットメシル酸塩……………………………541
ガランタミン臭化水素酸塩…………………………415
カリエード→
　ポリスチレンスルホン酸カルシウム…………773
カリメート→
　ポリスチレンスルホン酸カルシウム…………773
カルグート→デノパミン……………………………333
カルケンス→アカラブルチニブ…………………1009
カルコーバ配合→
　レボドパ・カルビドパ水和物…………………155
カルシトリオール……………………………………709
カルシフェロール・レチノール配合剤……………705
カルシポトリオール…………………………………672
カルシポトリオール水和物・ベタメタゾン
　ジプロピオン酸エステル………………………672
カルスロット→マニジピン塩酸塩…………………282

カルタン→沈降炭酸カルシウム……………………770
カルテオロール塩酸塩…………………191,305,365
カルテオロール塩酸塩・ラタノプロスト…………191
カルデナリン→ドキサゾシンメシル酸塩…………313
カルバゾクロム・アスコルビン酸配合剤…………743
カルバゾクロムスルホン酸ナトリウム水和物……743
カルバマゼピン…………………………………22,128
カルビスケン→ピンドロール……………………305,365
カルビドパ水和物・レボドパ………………………155
カルビドパ水和物・レボドパ・エンタカポン……155
カルブロック→アゼルニジピン……………………282
カルプロニウム塩化物………………………………693
カルベジロール………………………………………305
カルボシステイン〔L-〕……………………………462
カレトラ配合→ロピナビル・リトナビル…………925
カロナール→アセトアミノフェン……………………38
眼・耳科用リンデロンA→
　フラジオマイシン硫酸塩・ベタメタゾン
　リン酸エステルナトリウム……………203,225
乾燥水酸化アルミニウムゲル………………………485
乾燥水酸化アルミニウムゲル・
　水酸化マグネシウム……………………………485
含嗽用ハチアズレ→アズレンスルホン酸ナトリウム
　水和物・炭酸水素ナトリウム…………………466
カンデサルタンシレキセチル………………………288
カンデサルタンシレキセチル・
　アムロジピンベシル酸塩………………………288
カンデサルタンシレキセチル・
　ヒドロクロロチアジド…………………………288
甘麦大棗湯……………………………………………959
カンフル・イオウ……………………………………693
ガンマオリザノール………………………………185,403

キ

キサラタン点眼液→ラタノプロスト………………191
キザルチニブ塩酸塩………………………………1009
キックリン→ビキサロマー…………………………770
キニジン硫酸塩水和物………………………………359
キネダック→エパルレスタット……………………842
帰脾湯…………………………………………………959
キプレス→モンテルカストナトリウム……………241
ギメラシル・テガフール・オテラシルカリウム
　…………………………………………………995
ギャバロン→バクロフェン…………………………180

キャブピリン配合→アスピリン・
　ボノプラザンフマル酸塩……………… 756
球形吸着炭……………………………… 778
キュバール→
　ベクロメタゾンプロピオン酸エステル…… 437
強力ポステリザン→
　大腸菌死菌・ヒドロコルチゾン……… 641
強力レスタミンコーチゾンコーワ→
　ヒドロコルチゾン酢酸エステル・
　フラジオマイシン硫酸塩・
　ジフェンヒドラミン塩酸塩………… 645
ギルテリチニブフマル酸塩………………1009
キンダベート→クロベタゾン酪酸エステル… 645

ク

クアゼパム………………………………… 5
グアンファシン塩酸塩…………………… 133
クエストラン→コレスチラミン………… 389
クエチアピンフマル酸塩………………… 110
クエン酸カリウム・クエン酸ナトリウム水和物
　………………………………………… 795
クエン酸第一鉄ナトリウム……………… 724
クエン酸第二鉄水和物…………………… 770
クエン酸ナトリウム水和物・クエン酸カリウム
　………………………………………… 795
クエン酸マグネシウム…………………… 502
クエンメット配合→クエン酸カリウム・
　クエン酸ナトリウム水和物………… 795
グーフィス→エロビキシバット水和物… 502
グラクティブ→
　シタグリプチンリン酸塩水和物…… 818
グラケー→メナテトレノン……………… 709
グラセプター→タクロリムス水和物……1031
グラナテック点眼液→
　リパスジル塩酸塩水和物…………… 191
グラニセトロン→グラニセトロン塩酸塩… 527
グラニセトロン塩酸塩…………………… 527
クラバモックス小児用配合→アモキシシリン
　水和物・クラブラン酸カリウム…… 851
クラビット→レボフロキサシン水和物… 861
クラビット点眼液→レボフロキサシン水和物… 205
クラブラン酸カリウム・アモキシシリン水和物
　………………………………………… 851
グラマリール→チアプリド塩酸塩……… 106

クラリシッド→クラリスロマイシン…… 859
クラリス→クラリスロマイシン………… 859
クラリスロマイシン……………………… 859
クラリスロマイシン・ボノプラザンフマル酸塩・
　アモキシシリン水和物……………… 494
クラリスロマイシン・ラベプラゾールナトリウム・
　アモキシシリン水和物……………… 494
クラリチン→ロラタジン………………… 235
グランダキシン→トフィソパム………… 185
クランポール→アセチルフェネトライド… 22
クリアナール→フドステイン…………… 462
クリアミン配合→エルゴタミン酒石酸塩・
　無水カフェイン・イソプロピル
　アンチピリン………………………… 77
グリクラジド……………………………… 825
グリコピロニウム臭化物………………… 435
グリコピロニウム臭化物・
　インダカテロールマレイン酸塩…… 440
グリコピロニウム臭化物・ブデソニド・
　ホルモテロールフマル酸塩水和物… 445
グリコピロニウム臭化物・ホルモテロール
　フマル酸塩水和物…………………… 440
グリコピロニウム臭化物・
　モメタゾンフランカルボン酸エステル・
　インダカテロール酢酸塩…………… 445
グリコラン→メトホルミン塩酸塩……… 808
グリジール→
　クロベタゾールプロピオン酸エステル… 645
グリセリン………………………………… 511
クリゾチニブ……………………………… 1009
グリチロン配合…………………………… 548
クリノリル→スリンダク………………… 43
グリベック→イマチニブメシル酸塩……1009
グリベンクラミド………………………… 825
グリミクロン→グリクラジド…………… 825
グリミクロンHA→グリクラジド……… 825
グリメピリド……………………………… 825
グリメピリド・ピオグリタゾン塩酸塩… 831
クリンダマイシン塩酸塩………………… 870
クリンダマイシンリン酸エステル……… 655
クリンダマイシンリン酸エステル水和物・
　過酸化ベンゾイル…………………… 655
グルコバイ→アカルボース……………… 813
グルコンサンK→グルコン酸カリウム… 729
グルコン酸カリウム……………………… 729

グルタチオン……………………………………208	クロミフェンクエン酸塩………………………580
グルタミン〔L-〕・アズレンスルホン酸ナトリウム	クロミプラミン塩酸塩………………………138
水和物………………………………………488	クロモグリク酸ナトリウム…………210, 225, 239
グルファスト→	クロラゼプ酸二カリウム………………………123
ミチグリニドカルシウム水和物…………827	クロラムフェニコール……………………613, 653
グルベス配合→ミチグリニドカルシウム水和物・	クロラムフェニコール・
ボグリボース………………………………831	コリスチンメタンスルホン酸ナトリウム…205
グレカプレビル水和物・ピブレンタスビル……550	クロラムフェニコール・フラジオマイシン……645
クレストール→ロスバスタチンカルシウム……384	クロルジアゼポキシド…………………………123
グレースビット→シタフロキサシン水和物……861	クロルフェニラミンマレイン酸塩〔d-〕………232
クレナフィン→エフィナコナゾール……………664	クロルフェニラミンマレイン酸塩〔d-〕・
クレマスチンフマル酸塩………………………232	ベタメタゾン…………………………232, 564
クレミン→モサプラミン塩酸塩………………108	クロルフェネシンカルバミン酸エステル………180
クレメジン→球形吸着炭……………………778	クロルプロマジン塩酸塩…………………………98
クレメジン速崩→球形吸着炭………………778	クロルマジノン酢酸エステル………585, 625, 1002
クレンブテロール→クレンブテロール塩酸塩…428	クロロマイセチン→クロラムフェニコール……653
クレンブテロール塩酸塩………………………428	
クロカプラミン塩酸塩水和物…………………108	**ケ**
クロキサシリンナトリウム水和物・	
アンピシリン水和物………………………851	ケアラム→イグラチモド………………………257
クロキサゾラム…………………………………123	ケアロードLA→ベラプロストナトリウム……374
クロザピン………………………………………110	荊芥連翹湯………………………………………959
クロザリル→クロザピン………………………110	ケイキサレート→
クロタミトン……………………………………662	ポリスチレンスルホン酸ナトリウム……773
クロタミトン・ヒドロコルチゾン………………662	経口用エンドキサン→
クロダミン→	シクロホスファミド水和物………………993
d-クロルフェニラミンマレイン酸塩………232	経口用トロンビン→トロンビン………………744
クロチアゼパム…………………………………123	桂枝加芍薬湯……………………………………959
クロトリマゾール……………………………613, 664	桂枝加朮附湯……………………………………959
クロナゼパム………………………………………22	桂枝加竜骨牡蛎湯………………………………959
クロニジン塩酸塩………………………………317	桂枝湯……………………………………………959
クロバザム…………………………………………22	桂枝人参湯………………………………………959
クロピドグレル硫酸塩…………………………756	桂枝茯苓丸………………………………………959
クロピドグレル硫酸塩・アスピリン……………756	ケイツー→メナテトレノン……………………703
クロフェクトン→	ケイラーゼSA配合……………………………499
クロカプラミン塩酸塩水和物……………108	KM………………………………………………499
クロフェドノール塩酸塩………………………460	K. C. L.→塩化カリウム……………………729
クロフェドリンS配合…………………………460	ケタス→イブジラスト……………………239, 415
クロベタゾールプロピオン酸エステル………645	ケタス点眼液→イブジラスト…………………210
クロベタゾン酪酸エステル……………………645	結合型エストロゲン……………………………580
クロペラスチン…………………………………460	ケトコナゾール…………………………………664
クロマイ→クロラムフェニコール……………613	ケトチフェンフマル酸塩………………210, 225, 235
クロマイ-P→クロラムフェニコール・	ケトプロフェン…………………………………658
フラジオマイシン…………………………645	ゲフィチニブ……………………………………1009
クロミッド→クロミフェンクエン酸塩…………580	ケブザラ→サリルマブ…………………………265

ケフラール→セファクロル……………854
ケフレックス→セファレキシン…………854
ゲーベン→スルファジアジン銀…………680
ケラチナミンコーワ→尿素………………670
ケルロング→ベタキソロール塩酸塩……305
ケーワン→フィトナジオン………………703
ゲンタシン→ゲンタマイシン硫酸塩……653
ゲンタマイシン硫酸塩 …………………653
ゲンタマイシン硫酸塩・
　ベタメタゾン吉草酸エステル…………645
ゲンボイヤ配合→
　エルビテグラビル・コビシスタット・
　エムトリシタビン・テノホビルアラフェナミド
　フマル酸塩 ……………………………933

コ

香蘇散………………………………………959
五積散………………………………………959
牛車腎気丸…………………………………959
呉茱萸湯……………………………………959
コスパノン→フロプロピオン……………543
コセンティクス→セクキヌマブ…………672
コソプト配合点眼液→ドルゾラミド塩酸塩・
　チモロールマレイン酸塩………………191
コソプトミニ配合点眼液→ドルゾラミド塩酸塩・
　チモロールマレイン酸塩………………191
コディオ配合→
　バルサルタン・ヒドロクロロチアジド…288
コデインリン酸塩水和物…………………460
コートリル→ヒドロコルチゾン…………564
コニール→ベニジピン塩酸塩……………282
コハク酸ソリフェナシン…………………632
コバシル→ペリンドプリルエルブミン…296
コバマミド……………………………………701
コビシスタット・エルビテグラビル・
　エムトリシタビン・テノホビルアラフェナミド
　フマル酸塩 ……………………………933
コビシスタット・エルビテグラビル・
　エムトリシタビン・テノホビルジソプロキシル
　フマル酸塩 ……………………………933
コビシスタット・ダルナビルエタノール付加物
　…………………………………………925
コビシスタット・ダルナビルエタノール付加物・
　エムトリシタビン・テノホビルアラフェナミド
　フマル酸塩 ……………………………925

コムクロ→
　クロベタゾールプロピオン酸エステル…645
コムタン→エンタカポン …………………155
コメリアンコーワ→ジラゼプ塩酸塩水和物…353
コララン→イバブラジン塩酸塩…………338
コランチル配合→ジサイクロミン塩酸塩・
　水酸化アルミニウム配合剤……………483
コリオパン→ブトロピウム臭化物………483
コリスチンメタンスルホン酸ナトリウム・
　エリスロマイシンラクトビオン酸塩…205
コリスチンメタンスルホン酸ナトリウム・
　クロラムフェニコール…………………205
コリナコール点眼液→クロラムフェニコール・
　コリスチンメタンスルホン酸ナトリウム…205
コリフメシン→インドメタシン…………658
ゴリムマブ…………………………………265
コールタイジン点鼻液→塩酸テトラヒドロゾリン・
　プレドニゾロン…………………………224
コルドリン→クロフェダノール塩酸塩…460
コルヒチン…………………………………788
五苓散………………………………………959
コレカルシフェロール・沈降炭酸カルシウム・
　炭酸マグネシウム………………………709
コレキサミン→ニコモール………………396
コレクチム→デルゴシチニブ……………688
コレスチミド………………………………389
コレスチラミン……………………………389
コレバイン→コレスチミド………………389
コレバインミニ→コレスチミド…………389
コレミナール→フルタゾラム……………123
コロネル→ポリカルボフィルカルシウム…537
コンサータ→メチルフェニデート塩酸塩…133
コンスタン→アルプラゾラム……………123
コントミン→クロルプロマジン塩酸塩……98
コントール→クロルジアゼポキシド……123
コンドロイチン硫酸エステルナトリウム…213
コンドロイチン硫酸エステルナトリウム・
　フラビンアデニンジヌクレオチドナトリウム
　…………………………………………213
コンバントリン→ピランテルパモ酸塩…904
コンビビル配合→ジドブジン・ラミブジン…917
コンプラビン配合→
　クロピドグレル硫酸塩・アスピリン………756

サ

サアミオン→ニセルゴリン･･････････････････ 415
ザイアジェン→アバカビル硫酸塩･･･････････ 917
サイクロセリン→サイクロセリン･･････････ 876
サイクロセリン･･････････････････････････ 876
柴胡加竜骨牡蛎湯････････････････････････ 959
柴胡桂枝湯･･････････････････････････････ 959
柴胡桂枝乾姜湯･･････････････････････････ 959
ザイザル→レボセチリジン塩酸塩･･････････ 235
ザイティガ→アビラテロン酢酸エステル･･･ 1002
サイトテック→ミソプロストール･･････････ 493
サイプレジン点眼液→
　　シクロペントラート塩酸塩････････････ 189
柴朴湯･･････････････････････････････････ 959
ザイボックス→リネゾリド･･････････････ 866
柴苓湯･･････････････････････････････････ 959
サイレース→フルニトラゼパム･･････････････ 5
ザイロリック→アロプリノール･･････････ 790
サインバルタ→デュロキセチン塩酸塩･･76,138
ザガーロ→デュタステリド･･････････････ 956
サキサグリプチン水和物････････････････ 818
サクコルチン配合→ベタメタゾン・
　　d-クロルフェニラミンマレイン酸塩････232,564
酢酸ノルエチステロン・エストラジオール････ 587
サクビトリルバルサルタンナトリウム水和物
　　････････････････････････････････288,336
ザクラス配合→アジルサルタン・
　　アムロジピンベシル酸塩････････････ 288
ザーコリ→クリゾチニブ･･･････････････ 1009
ザジテン→ケトチフェンフマル酸塩･･････ 235
ザジテン点眼液→ケトチフェンフマル酸塩･･ 210
ザジテン点鼻液→ケトチフェンフマル酸塩･･ 225
サチュロ→ベダキリンフマル酸塩････････ 876
サーティカン→エベロリムス･･････････ 1031
ザナミビル水和物･･････････････････････ 908
ザーネ→ビタミンA･････････････････････ 670
ザファテック→トレラグリプチンコハク酸塩････ 818
サフィナミドメシル酸塩････････････････ 155
サブリル→ビガバトリン･････････････････ 22
サムスカ→トルバプタン･････････････････ 273
サムチレール→アトバコン･･････････････ 897
ザラカム配合点眼液→ラタノプロスト・
　　チモロールマレイン酸塩････････････ 191
サラザック配合･･･････････････････････････ 38
サラジェン→ピロカルピン塩酸塩･･･････ 191
サラゾスルファピリジン･････････････257,531
サラゾピリン→サラゾスルファピリジン･･･ 531
サリチル酸････････････････････････････ 693
サリドマイド･････････････････････････ 1021
サリベート････････････････････････････ 470
サリルマブ････････････････････････････ 265
サルコート→
　　ベクロメタゾンプロピオン酸エステル･･ 470
サルタノール→サルブタモール硫酸塩･･･ 432
ザルティア→タダラフィル･･････････････ 625
ザルトプロフェン････････････････････････ 43
サルブタモール硫酸塩･･････････････････ 432
サルプレップ配合･･････････････････････ 502
サルポグレラート塩酸塩････････････････ 756
サルメテロールキシナホ酸塩････････････ 432
サルメテロールキシナホ酸塩・
　　フルチカゾンプロピオン酸エステル････ 442
サレックス→ベタメタゾン酪酸エステル
　　プロピオン酸エステル･････････････ 645
サレド→サリドマイド･･･････････････ 1021
ザロンチン→エトスクシミド･････････････ 22
サワシリン→アモキシシリン水和物･････ 851
三黄瀉心湯････････････････････････････ 959
酸化マグネシウム･･････････････････485,502
サンコバ点眼液→シアノコバラミン･････ 218
酸棗仁湯･･････････････････････････････ 959
サンディミュン→シクロスポリン････672,1031
サンテゾーン眼軟膏→デキサメタゾン･･･ 203
サンテゾーン点眼液→デキサメタゾンメタスルホ
　　安息香酸エステルナトリウム･･･････ 203
サンドールP点眼液→トロピカミド・
　　フェニレフリン塩酸塩････････････ 189
サンピロ点眼液→ピロカルピン塩酸塩･･ 191
サンベタゾン眼耳鼻科用液→
　　ベタメタゾンリン酸エステルナトリウム････ 203
サンリズム→ピルシカイニド塩酸塩水和物････ 363

シ

ジアイナ配合･････････････････････････ 705
ジアスターゼ･････････････････････････ 499
ジアゼパム･･･････････････････････････ 123
シアナマイド→シアナミド･･････････････ 783
シアナミド････････････････････････････ 783

シアノコバラミン……………………218	ジドブジン………………………………917
シアリス→タダラフィル……………948	ジドブジン・ラミブジン……………917
ジェイゾロフト→塩酸セルトラリン…138	ジドロゲステロン……………………585
ジエチルカルバマジンクエン酸塩…904	シナカルセト塩酸塩…………………778
ジェニナック→	シナール配合→アスコルビン酸・
メシル酸ガレノキサシン水和物…861	パントテン酸カルシウム…………705
ジエノゲスト……………………………602	シーピー配合→アスコルビン酸・
ジェミーナ配合→エチニルエストラジオール・	パントテン酸カルシウム…………705
レボノルゲストレル……………587, 602	ジピリダモール……………………353, 756
シーエルセントリ→マラビロク……937	ジフェニドール塩酸塩…………………89
ジオトリフ→アファチニブマレイン酸塩…1009	ジフェンヒドラミン…………………662
ジカディア→セリチニブ……………1009	ジフェンヒドラミン塩酸塩…………232
四逆散……………………………………959	ジフェンヒドラミン塩酸塩・
ジクアス点眼液→ジクアホソルナトリウム…213	ヒドロコルチゾン酢酸エステル・
ジクアホソルナトリウム……………213	フラジオマイシン硫酸塩…………645
ジクトル→ジクロフェナクナトリウム…43	ジフェンヒドラミンサリチル酸塩・
シグマート→ニコランジル…………353	ジプロフィリン………………………89
シグマビタン配合……………………705	シーブリ→グリコピロニウム臭化物…435
シクレスト→アセナピンマレイン酸塩…110	ジフルカン→フルコナゾール………886
シクレソニド……………………………437	ジフルコルトロン吉草酸エステル…645
シクロスポリン……………218, 672, 1031	ジフルコルトロン吉草酸エステル・リドカイン…641
ジクロード点眼液→	ジフルプレドナート…………………645
ジクロフェナクナトリウム………216	ジプレキサ→オランザピン……110, 128, 527
ジクロフェナクナトリウム…43, 53, 216, 658	シプロキサン→シプロフロキサシン塩酸塩…861
シクロペントラート塩酸塩…………189	ジプロフィリン・
シクロホスファミド水和物…………993	ジフェンヒドラミンサリチル酸塩…89
ジクロロ酢酸ジイソプロピルアミン…548	シプロヘプタジン塩酸塩水和物……232
四君子湯………………………………959	ジフロラゾン酢酸エステル…………645
ジゴキシン………………………………331	ジベカシン硫酸塩……………………205
ジゴキシンKY→ジゴキシン…………331	シベクトロ→テジゾリドリン酸エステル…866
ジゴシン→ジゴキシン………………331	ジベトス→ブホルミン塩酸塩………808
ジサイクロミン塩酸塩・	シベノール→シベンゾリンコハク酸塩…359
水酸化アルミニウム配合剤………483	シベンゾリンコハク酸塩……………359
ジスチグミン臭化物………………183, 191, 622	シムジア→セルトリズマブペゴル……265, 672
ジスルフィラム………………………783	シムツーザ配合→ダルナビルエタノール付加物・
ジスロマック→アジスロマイシン水和物…859	コビシスタット・エムトリシタビン・
ジセタミン→ジセチアミン塩酸塩水和物…701	テノホビルアラフェナミドフマル酸塩…925
ジセチアミン塩酸塩水和物…………701	シムビコート→ブデソニド・
ジセレカ→フィルゴチニブマレイン酸塩…257	ホルモテロールフマル酸塩水和物…442
ジソピラミド……………………………359	ジメチコン………………………………517
シタグリプチンリン酸塩水和物……818	ジメチジン………………………………475
シタグリプチンリン酸塩水和物・	ジメチルイソプロピルアズレン……680
イプラグリフロジン L-プロリン…831	ジメモルファンリン酸塩……………460
シタフロキサシン水和物……………861	ジメンヒドリナート……………………89
七物降下湯……………………………959	四物湯…………………………………959

索引　シアノ〜ストッ

ジャカビ→ルキソリチニブリン酸塩……………1009	人工涙液マイティア点眼液……………………213
炙甘草湯………………………………………959	参蘇飲…………………………………………959
ジャクスタピッド→ロミタピドメシル酸塩……400	シンバスタチン………………………………384
芍薬甘草湯……………………………………959	シンフェーズT→エチニルエストラジオール・
ジャディアンス→エンパグリフロジン……339,816	ノルエチステロン………………………952
ジャヌビア→シタグリプチンリン酸塩水和物……818	真武湯…………………………………………959
ジャルカ配合→ドルテグラビルナトリウム・	シンポニー→ゴリムマブ……………………265
リルピビリン塩酸塩………………………933	シンメトレル→アマンタジン塩酸塩……155,415,908
シュアポスト→レパグリニド…………………827	新レシカルボン→炭酸水素ナトリウム・
重カマ→酸化マグネシウム………………485,502	無水リン酸二水素ナトリウム……………511
重質酸化マグネシウム→	シンレスタール→プロブコール………………391
酸化マグネシウム……………………485,502	
十全大補湯……………………………………959	## ス
十味敗毒湯……………………………………959	
ジュリナ→エストラジオール……………580,709	水酸化アルミニウムゲル〔乾燥〕……………485
潤腸湯…………………………………………959	水酸化アルミニウムゲル〔乾燥〕・
小建中湯………………………………………959	水酸化マグネシウム……………………485
小柴胡湯加桔梗石膏…………………………959	水酸化アルミニウム・
小柴胡湯…………………………………548,959	ジサイクロミン塩酸塩配合剤……………483
硝酸イソソルビド……………………………347	水酸化マグネシウム…………………………485
小青竜湯………………………………………959	水酸化マグネシウム・
小児用バクシダール→ノルフロキサシン……861	乾燥水酸化アルミニウムゲル……………485
小児用フルナーゼ点鼻液→	スイニー→アナグリプチン……………………818
フルチカゾンプロピオン酸エステル……225	スインプロイク→ナルデメジントシル酸塩……502
小児用ペレックス配合…………………………38	スオード→プルリフロキサシン………………861
小児用ムコソルバン→	スーグラ→イプラグリフロジン L-プロリン……816
アンブロキソール塩酸塩…………………462	スクラルファート水和物……………………488
小半夏加茯苓湯………………………………959	スクロオキシ水酸化鉄………………………770
消風散…………………………………………959	スクロード→精製白糖・ポビドンヨード……680
シラザプリル水和物…………………………296	スージャヌ配合→シタグリプチンリン酸塩水和物・
ジラゼプ塩酸塩水和物………………………353	イプラグリフロジン L-プロリン…………831
ジルコニウムシクロケイ酸ナトリウム水和物……773	スターシス→ナテグリニド……………………827
ジルダザック→ベンダザック…………………658	スタデルム→イブプロフェンピコノール……658
ジルチアゼム塩酸塩…………………………282	スタリビルド配合→エルビテグラビル・
ジルテック→セチリジン塩酸塩………………235	コビシスタット・エムトリシタビン・
シルデナフィルクエン酸塩………………374,948	テノホビルジソプロキシルフマル酸塩……933
シルニジピン…………………………………282	スタレボ配合→レボドパ・カルビドパ水和物・
シルニジピン・バルサルタン…………………288	エンタカポン……………………………155
ジムロ配合→	スチバーガ→レゴラフェニブ水和物………1009
アジルサルタン・アムロジピンベシル酸塩……288	スチリペントール……………………………22
シロスタゾール………………………………756	ステーブラ→イミダフェナシン………………632
シロドシン……………………………………622	ステロネマ→
シロリムス…………………………………1021	ベタメタゾンリン酸エステルナトリウム……531
辛夷清肺湯……………………………………959	スーテント→スニチニブリンゴ酸塩………1009
シングレア→モンテルカストナトリウム………241	ストックリン→エファビレンツ………………921

ストミンA配合→	
ニコチン酸アミド・パパベリン塩酸塩………	223
ストラテラ→アトモキセチン塩酸塩……………	133
ストロカイン→オキセサゼイン…………………	530
ストロメクトール→イベルメクチン……………	904
スナイリン→	
ピコスルファートナトリウム水和物………	502
スニチニブリンゴ酸塩………………………………	1009
スパカール→トレピブトン…………………………	543
スパトニン→	
ジエチルカルバマジンクエン酸塩…………	904
スピオルト→チオトロピウム臭化物水和物・	
オロダテロール塩酸塩……………………………	440
スピペロン………………………………………………	104
スピラゾン→プレドニゾロン吉草酸エステル酢酸	
エステル……………………………………………	645
スピリーバ→チオトロピウム臭化物水和物…	435
スピール膏M→サリチル酸…………………………	693
スピロノラクトン………………………………273,	315
スピロピタン→スピペロン…………………………	104
スピロペント→クレンブテロール塩酸塩………	428
ズファジラン→イソクスプリン塩酸塩…………	600
スプラタストトシル酸塩…………………………	246
スプリセル→ダサチニブ水和物…………………	1009
スプレキュア点鼻液→ブセレリン酢酸塩……	602
スペリア→フドステイン…………………………	462
スボレキサント………………………………………	19
スマイラフ→ペフィシチニブ臭化水素酸塩…	257
スマトリプタン………………………………………	77
スミスリン→フェノトリン………………………	693
スリンダク……………………………………………	43
スルコナゾール硝酸塩……………………………	664
スルタミシリントシル酸塩水和物………………	851
スルチアム……………………………………………	22
スルトプリド塩酸塩………………………………	106
スルピリド…………………………………………106, 138,	498
スルファジアジン銀………………………………	680
スルファメトキサゾール・トリメトプリム………	868

セ

清上防風湯……………………………………………	959
清心蓮子飲……………………………………………	959
精製白糖・ポビドンヨード………………………	680
精製ヒアルロン酸ナトリウム……………………	213

清肺湯…………………………………………………	959
セイブル→ミグリトール…………………………	813
セクキヌマブ…………………………………………	672
セクター→ケトプロフェン………………………	658
ゼジューラ→ニラパリブトシル酸塩水和物…	1021
セスデン→チメピジウム臭化物水和物………	483
ゼストリル→リシノプリル水和物………………	296
ゼスラン→メキタジン……………………………	235
ゼスラン小児用→メキタジン……………………	235
セタプリル→アラセプリル………………………	296
ゼチーア→エゼチミブ……………………………	388
セチプチリンマレイン酸塩………………………	138
セチリジン塩酸塩…………………………………	235
セディール→タンドスピロンクエン酸塩……	123
セトラキサート塩酸塩……………………………	490
セドリーナ→トリヘキシフェニジル塩酸塩…	155
セパゾン→クロキサゾラム………………………	123
セパミット→ニフェジピン………………………	282
セパミット-R→ニフェジピン……………………	282
ゼビアックス→オゼノキサシン…………653,	655
セファクロル…………………………………………	854
セファドール→ジフェニドール塩酸塩………	89
セファレキシン………………………………………	854
セフィキシム…………………………………………	854
ゼフィックス→ラミブジン………………………	556
セフカペンピボキシル塩酸塩水和物…………	854
セフジトレンピボキシル…………………………	854
セフジニル……………………………………………	854
セフスパン→セフィキシム………………………	854
セフゾン→セフジニル……………………………	854
セフテラムピボキシル……………………………	854
ゼフナート→リラナフタート……………………	664
セフポドキシムプロキセチル……………………	854
セフメノキシム塩酸塩……………………205,	228
セフロキサジン水和物……………………………	854
セフロキシムアキセチル…………………………	854
セベラマー塩酸塩…………………………………	770
ゼペリン点眼液→アシタザノラスト水和物…	210
ゼポラス→フルルビプロフェン…………………	658
セマグルチド…………………………………………	821
ゼムパック→インドメタシン……………………	658
セラトロダスト………………………………………	244
セラピナ配合…………………………………………	38
セララ→エプレレノン……………………………	315
セリチニブ……………………………………………	1009

セリプロロール塩酸塩	305	ゾテピン	108
セリンクロ→ナルメフェン塩酸塩水和物	783	ソニアス配合→	
セルシン→ジアゼパム	123	ピオグリタゾン塩酸塩・グリメピリド	831
セルセプト→ミコフェノール酸モフェチル	1031	ゾニサミド	22, 155
セルセプト懸濁用→		ソバルディ→ソホスブビル	550
ミコフェノール酸モフェチル	1031	ゾピクロン	5
セルタッチ→フェルビナク	658	ゾビラックス→アシクロビル	693, 911
セルトリズマブペゴル	265, 672	ゾビラックス眼軟膏→アシクロビル	212
セルニチンポーレンエキス	625	ソファルコン	490
セルニルトン→セルニチンポーレンエキス	625	ソフピロニウム臭化物	693
セルベックス→テプレノン	490	ゾフルーザ→バロキサビルマルボキシル	908
ゼルボラフ→ベムラフェニブ	1021	ソホスブビル	550
ゼルヤンツ→トファシチニブクエン酸塩	257, 531	ソホスブビル・ベルパタスビル	550
セレキシパグ	374	ソホスブビル・レジパスビルアセトン付加物	550
セレキノン→トリメブチンマレイン酸塩	523, 537	ゾーミッグ→ゾルミトリプタン	77
セレギリン塩酸塩	155	ゾーミッグRM→ゾルミトリプタン	77
セレクトール→セリプロロール塩酸塩	305	ソメリン→ハロキサゾラム	5
セレコキシブ	43	ソラナックス→アルプラゾラム	123
セレコックス→セレコキシブ	43	ソラフェニブトシル酸塩	1009
セレスターナ配合→ベタメタゾン・		ソランタール→チアラミド塩酸塩	43
d-クロルフェニラミンマレイン酸塩	232, 564	ソリクア配合→	
セレスタミン配合→ベタメタゾン・		インスリングラルギン・リキシセナチド	831
d-クロルフェニラミンマレイン酸塩	232, 564	ソリフェナシン〔コハク酸〕	632
セレナール→オキサゾラム	123	ゾリンザ→ボリノスタット	1021
セレニカR→バルプロ酸ナトリウム	22, 77, 128	ソルコセリル	613, 680
セレネース→ハロペリドール	104	ゾルトファイ配合→	
セレベント→サルメテロールキシナホ酸塩	432	インスリンデグルデク・リラグルチド	831
セロクエル→クエチアピンフマル酸塩	110	ゾルピデム酒石酸塩	5
セロクラール→イフェンプロジル酒石酸塩	415	ゾルミトリプタン	77
セロケン→メトプロロール酒石酸塩	305, 365	ソレトン→ザルトプロフェン	43
セロケンL→メトプロロール酒石酸塩	305, 365	ソロン→ソファルコン	490
セロシオン→プロパゲルマニウム	558		
ゼローダ→カペシタビン	995	**タ**	
ゼンタコート→ブデソニド	531	ダイアコート→ジフロラゾン酢酸エステル	645
センナ・センナ実	502	ダイアップ→ジアゼパム	123
センノシド	502	ダイアート→アゾセミド	273
		ダイアモックス→アセタゾラミド	22, 273
ソ		ダイアルミネート・アスピリン	43, 756
ソアナース→精製白糖・ポビドンヨード	680	大黄甘草湯	959
疎経活血湯	959	大黄牡丹皮湯	959
ゾスパタ→ギルテリチニブフマル酸塩	1009	タイケルブ→ラパチニブトシル酸塩水和物	1009
ソセゴン→ペンタゾシン	55	大建中湯	959
ソタコール→ソタロール塩酸塩	366	大柴胡湯	959
ソタロール塩酸塩	366	大承気湯	959

耐性乳酸菌製剤……………………… 517	タベジール→クレマスチンフマル酸塩………… 232
大腸菌死菌・ヒドロコルチゾン……………… 641	タペンタ→タペンタドール塩酸塩…………………55
ダイドロネル→エチドロン酸二ナトリウム…… 709	タペンタドール塩酸塩…………………………………55
ダイフェン配合→スルファメトキサゾール・	タミバロテン……………………………… 1021
トリメトプリム……………………… 868	タミフル→オセルタミビルリン酸塩………… 908
大防風湯……………………………… 959	タムスロシン塩酸塩……………………… 622
ダイメジンスリービー配合………………… 705	タモキシフェンクエン酸塩……………… 1002
タイメック配合→乾燥水酸化アルミニウムゲル・	ダラシン→クリンダマイシン塩酸塩………… 870
水酸化マグネシウム…………………… 485	ダラシンT→
タウリン……………………………… 548	クリンダマイシンリン酸エステル…… 655
タガメット→シメチジン…………………… 475	タリオン→ベポタスチンベシル酸塩………… 235
タカルシトール水和物…………………… 672	タリージェ→ミロガバリンベシル酸塩…………74
ダクチル→ピペリドレート塩酸塩…………… 600	タリビッド→オフロキサシン……………… 861
タグリッソ→オシメルチニブメシル酸塩…… 1009	タリビッド眼軟膏→オフロキサシン………… 205
タクロリムス水和物………… 218, 257, 688, 1031	タリビッド耳科用→オフロキサシン………… 228
タケキャブ→ボノプラザンフマル酸塩……… 478	タリビッド点眼液→オフロキサシン………… 205
タケプロン→ランソプラゾール…………… 478	タリムス点眼液→タクロリムス水和物……… 218
タケルダ配合→	タルグレチン→ベキサロテン……………… 1021
アスピリン・ランソプラゾール……… 756	タルセバ→エルロチニブ塩酸塩…………… 1009
ダコミチニブ水和物…………………… 1009	ダルナビルエタノール付加物……………… 925
ダサチニブ水和物……………………… 1009	ダルナビルエタノール付加物・
タシグナ→ニロチニブ塩酸塩水和物……… 1009	コビシスタット……………………… 925
タダラフィル…………………… 374, 625, 948	ダルナビルエタノール付加物・
タチオン→グルタチオン…………………… 208	コビシスタット・エムトリシタビン・
タチオン点眼用→グルタチオン…………… 208	テノホビルアラフェナミドフマル酸塩…… 925
ダナゾール………………………………… 602	ダルメート→フルラゼパム塩酸塩………………5
タナドーパ→ドカルパミン………………… 333	ダロルタミド…………………………… 1002
タナトリル→イミダプリル塩酸塩………… 296	炭カル→沈降炭酸カルシウム……………… 770
ダパグリフロジンプロピレングリコール水和物	炭〔球形吸着〕………………………… 778
……………………………… 339, 780, 816	炭酸水素ナトリウム……………………… 485
ダビガトランエテキシラートメタンスルホン酸塩	炭酸水素ナトリウム・アズレンスルホン酸
………………………………………… 749	ナトリウム水和物…………………… 466
タフィンラー→ダブラフェニブメシル酸塩…… 1021	炭酸水素ナトリウム・
ダフクリア→フィダキソマイシン………… 859	無水リン酸二水素ナトリウム………… 511
タプコム配合点眼液→タフルプロスト・	炭酸マグネシウム・沈降炭酸カルシウム・
チモロールマレイン酸塩……………… 191	コレカルシフェロール………………… 709
タフマックE配合………………………… 499	炭酸ランタン水和物……………………… 770
ダブラフェニブメシル酸塩……………… 1021	炭酸リチウム…………………………… 128
タフルプロスト…………………………… 191	タンドスピロンクエン酸塩……………… 123
タフルプロスト・チモロールマレイン酸塩…… 191	ダントリウム→
タブレクタ→カプマチニブ塩酸塩水和物…… 1009	ダントロレンナトリウム水和物……… 180
タプロス点眼液→タフルプロスト………… 191	ダントロレンナトリウム水和物………… 180
タプロスミニ点眼液→タフルプロスト…… 191	タンニン酸アルブミン………………… 519
ダーブロック→ダプロデュスタット……… 776	タンボコール→フレカイニド酢酸塩……… 363
ダプロデュスタット……………………… 776	

チ

チアトン→チキジウム臭化物…………………481
チアプリド塩酸塩……………………………106
チアプロフェン酸……………………………43
チアマゾール…………………………………578
チアラミド塩酸塩……………………………43
チウラジール→プロピルチオウラシル……578
チオトロピウム臭化物水和物………………435
チオトロピウム臭化物水和物・
　　オロダテロール塩酸塩…………………440
チオプロニン…………………………………548
チオラ→チオプロニン………………………548
チカグレロル…………………………………756
チガソン→エトレチナート…………………672
チキジウム臭化物……………………………481
チクロピジン塩酸塩…………………………756
チザニジン塩酸塩……………………………180
チスタニン→L-エチルシステイン塩酸塩…462
治打撲一方……………………………………959
チニダゾール…………………………… 613,902
チバセン→ベナゼプリル塩酸塩……………296
チピラシル塩酸塩・トリフルリジン………995
チペピジンヒベンズ酸塩……………………465
チミペロン……………………………………104
チメピジウム臭化物水和物…………………483
チモプトール点眼液→
　　チモロールマレイン酸塩………………191
チモプトールXE点眼液→
　　チモロールマレイン酸塩………………191
チモロールマレイン酸塩……………………191
チモロールマレイン酸塩・タフルプロスト……191
チモロールマレイン酸塩・トラボプロスト……191
チモロールマレイン酸塩・ドルゾラミド塩酸塩
　　……………………………………………191
チモロールマレイン酸塩・ブリモニジン酒石酸塩
　　……………………………………………191
チモロールマレイン酸塩・ブリンゾラミド……191
チモロールマレイン酸塩・ラタノプロスト……191
チャンピックス→バレニクリン酒石酸塩…942
調胃承気湯……………………………………959
調剤用パンビタン→レチノール・
　　カルシフェロール配合剤………………705
釣藤散…………………………………………959
チョコラA→ビタミンA……………………670

チョコラA→
　　レチノールパルミチン酸エステル……699
猪苓湯…………………………………………959
チラーヂンS→
　　レボチロキシンナトリウム水和物……576
チラブルチニブ塩酸塩………………………1009
チロナミン→リオチロニンナトリウム……576
沈降炭酸カルシウム…………………………770
沈降炭酸カルシウム・コレカルシフェロール・
　　炭酸マグネシウム………………………709

ツ

ツイミーグ→イメグリミン塩酸塩…………829
ツインラインNF配合経腸用………………735
通導散…………………………………………959
つくしA・M配合……………………………499
ツートラム→トラマドール塩酸塩…………55
ツベルミン→エチオナミド…………………876
ツルバダ配合→エムトリシタビン・
　　テノホビルジソプロキシルフマル酸塩……917
ツロブテロール………………………………428
ツロブテロール塩酸塩………………………430

テ

ディアコミット→スチリペントール………22
D・E・X点眼液→デキサメタゾンメタスルホ
　　安息香酸エステルナトリウム…………203
ティーエスワン配合→テガフール・ギメラシル・
　　オテラシルカリウム……………………995
TM配合………………………………………499
ディオバン→バルサルタン…………………288
テイカゾン点眼・点耳・点鼻液→デキサメタゾン
　　リン酸エステルナトリウム……………203
ディクアノン懸濁用配合→乾燥水酸化
　　アルミニウムゲル・水酸化マグネシウム……485
ディクアノン配合→乾燥水酸化アルミニウムゲル・
　　水酸化マグネシウム……………………485
d-クロルフェニラミンマレイン酸塩………232
d-クロルフェニラミンマレイン酸塩・
　　ベタメタゾン……………………… 232,564
ディナゲスト→ジエノゲスト………………602
ディビゲル→エストラジオール……………580
ディフェリン→アダパレン…………………655

ディレグラ配合→フェキソフェナジン塩酸塩・
　塩酸プソイドエフェドリン……………… 235
デエビゴ→レンボレキサント………………… 19
テオドール→テオフィリン………………… 425
テオフィリン……………………………… 425
テオロング→テオフィリン………………… 425
デカドロン→デキサメタゾン……………… 564
テガフール………………………………… 995
テガフール・ウラシル……………………… 995
テガフール・ギメラシル・オテラシルカリウム
　……………………………………………… 995
デカリニウム塩化物……………………… 468
デキサメタゾン…………………………203, 470
デキサメタゾン吉草酸エステル…………… 645
デキサメタゾンシペシル酸エステル……… 225
デキサメタゾンプロピオン酸エステル…… 645
デキサメタゾンメタスルホ安息香酸エステル
　ナトリウム……………………………… 203
デキサメタゾンリン酸エステルナトリウム…… 203
デキサンVG→ベタメタゾン吉草酸エステル・
　ゲンタマイシン硫酸塩………………… 645
デキストラン硫酸エステルナトリウム…… 403
デキストロメトルファン臭化水素酸塩水和物…… 460
テクスメテン→ジフルコルトロン吉草酸エステル
　……………………………………………… 645
テクスメテン　ユニバーサル→
　ジフルコルトロン吉草酸エステル…… 645
テグレトール→カルバマゼピン………22, 128
デザレックス→デスロラタジン…………… 235
デシコビ配合→エムトリシタビン・
　テノホビルアラフェナミドフマル酸塩…… 917
テジゾリド酸エステル…………………… 866
テシプール→セチプチリンマレイン酸塩…… 138
デジレル→トラゾドン塩酸塩……………… 138
デスモプレシン酢酸塩水和物……………… 573
デスロラタジン…………………………… 235
デソゲストレル・エチニルエストラジオール…… 952
デソパン→トリロスタン…………………… 593
デタントール→ブナゾシン塩酸塩………… 313
デタントールR→ブナゾシン塩酸塩……… 313
デタントール点眼液→ブナゾシン塩酸塩…… 191
テトラサイクリン塩酸塩………………468, 653
テトラヒドロゾリン〔塩酸〕・
　プレドニゾロン………………………… 224
テトラミド→ミアンセリン塩酸塩………… 138

デトルシトール→トルテロジン酒石酸塩…… 632
テナキシル→インダパミド……………… 302
テネリア→テネリグリプチン臭化水素酸塩水和物
　……………………………………………… 818
テネリグリプチン臭化水素酸塩水和物…… 818
テネリグリプチン臭化水素酸塩水和物・
　カナグリフロジン水和物……………… 831
テノゼット→
　テノホビルジソプロキシルフマル酸塩…… 556
デノタス配合→
　沈降炭酸カルシウム・コレカルシフェロール・
　炭酸マグネシウム……………………… 709
デノパミン………………………………… 333
テノホビルアラフェナミドフマル酸塩…… 556
テノホビルアラフェナミドフマル酸塩・
　エムトリシタビン……………………… 917
テノホビルアラフェナミドフマル酸塩・
　エルビテグラビル・コビシスタット・
　エムトリシタビン……………………… 933
テノホビルアラフェナミドフマル酸塩・
　ダルナビエタノール付加物・
　コビシスタット・エムトリシタビン…… 925
テノホビルアラフェナミドフマル酸塩・
　ビクテグラビルナトリウム・
　エムトリシタビン……………………… 933
テノホビルアラフェナミドフマル酸塩・
　リルピビリン塩酸塩・エムトリシタビン…… 921
テノホビルジソプロキシルフマル酸塩…… 556, 917
テノホビルジソプロキシルフマル酸塩・
　エムトリシタビン……………………… 917
テノホビルジソプロキシルフマル酸塩・
　エルビテグラビル・コビシスタット・
　エムトリシタビン……………………… 933
テノーミン→アテノロール……………305, 365
デパケン→バルプロ酸ナトリウム……22, 77, 128
デパケンR→バルプロ酸ナトリウム……22, 77, 128
デパス→エチゾラム………………………5, 123
テビケイ→ドルテグラビルナトリウム…… 931
テビペネムピボキシル…………………… 870
テプミトコ→テポチニブ塩酸塩水和物……1009
テプレノン………………………………… 490
デプロドンプロピオン酸エステル………… 645
デプロメール→フルボキサミンマレイン酸塩…… 138
デベルザ→トホグリフロジン水和物……… 816
テポチニブ塩酸塩水和物…………………1009

索引　ディレ～トピラ

テモカプリル塩酸塩……………………296
テモゾロミド……………………………993
テモダール→テモゾロミド……………993
デュアック配合→クリンダマイシンリン酸
　　エステル水和物・過酸化ベンゾイル……655
デュオドーパ配合経腸用→
　　レボドパ・カルビドパ水和物………155
デュオトラバ配合点眼液→トラボプロスト・
　　チモロールマレイン酸塩………………191
デュタステリド………………………625,956
デュファストン→ジドロゲステロン…585
デュラグルチド…………………………821
デュロキセチン塩酸塩…………………76,138
デュロテップMT→フェンタニル………55
デラキシー配合→アスコルビン酸・パントテン酸
　　カルシウム………………………………705
テラ・コートリル→オキシテトラサイクリン
　　塩酸塩・ヒドロコルチゾン……………645
テラゾシン塩酸塩水和物…………313,622
デラプリル塩酸塩………………………296
テラマイシン→オキシテトラサイクリン塩酸塩・
　　ポリミキシンB硫酸塩…………………653
デラマニド………………………………876
テラムロ配合→テルミサルタン・
　　アムロジピンベシル酸塩………………288
テリパラチド酢酸塩……………………709
テリパラチド（遺伝子組換え）………709
テリボン→テリパラチド酢酸塩………709
テリルジー→フルチカゾンフランカルボン酸
　　エステル・ウメクリジニウム臭化物・
　　ビランテロールトリフェニル酢酸塩……445
デルゴシチニブ…………………………688
テルチア配合→
　　テルミサルタン・ヒドロクロロチアジド……288
デルティバ→デラマニド………………876
テルネリン→チザニジン塩酸塩………180
テルビナフィン塩酸塩………………664,890
テルブタリン硫酸塩……………………428
テルミサルタン…………………………288
テルミサルタン・アムロジピンベシル酸塩……288
テルミサルタン・アムロジピンベシル酸塩・
　　ヒドロクロロチアジド…………………288
テルミサルタン・ヒドロクロロチアジド……288
デルモゾールDP→
　　ベタメタゾンジプロピオン酸エステル……645

デルモゾールG→ベタメタゾン吉草酸エステル・
　　ゲンタマイシン硫酸塩…………………645
デルモベート→
　　クロベタゾールプロピオン酸エステル……645
テレミンソフト→ビサコジル…………511
点眼・点鼻用リンデロンA→フラジオマイシン
　　硫酸塩・ベタメタゾンリン酸エステル
　　ナトリウム…………………………203,225
天然ケイ酸アルミニウム………………519

ト

トアラセット配合→トラマドール塩酸塩・
　　アセトアミノフェン……………………55
桃核承気湯………………………………959
当帰飲子…………………………………959
当帰四逆加呉茱萸生姜湯………………959
当帰芍薬散………………………………959
ドウベイト配合→
　　ドルテグラビルナトリウム・ラミブジン……933
ドカルパミン……………………………333
ドキサゾシンメシル酸塩………………313
ドキシフルリジン………………………995
ドグマチール→スルピリド………106,138,498
トコフェロール酢酸エステル…………703
トコフェロール酢酸エステル・ブロメライン……640
トコフェロールニコチン酸エステル…396
トコフェロール・ビタミンA油………670
トシリズマブ……………………………265
トスキサシン→
　　トスフロキサシントシル酸塩水和物……861
トスフロキサシントシル酸塩水和物……205,861
トスフロ点眼液→
　　トスフロキサシントシル酸塩水和物……205
ドスレピン塩酸塩………………………138
ドチヌラド………………………………793
ドネペジル塩酸塩………………………415
ドパコール配合→
　　レボドパ・カルビドパ水和物…………155
ドパストン→レボドパ…………………155
ドパゾール→レボドパ…………………155
トービイ→トブラマイシン……………205
トビエース→フェソテロジンフマル酸塩……632
トピナ→トピラマート…………………22
トピラマート……………………………22

トピロキソスタット……………………………790
トピロリック→トピロキソスタット………………790
トファシチニブクエン酸塩……………257,531
トフィソパム………………………………………185
トプシム→フルオシノニド………………………645
トプシム E→フルオシノニド……………………645
ドプス→ドロキシドパ……………………155,343
トブラシン点眼液→トブラマイシン……………205
トフラニール→イミプラミン塩酸塩……………138
トブラマイシン……………………………………205
トホグリフロジン水和物…………………………816
ドボネックス→カルシポトリオール……………672
ドボベット→カルシポトリオール水和物・
　　ベタメタゾンジプロピオン酸エステル……672
ドミフェン臭化物…………………………………468
トミロン→セフテラムピボキシル………………854
ドメナン→オザグレル塩酸塩水和物……………243
トライコア→フェノフィブラート………………392
トラクリア→ボセンタン水和物…………………374
トラクリア小児用分散→ボセンタン水和物……374
トラゼンタ→リナグリプチン……………………818
トラゾドン塩酸塩…………………………………138
トラチモ配合点眼液→トラボプロスト・
　　チモロールマレイン酸塩……………………191
トラディアンス配合→
　　エンパグリフロジン・リナグリプチン……831
トラニラスト……………………………210,239
トラネキサム酸……………………………………743
トラバタンズ点眼液→トラボプロスト…………191
トラピジル…………………………………………353
ドラビリン…………………………………………921
トラフェルミン……………………………………680
トラベルミン配合→ジフェンヒドラミンサリチル
　　酸塩・ジプロフィリン………………………89
トラボプロスト……………………………………191
トラボプロスト・チモロールマレイン酸塩……191
トラマゾリン塩酸塩………………………………224
トラマゾリン点鼻液→トラマゾリン塩酸塩……224
トラマドール塩酸塩…………………………………55
トラマドール塩酸塩・アセトアミノフェン………55
ドラマミン→ジメンヒドリナート…………………89
トラマール→トラマドール塩酸塩…………………55
トラムセット配合→トラマドール塩酸塩・
　　アセトアミノフェン……………………………55
トラメチニブジメチルスルホキシド付加物…1021

トラメラス点眼液→トラニラスト………………210
トラメラス PF 点眼液→トラニラスト…………210
ドラール→クアゼパム………………………………5
トランコロン→メペンゾラート臭化物…………537
トランサミン→トラネキサム酸…………………743
トランデート→ラベタロール塩酸塩……………305
トランドラプリル…………………………………296
トリアゾラム…………………………………………5
トリアムシノロン…………………………………564
トリアムシノロンアセトニド……………470,645
トリキュラー→エチニルエストラジオール・
　　レボノルゲストレル…………………………952
トリクロホスナトリウム……………………………15
トリクロリール→トリクロホスナトリウム………15
トリクロルメチアジド……………………273,302
トリクロルメチアジド・イルベサルタン………288
トリノシン→
　　アデノシン三リン酸二ナトリウム水和物……89
トリパミド…………………………………………302
トリプタノール→アミトリプチリン塩酸塩…76,138
トリフルリジン・チピラシル塩酸塩……………995
トリヘキシフェニジル塩酸塩……………………155
トリベノシド………………………………………640
トリベノシド・リドカイン………………………641
トリーメク配合→ドルテグラビルナトリウム・
　　アバカビル硫酸塩・ラミブジン……………933
トリメタジオン………………………………………22
トリメタジジン塩酸塩……………………………353
トリメトプリム・スルファメトキサゾール……868
トリメブチンマレイン酸塩………………523,537
トリラホン→ペルフェナジンマレイン酸塩………98
トリロスタン………………………………………593
トリンテリックス→
　　ボルチオキセチン臭化水素酸塩……………138
トルソプト点眼液→ドルゾラミド塩酸塩………191
ドルゾラミド塩酸塩………………………………191
ドルゾラミド塩酸塩・チモロールマレイン酸塩
　　…………………………………………………191
トルツ→イキセキズマブ…………………………672
ドルテグラビルナトリウム………………………931
ドルテグラビルナトリウム・アバカビル硫酸塩・
　　ラミブジン……………………………………933
ドルテグラビルナトリウム・ラミブジン………933
ドルテグラビルナトリウム・リルピビリン塩酸塩
　　…………………………………………………933

トルテロジン酒石酸塩‥‥‥‥‥‥‥‥‥‥632
ドルナー→ベラプロストナトリウム‥‥‥‥‥756
トルナフタート‥‥‥‥‥‥‥‥‥‥‥‥664
トルバプタン‥‥‥‥‥‥‥‥‥‥‥‥‥273
ドルモロール配合点眼液→ドルゾラミド塩酸塩・
　　チモロールマレイン酸塩‥‥‥‥‥‥‥191
トルリシティ→デュラグルチド‥‥‥‥‥‥821
トレシーバ→インスリンデグルデク‥‥‥‥802
トレチノイン‥‥‥‥‥‥‥‥‥‥‥‥1021
トレチノイントコフェリル‥‥‥‥‥‥‥‥680
トレドミン→ミルナシプラン塩酸塩‥‥‥‥138
ドレニゾン→フルドロキシコルチド‥‥‥‥645
トレピブトン‥‥‥‥‥‥‥‥‥‥‥‥‥543
トレミフェン→トレミフェンクエン酸塩‥‥1002
トレミフェンクエン酸塩‥‥‥‥‥‥‥‥1002
トレラグリプチンコハク酸塩‥‥‥‥‥‥‥818
トレリーフ→ゾニサミド‥‥‥‥‥‥‥‥‥155
ドロキシドパ‥‥‥‥‥‥‥‥‥‥‥155,343
トロキシピド‥‥‥‥‥‥‥‥‥‥‥‥‥490
ドロスピレノン・エチニルエストラジオール‥602
トロノーム配合→クエン酸カリウム・
　　クエン酸ナトリウム水和物‥‥‥‥‥‥795
トロピカミド‥‥‥‥‥‥‥‥‥‥‥‥‥189
トロピカミド・フェニレフリン塩酸塩‥‥‥189
トロペロン→チミペロン‥‥‥‥‥‥‥‥‥104
トロンビン‥‥‥‥‥‥‥‥‥‥‥‥‥‥744
トロンビン〔経口用〕→トロンビン‥‥‥‥744
トーワチーム配合‥‥‥‥‥‥‥‥‥‥‥‥38
ドンペリドン‥‥‥‥‥‥‥‥‥‥‥‥‥523

ナ

ナイキサン→ナプロキセン‥‥‥‥‥‥‥‥‥43
ナウゼリン→ドンペリドン‥‥‥‥‥‥‥‥523
ナサニール点鼻液→
　　ナファレリン酢酸塩水和物‥‥‥‥‥‥602
ナジフロキサシン‥‥‥‥‥‥‥‥‥653,655
ナゼア→ラモセトロン塩酸塩‥‥‥‥‥‥‥527
ナゾネックス点鼻液→
　　モメタゾンフランカルボン酸エステル水和物
　　‥‥‥‥‥‥‥‥‥‥‥‥‥‥‥‥‥225
ナテグリニド‥‥‥‥‥‥‥‥‥‥‥‥‥827
ナトリックス→インダパミド‥‥‥‥‥‥‥302
ナバゲルン→フェルビナク‥‥‥‥‥‥‥‥658
ナファゾリン硝酸塩‥‥‥‥‥‥‥‥218,224

ナファレリン酢酸塩水和物‥‥‥‥‥‥‥‥602
ナファレリン点鼻液→
　　ナファレリン酢酸塩水和物‥‥‥‥‥‥602
ナフトピジル‥‥‥‥‥‥‥‥‥‥‥‥‥622
ナブメトン‥‥‥‥‥‥‥‥‥‥‥‥‥‥‥43
ナプロキセン‥‥‥‥‥‥‥‥‥‥‥‥‥‥43
ナボール→ジクロフェナクナトリウム‥‥‥658
ナボールSR→ジクロフェナクナトリウム‥‥43
ナラトリプタン→ナラトリプタン塩酸塩‥‥‥77
ナラトリプタン塩酸塩‥‥‥‥‥‥‥‥‥‥77
ナルサス→ヒドロモルフォン塩酸塩‥‥‥‥‥55
ナルデメジントシル酸塩‥‥‥‥‥‥‥‥‥502
ナルフラフィン塩酸塩‥‥‥‥‥‥‥‥‥‥780
ナルメフェン塩酸塩水和物‥‥‥‥‥‥‥‥783
ナルラピド→ヒドロモルフォン塩酸塩‥‥‥‥55

ニ

ニカルジピン塩酸塩‥‥‥‥‥‥‥‥‥‥‥282
ニコ→トコフェロールニコチン酸エステル‥396
ニコチネルTTS→ニコチン‥‥‥‥‥‥‥942
ニコチン‥‥‥‥‥‥‥‥‥‥‥‥‥‥‥942
ニコチン酸アミド‥‥‥‥‥‥‥‥‥‥‥701
ニコチン酸アミド・パパベリン塩酸塩‥‥‥223
ニコモール‥‥‥‥‥‥‥‥‥‥‥‥‥‥396
ニコランジル‥‥‥‥‥‥‥‥‥‥‥‥‥353
ニザチジン‥‥‥‥‥‥‥‥‥‥‥‥‥‥475
二朮湯‥‥‥‥‥‥‥‥‥‥‥‥‥‥‥‥959
ニセリトロール‥‥‥‥‥‥‥‥‥‥‥‥396
ニセルゴリン‥‥‥‥‥‥‥‥‥‥‥‥‥415
ニゾラール→ケトコナゾール‥‥‥‥‥‥‥664
ニチファーゲン配合‥‥‥‥‥‥‥‥‥‥‥548
二陳湯‥‥‥‥‥‥‥‥‥‥‥‥‥‥‥‥959
日点アトロピン点眼液→
　　アトロピン硫酸塩水和物‥‥‥‥‥‥‥189
ニトギス配合→アスピリン・ダイアルミネート‥756
ニトラゼパム‥‥‥‥‥‥‥‥‥‥‥‥5,22
ニトレンジピン‥‥‥‥‥‥‥‥‥‥‥‥282
ニトログリセリン‥‥‥‥‥‥‥‥‥‥‥347
ニトロダームTTS→ニトログリセリン‥‥‥347
ニトロペン→ニトログリセリン‥‥‥‥‥‥347
ニトロール→硝酸イソソルビド‥‥‥‥‥‥347
ニトロールR→硝酸イソソルビド‥‥‥‥‥347
ニバジール→ニルバジピン‥‥‥‥‥‥‥‥282
ニフェジピン‥‥‥‥‥‥‥‥‥‥‥‥‥282

ニフェジピン CR→ニフェジピン ………………… 282
ニフェジピン L→ニフェジピン ………………… 282
ニプラジロール ………………………………… 191, 305
ニプラノール点眼液→ニプラジロール ………… 191
ニフラン→プラノプロフェン …………………… 43
ニフラン点眼液→プラノプロフェン …………… 216
ニフレック配合 ………………………………… 502
ニポラジン→メキタジン ………………………… 235
ニポラジン小児用→メキタジン ………………… 235
乳酸カルシウム水和物 ………………………… 731
ニュープロ→ロチゴチン ………………… 155, 176
ニュベクオ→ダロルタミド …………………… 1002
ニューレプチル→プロペリシアジン ……………… 98
ニューロタン→ロサルタンカリウム …………… 288
尿素 ……………………………………………… 670
女神散 …………………………………………… 959
ニラパリブトシル酸塩水和物 ………………… 1021
ニルバジピン …………………………………… 282
ニロチニブ塩酸塩水和物 ……………………… 1009
人参湯 …………………………………………… 959
人参養栄湯 ……………………………………… 959
ニンラーロ→イキサゾミブクエン酸エステル… 1021

ネ

ネイサート→ジフルコルトロン吉草酸エステル・
　リドカイン ………………………………… 641
ネイリン→ホスラブコナゾール L-リシン
　エタノール付加物 ………………………… 890
ネオキシ→オキシブチニン塩酸塩 ……………… 632
ネオシネジン点眼液→フェニレフリン塩酸塩 … 189
ネオスチグミン臭化物 ………………………… 183
ネオスチグミンメチル硫酸塩・無機塩類 ……… 218
ネオドパストン配合→
　レボドパ・カルビドパ水和物 …………… 155
ネオドパゾール配合→
　レボドパ・ベンセラジド塩酸塩 ………… 155
ネオファーゲン C 配合 ………………………… 548
ネオフィリン→アミノフィリン水和物 ………… 425
ネオベノール点眼液→
　オキシブプロカイン塩酸塩 ……………… 218
ネオメドロール EE→フラジオマイシン硫酸塩・
　メチルプレドニゾロン …………………… 203
ネオヨジン→精製白糖・ポビドンヨード ……… 680
ネオーラル→シクロスポリン ………… 672, 1031

ネオレスタミンコーワ→
　d-クロルフェニラミンマレイン酸塩 ……… 232
ネキシウム→
　エソメプラゾールマグネシウム水和物 …… 478
ネキシウム懸濁用→
　エソメプラゾールマグネシウム水和物 …… 478
ネクサバール→ソラフェニブトシル酸塩 …… 1009
ネグミンシュガー→
　精製白糖・ポビドンヨード ……………… 680
ネシーナ→アログリプチン安息香酸塩 ………… 818
ネチコナゾール塩酸塩 ………………………… 664
ネバナック懸濁性点眼液→ネパフェナク ……… 216
ネパフェナク …………………………………… 216
ネビラピン ……………………………………… 921
ネモナプリド …………………………………… 106
ネリコルト→ジフルコルトロン吉草酸エステル・
　リドカイン ………………………………… 641
ネリザ→ジフルコルトロン吉草酸エステル・
　リドカイン ………………………………… 641
ネリゾナ→ジフルコルトロン吉草酸エステル… 645
ネリゾナユニバーサル→
　ジフルコルトロン吉草酸エステル ……… 645
ネリプロクト→
　ジフルコルトロン吉草酸エステル・
　リドカイン ………………………………… 641
ネルボン→ニトラゼパム …………………… 5, 22

ノ

ノアルテン→ノルエチステロン ………………… 585
ノイエル→セトラキサート塩酸塩 ……………… 490
ノイキノン→ユビデカレノン …………………… 335
ノイロビタン配合 ……………………………… 705
ノウリアスト→イストラデフィリン …………… 155
ノギロン→トリアムシノロンアセトニド ……… 645
ノクサフィル→ポサコナゾール ………………… 886
ノックビン→ジスルフィラム …………………… 783
ノバミン→プロクロルペラジンマレイン酸塩 …… 98
ノービア→リトナビル …………………………… 925
ノフロ点眼液→ノルフロキサシン ……………… 205
ノボラピッド→インスリンアスパルト ………… 802
ノボラピッドミックス→
　インスリンアスパルト …………………… 802
ノボリン N→インスリンヒト …………………… 802
ノボリン R→インスリンヒト …………………… 802

ノリトレン→ノルトリプチリン塩酸塩………… 138	バクタ配合→
ノルエチステロン……………………………… 585	スルファメトキサゾール・トリメトプリム …. 868
ノルエチステロン・エチニルエストラジオール	バクタミニ配合→
………………………………… 587,602,952	スルファメトキサゾール・トリメトプリム …. 868
ノルエチステロン〔酢酸〕・	バクトラミン配合→
エストラジオール…………………………… 587	スルファメトキサゾール・トリメトプリム …. 868
ノルゲストレル・エチニルエストラジオール	バクトロバン鼻腔用→
………………………………………… 587,602	ムピロシンカルシウム水和物……………… 228
ノルスパン→ブプレノルフィン………………… 55	麦門冬湯………………………………………… 959
ノルトリプチリン塩酸塩……………………… 138	バクロフェン…………………………………… 180
ノルバスク→アムロジピンベシル酸塩……… 282	バシトラシン・フラジオマイシン硫酸塩…… 653
ノルバデックス→タモキシフェンクエン酸塩…1002	パシーフ→モルヒネ塩酸塩水和物……………… 55
ノルフロキサシン………………………… 205,861	バスタレルF→トリメタジジン塩酸塩……… 353
ノルモナール→トリパミド…………………… 302	パスタロン→尿素……………………………… 670
ノルレボ→レボノルゲストレル……………… 620	パスタロンソフト→尿素……………………… 670
	バゼドキシフェン酢酸塩……………………… 709
ハ	パセトシン→アモキシシリン水和物………… 851
	パゾパニブ塩酸塩………………………………1009
バイアグラ→シルデナフィルクエン酸塩…… 948	バソメット→テラゾシン塩酸塩水和物… 313,622
バイアスピリン→アスピリン………………… 756	バソレーター→ニトログリセリン…………… 347
ハイアラージン→トルナフタート…………… 664	パダデュスタット……………………………… 776
バイエッタ→エキセナチド…………………… 821	パタノール点眼液→オロパタジン塩酸塩…… 210
バイカロン→メフルシド…………………… 273,302	八味地黄丸……………………………………… 959
ハイコバール→コバマミド…………………… 701	ハッカ油・エスフルルビプロフェン………… 658
ハイシー→アスコルビン酸…………………… 703	バッサミン配合→
ハイセチンP→クロラムフェニコール・	アスピリン・ダイアルミネート…………… 756
フラジオマイシン…………………………… 645	ハップスターID→インドメタシン………… 658
ハイゼット→ガンマオリザノール………… 185,403	バップフォー→プロピベリン塩酸塩………… 632
バイナス→ラマトロバン……………………… 244	パナルジン→チクロピジン塩酸塩…………… 756
ハイパジールコーワ→ニプラジロール……… 305	バナン→セフポドキシムプロキセチル……… 854
ハイパジールコーワ点眼液→ニプラジロール… 191	パニマイシン点眼液→ジベカシン硫酸塩…… 205
ハイフル配合…………………………………… 499	パノビノスタット乳酸塩………………………1021
ハイペン→エトドラク…………………………… 43	パパベリン塩酸塩・ニコチン酸アミド……… 223
ハイボン→リボフラビン酪酸エステル……… 701	パピロックミニ点眼液→シクロスポリン…… 218
バイロテンシン→ニトレンジピン…………… 282	バファリン配合→
バカンピシリン塩酸塩………………………… 851	アスピリン・ダイアルミネート…………… 756
パキシル→パロキセチン塩酸塩水和物……… 138	ハーフジゴキシンKY→ジゴキシン………… 331
パキシルCR→パロキセチン塩酸塩水和物… 138	バフセオ→パダデュスタット………………… 776
パーキストン配合→	ハーボニー配合→レジパスビルアセトン付加物・
レボドパ・カルビドパ水和物……………… 155	ソホスブビル……………………………… 550
バキソ→ピロキシカム……………………… 43,658	バラクルード→エンテカビル水和物………… 556
パーキネス→トリヘキシフェニジル塩酸塩… 155	バラシクロビル塩酸塩………………………… 911
バクシダール→ノルフロキサシン…………… 861	パラプロスト配合……………………………… 625
バクシダール〔小児用〕→ノルフロキサシン… 861	バラマイシン→
バクシダール点眼液→ノルフロキサシン…… 205	バシトラシン・フラジオマイシン硫酸塩… 653

バランス→クロルジアゼポキシド‥‥‥‥‥123
パリエット→ラベプラゾールナトリウム‥‥‥478
バリキサ→バルガンシクロビル塩酸塩‥‥‥‥911
バリシチニブ‥‥‥‥‥‥‥‥‥‥‥‥‥‥‥257
ハリゾン→アムホテリシンB‥‥‥‥‥‥‥‥886
パリペリドン‥‥‥‥‥‥‥‥‥‥‥‥‥‥‥110
バルガンシクロビル塩酸塩‥‥‥‥‥‥‥‥‥911
バルサルタン‥‥‥‥‥‥‥‥‥‥‥‥‥‥‥288
バルサルタン・アムロジピンベシル酸塩‥‥‥288
バルサルタン・シルニジピン‥‥‥‥‥‥‥‥288
バルサルタン・ヒドロクロロチアジド‥‥‥‥288
ハルシオン→トリアゾラム‥‥‥‥‥‥‥‥‥5
バルタンM→
　　メチルエルゴメトリンマレイン酸塩‥‥‥599
バルデナフィル塩酸塩水和物‥‥‥‥‥‥‥‥948
バルトレックス→バラシクロビル塩酸塩‥‥‥911
ハルナール→タムスロシン塩酸塩‥‥‥‥‥‥622
バルニジピン塩酸塩‥‥‥‥‥‥‥‥‥‥‥‥282
バルネチール→スルトプリド塩酸塩‥‥‥‥‥106
バルヒディオ配合→
　　バルサルタン・ヒドロクロロチアジド‥‥288
バルプロ酸ナトリウム‥‥‥‥‥‥‥22,77,128
パルボシクリブ‥‥‥‥‥‥‥‥‥‥‥‥‥1021
パルミコート→ブデソニド‥‥‥‥‥‥‥‥‥437
パルモディア→ペマフィブラート‥‥‥‥‥‥392
ハルロピ→ロピニロール塩酸塩‥‥‥‥‥‥‥155
バレニクリン酒石酸塩‥‥‥‥‥‥‥‥‥‥‥942
ハロキサゾラム‥‥‥‥‥‥‥‥‥‥‥‥‥‥5
パロキサビルマルボキシル‥‥‥‥‥‥‥‥‥908
パロキセチン塩酸塩水和物‥‥‥‥‥‥‥‥‥138
パーロデル→ブロモクリプチンメシル酸塩‥155,618
ハロペリドール‥‥‥‥‥‥‥‥‥‥‥‥‥‥104
パロモマイシン硫酸塩‥‥‥‥‥‥‥‥‥‥‥902
パンクレアチン‥‥‥‥‥‥‥‥‥‥‥‥‥‥499
パンクレリパーゼ‥‥‥‥‥‥‥‥‥‥‥‥‥541
半夏厚朴湯‥‥‥‥‥‥‥‥‥‥‥‥‥‥‥‥959
半夏瀉心湯‥‥‥‥‥‥‥‥‥‥‥‥‥‥‥‥959
半夏白朮天麻湯‥‥‥‥‥‥‥‥‥‥‥‥‥‥959
バンコマイシン塩酸塩‥‥‥‥‥‥‥‥205,870
バンコマイシン眼軟膏→
　　バンコマイシン塩酸塩‥‥‥‥‥‥‥‥205
バンデタニブ‥‥‥‥‥‥‥‥‥‥‥‥‥‥1009
パンテチン‥‥‥‥‥‥‥‥‥‥‥‥‥‥‥‥701
パンデル→酪酸プロピオン酸ヒドロコルチゾン‥645
パントシン→パンテチン‥‥‥‥‥‥‥‥‥‥701

パントテン酸カルシウム・アスコルビン酸‥‥‥705
パンビタン〔調剤用〕→
　　レチノール・カルシフェロール配合剤‥‥705

ヒ

ヒアレイン点眼液→
　　精製ヒアルロン酸ナトリウム‥‥‥‥‥‥213
ヒアレインミニ点眼液→
　　精製ヒアルロン酸ナトリウム‥‥‥‥‥‥213
ピーエイ配合‥‥‥‥‥‥‥‥‥‥‥‥‥‥‥38
PL配合‥‥‥‥‥‥‥‥‥‥‥‥‥‥‥‥‥‥38
PL配合〔幼児用〕‥‥‥‥‥‥‥‥‥‥‥‥‥38
ピオグリタゾン塩酸塩‥‥‥‥‥‥‥‥‥‥‥810
ピオグリタゾン塩酸塩・
　　アログリプチン安息香酸塩‥‥‥‥‥‥‥831
ピオグリタゾン塩酸塩・グリメピリド‥‥‥‥831
ピオグリタゾン塩酸塩・メトホルミン塩酸塩‥831
ビオスミン配合→ビフィズス菌配合剤‥‥‥‥517
ビオヂアスミンF-2→ラクトミン‥‥‥‥‥‥517
ビオチン‥‥‥‥‥‥‥‥‥‥‥‥‥‥‥‥‥703
ビオフェルミン→ビフィズス菌製剤‥‥‥‥‥517
ビオフェルミンR→耐性乳酸菌製剤‥‥‥‥‥517
ビオフェルミン配合→ラクトミン‥‥‥‥‥‥517
ビオラクト→ラクトミン‥‥‥‥‥‥‥‥‥‥517
ビガバトリン‥‥‥‥‥‥‥‥‥‥‥‥‥‥‥22
ビカルタミド‥‥‥‥‥‥‥‥‥‥‥‥‥‥1002
ビキサロマー‥‥‥‥‥‥‥‥‥‥‥‥‥‥‥770
ビクシリン→アンピシリン水和物‥‥‥‥‥‥851
ビクシリンS配合→アンピシリン水和物・
　　クロキサシリンナトリウム水和物‥‥‥‥851
ビクタルビ配合→
　　ビクテグラビルナトリウム・
　　エムトリシタビン・テノホビルアラフェナミド
　　フマル酸塩‥‥‥‥‥‥‥‥‥‥‥‥‥‥933
ビクテグラビルナトリウム・エムトリシタビン・
　　テノホビルアラフェナミドフマル酸塩‥‥933
ビクトーザ→リラグルチド‥‥‥‥‥‥‥‥‥821
ピコスルファートナトリウム水和物‥‥‥‥‥502
ピコプレップ配合‥‥‥‥‥‥‥‥‥‥‥‥‥502
ビサコジル‥‥‥‥‥‥‥‥‥‥‥‥‥‥‥‥511
ビジクリア配合→リン酸二水素ナトリウム
　　一水和物・無水リン酸水素二ナトリウム‥502
ビ・シフロール→
　　プラミペキソール塩酸塩水和物‥‥‥‥155,176

ビジュアリン眼科耳鼻科用液→デキサメタゾン
　メタスルホ安息香酸エステルナトリウム‥‥203
ビジュアリン点眼液→デキサメタゾンメタスルホ
　安息香酸エステルナトリウム‥‥‥‥‥‥203
ビジンプロ→ダコミチニブ水和物‥‥‥‥‥1009
ヒスタブロック配合→ベタメタゾン・
　d-クロルフェニラミンマレイン酸塩‥‥232,564
ビスダーム→アムシノニド‥‥‥‥‥‥‥‥645
ビスミラー→
　d-クロルフェニラミンマレイン酸塩‥‥‥‥232
ヒスロン→
　メドロキシプロゲステロン酢酸エステル‥‥585
ヒスロンH→
　メドロキシプロゲステロン酢酸エステル‥1002
ピーゼットシー→ペルフェナジンマレイン酸塩‥98
ビソノ→ビソプロロールフマル酸塩‥‥‥‥305
ビソプロロールフマル酸塩‥‥‥‥‥‥305,365
ビソルボン→ブロムヘキシン塩酸塩‥‥‥‥462
ビタダン配合‥‥‥‥‥‥‥‥‥‥‥‥‥‥705
ビタノイリン‥‥‥‥‥‥‥‥‥‥‥‥‥‥705
ピタバスタチンカルシウム‥‥‥‥‥‥‥‥384
ビタミンA‥‥‥‥‥‥‥‥‥‥‥‥‥‥‥670
ビタミンA油・トコフェロール‥‥‥‥‥‥670
ビタミンC→アスコルビン酸‥‥‥‥‥‥‥703
ビタミンK$_1$→フィトナジオン‥‥‥‥‥‥‥703
ビタメジン配合‥‥‥‥‥‥‥‥‥‥‥‥‥705
ビダラビン‥‥‥‥‥‥‥‥‥‥‥‥‥‥‥693
ヒダントール→フェニトイン‥‥‥‥‥‥‥‥22
ヒダントール配合→
　フェニトイン・フェノバルビタール・
　安息香酸ナトリウムカフェイン‥‥‥‥‥‥22
ビデュリオン→エキセナチド‥‥‥‥‥‥‥821
ピドキサール→
　ピリドキサールリン酸エステル水和物‥‥‥701
ヒドラ→イソニアジド‥‥‥‥‥‥‥‥‥‥876
ヒドララジン塩酸塩‥‥‥‥‥‥‥‥‥‥‥319
ピートル→スクロオキシ水酸化鉄‥‥‥‥‥770
ヒドロキシクロロキン硫酸塩‥‥‥‥‥‥‥1031
ヒドロキシジン塩酸塩‥‥‥‥‥‥‥‥‥‥123
ヒドロキシジンパモ酸塩‥‥‥‥‥‥‥‥‥123
ヒドロクロロチアジド‥‥‥‥‥‥‥‥‥‥302
ヒドロクロロチアジド・
　カンデサルタンシレキセチル‥‥‥‥‥‥288
ヒドロクロロチアジド・テルミサルタン‥‥288
ヒドロクロロチアジド・テルミサルタン・
　アムロジピンベシル酸塩‥‥‥‥‥‥‥‥288
ヒドロクロロチアジド・バルサルタン‥‥‥288
ヒドロクロロチアジド・ロサルタンカリウム‥288
ヒドロコルチゾン‥‥‥‥‥‥‥‥‥‥‥‥564
ヒドロコルチゾン・
　オキシテトラサイクリン塩酸塩‥‥‥‥‥645
ヒドロコルチゾン・クロタミトン‥‥‥‥‥662
ヒドロコルチゾン酢酸エステル・
　フラジオマイシン硫酸塩・
　ジフェンヒドラミン塩酸塩‥‥‥‥‥‥‥645
ヒドロコルチゾン・大腸菌死菌‥‥‥‥‥‥641
ヒドロコルチゾン・フラジオマイシン‥‥‥641
ヒドロコルチゾン酪酸エステル‥‥‥‥‥‥645
ヒドロコルチゾン〔酪酸プロピオン酸〕‥‥645
ヒドロモルフォン塩酸塩‥‥‥‥‥‥‥‥‥55
ビニメチニブ‥‥‥‥‥‥‥‥‥‥‥‥‥1021
ビバンセ→
　リスデキサンフェタミンメシル酸塩‥‥‥133
ピパンペロン塩酸塩‥‥‥‥‥‥‥‥‥‥‥104
ビビアント→バゼドキシフェン酢酸塩‥‥‥709
ビフィスゲン→ビフィズス菌製剤‥‥‥‥‥517
ビフィズス菌製剤‥‥‥‥‥‥‥‥‥‥‥‥517
ビフィズス菌配合剤‥‥‥‥‥‥‥‥‥‥‥517
ピフェルトロ→ドラビリン‥‥‥‥‥‥‥‥921
ビプレッソ→クエチアピンフマル酸塩‥‥‥110
ビプレンタスビル・グレカプレビル水和物‥‥550
ビベグロン‥‥‥‥‥‥‥‥‥‥‥‥‥‥‥632
ビベスピ→グリコピロニウム臭化物・
　ホルモテロールフマル酸塩水和物‥‥‥‥440
ビペリデン塩酸塩‥‥‥‥‥‥‥‥‥‥‥‥155
ピペリドレート塩酸塩‥‥‥‥‥‥‥‥‥‥600
ヒポカ→バルニジピン塩酸塩‥‥‥‥‥‥‥282
ビホナゾール‥‥‥‥‥‥‥‥‥‥‥‥‥‥664
ピーマーゲン配合‥‥‥‥‥‥‥‥‥‥‥‥499
ビマトプロスト‥‥‥‥‥‥‥‥‥‥‥‥‥191
ビマリシン‥‥‥‥‥‥‥‥‥‥‥‥‥‥‥205
ビムパット→ラコサミド‥‥‥‥‥‥‥‥‥‥22
ピムロ→センナ・センナ実‥‥‥‥‥‥‥‥502
ピメノール→ピルメノール塩酸塩水和物‥‥359
ピモベンダン‥‥‥‥‥‥‥‥‥‥‥‥‥‥334
白虎加人参湯‥‥‥‥‥‥‥‥‥‥‥‥‥‥959
ヒューマリン3/7→インスリンヒト‥‥‥‥802
ヒューマリンN→インスリンヒト‥‥‥‥‥802
ヒューマリンR→インスリンヒト‥‥‥‥‥802
ヒューマログ→インスリンリスプロ‥‥‥‥802

ヒューマログミックス→インスリンリスプロ‥‥802
ヒュミラ→アダリムマブ‥‥‥‥‥‥265,672
ピラジナミド‥‥‥‥‥‥‥‥‥‥‥‥‥876
ピラスチン‥‥‥‥‥‥‥‥‥‥‥‥‥‥235
ピラノア→ピラスチン‥‥‥‥‥‥‥‥‥235
ピラフトビ→エンコラフェニブ‥‥‥‥1021
ピラマイド→ピラジナミド‥‥‥‥‥‥‥876
ビラミューン→ネビラピン‥‥‥‥‥‥‥921
ピランテルパモ酸塩‥‥‥‥‥‥‥‥‥‥904
ビランテロールトリフェニル酢酸塩・
　ウメクリジニウム臭化物‥‥‥‥‥‥440
ビランテロールトリフェニル酢酸塩・
　フルチカゾンフランカルボン酸エステル‥‥442
ビランテロールトリフェニル酢酸塩・
　フルチカゾンフランカルボン酸エステル・
　ウメクリジニウム臭化物‥‥‥‥‥‥445
ビリアード→
　テノホビルジソプロキシルフマル酸塩‥‥‥917
ピリドキサールリン酸エステル水和物‥‥701
ピリドスチグミン臭化物‥‥‥‥‥‥‥183
ピルシカイニド塩酸塩水和物‥‥‥‥‥363
ビルダグリプチン‥‥‥‥‥‥‥‥‥‥818
ビルダグリプチン・メトホルミン塩酸塩‥‥‥831
ヒルドイド→ヘパリン類似物質‥‥‥658,670
ヒルドイドソフト→ヘパリン類似物質‥‥670
ビルトリシド→プラジカンテル‥‥‥‥904
ヒルナミン→レボメプロマジンマレイン酸塩‥‥98
ピルメノール塩酸塩水和物‥‥‥‥‥‥359
ビレーズトリ→
　ブデソニド・グリコピロニウム臭化物・
　ホルモテロールフマル酸塩水和物‥‥445
ピレチノール→アセトアミノフェン‥‥‥38
ピレノキシン‥‥‥‥‥‥‥‥‥‥‥‥208
ピレンゼピン塩酸塩水和物‥‥‥‥‥‥481
ピロカルピン塩酸塩‥‥‥‥‥‥‥‥‥191
ピロキシカム‥‥‥‥‥‥‥‥‥‥‥43,658
ピンドロール‥‥‥‥‥‥‥‥‥‥305,365

フ

ファスティック→ナテグリニド‥‥‥‥827
ファボワール→デソゲストレル・
　エチニルエストラジオール‥‥‥‥‥952
ファムシクロビル‥‥‥‥‥‥‥‥‥‥911
ファムビル→ファムシクロビル‥‥‥‥911
ファモター配合→
　アスピリン・ダイアルミネート‥‥‥756
ファモチジン‥‥‥‥‥‥‥‥‥‥‥‥475
ファリーダック→パノビノスタット乳酸塩‥‥1021
ファロペネムナトリウム水和物‥‥‥‥870
ファロム→ファロペネムナトリウム水和物‥‥870
ファンギゾン→アムホテリシンB‥‥‥886
フィアスプ→インスリンアスパルト‥‥802
フィコンパ→ペランパネル水和物‥‥‥‥22
フィダキソマイシン‥‥‥‥‥‥‥‥‥859
フィトナジオン‥‥‥‥‥‥‥‥‥‥‥703
フィナステリド‥‥‥‥‥‥‥‥‥‥‥956
ブイフェンド→ボリコナゾール‥‥‥‥886
フィブラスト→トラフェルミン‥‥‥‥680
フィルゴチニブマレイン酸塩‥‥‥‥‥257
フェアストン→トレミフェンクエン酸塩‥‥1002
フェキソフェナジン塩酸塩‥‥‥‥‥‥235
フェキソフェナジン塩酸塩・
　塩酸プソイドエフェドリン‥‥‥‥‥235
フェソテロジンフマル酸塩‥‥‥‥‥‥632
フェニトイン‥‥‥‥‥‥‥‥‥‥‥‥‥22
フェニトイン・フェノバルビタール・
　安息香酸ナトリウムカフェイン‥‥‥‥22
フェニレフリン塩酸塩‥‥‥‥‥‥‥‥189
フェニレフリン塩酸塩・トロピカミド‥‥189
フェノテロール臭化水素酸塩‥‥‥‥‥432
フェノトリン‥‥‥‥‥‥‥‥‥‥‥‥693
フェノバール→フェノバルビタール‥12,22
フェノバルビタール‥‥‥‥‥‥‥‥12,22
フェノバルビタール・フェニトイン・
　安息香酸ナトリウムカフェイン‥‥‥‥22
フェノフィブラート‥‥‥‥‥‥‥‥‥392
フェノール・亜鉛華リニメント‥‥‥‥662
フェブキソスタット‥‥‥‥‥‥‥‥‥790
フェブリク→フェブキソスタット‥‥‥790
フェマーラ→レトロゾール‥‥‥‥‥1002
フェルターゼ配合‥‥‥‥‥‥‥‥‥‥499
フェルデン→ピロキシカム‥‥‥‥‥‥658
フェルビナク‥‥‥‥‥‥‥‥‥‥‥‥658
フェロ・グラデュメット→硫酸鉄水和物‥‥724
フェロミア→クエン酸第一鉄ナトリウム‥‥724
フェンタニル‥‥‥‥‥‥‥‥‥‥‥‥‥55
フェンタニルクエン酸塩‥‥‥‥‥‥‥‥55
フェントス→フェンタニルクエン酸塩‥‥55
フェンラーゼ配合‥‥‥‥‥‥‥‥‥‥499

フオイパン→カモスタットメシル酸塩………541
フォサマック→
　アレンドロン酸ナトリウム水和物………709
フォシーガ→ダパグリフロジンプロピレン
　グリコール水和物……………339,780,816
フォスブロック→セベラマー塩酸塩………770
フォリアミン→葉酸……………………701
フォルテオ→テリパラチド（遺伝子組換え）……709
ブクラデシンナトリウム………………680
茯苓飲合半夏厚朴湯……………………959
ブコラム口腔用→ミダゾラム……………22
フシジン酸ナトリウム…………………653
フシジンレオ→フシジン酸ナトリウム………653
ブシラミン……………………………257
フスコデ配合…………………………460
ブスコパン→ブチルスコポラミン臭化物………483
フスコブロン配合………………………460
フスタゾール→クロペラスチン…………460
ブセレリン酢酸塩……………………602
プソイドエフェドリン〔塩酸〕・
　フェキソフェナジン塩酸塩…………235
プソフェキ配合→フェキソフェナジン塩酸塩・
　塩酸プソイドエフェドリン…………235
ブチルスコポラミン臭化物………………483
ブデソニド………………………437,531
ブデソニド・グリコピロニウム臭化物・
　ホルモテロールフマル酸塩水和物………445
ブデソニド・
　ホルモテロールフマル酸塩水和物………442
ブテナフィン塩酸塩……………………664
ブデホル→ブデソニド・
　ホルモテロールフマル酸塩水和物………442
フドステイン…………………………462
フトラフール→テガフール……………995
ブトロピウム臭化物……………………483
ブナゾシン塩酸塩……………………191,313
ブフェトロール塩酸塩…………………357
ブプレノルフィン………………………55
ブホルミン塩酸塩………………………808
プラケニル→ヒドロキシクロロキン硫酸塩……1031
プラコデ配合…………………………460
プラザキサ→ダビガトランエテキシラート
　メタンスルホン酸塩…………………749
フラジオマイシン・クロラムフェニコール……645
フラジオマイシン・ヒドロコルチゾン………641

フラジオマイシン硫酸塩・バシトラシン………653
フラジオマイシン硫酸塩・ヒドロコルチゾン酢酸
　エステル・ジフェンヒドラミン塩酸塩………645
フラジオマイシン硫酸塩・
　フルオシノロンアセトニド……………645
フラジオマイシン硫酸塩・ベタメタゾンリン酸
　エステルナトリウム………………203,225
フラジオマイシン硫酸塩・メチルプレドニゾロン
　……………………………………203
プラジカンテル…………………………904
フラジール→メトロニダゾール………613,902
プラスグレル塩酸塩……………………756
プラゾシン塩酸塩…………………313,622
ブラダロン→フラボキサート塩酸塩………632
プラデスミン配合→ベタメタゾン・
　d-クロルフェニラミンマレイン酸塩…232,564
プラノバール配合→ノルゲストレル・
　エチニルエストラジオール…………587,602
プラノプロフェン…………………43,216
プラバスタチンナトリウム……………384
フラビタン→フラビンアデニンジヌクレオチド
　ナトリウム……………………………701
フラビタン眼軟膏→
　フラビンアデニンジヌクレオチドナトリウム
　……………………………………213
フラビタン点眼液→
　フラビンアデニンジヌクレオチドナトリウム
　……………………………………213
プラビックス→クロピドグレル硫酸塩………756
フラビンアデニンジヌクレオチドナトリウム
　…………………………………213,701
フラビンアデニンジヌクレオチドナトリウム・
　コンドロイチン硫酸エステルナトリウム……213
フラボキサート塩酸塩…………………632
プラミペキソール塩酸塩水和物………155,176
フランドル→硝酸イソソルビド…………347
プランルカスト水和物…………………241
フリウェル配合→エチニルエストラジオール・
　ノルエチステロン…………………587,602
ブリカニール→テルブタリン硫酸塩………428
プリグチニブ………………………1009
プリジスタ→ダルナビルエタノール付加物……925
プリジスタナイーブ→
　ダルナビルエタノール付加物…………925
フリバス→ナフトピジル………………622

プリビナ液→ナファゾリン硝酸塩	224
プリビナ点眼液→ナファゾリン硝酸塩	218
プリマキン→プリマキンリン酸塩	899
プリマキンリン酸塩	899
プリミドン	22
ブリモニジン酒石酸塩	191
ブリモニジン酒石酸塩・チモロールマレイン酸塩	191
ブリモニジン酒石酸塩・ブリンゾラミド	191
プリモボラン→メテノロン酢酸エステル	589
ブリリンタ→チカグレロル	756
ブリンゾラミド	191
ブリンゾラミド・チモロールマレイン酸塩	191
ブリンゾラミド・ブリモニジン酒石酸塩	191
プリンペラン→メトクロプラミド	523
フルイトラン→トリクロルメチアジド	273, 302
フルオシノニド	645
フルオシノロンアセトニド	645
フルオシノロンアセトニド・フラジオマイシン硫酸塩	645
フルオロメトロン	203
フルカム→アンピロキシカム	43
フルコート→フルオシノロンアセトニド	645
フルコートF→フラジオマイシン硫酸塩・フルオシノロンアセトニド	645
フルコナゾール	886
フルジアゼパム	123
フルシトシン	886
フルスルチアミン塩酸塩	701
プルゼニド→センノシド	502
フルタイド→フルチカゾンプロピオン酸エステル	437
フルタゾラム	123
フルタミド	1002
フルダラ→フルダラビンリン酸エステル	995
フルダラビンリン酸エステル	995
フルチカゾンフランカルボン酸エステル	225, 437
フルチカゾンフランカルボン酸エステル・ウメクリジニウム臭化物・ビランテロールトリフェニル酢酸塩	445
フルチカゾンフランカルボン酸エステル・ビランテロールトリフェニル酢酸塩	442
フルチカゾンプロピオン酸エステル	225, 437
フルチカゾンプロピオン酸エステル・サルメテロールキシナホ酸塩	442
フルチカゾンプロピオン酸エステル・ホルモテロールフマル酸塩水和物	442
フルツロン→ドキシフルリジン	995
フルティフォーム→フルチカゾンプロピオン酸エステル・ホルモテロールフマル酸塩水和物	442
フルトプラゼパム	123
フルドロキシコルチド	645
フルドロコルチゾン酢酸エステル	591
フルナーゼ点鼻液→フルチカゾンプロピオン酸エステル	225
フルナーゼ点鼻液〔小児用〕→フルチカゾンプロピオン酸エステル	225
フルニトラゼパム	5
フルバスタチンナトリウム	384
フルフェナジンマレイン酸塩	98
ブルフェン→イブプロフェン	43
フルボキサミンマレイン酸塩	138
フルメジン→フルフェナジンマレイン酸塩	98
フルメタ→モメタゾンフランカルボン酸エステル	645
フルメトロン点眼液→フルオロメトロン	203
フルラゼパム塩酸塩	5
プルリフロキサシン	861
フルルバン→フルルビプロフェン	658
フルルビプロフェン	43, 658
フレカイニド酢酸塩	363
プレガバリン	74
ブレクスピプラゾール	110
プレジコビックス配合→ダルナビルエタノール付加物・コビシスタット	925
プレタール→シロスタゾール	756
ブレディニン→ミゾリビン	257, 1031
プレドニゾロン	564
プレドニゾロン・塩酸テトラヒドロゾリン	224
プレドニゾロン吉草酸エステル酢酸エステル	645
プレドニゾロン酢酸エステル	203
プレドニゾロンリン酸エステルナトリウム	531
プレドニン→プレドニゾロン	564
プレドニン眼軟膏→プレドニゾロン酢酸エステル	203
プレドネマ→プレドニゾロンリン酸エステルナトリウム	531
プレマリン→結合型エストロゲン	580

プレミネント配合→ロサルタンカリウム・
　ヒドロクロロチアジド……………………288
プロカインアミド塩酸塩…………………359
プロカテロール塩酸塩水和物………428,432
プロカルバジン塩酸塩……………………993
プログアニル塩酸塩・アトバコン………899
プロクトセディル→
　ヒドロコルチゾン・フラジオマイシン……641
プログラフ→タクロリムス水和物………257,1031
プログルメタシンマレイン酸塩……………43
プロクロルペラジンマレイン酸塩…………98
プロゲステロン……………………………613
プロサイリン→ベラプロストナトリウム…756
フロジン→カルプロニウム塩化物………693
プロスタール→
　クロルマジノン酢酸エステル………625,1002
プロスタールL→
　クロルマジノン酢酸エステル……………625
プロスタンディン→
　アルプロスタジルアルファデクス………680
フロセミド…………………………273,302
プロタノールS→dl-イソプレナリン塩酸塩……89
ブロダルマブ………………………………672
プロチアデン→ドスレピン塩酸塩………138
プロチゾラム…………………………………5
プロテカジン→ラフチジン………………475
プロトピック→タクロリムス水和物……688
プロナーゼ…………………………………798
プロナーゼMS→プロナーゼ……………798
ブロナック点眼液→
　ブロムフェナクナトリウム水和物………216
ブロナンセリン……………………………110
ブロニカ→セラトロダスト………………244
プロノン→プロパフェノン塩酸塩………363
プロパゲルマニウム………………………558
プロパジール→プロピルチオウラシル…578
プロパフェノン塩酸塩……………………363
ブロバリン→ブロモバレリル尿素…………15
プロ・バンサイン→プロパンテリン臭化物…483
プロパンテリン臭化物……………………483
プロピタン→ピパンペロン塩酸塩………104
プロピベリン塩酸塩………………………632
プロピルチオウラシル……………………578
プロブコール………………………………391
プロプラノロール塩酸塩……………77,305,365

ブロプレス→カンデサルタンシレキセチル……288
フロプロピオン……………………………543
プロペシア→フィナステリド……………956
プロベネシド………………………………793
プロベラ→
　メドロキシプロゲステロン酢酸エステル…585
プロペリシアジン……………………………98
フロベン→フルルビプロフェン……………43
ブロマゼパム………………………………123
プロマック→ポラプレジンク……………490
ブロムフェナクナトリウム水和物………216
ブロムヘキシン塩酸塩……………………462
ブロムペリドール…………………………104
ブロムワレリル尿素→ブロモバレリル尿素……15
ブロメライン………………………………680
ブロメライン・トコフェロール酢酸エステル…640
ブロモクリプチンメシル酸塩…………155,618
フロモックス→
　セフカペンピボキシル塩酸塩水和物……854
フロモックス小児用→
　セフカペンピボキシル塩酸塩水和物……854
ブロモバレリル尿素…………………………15
フロリード→ミコナゾール硝酸塩……613,664
フロリード→ミコナゾール………………893
フロリネフ→
　フルドロコルチゾン酢酸エステル………591
プロレナール→リマプロストアルファデクス…756

へ

平胃散………………………………………959
ベイスン→ボグリボース…………………813
ベオーバ→ビベグロン……………………632
ペオン→ザルトプロフェン…………………43
ベガモックス点眼液→
　モキシフロキサシン塩酸塩……………205
ベキサロテン……………………………1021
ペキロン→アモロルフィン塩酸塩………664
ベクロメタゾンプロピオン酸エステル
　　　　　　　　　　　　225,437,470
ベサコリン→ベタネコール塩化物………622
ベザトールSR→ベザフィブラート………392
ベサノイド→トレチノイン………………1021
ベザフィブラート…………………………392
ベシカム→イブプロフェンピコノール…658

ベシケア→コハク酸ソリフェナシン	632
ベージニオ→アベマシクリブ	1021
ベストロン耳鼻科用→セフメノキシム塩酸塩	228
ベストロン点眼用→セフメノキシム塩酸塩	205
ベセルナ→イミキモド	693
ベタキソロール塩酸塩	191, 305
ベタキソロール点眼液→	
ベタキソロール塩酸塩	191
ベダキリンフマル酸塩	876
ベタセレミン配合→ベタメタゾン・	
d-クロルフェニラミンマレイン酸塩	232, 564
ベタナミン→ペモリン	133
ベタニス→ミラベグロン	632
ベタネコール塩化物	622
ベタヒスチンメシル酸塩	89
ベタメタゾン	564
ベタメタゾン・	
d-クロルフェニラミンマレイン酸塩	232, 564
ベタメタゾン吉草酸エステル	645
ベタメタゾン吉草酸エステル・	
ゲンタマイシン硫酸塩	645
ベタメタゾンジプロピオン酸エステル	645
ベタメタゾンジプロピオン酸エステル・	
カルシポトリオール水和物	672
ベタメタゾン酪酸エステルプロピオン酸エステル	
	645
ベタメタゾン酪酸エステルプロピオン酸エステル・	
マキサカルシトール	672
ベタメタゾンリン酸エステルナトリウム	203, 531
ベタメタゾンリン酸エステルナトリウム・	
フラジオマイシン硫酸塩	203, 225
ベトネベート→ベタメタゾン吉草酸エステル	645
ベトノバールG→ベタメタゾン吉草酸エステル・	
ゲンタマイシン硫酸塩	645
ベトプティックエス懸濁性点眼液→	
ベタキソロール塩酸塩	191
ベトプティック点眼液→	
ベタキソロール塩酸塩	191
ベナゼプリル塩酸塩	296
ベニジピン塩酸塩	282
ペニシラミン	257
ベネキサート塩酸塩ベータデクス	490
ベネクレクスタ→ベネトクラクス	1021
ベネシッド→プロベネシド	793
ベネット→リセドロン酸ナトリウム水和物	709
ベネトクラクス	1021
ベネトリン→サルブタモール硫酸塩	432
ベノキシール点眼液→	
オキシブプロカイン塩酸塩	218
ヘパアクト配合→	
イソロイシン・ロイシン・バリン	559, 741
ヘパリン類似物質	658, 670
ヘパンED配合	735
ベピオ→過酸化ベンゾイル	655
ペフィシチニブ臭化水素酸塩	257
ヘプセラ→アデホビルピボキシル	556
ベプリコール→ベプリジル塩酸塩水和物	369
ベプリジル塩酸塩水和物	369
ベポタスチンベシル酸塩	235
ペマジール→ペミガチニブ	1009
ペマフィブラート	392
ペミガチニブ	1009
ペミロラストカリウム	210, 239
ベムラフェニブ	1021
ベムリディ→	
テノホビルアラフェナミドフマル酸塩	556
ヘモクロン→トリベノシド	640
ヘモナーゼ配合→ブロメライン・トコフェロール	
酢酸エステル	640
ヘモポリゾン→	
大腸菌死菌・ヒドロコルチゾン	641
ペモリン	133
ヘモレックス→	
ヒドロコルチゾン・フラジオマイシン	641
ベラサスLA→ベラプロストナトリウム	374
ベラチン→ツロブテロール塩酸塩	430
ベラパミル塩酸塩	355, 369
ベラプロストナトリウム	374, 756
ベランパネル水和物	22
ペリアクチン→	
シプロヘプタジン塩酸塩水和物	232
ベリキューボ→ベルイシグアト	340
ベリシット→ニセリトロール	396
ベリチーム配合	499
ペリンドプリルエルブミン	296
ベルイシグアト	340
ペルゴリドメシル酸塩	155
ペルサンチン→ジピリダモール	353, 756
ペルジピン→ニカルジピン塩酸塩	282
ペルジピンLA→ニカルジピン塩酸塩	282

ベルソムラ→スボレキサント……………………19
ベルパタスビル・ソホスブビル………………550
ペルフェナジンマレイン酸塩……………………98
ベルベゾンF点眼・点鼻液→
　フラジオマイシン硫酸塩・
　ベタメタゾンリン酸エステルナトリウム
　………………………………………203, 225
ベルベゾン眼耳鼻科用液→ベタメタゾンリン酸
　エステルナトリウム……………………203
ヘルベッサー→ジルチアゼム塩酸塩…………282
ヘルベッサーR→ジルチアゼム塩酸塩………282
ペルマックス→ペルゴリドメシル酸塩………155
ベレキシブル→チラブルチニブ塩酸塩……1009
ペレックス配合……………………………………38
ペレックス配合〔小児用〕………………………38
ヘレニエン……………………………………188
ペロスピロン塩酸塩水和物……………………110
ベロテック→フェノテロール臭化水素酸塩…432
ペングッド→バカンピシリン塩酸塩…………851
ベンザリン→ニトラゼパム……………………5, 22
ベンズブロマロン………………………………793
ベンセラジド塩酸塩・レボドパ………………155
ペンタサ→メサラジン…………………………531
ペンダザック……………………………………658
ペンタゾシン………………………………………55
ベンテイビス→イロプロスト…………………374
ペントバルビタールカルシウム…………………12
ベンプロペリンリン酸塩………………………460
ベンラファキシン塩酸塩………………………138
ペンレス→リドカイン…………………………693

ホ

ボアラ→デキサメタゾン吉草酸エステル……645
防已黄耆湯………………………………………959
ホウ酸・無機塩類配合剤………………………213
抱水クロラール……………………………………15
防風通聖散………………………………………959
ホクナリン→ツロブテロール塩酸塩…………430
ホクナリンテープ→ツロブテロール…………428
ボグリボース……………………………………813
ボグリボース・
　ミチグリニドカルシウム水和物……………831
ポサコナゾール…………………………………886
ボシュリフ→ボスチニブ水和物……………1009

ホスアンプレナビルカルシウム水和物………925
ボスチニブ水和物……………………………1009
ポステリザン〔強力〕→
　大腸菌死菌・ヒドロコルチゾン……………641
ホスホマイシンカルシウム水和物……………870
ホスホマイシンナトリウム……………………228
ホスミシン→
　ホスホマイシンカルシウム水和物…………870
ホスミシンS耳科用→
　ホスホマイシンナトリウム…………………228
ホスラブコナゾールL-リシンエタノール付加物
　…………………………………………………890
ホスリボン配合→リン酸二水素ナトリウム
　一水和物・無水リン酸水素二ナトリウム…733
ホスレノール→炭酸ランタン水和物…………770
ボセンタン水和物………………………………374
補中益気湯………………………………………959
ポトレンド配合→クエン酸カリウム・
　クエン酸ナトリウム水和物…………………795
ポナチニブ塩酸塩……………………………1009
ボナロン→アレンドロン酸ナトリウム水和物…709
ボノサップ→ボノプラザンフマル酸塩・
　アモキシシリン水和物・クラリスロマイシン
　…………………………………………………494
ボノテオ→ミノドロン酸水和物………………709
ボノピオン→ボノプラザンフマル酸塩・
　アモキシシリン水和物・トロニダゾール…494
ボノプラザンフマル酸塩………………………478
ボノプラザンフマル酸塩・アスピリン………756
ボノプラザンフマル酸塩・アモキシシリン水和物・
　クラリスロマイシン…………………………494
ボノプラザンフマル酸塩・アモキシシリン水和物・
　メトロニダゾール……………………………494
ポビドリン→精製白糖・ポビドンヨード……680
ポビドンヨード…………………………………466
ポビドンヨード・精製白糖……………………680
ポピヨドン→ポビドンヨード…………………466
ポピラール→ポビドンヨード…………………466
ポマリスト→ポマリドミド…………………1021
ポマリドミド…………………………………1021
ボラキス→オキシブチニン塩酸塩……………632
ボラザG→トリベノシド・リドカイン………641
ボラプレジンク…………………………………490
ポララミン→
　d-クロルフェニラミンマレイン酸塩………232

ポリエンホスファチジルコリン················403
ポリカルボフィルカルシウム················537
ポリコナゾール·························886
ポリスチレンスルホン酸カルシウム············773
ポリスチレンスルホン酸ナトリウム············773
ホリゾン→ジアゼパム····················123
ホーリット→オキシペルチン················108
ホリナートカルシウム····················995
ポリノスタット·························1021
ポリフル→ポリカルボフィルカルシウム········537
ポリミキシンB硫酸塩····················870
ポリミキシンB硫酸塩・オキシテトラサイクリン
　　塩酸塩·····························653
ホーリン→エストリオール············580,613,709
ホーリンV→エストリオール··········580,613,709
ボルタレン→
　　ジクロフェナクナトリウム·········43,53,658
ボルタレンSR→ジクロフェナクナトリウム······43
ボルチオキセチン臭化水素酸塩··············138
ボルトミー配合·························499
ホルモテロールフマル酸塩水和物············432
ホルモテロールフマル酸塩水和物・
　　グリコピロニウム臭化物················440
ホルモテロールフマル酸塩水和物・
　　ブデソニド···························442
ホルモテロールフマル酸塩水和物・
　　ブデソニド・グリコピロニウム臭化物······445
ホルモテロールフマル酸塩水和物・
　　フルチカゾンプロピオン酸エステル········442
ボレー→ブテナフィン塩酸塩················664
ボンアルファ→タカルシトール水和物········672
ボンアルファハイ→タカルシトール水和物····672
ボンゾール→ダナゾール···················602
ポンタール→メフェナム酸··················43
ボンビバ→イバンドロン酸ナトリウム水和物··709

マ

マイコスポール→ビホナゾール·············664
マイザー→ジフルプレドナート··············645
マイスタン→クロバザム····················22
マイスリー→ゾルピデム酒石酸塩···········5
マイティア点眼液〔人工涙液〕················213
マイテラーゼ→アンベノニウム塩化物········183
マイピリン点眼液→

ネオスチグミンメチル硫酸塩・無機塩類····218
マヴィレット配合→グレカプレビル水和物・
　　ピブレンタスビル······················550
麻黄湯·································959
麻黄附子細辛湯·························959
マキサカルシトール······················672
マキサカルシトール・ベタメタゾン酪酸エステル
　　プロピオン酸エステル··················672
麻杏甘石湯·····························959
麻杏薏甘湯·····························959
マグコロール→クエン酸マグネシウム········502
マクサルト→リザトリプタン安息香酸塩······77
マクサルトRPD→リザトリプタン安息香酸塩··77
マグテクト配合→乾燥水酸化アルミニウムゲル・
　　水酸化マグネシウム····················485
マグミット→酸化マグネシウム··········485,502
マシテンタン···························374
麻子仁丸·······························959
マスーレッド→モリデュスタットナトリウム····776
マーズレン配合→アズレンスルホン酸ナトリウム
　　水和物・L-グルタミン··················488
マーズレンS配合→アズレンスルホン酸
　　ナトリウム水和物・L-グルタミン·········488
マックターゼ配合·······················499
マックメット懸濁用配合→
　　乾燥水酸化アルミニウムゲル・
　　水酸化マグネシウム····················485
マーデュオックス→マキサカルシトール・
　　ベタメタゾン酪酸エステルプロピオン酸
　　エステル·····························672
マドパー配合→
　　レボドパ・ベンセラジド塩酸塩···········155
マナミンGA配合→アズレンスルホン酸
　　ナトリウム水和物・L-グルタミン·········488
マナミンTM配合·························499
マニジピン塩酸塩·······················282
マプロチリン塩酸塩······················138
マーベロン21→デソゲストレル・
　　エチニルエストラジオール··············952
マーベロン28→デソゲストレル・
　　エチニルエストラジオール··············952
マラビロク·····························937
マラロン小児用配合→
　　アトバコン・プログアニル塩酸塩········899

マラロン配合→
　アトバコン・プログアニル塩酸塩…………899
マリキナ配合………………………………………38
マリゼブ→オマリグリプチン…………………818
マルファ懸濁用配合→乾燥水酸化アルミニウム
　ゲル・水酸化マグネシウム……………485
マレイン酸クロルフェニラミン→
　d-クロルフェニラミンマレイン酸塩………232
マーレッジ懸濁用配合→乾燥水酸化アルミニウム
　ゲル・水酸化マグネシウム……………485
マーロックス懸濁用配合→
　乾燥水酸化アルミニウムゲル・水酸化
　マグネシウム……………………………485

ミ

ミアンセリン塩酸塩………………………………138
ミオコール→ニトログリセリン…………………347
ミオナール→エペリゾン塩酸塩…………………180
ミオピン点眼液→ネオスチグミンメチル硫酸塩・
　無機塩類……………………………………218
ミカトリオ配合→テルミサルタン・アムロジピン
　ベシル酸塩・ヒドロクロロチアジド……288
ミカムロ配合→テルミサルタン・アムロジピン
　ベシル酸塩………………………………288
ミカルディス→テルミサルタン…………………288
ミグシス→ロメリジン塩酸塩……………………77
ミグリトール………………………………………813
ミケラン→カルテオロール塩酸塩………305,365
ミケラン点眼液→カルテオロール塩酸塩………191
ミケランLA→カルテオロール塩酸塩………305,365
ミケランLA点眼液→カルテオロール塩酸塩…191
ミケルナ配合点眼液→ラタノプロスト・
　カルテオロール塩酸塩…………………191
ミコナゾール………………………………………893
ミコナゾール硝酸塩…………………………613,664
ミコフェノール酸モフェチル…………………1031
ミコブティン→リファブチン……………………876
ミコンビ配合→
　テルミサルタン・ヒドロクロロチアジド…288
ミソプロストール…………………………………493
ミゾリビン……………………………………257,1031
ミダゾラム…………………………………………22
ミチグリニドカルシウム水和物…………………827
ミチグリニドカルシウム水和物・

ボグリボース……………………………………831
ミトタン……………………………………………593
ミドドリン塩酸塩…………………………………343
ミドリンM点眼液→トロピカミド……………189
ミドリンP点眼液→
　トロピカミド・フェニレフリン塩酸塩…189
ミドレフリンP点眼液→
　トロピカミド・フェニレフリン塩酸塩…189
ミニトロ→ニトログリセリン……………………347
ミニプレス→プラゾシン塩酸塩…………313,622
ミニリンメルト→
　デスモプレシン酢酸塩水和物…………573
ミネブロ→エサキセレノン………………………315
ミノアレ→トリメタジオン………………………22
ミノサイクリン塩酸塩……………………………870
ミノドロン酸水和物………………………………709
ミノマイシン→ミノサイクリン塩酸塩…………870
ミヤBM→酪酸菌製剤……………………………517
ミラベグロン………………………………………632
ミラペックスLA→
　プラミペキソール塩酸塩水和物………155
ミリス→ニトログリセリン………………………347
ミリダシン→プログルメタシンマレイン酸塩…43
ミルタザピン………………………………………138
ミルタックス→ケトプロフェン…………………658
ミルナシプラン塩酸塩……………………………138
ミルマグ→水酸化マグネシウム…………………485
ミルマグ内用→水酸化マグネシウム……………485
ミレーナ→レボノルゲストレル…………………602
ミロガバリンベシル酸塩…………………………74

ム

無機塩類・ネオスチグミンメチル硫酸塩………218
ムコサール→アンブロキソール塩酸塩…………462
ムコスタ→レバミピド……………………………490
ムコスタ点眼液→レバミピド……………………213
ムコソルバン→アンブロキソール塩酸塩………462
ムコソルバンL→アンブロキソール塩酸塩……462
ムコソルバン〔小児用〕→
　アンブロキソール塩酸塩………………462
ムコダイン→L-カルボシステイン………………462
ムコティア点眼液→
　フラビンアデニンジヌクレオチドナトリウム・
　コンドロイチン硫酸エステルナトリウム…213

ムコファジン点眼液→
　フラビンアデニンジヌクレオチドナトリウム・
　コンドロイチン硫酸エステルナトリウム‥‥213
ムコブロチン配合‥‥‥‥‥‥‥‥‥‥‥460
無水カフェイン・エルゴタミン酒石酸塩・
　イソプロピルアンチピリン‥‥‥‥‥‥‥77
無水リン酸水素二ナトリウム・
　リン酸二水素ナトリウム一水和物‥‥502, 733
無水リン酸二水素ナトリウム・
　炭酸水素ナトリウム‥‥‥‥‥‥‥‥‥511
ムピロシンカルシウム水和物‥‥‥‥‥‥228
ムーベン配合‥‥‥‥‥‥‥‥‥‥‥‥‥502

メ

メイアクトMS→セフジトレンピボキシル‥‥854
メイアクトMS小児用→
　セフジトレンピボキシル‥‥‥‥‥‥‥854
メイスパン配合→精製白糖・ポビドンヨード‥‥680
メイラックス→ロフラゼプ酸エチル‥‥‥123
メインテート→
　ビソプロロールフマル酸塩‥‥‥‥305, 365
メキサゾラム‥‥‥‥‥‥‥‥‥‥‥‥‥123
メキシチール→メキシレチン塩酸塩‥‥‥361
メキシレチン塩酸塩‥‥‥‥‥‥‥‥‥‥361
メキタジン‥‥‥‥‥‥‥‥‥‥‥‥‥‥235
メキニスト→トラメチニブジメチルスルホキシド
　付加物‥‥‥‥‥‥‥‥‥‥‥‥‥‥1021
メクトビ→ビニメチニブ‥‥‥‥‥‥‥1021
メコバラミン‥‥‥‥‥‥‥‥‥‥‥‥‥701
メサデルム→
　デキサメタゾンプロピオン酸エステル‥‥645
メサドン塩酸塩‥‥‥‥‥‥‥‥‥‥‥‥55
メサペイン→メサドン塩酸塩‥‥‥‥‥‥55
メサラジン‥‥‥‥‥‥‥‥‥‥‥‥‥‥531
メジコン→デキストロメトルファン臭化水素酸塩
　水和物‥‥‥‥‥‥‥‥‥‥‥‥‥‥460
メシル酸ガレノキサシン水和物‥‥‥‥‥861
メシル酸ペルゴリド→ペルゴリドメシル酸塩‥‥155
メスチノン→ピリドスチグミン臭化物‥‥183
メソトレキセート→メトトレキサート‥‥995
メタクト配合→ピオグリタゾン塩酸塩・
　メトホルミン塩酸塩‥‥‥‥‥‥‥‥‥831
メダゼパム‥‥‥‥‥‥‥‥‥‥‥‥‥‥123
メタルカプターゼ→ペニシラミン‥‥‥‥257

メチコバール→メコバラミン‥‥‥‥‥‥701
メチルエルゴメトリン→
　メチルエルゴメトリンマレイン酸塩‥‥‥599
メチルエルゴメトリンマレイン酸塩‥‥‥599
メチルジゴキシン‥‥‥‥‥‥‥‥‥‥‥331
メチルドパ→メチルドパ水和物‥‥‥‥‥317
メチルドパ水和物‥‥‥‥‥‥‥‥‥‥‥317
メチルフェニデート塩酸塩‥‥‥‥‥‥‥133
メチルプレドニゾロン‥‥‥‥‥‥‥‥‥564
メチルプレドニゾロン・フラジオマイシン硫酸塩
　‥‥‥‥‥‥‥‥‥‥‥‥‥‥‥‥‥203
メディトランス→ニトログリセリン‥‥‥347
メテノロン酢酸エステル‥‥‥‥‥‥‥‥589
メトアナ配合→
　アナグリプチン・メトホルミン塩酸塩‥‥831
メトキサレン‥‥‥‥‥‥‥‥‥‥‥‥‥693
メトグルコ→メトホルミン塩酸塩‥‥‥‥808
メトクロプラミド‥‥‥‥‥‥‥‥‥‥‥523
メトトレキサート‥‥‥‥‥‥257, 672, 995
メトプロロール酒石酸塩‥‥‥‥‥‥305, 365
メトホルミン塩酸塩‥‥‥‥‥‥‥‥‥‥808
メトホルミン塩酸塩・アナグリプチン‥‥831
メトホルミン塩酸塩・アログリプチン安息香酸塩
　‥‥‥‥‥‥‥‥‥‥‥‥‥‥‥‥‥831
メトホルミン塩酸塩・ピオグリタゾン塩酸塩‥‥831
メトホルミン塩酸塩・ビルダグリプチン‥‥831
メトリジン→ミドドリン塩酸塩‥‥‥‥‥343
メドロキシプロゲステロン酢酸エステル‥‥585, 1002
メトロニダゾール‥‥‥‥‥‥‥‥‥613, 902
メトロニダゾール・ボノプラザンフマル酸塩・
　アモキシシリン水和物‥‥‥‥‥‥‥‥494
メトロニダゾール・ラベプラゾールナトリウム・
　アモキシシリン水和物‥‥‥‥‥‥‥‥494
メドロール→メチルプレドニゾロン‥‥‥564
メナテトレノン‥‥‥‥‥‥‥‥‥‥703, 709
メネシット配合→
　レボドパ・カルビドパ水和物‥‥‥‥‥155
メノエイド→エストラジオール・
　酢酸ノルエチステロン‥‥‥‥‥‥‥‥587
メバレクト→プラバスタチンナトリウム‥‥384
メバロチン→プラバスタチンナトリウム‥‥384
メファキン→メフロキン塩酸塩‥‥‥‥‥899
メフェナム酸‥‥‥‥‥‥‥‥‥‥‥‥‥43
メプチン→プロカテロール塩酸塩水和物‥‥428, 432
メプチンミニ→プロカテロール塩酸塩水和物‥‥428

メフルシド……………………………273,302
メフロキン塩酸塩………………………899
メペンゾラート臭化物…………………537
メマリー→メマンチン塩酸塩…………415
メマンチン塩酸塩………………………415
メラトニン…………………………………17
メラトベル→メラトニン…………………17
メリスロン→ベタヒスチンメシル酸塩…89
メルカゾール→チアマゾール…………578
メレックス→メキサゾラム……………123
メロキシカム………………………………43
メンタックス→ブテナフィン塩酸塩…664
メンドン→クロラゼプ酸二カリウム…123

モ

モキシフロキサシン塩酸塩…………205,861
木防已湯…………………………………959
モサプラミン塩酸塩……………………108
モサプリドクエン酸塩水和物…………523
モダフィニル……………………………133
モディオダール→モダフィニル………133
モニラック→ラクツロース…………502,559
モニラック・シロップ→ラクツロース…502,559
モーバー→アクタリット………………257
モビコール配合…………………………502
モービック→メロキシカム………………43
モビプレップ配合………………………502
モメタゾンフランカルボン酸エステル……437,645
モメタゾンフランカルボン酸エステル・
　インダカテロール酢酸塩………………442
モメタゾンフランカルボン酸エステル・
　グリコピロニウム臭化物・
　インダカテロール酢酸塩………………445
モメタゾンフランカルボン酸エステル水和物…225
モーラス→ケトプロフェン……………658
モリデュスタットナトリウム…………776
モルヌピラビル…………………………911
モルヒネ塩酸塩水和物……………………55
モルヒネ硫酸塩水和物……………………55
モンテルカストナトリウム……………241

ヤ

ヤクバン→フルルビプロフェン………658

ヤーズ配合→ドロスピレノン・
　エチニルエストラジオール……………602
ヤーズフレックス配合→ドロスピレノン・
　エチニルエストラジオール……………602

ユ

ユーエフティ配合→テガフール・ウラシル……995
ユーエフティE配合→テガフール・ウラシル…995
ユーゼル→ホリナートカルシウム……995
ユナシン→スルタミシリントシル酸塩水和物…851
ユニコン→テオフィリン………………425
ユニシア配合→カンデサルタンシレキセチル・
　アムロジピンベシル酸塩………………288
ユニフィルLA→テオフィリン…………425
ユーパスタコーワ→
　精製白糖・ポビドンヨード……………680
ユビデカレノン…………………………335
ユベラ→トコフェロール・ビタミンA油……670
ユベラ→トコフェロール酢酸エステル……703
ユベラN→
　トコフェロールニコチン酸エステル……396
ユベラNソフト→
　トコフェロールニコチン酸エステル……396
ユリス→ドチヌラド……………………793
ユリノーム→ベンズブロマロン………793
ユリーフ→シロドシン…………………622
ユーロジン→エスタゾラム………………5

ヨ

ヨウ化カリウム…………………………732
葉酸………………………………………701
幼児用PL配合……………………………38
溶性ピロリン酸第二鉄…………………724
ヨウ素・カデキソマー…………………680
薏苡仁湯…………………………………959
抑肝散……………………………………959
抑肝散加陳皮半夏………………………959
ヨードコート→カデキソマー・ヨウ素…680

ラ

ライゾデグ配合→インスリンデグルデク・
　インスリンアスパルト…………………802

ライトゲン配合……………………………460
ラキソベロン→
　　ピコスルファートナトリウム水和物………502
酪酸菌製剤……………………………………517
酪酸プロピオン酸ヒドロコルチゾン…………645
ラクツロース……………………………502,559
ラクティオン→インドメタシン………………658
ラクトミン……………………………………517
ラグノス NF→ラクツロース……………502,559
ラクリミン点眼液→
　　オキシブプロカイン塩酸塩………………218
ラクール温シップ……………………………658
ラクール冷シップ……………………………658
ラゲブリオ→モルヌピラビル…………………911
ラコサミド………………………………………22
ラコール NF 配合経腸用……………………735
ラサギリンメシル酸塩………………………155
ラシックス→フロセミド………………273,302
ラジレス→アリスキレンフマル酸塩…………300
ラスクフロキサシン塩酸塩…………………861
ラスビック→ラスクフロキサシン塩酸塩……861
ラタチモ配合点眼液→ラタノプロスト・
　　チモロールマレイン酸塩…………………191
ラタノプロスト………………………………191
ラタノプロスト・カルテオロール塩酸塩……191
ラタノプロスト・チモロールマレイン酸塩…191
ラックビー→ビフィズス菌製剤………………517
ラックビー R→耐性乳酸菌製剤………………517
ラツーダ→ルラシドン塩酸塩…………………110
ラニナミビルオクタン酸エステル水和物……908
ラニラピッド→メチルジゴキシン……………331
ラノコナゾール………………………………664
ラパチニブトシル酸塩水和物………………1009
ラバミコム配合→
　　ラミブジン・アバカビル硫酸塩…………917
ラパリムス→シロリムス……………………1021
ラフェンタ→フェンタニル……………………55
ラフチジン……………………………………475
ラベキュア→ラベプラゾールナトリウム・
　　アモキシシリン水和物・
　　クラリスロマイシン………………………494
ラベタロール塩酸塩…………………………305
ラベファイン→ラベプラゾールナトリウム・
　　アモキシシリン水和物・
　　メトロニダゾール…………………………494

ラベプラゾールナトリウム……………………478
ラベプラゾールナトリウム・
　　アモキシシリン水和物・
　　クラリスロマイシン………………………494
ラベプラゾールナトリウム・
　　アモキシシリン水和物・
　　メトロニダゾール…………………………494
ラベルフィーユ→エチニルエストラジオール・
　　レボノルゲストレル………………………952
ラボナ→ペントバルビタールカルシウム………12
ラマトロバン…………………………………244
ラミクタール→ラモトリギン………………22,128
ラミシール→テルビナフィン塩酸塩………664,890
ラミブジン…………………………………556,917
ラミブジン・アバカビル硫酸塩……………917
ラミブジン・ジドブジン……………………917
ラミブジン・ドルテグラビルナトリウム……933
ラミブジン・ドルテグラビルナトリウム・
　　アバカビル硫酸塩…………………………933
ラメルテオン……………………………………17
ラモセトロン塩酸塩…………………527,537
ラモトリギン………………………………22,128
ラリキシン→セファレキシン…………………854
ラルテグラビルカリウム……………………931
ラロキシフェン塩酸塩………………………709
ラロトレクチニブ硫酸塩……………………1009
ランソプラゾール……………………………478
ランソプラゾール・アスピリン……………756
ランタス→インスリングラルギン……………802
ランタス XR→インスリングラルギン………802
ランツジールコーワ→アセメタシン…………43
ランデル→
　　エホニジピン塩酸塩エタノール付加物……282
ランドセン→クロナゼパム……………………22

リ

リアメット配合→
　　アルテメテル・ルメファントリン………899
リアルダ→メサラジン………………………531
リウマトレックス→メトトレキサート……257,672
リオシグアト…………………………………374
リオチロニンナトリウム……………………576
リオナ→クエン酸第二鉄水和物……………770

リオベル配合→アログリプチン安息香酸塩・
　ピオグリタゾン塩酸塩……………………831
リオレサール→バクロフェン………………180
リカルボン→ミノドロン酸水和物…………709
リキシセナチド………………………………821
リキシセナチド・インスリングラルギン…831
リキシミア→リキシセナチド………………821
リクシアナ→エドキサバントシル酸塩水和物…751
リザトリプタン安息香酸塩……………………77
リザベン→トラニラスト……………………239
リザベン点眼液→トラニラスト……………210
リシノプリル水和物…………………………296
リスデキサンフェタミンメシル酸塩………133
リスパダール→リスペリドン………………110
リスペリドン…………………………………110
リスミー→リルマザホン塩酸塩水和物………5
リズミック→アメジニウムメチル硫酸塩…343
リスモダン→ジソピラミド…………………359
リスモダンR→ジソピラミド………………359
リズモンTG点眼液→チモロールマレイン酸塩…191
リーゼ→クロチアゼパム……………………123
リセドロン酸ナトリウム水和物……………709
リタリン→メチルフェニデート塩酸塩……133
リタロクス懸濁用配合→
　乾燥水酸化アルミニウムゲル・
　水酸化マグネシウム………………………485
リックル配合→
　イソロイシン・ロイシン・バリン…559,741
六君子湯………………………………………959
リドカイン……………………………………693
リドカイン・
　ジフルコルトロン吉草酸エステル………641
リドカイン・トリベノシド…………………641
リトドリン塩酸塩……………………………600
リトナビル……………………………………925
リトナビル・ロピナビル……………………925
リドメックスコーワ→プレドニゾロン吉草酸
　　エステル酢酸エステル…………………645
リナグリプチン………………………………818
リナグリプチン・エンパグリフロジン……831
リナクロチド………………………………502,537
リネゾリド……………………………………866
リノロサール眼科耳鼻科用液→
　ベタメタゾンリン酸エステルナトリウム…203
リバオール→

ジクロロ酢酸ジイソプロピルアミン………548
リーバクト配合→
　イソロイシン・ロイシン・バリン…559,741
リパクレオン→パンクレリパーゼ…………541
リパスジル塩酸塩水和物……………………191
リバスタッチ→リバスチグミン……………415
リバスチグミン………………………………415
リバビリン……………………………………550
リバロ→ピタバスタチンカルシウム………384
リバーロキサバン……………………………751
リピディル→フェノフィブラート…………392
リピトール→
　アトルバスタチンカルシウム水和物……384
リファキシミン………………………………559
リファジン→リファンピシン………………876
リファブチン…………………………………876
リファンピシン………………………………876
リフキシマ→リファキシミン………………559
リフレックス→ミルタザピン………………138
リベルサス→セマグルチド…………………821
リボスチン点眼液→レボカバスチン塩酸塩…210
リボスチン点鼻液→レボカバスチン塩酸塩…225
リボトリール→クロナゼパム…………………22
リポバス→シンバスタチン…………………384
リボフラビン酪酸エステル…………………701
リーマス→炭酸リチウム……………………128
リマチル→ブシラミン………………………257
リマプロストアルファデクス………………756
リムパーザ→オラパリブ……………………1021
リュウアト眼軟膏→アトロピン硫酸塩水和物…189
硫酸アトロピン→アトロピン硫酸塩水和物…189
硫酸鉄水和物…………………………………724
硫酸ポリミキシンB→ポリミキシンB硫酸塩…870
竜胆瀉肝湯……………………………………959
苓甘姜味辛夏仁湯……………………………959
苓姜朮甘湯……………………………………959
苓桂朮甘湯……………………………………959
リラグルチド…………………………………821
リラグルチド・インスリンデグルデク……831
リラナフタート………………………………664
リリカ→プレガバリン…………………………74
リルピビリン塩酸塩…………………………921
リルピビリン塩酸塩・エムトリシタビン・
　テノホビルアラフェナミドフマル酸塩…921

リルピビリン塩酸塩・ドルテグラビルナトリウム
　……………………………………………933
リルマザホン塩酸塩水和物………………………5
リレンザ→ザナミビル水和物…………………908
リンヴォック→ウパダシチニブ水和物………257
リン酸コデイン→コデインリン酸塩水和物…460
リン酸水素二ナトリウム〔無水〕・
　リン酸二水素ナトリウム一水和物……502,733
リン酸二水素ナトリウム一水和物・
　無水リン酸水素二ナトリウム……………502,733
リン酸二水素ナトリウム〔無水〕・
　炭酸水素ナトリウム…………………………511
リンゼス→リナクロチド……………………502,537
リンデロン→ベタメタゾン……………………564
リンデロン-DP→
　ベタメタゾンジプロピオン酸エステル……645
リンデロン-V→ベタメタゾン吉草酸エステル…645
リンデロン-VG→ベタメタゾン吉草酸エステル・
　ゲンタマイシン硫酸塩………………………645
リンデロンA〔眼・耳科用〕→
　フラジオマイシン硫酸塩・
　ベタメタゾンリン酸エステルナトリウム
　……………………………………………203,225
リンデロンA〔点眼・点鼻用〕→
　フラジオマイシン硫酸塩・
　ベタメタゾンリン酸エステルナトリウム
　……………………………………………203,225
リンデロン点眼液→
　ベタメタゾンリン酸エステルナトリウム…203
リンデロン点眼・点耳・点鼻液→
　ベタメタゾンリン酸エステルナトリウム…203
リンラキサー→
　クロルフェネシンカルバミン酸エステル…180

ル

ル・エストロジェル→エストラジオール……580
ルキソリチニブリン酸塩……………………1009
ルゲオン点鼻液→クロモグリク酸ナトリウム…225
ルコナック→ルリコナゾール…………………664
ルジオミール→マプロチリン塩酸塩…………138
ルセオグリフロジン水和物……………………816
ルセフィ→ルセオグリフロジン水和物………816
ルティナス→プロゲステロン…………………613
ルテウム→プロゲステロン……………………613

ルトラール→クロルマジノン酢酸エステル……585
ルナベル配合→エチニルエストラジオール・
　ノルエチステロン……………………587,602
ルネスタ→エスゾピクロン………………………5
ルパタジンフマル酸塩…………………………235
ルパフィン→ルパタジンフマル酸塩…………235
ルピアール→フェノバルビタール………12,22
ルビプロストン…………………………………502
ルフィナミド……………………………………22
ルボックス→フルボキサミンマレイン酸塩…138
ルミガン点眼液→ビマトプロスト……………191
ルミセフ→ブロダルマブ………………………672
ルムジェブ→インスリンリスプロ……………802
ルメファントリン・アルテメテル……………899
ルラシドン塩酸塩………………………………110
ルーラン→ペロスピロン塩酸塩水和物………110
ルリクールVG→ベタメタゾン吉草酸エステル・
　ゲンタマイシン硫酸塩………………………645
ルリコナゾール…………………………………664
ルリコン→ルリコナゾール……………………664
ルリッド→ロキシスロマイシン………………859

レ

レイアタッツ→アタザナビル硫酸塩…………925
レキサルティ→ブレクスピプラゾール………110
レキソタン→ブロマゼパム……………………123
レキップ→ロピニロール塩酸塩………………155
レキップCR→ロピニロール塩酸塩…………155
レクサプロ→エスシタロプラムシュウ酸塩…138
レクシヴァ→
　ホスアンプレナビルカルシウム水和物……925
レクタブル→ブデソニド………………………531
レグテクト→アカンプロサートカルシウム…783
レグナイト→ガバペンチンエナカルビル……176
レグパラ→シナカルセト塩酸塩………………778
レゴラフェニブ水和物………………………1009
レザルタス配合→オルメサルタンメドキソミル・
　アゼルニジピン………………………………288
レジパスビルアセトン付加物・ソホスブビル…550
レスキュラ点眼液→
　イソプロピルウノプロストン………………191
レスタス→フルトプラゼパム…………………123

レスタミンコーチゾンコーワ〔強力〕→
　ヒドロコルチゾン酢酸エステル・
　フラジオマイシン硫酸塩・
　ジフェンヒドラミン塩酸塩…………… 645
レスタミンコーワ→ジフェンヒドラミン……… 662
レスタミンコーワ→
　ジフェンヒドラミン塩酸塩…………… 232
レスプレン→エプラジノン塩酸塩…………… 465
レスポリックス配合→ジサイクロミン塩酸塩・
　水酸化アルミニウム配合剤…………… 483
レスミット→メダゼパム……………………… 123
レスリン→トラゾドン塩酸塩………………… 138
レダコート→トリアムシノロン……………… 564
レダコート→トリアムシノロンアセトニド… 645
レチノール・カルシフェロール配合剤……… 705
レチノールパルミチン酸エステル…………… 699
レトロゾール………………………………… 1002
レトロビル→ジドブジン……………………… 917
レナジェル→セベラマー塩酸塩……………… 770
レナデックス→デキサメタゾン……………… 564
レナリドミド水和物………………………… 1021
レニベース→エナラプリルマレイン酸塩…… 296
レパグリニド………………………………… 827
レパーサ→エボロクマブ……………………… 398
レバチオ→シルデナフィルクエン酸塩……… 374
レバミピド…………………………………213,490
レビトラ→バルデナフィル塩酸塩水和物…… 948
レブラミド→レナリドミド水和物………… 1021
レプリントン配合→
　レボドパ・カルビドパ水和物………… 155
レフルノミド………………………………… 257
レペタン→ブプレノルフィン………………… 55
レベチラセタム……………………………… 22
レベトール→リバビリン……………………… 550
レベニン→耐性乳酸菌製剤…………………… 517
レベニンＳ配合→ビフィズス菌配合剤……… 517
レベミル→インスリンデテミル……………… 802
レボカバスチン塩酸塩……………………210,225
レボセチリジン塩酸塩………………………… 235
レボチロキシンナトリウム水和物…………… 576
レボドパ……………………………………… 155
レボドパ・カルビドパ水和物………………… 155
レボドパ・カルビドパ水和物・エンタカポン… 155
レボドパ・ベンセラジド塩酸塩……………… 155
レボトミン→レボメプロマジンマレイン酸塩… 98

レボノルゲストレル……………………… 602,620
レボノルゲストレル・エチニルエストラジオール
　……………………………………… 587,602,952
レボブノロール塩酸塩………………………… 191
レボフロキサシン水和物………………… 205,861
レボメプロマジンマレイン酸塩……………… 98
レミカット→エメダスチンフマル酸塩……… 235
レミッチ→ナルフラフィン塩酸塩…………… 780
レミニール→ガランタミン臭化水素酸塩…… 415
レメロン→ミルタザピン……………………… 138
レリフェン→ナブメトン……………………… 43
レルゴリクス………………………………… 595
レルパックス→エレトリプタン臭化水素酸塩… 77
レルベア→ビランテロールトリフェニル酢酸塩・
　フルチカゾンフランカルボン酸エステル… 442
レルミナ→レルゴリクス……………………… 595
レンドルミン→ブロチゾラム………………… 5
レンバチニブメシル酸塩…………………… 1009
レンビマ→レンバチニブメシル酸塩……… 1009
レンボレキサント…………………………… 19

ロ

ロイコボリン→ホリナートカルシウム……… 995
ロカルトロール→カルシトリオール………… 709
ローガン→アモスラロール塩酸塩…………… 305
ロキサチジン酢酸エステル塩酸塩…………… 475
ロキサデュスタット…………………………… 776
ロキシスロマイシン…………………………… 859
ロキソニン→
　ロキソプロフェンナトリウム水和物…43,658
ロキソプロフェンナトリウム水和物………43,658
六味丸………………………………………… 959
ロケルマ懸濁用→ジルコニウムシクロケイ酸
　ナトリウム水和物……………………… 773
ロコア→エスフルルビプロフェン・ハッカ油… 658
ロコイド→ヒドロコルチゾン酪酸エステル… 645
ローコール→フルバスタチンナトリウム…… 384
ロコルナール→トラピジル…………………… 353
ロサルタンカリウム…………………………… 288
ロサルタンカリウム・ヒドロクロロチアジド… 288
ロサルヒド配合→ロサルタンカリウム・
　ヒドロクロロチアジド………………… 288
ロスーゼット配合→エゼチミブ・
　ロスバスタチンカルシウム…………… 384

ロスバスタチンカルシウム……………………384
ロスバスタチンカルシウム・エゼチミブ ……384
ロズリートレク→エヌトレクチニブ……………1009
ロゼレム→ラメルテオン……………………………17
ロチゴチン……………………………………155,176
ロドピン→ゾテピン………………………………108
ロトリガ粒状→オメガ-3 脂肪酸エチル ………395
ロナセン→ブロナンセリン………………………110
ロピナビル・リトナビル…………………………925
ロピニロール塩酸塩………………………………155
ロフェプラミン塩酸塩……………………………138
ロフラゼプ酸エチル………………………………123
ロプレソール→メトプロロール酒石酸塩…305,365
ロプレソール SR→
　　メトプロロール酒石酸塩………………305,365
ローブレナ→ロルラチニブ……………………1009
ロペミン→ロペラミド塩酸塩……………………519
ロペミン小児用→ロペラミド塩酸塩……………519
ロペラミド塩酸塩…………………………………519
ロミタピドメシル酸塩……………………………400
ロメフロキサシン〔塩酸〕…………………205,228
ロメフロン耳科用→塩酸ロメフロキサシン……228
ロメフロン点眼液→塩酸ロメフロキサシン……205
ロメフロンミニムス眼科耳科用→
　　塩酸ロメフロキサシン……………………205
ロメリジン塩酸塩……………………………………77
ロラゼパム…………………………………………123
ロラタジン…………………………………………235
ロラメット→ロルメタゼパム………………………5
ロルカム→ロルノキシカム…………………………43
ロルノキシカム………………………………………43
ロルメタゼパム………………………………………5
ロルラチニブ……………………………………1009
ロレアス配合→
　　クロピドグレル硫酸塩・アスピリン………756
ロレルコ→プロブコール…………………………391
ロンゲス→リシノプリル水和物…………………296
ロンサーフ配合→
　　トリフルリジン・チピラシル塩酸塩………995

ワ

YM……………………………………………………499
ワイドシリン→アモキシシリン水和物…………851
ワイパックス→ロラゼパム………………………123
ワゴスチグミン→ネオスチグミン臭化物………183
ワコビタール→フェノバルビタール………12,22
ワソラン→ベラパミル塩酸塩………………355,369
ワーファリン→ワルファリンカリウム…………746
ワルファリンカリウム……………………………746
ワンアルファ→アルファカルシドール…………709
ワンクリノン→プロゲステロン…………………613
ワンデュロ→フェンタニル…………………………55
ワントラム→トラマドール塩酸塩…………………55

第10版
薬効別 服薬指導マニュアル

定価　本体6,600円（税別）

1990年11月 5 日　第 1 版　発行
1993年 2 月 5 日　第 2 版　発行
1996年 3 月25日　第 3 版　発行
2000年10月15日　第 4 版　発行
2006年 8 月15日　第 5 版　発行
2008年 8 月31日　第 6 版　発行
2011年 7 月15日　第 7 版　発行
2015年 4 月10日　第 8 版　発行
2018年 6 月10日　第 9 版　発行
2022年 6 月20日　第10版　発行
2024年11月20日　第10版第 2 刷　発行

監修・編集　田中 良子（たなか よしこ）

編　　集　　木村 健（きむら たけし）　多田 洋枝（ただ ひろえ）　土佐 好子（とさ よしこ）

発 行 人　武田 信

発 行 所　株式会社 じほう

　　　　　101-8421　東京都千代田区神田猿楽町1-5-15（猿楽町SSビル）
　　　　　振替　00190-0-900481
　　　　　＜大阪支局＞
　　　　　541-0044　大阪市中央区伏見町2-1-1（三井住友銀行高麗橋ビル）
　　　　　お問い合わせ　https://www.jiho.co.jp/contact/

©2022　　　　　　　　　　　　　　表紙デザイン・組版・印刷　（株）アイワード
Printed in Japan

本書の複写にかかる複製，上映，譲渡，公衆送信（送信可能化を含む）の各権利は
株式会社じほうが管理の委託を受けています。

JCOPY ＜出版者著作権管理機構 委託出版物＞
本書の無断複製は著作権法上での例外を除き禁じられています。
複製される場合は，そのつど事前に，出版者著作権管理機構（電話 03-5244-5088，
FAX 03-5244-5089，e-mail：info@jcopy.or.jp）の許諾を得てください。

万一落丁，乱丁の場合は，お取替えいたします。
ISBN 978-4-8407-5441-5

調剤報酬上の
解釈と算定の
仕方をまとめた
「定番書籍」

日本薬剤師会／編

定価 2,970 円
（本体 2,700 円＋税10％）
A5判／408頁／2024年6月刊
ISBN：978-4-8407-5595-5

保険調剤 Q&A　令和6年版
調剤報酬点数のポイント

株式会社 じほう　https://www.jiho.co.jp/

令和6年6月の
調剤報酬改定に
対応した最新刊！

日本薬剤師会／監　じほう／編

定価 2,640 円
（本体 2,400 円＋税10％）
A5 判／352頁／2024 年 7 月刊
ISBN：978-4-8407-5596-2

保険薬局 Q&A　令和6年版
薬局・薬剤師業務のポイント

株式会社じほう　https://www.jiho.co.jp/

Rx Info
調剤と情報

スキルアップを目指す薬剤師の臨床総合誌

- 毎月1回、1日発行 ● 体裁：A4変型判／約120～140頁
- 監修：日本薬剤師会
- 1冊：定価1,870円（本体1,700円＋税10%・送料別）
  年間購読料（12冊）：定価22,440円（本体20,400円＋税10%・送料当社負担）

『**調剤と情報**』は医薬品の適正使用を推進するための情報を、創刊以来、日本薬剤師会の監修を受ける唯一の雑誌として提供し続けています。臨床医学や臨床薬学の知識はもちろん、薬剤師の取り組みや薬局を取り巻く情勢など、薬剤師のあり方が変わりつつある今だからこそ知りたい情報を毎月お届けします。変革期を乗り越えようとしている薬剤師、必携です。

株式会社じほう　https://www.jiho.co.jp/

「知りたい」を大切に。
「調べやすい」をいつも手元に。

添付文書＋αの情報を必要な分だけ
凝縮した"一歩先"の医薬品集

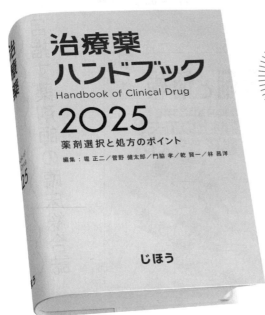

2024年
11月1日より
予約開始！

定価4,950円
(本体4,500円＋税10%)

B6変型判

1,888頁

2025年1月刊

ISBN：978-4-8407-5617-4

書籍購入で
便利に
使える！

ようこそ！
治療薬ハンドブック
アプリへ！

※対応OSは、iOSおよびAndroid™です。ただし、一部非対応のバージョンおよび端末があります。

株式会社じほう　https://www.jiho.co.jp/